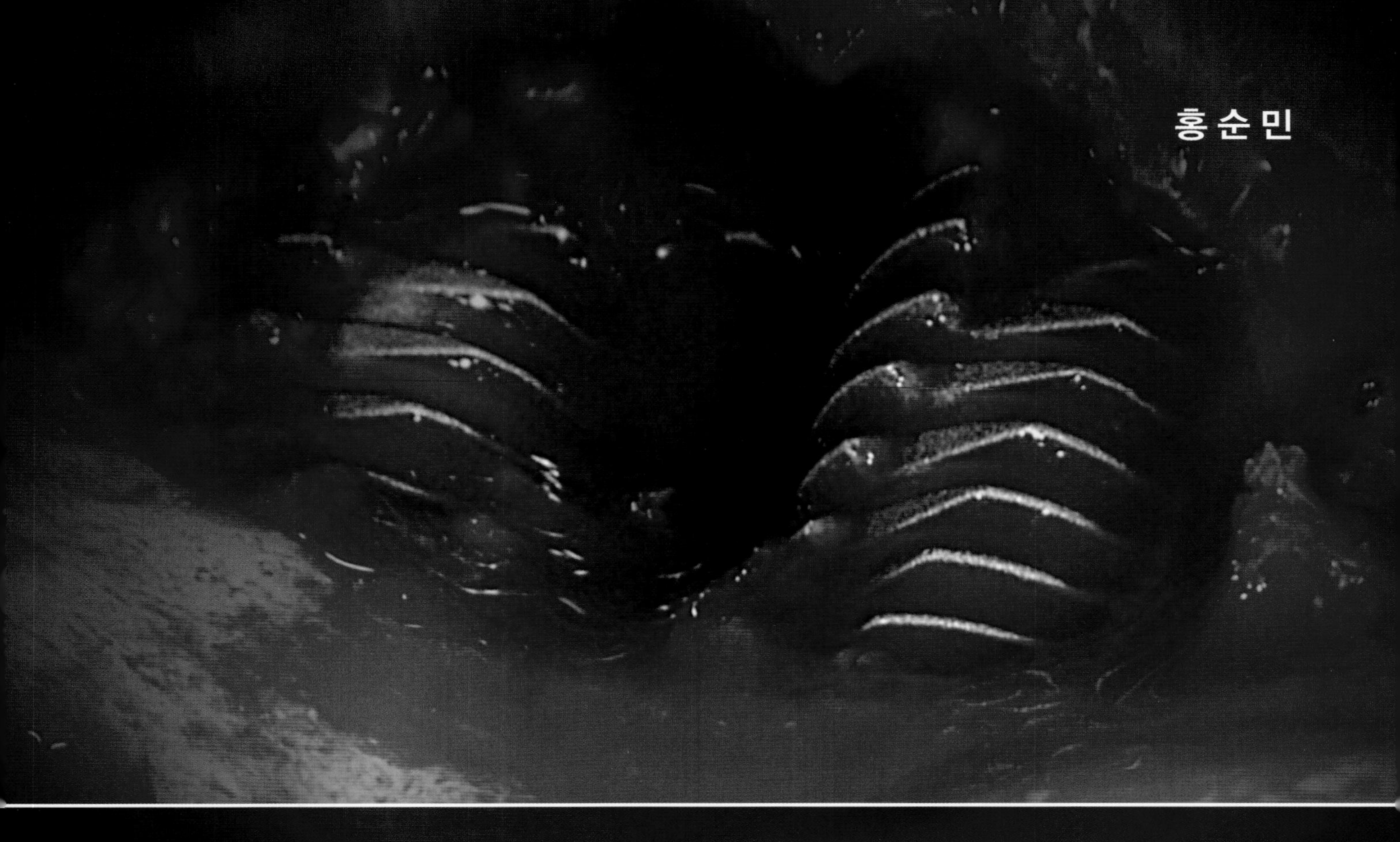

홍순민

REMAKING the BONE Vol. 2

An Evidence Based Approach

상악동 골이식술
발치 후 치조골의 처치와 임플란트 식립

KOONJA

REMAKING the BONE Vol. 2

상악동 골이식술
발치 후 치조골의 처치와 임플란트 식립

첫째판 1쇄 인쇄 | 2022년 04월 25일
첫째판 1쇄 발행 | 2022년 05월 25일

지 은 이 홍순민
발 행 인 장주연
출 판 기 획 한수인
책 임 편 집 구경민
표지디자인 신지원
편집디자인 유현숙
일 러 스 트 김경열, 유학영
발 행 처 군자출판사
등록 제4-139호(1991.6.24)
(10881) 파주출판단지 경기도 파주시 회동길 338(서패동 474-1)
전화 (031)943-1888 팩스 (031)955-9545
www.koonja.co.kr

ISBN 979-11-5955-872-6
세트 ISBN 979-11-5955-751-4
정가 200,000원

REMAKING the BONE Vol. 2

상악동 골이식술

발치 후 치조골의 처치와 임플란트 식립

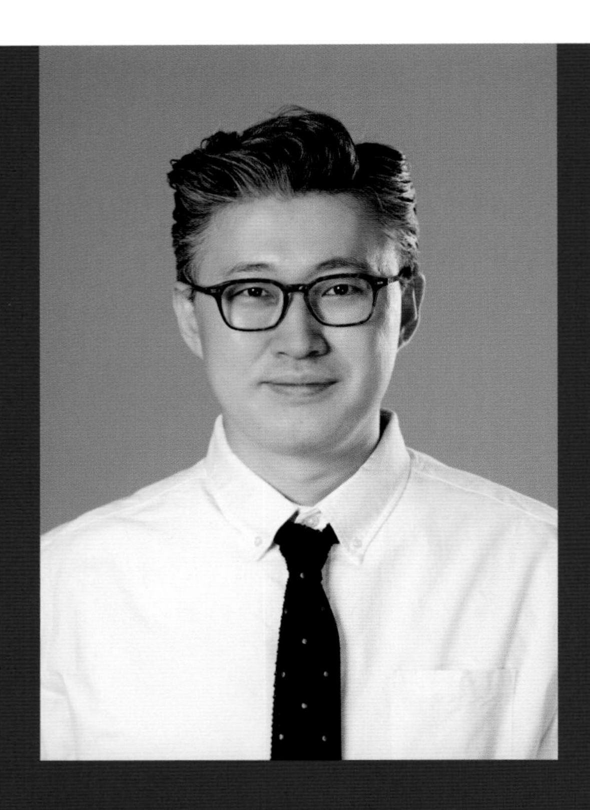

홍순민

DDS, MSD, PhD

구강악안면외과 전문의, 치의학 박사

- 서울대학교 치과대학 졸업
- 서울대학교 대학원 치의학과 석사
(구강악안면외과학 전공, 치의학 석사)
- 서울대학교 대학원 치의학과 박사
(구강악안면외과학 전공, 치의학 박사)
- 서울대학교 치과병원 구강악안면외과 수련
(인턴 및 레지던트)
- 목동예치과병원 구강악안면외과 과장
- 한림의료원 강동성심병원 치과 구강악안면외과 전임강사, 조교수
- 한림대학교 임상치의학대학원 구강악안면임플란트학과 교수
- 뉴페이스치과병원 구강악안면외과 원장
- 신데렐라 성형외과 치과 구강악안면외과 원장
- 서울루트플란트치과 원장

Author

저서

– 임플란트 골증강술(2010년, 군자출판사)

– 한권으로 끝내는 임플란트(2014년, 군자출판사, 대한민국학술원 우수학술도서)

역서

– 임플란트를 위한 골생물학, 채취, 그리고 이식(공역, 2005년, 한국퀸테센스출판)

– 상악동 골이식술 제2판(공역, 2006년, 한국퀸테센스출판)

– 매복 제3대구치 발치의 임상적 성공(공역, 2006년, 한국퀸테센스출판)

– 임플란트의 임상이 바뀌는 Tissue Management (공역, 2008년, 군자출판사)

Preface

> 내가 좀 더 멀리 볼 수 있다면, 그것은 바로
> 거인들의 어깨 위에 올라섰기 때문입니다.
>
> – 아이작 뉴턴 –

우선 저의 졸저인 "Remaking the bone–임플란트를 위한 골재생 술식의 이론과 실제" 1권에 보내주신 많은 분들의 칭찬과 격려에 깊은 감사를 드립니다. 본서인 Remaking the bone 2권은 원래 1권과 한 편의 책으로 내려던 내용으로, 책의 전체 내용이 생각보다 방대해짐에 따라 근거 중심 치의학, 골증강술의 기본 개념, 치조골의 수직적, 수평적 증강술은 1권에, 상악동 골이식과 발치 후 치조골 처치 및 임플란트 식립은 2권에 나누어 발행하게 되었습니다.

- 저의 Remaking the bone 1권과 2권은 2020년대를 시작하는 지금, 대한민국 치과계의 골증강술에 대한 일종의 스냅샷이 되었으면 좋겠습니다. 훗날 후학들이 2020년대 선배들이 임플란트 골증강술에 대해 어떻게 이해하고 어떻게 시행했는지 알아보기 위해 본서를 참고한다면 큰 영광이 될 것 같습니다.

- 1권에 이어 2권에서도 군자출판사 대표 장주연 사장님, 기획자 한수인 팀장님, 일러스트레이터 김경열 차장님과 유학영 과장님, 디자이너 신지원 과장님, 책임 편집자 구경민 사원님이 수고해 주셨습니다.

- 이 책을 쓰는데 있어 많은 분들의 도움이 있었지만 누구보다도 저의 처인 유승은 선생에게 감사의 마음을 전합니다. 어려울 때나 좋을 때나, 기쁠 때나 슬플 때나, 언제나 동반자이자 벗이자 조언자로서 함께해준 점 항상 마음 깊이 감사하고 있습니다. 마지막으로 제 삶의 의미이자 행복의 원천인 딸 홍윤아에게도 고마움을 남깁니다.

(1) 근거 중심 치의학

"Evidence Based Dentistry", 즉 근거 중심 치의학은 간단히 말해서 최선의, 그리고 최신의 치의학적 지식을 체계적으로 받아들여 이를 임상에 적용하자는 개념입니다. 근거 중심 치의학은 현실과 동떨어진 뜬구름 잡는 이론이 아닙니다. 우리가 직접 행하는 매일매일의 진료를 최고의 근거 하에서 시행하자는 것입니다. 이를 위해서는 우리의 치의학적 지식 체계 전반에 대해 먼저 체크해 보아야 합니다. 우리는 우리가 행하는 진료의 근거를 어디서 얻었는가? 학부 시절의 교과서, 교수님들이나 연자의 강의, 선배나 동기 등의 주변 치과의사의 조언, 나 스스로의 경험 등이 다가 아닌가? 그리고 이렇게 다양한 원천에서 얻은 지식들은 불분명하게 얽혀 있지 않을까?

근거 중심 치의학에 대해 이해함으로써 얻을 수 있는 가장 큰 이점은 치의학적 지식을 가장 합리적인 방법으로 체계화시킬 수 있다는 점입니다. 저자는 수련을 마친 후 본격적으로 임플란트 치의학에 관심을 갖고 임플란트 치의학 관련 저널을 최대한 체계적으로 많이 읽고 정리할 계획을 세웠습니다. 그리고 2005년에 비엔나에서 개최된 구강악안면외과 관련 학회에 참석했다가 우연히 Greenhalgh T가 쓴 『How to read a paper』라는 책을 구매하게 되었습니다. 책을 구매할 때에는 인식하지 못했지만 이 책의 부제는 "The basics of evidence-based medicine"이었습니다. 즉 근거 중심 의학에 관한 책이었던 것입니다. 저자는 근거 중심 의학에 관한 지식이 전무했고 국내에도 이에 관련된 저술이 거의 없었기 때문에 이를 읽고 이해하기가 매우 어려웠지만, 우연히 읽게 된 이 책을 통해 근거 중심 의학, 또는 근거 중심 치의학은 치의학적 지식을 체계화하는 데 있어 최선의 방법이라는 결론을 내릴 수 있었고, 또 이 개념을 이용해 임플란트 치의학 관련 저널의 내용을 체계화된 지식으로 정리할 수 있었습니다.

근거 중심 치의학에서는 근거들의 객관화된 "신뢰의 정도", 즉 근거 수준을 정합니다. 따라서 한 주제에 관련된 근거들이 여러 개 있을 때에는 이들 근거들을 그 수준에 따라 나열하거나 통합할 수 있습니다. 따라서 "현재 시점"에서 특정 주제에 관한 근거를 최대한 체계화시키게 됩니다.

그러나 저자가 근거 중심 치의학적 시각에서 정리한 내용을 독자가 이해하려면 독자 또한 근거 중심 치의학과 관련된 최소한의 지식은 지녀야만 하겠습니다. 현재 치과대학 교육 과정의 가장 아쉬운 점은 치의학의 각 분야에 대해 너무 세부적인 개별 지식만 전달하려는 데 있다고 생각됩니다. 나무 하나하나도 중요하지만 숲 전체에 대해 이해하는 것 또한 중요합니다. 하지만 숲에 관한 지식은 거의 고려하지 않는 것이 현실입니다. 사실 근거 중심 치의학은 학부 과정에서 가르치는 것이 가장 좋습니다. 개별 지식을 쌓기 전에 이들 지식을 어떻게 쌓아야 하는지에 대한 방법론을 정립하는 것이 필요하기 때문입니다. 게다가 치과대학을 졸업한 이후 임상 진료에 매진하는 중에 근거 중심 치의학에 대해 공부하고 이해한다는 것은 너무나 많은 시간과 정신적 노동을 필요로 합니다.

그럼에도 불구하고 저자는 이 책에서 근거 중심 치의학에 대한 개론을, 특히 연구 방법론에 중심을 두고 기술했습니다. 독자들이 근거 중심 치의학에 대해 무지한 상태에서 근거 중심 치의학적 체계로 지식을 정리하는 것은 적절치 못하다고 생각했기 때문입니다. 오히려 근거 중심 치의학에 대해 가급적 이해하기 쉽게 상세하게 설명하기 위해 최대한의 노력을 기울였습니다. 저자가 여러 문헌을 살펴보았으나 근거 중심 치의학에 관련된, 특히 한글로 쓰여진 저서는 거의 전무한 상태였기 때문입니다. 저자는 이 책의 주제인 "임플란트 골증강술"과 관련된 문헌들을 예로써 이용하고 명료한 그림을 제시하여 재미없는 주제인 근거 중심 치의학을 정말 "최대한" 이해하기 쉽고 명료하게 제시하고자 노력을 기울였습니다. 이 책은, Part I인 "근거 중심 치의학"만 읽더라도 충분히 가치가 있다고 자부합니다.

(2) 최신의, 최선의 근거를 최대한 정리하여 제시

다른 학문 및 기술 분야와 같이 "임플란트 골증강술" 분야 또한 빠르게 발전하고 있습니다. 물론 골증강술의 성공을 위해 필요한 기본적인 생물학적 원리나 수술 기법은 거의 변화 없이 유지되고 있지만, 새로운 수술 기법이나 재료가 끊임없이 발표되고 있습니다. 게다가 기존의 수술 방법 또한 꾸준히 재평가되고 있습니다. 예컨대 아주 짧은 임플란트, 특히 6 mm 임플란트의 임상적 성공률은 꾸준히 개선되어 현재는 8 mm 이상의 표준 길이 임플란트와 비교해서도 큰 차이를 보이지 않게 되었습니다. 또한 상악 구치부에서 잔존골 높이가 4–5 mm일 때 골이식재를 적용하지 않는 치조정 접근 상악동저 거상술로 골 높이를 2–3 mm 정도 예지성 있게 증가시킬 수 있게 되었습니다. 따라서 잔존골 높이가 4–5 mm이면 외측 접근 상악동 골이식 및 표준 길이 임플란트 식립보다는, 비슷한 성공률을 보이면서도 술자와 환자 모두에게 부담이 훨씬 적은 치조정 접근 상악동저 거상술 후 6 mm 임플란트 식립이 충분히 더 고려해볼 수 있는 치료 옵션으로 자리잡게 되었습니다. 이는 특히 2010년대 중반 이후에 발표된, 근거 수준이 높은 여러 임상 연구의 결과를 취합하여 얻을 수 있는 결론입니다.

저자는 최대한의 연구 문헌 내용을 이 책에 포함시키기 위해 2000년대 후반부터 2019년까지 주요한 임플란트 관련 저널에서 골증강술 관련 문헌들의 초록을 모두 읽고 이것들을 그 주제에 따라 분류했습니다. 저자의 기존 저서인 『임플란트 골증강술』과 앞서 분류한 문헌들의 주제 목록에 따라 임플란트 골증강술과 관련된 모든 주제를 포괄할 수 있도록 책의 목차를 일차적으로 정했습니다. 그리고 저자가 읽은 문헌의 초록 중 본문을

읽을 필요가 있다고 판단되는 것들은 인터넷이나 서울대 치의학 도서관에서 검색했습니다. 이들 문헌들을 출력하여 읽고 필요한 경우 이들 문헌의 주요한 참고 문헌 또한 찾아서 읽었습니다.

이후 목차에 따라 각 주제별로 기존『임플란트 골증강술』의 내용과 새로운 저널들의 내용을 근거 중심 치의학적 원칙에 입각하여 통합했습니다. 이 책의 Part I에서 근거 중심 치의학에 대해 충분히 이해했다면 Part II와 Part III에서 저자가 골증강술에 대해 정리하여 기술한 방법을 충분히 이해할 수 있으리라 생각됩니다. 이 책은 임상가를 위한 책입니다. 따라서 단순히 임상 연구의 결과뿐만 아니라 개별 수술의 임상적인 과정과 생물학적 원리 또한 이해하기 쉽게 자세히 제시했습니다.

(3) 최대한의 이해를 위해 많은 도해를 첨가

인간은 시각의 동물입니다. 구대륙 원숭이 전체, 그리고 일부 신대륙 원숭이들이 개별적으로 세 가지 가시 광선 파장에 반응하는 시각 세포를 각각 진화시킨 것은 우연이 아닐 것입니다. 즉 사물의 색깔을 세분화시켜야 할 정도로 영장목에서 시각은 중요한 역할을 하는 것입니다. 그리고 이에 속하는 우리 인간들 또한 세상을 시각적으로 이해하는 데 특화된 동물입니다. 칸트가, 우리 인간이 현상을 이해하는 체로써 시간과 공간을 제시했을 때 공간은 바로 시각적인 정보에 의한 것이라고 말했습니다. 따라서 저자는 최대한 많은 양의 일러스트레이션을 첨가하여 본문의 내용을 가장 수월하게 이해할 수 있도록 도모했습니다.

또한 당연히 본문 내용과 연관된 임상 증례도 제시했습니다. 아무리 본문 내용과 그림이 자세하게 제시되었다고 하더라도 임상 증례가 없다면 독자의 이해에 한계가 있을 수밖에 없습니다. 단순히 글과 도해만으로는 완전히 이해하기 어려운 "임상 증례를 통해서만 이해할 수 있는 무언가"가 있기 때문입니다. 다만 한가지 아쉬운 점은『임플란트 골증강술』에 사용되었던 증례를 이 책에서도 대거 사용했다는 점입니다. 개인적으로『임플란트 골증강술』과『한권으로 끝내는 임플란트』를 저술한 이후로 임상 사진 촬영에 대한 의지가 많이 줄었습니다. 그러나 독자의 이해와 저자의 설명에 필요한 증례는 필요한 만큼 제시했기 때문에 이 책의 큰 흠결이 되지는 않으리라 생각됩니다.

기존에 썼던『임플란트 골증강술』이란 책을 기본 골격으로 새 살을 덧붙이자는 생각으로 이 책을 쓰기로 했기 때문에 1년 미만의 기간이면 책을 완성할 수 있으리라 생각했지만 예상보다 훨씬 오랜 시간, 어림잡아 3년 이상이 소요되었습니다. 그리고 그 기간 동안 부모님이 모두 돌아가시는 아픔도 겪게 되었습니다. 책을 저술하는 동안 어려움을 겪고 있을 때 두 분 모두 갑작스럽게 돌아가셔서인지 이 책과 부모님이 조건 형성된 것 같습니다.

따라서 이 책을 두 분께 바칩니다. 어려웠던 순간마다 두 분은 저자의 마음 속에서 저자를 응원하고 따뜻하게 다독여 주셨습니다. 그리고 저자에게 가장 따뜻한 안식처인 가정을 만들어준 아내 유승은 선생과 딸 홍윤아에게도 깊은 감사의 뜻을 전합니다. 언제나 저자를 진심으로 지지해주고 응원해주는 딸과 아내가 있었기에 개인으로서 감당하기 힘들었던 이 책을 완성할 수 있었다고 생각됩니다.

그리고 저자의 빈약한 자료를 엮어 이렇게 훌륭한 책으로 만들어 준 군자출판사 직원 여러분들께도 너무나 감사드립니다. 사실 인간의 모든 창조물이 그렇듯이 "책"이라는 결과물 또한 형식과 내용이 모두 중요하다 하겠습니다. 특히나 시각적인 자극의 홍수 속에 살고 있는 우리에게, 책의 형식은 내용보다 오히려 더 중요할 수도 있다고 생각됩니다. 그런 의미에서 저자의 빈약한 저작물을 이렇게 근사한 표지, 구성, 디자인, 일러스트로 구성해 주신 디자이너 신지원 과장님, 일러스트레이터 김경열 차장님, 유학영 과장님께 감사드립니다. 불친절한데다가 게으르기까지한 저자와 실무적으로 가장 많이 컨택하느라 고생하셨지만, 이렇게 멋진 책을 만들어주신 책임편집자 구경민 사원님께도 감사드립니다. 책의 시작부터 함께하여 부족한 저자의 능력을 최대치로 이끌어주신 한수인 팀장님께도 감사드립니다. 마지막으로 이렇게 학문적인 성격이 짙은 책을 출판할 수 있는 환경을 만들어 주신 군자출판사 장주연 대표님께도 깊이 감사드립니다. 소위 돈이 되는 책은 임상적 경험과 술기를 쉽게 풀어 쓴 것들이며, 실제로 출판 시장에는 이러한 종류의 책이 넘쳐나고 있습니다. 그러나 크지 않은 대한민국 시장에서 이렇게 임상적-학문적인 책을 출간할 수 있는 곳은 군자출판사밖에 없다고 생각됩니다. 저자는 임플란트 임상 강국이라 할 수 있는 대한민국에 본서『Remaking the Bone』 정도의 임상적, 학문적 깊이를 지닌 책 한 권 정도는 있어야 하지 않을까라는 의무감에 본서를 저술하게 되었고, 군자출판사 덕분에 이러한 목표를 몇 배 초과하여 달성할 수 있었다고 생각합니다.

머리말의 처음에 인용한 뉴턴의 '거인의 어깨' 문구는 이미 널리 알려져 식상한 느낌을 줄 수도 있습니다. 그럼에도 불구하고 이 문구를 인용한 이유는 이것이 학문, 특히 근거 중심적 임상 치의학의 발달 원리를 잘 요약하고 있기 때문입니다. 임상 연구 결과들을 바탕으로 우리의 진료를 끊임없이 발전시켜 나가고, 또한 우리의 진료 결과를 다시 동료나 후배들에게 체계화된 형태로 전달한다면 치의학은 우리 개개인의 시야를 넘어 아주 높은 위치로 다다르게 될 것입니다. 이러한 과정에서 이 책을 저술한 저자가 독자들에게 '거인'까지는 아니더라도 아주 작은 발판만이라도 될 수 있다면 좋겠습니다.

2022년

저자 **홍 순 민**

4 부. 상악동 골이식

5 부. 발치 후 치조골의 변화와 임플란트 식립 시기

PART 4

상악동 골이식

Remaking the Bone

상악동 골이식의 개요

상악 구치부는 전통적으로 임플란트 치료가 가장 어려운 부위로 여겨졌다. 상악 구치부에서의 임플란트 성공을 어렵게 하는 요소로는 다음과 같은 것들이 있다.

- 낮은 골밀도[1]
- 상악동 함기화로 인한 짧은 가용골 높이[2,3]
- 수술을 위한 접근 및 시야 확보가 어려움[4]
- 다른 부위보다 큰 교합압[5]

즉, 상악 구치부는 전통적으로 임플란트 성공에 있어 가장 중요하다고 여겨졌던 두 가지 요소인 골량과 골밀도가 모두 불량한 반면, 견뎌야 하는 부하는 가장 강한 부위인 것이다.

그러나 임상가들의 노력에 의해 이러한 제한 요소들이 극복되고 있으며, 현재에는 여타 부위와 특별한 차이를 보이지 않을 정도로 임플란트 성공률이 개선된 실정이다(표 1-1).

표 1-1 상악 구치부에서의 임플란트 성공에 기여한 요소들

골밀도 개선을 위한 노력	상악동 함기화를 극복하기 위한 노력[6]
• 오스테오톰을 이용한 골압축[7,8] • 과소 골삭제(Undersized drilling)[9] • 거친 표면 임플란트 사용[10] • 테이퍼 임플란트 사용[11]	• 외측 접근법을 이용한 상악동 골이식[12] • 치조정 접근법을 통한 상악동 골이식[7,8,13,14] • 짧은 임플란트의 사용[15] • 관골 임플란트 사용,[16] 임플란트 경사 식립,[17] 상악 결절에 임플란트 식립[18] 등 상악동 회피

1.
상악동 함기화와 치조골 높이의 감소

상악 구치부 치아가 상실되면 상악동저는 하방으로 이동하게 되는데, 이를 상악동 함기화라고 한다. 상악동이 함기화되면 잔존골 높이가 감소하게 된다. 따라서 표준 길이의 임플란트 식립이 어려운 경우가 많으며, 우리는 이를 극복할 수 있는 방법으로써 상악동 골이식에 익숙해져야 한다.

1) 상악 구치부는 절반 이상의 증례에서 상악동 골이식이 필요하다

상악 구치부는 치조골 높이가 낮아서 상악동 골이식을 시행해야 하는 경우가 많다. 한 후향적 연구에 의하면, 상악 구치부에서 임플란트 식립 시 54.2% (272/502)의 증례에서 상악동 골이식이 필요했고, 더 후방부 치아일부록 상악동 골이식의 필요성이 유의하게 증가했다.[19] 한 단면 연구에서는 583명의 파노라마 방사선사진을 이용해 무치악 상악 구치부의 잔존 치조골 높이를 평가했다(**1-1, 1-2**).[20] 그 결과, 제1대구치와 제2대구치 결손부는 평균 잔존골 높이가 5 mm 미만이었고, 잔존골 높이는 후방으로 갈수록 줄어드는 경향을 보였다. 이에 근거하여 저자들은 평균적인 대구치 치아 결손부에서는 주로 측방 접근 상악동 골이식술이, 소구치 부위에서는 치조정 접근 상악동 골이식술이 필요하다고 결론 내렸다.

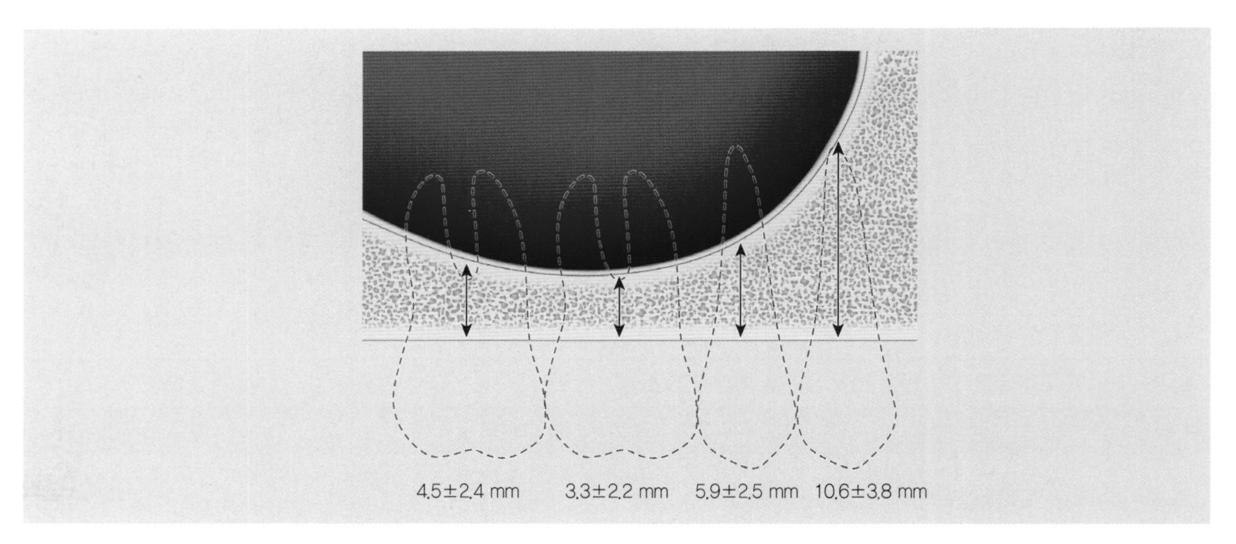

1-1 파노라마 방사선사진으로 측정한 상악 구치부 잔존 치조골의 평균 높이
대구치 부위의 잔존 치조골 평균 높이는 5 mm 미만이었고, 제2소구치 부위 잔존 치조골 평균 높이 또한 6 mm 미만이었다. 따라서 상악 제2소구치–제2대구치 부위의 잔존 치조골에 임플란트를 식립할 때에는 상악동 골이식이 높은 빈도로 필요함을 알 수 있다.

1-2 무치악 상악 구치부의 잔존 치조골 높이(RBH=Residual Bone Height)

	1소구치	2소구치	1대구치	2대구치
RBH <5 mm	8.3%	31.6%	73.1%	54.2%
5≤ RBH ≤9 mm	22.3%	60.9%	25.4%	41.7%
RBH >9 mm	69.4%	7.5%	1.5%	4.1%
평균 잔존골 높이	10.6±3.8 mm	5.9±2.5 mm	3.3±2.2 mm	4.5±2.4 mm

다른 비슷한 연구에서는 상악 구치부에 임플란트 치료가 예정된 환자의 CT로 치조골의 크기를 분석했다.[21] 치조골 높이는 소구치에서 대구치로 갈수록 더 낮아졌고, 특히 이 높이가 5 mm 미만인 경우는 제1대구치에서 54.1%, 제2대구치에서 44.6%였다. 또 다른 연구에서는 상악동 골이식이 필요한 증례만 한정해서 방사선학적으로 잔존골 높이를 평가했을 때, 잔존골의 평균 높이는 제1소구치 부위가 6.5 mm, 제2소구치는 부위 3.8 mm, 제1대구치 부위는 3.5 mm, 제2대구치 부위는 2.6 mm이었다고 했다.[22]

그러나 치조골의 수평적인 협설폭은 반대로 대구치 부위가 소구치 부위보다 현저히 크다.[22] 치조골 폭이 6 mm 미만인 경우는 소구치에서 27%이지만, 대구치에서는 7.8%에 지나지 않았다. 이는 상악 구치부, 특히 대구치 부위의 치조골은 상악동 함기화에 의해 치조골 높이는 감소된 경우가 많지만 그 폭은 표준 임플란트를 식립하기에 부족한 경우가 별로 없다는 것을 의미한다(**1-2, 1-3**).

1-3 무치악 상악 구치부의 잔존 치조골 높이

	1소구치	2소구치	1대구치	2대구치
치조골 폭 <4 mm	8.9%	4.5%	0	1.8%
4 mm≤ 폭 <6 mm	26.7%	16.7%	5.9%	8.9%
6 mm≤ 폭 <10 mm	62.2%	69.7%	58.9%	48.2%
10 mm≤ 폭	2.2%	9.1%	35%	41.1%

결론적으로 상악 구치부 치아가 결손되면 상악동은 함기화되면서 상악동저가 치조정측으로 이동하고, 이로 인해 잔존골 높이는 감소한다. 위의 연구들의 결과를 정리하면 다음과 같다.

- 함기화의 정도는 후방으로 갈수록 심해지는 경향을 보이며 제1대구치에서 가장 심하다.
- 제1대구치와 제2대구치 부위는 절반 이상의 증례에서 잔존골 높이가 5 mm 미만이며, 이는 상악 대구치 결손부의 절반 이상의 증례에서는 외측 접근 상악동 골이식이 필요할 수 있음을 의미하는 것이다. 상악 대구치부에서 아무런 처치 없이 10 mm 이상 길이의 임플란트를 식립할 수 있는 증례는 거의 없다.
- 제1소구치 부위는 상악동 골이식이 필요한 증례가 별로 없고, 잔존골 높이가 감소한 경우에도 치조정 접근 상악동 골이식이나 짧은 임플란트 식립으로 극복 가능한 경우가 대부분이다.

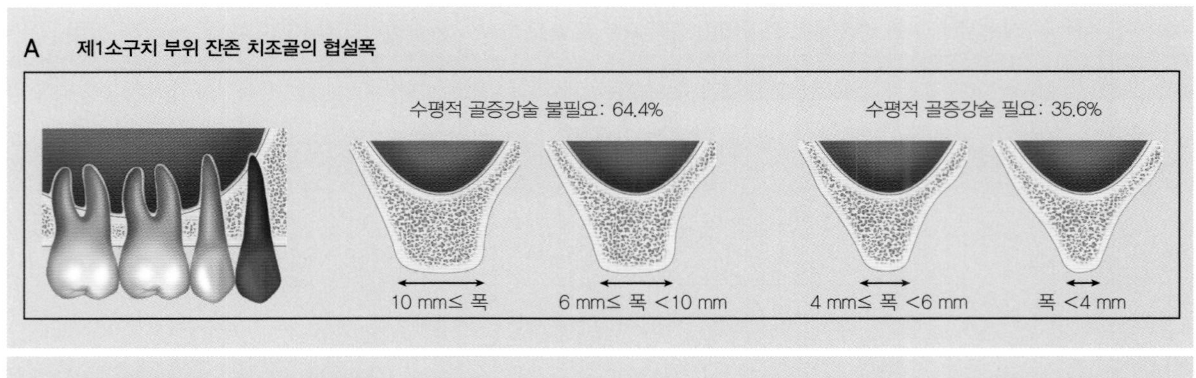

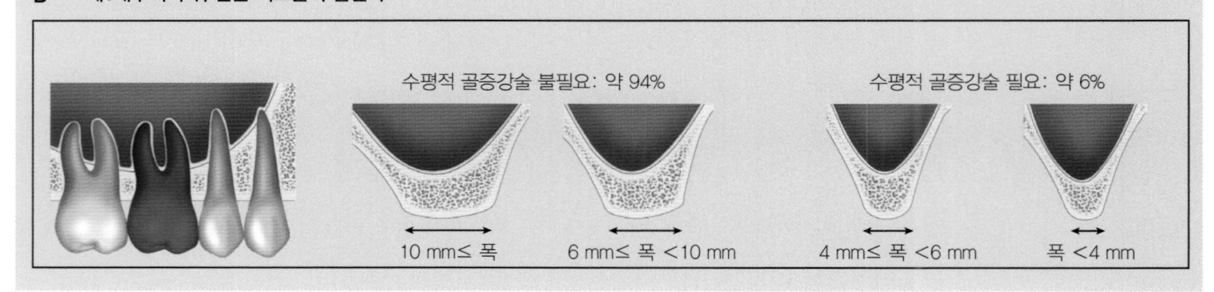

1-2 상악 구치부 제1소구치와 제1대구치 잔존 치조골의 협설폭
A. 제1소구치 부위에서는 4 mm 직경의 임플란트를 식립한다고 했을 때 수평적 골증강술이 필요한 증례가 35.6%로, 대략 전체 증례의 1/3 정도를 차지했다. **B.** 제1대구치 부위에서는 4 mm 직경의 임플란트를 식립할 때 수평적 골증강이 필요한 증례가 약 6% 정도밖에 되지 않았다.

- 제2소구치 부위는 약간의 잔존골 높이 감소를 보이는 경우가 대다수이다. 외측 접근법을 요하는 경우가 20–30%, 치조정 접근법이나 짧은 임플란트 식립을 요하는 경우가 대략 40–60% 정도이다.
- 상악 구치부에서 치조골 폭이 제한된 경우는 많지 않다. 4 mm 폭의 임플란트를 식립한다고 했을 때 대구치부에서는 10% 이하의 증례에서만 수평적 골증강이 필요한 반면, 소구치부에서는 20–30% 정도의 증례에서 수평적 골증강이 필요하다.

2) 상악동 골이식은 상악동 함기화를 극복할 수 있는 매우 성공적인 술식이다

상악동 골이식술은 상악동 함기화에 의해 치조골 높이가 감소했을 때 적용 가능한 골증강술로, 40년 이상의 역사를 지닌 매우 성공적인 술식이다. 상악 구치부에서 잔존골 높이가 충분하여 표준 임플란트를 식립한 경우와, 잔존골 높이가 부족하여 상악동 골이식 후 임플란트를 식립한 경우에 있어 임플란트의 생존율, 치조정 골 소실량, 장기적인 임플란트 주위 조직의 건강도에는 거의 차이를 보이지 않는다(**1-3**).[23] 2007년에 발표된 미국 임플란트 협회(Academy of Osseointegration)의 합의 보고에 의하면, 상악동 골이식술은 임플란트 식립을 위한 골증강술 중 가장 광범위하고 수준 높은 근거에 의해 뒷받침되는 술식이며, 상악동 골이식 부위에 식립된 임플란트는 장기간(5년 이상) 성공적으로 기능한다.[24]

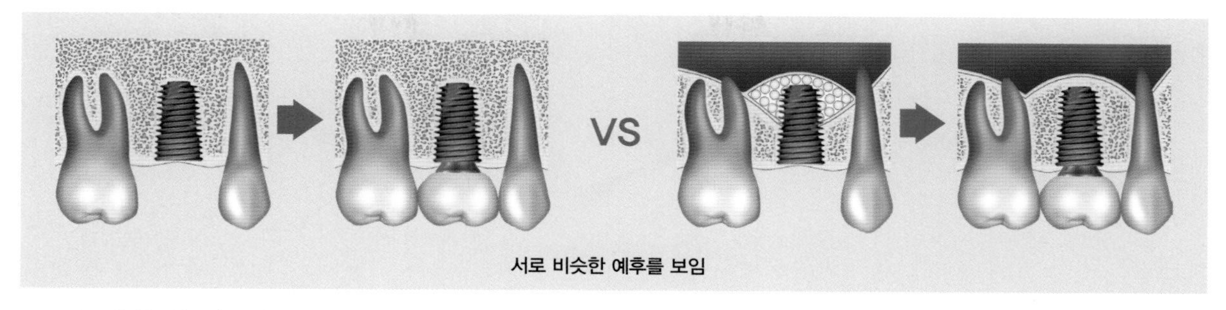

1-3 치과용 임플란트 치료 과정에 있어 상악동 골이식술은 대표적인 골증강술의 방법이며 상악동 구치부 수복에서 하나의 표준 과정으로 자리잡았다. 많은 임상 연구와 메타분석에서 상악 구치부 임플란트의 성공과 생존에 있어 상악동 골이식술 시행 여부는 유의한 영향을 미치지 못한다는 사실을 보여주었다.

이번 장에서는 상악동 함기화를 극복하기 위한 노력들에 대해 중점적으로 살펴볼 것이다. 구체적으로, 짧은 임플란트 사용, 치조정 접근을 통한 상악동 골이식, 그리고 외측 접근을 통한 상악동 골이식에 대해 살펴보기로 한다.

2. 상악동 골이식의 역사

1) 외측 접근법(Lateral approach)

현대적인 의미의 상악동 골이식술, 특히 외측 접근법(lateral approach)에 의한 상악동 골이식술은 1975년 미국의 구강악안면외과의사인 Tatum에 의해 처음 제시되었다.[25] 이어 1980년에는 Boyne과 James가 외측 접근법에 의한 상악동 골이식술을 처음으로 문헌에 보고했다.[12] 이들은 변형된 Caldwell–Luc 접근법을 통해 골창을 형성하고, 이 부위를 통해 상악동 점막을 거상하였으며, 여기에 자가 장골(iliac bone)을 이용한 골이식을 시행하였다. 골이식 3개월 후 blade형 임플란트를 식립하여 성공적인 결과를 얻을 수 있었다고 하였다. 이후로 1989년 Kent와 Block,[26] 1998년 Wood와 Moore[27]를 거치며 외측 접근 상악동 골이식술의 기법은 완전히 확립되었다고 할 수 있다. 이후 몇몇 임상가들이 새로운 수술 기법들을 소개하기는 했지만, 외측 접근법을 통한 상악동 골이식술의 기본적인 술식은 커다란 변화 없이 현재까지 이어지고 있다(1–4).

상악동 골이식술의 역사에 있어 가장 현저한 변화를 보인 것은 바로 사용되는 이식재의 종류이다. 즉 1980년대와 1990년대에는 골이식재의 황금 기준으로 여겨지는 자가골 이식재가 주로 사용되었으나, 2000년대 이후로는 자가골 이식재보다는 합성골, 이종골, 동종골 등의 골 대체재가 오히려 훨씬 더 많이 사용되고 있다.[28]

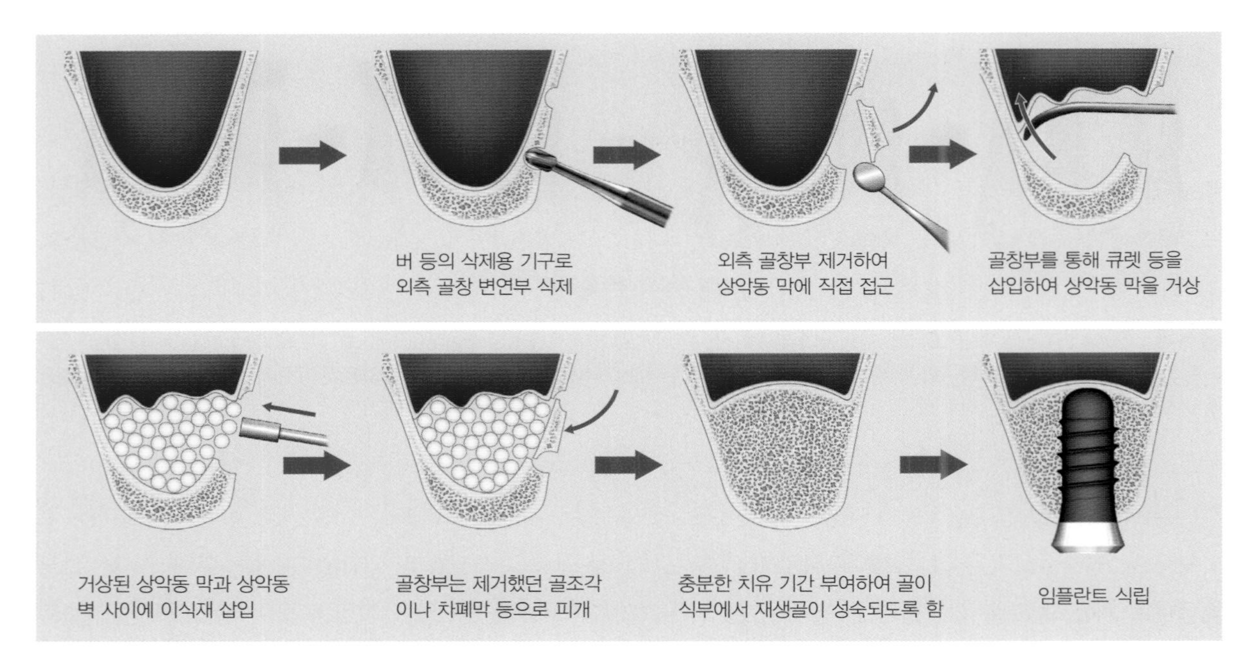

1-4 표준화된 외측 접근 상악동 골이식 술식
원래는 이식골의 성숙 후 임플란트를 식립하는 2단계법이 일반적이었으나, 최근에는 골이식과 임플란트 식립을 동시에 시행하는 1단계법 또한 많은 빈도로 시행되고 있다.

이는 매우 중요한 변화라고 할 수 있다. 왜냐하면 상악동 골이식을 위해 필요한 골량을 자가골로만 채워 주기 위해서는 거의 항상 구강 외 공여부인 장골(iliac bone)에서 전신 마취 하에 골을 채취할 필요가 있었지만,[29] 골 대체재를 이용하게 되면서 전신 마취의 필요성이 없어지고 수술이 훨씬 간소해졌기 때문이다. 이로 인해 상악동 골이식은 전신 마취 하에서만 시행 가능한 큰 수술에서 국소 마취로 외래에서도 시행할 수 있는 간단한 수술로 바뀌게 되었다.

외측 접근 상악동 골이식술은 잔존골 높이에 제한받지 않고 적용 가능한, 수직적으로 위축된 상악 구치부 임플란트 치료에 있어 황금 기준으로 생각되고 있다.[30] 그러나 이 술식은 침습성, 난이도, 합병증 발생률, 환자의 불편감이 비교적 크다. 따라서 좀 더 보존적이고 난이도가 낮은 술식인 치조정 접근 상악동 골이식술이나 골이식 없는 짧은 임플란트 식립술에 대한 관심이 높아지고 있다. 또한 이러한 보존적인 술식은 임플란트 디자인/표면 특성이 개선되어감에 따라 최근 인상적인 임상적 성공을 보이고 있다.

2) 치조정 접근법(Crestal approach, 혹은 Transalveolar approach)

상악동 골이식의 또 다른 방법은 치조정 접근법이다. 대표적인 치조정 접근법인 오스테오톰법은 치조정을 통해 골을 삭제하여 상악동저에 접근하고, 오스테오톰(osteotome)을 두드려 상악동저를 골절시킨 후, 그 압축력으로 상악동 막을 거상하는 방법이다. 대개는 상악동 골이식과 동시에 임플란트를 식립한다. 치조정 접근법은 수술 부위인 상악동을 직접 관찰할 수 없으며, 골이식 양과 범위가 제한적이라는 근본적인 문제가 있지만 수술 자체가 매우 비침습적이며 술자 및 환자에게 부담이 적은 보존적인 방법이라는 장점이 있다. 이 방법 역시 Tatum에 의해 처음 제시되었다.[31] 하지만 치조정 접근법이 치과계에 광범위하게 소개되고 일반화된 것은 거의 전적으로 Summers의 공로이다. 그는 오스테오톰을 이용한 상악동저 거상 및 골이식술을 1993년 미국 임플란트 학회에서 처음 발표하였으며, 이를 1994–1995년에 걸쳐 논문으로 정리하여 제시했다.[7,8,13,14] 여기에서 그는 치조정 접근법을 위해 개발된 특수한 오스테오톰(Summers osteotome)을 이용하여 골밀도를 증진시킴과 동시에 상악동저의 막을 거상하였다. Summers는 오스테오톰을 이용한 상악동 골이식의 방법으로 세 가지를 제시하였다(📷 1-5).

(1) 골첨가 오스테오톰 상악동저 거상술(Bone-Added Osteotome Sinus Floor Elevation, BAOSFE)[13]

오스테오톰으로 상악동저를 거상할 때 골이식재를 적용하는 방법이다. 상악동 골이식을 완료하고 동시에 임플란트를 식립한다. 오스테오톰을 이용한 상악동 골이식의 방법으로 가장 많이 이용된다. 따라서 앞으로 오스테오톰법이라고 논하는 것은 바로 이 골첨가 오스테오톰 상악동저 거상술임을 밝힌다.

(2) 오스테오톰 상악동저 거상술(Osteotome Sinus Floor Elevation, OSFE)[13]

오스테오톰으로 상악동저를 거상하는 것은, 위의 방법과 동일하지만 골이식재는 적용하지 않는다. 과거에는 많이 사용되지 않는 술식이었지만, 2010년대 이후 골이식재 없는 상악동저 거상술이 성공적으로 사용될 수 있음이 임상적으로 밝혀진 이후 새롭게 조명되고 있는 술식이다.[32] 골첨가 오스테오톰 상악동저 거상술에 비해 분명 상악동 막의 거상량에는 한계가 있지만, 적은 양의 수직적 골증강(3 mm 내외)이 필요한 증례에서는 아주 효율적인 술식이다.

(3) 단계적 상악동 골이식술(Future Site Development, FSD)[14]

이 방법은 잔존골 높이가 낮아서 상악동 골이식과 동시에 임플란트 식립이 불가한 경우에 한하여 시행한다. 트레핀 버 등으로 잔존골에 원통형 골구(bone groove)를 형성한 후, 오스테오톰으로 이를 두드려서 상악동 내부로 골절시켜 상악동저를 거상시키는 방법이다. Summers는 이 방법이 외측 접근법에 비해 침습성이 적다는 장점이 있다고 하였지만, 임상가들은 이 방법을 그다지 선호하지 않는다. 잔존골 높이가 낮은 경우에는 외측 접근법이 그다지 어렵지 않으며 치조정 접근법으로는 상악동저를 거상할 수 있는 양에 한계가 있기 때문이다.

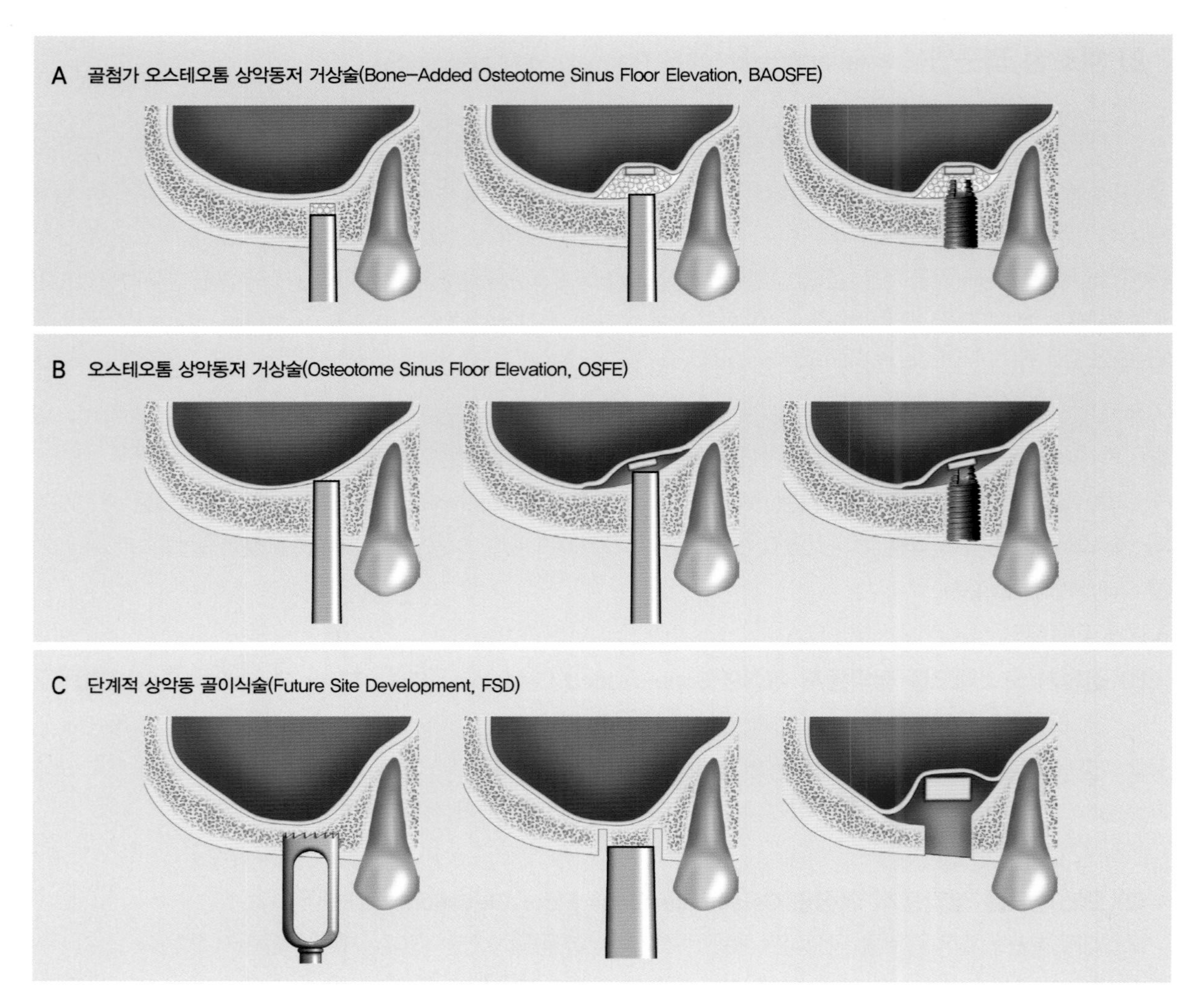

1-5 Summers가 제안한 세 가지 치조정 접근 상악동 골이식 술식
A. 골첨가 오스테오톰 상악동저 거상술. 상악동저 거상과 동시에 골이식재를 삽입하고 임플란트를 식립하는 술식이다. 가장 일반적인 형태의 치조정 접근 상악동 골이식 술식이라고 할 수 있다. **B. 오스테오톰 상악동저 거상술.** 상악동저 거상 후 골이식재 적용 없이 임플란트만 식립하는 술식이다. 한동안 큰 관심을 받지 못했지만 상악동저의 현저한 골형성 능력이 밝혀진 이후 최근에 많이 시행되고 있다. **C. 단계적 상악동 골이식술.** 잔존골 높이가 낮아 임플란트의 일차 안정을 얻기가 힘든 경우에 시행하는 2단계 술식이다. 단계적 상악동 골이식술로 상악동저를 거상한 후 골이식을 시행하고 치유 기간을 부여한다. 이후 재생골이 성숙하면 임플란트를 식립한다. 단계적 상악동 골이식술은 현재 거의 시행되지 않고 있다.

골첨가 오스테오톰 상악동저 거상술, 즉 오스테오톰법은 적어도 잔존 치조골 높이가 4–5 mm 이상인 경우에는 매우 성공적이라는 사실이 임상 연구를 통해 밝혀졌으며,[33] 따라서 현재에 이르기까지 잔존골 높이가 4–5 mm 이상인 경우에 한하여 광범위하게 시행되고 있다.[34] 이후 몇몇 임상가들이 이 술식을 변형하기도 하였지만 기본적인 술식 자체는 거의 변화가 없었다.[35] 최근 오스테오톰법에 대한 대체 방법으로 여러 가지 치조정 접근 술식이 개발되어 소개되었으며, 오스테오톰법과 큰 차이가 없는 성공적인 결과를 보여주고 있다. 이에 대해서는 뒤에서 다시 설명하도록 하겠다.

3.
상악동 골이식술의 임상적 성공

상악동 골이식에 관해 우리 대부분이 가장 궁금해하는 점은 외과적 술식의 과정일 것이다. 그리고 우리의 지식은 대부분 이에 머물러 있는 것이 사실이다. 그러나 우선 이들 술식이 얼마나 효율적인 술식인지에 대해 먼저 이해한 이후에 술식 과정을 배우는 것이 순서이다. 우리가 어떤 술식을 아무리 능숙하게 해내더라도 그 술식이 별로 효용이 없다면 이는 아무런 의미도 없는 것이기 때문이다. 따라서 여기에서는 상악동 골이식이 임상적으로 얼마나 성공적이었는가에 대해 아주 간략하게 정리해 본다.

골증강술의 성공을 평가할 수 있는 방법은 여러 가지가 있겠지만, 가장 중요한 결과 지표는 바로 임플란트의 성공과 생존이다. 골증강술의 궁극적인 목적은 임플란트 식립에 적합한 형태의 치조골을 조성함으로써 이 부위에 식립한 임플란트의 성공 가능성을 높이는 것이기 때문이다. 따라서 상악동 골이식을 시행한 부위에 식립한 임플란트의 성공과 생존을 평가한 체계적 문헌 고찰 및 메타분석을 정리하여 제시하도록 하겠다.

1) 외측 접근 상악동 골이식의 임상적 성공

외측 접근법을 통한 상악동 골이식은 수술 술식이 복잡하고, 침습적이며, 술 후 환자의 불편감이 크다는 단점이 있다. 그러나 가장 오랜 역사와 검증을 거친 상악동 골이식 술식이며 골증강의 양에 한계가 없다는 장점이 있다. 외측 접근법을 이용한 상악동 골이식은 모든 상악동 골이식술의 황금 기준이다.[36]

일찍이 1996년에 이루어진 The Sinus Consensus Conference에서는 외측 접근법을 통한 상악동 골이식술이 매우 예지성 높고 효과적인 치료 방법이라고 하였다.[37] 이 회의는 당시 새로운 술식인 상악동 골이식술의 효과를 검증하려는 목적에서 개최되었고, 38명의 외과의가 제출한 총 1,007건의 상악동 골이식술 부위에 식립한 2,997개의 임플란트 자료를 후향적으로 검증한 것이었다. 이 회의에서의 자료를 분석한 결과, 상악동 골이식 부위에 식립한 후 3년 이상 기능한 임플란트의 성공률은 90.0%였다. 이어서 2000년대 초반에 발표된 두 체계적 문헌 고찰에서는, 상악동 골이식 후 식립한 임플란트의 생존율을 91.8%[38]와 91.5%[39]였다고 했으며, 따라서 상악동 골이식술은 매우 성공적인 술식이라고 하였다. 2008년 제6회 유럽 치주과학회 워크샵(The 6th European Workshop on Periodontology)에서는 합의 도출을 위해 외측 접근 상악동 골이식술에 대한 메타분석을 시행했다.[28] 이 메타분석에서는 총 48개의 문헌과 4,000명의 환자의 자료를 포함하였다. 그 결과, 12,020개의 임플란트에 대해 3년 누적 생존율은 90.1% (95% 신뢰 구간 86.4%–92.8%)이라고 하였다.

결국 2000년대 중반까지 외측 접근 상악동 골이식을 시행한 부위에 식립한 임플란트의 생존율이나 성공률은 90%를 약간 상회하는 결과를 보여주었다. 현재 임플란트의 전반적인 성공률로 미뤄봤을 때, 이는 비교적 낮은 정도의 성공을 보여주는 것이다. 그러나 이때까지는 고전적인 기계 절삭 표면 임플란트와 거친 표면 임플란트를 혼용했기 때문에 이러한 결과가 나온 것이다. 위의 메타분석에서 상악동 골이식 후 식립한 임플란트의 표면에 따라 그 생존율을 구분했을 때에는 매끈한 표면의 임플란트가 81.4%, 거친 표면의 임플란트가 96.5%의 3년 생존율을 보였고, 이는 통계학적으로나 임상적으로 봤을 때 매우 유의미한 차이였다.[28]

2010년대 이후에는 기계 절삭 임플란트의 결과를 배제한 체계적 문헌 고찰 및 메타분석이 발표되고 있으며, 상악동 골이식을 시행한 부위에 식립한 임플란트는 대체로 95% 이상의 높은 생존율/성공률을 보여주고 있다. 그 예로, 2019년에는 잔존골 높이가 6 mm 이하이고 추적관찰 기간이 5년 이상인 전향적 연구에 한해 외측 접근 상악동 골이식술의 성공에 관한 메타분석이 발표됐다.[40] 그 결과, 연간 누적 임플란트 상실률은 0.43%였고, 따라서 5년 생존율은 97.8%로 높은 수치를 보여주었다. 동시/지연 임플란트 식립, 사용된 이식재, 부분 무치악/완전 무치악에 따라 임플란트의 생존율에는 별다른 차이를 보이지 않았다.

외측 접근 상악동 골이식은 치조정 접근법에 비해 대체로 잔존골 높이가 낮은 증례에서 시행한다. 따라서 그 적응증은 보통 잔존골 높이가 5-6 mm 이하인 경우로 한정된다.[28,35,41] 또한 외측 접근법이나 치조정 접근법으로 상악동 골이식한 부위에 식립한 임플란트의 예후는 모두 수술 전 잔존골 높이가 낮을수록 불량해지는 경향을 보인다(📷 1-6).[33,34,42-44] 그리고 외측 접근 상악동 골이식은 수술 중 여러 가지 난관을 마주칠 수 있는 술식일 뿐만 아니라, 수술에 의한 합병증이 발생할 확률도 높다. 그럼에도 불구하고 현재 외측 접근 상악동 골이식을 시행한 부위에 식립한 임플란트가 90% 후반대의 높은 생존율을 보여주는 것은, 이 술식의 효용성을 잘 보여주는 결과라고 하겠다.

2) 치조정 접근 상악동 골이식술의 임상적 성공

치조정 접근 상악동 골이식을 시행한 부위에 식립한 임플란트는, 비교적 초기부터 90% 중반 이상의 높은 성공률/생존율을 보여왔다. 2005년의 한 메타분석에서는 포함된 8개의 문헌에서 1,139개의 임플란트를 치조정 접근 상악동 골이식과 함께 식립했으며, 임플란트의 3년 생존율은 96.0%였다고 하였다.[45] 2012년의 메타분석에서는 대상 환자수가 20명 이상인 일차 연구에 한하여 치조정 접근 상악동 골이식의 결과를 보고했다.[46] 총 19개의 일차 문헌, 1,822개의 임플란트가 포함됐고, 부하 1, 2, 3, 5년 후 임플란트의 누적 생존율은 98.12%, 97.40%, 96.75%, 95.81%였다. 사용된 이식재나 식립된 임플란트의 길이는 임플란트의 성공에 유의한 영향을 미치지 못했다. 그러나 잔존골 높이는 현저한 영향을 미쳤는데, 잔존골 높이가 5 mm 미만인 경우에는 92.7%, 5 mm 이상인 경우에는 96.9%의 임플란트 생존율을 보였다.[46] 2014년의 메타분석에서는 치조정 접근 상악동 골이식술 및 임플란트 식립 후 최소 1년 이상 추적 관찰한 일차 연구들만 포함했고, 총 25개의 연구에서 3,092개의

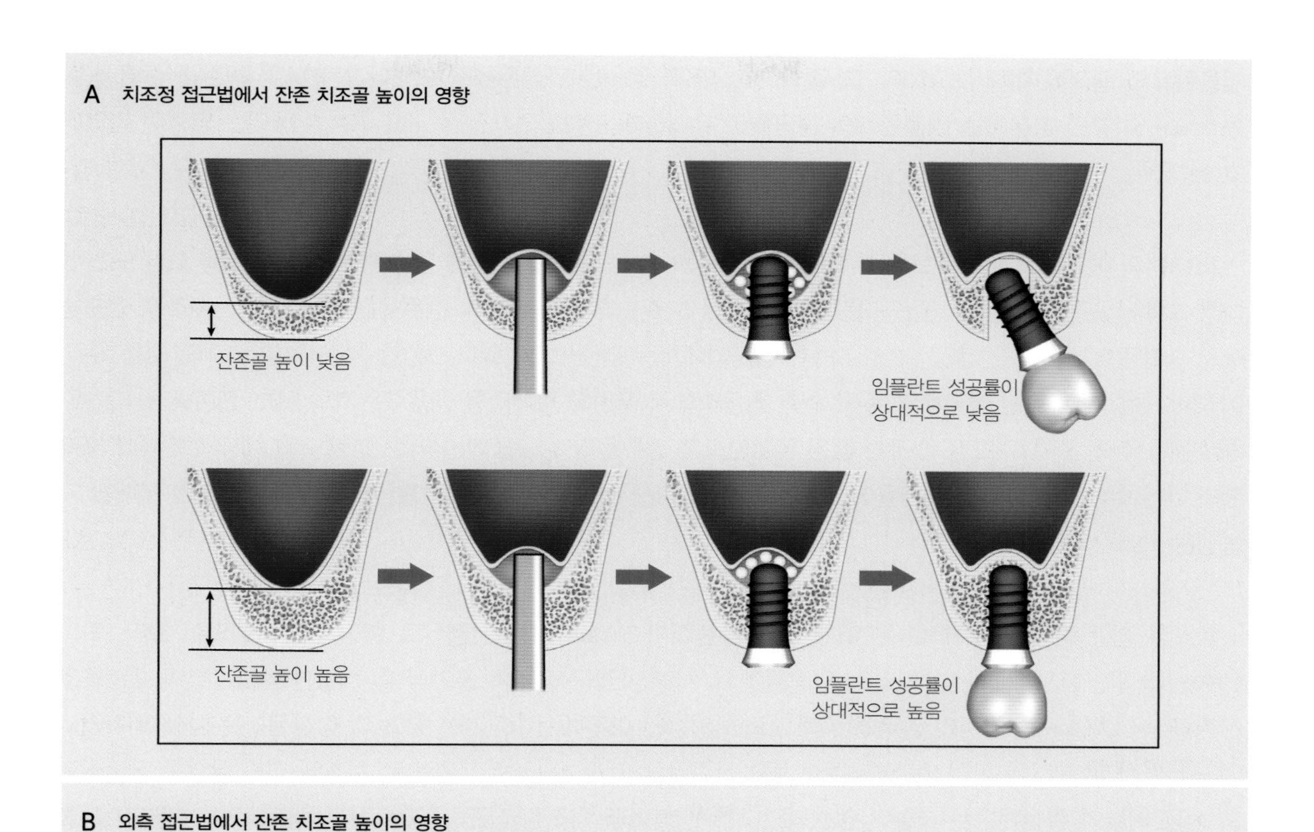

B 외측 접근법에서 잔존 치조골 높이의 영향

잔존골 높이 낮음

임플란트 성공률이
상대적으로 낮음

잔존골 높이 높음

임플란트 성공률이
상대적으로 높음

1-6 상악동 골이식의 성공에 대한 잔존 치조골 높이의 영향
물론 술식과 재료의 발전에 의해 그러한 경향이 적어지긴 했지만 치조정 접근법**(A)**이나 외측 접근법**(B)** 모두에서 잔존 치조골 높이가 높아지면 상악동 골이식술 및 임플란트의 성공률은 증가하는 경향을 보인다.

임플란트의 결과에 대해 보고했다. 그 결과, 96.15%의 임플란트 생존율을 보였다고 했다.[47] 또한 잔존골 높이가 4 mm 미만인 경우에는 임플란트의 성공률이 유의하게 저하되었지만, 4 mm 이상일 때에는 영향이 없었다고 했다.[47]

2018년의 메타분석에서는 보철 부하 후 3년 이상의 추적 관찰을 시행한 전향적 임상 연구만을 대상으로 했다.[48] 외측 접근법과 치조정 접근법을 통틀어 부하 3–6년 후 임플란트의 생존율은 97.7%였다. 치조정 접근법에서 임플란트 생존율은 평균 97.3%, 외측 접근법에서는 평균 97.8%였다. 이 연구에서는 이식재의 사용 유무, 이식재 사용 시 사용된 이식재의 종류, 외측 접근법에서 골창에 차폐막을 적용했는지의 여부, 잔존골 높이, 1단계/2단계 수술, 외측/치조정 접근법 등은 임플란트의 생존율과 성공률에 어떠한 영향도 미치지 못했다고 보고했다. 유일하게 임플란트의 생존율에 유의한 영향을 미친 것은 흡연 여부로, 흡연자에서 임플란트가 실패할 가능성은 4.8배 더 높았다.

치조정 접근 상악동 골이식술은 대개 잔존골 높이가 5 mm 이상인 경우로 한정하여 시행되어 왔다. 이미 1990년대 후반에서 2000년대의 임상 연구들에서, 치조정 접근 상악동 골이식 후 식립한 임플란트의 생존율은 잔존골 높이가 4 mm 이하인 경우에 비해 5 mm 이상인 경우에서 10–20% 정도 더 향상된다는 사실이 확인되었다.[33,42,49,50] 게다가 위의 메타분석들에서도 잔존골 높이 4–5 mm를 기준으로 치조정 접근 상악동 골이식술의 성공 여부가 결정된다는 사실이 검증되었다.[46,47] 따라서 치조정 접근 상악동 거상술의 효과는 대부분 이렇게 잔존골 높이가 어느 정도 확보된(≥4–5 mm) 경우에 한하여 검증되었다고 생각해야 한다. 결국 잔존골 높이가 4–5 mm 이상일 때 치조정 접근 상악동 골이식술은 높은 임플란트의 성공률을 보장할 수 있는 골증강술이라고 결론 내릴 수 있을 것이다.

또 한 가지 언급할 점은, 지금까지 문헌에 보고된 절대 다수의 치조정 접근 상악동 골이식 술식은 오스테오톰법이었다는 것이다. 최근 오스테오톰법의 단점을 극복하기 위해 여러 가지 대체 술식들이 소개되고 있지만, 그 근거는 매우 한정적이다. 이는 이들 여타 술식들이 효과가 좋지 않다는 뜻은 아니다. 다만 대체 술식들은 아직 확고한 근거에 기반하지는 못했다는 의미이다. 오스테오톰법은 1990년대 중반에 처음 소개된 오래된 술식이지만 임상적으로 양호한 결과를 보이고 높은 수준의 근거를 갖는, 효율적이면서도 가장 널리 쓰이는 치조정 접근 상악동 골이식 술식이라고 할 수 있다.

참고문헌

1. Truhlar RS, Orenstein IH, Morris HF, Ochi S. Distribution of bone quality in patients receiving endosseous dental implants. *J Oral Maxillofac Surg.* 1997;55(12 Suppl 5):38-45.
2. Oikarinen K, Raustia AM, Hartikainen M. Prosthetic possibilities using endosseal implants as anchorages--an epidemiological study in 65-year-old subjects. *J Oral Rehabil.* 1995;22(6):403-407.
3. Oikarinen K, Raustia AM, Hartikainen M. General and local contraindications for endosseal implants--an epidemiological panoramic radiograph study in 65-year-old subjects. *Community Dent Oral Epidemiol.* 1995;23(2):114-118.
4. Krennmair G, Krainhofner M, Schmid-Schwap M, Piehslinger E. Maxillary sinus lift for single implant-supported restorations: a clinical study. *Int J Oral Maxillofac Implants.* 2007;22(3):351-358.
5. Misch CE. *Contemporary implant dentistry.* 3rd ed. St. Louis: Mosby Elsevier; 2008.
6. Balshi TJ, Wolfinger GJ. Management of the posterior maxilla in the compromised patient: historical, current, and future perspectives. *Periodontol 2000.* 2003;33:67-81.
7. Summers RB. The osteotome technique: Part 2--The ridge expansion osteotomy (REO) procedure. *Compendium.* 1994;15(4):422, 424, 426, passim; quiz 436.
8. Summers RB. A new concept in maxillary implant surgery: the osteotome technique. *Compendium.* 1994;15(2):152, 154-156, 158 passim; quiz 162.
9. Wallace SS, Froum SJ, Cho SC, et al. Sinus augmentation utilizing anorganic bovine bone (Bio-Oss) with absorbable and nonabsorbable membranes placed over the lateral window: histomorphometric and clinical analyses. *Int J Periodontics Restorative Dent.* 2005;25(6):551-559.
10. Wallace SS. Maxillary sinus augmentation: evidence-based decision making with a biological surgical approach. *Compend Contin Educ Dent.* 2006;27(12):662-668; quiz 669, 680.
11. Khayat PG, Milliez SN. Prospective clinical evaluation of 835 multithreaded tapered screw-vent implants: results after two years of functional loading. *J Oral Implantol.* 2007;33(4):225-231.
12. Boyne PJ, James RA. Grafting of the maxillary sinus floor with autogenous marrow and bone. *J Oral Surg.* 1980;38(8):613-616.
13. Summers RB. The osteotome technique: Part 3--Less invasive methods of elevating the sinus floor. *Compendium.* 1994;15(6):698, 700, 702-694 passim; quiz 710.
14. Summers RB. The osteotome technique: Part 4--Future site development. *Compend Contin Educ Dent.* 1995;16(11):1080, 1092 passim; quiz 1099.
15. Morand M, Irinakis T. The challenge of implant therapy in the posterior maxilla: providing a rationale for

the use of short implants. *J Oral Implantol.* 2007;33(5):257-266.

16. Malevez C, Abarca M, Durdu F, Daelemans P. Clinical outcome of 103 consecutive zygomatic implants: a 6-48 months follow-up study. *Clin Oral Implants Res.* 2004;15(1):18-22.
17. Rosen A, Gynther G. Implant treatment without bone grafting in edentulous severely resorbed maxillas: a long-term follow-up study. *J Oral Maxillofac Surg.* 2007;65(5):1010-1016.
18. Fernandez Valeron J, Fernandez Velazquez J. Placement of screw-type implants in the pterygomaxillary-pyramidal region: surgical procedure and preliminary results. *Int J Oral Maxillofac Implants.* 1997;12(6):814-819.
19. Seong WJ, Barczak M, Jung J, Basu S, Olin PS, Conrad HJ. Prevalence of sinus augmentation associated with maxillary posterior implants. *J Oral Implantol.* 2013;39(6):680-688.
20. Kopecka D, Simunek A, Brazda T, Rota M, Slezak R, Capek L. Relationship between subsinus bone height and bone volume requirements for dental implants: a human radiographic study. *Int J Oral Maxillofac Implants.* 2012;27(1):48-54.
21. Nunes LS, Bornstein MM, Sendi P, Buser D. Anatomical characteristics and dimensions of edentulous sites in the posterior maxillae of patients referred for implant therapy. *Int J Periodontics Restorative Dent.* 2013;33(3):337-345.
22. Becktor JP, Hallström H, Isaksson S, Sennerby L. The use of particulate bone grafts from the mandible for maxillary sinus floor augmentation before placement of surface-modified implants: results from bone grafting to delivery of the final fixed prosthesis. *J Oral Maxillofac Surg.* 2008;66(4):780-786.
23. Romero-Millán JJ, Aizcorbe-Vicente J, Peñarrocha-Diago M, Galindo-Moreno P, Canullo L, Peñarrocha-Oltra D. Implants in the Posterior Maxilla: Open Sinus Lift Versus Conventional Implant Placement. A Systematic Review. *Int J Oral Maxillofac Implants.* 2019;34(4):e65-e76.
24. Aghaloo TL, Moy PK. Which hard tissue augmentation techniques are the most successful in furnishing bony support for implant placement? *Int J Oral Maxillofac Implants.* 2007;22 Suppl:49-70.
25. Tatum H, Jr. Maxillary sinus grafting for endosseous implants. Presented at the Annual Meeting of the Alabama Implant Study Group, Birmingham. 1977 (April).
26. Kent JN, Block MS. Simultaneous maxillary sinus floor bone grafting and placement of hydroxylapatite-coated implants. *J Oral Maxillofac Surg.* 1989;47(3):238-242.
27. Wood RM, Moore DL. Grafting of the maxillary sinus with intraorally harvested autogenous bone prior to implant placement. *Int J Oral Maxillofac Implants.* 1988;3(3):209-214.
28. Pjetursson BE, Tan WC, Zwahlen M, Lang NP. A systematic review of the success of sinus floor elevation and survival of implants inserted in combination with sinus floor elevation. *J Clin Periodontol.* 2008;35(8

Suppl):216-240.

29. 김형욱, 이슬기, 정재인, et al. 상악동 골이식술을 위한 이식재의 부피 측정 – CT를 이용한 환자 대조군 연구. 대한구강악안면외과학회지. 2007;33:511–517.
30. Lundgren S, Cricchio G, Hallman M, Jungner M, Rasmusson L, Sennerby L. Sinus floor elevation procedures to enable implant placement and integration: techniques, biological aspects and clinical outcomes. *Periodontol 2000*. 2017;73(1):103-120.
31. Tatum H, Jr. Maxillary and sinus implant reconstructions. *Dent Clin North Am*. 1986;30(2):207-229.
32. Nasr S, Slot DE, Bahaa S, Dörfer CE, Fawzy El-Sayed KM. Dental implants combined with sinus augmentation: What is the merit of bone grafting? A systematic review. *J Craniomaxillofac Surg*. 2016;44(10):1607-1617.
33. Rosen PS, Summers R, Mellado JR, et al. The bone-added osteotome sinus floor elevation technique: multicenter retrospective report of consecutively treated patients. *Int J Oral Maxillofac Implants*. 1999;14(6):853-858.
34. Tan WC, Lang NP, Zwahlen M, Pjetursson BE. A systematic review of the success of sinus floor elevation and survival of implants inserted in combination with sinus floor elevation. Part II: transalveolar technique. *J Clin Periodontol*. 2008;35(8 Suppl):241-254.
35. Jensen OT. *The sinus bone graft*. 2nd ed. Chicago: Quintessence Pub. Co.; 2006.
36. Del Fabbro M, Wallace SS, Testori T. Long-term implant survival in the grafted maxillary sinus: a systematic review. *Int J Periodontics Restorative Dent*. 2013;33(6):773-783.
37. Jensen OT, Shulman LB, Block MS, Iacono VJ. Report of the Sinus Consensus Conference of 1996. *Int J Oral Maxillofac Implants*. 1998;13 Suppl:11-45.
38. Wallace SS, Froum SJ. Effect of maxillary sinus augmentation on the survival of endosseous dental implants. A systematic review. *Ann Periodontol*. 2003;8(1):328-343.
39. Del Fabbro M, Testori T, Francetti L, Weinstein R. Systematic review of survival rates for implants placed in the grafted maxillary sinus. *Int J Periodontics Restorative Dent*. 2004;24(6):565-577.
40. Raghoebar GM, Onclin P, Boven GC, Vissink A, Meijer HJA. Long-term effectiveness of maxillary sinus floor augmentation: A systematic review and meta-analysis. *J Clin Periodontol*. 2019;46 Suppl 21:307-318.
41. Fugazzotto PA, Vlassis J. Long-term success of sinus augmentation using various surgical approaches and grafting materials. *Int J Oral Maxillofac Implants*. 1998;13(1):52-58.
42. Toffler M. Osteotome-mediated sinus floor elevation: a clinical report. *Int J Oral Maxillofac Implants*. 2004;19(2):266-273.
43. Mardinger O, Nissan J, Chaushu G. Sinus floor augmentation with simultaneous implant placement in the

severely atrophic maxilla: technical problems and complications. *J Periodontol.* 2007;78(10):1872-1877.

44. Chao YL, Chen HH, Mei CC, Tu YK, Lu HK. Meta-regression analysis of the initial bone height for predicting implant survival rates of two sinus elevation procedures. *J Clin Periodontol.* 2010;37(5):456-465.
45. Emmerich D, Att W, Stappert C. Sinus floor elevation using osteotomes: a systematic review and meta-analysis. *J Periodontol.* 2005;76(8):1237-1251.
46. Del Fabbro M, Corbella S, Weinstein T, Ceresoli V, Taschieri S. Implant survival rates after osteotome-mediated maxillary sinus augmentation: a systematic review. *Clin Implant Dent Relat Res.* 2012;14 Suppl 1:e159-168.
47. Călin C, Petre A, Drafta S. Osteotome-mediated sinus floor elevation: a systematic review and meta-analysis. *Int J Oral Maxillofac Implants.* 2014;29(3):558-576.
48. Antonoglou GN, Stavropoulos A, Samara MD, et al. Clinical Performance of Dental Implants Following Sinus Floor Augmentation: A Systematic Review and Meta-Analysis of Clinical Trials with at Least 3 Years of Follow-up. *Int J Oral Maxillofac Implants.* 2018;33(3):e45-e65.
49. Pjetursson BE, Rast C, Bragger U, Schmidlin K, Zwahlen M, Lang NP. Maxillary sinus floor elevation using the (transalveolar) osteotome technique with or without grafting material. Part I: Implant survival and patients' perception. *Clin Oral Implants Res.* 2009;20(7):667-676.
50. Nkenke E, Schlegel A, Schultze-Mosgau S, Neukam FW, Wiltfang J. The endoscopically controlled osteotome sinus floor elevation: a preliminary prospective study. *Int J Oral Maxillofac Implants.* 2002;17(4):557-566.

상악동의 임상 해부학

상악동 골이식을 시행하기 위해서는 상악동의 해부학에 대해 숙지하고 있어야 한다. 또한 상악동 골이식의 결과에 영향을 미칠 수 있는 여러 가지 해부학적 요소와 질환을 평가하고, 이에 대해 어떻게 대처해야 하는지도 명확히 알고 있어야만 한다. 현재 여러 전문가들은, 상악동 내부의 상태는 파노라마 방사선사진 등 2차원적 평면 이미지로는 확인이 어렵기 때문에 CBCT로 확인할 것을 추천한다.[1] 상악동 골이식의 진단과 치료 과정에 CBCT를 광범위하게 사용하게 되면서, 최근 상악동 골이식과 관련된 상악동의 여러 가지 해부학적 요소들에 관한 사실이 새롭게 밝혀지고 있다.

1. 상악동의 일반 해부학

1) 상악동에 대한 개요

상악동은 목소리를 공진시키거나, 후각에 일정 부분 기여하거나, 흡기된 공기를 데우고 수분을 공급하거나, 두개–상악 복합체의 무게를 감소시키는 역할을 한다.[2] 성인에서 상악동은 90°로 눕힌 피라미드(사각뿔) 형태로 이루어져 있다. 사각뿔의 밑면은 비강의 외측벽을 이루는 골벽이며 첨단은 상악골의 관골 돌기(zygomatic process)를 향하고 있다(📷 2-1). 사각뿔의 네 개의 옆면은 각각 안와저, 상악동 전벽, 상악동 바닥(상악동저), 그리고 상악동 후벽을 이루고 있다.[3]

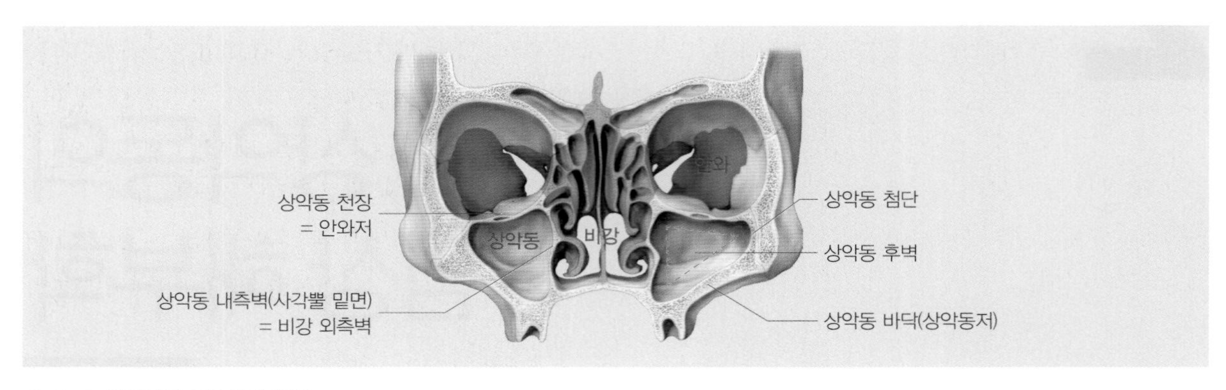

2-1 상악동의 해부학적 형태

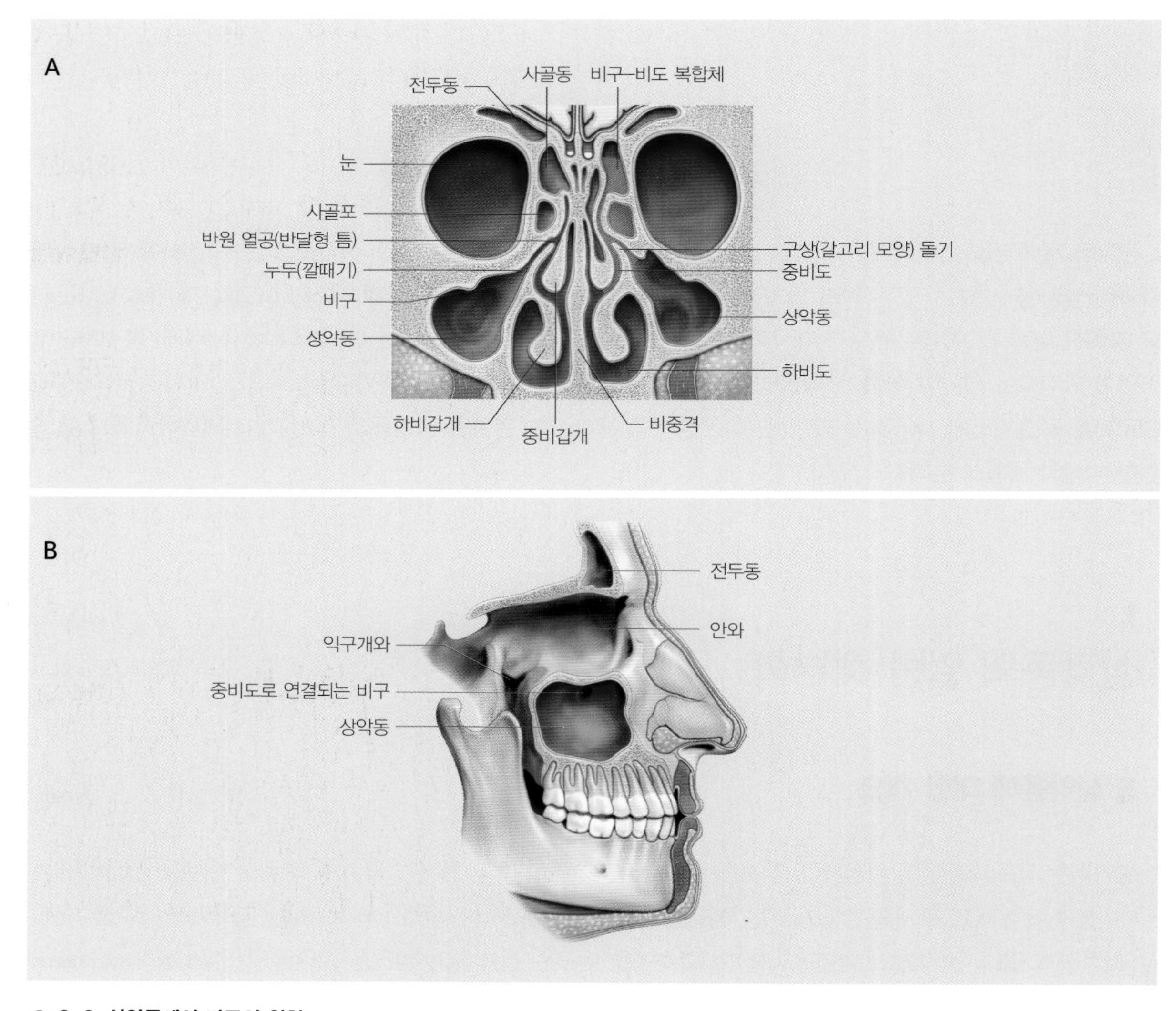

2-2 상악동에서 비구의 위치

비구는 상악동 내측벽 전상방에 위치한다.

비구(ostium)는 상악동의 내측벽에서 전상방에 위치한다(📷 2-2). 또한 상악동저로부터는 40 mm 상방에 위치한다.[4] 비구는 대개 한 개만 존재하지만, 25%의 환자에서는 작은 부비구(accessory ostium)가 존재하기도 한다.[5] 비구는 상악동 막 내에서 분비된 점액과 상악동 내부의 이물질을 비강 내부로 이동시키는 중요한 통로가 된다. 따라서 상악동 내부의 수술로 인해 비구가 물리적으로 막히게 되면 만성 상악동염 등의 심각한 부작용을 초래할 수 있다. 하지만 다행스럽게도 비구는 매우 높은 부위에 위치하고 있기 때문에 상악동 골이식에 의해 폐쇄되거나 기능에 장애가 발생할 가능성은 거의 없다.[6]

상악동은 연령이 증가함에 따라 점점 부피가 증가하며 이는 측방과 하방으로의 팽창에 의한 것이다. 따라서 생후 대략 6–8 cm^3에 지나지 않던 상악동의 부피는 성인이 됨에 따라 평균 약 15 cm^3까지 증가한다.[7–9] 단면 연구들에 의하면 상악동의 팽창은 20–30세 사이에 정점을 이루고 그 이후로는 안정되거나 다시 아주 약간 수축하는 양상을 보였다.[7,9] 이러한 상악동의 팽창에 의해, 유아기 때에는 비강 바닥(비강저)보다 더 높이 위치하였던 상악동 바닥(상악동저)은 비강저에 비해 상대적으로 하방으로 이동하여 20대에 비강저보다 대략 7–10 mm 정도 하방에 위치하면서 안정된다(📷 2-3).[7,8]

2) 치아가 상실되면 상악동은 함기화된다

성인에 이르러 안정된 위치를 보이던 상악동저(상악동 바닥)는 상악 구치부 치아가 상실되면 다시 하방으로 이동한다. 한 동물 실험에서는 편측의 모든 상악 구치부를 발거하고 6–12개월이 경과했을 때 반대측보다 상악동저가 하방으로 이동하면서 상악동 부피가 증가했다고 보고했다.[10] 한 단면 연구에서는 무치악 환자와 유치악 환자의 상악동 크기를 워터스 뷰로 평가했고, 무치악 환자에서 상악동의 높이는 유의하게 더 컸다고 보고했다.[11] 한 후향적 연구에서는 상악 구치부 치아가 상실되면 상악동저는 대략 2 mm 가량 하방으로 이동한다고

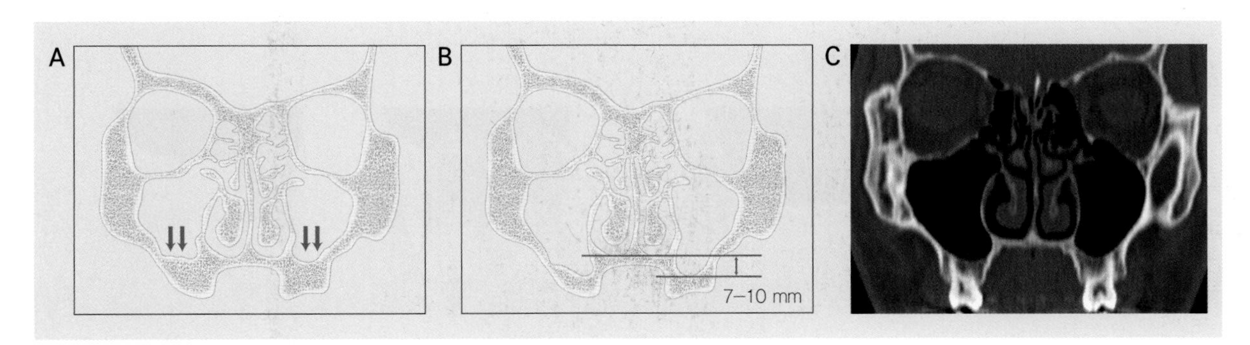

📷 2-3 상악동저의 위치 변화와 상악동의 부피 변화
A. 상악동은 유년기부터 청년기까지 상악동저의 하방 이동과 상악동 외측벽의 외측 이동에 의해 지속적으로 그 부피가 증가한다. **B.** 유아기 때에는 비강저보다 더 높이 위치하였던 상악동저는 비강저에 비해 상대적으로 하방으로 이동하여 20대에 비강저보다 대략 7–10 mm 정도 하방에 위치하면서 안정된다. **C.** 성인에서 촬영한 상악동과 비강의 CT 영상.

보고했다.[12] 이렇게 상악동저가 하방으로 이동하는 현상을 상악동 함기화(pneumatization)라고 한다. 상악동 함기화는 일종의 불활동성 위축(disuse atrophy) 현상인 것으로 보인다.[12] 치아 상실로 인해 치조골로 전달되는 기능적 부하가 사라지면 치조골과 상악동저 골은 흡수되는 것이다.

치아 상실 후의 함기화 정도와 속도는 다음 국소적 요소들에 의해 좌우된다(**2-4**).[12-14]

- **치근이 상악동 내로 돌출된 정도:** 치근이 상악동 내로 더 많이 돌출될수록 더 많이 함기화된다.
- **치아 위치(소구치/대구치):** 대구치, 특히 제2대구치 발치 후에 더 많이 함기화된다.

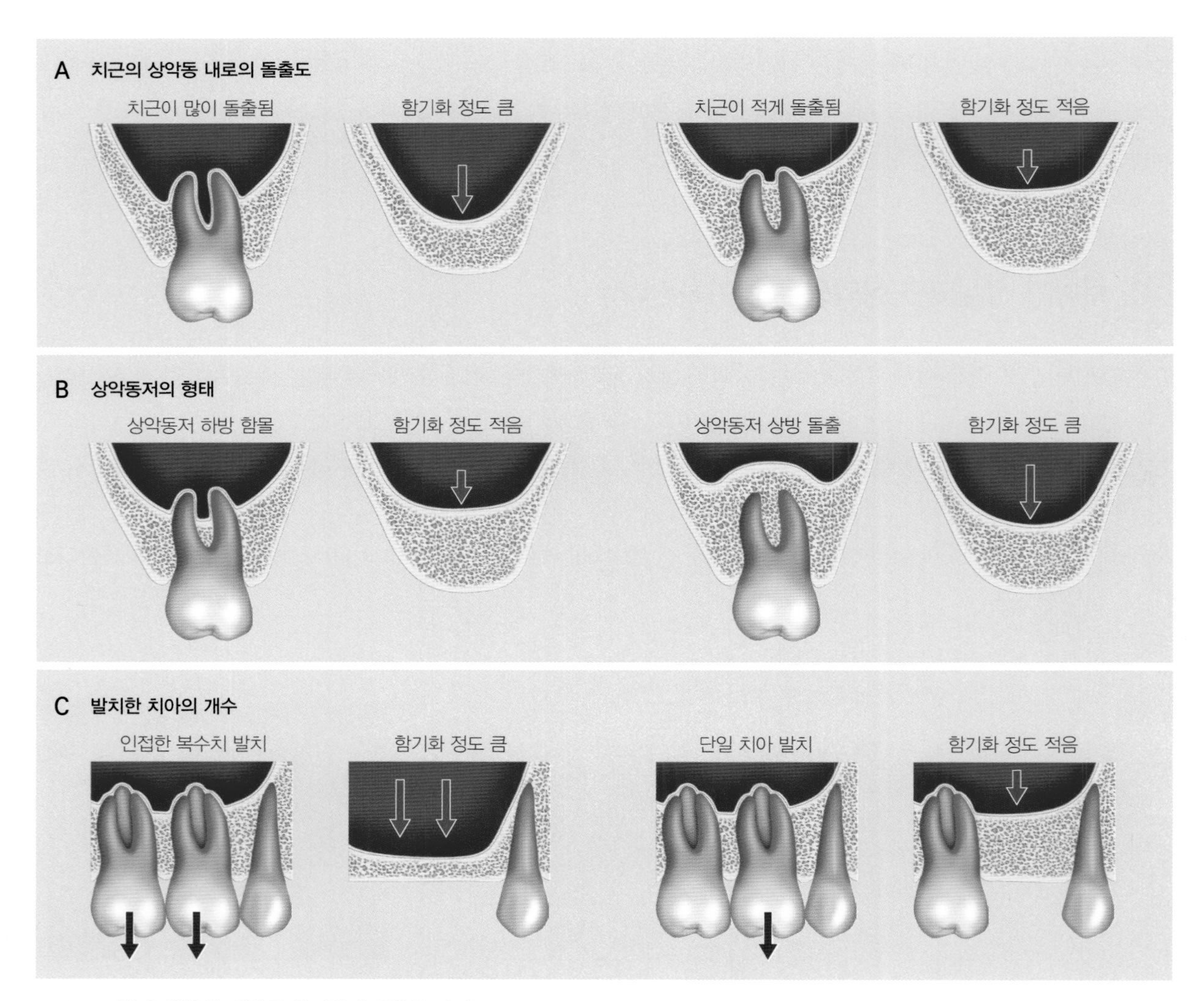

2-4 치아 상실 후 상악동 함기화에 영향을 미치는 요소
A. 치근이 상악동 내로 돌출된 정도. 치근이 상악동 내로 더 많이 돌출될수록 더 많이 함기화된다. **B.** 상악동저의 형태 상악동저가 하방으로 함몰된 경우보다 상방으로 볼록한 경우 더 많이 함기화된다. **C.** 발치한 치아의 개수 두 개 이상의 인접치를 동시에 발거한 경우에서 단일치를 발거한 경우보다 더 많이 함기화된다.

- **상악동저의 형태:** 상악동저가 하방으로 함몰된 경우보다 상방으로 볼록한 경우에 더 많이 함기화된다. 상악동저가 볼록한 경우 치아 상실 후 함기화에 의해 편평해지거나 하방으로 오목해진다.
- **발치한 치아의 개수:** 두 개 이상의 인접치를 동시에 발거한 경우에서 단일치를 발거한 경우보다 더 많이 함기화된다.
- **치아 상실 후의 기간:** 치아가 상실되고 더 오랜 기간이 경과할수록 더 많이 함기화된다. 심한 경우에는 상악동의 측벽과 바닥면은 종이처럼 얇아지기도 한다.

상악동의 함기화에는 국소적 요소가 제일 중요하지만, 유전, 두개 안면 형태, 골밀도, 성장호르몬, 상악동 내 공기압, 상악동 수술 병력 등도 중요한 영향을 미치는 것으로 알려져 있다.[8,15-18]

2.
상악동 막의 특성

상악동 내부는 쉬나이더막(Schneiderian membrane)이라고도 불리는 얇은 막으로 덮여 있다(📷 2-5). 상악동 골이식은 기본적으로 골을 삭제하여 상악동 막에 접근하고, 이를 거상하여 공간을 확보한 후, 이 부위에 골을 이식해주는 술식이다. 따라서 상악동 골이식을 시행하는 데 있어서 상악동 막의 성질에 대해서 확고한 이해가 필요하다.

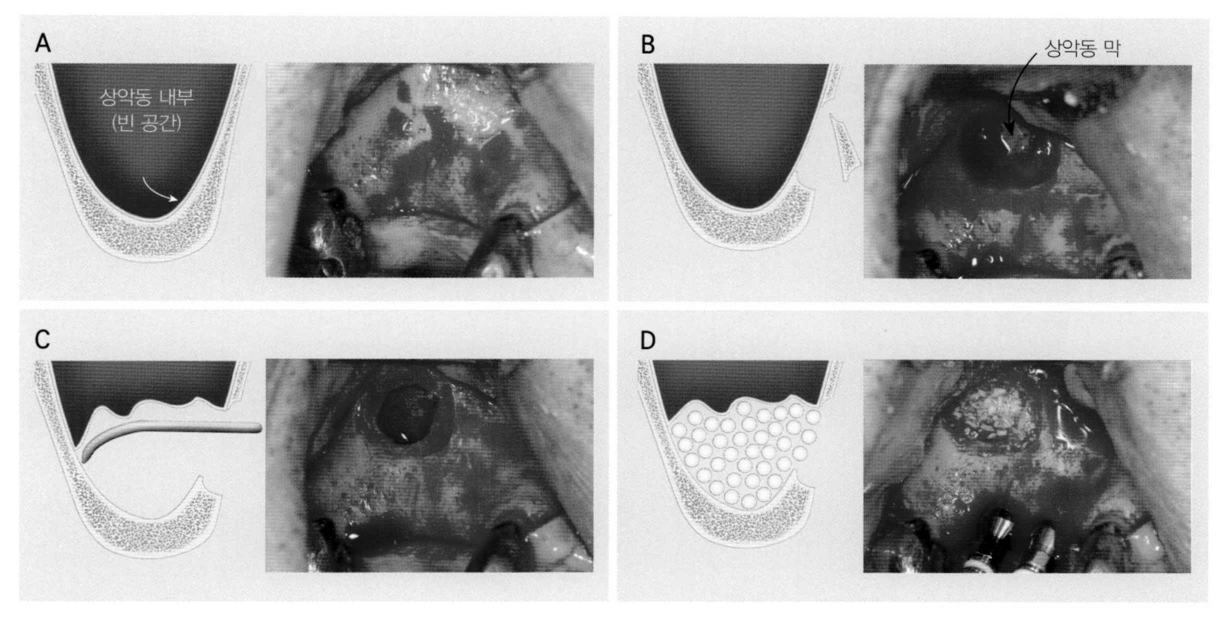

📷 **2-5** 상악동 골이식술은 상악동 막(쉬나이더 막)을 골과 분리하여 거상한 후, 노출된 골과 상악동 막 사이에 골을 이식하는 술식이다. 상악동 막은 얇고 찢어지기 쉬운 구조물이기 때문에 이에 대한 많은 지식과 경험이 필요하다.

1) 상악동 막의 조직학적 특징

상악동 막은 조직학적으로 보았을 때 상악동 골벽을 이장하는 얇은 골막, 중간의 고유층(결합 조직), 상악동 내부를 향하는 호흡상피 등, 세 층으로 이루어져 있다(📷 2-6).[1,19–21]

- 호흡상피 기저세포, 원주세포, 술잔세포(goblet cell)로 이루어진 위중층 섬모 입방, 혹은 위중층 섬모 원주상피가 기저막에 고정되어 있다. 기저세포는 원주세포와 술잔세포로 분화한다. 원주세포는 섬모를 지니고 있으며, 이를 통해 상악동 내의 점액을 비구로 운반한다. 술잔세포는 점액을 형성하고 분비하는 역할을 한다.
- 고유층 상피층과 골막층 사이는 성기고 혈관 분포가 많은 결합조직으로 이루어져 있으며 이를 고유층이라고 한다. 위중층 상피 하방의 비교적 성긴 층과 골막 근처의 비교적 치밀한 층으로 나뉜다. 치밀한 층은 점차 골막으로 이행된다.
- 골막 상악동 막에 접하는 골막에는 골이장세포(bone lining cell)가 존재한다. 이 세포는 증식능력이 있으며 다른 골형성 세포로 분화도 가능하다.

상악동 막의 기본적인 기능은, 상악동 내에 점액을 분비하고 이를 비구를 통해 비강 내로 이동시키는 역할을 하는 것이다.[22] 이는 막힌 공간인 상악동 내부를 세척해주는 생리학적인 적응 기능이며, 따라서 상악동 막은 상악동 내 건강을 유지하는 데 있어서 매우 중요하다(📷 2-7).

상악동 골이식과 관련해 주목할 만한 점 중 하나는, 바로 상악동 막과 상악동 내 골표면과의 결합 정도이다. 상악동 막은 얇고 물리적 신장에 저항하는 능력이 약하기 때문에 상악동 막과 골표면 사이의 결합도가 강하면 상악동 막 거상 중 천공이 발생할 가능성이 높을 것이다. 그러나 우리에게는 다행히도 상악동 막 결합조직 내부의 교원질 섬유는 대부분 골표면과 평행하게 주행하며 아주 적은 수의 섬유(샤피 섬유)만이 골로 함입된다.[20]

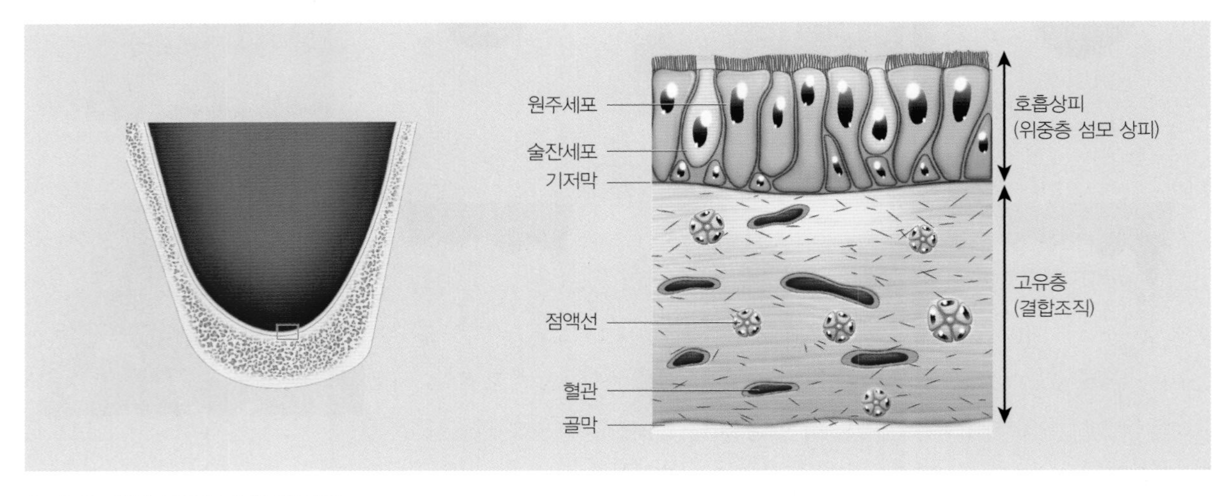

📷 2-6 상악동 막의 조직학적 구조
상악동 막은 호흡상피, 고유층, 골막의 세 층으로 이루어져 있다.

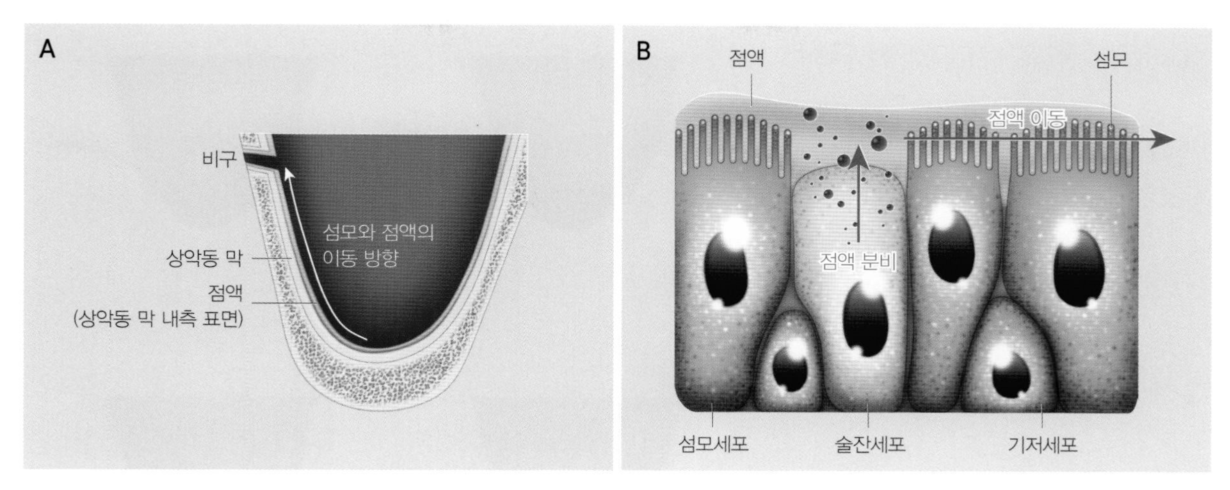

2-7 상악동 막은 빈 공간인 상악동 내부의 습도를 유지하고 청결하게 유지하는 역할을 한다. 술잔세포는 점액을 분비하고 섬모세포의 섬모는 이를 비구 쪽으로 이동시킨다. 이를 통해 상악동 내의 불순물은 비강으로 배출된다.

샤피 섬유의 수가 많으면 골과 골막을 분리하는 데 많은 힘을 가해야 하지만, 샤피 섬유가 적으면 적은 힘만으로도 분리가 가능하다. 이런 면에서 상악동 막과 골표면을 연결하는 샤피 섬유의 수가 적은 점 때문에 상악동 막은 비교적 수월하게 박리가 된다고 할 수 있다(2-8).[23] 사체에서 채취한 상악동 막은 그 하방의 골과 평균 0.050 N/mm의 힘만으로도 분리가 가능하다.[24] 이는 위에서 설명한 조직학적인 특성(샤피 섬유 수가 적음)에 기인하는 것이다. 또한 상악동 막은 평균 7.3 N/mm^{2}의 힘에서 천공되는데, 이는 상악동 막이 천공될 때 가해지는 힘보다 훨씬 약한 힘만으로도 골에서 분리 가능함을 의미한다.

2) 상악동 막은 신생골 형성 능력이 거의 없다

상악동 골이식 후 보여지는 일관되게 높은 골재생의 성공률은, 상악동 막 자체도 골형성 능력이 있을 것이라는 생각을 갖도록 했다. 상악동 골이식부는 상악동 내부의 골표면 및 상악동 막에 접하게 되는데, 골표면뿐만 아니라 상악동 막도 신생골 형성 능력이 있으면 골이식부는 골창 부위를 제외하고는 완전히 골형성 능력을 보유한 조직과 맞닿게 된다(2-9). 따라서 이렇게 양호한 환경이 상악동 골이식 후 보여지는 높은 골재생 성공률을 설명하는 근거가 된다는 것이다. 이러한 생각은 일부 전임상 연구를 통해서도 지지받게 되었다. 동물과 사람의 상악동 막에는 골형성 세포가 존재하며, 이 세포를 생체 내로 이식하면 이소적으로 신생골을 형성할 능력이 있음을 보여주는 시험관 연구 결과가 발표되었다.[25,26] 일부 동물 실험들에서는 상악동 막에 존재하는 세포 중 일부에서 골형성과 관련된 표지 물질을 발현시켰으며,[27] 상악동 골이식 후 상악동 막에서 골이 형성된다는 간접적인 조직학적 근거를 얻을 수 있었다고 했다.[28]

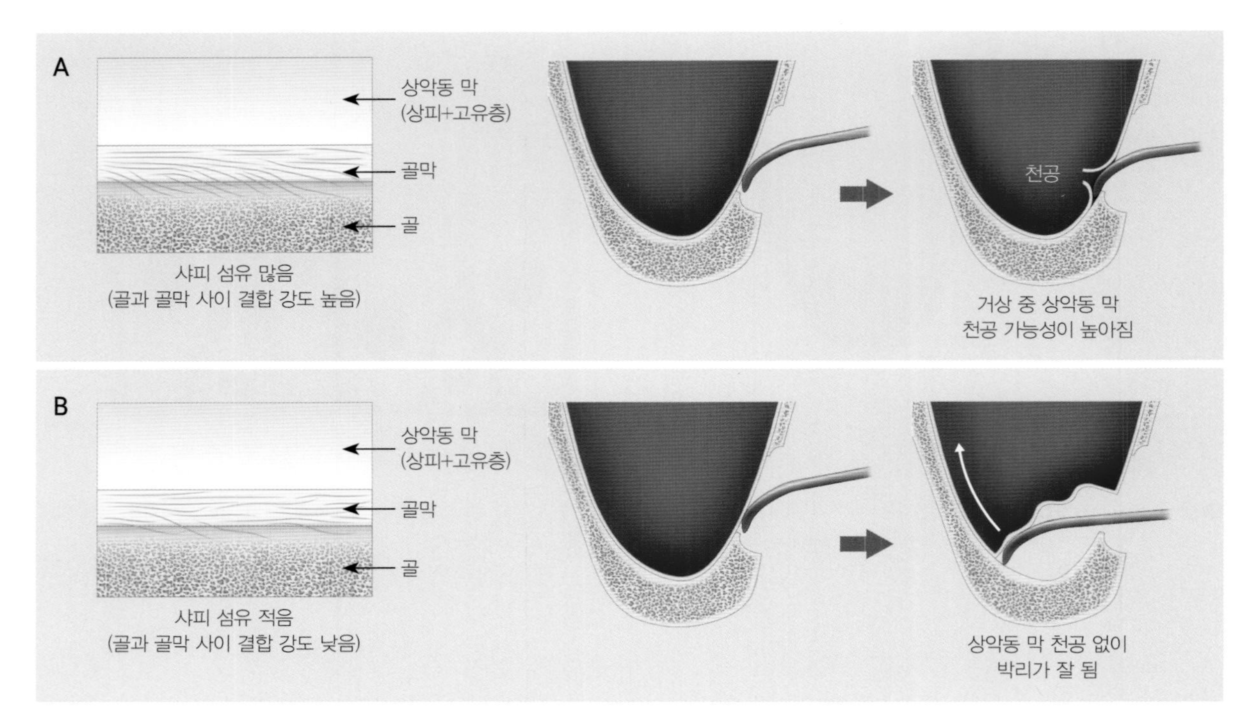

2-8 골막과 골은 샤피 섬유로 부착된다. 따라서 샤피 섬유의 수는 골막의 박리 난이도를 결정하는 데 있어 매우 중요하다.
A. 샤피 섬유가 많으면 골막을 골에서 박리할 때 많은 힘을 가해야만 한다. 상악동 막은 탄성이 낮고 얇기 때문에 박리 시 많은 힘이 가해지면 천공될 가능성이 높아진다. **B.** 샤피 섬유가 적으면 골막을 골에서 분리할 때 적은 힘만 가해도 된다. 상악동 막 내의 골막과 상악동 내벽의 골 사이에는 샤피 섬유가 적으며, 따라서 상악동 막을 거상할 때 천공될 가능성이 낮다.

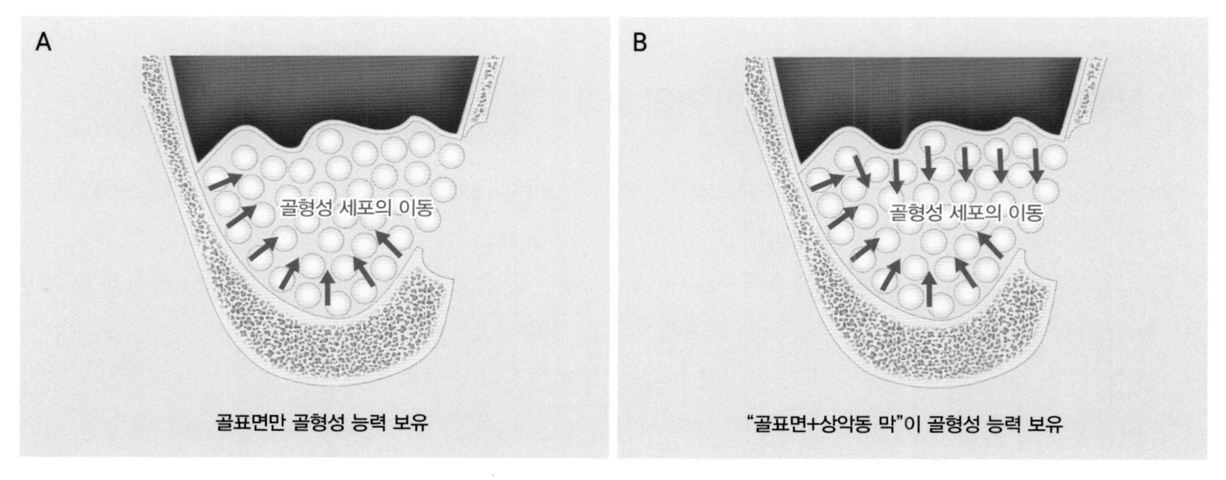

2-9 상악동 막의 골형성 능력이 상악동 골이식 후 신생골 형성에 미치는 영향
A. 상악동 막에는 골형성 능력이 없고 상악동 내벽만 골형성 능력이 존재하면, 상악동 골이식 부위로 이동하는 골형성 세포는 노출된 상악동 골벽에서만 유래하게 된다. 이는 이론적으로 골형성 능력이 저하되는 결과를 초래할 수 있다. **B.** 만약 상악동 막도 골형성 능력을 보유한다면 거상된 상악동 막과 노출된 상악동 골벽 표면 모두에서 골형성 세포가 유래할 수 있다. 따라서 상악동 막이 골형성 능력을 지니면 상악동 골이식 후 신생골 형성 속도는 더 빨라지게 된다.

그러나 최근 발표되고 있는 일련의 체내 연구, 특히 동물을 이용한 조직학적 연구들은 상악동 막의 골형성 능력에 대해 부정적인 결론을 보여주고 있다. Scala 등은 일련의 동물 연구를 통해 상악동 골이식 시 상악동 막은 골형성 능력을 보이는지 평가했다(📷 2-10). 상악동 막을 외측 접근법으로 거상하고 이식재를 위치시키지 않은 채 임플란트를 식립하여 상악동 막을 지지해주면, 치유 기간 중 상악동 내의 신생골은 항상 상악동저의 골표면으로부터 시작되어 임플란트 표면을 따라 상방으로 형성되는 양상을 보였고, 상악동 막에서는 골형성이 관찰되지 않았다.[29,30]

이후의 동물 대조 연구들은 상악동 골이식 후에 신생골은 거의 전적으로 상악동 막이 아닌 골표면으로부터 진행된다는 직접적인 증거를 제시해 주었다. 한 동물 실험에서는 양측 상악동 막을 거상한 후 한쪽은 상악동 막 하방에 교원질 차폐막을 적용하고, 다른 쪽은 적용하지 않은 후 탈단백 우골을 충전해주었다(📷 2-11).[31] 4개월 후 양측을 조직계측학적으로 평가했을 때, 차폐막을 적용한 부위와 적용하지 않은 부위의 재생 조직 내 광화 조직 비율은 각각 30.9±9.2%와 29.4±16.2%로 거의 차이를 보이지 않았다. 다른 동물 실험에서는 상악

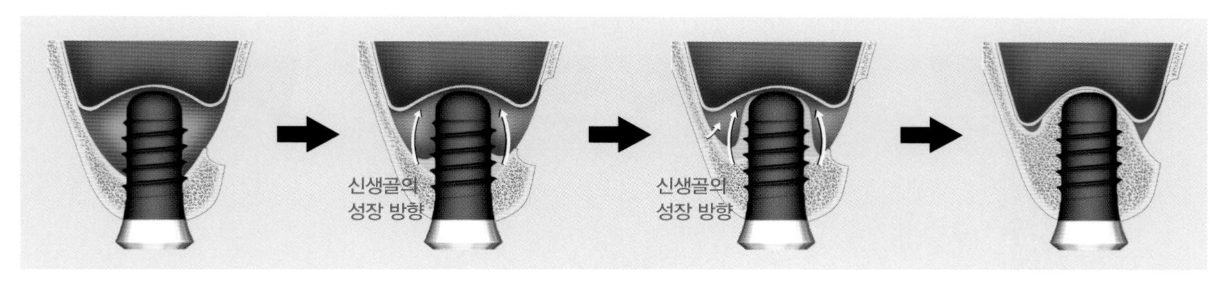

📷 2-10 상악동 골이식 후 신생골의 형성 방향
Scala 등의 연구에 의하면, 상악동 내의 신생골은 항상 상악동저의 골표면으로부터 시작되어 임플란트 표면을 따라 상방으로 이동하는 양상을 보였고 상악동 막에서는 골형성이 관찰되지 않았다.[29,30]

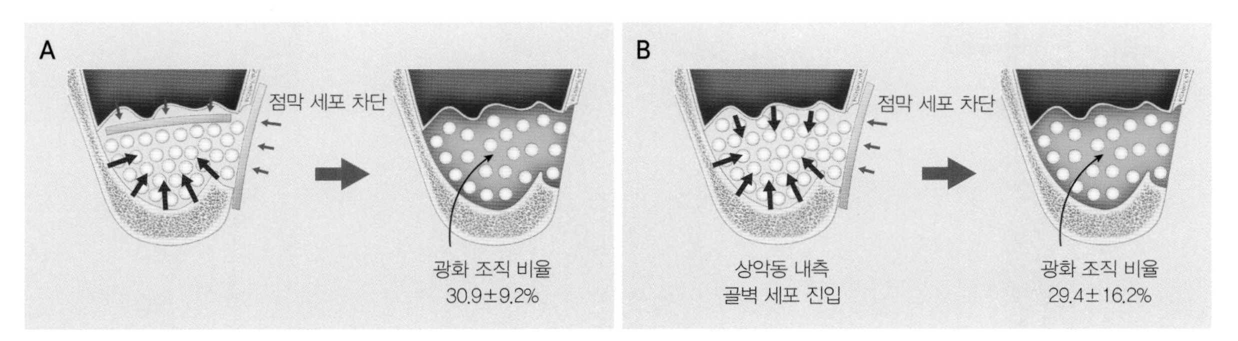

📷 2-11 상악동 막 표면이 상악동 골이식 후 신생골 형성에 미치는 영향을 평가한 실험[31]
A. 상악동 골이식 시 상악동 막 하방과 외측 골창부에 차폐막 적용. 상악동 막과 구강 점막에서의 세포 이동을 차단함 **B. 상악동 골이식 시 외측 골창부에만 차폐막 적용.** 구강 점막에서의 세포 이동만을 차단함
두 군에서 4개월 후 형성된 신생골의 질은 거의 차이를 보이지 않았다. 이는 상악동 막 표면이 상악동 골이식 후 신생골 형성에 거의 어떠한 영향도 미치지 않음을 보여주는 결과이다.

동 막을 거상한 후, 상악동 내측 골벽과 상악동 막을 각각 얇은 티타늄 막을 이용해 골이식재로부터 차폐시켰을 때 어떤 결과를 보이는지 평가했다(📷 2-12). 그 결과, 상악동 막을 차폐시켰을 때에는 정상적인 상악동 골이식 후와 비슷한 정도의 신생골이 형성됐지만, 골표면을 차폐시켰을 때에는 신생골 형성이 현저히 저하되었다.[32] 이는 상악동 막을 차폐막으로 막아주더라도 상악동 내 골재생은 거의 방해받지 않으며, 따라서 상악동 막의 골형성 능력은 무시할 만한 정도밖에 되지 않는다는 사실을 보여주는 결과들이다.

이후 여러 동물 연구에서는 상악동 골이식 후 신생골은 상악동 막이 아닌 상악동 내면 골의 표면에서 시작되어 임플란트 표면을 따라 진행된다는 사실을 일관되게 보여주었다.[31,33–35] 이러한 현상은 치조정 접근 상악동저 거상술에서도 동일하게 나타났다. 동물 실험에서 골이식 없이 치조정 접근 상악동저 거상술을 시행했을 때 신생골은 상악동 내 골면과 임플란트 표면을 따라 형성되었지만, 상악동 막이 신생골을 형성시킨다는 직접적인 근거는 관찰할 수 없었다.[36,37]

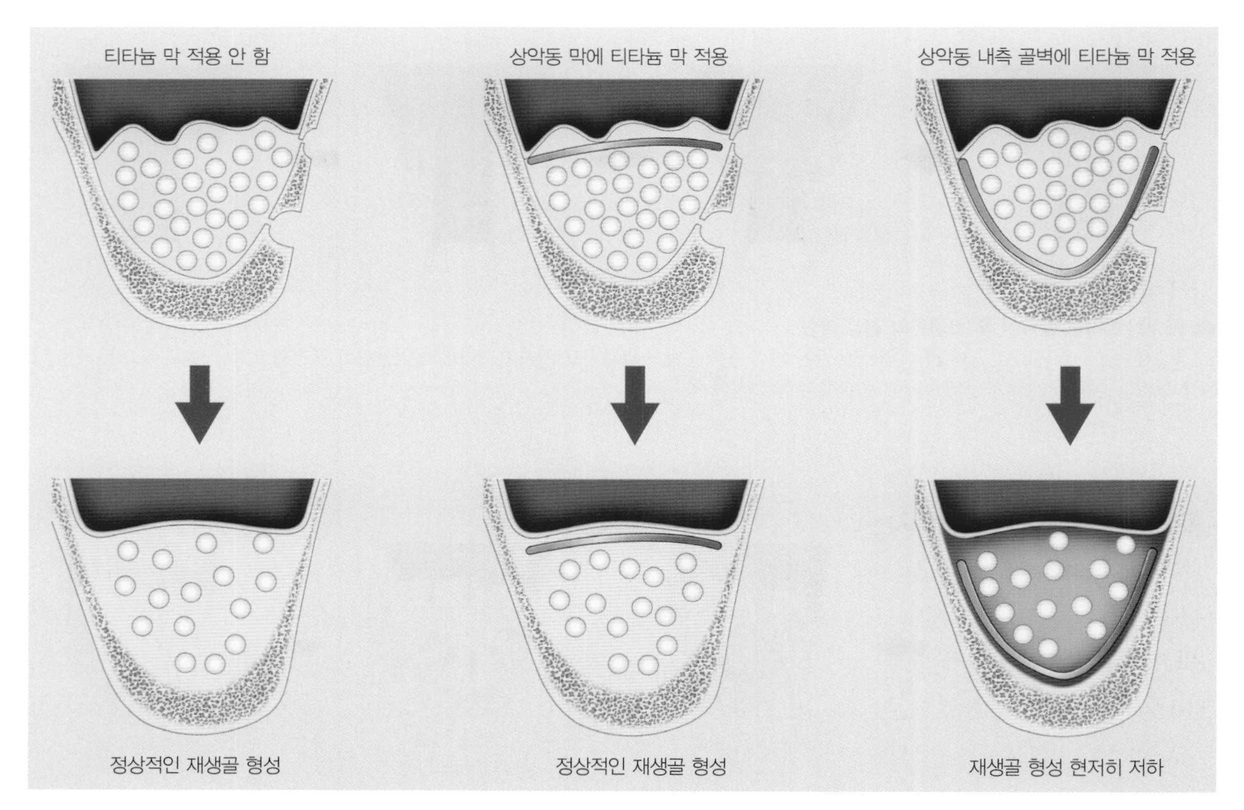

📷 2-12 상악동 내측 골벽과 상악동 막을 각각 얇은 티타늄 막으로 차폐시켰을 때의 결과[32]
티타늄 막을 적용하지 않았을 때나 상악동 막에 티타늄 막을 적용했을 때에는 정상적인 재생골이 형성되었다. 반면 골표면을 차폐시켰을 때에는 신생골 형성이 현저히 저하되었다. 이는 상악동 막의 골형성 능력은 무시할 만한 정도밖에 되지 않는다는 사실을 보여주는 결과이다.

3) CT에서 상악동 막의 정상 두께는 2 mm 이하이다

(1) 상악동 막은 CT에서 실제보다 두껍게 나타난다

조직학적으로 측정한 상악동 막의 진정한 두께는 평균적으로 1 mm 미만이다. 사체에서 측정한 건강한 상악동 막의 두께는 0.40±0.12 mm였다.[20] 한 연구에서는 드물게 환자에서 직접 채취한 상악동 막의 두께를 측정했고, 그 수치는 평균 0.97±0.36 mm였다.[38]

그러나 조직학적으로 관찰한 상악동 막 두께보다는 CT로 측정한 상악동 막 두께가 더 크게 나타나는 경향이 있다. 한 메타분석에서는 조직학적으로 측정된 상악동 막 두께가 평균 0.48 mm (95% CI 0.12–1.1 mm)로 보고된 반면, CT로 측정된 상악동 막 두께는 평균 1.33 mm (95% CI 1.06–1.60 mm)로 보고되었다고 했다.[39] 이는 조직학적 측정과 CT를 이용한 측정을 동시에 시행한 연구들의 결과는 아니기 때문에 직접적인 비교를 할 수 없지만, CT로 측정한 상악동 막의 두께는 조직학적 두께보다 대체로 2.8배 정도 두껍게 보고되고 있음을 알 수 있다. 이와 관련하여 한 연구에서는 사체의 상악동 막 두께를 조직학적 방법과 CBCT를 이용한 방법으로 측정하고 이들 측정치 간의 관계를 알아보았다. 그 결과, 상악동 막은 조직학적으로는 평균 0.30 mm, CBCT 상에서는 평균 0.79 mm로, CT에서 약 2.6배 더 두껍게 측정되었다.[40] 그러나 조직학적 두께와 CT에서의 두께는 유의하지 않은 상관관계를 보였다. 즉 CT 두께는 실제 두께를 잘 반영하지 못했다.

이렇게 CT에서 상악동 막이 더 두껍게 측정되는 이유는 두 가지로 생각된다.[40]

- CBCT의 해상도(0. 5 mm)보다 상악동 막의 두께(0.3 mm)가 더 작다.
- CBCT에서 상악동저의 막은 다른 부위의 막보다 더 두꺼운 것으로 측정되는데, 이는 상악동 내의 점액질이 중력에 의해 상악동저에 축적되기 때문이다. 그러나 CBCT에서 점액과 상악동 막을 구분할 수 없고, 따라서 점액을 상악동 막 두께에 포함하여 측정한다(📷 2–13).

(2) 상악동 막의 두께는 사람에 따라 변이가 크다

상악동 막의 두께는 사람에 따라 큰 차이를 보인다. 한 단면 연구에서는 143명의 CBCT에서 상악동 막의 두께는 평균 1.68 mm였지만 그 범위는 0.16 mm에서 34.61 mm에 이르기까지 큰 변이를 보였다고 했다.[41] CBCT에서 정확히 어느 정도의 범위에 들어야 정상적인 상악동 막 두께로 간주할 수 있는가에 대해서는 아직까지 명확한 기준은 없지만, 일반적으로 2 mm 이하의 두께를 정상으로 생각한다.[41,42] CBCT에서 상악동 막이 2 mm 이하인 경우는 평균 61.3–75.1%이다(**📷 2–14**).[43,44]

상악동 막의 두께에 변이가 큰 이유는 여러 가지 요소에 의해 영향을 받거나 관계되기 때문이다. 여러 단면 연구와 후향적 연구를 통해 밝혀진 요소들은 **📁 2–1**과 같다.

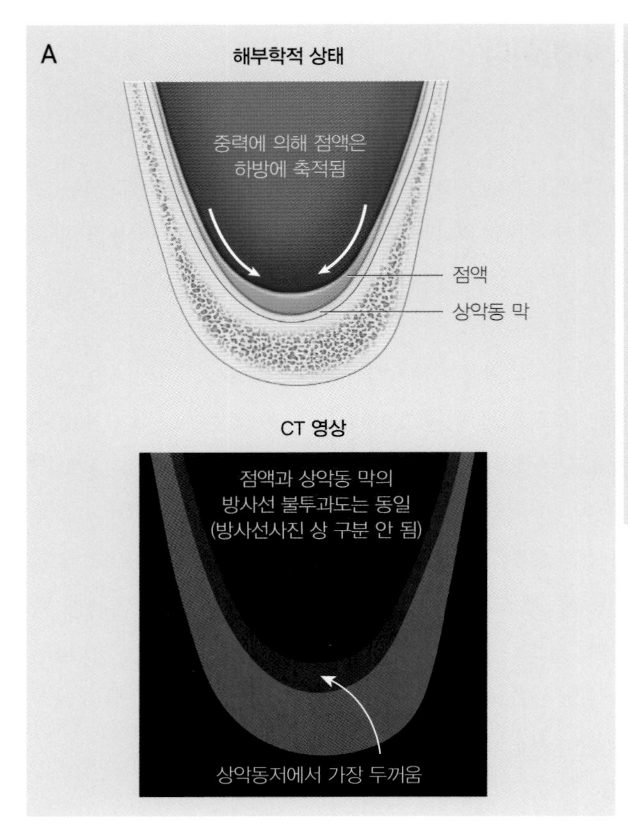

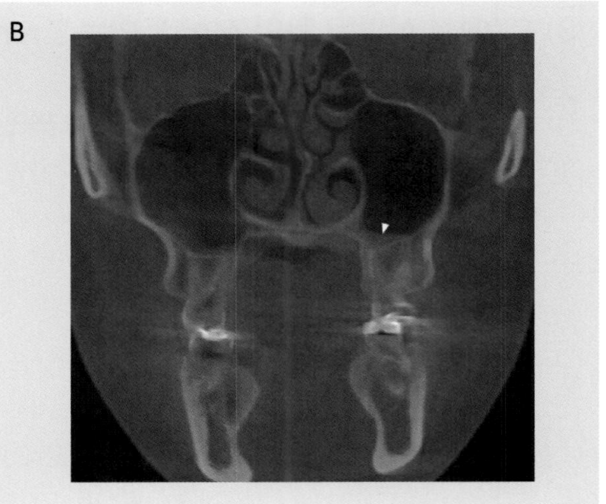

2-13 상악동저의 상악동 막이 CT에서 실제보다 두껍게 측정되는 이유
A. 상악동저 막의 상부에는 중력에 의해 점액이 축적될 수 있다. 점액과 상악동 막의 방사선학적 밀도는 비슷하기 때문에 CT에서 이를 구분하는 것은 거의 불가능하다. 따라서 CT에서 상악동저 부위의 상악동 막은 여타 부위에 비해 더 두껍게 측정될 수 있다. **B.** CT 영상에서 좌측 상악동저 부위에 점액이 축적되어 상악동 막의 비후처럼 보인다.

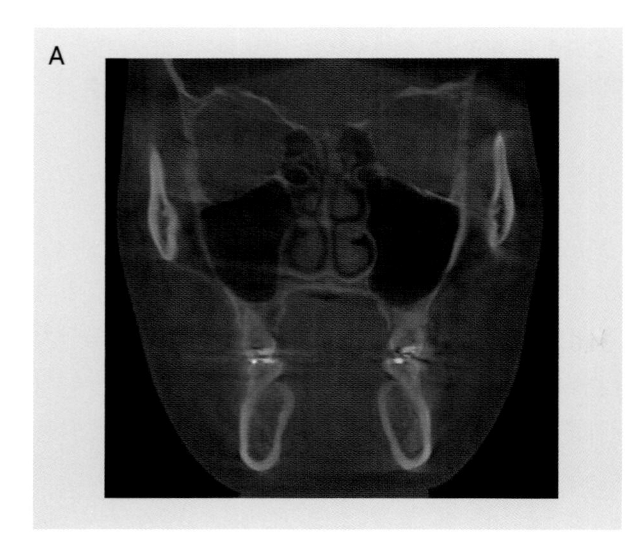

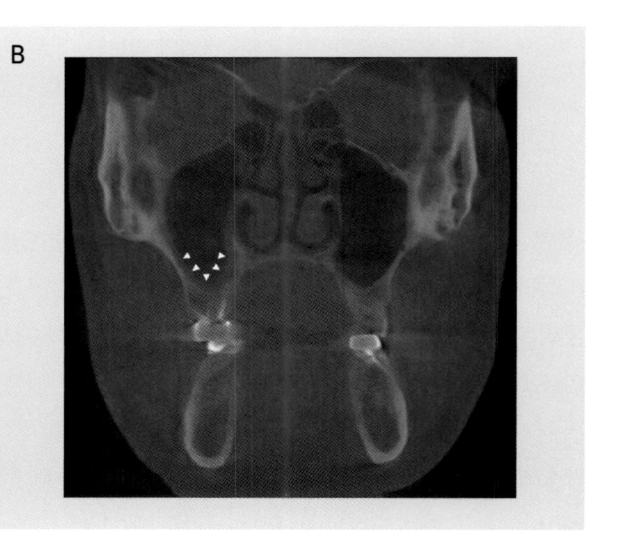

2-14 CT에서 상악동 막이 2 mm 이하이면 정상으로 간주한다.
A. 이 증례에서는 상악동 막이 CT에서 관찰되지 않는다. 이는 상악동 막 두께가 CT의 해상도로 측정할 수 있는 최소 두께보다 더 얇기 때문이다. 이러한 증례의 상악동 막 두께도 정상 범주에 포함되는 것이다. **B.** 이 증례의 우측 상악동 막은 약간 비후된 듯한 소견을 보인다. 그러나 역시 두께는 2 mm로 정상적인 범주에 포함된다.

2-1 상악동 막 두께와 연관된 요소들

원인	설명
구강 점막의 두께	구강 점막의 두께와 상악동 막의 두께는 강한 상관관계를 보인다.[45] 한 연구에서 두꺼운 점막 표현형 환자의 상악동 막 두께가, 얇은 점막 표현형 환자의 두께보다 두 배가량 유의하게 두꺼웠다.[38] 이는 유전적 요인이 상악동 막 두께 결정에 중요한 역할을 한다는 사실을 보여주는 것이다.
성별	여러 연구에서 남성의 상악동 막은 여성에서보다 유의하게 두꺼웠다.[41,46,47]
상악동저와 치아 치근의 수직적 관계	치아 치근이 상악동저보다 더 상방에 위치하면 상악동 막은 세 배 정도 유의하게 두꺼워졌다.[48]
치주 질환의 존재	치주 질환이 존재하는 치아 상방의 상악동 막은 5배 이상 두꺼워진다.[46,49] 치주 질환을 치료하거나 원인치를 발거하면 상악동 막은 정상 두께를 회복한다.[47,49]
근관치료/수복 치료 병력	근관 치료 병력이나 수복 치료 병력이 있는 치아 상방의 상악동 막은 유의하게 두꺼워진다. 이는 근관 치료나 수복 치료로 증상이 사라지더라도 근관 내부는 세균에 지속적으로 오염되어 있을 수도 있음을 보여주는 사실이다.[46,50]
상악동 막의 염증 정도	상악동 막은, 임상적으로 관찰될 정도는 아니지만 약한 염증 상태에 놓여있을 수 있다. 상악동 막의 조직학적 염증 지수는 상악동 막의 두께와 유의한 관계를 갖는다.[20] 상악동 막에 염증이 존재하면 막 내 고유층에서 교원질 섬유가 증가하고 염증 세포가 침윤되면서 조직이 부종된다. 따라서 상악동 막은 두꺼워진다.
계절	상악동 내의 낭종성 병소는 가을(9–11월)에 더 많이 나타난다.[46,51] 한 연구에서는 겨울에 상악동 막의 비후가 더 많이 관찰됐다고 보고했다.[52]
흡연	흡연이 상악동 막 두께에 미치는 영향은 제한적인 것으로 보인다. 한 메타분석에서는 흡연자의 상악동 막 두께가 비흡연자보다 두꺼웠다고 했다.[39] 그러나 이 차이가 통계학적으로 유의하지는 않았다. 다른 일차 연구에서는 흡연 여부와 상악동 막은 별다른 상관성을 보이지 않았다고 했다.[47]

4) 상악동 막의 두께는 상악동 막의 천공에 영향을 미치는가?

상악동 막의 두께가 상악동 골이식 중 상악동 막의 천공에 미치는 영향에 대해서는 아직 명확한 결론을 내리기 힘들다. 상악동 막의 두께와 상악동 막 천공의 발생 빈도를 알아보기 위해서는 CT를 이용해야 하는데, CT에서 관찰된 상악동 막의 두께는 진정한 상악동 막의 두께를 정확하게 반영하지 못하기 때문이다. 게다가 상악동 막 내부의 교원질 섬유 함량이나 염증에 이환된 정도 등은 상악동 막의 탄성에 큰 영향을 미칠 수 있지만, 단순한 상악동 막 두께는 이러한 요소들에 대해 아무런 정보도 제공해 줄 수 없다.

상악동 막이 조직학적으로 건강한 상태에 있다면 상악동 막의 두께가 얇아질수록 상악동 막은 더 쉽게 천공된다. 일련의 후향적 연구들에서 상악동 막의 두께와 수술 중 막의 천공이 유의한 관계를 보인다고 했다. 한 연구에서는, 상악동 골이식 중 천공된 상악동 막의 평균 두께는 0.84±0.67 mm였던 반면 천공되지 않은 막의 두께는 평균 2.65±4.02 mm였으며, 이는 유의한 차이를 보이는 것이었다고 했다.[53] 한 연구에서는 CT에서 관찰한 상악동 막의 두께와 수술 중 상악동 막의 천공 여부와의 관계를 평가했다.[54] 그 결과, 전체 천공된 증례 중 75%는 CT에서의 상악동 막 두께가 0 mm인 환자들에서, 25%는 두께가 2 mm 이하인 환자들에서 관찰됐다. 2 mm를 초과하는 두께의 상악동 막은 천공되지 않았다. 다른 연구에서도 상악동 막의 두께가 증가할수록 상악동 막 천공은 줄어드는 유의한 경향을 보였다.[44] 상악동 막 두께가 0–1 mm일 때에는 47.4%의 증례에서, 1–2 mm일 때에는 21.1%의 증례에서, 2–3 mm일 때에는 15.8%의 증례에서 천공이 발생했다.

그러나 상악동 막의 두께와 수술 시 천공 여부의 관계는 이렇게 아주 간단한 문제는 아닌 것 같다. 사체에서 채취한 상악동 막의 물리적 성질을 측정한 결과, 상악동 막의 최대 신장 능력이나 천공될 때의 한계 힘은 그 두께와 별다른 상관관계를 보이지 못했다.[55] 또한 한 메타분석에서는 상악동 막 두께와 상악동 골이식 시 천공의 상관성을 평가했으며, 통계학적인 유의성을 보이지는 않았지만 상악동 막이 두꺼울수록 수술 중 상악동 막의 천공 발생 비율이 오히려 증가하는 경향을 보였다고 했다.[39] 두 후향적 연구에서는 CT에서 상악동 막이 대략 1–2 mm 사이일 때 천공이 가장 적게 발생하고, 이보다 얇거나 두꺼우면 상악동 막이 더 자주 천공되는 경향을 보인다고 했다.[38,43] 또한 1–2 mm보다 얇은 두께의 막이 1–2 mm보다 두꺼운 두께의 막보다는 더 잘 천공되는 것 같다.[56,57]

이를 어떤 방식으로 해석해야 할까? 상악동 막의 두께가 2 mm 이하일 때에는 정상 상태일 가능성이 높다. 정상 상태의 상악동 막은 그 두께가 두꺼울수록 천공에 더 잘 저항할 것이다. 그러나 두께가 2 mm를 넘어서기 시작하면 상악동 막은 염증 상태에 놓여 있을 가능성이 증가한다. 그리고 염증에 의해 비후된 상악동 막은 정상 상악동 막보다 물리적 성질이 저하된다.[20,43] 따라서 정상 범주를 넘어서는 두께의 상악동 막은 정상 상악동 막에 비해 더 잘 천공될 것이다. 결국 2 mm 두께를 정점으로 이보다 두껍거나 얇아지면 상악동 막은 더 잘 천공되는 경향을 보일 것이라고 결론 내릴 수 있다(**2–15**). 이러한 추측을 검증하기 위한 전향적 코호트 연구가 필요하다고 하겠다.

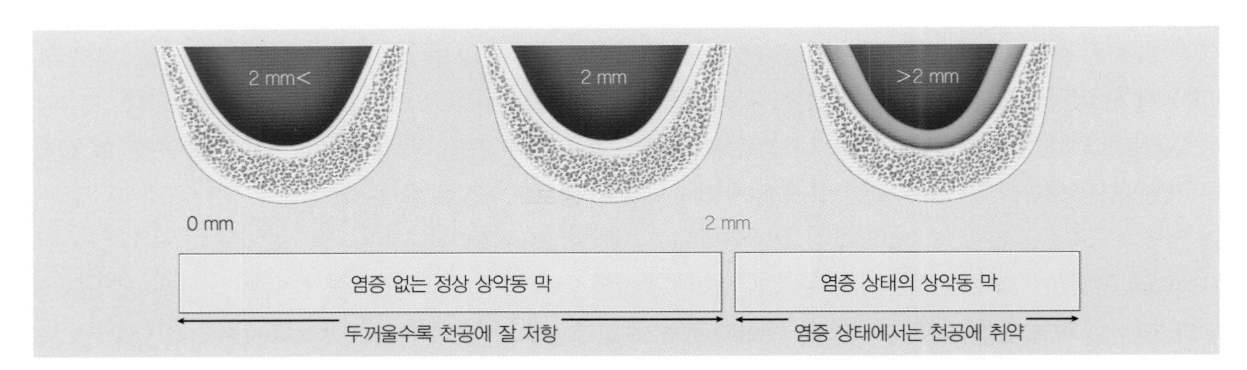

2–15 상악동 막의 두께와 천공 가능성의 관계
대체적으로 2 mm까지의 정상 범위에서는 상악동 막이 두꺼워질수록 천공에 더 잘 저항한다. 그러나 CT에서 2 mm를 넘는 상악동 막은 여러 가지 다양한 상태를 반영하는 것이므로 상악동 막 두께와 천공 가능성이 어떤 전형적인 상관관계를 보이지 않는다. 최근의 일부 임상 연구에서는 상악동 막이 2 mm를 초과하면 상악동 골이식 시 상악동 막의 천공 가능성이 오히려 증가한다고 보고했다.[38,43]

3.
상악동 막과 관련된 병소

임상 연구들에 의하면, 상악동 골이식술 전에 건전한 상태였던 상악동은 골이식술 후에도 별다른 합병증이나 기능 부전을 보이지 않으며, 합병증은 대부분 기존에 상악동 병소가 있었던 경우에 한하여 발생하는 경향이 있다.[6,58] 따라서 상악동 골이식을 시행하기 전에 CBCT를 이용해 상악동 내의 병소를 진단하고, 필요하다면 이를 미리 처치해 주거나 치료 계획을 변경해야만 한다.[6,59,60]

1) 상악동 막의 병소는 매우 흔하게 존재한다

기존의 연구들에 의하면 상악동 병소의 유병률은 12–66%로 다양하게 나타났다.[52,58,61,62] 상악동 내 병소의 발생은 환자의 성별, 연령, 계절 등에 영향을 받을 수 있는 데다가 어떤 기준을 적용할지, 또는 어떤 진단 방법을 사용할지에 따라 이를 발견할 수 있는 능력이 달라지기 때문이다. 특히 2차원적 방사선 영상보다는 3차원적 방사선 영상이 더 민감하게 병소를 발견할 수 있기 때문에 실제적인 병소의 발생을 더 잘 반영할 것이다. 이런 측면에서 증상이 없는 환자를 CBCT로만 진단했을 때, 24.6–56.3%의 환자에서 상악동 내 병소가 발견된다.[63–65] 또한 404명의 정상 성인 MRI를 이용한 연구에서는, 이들 중 31.7%에서 5 mm 이상의 상악동 막 비후, 공기액체층, 낭종성 병소, 상악동의 완전한 불투과상 등의 상악동 이상 소견을 보였다고 했다.[52] MRI는 CT보다 연조직 병소를 발견하는 데 더 높은 정확성을 보이고, 비교적 많은 수의 사람을 대상으로 했기 때문에 이 연구의 결과는 진실에 가까울 것이다. 결국 정상 성인 인구 중 대략 30% 내외에서는 상악동 내에 병소가 존재한다는 사실을 알 수 있다.

CT로 확인 가능한, 상악동 내의 흔한 병적 소견은 다음과 같다(2–16, 2–2).[66,67]

(1) 많은 상악동 막 병소는 특별한 처치를 하지 않아도 된다

위에서 살펴본 바와 같이, 상악동 골이식을 시행 받는 환자들 중 상당수는 상악동 병소에 이환되어 있을 것이라는 것은 확실한 사실이다. 다만 상악동 골이식은 매우 성공률이 높으며, 이 수술을 받은 많은 환자가 상악동 병소에 대해 술 전에 철저한 진단을 받지 못했을 것이라는 사실을 생각해 볼 때 상악동 내부에 병소가 존재하더라도 골이식의 결과에 지대한 영향을 미치지 못하는 경우가 많다고 추측할 수 있다. 실제로 상악동 내 막의 병소 중 가장 흔한 것은 상악동 골이식의 예후에 미치는 영향이 적은 상악동 막의 비후와 낭종성 병소이다.[22,46,56,57,68,69] 한 단면 연구에 의하면 임플란트 치료를 위해 CT를 촬영한 환자 500명에서 상악동 막 이상은 상악동 막 비후(>3 mm) 62.6%, 낭종성 병소 21.4%, 공기액체층 4.4%, 상악동의 완전한 불투과상 1.8%의 순서로 나타났다.[68] 5,021명의 파노라마 방사선사진으로 분석한 단면 연구에서는 상악동 막 비후는 12%, 낭종성 병소는 7%의 유병률을 보였다.[46]

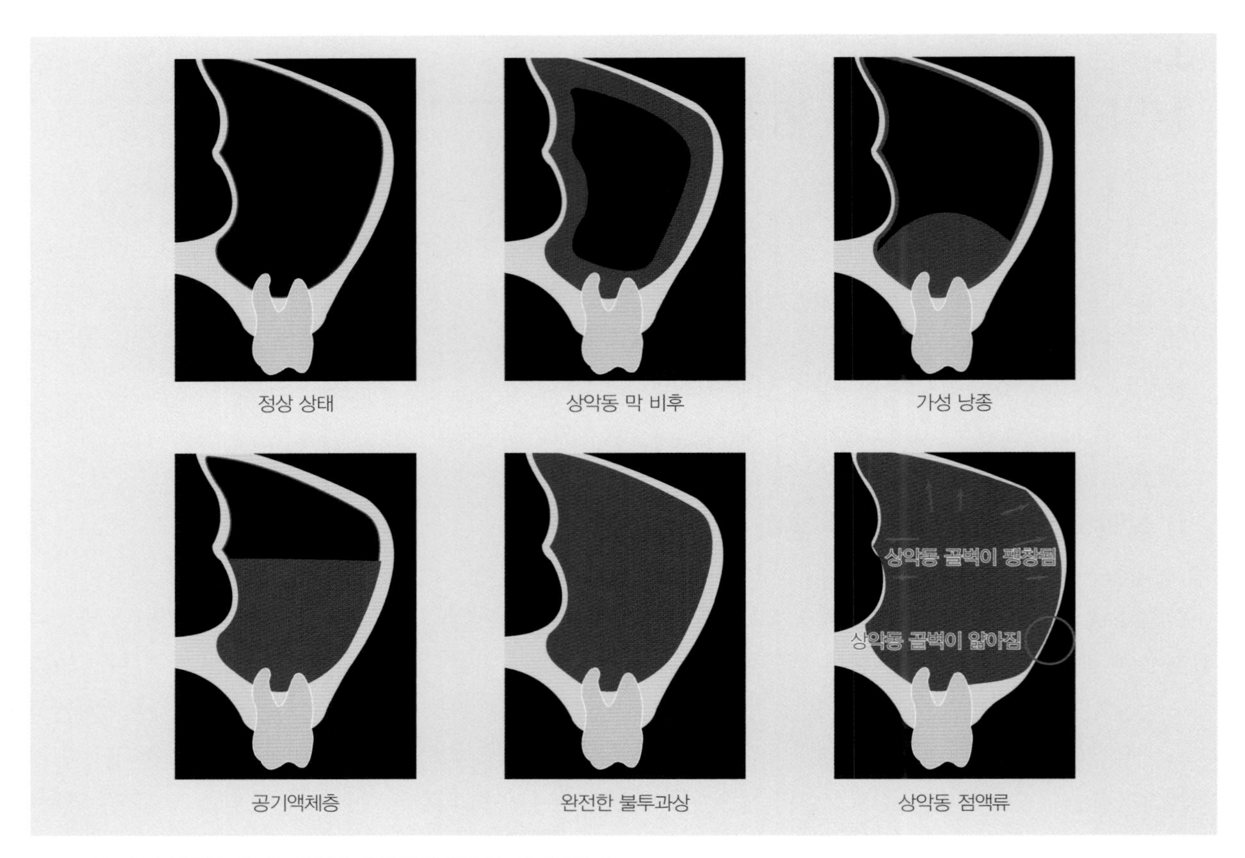

2-16 CT로 확인 가능한 상악동 내의 병적 상태(2-2 참조)

2-2 상악동 내의 흔한 병적 소견

CT 소견	진단 방법
상악동 막 비후	상악동 내측 골벽의 형태를 따라 상악동 막 전체, 혹은 일부가 두꺼워져 있다. 특히 약한 비후 상태에서는 두께가 비교적 균일하다.
가성 낭종(antral pseudocyst)	상악동 가성 낭종은 보통 상악동저에서 나타나며, 특징적으로 돔 형태를 보인다.
공기액체층(air-fluid level)	CT 영상에서 병소의 위쪽 변연은 수평 방향의 직선이나 반월(meniscus) 형태를 보인다. 이는 액체가 상악동 내에 차 있는 상태이기 때문이다. 상악동염에 의해 흔하게 나타난다.
상악동의 완전한 불투과상	상악동 내부가 액체나 연조직으로 가득 차 있으면 액체와 연조직의 방사선 불투과도는 같기 때문에 감별이 불가하다. 여기에는 연조직, 삼출물, 농양, 점액 등이 포함될 수 있다. 이러한 방사선학적 소견을 보일 수 있는 병소로 가장 흔한 것은 만성 상악동염이며, 연조직 종양이나 상악동 내 낭종성 병소 등도 이러한 소견을 보일 수 있다.
상악동 점액류	상악동 점액류는 비구가 특정 해부학적 상태나 질환에 의해 폐쇄되고, 이로 인해 상악동 내 분비물이 비강으로 배출되지 못하고 상악동 내에서 축적되면서 발생하는 질환이다. 따라서 상악동 점액류가 존재하면 상악동 골벽이 상악동 내부에 계속해서 축적되는 점액에 의해 발생하는 압력 때문에 팽창되는 소견을 보인다.

그리고 심하지 않은 상악동 막의 비후와 상악동 가성 낭종은 상악동 골이식술의 예후에 크게 영향을 미치지는 않기 때문에 상악동 골이식의 비적응증이 되지는 않는다.[56,70-72] CT 소견에 따른 상악동 막 관련 질환의 치료 방법을 정리해보면 표 2-3과 같다.

2) 상악동 막 비후(Thickening of sinus membrane)

상악동 막의 비후는 가장 흔하게 관찰되는 상악동 막의 이상 상태 중 하나이다. 상악동 막의 정상 두께를 CT에서 2 mm 이하로 보았기 때문에, 상악동 막이 2 mm를 초과하면 상악동 막 비후로 구분할 수 있다. 임상가마다 상악동 막의 비후에 대한 기준이 다르기 때문에 연구에 따라 큰 편차를 보이긴 했지만, 이 증상은 전체 환자 중 7.7–22.6%에서 나타나는 것으로 알려져 있다.[22,44,56] 상악동 하방 치아의 치근단 질환, 알레르기, 종양, 상악동 내부의 염증성 상태는 상악동 막이 비후되는 가장 일반적인 원인이다.[46,66] 사체에서 채취한 상악동 막의 두께와 염증 지수를 평가한 연구에서는, 막의 두께와 염증의 정도가 중등도의 유의한 상관관계를 보였다고 했다.[73] 즉, 염증이 심해질수록 상악동 막이 두꺼워지는 것은 맞지만, 막의 두께가 염증 상태를 완전히 반영하는 것은 아니라는 것이다. 따라서 상악동 막 비후는 반드시 염증성으로만 발생하는 것은 아니다. 상악동 내

표 2-3 상악동 막 질환의 치료 방법

CT 소견	진단 방법
상악동 막 비후	**5 mm 이하의 비후, 상악동염의 임상증상 없음** • 상악동 골이식 시행 **5 mm 초과하고 임상증상 존재** • 치과적 원인(상악 구치부 치아의 치주/치근단 문제, 구강–상악동 누공)이 의심되면 이를 치료 • 치과적 원인이 의심되지 않으면 이비인후과 의뢰
가성 낭종(antral pseudocyst)	**작은 가성 낭종** • 낭종에 별다른 처치 없이 일반적인 상악동 골이식 시행 **큰 가성 낭종(상악동 부피의 1/2–2/3 이상)** • 낭종 내 낭액을 흡인한 후 상악동 골이식 시행 • 낭종을 절제/제거한 후 동시/지연 상악동 골이식 시행
공기액체층(air–fluid level)	**상악동염에 의함** • 치과적 원인(상악 구치부 치아의 치주/치근단 문제, 구강–상악동 누공)이 의심되면 이를 치료 • 치과적 원인이 의심되지 않으면 이비인후과 의뢰
상악동의 완전한 불투과상	**만성 상악동염, 연조직 종양, 커다란 상악동 내 낭종성 병소 등** • 만성 상악동염의 증상을 보이고 치과적 원인(상악 구치부 치아의 치주/치근단 문제, 구강–상악동 누공)이 의심되면 이를 치료 • 치과적 원인이 의심되지 않으면 이비인후과 의뢰
상악동 점액류	이비인후과 의뢰

에서 분비된 점액이 상악동저에 저류된 경우나 상악동 막의 점막 하층이 부종된 경우에도 CT 영상에서 상악동 막이 비후된 것처럼 나타나며, 이는 진정한 상악동 막 비후와 방사선학적으로 감별이 불가능한 상태이다(📷 2-17).[66]

(1) 상악동 막 두께가 5 mm 이하이면 상악동 골이식의 위험 요소는 아니다

우리가 가장 궁금한 점은 상악동 막이 비후되더라도 어느 정도의 두께까지 안전하게 상악동 골이식을 시행할 수 있는가이다. 상악동 막의 비후 정도가 심해질수록 생리학적 기능은 저하될 것이다. 이는 상악동 골이식 후 발생할 불리한 환경에서, 상악동염 등의 합병증을 유발하게 될 것이다. 한 단면 연구에 의하면 상악동 골이식술 전에 상악동 비구는 전체 환자의 15%에서 폐쇄되어 있었는데, 이들 중 3/4 이상에서 상악동 막 두께는 10 mm 이상이었다. 반면 상악동 막의 두께가 5 mm 미만인 경우에는 비구의 기능이 정상적이었다(📷 2-18).[22] 이는 상악동 막이 비후되었더라도 5 mm 미만이면 상악동 막과 비구의 배출 기능은 정상적으로 작동할 수 있음을 보여주는 것이다.

상악동 막의 약간의 비후(≤5 mm)는 상악동 골이식의 예후에 별다른 영향을 미치지 않는다는 사실은 일련의 임상 연구들을 통해 밝혀졌다. 한 전향적 연구에서는 정상 상악동 막(막 두께 ≤2 mm), 비후된 상악동 막(막 두께 >2 mm, 평균 5 mm), 낭종이 존재하는 상악동 막을 지닌 환자들에서 외측 접근 상악동 골이식 후의 상태를 비교했다. 그 결과, 상악동 골이식술에 의한 상악동 막의 부종은 모든 군에서 비구의 기능에 악영향을 미치지 않았으며, 상악동 골이식 중 천공의 발생 빈도도 모든 군에서 차이를 보이지 않았다(📷 2-19).[56] 같은 연구 집단에서 시행한 또 다른 전향적 연구에서는, 치조정 접근 상악동 골이식을 시행했을 때에도 정상 상악동 막(막 두께 ≤2 mm), 비후된 상악동 막(2 mm<막 두께 ≤5 mm), 낭종이 존재하는 상악동 막을 지닌 환자에서 골증강의 양이나 신생골 형성량에는 어떠한 차이도 보이지 않았다고 했다.[57]

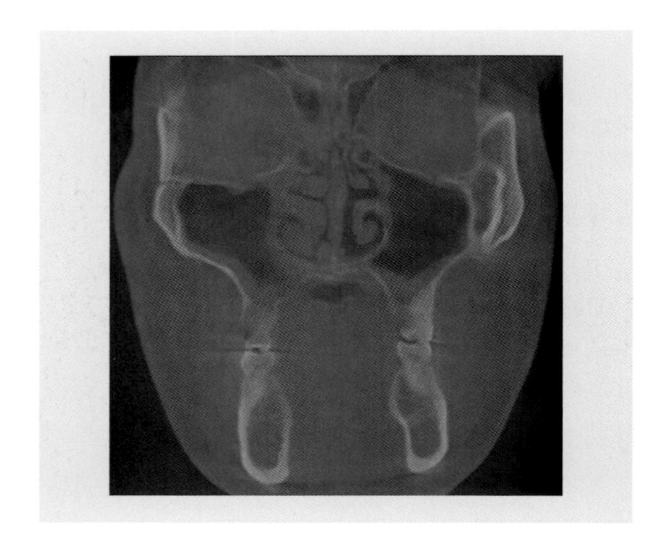

📷 2-17 상악동 막의 비후
상악동 막의 비후는 가장 흔하게 관찰되는 이상 상태 중 하나이다. 그 원인은 보통 염증성으로 생각되지만, 그 이외에도 워낙 다양하기 때문에 특정하기 힘들다.

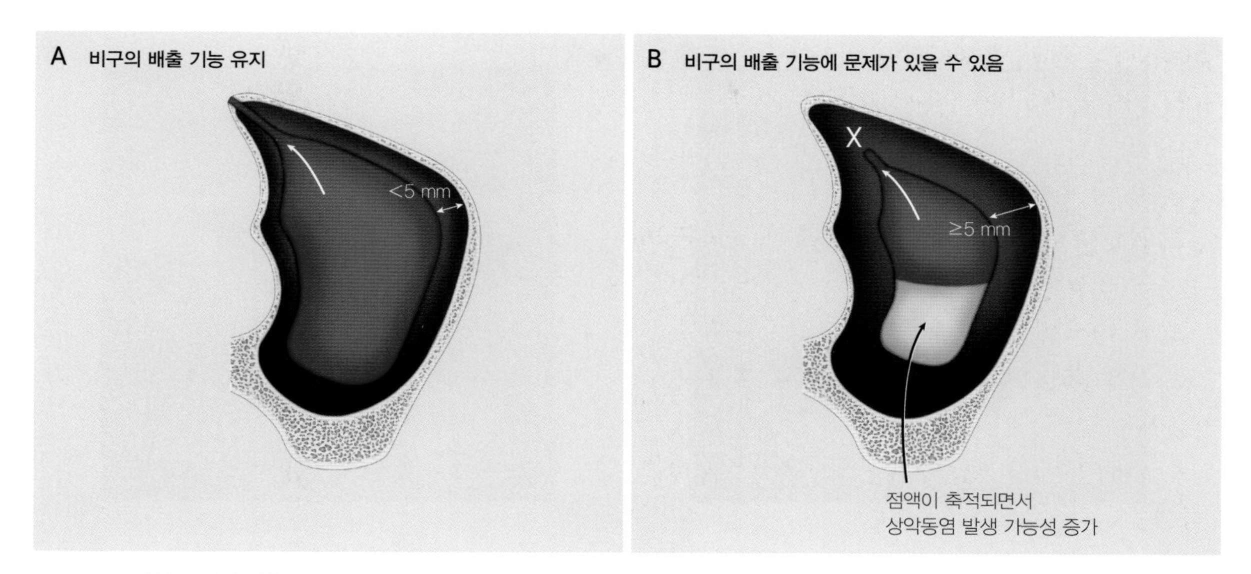

2-18 상악동 막이 비후되면 비후된 막에 의해 비구가 물리적으로 폐쇄될 수 있다. 이는 CT 영상으로 명확히 확인하기 힘들다(2-17 참조).
A. 비후된 상악동 막의 두께가 5 mm 미만이면 비구의 배출 기능은 정상적이다. **B.** 상악동 막이 5 mm 이상이면 비구가 부분적/전체적으로 폐쇄되어 점액이 상악동 내에 비정상적으로 축적될 수 있다. 이는 상악동염의 원인이 될 수 있다.

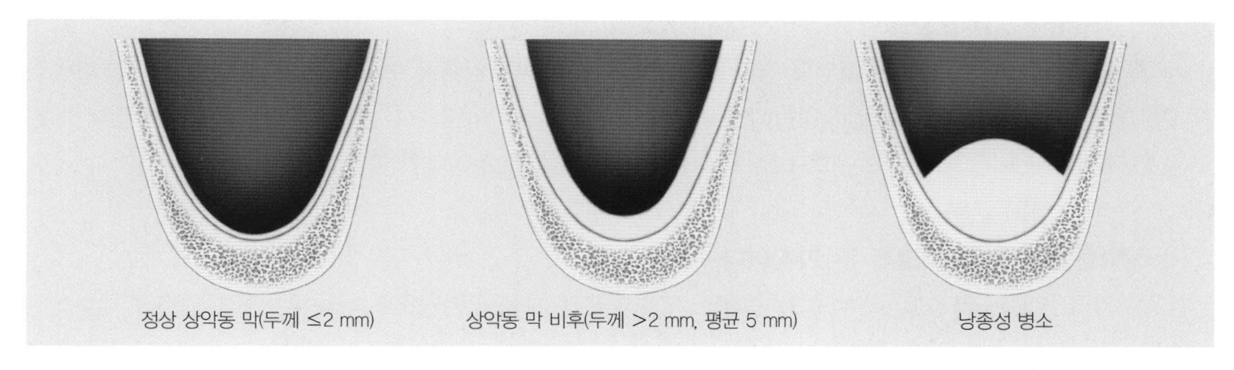

2-19 한 임상 연구에서는 정상 상악동 막, 비후된 상악동 막(막 두께 >2 mm, 평균 5 mm), 낭종이 존재하는 상악동 막을 지닌 환자들에서 외측 접근 상악동 골이식 후의 상태를 비교했다. 그 결과, 상악동 골이식술에 의한 상악동 막의 부종은 모든 군에서 비구의 기능에 악영향을 미치지 않았으며, 상악동 골이식 중 천공의 발생 빈도도 모든 군에서 차이를 보이지 않았다.

CBCT는 상악동 막의 두께만을 평가할 수 있을 뿐, 실제로 어떤 이유로 막이 두꺼워졌는가에 대해서는 평가가 불가능하다. 따라서 많은 전문가들이 CT에서 측정된 상악동 막의 두께가 5 mm를 초과하는 소견을 보이고, 상악동염의 병력이 있거나 상악동 상부까지 비후가 광범위하게 존재하면 상악동 골이식 전 이비인후과로 의뢰할 것을 추천한다(**2-20**).[1,66]

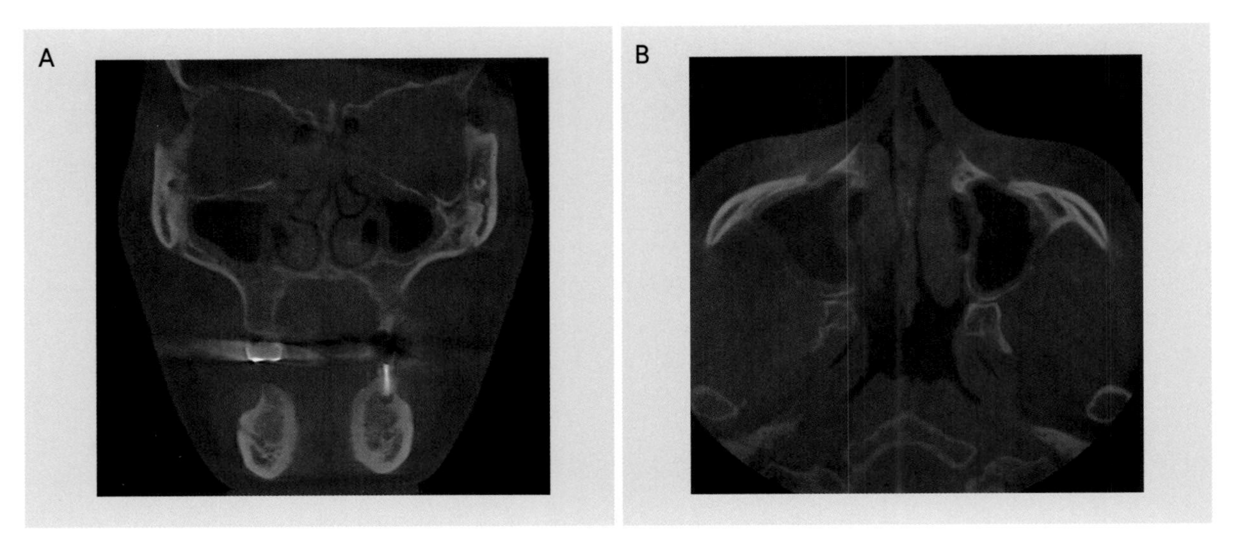

2-20 상악동 막 비후를 보이는 전형적인 증례이다.
상악동 막 두께가 5 mm 초과이고 상악동염 병력/임상 증상이 존재하면 이비인후과 의뢰의 대상이다. 그러나 상악동 막 두께가 5 mm 이하이거나 5 mm 이상이라도 특별한 병적 증상을 보이지 않으면 상악동 골이식이 가능하다.

3) 만성 상악동염(Chronic sinusitis)

상악동염은 말 그대로 상악동 내부의 막이 세균성으로 감염되어 염증을 보이는 상태이다. 증상이 미약한 경우 환자들은 병원에 내원하지 않는 경향이 있기 때문에 만성 상악동염의 유병률이 어느 정도인지 정확히 알 수는 없지만, 적어도 전체 인구의 10% 이상이 이환된 매우 흔한 질환이다.[69,74]

(1) 상악동염의 원인은 크게 두 가지이다

상악동염의 원인은 크게 비구-비도 복합체의 기능 부전과 치성 감염원으로 나눌 수 있다. 안면골 내부에는 상악동, 전두동(frontal sinus), 접형동(sphenoidal sinus) 등 세 개의 커다란 공동이 존재한다. 이들 공동은 좁은 구멍인 비구(ostium)를 통해 그 내부의 분비물을 외부로 유출시킨다. 모든 비구는 중비도(middle meatus)를 통해 비강과 연결된다(2-2, 2-21).[75] 따라서 비구-비도 복합체는 모든 부비동의 분비물을 유출하는 데 있어 가장 중요한 구조물이다.[76] 많은 임상 연구들에 의하면 기능적 내시경 부비동 수술을 통한 비구-비도 복합체의 교정 수술 만으로도 만성 상악동염을 완전히 치료할 수 있었다.[77,78] 따라서 예전에는 상악동 막의 감염이 만성 상악동염의 가장 큰 원인으로 생각되었으나, 현재는 만성 상악동염은 거의 전적으로 비구-비도 복합체(osteomeatal complex)의 기능 부전이나 막힘에 의한 것으로 생각되고 있다.[75]

그러나 치성 감염원에 의한 상악동염 또한 무시할 수 없을 정도로 발생한다.[79] 상악동염 중 10% 정도는 치성 감염원이 존재하기 때문에 발생하는 것으로 생각된다.[80,81] 그러나 실제로는 전체 상악동염 중 25-40% 정도가 치성 감염원에 의해 발생된다고 생각하는 이들도 있다.[82,83]

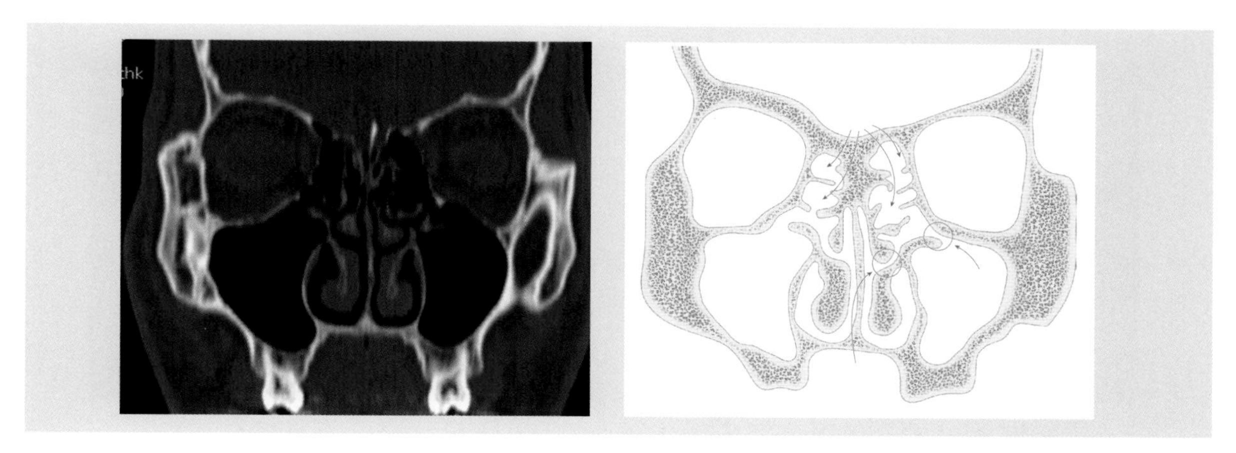

2-21 비구–비도 복합체는 상악동 내부의 분비물을 비강으로 운반하는 통로가 되기 때문에 상악동의 생리에 매우 중요한 역할을 한다.

(2) 상악동염은 CT에서 공기액체층이나 상악동의 완전한 불투과상으로 나타난다

만성 염증은 골이식술의 절대적 금기증이기 때문에 상악동 골이식술 전에 반드시 이를 진단해야 한다. 만성 상악동염은 증상이 없는 경우도 있으며 증상이 있는 경우에도 그 정도가 미약한 경우가 많으므로, 상악동 골이식을 시행하려는 환자는 술 전에 반드시 상악동염이나 상악동 수술의 기왕력을 조사하고 만성 상악동염의 임상적 증상을 확인하는 것이 좋다. 다음 네 가지 임상 증상 중 두 가지 이상의 증상이 존재할 때 상악동염으로 진단한다.[84]

- 점액–농양성(mucopurulent) 배농
- 비충혈(nasal congestion)
- 안면 통증/압박감
- 후각 능력 감소

만성 상악동염은 파노라마 방사선사진에서 혼탁한 방사선 불투과상으로 나타나기도 하지만, 이를 진단해 내는 것은 쉽지 않다. 상악동 질환을 가장 잘 진단할 수 있는 진단 방법은 컴퓨터 단층촬영이기 때문에, 이 질환이 의심되는 환자는 술 전에 CT를 반드시 촬영해야 한다. 만성 상악동염은 CT에서 상악동 내부가 액체 밀도로 꽉 차 있는 상태(상악동의 완전한 불투과상)나 액체 밀도가 부분적으로 차 있는 상태(공기액체층; air fluid level)로 나타난다(2–22).[66,67] 공기 액체층은 컵에 물이 부분적으로 차 있는 것처럼, 상악동 내부에 축적된 액체(거의 농양)가 상악동 내에 부분적으로 차 있는 상태가 관찰되는 것이다.[66]

(3) 상악동염은 상악동 골이식의 절대적 금기증이므로 골이식 전에 치료해야 한다

임상 증상을 보이면서 CT에서 상악동의 완전한 불투과상이나 공기액체층을 보이는 환자는 상악동염으로 진단한다. 이러한 경우에는 일단 치성 감염원으로 의심되는 소견이 있는지 먼저 검사한다. 특히 공기액체층이 존재하면 비구의 배출 기능은 부분적으로라도 유지되고 있다는 의미이기 때문에 치성 감염의 가능성이 비교적

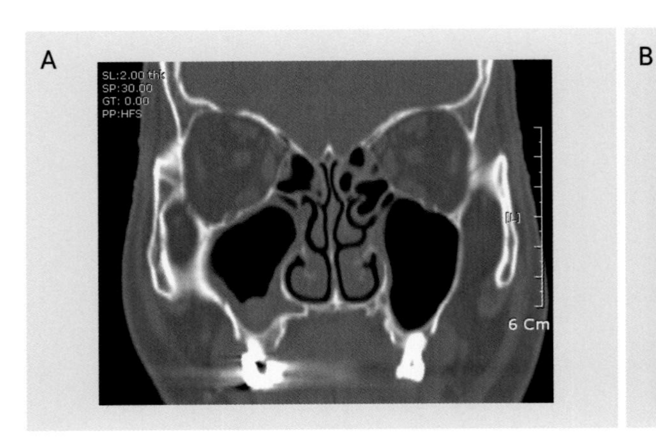

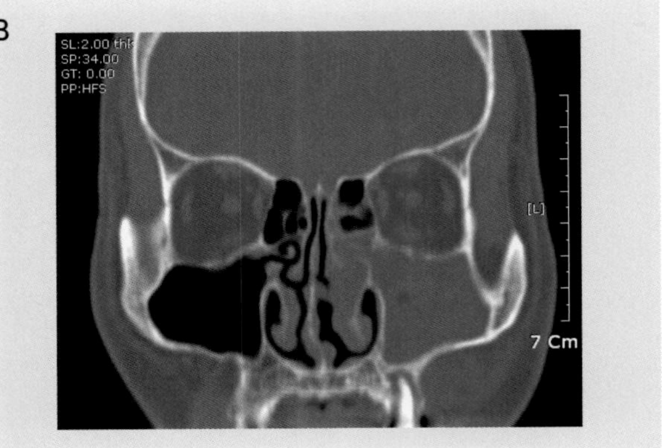

2-22 만성 상악동염을 보이는 환자의 컴퓨터 단층촬영 영상
A. 우측 상악동저의 점막이 비후되어 있다. 초기 상악동염 소견이다. **B.** 좌측 상악동에 심한 상악동염이 존재한다. 이러한 경우 두통, 코막힘, 안면 통증 등의 임상 증상이 나타날 수 있다. 상악동 골이식의 절대적 금기증이다.

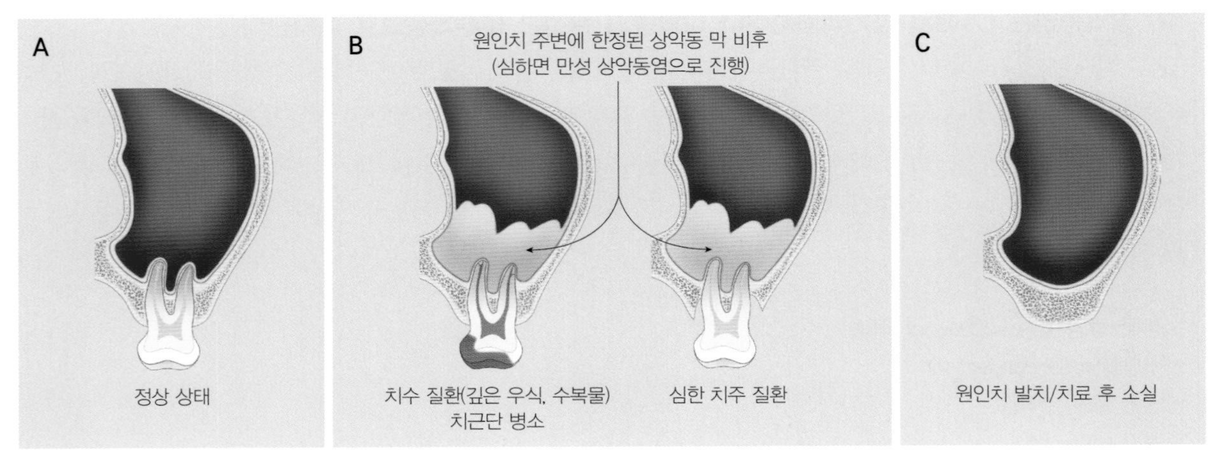

2-23 CT와 임상 검사 상 상악동염의 소견을 보이지만 상악동 막이 완전한 불투과성을 보이지 않는다면 치성 감염의 가능성을 의심해 보아야 한다. 치수 질환이 존재하는 경우에는 원인치에 깊은 우식 병소나 수복물이 관찰된다**(A)**. 원인치 주변의 광범위한 골소실이 관찰되면 심한 치주 질환을 원인으로 감별할 수 있다**(B)**. 이러한 경우 원인치를 발거하거나 치료하면 정상적인 상태로 금방 회복된다**(C)**.

높다. 상악 구치부 치아에 심한 치주 질환이나 치수/치근단 질환이 존재하는지 철저한 검사가 필요하다. 치수에 근접한 깊은 수복물이 존재하는 경우에도 치성 감염원으로 작용할 수 있다. 또한 구강-상악동 누공이 존재하는지도 철저히 확인해 보아야 한다**(2-23)**. 치성 감염원이 존재하는 경우에는 치과적으로 이를 먼저 해결해 주어야 한다. 만약 이를 통해 상악동염이 치유된다면 상악동 골이식술을 시행할 수 있다.

치성 감염원이 존재하지 않거나 이를 치료한 이후에도 상악동염이 지속되면, 이비인후과로 의뢰하여 추가적인 진단과 치료를 시행해야 한다. 비구-비도 복합체의 기능 부전으로 진단되면 기능적 내시경 부비동 수술을 통해 이를 치료해 준다**(2-24)**.

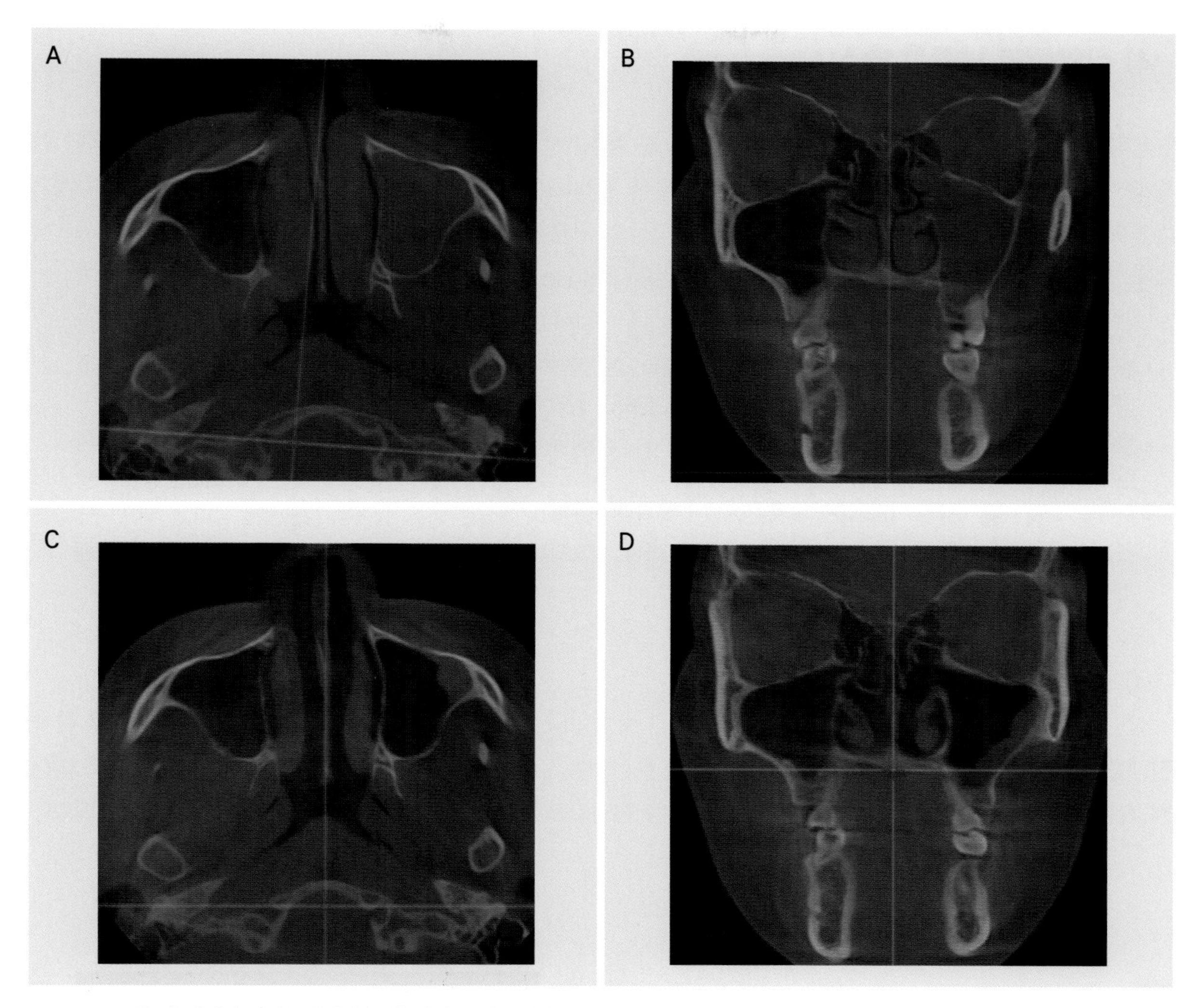

2-24 기능적 내시경 부비동 수술을 통한 만성 상악동염의 치료
A. 수술 전. 좌측 상악동 내부가 염증성 병소로 인해 완전한 불투과상을 보인다. **B. 수술 후.** 내시경 수술을 통해 비구-비도는 확장되었고 상악동 내부의 병소는 완전히 소실되었다.

철저한 술 전 진단이 이루어지지 않은 경우에는 상악동 골이식 수술 중 만성 상악동염을 진단할 수도 있다. 상악동 막을 거상하는 중 상악동 내부에서 농양(abscess)이 관찰되고 이것이 유출되면 반드시 수술을 중단한다. 외측 골창을 통해 농양과 염증성 상악동 막을 제거하고 세척해 주는 것은 상악동염의 치료에 별다른 도움을 주지 않을 것으로 생각된다. 왜냐하면 이는 상악동염의 결과이지, 원인이 아니기 때문에 이들을 제거하더라도 상악동염의 원인은 그대로 남아있을 것이기 때문이다.

4) 상악동의 낭종성 병소(Antral cysts)

상악동에는 낭종이 호발한다. 과거엔 이들 병소를 총칭하여 상악동 점액류(mucocele)라고 하였다. 그러나 상악동 내부에서는 타액선의 점액류와 같은 점액 유출 현상(mucus extravasation phenomenon)이 발생하지 않기 때문에 이는 잘못된 용어이다.[85] 많은 이들이 상악동의 낭종성 병소를 상악동 가성 낭종(antral pseudocyst), 상악동 점액류(sinus mucocele), 그리고 점액 저류 낭종(retention cyst)의 세 가지로 분류한다.[62,75,85]

- 상악동 점액류 비구의 막힘으로 인해 상악동에서 분비되는 점액이 배출되지 못하고 상악동 내부에 꽉 차 있는 상태. 점액이 계속 축적됨에 따라 상악동에 압박을 가하고 심하면 상악동 골벽을 파괴할 수 있음
- 점액 저류 낭종 상악동 막의 장액-점액선(seromucous gland)이 막혀서 발생한 점액성 낭종. 대개는 크기가 작고 파노라마 방사선사진에 잘 나타나지 않음
- 상악동 가성 낭종 염증성 삼출물이 축적되어 상악동저의 연조직이 거상된 병소. 염증성 삼출물은 상피 조직이 아닌 결합 조직으로 이장되어 있기 때문에 진성 낭종은 아님. 파노라마 방사선사진에서는 상악동저가 돔 형태로 거상된 것으로 보임

(1) 상악동 점액류

상악동 점액류는 비구가 물리적으로 폐쇄되거나, 수술이나 병소에 의해 상악동이 분절화하면서 비구를 통해 점액을 배출하지 못하는 분절이 발생하기 때문에 형성되는 것으로 생각된다(2-25).[86] 상악동 점액류의 발생 원인은 크게 두 가지로 생각된다. 첫 번째는 외상성 원인으로, 만성 상악동염을 치료하기 위해 많이 시행되었던

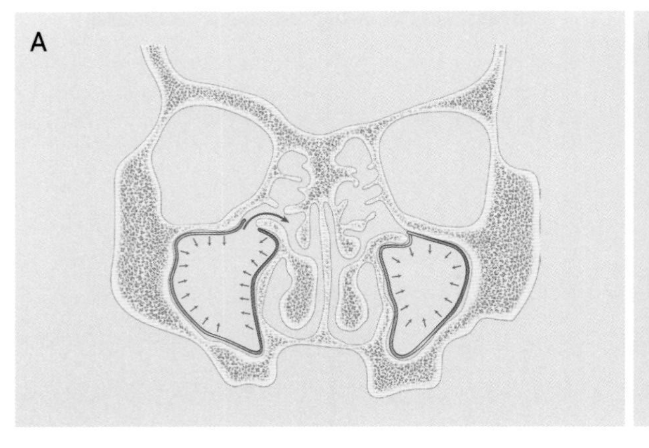

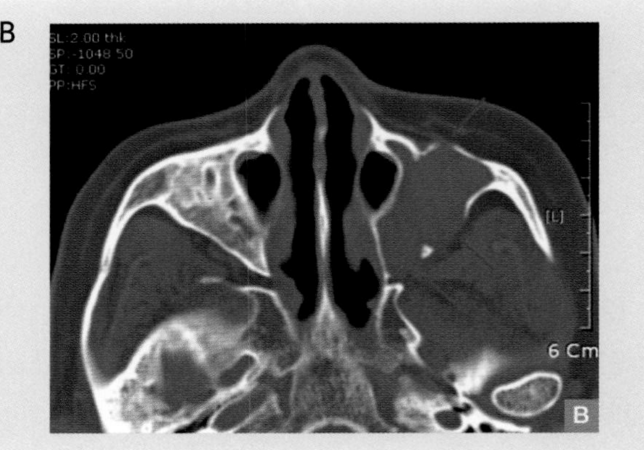

2-25 상악동 점액류

A. 상악동 점액류는 비구가 물리적으로 폐쇄되거나, 수술이나 병소에 의해 상악동이 분절화하면서 비구를 통해 점액을 배출하지 못하는 분절이 발생하기 때문에 형성된다. 이로 인해 상악동 내부에 점액이 축적되면서 점액의 총 부피는 계속 증가하고, 결국 상악동 골벽에 지속적인 압력을 가하게 된다. **B.** 상악동 점액류의 CT 소견. 상악동 골벽은 상악동 점액에서 가해지는 지속적인 압력에 의해 얇아지고 부분적으로 천공된 양상을 보인다. 이 환자는 과거에 상악동 수술을 시행받은 경험이 있었다. 좌측 상악동 내부는 액체로 꽉 차 있다. 상악동 내부에 축적된 점액은 상악동 골벽을 천공시키기도 한다. 이 환자에서도 상악동 골벽이 흡수되는 소견을 보인다(화살표). 따라서 심한 경우에는 악성 종양과 감별 진단이 힘들 수도 있다.

상악동 근치술(Caldwell–Luc Operation, CLOP)이나 상악골의 외상에 의한 것이다. 이로 인해 상악동 내에 반흔이 형성되면서 상악동 내부는 분절화된다. 두 번째는 만성 염증이나 알레르기성 질환으로, 이들 질환은 상악동의 일부 부위에 염증성 유착을 일으켜 역시 상악동을 분절화시키고, 결국 점액류를 유발하는 것으로 보인다. 이들 두 가지 이외의 원인은 매우 드물다고 알려져 있다.[75]

상악동 점액류는 매우 드문 병소로 알려져 있지만, 특징적으로 한국인과 비슷한 인종인 일본인에서는 10% 정도의 유병률을 보이는 것으로 보고되었다.[87] 이는 아마도 일본에서 예전에 상악동염의 치료로 상악동 근치술을 많이 시행했기 때문인 것으로 생각된다. 전술했듯이 상악동 근치술 후, 혹은 상악골 외상 후 점액류가 발생할 가능성이 높기 때문에 술 전에 반드시 환자의 병력을 확인해야 한다. 참고로 상악동 근치술 후 발생하는 상악동 점액류를 과거에는 술 후 상악동 낭종(PostOperative Maxillary Cyst, POMC)이라고 불렀다.

상악동 점액류는 파노라마 방사선사진에서 상악동 내부의 광범위하고 혼탁한 불투과상으로 보일 수 있지만, CT를 촬영해야 좀 더 정확한 진단이 가능하다. CT에서는 상악동염과 같이 상악동의 완전한 불투과상으로 나타난다. 상악동염과의 차이는, 상악동염 시에는 대개 골구조의 변화가 없지만, 점액류는 상악동 내부에서 계속 축적되는 점액 때문에 마치 풍선이 부풀거나 터지듯이 상악동 골벽을 팽윤시키거나 천공시킬 수 있다는 점이다. 물론 이러한 골 변화가 항상 관찰되는 것은 아니지만 상악동 점액류가 심한 경우에는 상악동 벽을 외측으로 팽윤시키기도 하며, 아주 심한 경우에는 상악동 골벽을 천공하여 상부로는 안구, 내측으로는 비강, 혹은 전방으로 안면 연조직과 만나기도 한다. 이는 악성 종양과도 비슷한 소견이므로 감별 진단을 해야 한다. 상악동 점액류의 임상 증상으로는 두통, 안면부 감각 저하, 무통성 협부 종창, 안면의 둔통, 코막힘 등이 있다. 그러나 상악동 점액류는 임상적으로 무증상일 수도 있으므로 주의해야 한다.[75]

상악동 점액류를 지닌 환자에서는 비구–비도 복합체가 정상적으로 기능하지 못하기 때문에 상악동 골이식 후 상악동 내부가 정상적으로 치유될 수 없다. 따라서 이차적인 감염의 가능성도 매우 높기 때문에 상악동 골이식의 완전한 비적응증이다.[88] 술 전 CT에서 상악동 점액류가 의심되는 소견을 보이면 반드시 전문가에게 의뢰하여 치료를 완료하고 상악동 골이식술을 시행해야 한다.[88]

(2) 점액 저류 낭종

점액 저류 낭종은 상악동 막 내 점액선의 물리적 막힘에 의해 도관이 낭종 모양으로 팽창하면서 발생한다.[89] 대부분의 점액 저류 낭종은 용종(antral polyp)의 형태로 비구(ostium) 근처에 위치하며, 대부분은 임상적으로 무시해도 될 정도로 크기가 작다고 한다.[75] 따라서 이 낭종은 상악동 골이식에 별다른 영향을 미치지 않을 것으로 생각된다.

5) 상악동 가성 낭종

상악동 가성 낭종의 원인은 아직까지 확실히 밝혀지지 못했다. 다만, 치성 감염이나 상기도 감염과 연관되었다는 근거들이 제시되고 있다.[62,85] 조직학적으로는 결합 조직에 둘러싸인 염증성 삼출물로 나타난다. 한 방사선사진 연구에 의하면, 대부분의 상악동 가성 낭종은 그 원인으로 추정할 수 있는 치성 감염 부위가 인접하여 존재하였다.[62] 또한 상악동 가성 낭종의 유병률은 겨울철에 더 증가하기 때문에 상기도 감염이나 건조한 공기에 의한 물리적 자극이 그 원인일 것이라고 추측한 이들도 있었다.[85] 앞서 설명했지만 상악동 가성 낭종은 상악동 막 비후와 더불어 가장 흔한 상악동 막의 질환이다. 파노라마 방사선사진을 분석한 단면 연구에서는 상악동 가성 낭종이 7%의 인구에서 관찰됐다고 보고했지만,[46] 최근의 CT 연구들에 의하면 상악동 가성 낭종은 임플란트 식립이 예정된 환자들 중 15–21.4% (대부분 20% 내외)에서 관찰됐다.[43,56,57,68] 따라서, 파노라마 방사선사진으로는 진단할 수 없는 작은 크기의 가성 낭종이 많다는 점을 유추해 볼 수 있다. 상악동 가성 낭종은 파노라마 방사선사진에서 미약하게 방사선 불투과성인 상악동저의 병소로 나타나며, 특징적으로 돔 형태를 보인다.[75] CT에서는 상악동저에서 돔모양으로 상악동막이 비후된 형태로 나타난다(📷 2–26).

상악동 가성 낭종은 특별한 임상 증상을 보이는 경우가 거의 없으며, 대부분 신체에 별다른 위해를 가하지 않기 때문에 치료하지 않는 것이 원칙이다.[75] 그러나 상악동 골이식술을 시행할 때에는 다른 접근법이 필요할 수도 있다. 상악동 골이식과 관련하여 가성 낭종에 대해 생각해 볼 것은 두 가지이다(📷 2–27).

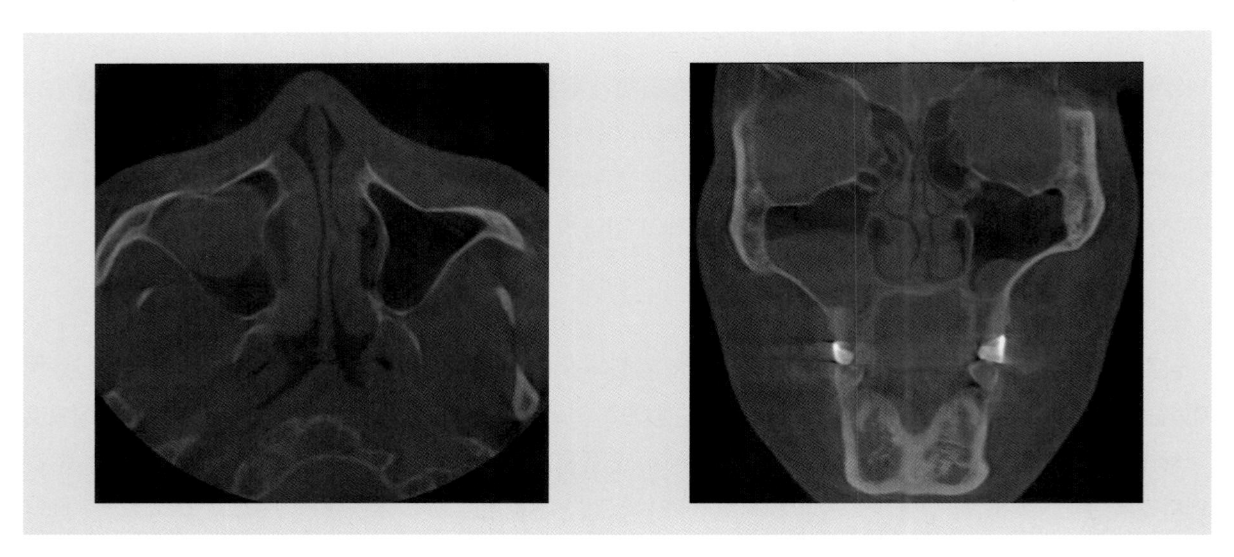

📷 2–26 상악동 가성 낭종
CT 영상에서는 특징적으로 상악동저에서 돔 형태의 막 비후로 나타난다.

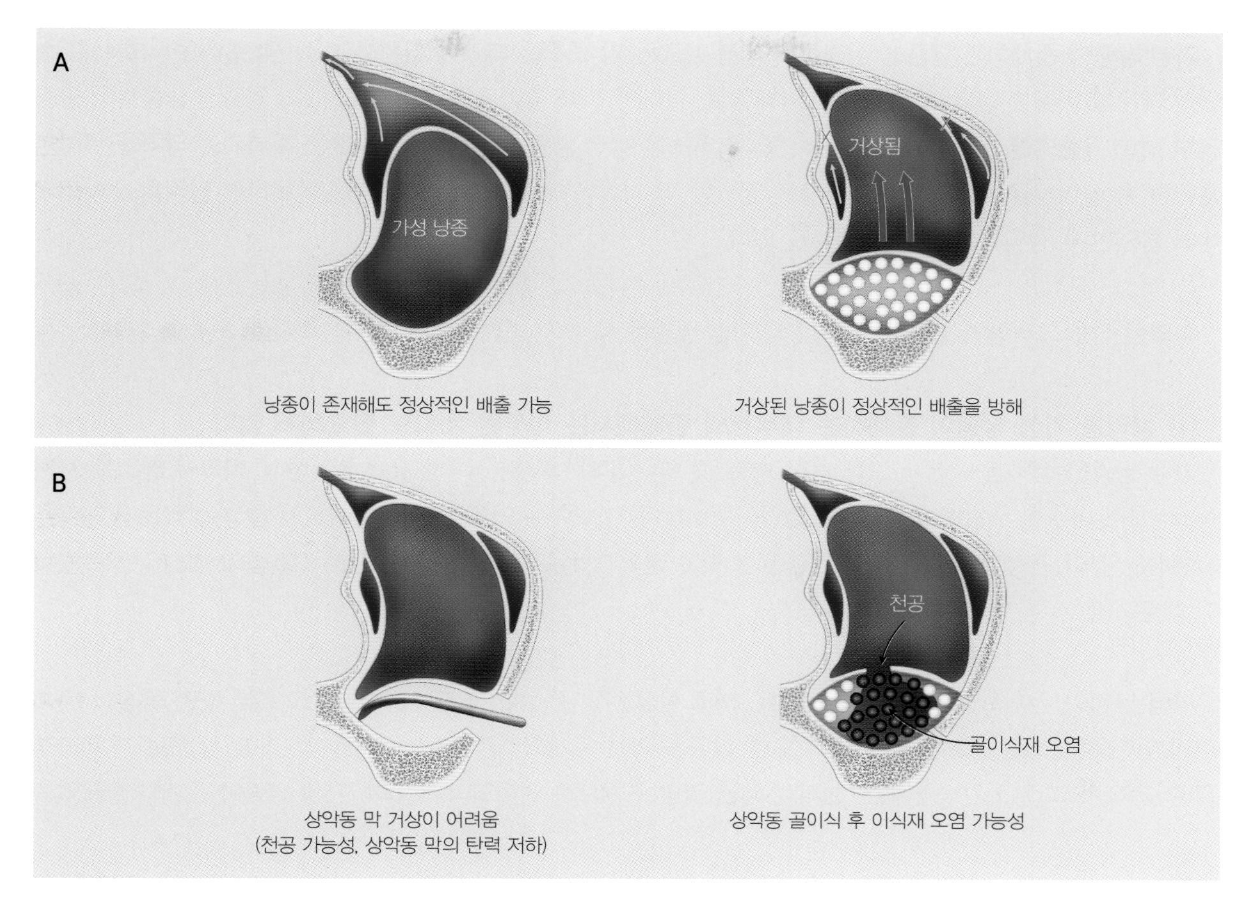

2-27 가성 낭종이 상악동 골이식술에 미칠 수 있는 잠재적 악영향
A. 가성 낭종이 너무 크면 상악동 거상술 후 가성 낭종이 비구를 물리적으로 막아서 비구의 배출 기능을 방해할 수 있다. **B.** 가성 낭종은 상악동 막 거상을 어렵게 하고, 거상 중 천공되면 낭종액의 유출로 인해 골재생을 방해할 수 있다.

- 가성 낭종이 너무 크면 상악동 거상술 후 가성 낭종이 비구를 물리적으로 막아서 비구의 배출 기능을 방해할 수 있다.
- 가성 낭종은 상악동 막 거상을 어렵게 하고, 거상 중 천공되면 낭종액의 유출로 인해 골재생을 방해할 수 있다.

낭종의 크기가 커서 상악동 골이식 후 비구를 폐쇄할 가능성이 존재한다면 이를 상악동 골이식 전, 혹은 골이식 중에 처치해야 할 필요가 있다.[66] 그 기준이 되는 크기에 대한 연구는 아직 없었지만, 전문가들은 낭종이 전체 상악동 내부 부피의 1/2–3/4 이상을 차지하고 있으면 술 후 비구를 막을 수 있기 때문에 이를 처치해야 한다고 본다.[1,66,90] 이를 위해 상악동 골이식 전에 외측 접근법/내시경 수술로 낭종을 완전히 제거하거나, 상악동 골이식 중에 부분적으로 제거하는 방법을 사용할 수 있다. 또는 상악동 골이식 중 주사기로 낭액을 흡인하는 방법을 사용할 수 있다.

가성 낭종이 존재하면 염증성 삼출물에 의해 상악동 막 조직은 크게 신장된다. 이는 막 조직을 약화시킬 수 있기 때문에 이를 거상할 때 천공에 취약해질 수 있다.[57] 이때 막이 천공되어 낭종 내의 염증성 삼출물이 골증강부 내로 유출되면 골재생을 방해할 수 있다. 이러한 경우 낭종 천공부를 통해, 혹은 주사기로 낭액을 완전히 흡인한 후 골이식을 진행할 수 있다. 또는 상악동 막 거상이 낭종으로 인해 원활하지 못하면 낭액을 주사기로 미리 흡인한 후 상악동 막을 거상할 수도 있다.

이러한 점을 고려하여, 상악동 골이식 시 가성 낭종은 세 가지 방법으로 처치 가능하다(2-4, 2-28).

(1) 상악동 가성 낭종이 존재하는 대부분의 증례에서는 아무런 처치도 필요하지 않다

가성 낭종은 상악동 내에서 가장 흔한 병소 중 하나이며, 대부분 상악동저에 위치한다. 따라서 상악동 골이식 시 자주 마주칠 수밖에 없다. 이를 일일이 처치해주기 보다는 아무런 처치도 가하지 않고 상악동 골이식을 시행하는 것이 편리할 것이다.[91] 모든 경우에 있어 결과가 비슷하다면 가장 간단한 치료법이 최선의 치료법이기 때문이다.

가성 낭종이 존재하면 상악동 막 조직은 크게 신장된다. 풍선을 더 많이 부풀어 오르게 하면 풍선의 두께가 얇아지듯이, 낭종으로 인해 부풀어 오른 상악동 막은 두께가 얇아져서 상악동 막 거상 시 천공에 취약해질 수 있다.[57] 그러나 가성 낭종은 상피가 아닌 결합 조직으로 이장되어 있으며, 가성 낭종이 존재하면 골막측

2-4 상악동 골이식 시 가성 낭종의 처치 방법

처치 방법	적응증	수술 과정
낭종을 그대로 유지	• 대부분의 증례(상악동 부피의 1/2 이하)	• 낭종을 그대로 유지한 채 상악동 막을 거상한다.
낭액을 흡인	• 상악동 막이 잘 거상되지 않는 경우 • 낭종을 유지한 채 거상 중 낭액이 유출되는 경우 • 낭종이 전체 상악동 부피의 1/2–2/3 이상	• 상악동 막이 낭종 때문에 잘 거상되지 않거나 낭종이 크면 주사침을 자입한 후 낭액을 흡인하고 진행한다. • 낭종을 유지한 채로 상악동 막을 거상하다가 낭액이 유출되면 주사침으로 낭액을 흡인한다. • 주사침 자입 부위를 통해 잔존한 낭액이 수술 부위로 유출될 수 있으므로, 낭액을 가능한 완전히 흡인해 주어야 한다. 이식재 적용 전에 수술부를 철저히 세척한다.
낭종의 부분적인/완전한 제거	• 낭종이 전체 상악동 부피의 2/3–3/4 이상 • 낭종을 유지/흡인한 후 상악동 막을 거상하다가 상악동 막 천공이 크게 발생	• 상악동 골이식 전에 독립된 수술로써 외측 접근법/내시경 수술을 통해 낭을 제거하고 3개월 후 상악동 골이식을 시행한다. • 상악동 골이식 시 낭종을 부분적으로 제거하고 상악동 골이식을 동시에 시행한다. • 상악동 막 천공이 크게 발생하면 낭종을 제거하고 3–4개월 후 상악동 골이식을 시행한다.

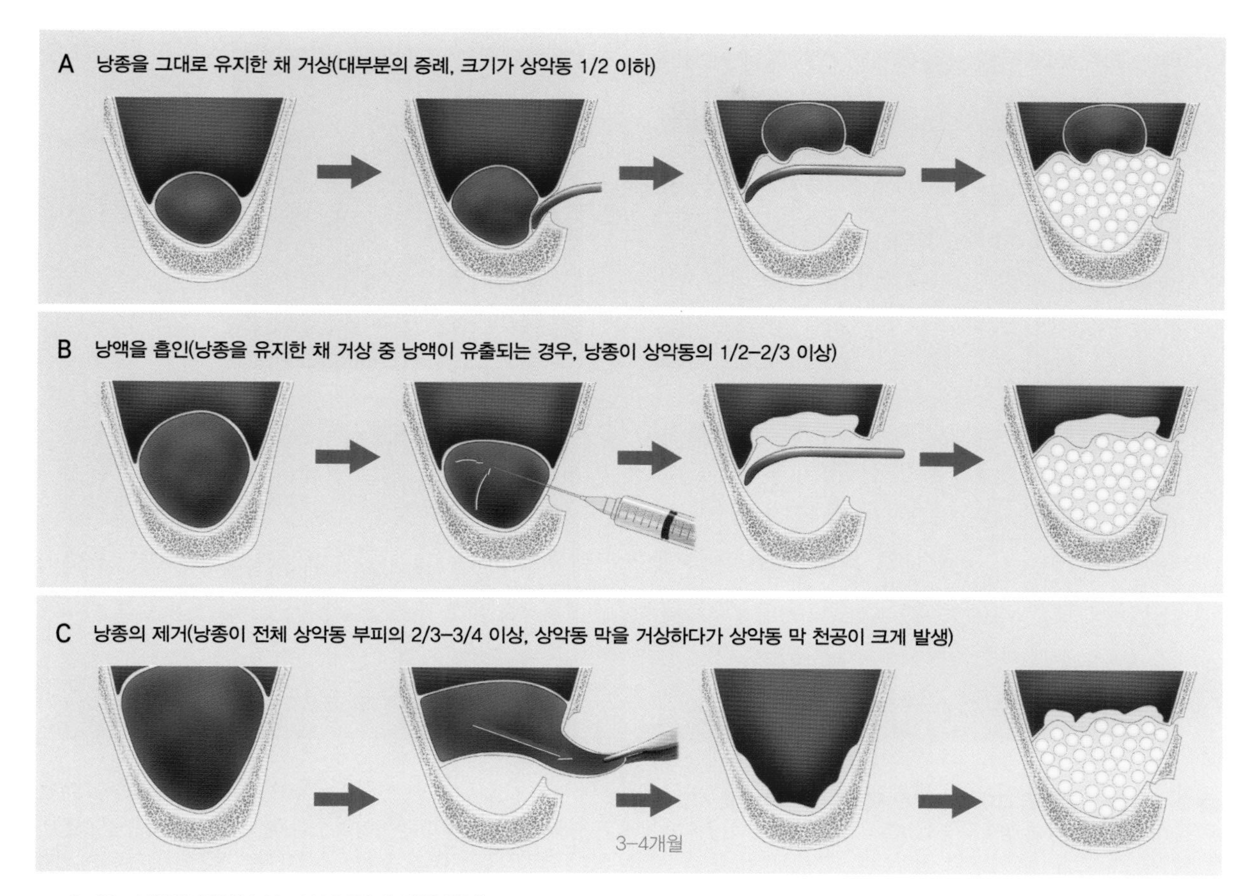
A 낭종을 그대로 유지한 채 거상(대부분의 증례, 크기가 상악동 1/2 이하)
B 낭액을 흡인(낭종을 유지한 채 거상 중 낭액이 유출되는 경우, 낭종이 상악동의 1/2–2/3 이상)
C 낭종의 제거(낭종이 전체 상악동 부피의 2/3–3/4 이상, 상악동 막을 거상하다가 상악동 막 천공이 크게 발생)
3–4개월

2–28 상악동 골이식 시 가성 낭종의 처치 방법
A. 낭종을 그대로 유지. 대부분의 증례(상악동 부피의 1/2 이하)에서는 낭종에 특별한 처치를 가하지 않고도 상악동 골이식을 정상적으로 시행할 수 있다. **B. 낭액을 흡인.** 낭종을 유지한 채 거상 중 낭액이 유출되는 경우나 낭종이 전체 상악동 부피의 1/2–2/3 이상인 경우에는 낭액을 주사기로 흡인한 후 상악동 막을 거상한다. 상악동 막 거상을 완료한 후 주사침이 통과한 부위가 확장되지 않았는지 확인한다. 또한 낭액이 골이식부에 잔존할 수 있기 때문에 생리식염수로 철저히 세척해 주어야 한다. **C. 낭종의 부분적인/완전한 제거.** 낭종이 전체 상악동 부피의 2/3–3/4 이상이거나 낭종을 유지/흡인한 후 상악동 막을 거상하다가 상악동 막 천공이 크게 발생한 경우에는 낭종을 제거한다. 상악동 골이식은 보통 상악동 막 제거와 동시에 시행하지 않고 3–4개월 후 시행한다.

상악동 막이 약한 염증에 대한 반응으로 비후해져서 생각보다 막의 천공이나 낭종액 누출 가능성이 높지 않다.[92,93] 주로 2010년대 후반에 발표된 일련의 대조 연구들에 의하면, 외측 접근 상악동 골이식 시에 가성 낭종이 존재하더라도 상악동 막의 천공 가능성은 정상 상악동 막의 경우에 비해 증가하지 않는다.[43,56,70] 가성 낭종을 처치하지 않고 상악동 골이식을 시행했을 때 골이식의 성공률에 대해서는 아직 근거 수준이 높은 연구 결과가 발표되지 못했지만, 정상 상악동 막에 시행했을 때와 큰 차이를 보이지는 않는 것으로 판단된다 (2–29).[70,93,94]

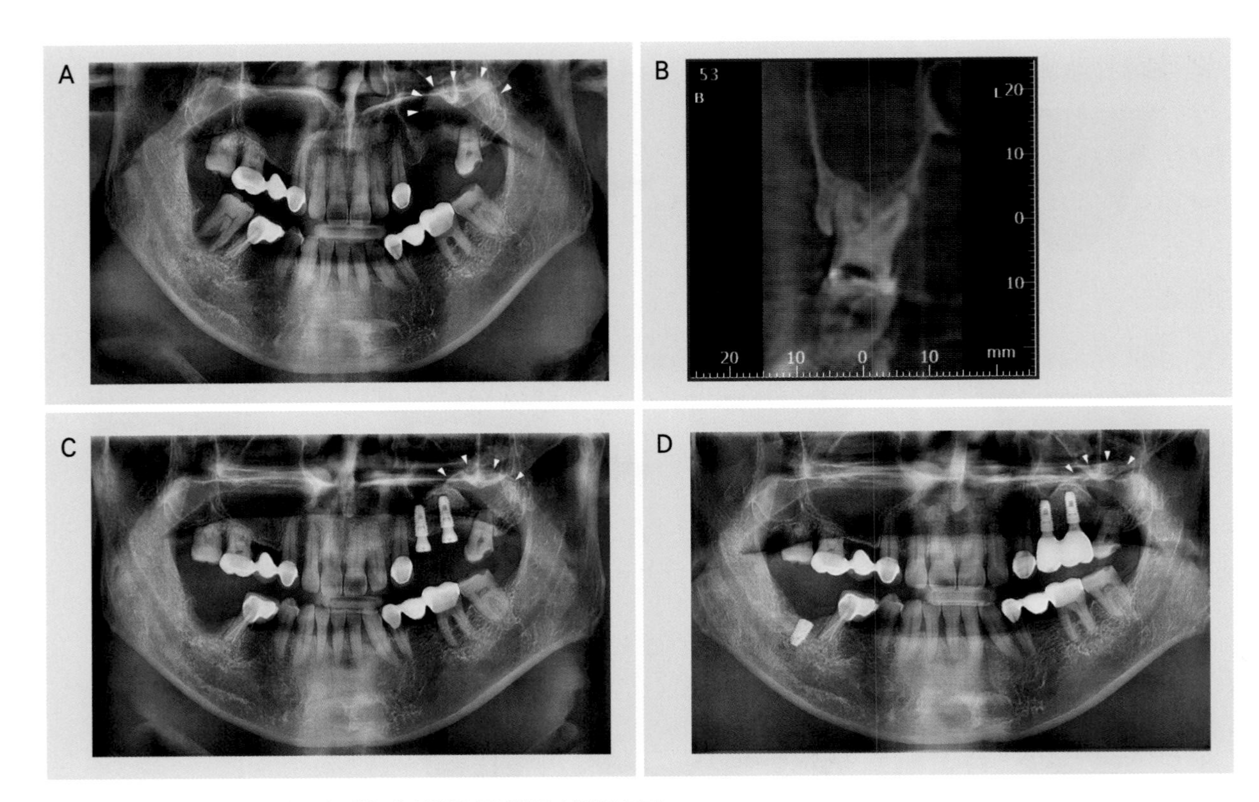

2-29 가성 낭종을 그대로 유지한 채 상악동 골이식을 시행한 증례
A. 상악 좌측 구치부에 상악동 골이식을 시행하기로 했다. 상악동저에 돔 형태의 가성 낭종이 존재하고 있다. **B.** 상악동 골이식 및 임플란트 식립을 완료한 후의 영상이다. 골이식부 상부에서 낭종은 그 형태를 잘 유지하고 있다. **C.** 보철 완료 6개월 후의 영상이다. 상악동 골이식부의 신생골은 피질골화가 완료되어 임플란트 매식체 및 상부 보철물에서 가해지는 부하를 잘 지지해주고 있다. 가성 낭종은 크기나 형태가 변화하지 않은 채 유지되고 있었다.

가성 낭종이 존재할 때 오스테오톰을 이용한 치조정 접근 상악동 골이식술 또한 성공적으로 시행 가능하다. 임플란트 식립 부위에 가성 낭종이 존재하는 경우, 치조정 접근 상악동 골이식을 조심스럽게 시행하면 예후에 크게 영향을 받지 않는다. 근거 수준이 높지는 않지만 몇몇 증례 보고와 후향적 연구에서는 가성 낭종에 어떠한 처치도 가하지 않고 오스테오톰법으로 상악동 골이식을 시행하여 성공적인 결과를 보여주었다.[70,71,95,96] 한 후향적 연구에 의하면, 가성 낭종이 존재하거나 존재하지 않는 증례에서 치조정 접근 상악동 골이식술은 골증강의 양과 식립된 임플란트의 성공에 있어 어떠한 차이도 보이지 않았다.[97] 한 전향적 연구에서는 치조정 접근 상악동 골이식 시 가성 낭종의 존재 유무는 골증강의 양과 임플란트의 성공에 어떠한 영향도 미치지 못했다고 보고했다.[57] 그러나 치조정 접근 시 낭종이 파열되면 이로 인해 감염이나 임플란트 골유착 실패가 발생할 수 있으므로, 상악동저 골절과 이식재 적용 과정 중 낭종이 파열되지 않도록 최대한 조심해야 한다.[70]

수술에 의해 거상된 가성 낭종은 수술에 의한 외상으로 인해 수술 직후 더 커질 수 있지만, 장기적으로는 상악동 골이식술 후에도 수술 전의 크기와 외형을 유지한다.[56,57] 또한 가성 낭종은 수술 후 치유 과정에서 비구-비도 복합체의 기능에 별다른 영향을 미치지 않는다.[56]

(2) 필요시 낭종 내 낭액을 흡인하여 감압시킨 후 상악동 골이식을 시행한다

낭종의 크기가 커서 이를 유지한 채로는 상악동 막이 잘 거상되지 않거나 낭종을 유지한 채 막을 거상하다가 낭액이 유출되면 주사침을 낭종 내로 자입하고 흡인해준다. 한 단일 환자군 연구에서는 낭종의 직경이 1 cm 이상인 경우, 낭액을 흡인해 준 후 상악동 골이식을 시행했다.[98] 그 결과, 6개월 후 총 15증례 중 12증례에서는 낭종이 소실되었고, 3증례에서는 낭종이 크기가 감소한 채 잔존해 있는 것을 CT로 확인했다(📷 2-30). 또한 낭종의 흡인으로 인해, 어떠한 술 중, 술 후 합병증도 발생하지 않았다고 보고했다. 한 전향적 단일 환자군 연구에서, 주사기로 낭액을 흡인한 후 상악동 골이식을 시행했을 때 6개월 후 골증강부는 성공적으로 골재생이 이루어졌음을 조직학적으로 확인했다.[99] 최종 경과 관찰 시까지 임플란트의 생존율은 97.0%였다.

치조정 접근법에서도 낭액을 흡인할 수 있다. 한 증례 연구에서는 두 증례에서 치조정 접근 상악동 거상술 시 치조정 접근부를 통해 상악동 낭종액을 흡인해준 후 수압거상법으로 상악동 골이식을 시행했다.[100] 그 결과, 두 증례 모두에서 낭종의 재발은 보이지 않았고 골재생은 성공적으로 이루어졌다.

외측 접근 상악동 골이식 시 낭액을 흡인하는 과정은 다음과 같다(📷 2-31).[101]

① 정상적인 상악동 외측 골창을 형성한다.
② 22게이지 정도의 주사침을 낭종 내로 자입한 후 낭액을 주사기로 흡인한다.
③ 상악동 막을 정상적인 방법으로 거상한다. 상악동 막은 약화된 상태일 수 있으므로 천공되지 않도록 주의를 요한다.
④ 상악동 내부를 여러 번 세척하여 혹시 남아있을지도 모르는 낭액 잔존물을 완전히 씻어낸다. 가성 낭종의 낭액은 염증성 삼출액이므로, 철저히 세척하지 않으면 수술부를 오염시킬 수도 있다.[92]
⑤ 낭종의 상악동을 향하는 면은 온전히 유지된 상태이고 골을 향하는 면은 주사침 자입부만 천공된 상태이므로, 상악동 막은 천공되지 않은 상태이다. 그러나 상악동 천공 시와 유사하게 흡수성 차폐막으로 상악동 막을 피개하기도 한다.[101]
⑥ 골이식재를 충전하고 수술부를 폐쇄한다.

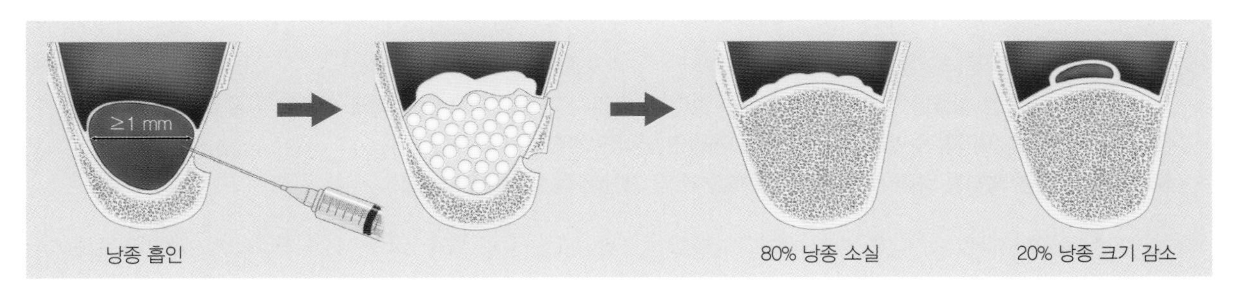

📷 2-30 가성 낭종을 주사기로 흡인한 후 상악동 골이식을 시행하면 6개월 후 대부분의 낭종은 소실되어 있다.[98] 일부는 그 크기가 줄어든 채 유지된다.

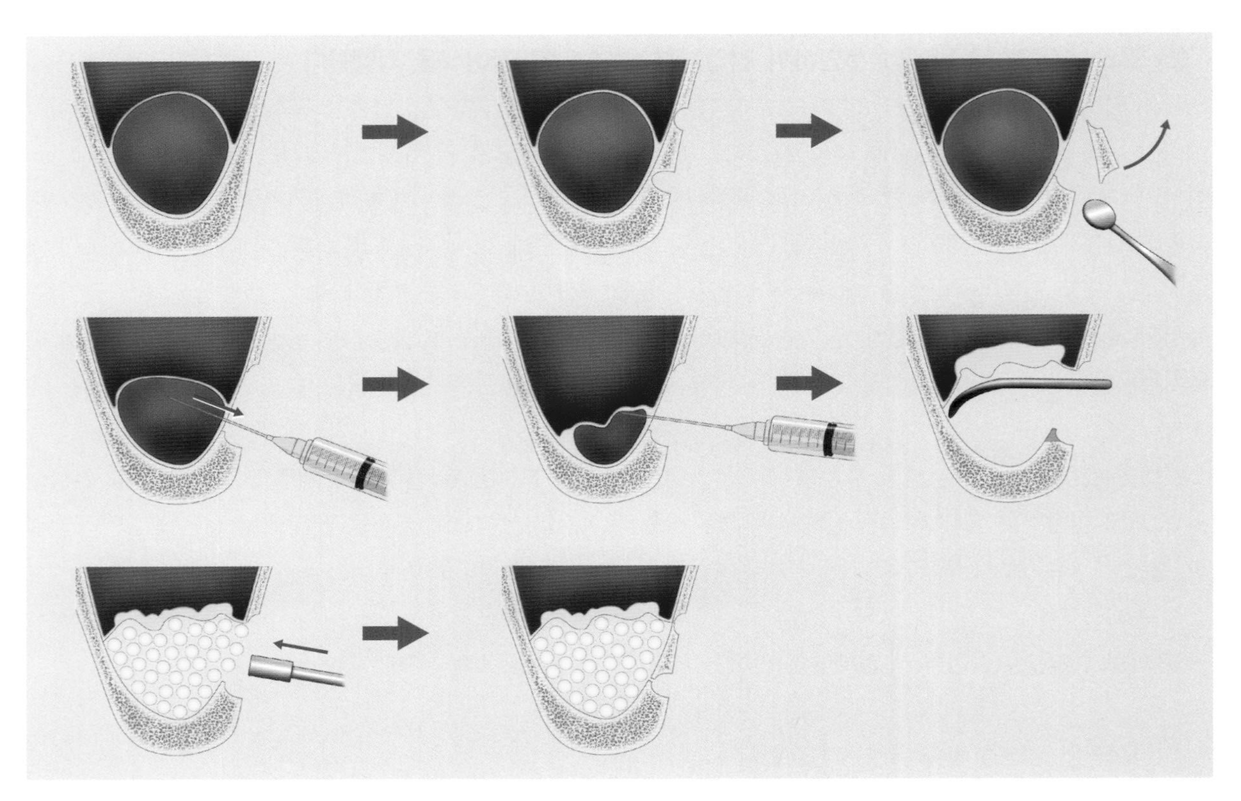

2-31 상악동 골이식 중 가성 낭종을 흡인하는 방법
외측 골창을 제거한 후 주사침을 노출된 상악동 막에 자입한다. 3-4 mm 이상 상악동 막 내부로 충분히 진입한 후 낭액을 흡인한다. 흡인을 완료한 후 일반적인 방법으로 상악동 막 거상을 진행한다. 골이식재를 위치시키기 전에 상악동 내부를 생리식염수로 철저히 세척한다.

(3) 낭종을 제거한 후 상악동 골이식을 시행할 수도 있다

가성 낭종은 대부분 생리적으로 별다른 문제를 일으키지 않기 때문에 이를 제거하는 것은 과도하게 침습적이라고 생각할 수 있다. 그러나 가성 낭종이 너무 크거나 가성 낭종이 존재하는 상태에서 상악동 막을 거상하는 도중에 수복 불가능할 정도로 큰 천공이 발생한다면, 낭종을 완전히 제거해야 한다. 낭종이 아주 큰 경우 이를 흡인할지 제거할지에 대한 기준은 아직까지 제시된 바 없다. 어떤 이들은 낭종을 제거한 후 상악동 골이식을 수개월 후 시행하면 두 가지 이점이 있다고 생각한다.

- 가성 낭종은 염증성 삼출물이 축적되어 형성된 것이다. 따라서 삼출액의 유출에 의해 수술부가 감염되면 상악동염 및 골이식 실패를 야기할 수 있다.92 낭종을 제거하면 이러한 위험성이 사라진다.
- 낭종을 제거하면 상악동 막이 더 건전해지기 때문에 막 거상이 더 용이해진다.102

그러나 이러한 이점은 전문가들의 의견일 뿐, 임상 연구를 통해 밝혀진 것은 아니다.

가성 낭종을 제거하는 방법은 크게 두 가지이다.[103]

- 외측 접근법으로 제거 5 mm 직경의 작은 골창을 형성하고 가성 낭종을 제거한다.
- 내시경 수술로 제거 낭종이 거대하거나 상악동의 내측면 쪽에 존재하여 상악동의 정상적인 기능을 방해하는 경우, 이비인후과에 의뢰하여 내시경 수술로 제거한다.90

가성 낭종은 제거 후 재발이 잘 되지 않는다. 한 후향적 연구에 의하면, 내시경 수술로 낭종을 제거했을 때 1년 후 3%에서만 재발되었다.[104] 2015년 Chiapasco와 Palombo는 가성 낭종을 부분적으로 제거하고 동시에 상악동 골이식을 시행할 수 있는 기발한 방법을 소개했다(📷 2-32). 이들은 가성 낭종이 존재하는 경우, 일반적인 형태의 외측 골창을 형성한 후 골창 상방으로 10 mm 정도 되는 위치에 2–4 mm 크기의 작은 골천공부를 형성했다.[105] 그리고 이 부위를 통해 작은 석션을 이용해 낭종 일부를 빼낸 후, hemostat 등으로 잡아당겨 조직을 제거했다. 이후 상악동 막을 정상적인 방법으로 거상하고 상악동 골이식을 시행했다. 총 12명의 환자에서 이 술식을 시행했을 때, 모든 부위에서 낭종의 재발은 없었고 골재생은 성공적으로 이루어졌다. 그리고 평균 50개월 후까지 모든 임플란트는 성공적으로 기능할 수 있었다.

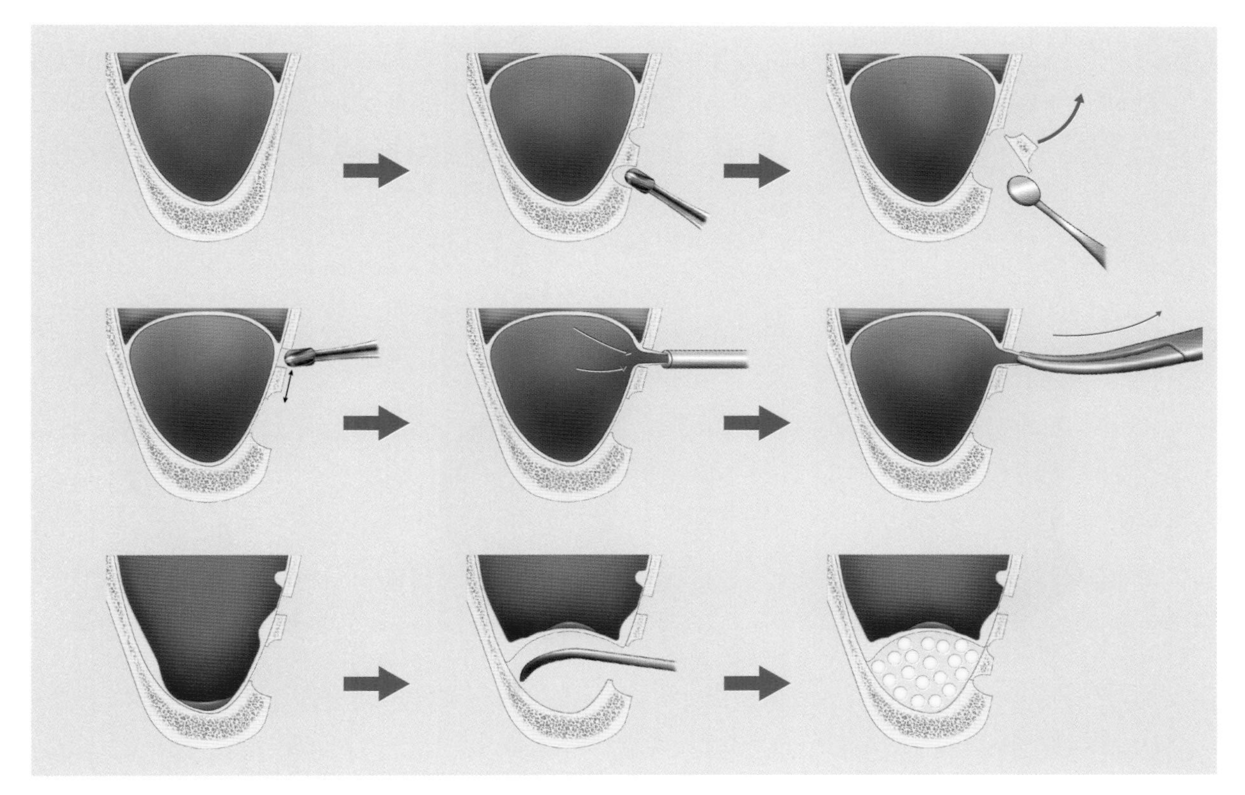

📷 2–32 Chiapasco와 Palombo의 부분적 가성 낭종 제거 방법
일단 일반적인 방법으로 외측 골창을 형성한 후, 골창 10 mm 상방에 작은 구멍을 형성한다. 이 부위로 낭액과 일부 낭종을 함께 제거한다. 이후 일반적인 과정에 준해 상악동 골이식을 시행한다.

4.
상악동 골이식을 위한 골 해부학

최근, 특히 2010년대 이후 상악동 골이식 전에 진단을 위해 CBCT를 촬영하는 것이 일반화되면서 상악동의 해부학적 형태를 확인하기가 쉬워졌고, 따라서 이러한 해부학적 형태가 상악동 골이식의 난이도나 결과에 어떤 영향을 미치는가에 대한 연구가 늘고 있다. 여기에서는 이에 관한 최신 연구 결과들을 논의할 것이다.

1) 상악동 내측 골벽과 외측 골벽이 이루는 각도

Cho 등은 2001년에 외측 골벽과 내측 골벽이 만나는 각(이를 angle A라고 했다)이 예각일수록 외측 접근 상악동 골이식 중 상악동 막이 천공될 가능성이 증가한다는 사실을 처음으로 보고했다(**📷 2-33**).[106] 이 연구에서 angle A가 30° 미만이면 37.5%의 증례에서 상악동 막이 천공됐던 반면, 60°를 초과하면 천공 발생률은 0%였다. 이는 이 각이 예각일수록 기구 접근을 위한 공간이 좁아져서 상악동 막을 거상하기가 더 까다롭기 때문이다.

특히 소구치 부위가 대구치 부위보다 angle A가 더 예각이기 때문에 소구치 부위의 상악동 막 거상 난이도가 더 높다.[107] 한 단면 연구에서 제2소구치 부위의 angle A는 평균 36.3°, 제1대구치 부위는 58.2°, 제2대구치 부위는 47.7°였다.[107] 이는 상악동 외측벽의 풍륭도 차이에 의한 것인데, 소구치부에서는 상악동이 좁고 외측벽이

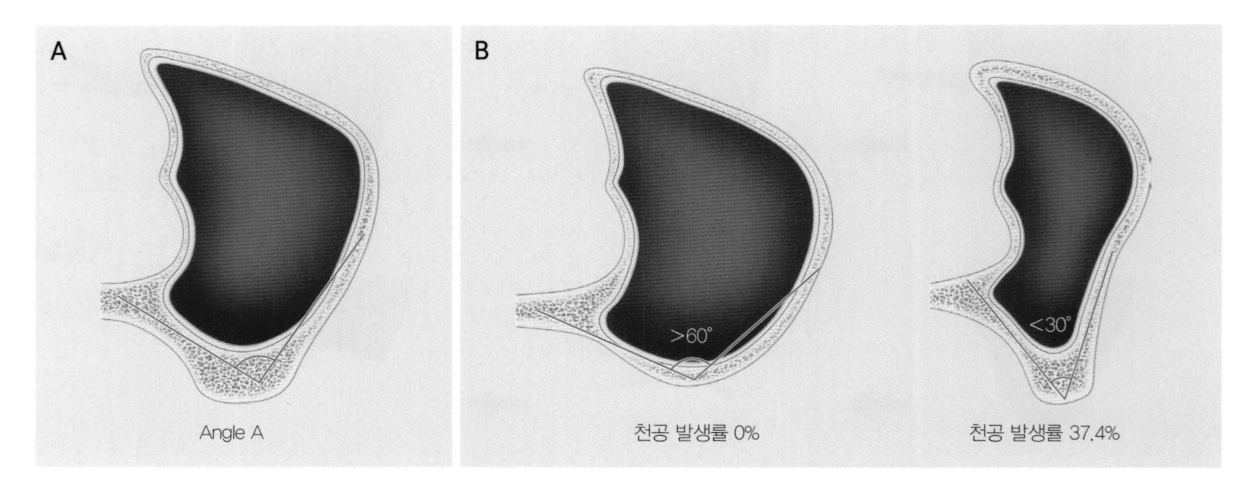

📷 2-33 Angle A는 상악동 골이식 중 상악동 막의 천공 가능성을 결정짓는 주요한 해부학적 요소 중 하나이다.
A. 외측 골벽과 내측 골벽이 만나는 각을 angle A라고 한다. **B.** 한 임상 연구에 의하면 angle A가 30° 미만이면 37.5%의 증례에서 상악동 막이 천공됐던 반면, 60°를 초과하면 천공 발생률은 0%였다.[106] 이는 이 각이 예각일수록 기구 접근을 위한 공간이 좁아져서 상악동 막을 거상하기가 더 까다롭기 때문이다.

오목한 반면, 후방부로 갈수록 상악동은 넓고 볼록해지기 때문이다.[108] 또 다른 단면 연구에 의하면, 상악동 외측벽이 오목한 외형을 보이는 빈도는 제1소구치, 제2소구치, 제1대구치, 제2대구치부에서 각각 100%, 87.7%, 46.2%, 9.5%였다(📷 2-34).[108] 즉, 소구치부는 상악동 외측벽이 거의 오목했던 반면, 제2대구치 부위에서는 거의 볼록했던 것이다.

결론적으로 동일 치아 부위에서 상악동 외측벽과 내측벽이 이루는 각이 좁아질수록, 그리고 대체로 후방(대구치)보다는 전방(소구치) 부위로 갈수록 외측 접근 상악동 골이식술 시 상악동 막을 거상하는 난이도는 증가한다.

2) 비구개 함요(Palatonasal recess)

상악동 하벽(구개측)과 내벽(비강측)이 만나는 부위를 비구개 함요(palatonasal recess, PNR)라고 한다(📷 2-35). 외측 접근 상악동 골이식술 시 상악동 막은 내측벽까지 거상해야 하기 때문에, 비구개 함요부 또한 상악동 막 거상 부위에 포함된다. 이때 비구개 함요를 이루는 두 골벽이 이루는 각이 예각일수록 상악동 막 거상이 어려워지고, 따라서 막이 천공될 가능성이 증가한다. 2013년 Chan 등은 이에 처음 주목했는데, 단면 연구에서 상악 제2소구치, 제1대구치, 제2대구치 부위 비구개 함요의 평균 각도는 각각 109.8±25.3°, 121.6±22.1°, 144.9±23.1°로, 이는 서로 유의한 차이를 보인 것이었다고 했다.[109] 즉, 비구개 함요의 각은 후방으로 갈수록 커진 것이다. 또 다른 단면 연구에서도 거의 유사한 결과를 보여주었다. 여기에서는 상악 제1소구치, 제2소구치, 제1대구치, 제2대구치 부위 비구개 함요의 평균 각도는 각각 115.21±17.83°, 122.75±20.98°, 132.81±18.90°, 142.81±15.81°로, 제2소구치부터 시작하여 한 치아 후방으로 이동할수록 함요부의 각도는 대략 10°씩 선형적

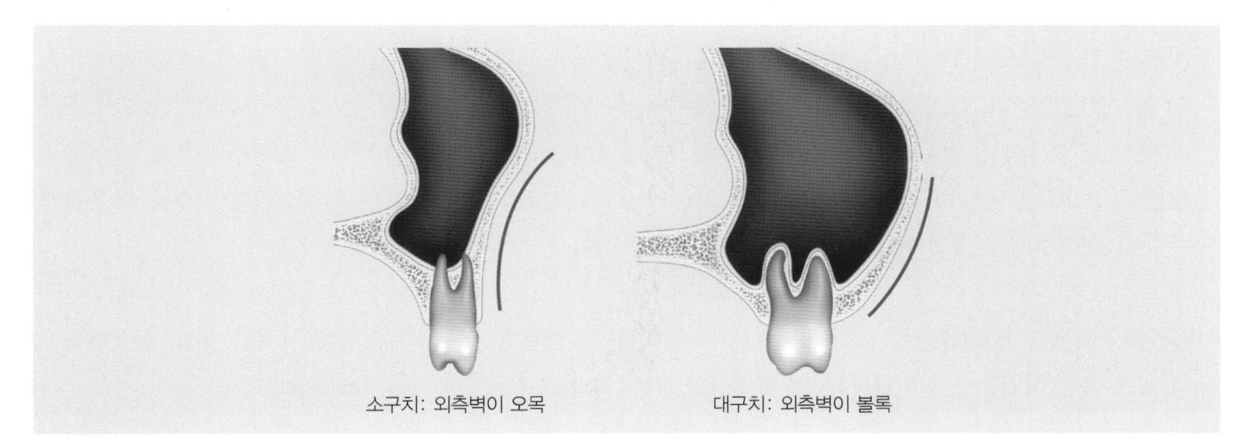

📷 **2-34** Angle A는 상악 구치부에서 후방으로 갈수록 증가하는 경향을 보인다. 이는 상악동 외측 골벽의 형태와도 관련되어 있다. 소구치부로 갈수록 상악동 외측벽은 오목해지면서 angle A의 값을 줄여주는 반면, 대구치부로 갈수록 상악동 외측벽은 볼록해져서 angle A값이 증가한다.

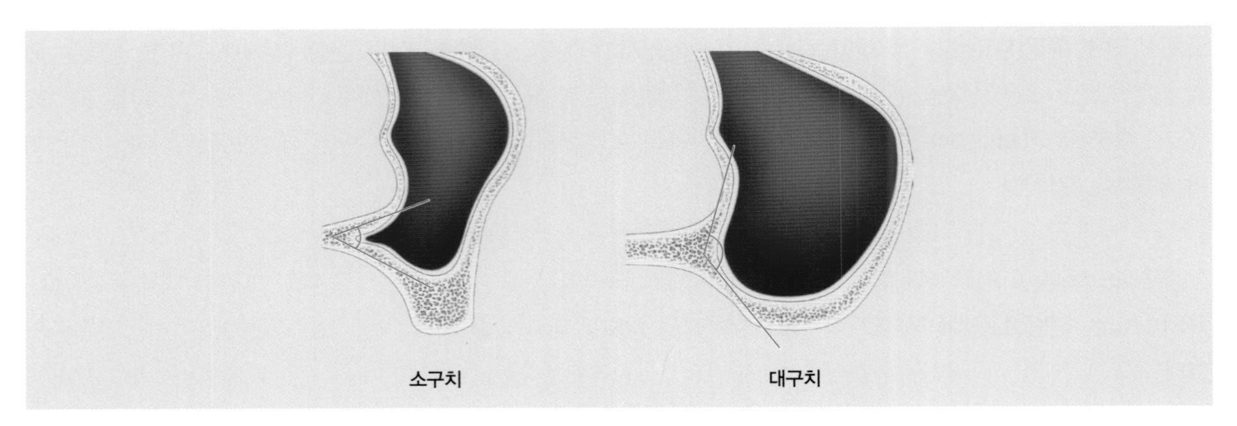

2-35 상악동 하벽(구개측)과 내벽(비강측)이 만나는 부위를 비구개 함요(palatonasal recess, PNR)라고 한다.
비구개 함요 또한 상악동 골이식 시 상악동 막의 천공과 수술의 난이도를 결정짓는 주요한 해부학적 요소 중 하나이다.

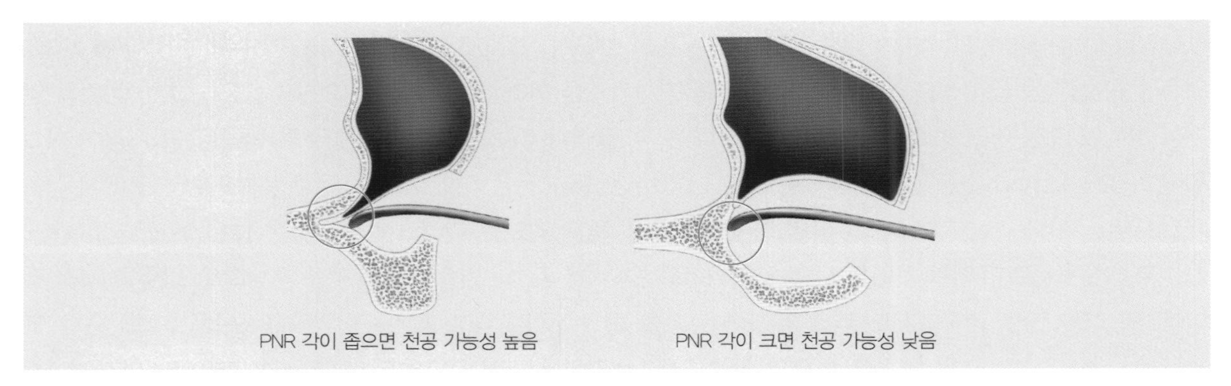

PNR 각이 좁으면 천공 가능성 높음
PNR 각이 크면 천공 가능성 낮음

2-36 비구개 함요의 각이 커질수록 막의 천공 가능성은 낮아지고 수술이 용이해진다. 특히 소구치부에서 비구개 함요가 예각인 경우가 많기 때문에 외측 접근 상악동 골이식 전에 CT 영상에서 이를 확인하는 것이 좋다.

으로 증가하는 양상을 보였다.[108] 비슷한 다른 연구에서도 비구개 함요의 각이 90° 미만인 위험 증례의 비율은 상악 제2소구치, 제1대구치, 제2대구치 부위에서 15%, 8.2%, 2.4%였다고 했다.[109] 즉, 소구치 부위로 갈수록 비구개 함요가 예각을 이루며 수술에 위험이 될 가능성이 증가하고, 반대로 제2대구치 부위로 갈수록 비구개 함요는 둔각을 이루며 수술에 위험이 될 가능성이 감소한 것이다.

결론적으로 비구개 함요는 그 각이 좁아질수록 상악동 막 천공의 가능성은 증가한다. 이는 특히 소구치 부위에서 외측 접근 상악동 골이식을 시행할 때 중요한 위험 요소로 작용할 수 있다(**2-36**).

3) 상악동저의 협–구개 폭

상악동저의 협–구개 폭은 상악동의 내측벽과 외측벽이 만나는 각도(angle A)와 밀접한 관련을 갖는다. 기하학적으로 생각했을 때, angle A가 커질수록 상악동의 협–구개 폭은 커지는 경향을 보일 것이다. 따라서 angle A와 비슷하게 소구치 부위에 비해 대구치 부위에서 상악동저의 협–구개 폭은 더 크다(2–37).[110,111] 또한 33% 백분위(percentile)와 67% 백분위를 기준으로 각각 좁은, 평균적인, 넓은 폭으로 구분하면 상악동 저의 폭은 8–10 mm일 때 평균적이고 이보다 적으면 "좁은", 이보다 크면 "넓은" 형태로 구분할 수 있다.[111]

상악동저 골의 협–구개 폭은 상악동 골이식술, 특히 치조정 접근 상악동 골이식술의 예후를 결정짓는 매우 중요한 인자로 생각된다. 상악동저의 협–구개 폭은 다음 면에서 상악동 골이식술에 영향을 미칠 수 있다(2–5).[110]

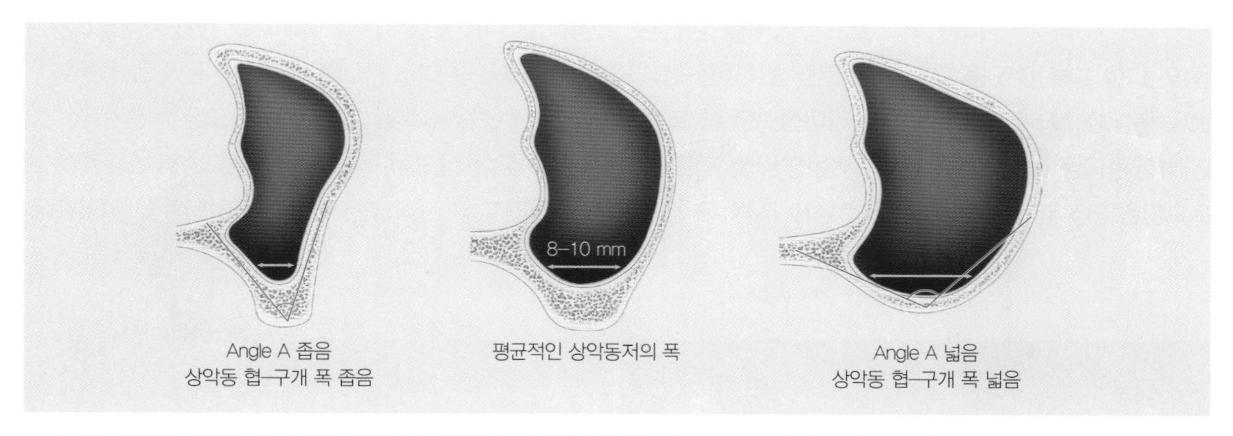

2–37 상악동저의 협–구개 폭은 상악동의 내측벽과 외측벽이 만나는 각도(angle A)와 밀접한 관련을 갖는다.
기하학적으로 생각했을 때 angle A가 커질수록 상악동의 협–구개 폭은 커지는 경향을 보인다.

2–5 상악동저의 협–구개 폭이 상악동 골이식에 미치는 영향

	좁다	넓다
외측 접근법	• 재생골의 질이 향상됨 • 재생골의 치유 속도가 빠름 • 상악동 막 거상의 난이도 증가 • 필요한 이식재의 양이 적음	• 재생골의 질이 저하됨 • 재생골의 치유 속도가 느림 • 상악동 막 거상의 난이도 감소 • 필요한 이식재의 양이 많음
치조정 접근법	• 상악동 내측벽과 외측벽의 막 거상이 원활함 • 재생골의 치유 속도가 빠름 • 재생골의 질이 향상됨 • 재생골의 재함기화 적음	• 상악동 내측벽과 외측벽의 막이 잘 거상되지 않음 • 재생골의 치유 속도가 느림 • 재생골의 질이 저하됨 • 재생골의 재함기화 많음

(1) 외측 접근법에서 상악동저의 협–구개 폭이 크면 재생골의 질은 저하된다

상악동저의 협–구개 폭은 외측 접근 상악동 골이식 후 재생골의 질을 결정짓는 매우 중요한 요소이다. 동종골 이식재로 외측 접근 상악동 골이식을 시행하고 6개월 후 재생골을 조직계측학적으로 관찰했을 때, 재생골의 질은 상악동의 폭과 강한 음의 상관관계를 보였다.[112] 즉, 상악동저의 폭이 넓어질수록 재생 조직 내 광화 조직의 비율은 감소한 것이다. 동종골(80%)과 자가골(20%)의 혼합 이식재로 상악동 골이식을 시행하고 6개월과 9개월 후 재생 조직을 조직계측학적으로 관찰한 대조 연구에서는 상악동 폭이 좁은 군에서 광화 조직의 비율이 유의하게 높게 나타났다.[113] 이는 상악동의 협–구개 폭이 좁을수록 골재생은 빨라지고, 골질은 향상된다는 사실을 의미하는 것이다(**2–38**).

상악동저의 폭이 크면 전체 골증강부의 부피에 대한 골표면 면적은 작아지게 된다. 따라서 재생골의 질과 치유 속도는 저하될 수밖에 없을 것이다. 이러한 생각은 위의 임상 연구들의 결과가 강력한 근거가 될 수 있다. 또한 동일한 수직적 높이를 증강시킨다고 생각했을 때, 거상된 상악동 막 하방의 부피는 상악동저의 협–구개

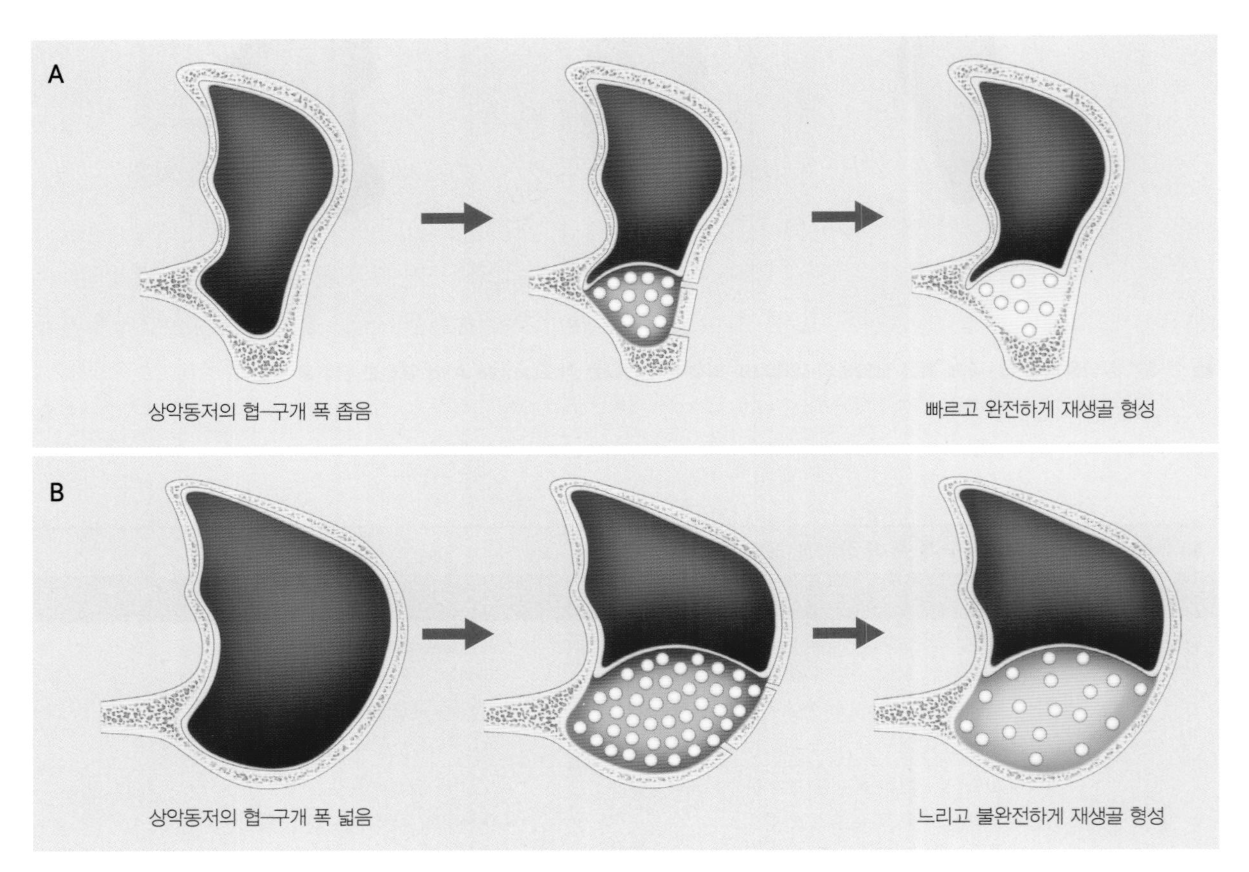

2–38 상악동저의 협–구개 폭은 수술의 난이도와 골재생의 결과에 모두 영향을 미칠 수 있다.
상악동의 협–구개 폭이 좁으면 외측 접근 상악동 골이식술의 난이도는 증가한다. 반면 상악동저의 협–구개 폭이 좁을수록 골재생은 빨라지고 신생골의 골질은 향상된다.

폭이 커질수록 증가한다(📷 2-39). 따라서 필요한 골이식재의 양도 증가할 것이다. 상악동저의 협-구개 폭이 넓을 때의 유일한 장점은 상악동 막을 거상할 때 이것이 천공될 가능성은 줄어들 것이라는 점이다. 상악동저의 폭이 커지면 상악동저에서 상악동 내측벽으로의 이행부가 더 부드럽게 연결되기 때문에 이 부위에서 상악동 막이 천공될 가능성은 줄어든다.[106]

(2) 상악동저의 협-구개 폭은 치조정 접근법에서 더 중요한 예후 인자이다

상악동 골이식술을 시행할 때 상악동 막은 상악동저뿐만 아니라 상악동 내측벽으로부터도 거상시켜야 더 넓은 골 표면이 노출되고, 또 골재생부를 지지하는 골벽수는 증가한다. 따라서 골재생의 예후는 더 향상된다(📷 2-40).[114] 외측 접근법에서는 상악동저의 폭과 관계없이 상악동 내측벽까지 상악동 막을 술자가 직접 거상할 수 있지만, 치조정 접근법에서는 상악동 내측벽과 외측벽의 상악동 막 거상량은 술자의 능력과는 관계없이

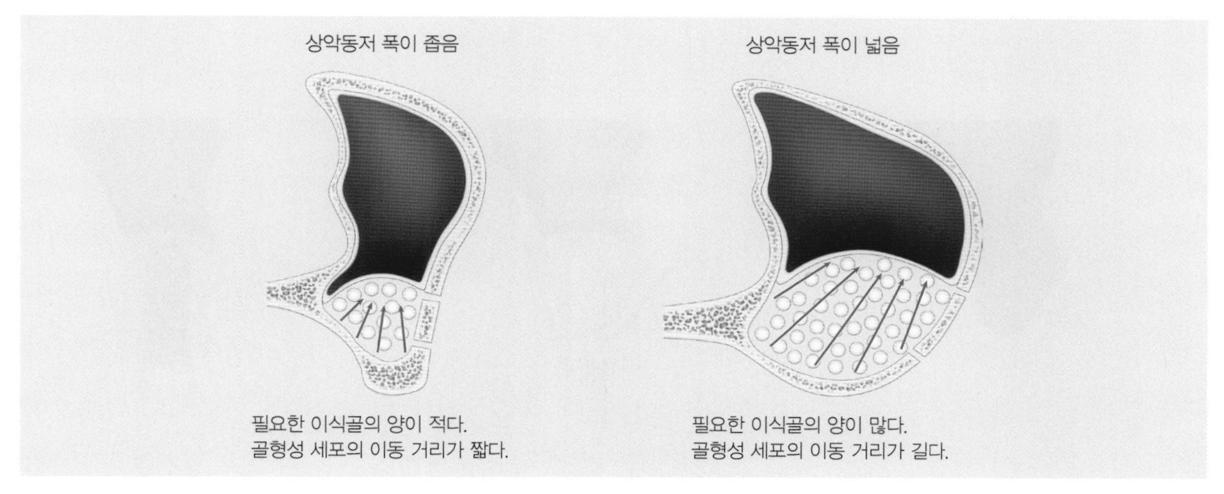

📷 2-39 이론적으로 상악동저의 폭이 크면, 전체 골증강부의 부피에 대한 골표면 면적은 작아지게 된다. 따라서 재생골의 질과 치유 속도는 저하될 수밖에 없을 것이다.

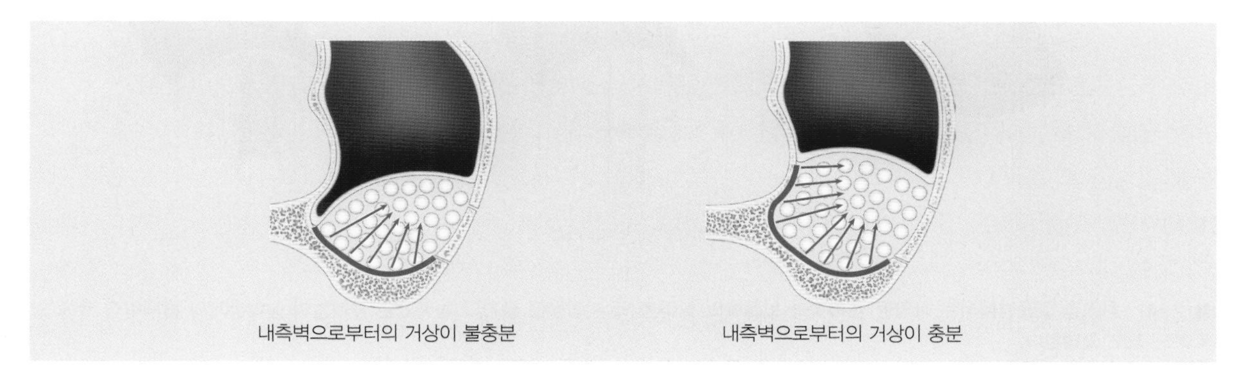

📷 2-40 상악동 골이식 시에는 상악동저뿐만 아니라 상악동 내측벽의 상악동 막 또한 충분히 거상시켜야 한다. 이를 통해 골이식부와 접하는 골의 면적이 증가하고 골형성 세포의 이동 거리가 감소한다. 결국 신생골 형성 능력과 속도가 증가하게 된다.

상악동저의 해부학적 폭에 의해 어느 정도 결정된다. 치조정 접근법에서는 상악동 막을 극히 제한된 치조정 측 접근부에서만 거상할 수 있기 때문에, 상악동 막의 수직적 거상량은 술자가 결정할 수 있지만 수평적 거상량은 결정하기 힘들기 때문이다(**2-41**). 결국 치조정 접근법 시에는 상악동저의 폭이 좁아질수록 상악동 내측벽과 외측벽의 상악동 막이 더 많이 거상된다. 실제로 한 임상 연구에서는 상악동저의 협-구개 폭이 12.1 mm 이상일 때에는 상악동 골이식 후 29.9%의 증례에서만 상악동 내측벽이 이식재와 접촉했던 반면, 12.1 mm 이하일 때에는 95.7%의 증례에서 상악동 내측벽이 이식재와 접촉했다고 했다.[110] 따라서 상악동저의 폭은, 외측 접근법보다는 치조정 접근법에서 더 중요한 해부학적 예후 인자이다.

치조정 접근 상악동 골이식술 후 골재생부를 조직학적으로 관찰해보면, 재생골의 질은 외측 접근법에 비해 환자에 따른 차이가 심하다.[114-116] 심지어 오스테오톰법에 비해 상악동 막을 수직적-수평적으로 비교적 균질하게 거상시킬 수 있는 수압거상법을 사용했을 때에도 상악동 골이식을 시행한 부위에서 재생골의 질은 심한

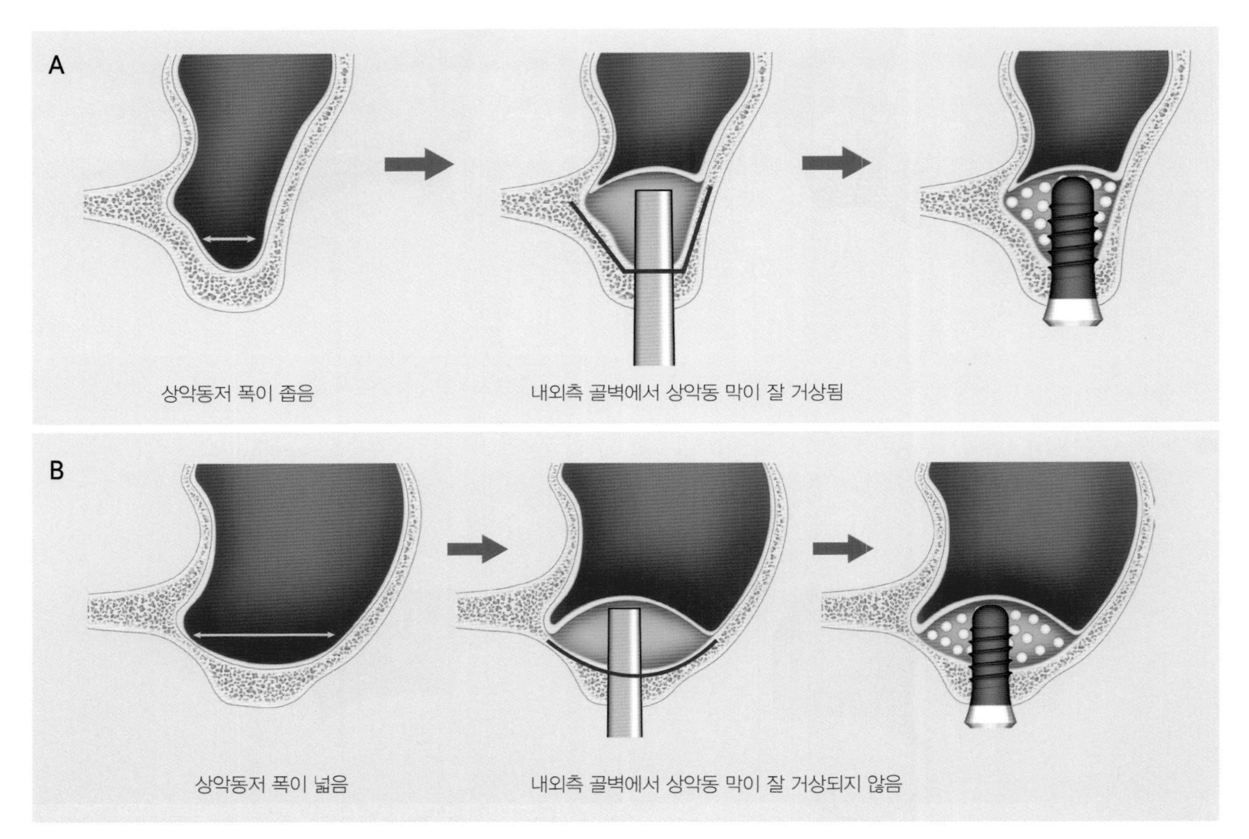

2-41 치조정 접근법에서는 상악동 내측벽과 외측벽의 상악동 막 거상량은 술자의 능력과는 관계없이 상악동저의 해부학적 폭에 의해 어느 정도 결정된다.
치조정 접근법 시에는 상악동저의 폭이 좁아질수록 상악동 내측벽과 외측벽의 상악동 막이 더 많이 거상된다. 따라서 이론적으로 상악동저의 협-구개 폭이 좁을수록 상악동 골이식술 후 신생골의 형성이 더 원활하게 이루어진다.

변이를 보였다. 수압거상법 후 재생 조직 내 광화 조직의 비율은 7.6–75.1%로 매우 광범위하게 나타났다.[116] 그리고 재생골 질의 이러한 심한 변이는 환자의 상악동저 폭의 차이를 반영한 것이다. Lombardi 등이 2017년에 발표한 단일 환자군 연구에 의하면, 치조정 접근 상악동 거상술을 시행하고 6개월이 지났을 때 재생골 내의 광화 조직 비율은 상악동의 폭과 강한 음의 상관관계를 보였다.[114] 즉, 상악동저의 폭이 좁아질수록 재생골의 질은 향상된 것이다.

Lombardi 등은 2018년 대상 환자 수를 확장시켜서 총 44명의 환자에게 이종골로 치조정 접근 상악동 골이식을 시행하고, 역시 6개월 후 골재생부 조직을 채취하여 조직계측학적으로 분석했다.[115] 전체 환자군에서 신생 조직 내 광화 조직의 비율은 평균 21.2±16.9%였지만, 개인별로 심한 차이를 보였다. 그러나 이러한 심한 변이는, 상악동의 폭(치조정에서 10 mm 상방에서 외측–내측 상악동 벽의 거리)과 이식재가 만나는 상악동 내의 골벽수에 의해 결정되는 것으로 나타났다(**📷 2-42**). 이 연구의 결과는, 치조정 접근 상악동 골이식 시 상악동 수직골벽(내측–외측 상악동벽)에 위치한 상악동 막의 거상 여부는 상악동저의 폭에 의해 결정되고, 이에 따라 재생골의 질이 결정된다는 사실을 보여주는 것이다.

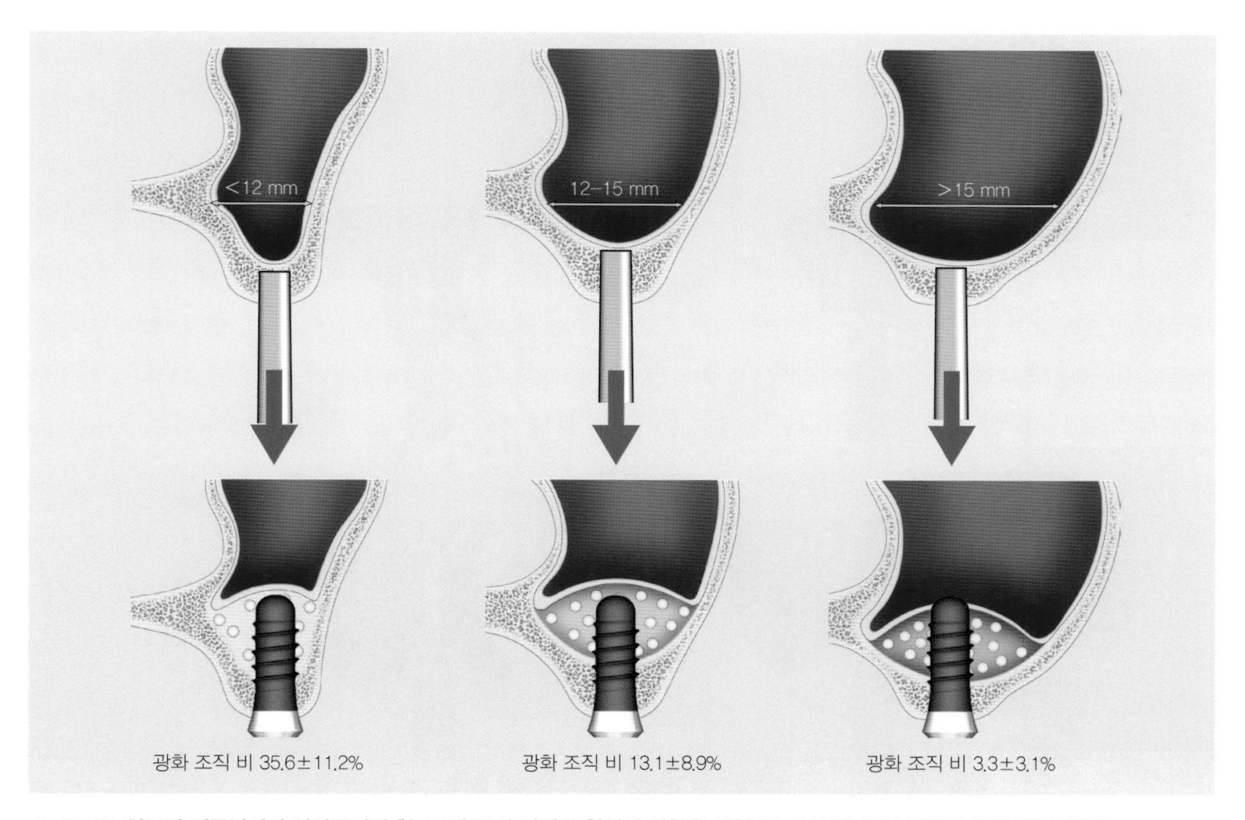

📷 2-42 치조정 접근법에서 상악동저의 협–구개 폭이 신생골 형성에 영향을 미친다는 사실은 임상 연구를 통해 검증되었다.
이 연구에서는 상악동의 협–구개 폭이 12 mm 미만일 때 신생골의 질이 가장 우수한 결과를 보였다.[115]

상악동저의 협-구개 폭은 재생골의 질뿐만 아니라 재생골의 높이 감소에도 강한 영향을 미친다. 상악동 골이식술 후 골증강부의 수직적 높이는 감소하는데, 이를 재함기화라고 한다. 이는 호흡으로 상악동 내부에 가해지는 공기압에 의해 발생하는 것으로 생각된다. 그리고 치조정 접근 상악동 골이식 시 상악동저의 폭이 넓으면 재함기화의 양도 증가한다. 다수의 임상 연구들에 의하면, 상악동의 폭이 증가할수록 치조정 접근 상악동 골이식 후 골이식부의 높이 감소는 유의하게 증가한다.[115,117-119] 상악동저의 폭이 좁으면 이식골은 컵에 담긴 젤리처럼 상방의 압력에도 옆으로 퍼지지 않지만, 폭이 넓으면 단순히 바닥에 놓인 젤리처럼 옆으로 퍼지기 때문이다. 위의 Lombardi 등의 연구에서는 상악동의 협-구개 폭이 12 mm 미만, 12–15 mm, 15 mm 초과일 때, 이식골의 높이는 각각 1.2±1.7 mm, 1.9±1.2 mm, 2.3±1.1 mm가 감소했다고 보고했다(📷 2-43).[115]

(3) 잔존골 높이가 낮고 상악동저의 폭이 넓으면 외측 접근법을 시행한다

결론적으로, 상악동저의 협-구개 폭은 재생골의 질을 결정하는 매우 중요한 요소라는 결론을 내릴 수 있다. 이는 외측 접근법이나 치조정 접근법 모두에서 적용되는 원리이지만, 특히 치조정 접근법에서 더 중요하다고 할 수 있다. 대구치부에서 상악동저의 협-구개 폭이 더 넓고 치조골 높이가 더 낮은 경향이 있으므로, 내측 상악동벽에서 상악동 막을 확실히 노출시킬 수 있는 술식인 외측 접근법을 시행하는 것이 유리하다.[120] 외측 접근법 시에도 상악동저의 폭이 넓어지면 신생골의 형성 속도나 정도가 분명히 저하되기는 하지만, 그 정도는 치

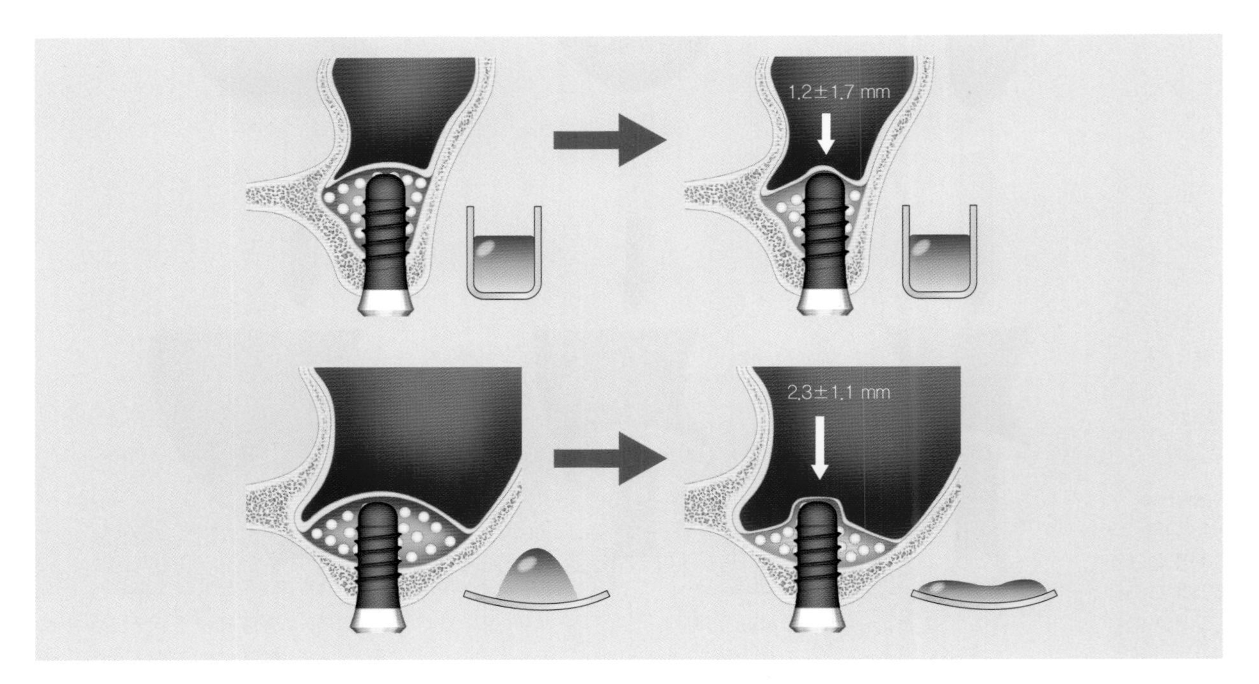

📷 2-43 상악동의 협-구개 폭은 상악동 골이식 후 이식재의 공간 유지 정도와도 현저한 상관성을 보인다.
상악동저의 폭이 좁으면 이식골은 컵에 담긴 젤리처럼 상방의 압력에도 옆으로 퍼지지 않지만, 폭이 넓으면 단순히 바닥에 놓인 젤리처럼 옆으로 퍼지기 때문이다.

조정 접근법에 비해서는 확실히 양호하기 때문이다. 외측 접근법에서는 상악동의 폭이 15 mm 이상인 경우에도 수술 6개월 후 재생골 내 광화 조직의 비율이 13–20%였지만,[112,113] 치조정 접근 시에는 3.4%에 지나지 않았다(**📷 2-44**).[115]

결국 상악동저의 협–구개측 폭은 치조정 접근 상악동 골이식 시 재생골의 조직학적 상태와 이식골의 흡수량에 꽤나 현저한 영향을 미칠 수 있음을 알 수 있다. 일련의 전향적 단일 환자군 연구에서 이러한 결과를 일관적으로 보여주었기 때문이다. 그러나 이러한 점이, 이 부위에 식립된 임플란트 자체의 성공에 어떤 영향을 미치는지는 아직 알려진 바가 없다. 치조정 접근 상악동 골이식은 잔존골 높이가 어느 정도 확보된 경우에 시행하는 경우가 많기 때문에, 오히려 상악동저의 협–구개 폭은 이 부위에 식립된 임플란트의 성공 자체에는 크게 영향을 미치지 못할 수도 있다. 따라서 잔존골 높이가 4–5 mm 미만으로 낮고 상악동의 폭이 12 mm 이상으로 넓은 경우에는 외측 접근법을 시행하고, 그렇지 않은 경우에는 치조정 접근법을 시행하는 것이 적절할 것이다.

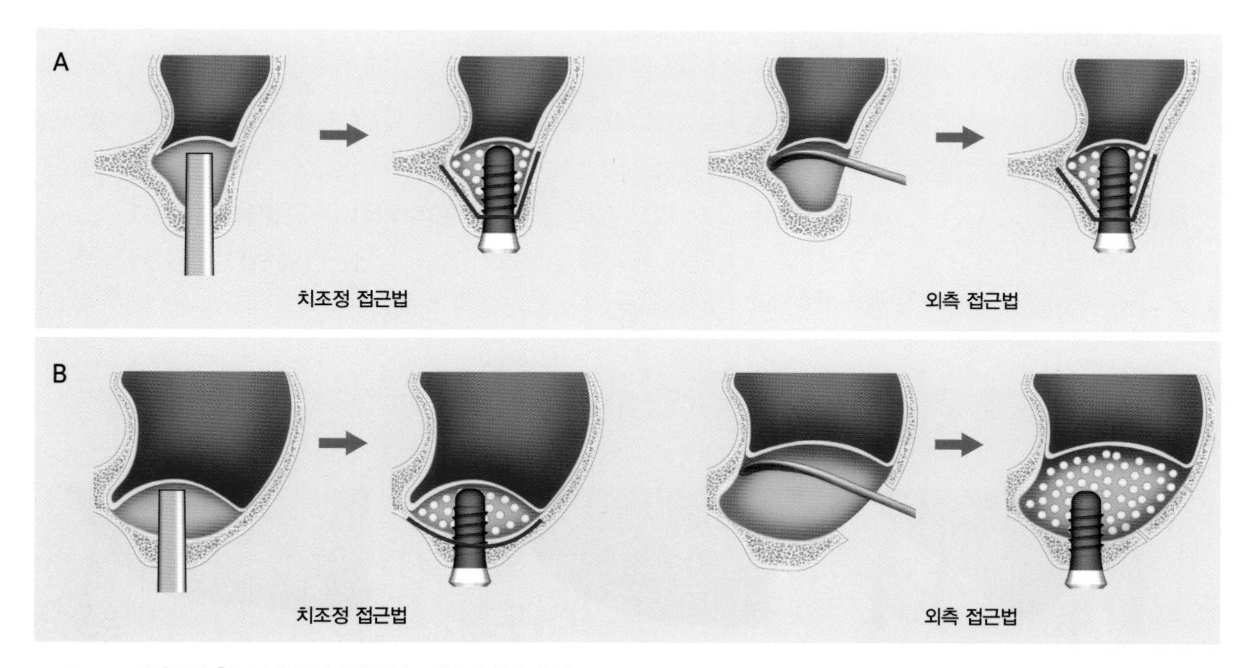

📷 2-44 상악동의 협–구개 폭과 상악동 골이식 술식의 선택
A. 상악동의 협–구개 폭이 좁으면 치조정 접근법이나 외측 접근법 모두에서 다수의 상악동 골벽이 노출되기 때문에 더 간단한 술식인 치조정 접근법이 상대적으로 유리하다. **B.** 상악동의 협–구개 폭이 넓으면 치조정 접근법으로는 좁은 면적의 상악동 골벽만을 노출시킬 수 있다. 그러나 외측 접근법에서는 노출이 어려운 내측 골벽을 인위적으로 노출시킬 수 있기 때문에 더 넓은 골면적을 노출시킬 수 있다. 따라서 이러한 증례에서는 외측 접근법이 상대적으로 유리하다.

4) 상악동저의 전후방적 형태

상악동저의 협구개 폭처럼, 상악동저의 전후방적 형태도 치조정 접근 상악동 골이식의 예후에 영향을 미칠 수 있다. 외측 접근법 시에는 상악동저의 막을 원하는 만큼 완전히 거상할 수 있지만, 치조정 접근법에서는 상악동저에 위치한 막을 거상할 때 그 정도를 조절하기 힘들기 때문이다.

(1) 상악동저가 오목할수록 이식골의 재함기화는 줄어든다

French 등[121]은 상악동저의 전후방적 형태를 네 가지로, Chen 등[122]은 세 가지로 구분하고 이것이 치조정 접근법 후 임플란트의 예후와 이식재의 재함기화에 미치는 영향을 분석했다(📷 2-45).

- **오목한 형태(concave):** 일반적으로 임플란트 식립부 전후방에 자연치가 존재함. 임플란트 식립부의 상악동저는 그 전후 상악동저 높이보다 낮음
- **비스듬한 형태(angle):** 일반적으로 근심에만 자연치 존재함. 근심측 상악동저는 임플란트 식립부 상악동저보다 높고, 원심측 상악동저는 더 낮음
- **편평한 형태(flat):** 일반적으로 임플란트 식립부 전후방에 자연치가 존재하지 않음. 임플란트 식립부 상악동저의 높이는 그 앞뒤에 위치한 상악동저 높이와 같음

French 등은 골이식재 없는 상악동저 거상술을 오스테오톰으로 시행하고, 이 부위에 식립한 임플란트를 5년 후에 후향적으로 추적 관찰했다. 수술 전의 잔존골 높이와 상악동저의 형태 등이 임플란트의 성공에 미치는 영향을 평가했다.[121] 전체 임플란트의 실패율은 1.7%였고, 임플란트의 성공에 가장 큰 영향을 미치는 요소는 잔존골의 높이였으며, 이 요소만이 임플란트의 성공에 유의한 영향을 미쳤다. 상악동저의 형태는 임플란트의 성공에 크게 영향을 미치지는 못했으며 편평한 형태에서는 1.9%, 오목한 형태에서는 1%, 비스듬한 형태에서는

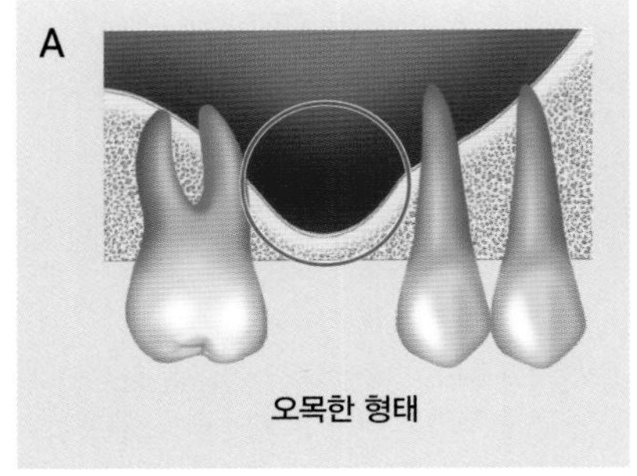

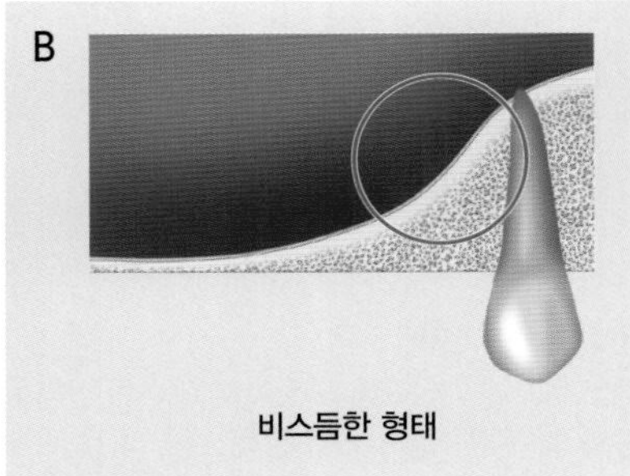

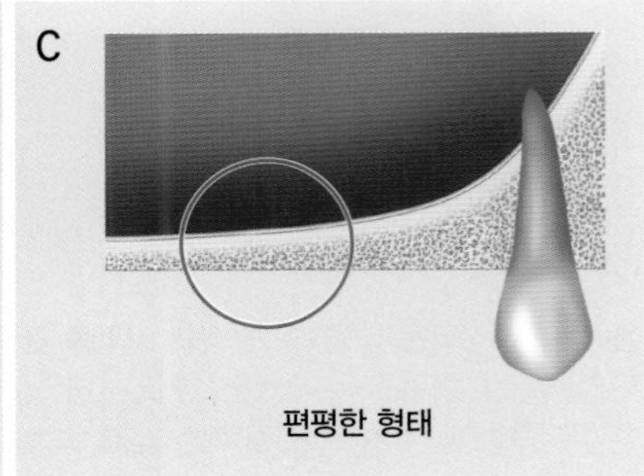

📷 **2-45 Chen 등에 의한 상악동저의 전후방적 형태 구분**[122]
A. 오목한 형태(concave). 일반적으로 임플란트 식립부 전후방에 자연치가 존재한다. 임플란트 식립부의 상악동저는 그 전후 상악동저 높이보다 낮다. **B. 비스듬한 형태(angle).** 일반적으로 근심에만 자연치가 존재한다. 근심측 상악동저는 임플란트 식립부 상악동저보다 높고, 원심측 상악동저는 더 낮다. **C. 편평한 형태(flat).** 일반적으로 임플란트 식립부 전후방에 자연치가 존재하지 않는다. 임플란트 식립부 상악동저의 높이는 그 앞뒤에 위치한 상악동저 높이와 같다.

1%의 임플란트 실패율을 보였다. 전문가들은 상악동저의 형태가 비스듬하면 오스테오톰법으로 상악동저를 거상하기 힘들다고 생각하지만, 이 연구에서는 그렇지 않은 결과를 보였다.[123]

Chen 등은 오스테오톰법으로 상악동 골이식한 부위에 임플란트를 식립하고 평균 39.2개월 후 상악동 골이식부의 높이 변화를 관찰했다.[122] 그 결과, 오목한 형태는 평균 1.2 mm, 비스듬한 형태는 2.2 mm, 편평한 형태는 3.2 mm의 이식골 높이가 감소했고, 오목한 형태와 편평한 형태에서의 차이는 통계학적으로 유의했다. 이 연구에서는 또한 상악동저의 오목한 정도와 이식골의 흡수 사이에 유의한 상관성이 있다는 사실을 보여주었다. 즉, 상악동저가 더 오목해질수록 이식골의 재함기화는 더 줄어들었다는 것이다(📷 2-46). 이는 상악동저가 더 오목해질수록 상악동저의 협-구개 폭이 좁은 경우와 비슷하게 골벽수가 늘어나므로, 이식재가 공기의 압력에 더 잘 저항하기 때문일 것이다.

결론적으로 상악동저의 전후방적 형태는 치조정 접근 상악동 골이식의 예후에 약간의 영향을 미칠 수도 있을 것으로 생각된다. 두 후향적 연구에서는 상악동저의 형태가 이식골의 흡수에 현저한 영향을, 그리고 임플란트의 성공에 아주 약간의 영향을 미칠 수 있음을 보여주었다. 그러나 이에 대해선 전향적 실험 연구에 의한 근거가 아직 제시되지 못했기 때문에 확실한 결론을 내릴 수는 없다.

5) 상악동 골이식을 위한 상악동 형태의 분류

지금까지 상악동 골이식의 난이도와 예후에 영향을 미칠 수 있는 골의 형태학적 요소들에 대해 살펴보았다. 2010년대 후반에는 이러한 요소들을 고려하여, 상악동의 형태를 구분하는 방법들이 제시되었다. 또한 치아 위치에 따른 이들 형태의 빈도를 조사하여 제시하였다.

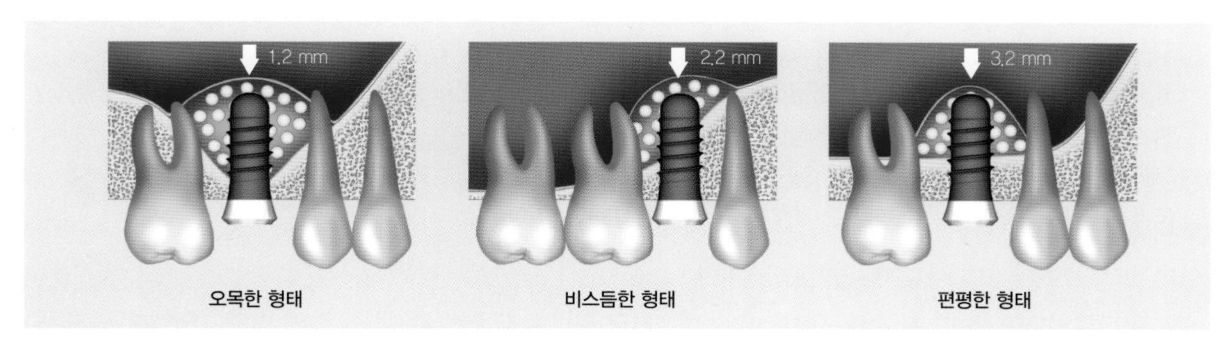

📷 2-46 상악동저의 전후방적 형태가 오목할수록 상악동 골이식 후 재함기화의 정도가 적어진다. 이는 이식골이 골이식부에서 주위의 상악동 골벽에 의해 원래의 형태를 더 잘 유지하기 때문일 것이다.

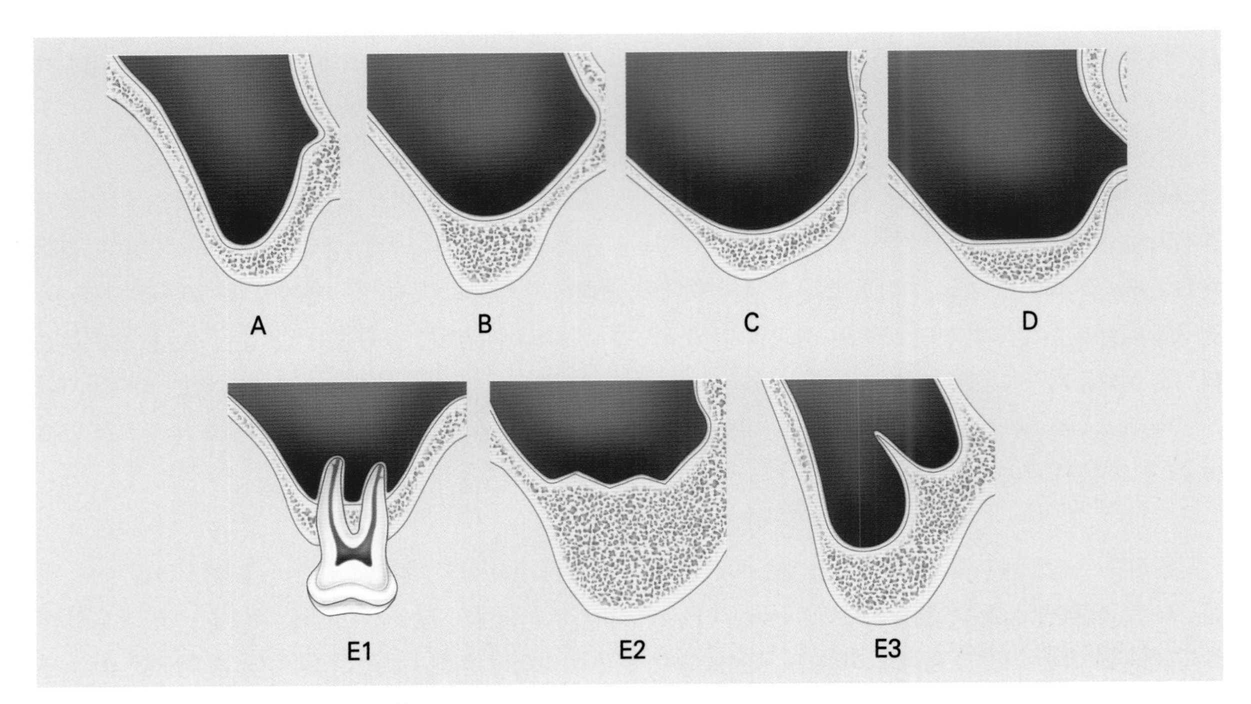

2-47 Niu 등의 상악동 형태 분류법[120]
A형: 좁은 테이퍼 형태, **B형:** 테이퍼 형태, **C형:** 타원 형태, **D형:** 사각 형태, **E형(E1~E3):** 상악동저가 불규칙한 형태

Niu 등은 상악동 내측벽과 외측벽이 만나는 각도(angle A), 외측벽과 내측벽 사이의 거리(협-구개 폭), 비구개 함요, 상악동저의 형태를 고려한 상악동 형태 분류법을 제시하고, 각 치아 위치별로 이들 형태의 발생 빈도를 측정했다(**2-47**).[120] 그 결과를 간략하게 요약하면 다음과 같았다.

- 제2소구치 부위는 90%가량이 "좁은 테이퍼 형태"이며, 제2소구치 부위에서 "좁은 테이퍼 형태"인 상악동저의 폭은 평균 8 mm 정도이다.
- 제1대구치 부위는 50%가량이 "테이퍼 형태"이고 이때 상악동저의 폭은 평균 12 mm 정도이다. "좁은 테이퍼 형태"는 제1대구치 부위에서 25%가량을 차지하며, 이때 상악동저의 폭은 평균 9 mm이다. "타원 형태"는 20% 정도이고, 이 형태에서 상악동저의 폭은 평균 13–14 mm 정도이다.
- 제2대구치 부위 역시 50%가량은 "테이퍼 형태"(상악동저 폭 11 mm 정도)이지만, 30% 정도는 타원 형태(상악동저 폭 13 mm 정도)이다.
- "사각 형태"와 "상악동저가 불규칙한 형태"는 적은 빈도로만 보이지만, 제2소구치에서 제2대구치 부위로 갈수록 빈도가 증가하여 제2대구치 부위에서는 각각 5%를 약간 상회한다.

한 후향적 연구에서는 Niu 등에 의한 상악동 형태 구분[120]을 적용했을 때 "좁은 테이퍼", "테이퍼", "타원", "사각" 형태의 순서로 상악동 막 천공 발생 빈도가 높았고, 특히 좁은 테이퍼 형태에서 상악동 막 천공이 유의하게 많이 발생했다고 보고했다.[44] "좁은 테이퍼 형태"에서는 angle A가 좁고 상악동저의 협-구개 폭이 좁기

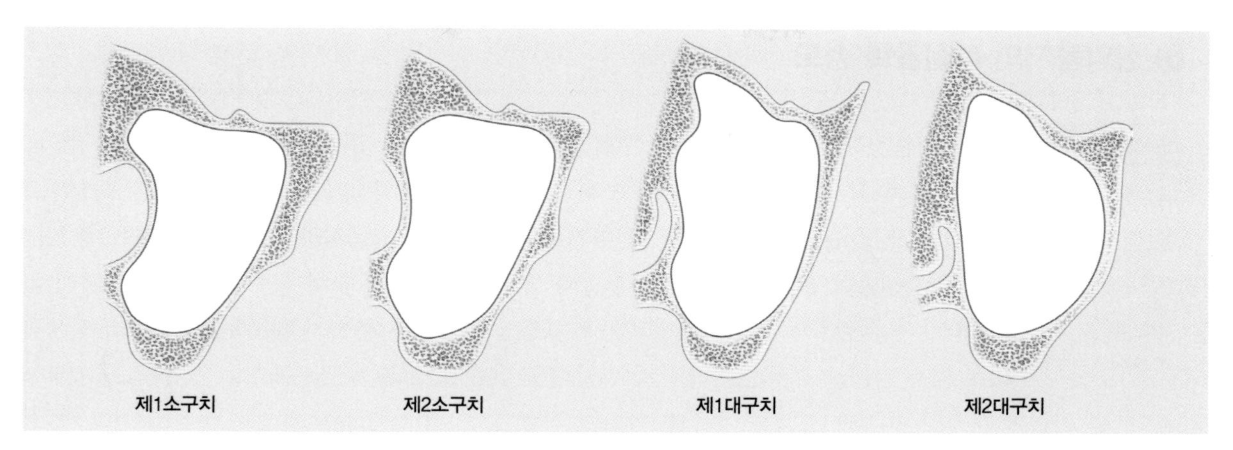

2-48 CT로 측정한, 제1소구치에서 제2대구치에 이르는 상악동의 평균적인 단면 형태
위치에 따른 상악동 형태의 특징은 **2-6**에 정리했다.

2-6 상악 구치부에서 전후방적 위치에 따른 상악동의 해부학적 특성

해부학적 요소	소구치부	대구치부
상악동 외측벽 두께	두껍다	얇다
비구개 함요의 각	예각에 가깝다	둔각이다
외측 골벽과 내측 골벽 간의 각도	작다	크다
상악동저의 협–구개 폭	좁다	넓다

때문에 당연히 상악동 막 천공의 발생이 높을 것이다.

2017년 Monje 등은 CBCT를 이용한 단면 연구의 결과에 기초해, 상악 제1소구치부에서 제2대구치부에 이르는 표준적인 상악동 형태를 제시했다(2-48, 2-6).[108] 이는 Niu 등의 연구 결과와도 일치하는 경향을 보인 것이었다.[120] 외측 접근 상악동 골이식의 난이도는 전방부, 즉 제1소구치부로 갈수록 높아지고 후방부로 갈수록 낮아진다. 그 이유는 전방 치아로 갈수록 상악동 골의 외형이 상악동 막 거상에 더 불리해지기 때문이다.

모든 경우로 일반화시킬 수는 없지만, 지금까지의 근거들로 미루어 볼 때 대체적으로 상악 소구치 부위는 상악동의 외형 자체가 외측으로 접근하기에 여러 어려운 점이 있는 반면, 상악동저의 폭은 좁기 때문에 치조정 접근법이 더 유리하다. 반면 대구치 부위는 상악동 외형이 외측 접근에 적합하고, 상악동저 폭이 넓어서 내측 상악동 막까지 거상하기 위해서는 외측 접근법이 필요하다. 잔존골 높이 또한 소구치 부위는 70% 이상의 증례에서 5 mm 이상이고 대구치 부위는 50% 이상의 증례에서 5 mm 미만이므로, 상악동 골이식 시 소구치부는 치조정 접근, 대구치부는 외측 접근법으로 접근하는 것이 일반적이라고 결론 내릴 수 있다.[124]

6) 상악동저의 피질골화 정도

과거에 골이식 없는 상악동저 거상술이 개발되기 전에, 상악에서 최대한의 고정을 얻기 위해 상악동저를 의도적으로 천공할 수 있는 길이의 임플란트를 식립함으로써 치조정과 상악동저의 피질골에서 모두 임플란트 고정을 얻으려는 시도가 있었고, 이를 양측 피질골 고정법(bicortical stabilization)이라고 한다(**2-49**).[125] 최근에 골이식 없는 상악동저 거상술에 관심이 집중되면서, 양측 고정법의 개념이 다시 주목받고 있다. 골이식 없는 상악동저 거상술 시에는 임플란트가 치조정과 상악동저 피질골을 모두 관통하기 때문에, 관점을 바꿔 생각해보면 이 술식이 바로 양측 피질골 고정법이 되는 것이다. 몇몇 유한 요소 분석 연구에 의하면, 상악 구치부에 임플란트를 식립할 때 양측 피질골 고정을 얻을 수 있으면 임플란트의 일차 안정을 증진시킬 수 있었다.[126,127] 토끼의 경골(tibia)에 임플란트를 식립하면서 단일 피질골 고정법과 양측 피질골 고정법을 시행했을 때, 임플란트 제거 토크는 양측 고정법이 6주 후 2배, 12주 후 3배 더 많았다.[128]

따라서 상악동 골이식 시에 상악동저의 골밀도, 즉 피질골화 정도는 임플란트의 일차 안정, 나아가 임플란트의 예후에 영향을 미칠 수 있을 것이라고 생각할 수 있다. 한 후향적 연구에서는 상악동저 피질골을 그 밀도에 따라 네 가지로 구분했다. 그리고 그 빈도 수와 잔존골 높이를 평가했다(**2-50, 2-7**).[129]

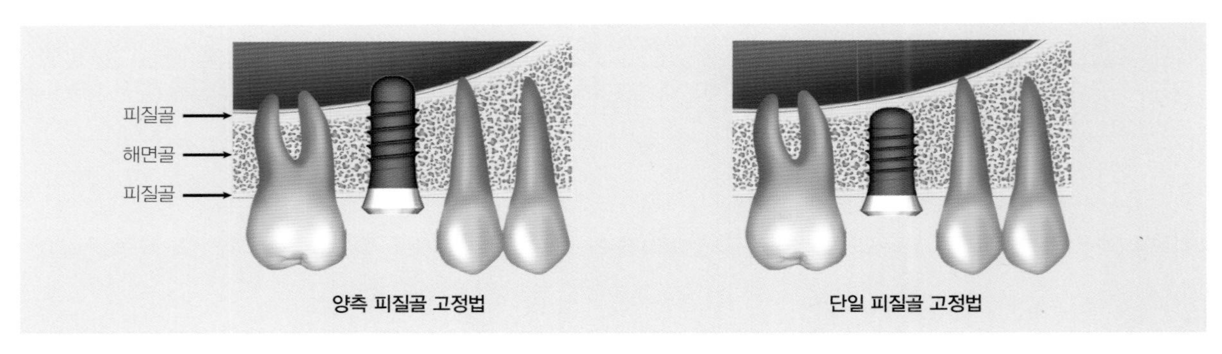

2-49 상악 구치부에서는 치관측 피질골과 근단측 피질골 모두에서 임플란트 안정을 얻을 수 있다. 이렇게 치관측과 근단측 피질골 모두에서 임플란트 안정을 얻는 술식을 양측 피질골 고정법이라고 한다. 반면 근단측 치조골에서 안정을 얻지 않는 경우에는 치관측 피질골에서만 임플란트 안정을 얻기 때문에 단일 피질골 고정법이라고 한다.

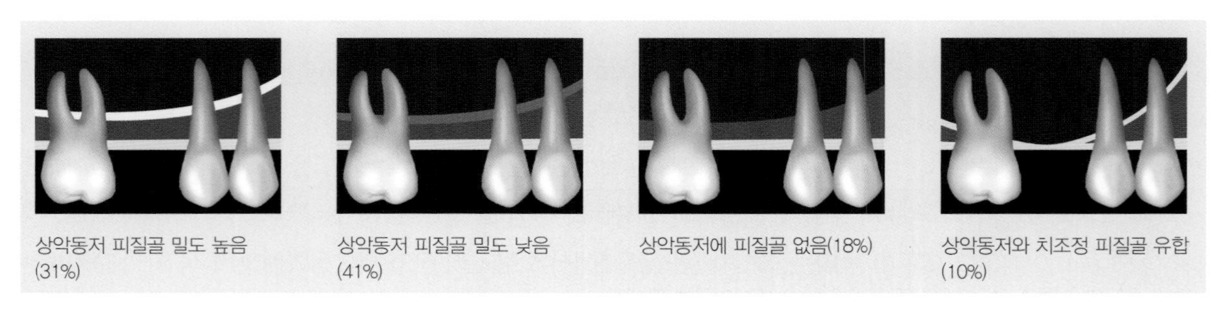

상악동저 피질골 밀도 높음 (31%)
상악동저 피질골 밀도 낮음 (41%)
상악동저에 피질골 없음(18%)
상악동저와 치조정 피질골 유합 (10%)

2-50 방사선사진 상 관찰되는 상악동저 피질골의 분류(2-7 참조)[129]

2-7 방사선사진 상 관찰되는 상악동저 피질골의 분류

구분	방사선사진에서 상악동저의 피질골 상태	빈도	잔존골 평균 높이
1형	주변 피질골과 같거나 더 높은 방사선학적 피질골 밀도	31%	5.6 mm
2형	주변 피질골보다 더 낮은 방사선학적 피질골 밀도	41%	5.2 mm
3형	상악동저에 피질골이 존재하지 않음	18%	3.4 mm
4형	상악동저와 치조정 피질골이 유합됨	10%	1.2 mm

이 연구를 통해 상악동저 피질골의 밀도는 잔존골 높이와 대체로 비례하는 관계를 보임을 알 수 있다. 이는 상악동 골이식 시 잔존골 높이가 더 클수록 이 부위에 식립한 임플란트의 예후가 향상되는 이유 중 하나가 될 수 있을 것이다. 그러나 한 무작위 대조 연구의 결과는, 적어도 잔존골 높이가 7 mm 이상일 때에는 양측 피질골 고정과 편측 피질골 고정(치조정 측 피질골만 임플란트 고정에 이용)이 임플란트의 안정에 별다른 영향을 미치지 못한다는 사실을 보여주었다.[125] 이 연구에서는 잔존골 높이가 7–11 mm인 경우 골이식 없는 치조정 접근 상악동저 거상술(양측 피질골 고정법), 상악동저 피질골은 온전히 유지한 채 짧은 임플란트만 식립, 치조정 접근 상악동 골이식 및 임플란트 식립술을 시행하고 세 군에서의 임플란트 안정을 공진 주파수 분석값(ISQ)으로 수술 직후와 6개월 후 평가했다(**2-51**, **2-8**).[125]

그 결과, 세 군에서 임플란트 안정도는 어떤 유의한 차이도 보이지 않았다. 즉, 잔존골 높이가 7 mm 이상이면 임플란트의 일차 안정은 단일 피질골 고정법/양측 피질골 고정법에 영향을 받지 못한 것이다. 다만, 임플란트의 일차 안정은 잔존골 전체의 방사선학적 골밀도와 낮지만 유의한 상관관계를 보였다. 즉, 상악동저 피질골에서 추가적으로 제공되는 안정성보다는 해면골의 골밀도가 임플란트의 고정력(일차 안정)에 더 큰 영향을 미친 것이다.

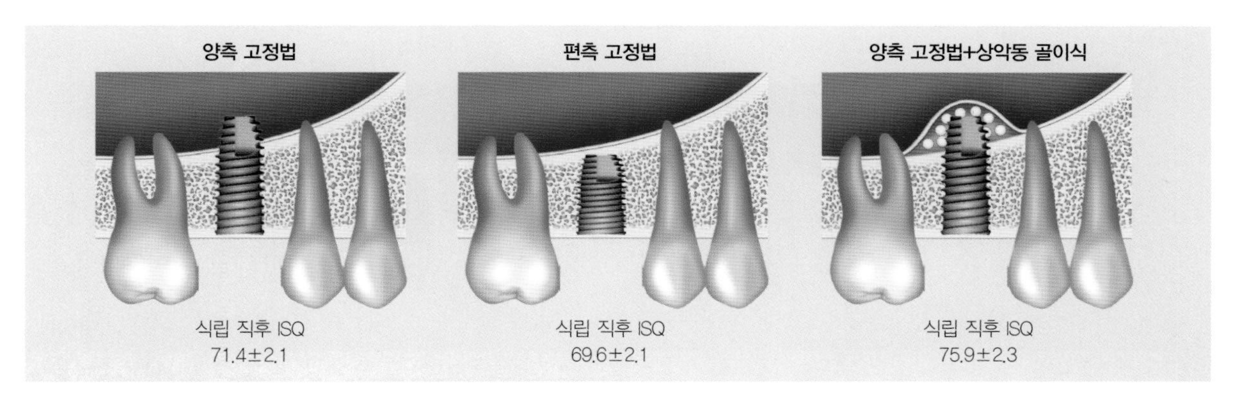

2-51 양측/편측 고정법이 임플란트 일차 안정에 미치는 영향
한 임상 연구에서는 ISQ로 측정한 일차 안정값은 양측/편측 고정법에 따라 별다른 차이를 보이지 않는다고 보고했다.[125]

2-8 양측 고정법과 편측 고정법에 따른 공진 주파수 분석값

술식	양측 고정법 임플란트 길이 평균 11.4 mm	편측 고정법 임플란트 길이 평균 8.1 mm	치조정 접근 상악동 골이식 임플란트 길이 평균 11.8 mm
식립 직후 ISQ	71.4±2.1	69.6±2.1	75.9±2.3
6개월 후 ISQ	79.9±1.2	80.0±1.2	80.0±1.3

그러나 한 후향적 연구에서는 완전히 다른 결과를 보여주었다. 이 연구에서는 양측 고정법과 단일 피질골 고정법으로 식립한 임플란트의 1-5년간 생존율을 후향적으로 평가했다.[130] 양측 피질골 고정법 적용 시에는 상악동저를 오스테오톰으로 거상한 후 골이식재 없이 임플란트를 식립했으며, 임플란트는 상악동저 상방으로 약 1 mm 정도 돌출되도록 했다. 사용된 임플란트는 잔존골 높이에 따라 6 mm와 10 mm 길이를 지닌 것이었다. 5년 후 임플란트의 생존율은 **2-52**와 같았다.

따라서 저자들은 짧은(6 mm) 임플란트를 식립할 때에는 양측 피질골 고정을 얻는 것이 임플란트의 성공을 개선시킬 수 있다고 결론지었다. 그러나 이 연구는 그 결과가 일반적인 연구 결과와는 큰 차이를 보이기 때문에 주의를 요한다. 현재 상악 구치부에서 6 mm 임플란트는 단일 피질골 고정만으로도 표준 길이 임플란트에 필적할 만한 높은 성공률을 보이고 있다. 이 연구는 후향적 연구였고, 대상 환자 수가 적었으며, 연구 결과가 너무 편향적으로 나타났기에 신뢰도가 낮다고 할 수 있다.

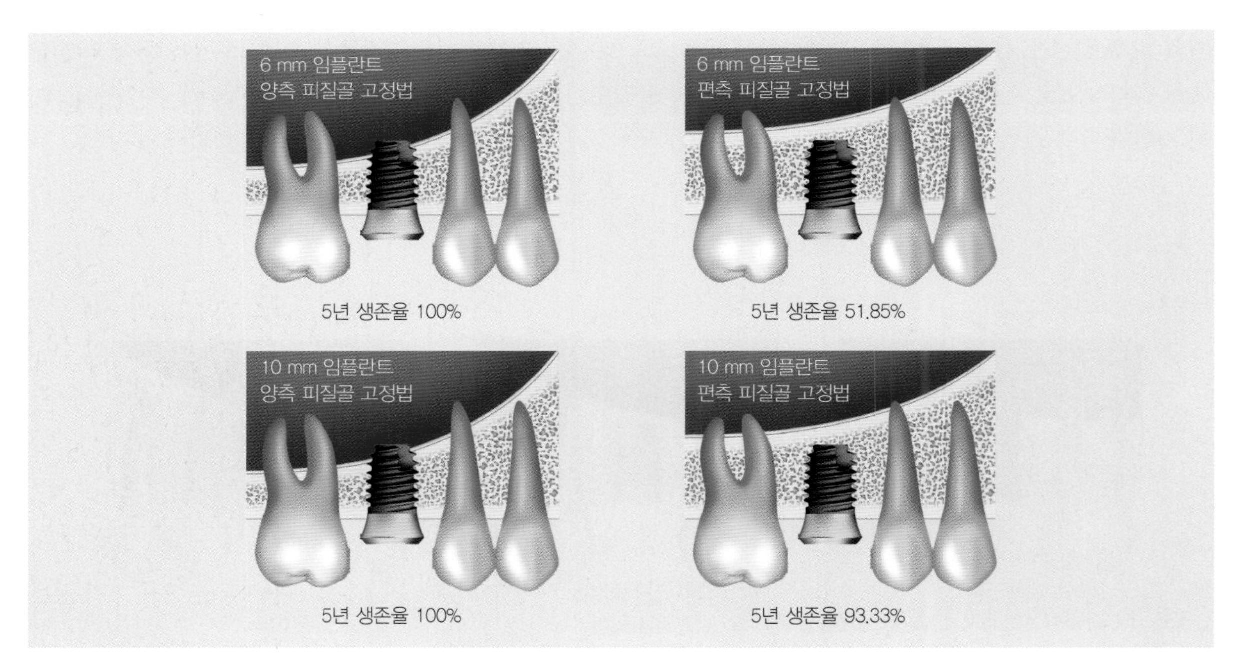

2-52 한 임상 연구에서는 짧은 길이(6 mm) 임플란트 식립 시에는 양측 고정법이 임플란트의 성공을 현저히 증진시켰다고 보고했다.[130] 그러나 이 연구의 근거 수준은 매우 낮고 비슷한 다른 연구는 아직 보고된 바 없었기 때문에 신뢰도가 낮은 결과이다.

결론적으로 양측 피질골 고정법은 오래 전부터 주창된 개념이긴 하지만 이에 관한 문헌 근거는 거의 없다고 할 수 있다. 무작위 대조 연구가 시행되긴 했지만, 잔존골 높이가 7 mm를 넘으면 양측 피질골 고정과 단일 피질골 고정 시 임플란트의 안정도에 별다른 차이가 없다는 사실만 보여주었다.[125] 한 후향적 연구에서는 적어도 짧은 임플란트에 있어서는 양측 피질골 고정이 단일 피질골 고정보다 임플란트의 생존 확률을 현저히 증가시킬 수 있다는 점을 보여주었다.[130] 그러나 이 연구는 근거의 질이 매우 낮기 때문에 확정적인 결론을 내리게 해 줄 수는 없었다.

5. 상악동 골이식에 장해가 될 수 있는 해부학적 요소

외측 접근법은 치조정 접근법에 비해 난이도가 높을 뿐만 아니라 여러 가지 해부학적 장해물들을 극복해야 할 수도 있다. 이 중 특히 주의해야 할 것들은 상악동 외측벽의 동맥과 상악동 격벽(septum)이다.

1) 상악동 외측벽의 동맥

상악동의 외측벽에는 동맥이 하나 주행한다. 이 동맥은 상악동 골이식을 외측 접근법으로 시행할 때 파열될 수 있기 때문에 임상가들의 관심을 받아왔다(2-53). 외측 골창 형성 시 과도한 출혈은 시야를 방해하여 수술을 어렵게 함으로써 상악동 막 천공을 유발할 수 있다. 또한 출혈이 이루어지더라도 대부분의 경우에는 자발적인 혈관 수축으로 지혈이 이루어지긴 하지만 아주 심한 경우에는 과다 출혈로 인해 응급 처치를 필요로 하는 경우도 발생할 수 있다.[131,132] 따라서 상악동 외측벽에 존재하는 동맥의 해부학에 대해 숙지하여 동맥 출혈

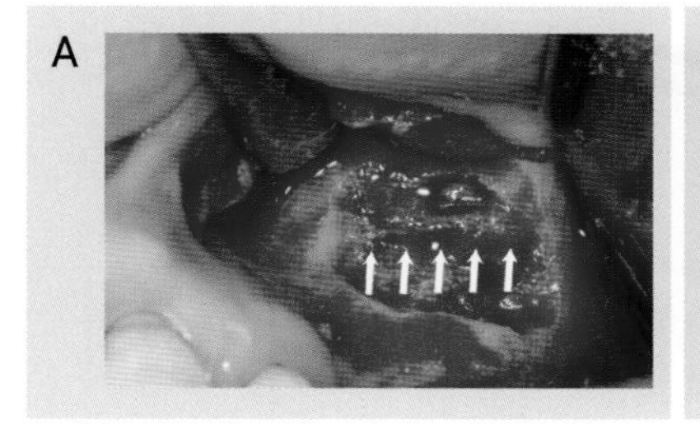
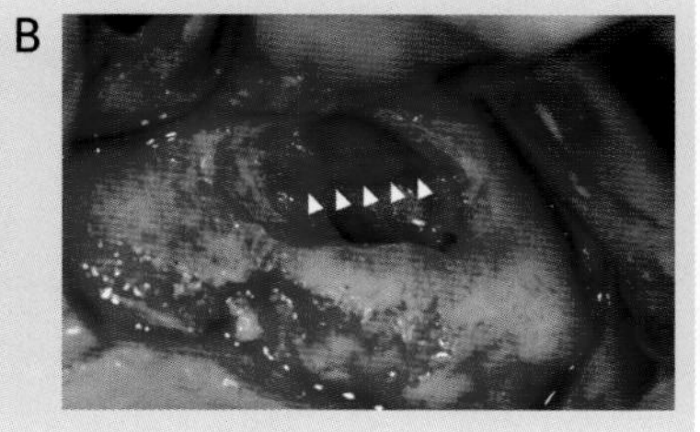
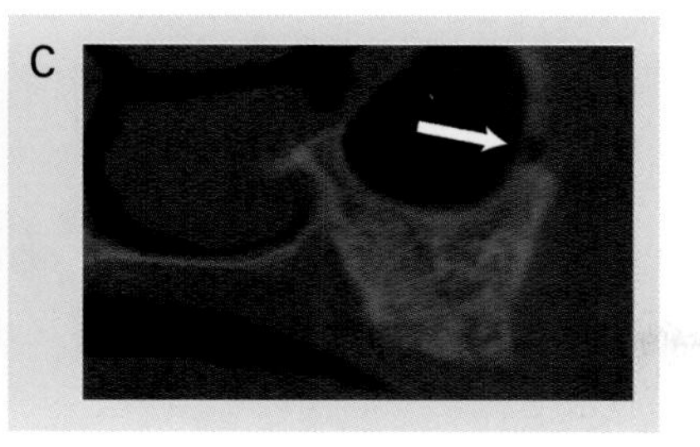

2-53 상악동 외측벽에 존재하는 동맥
A. 외측 골창을 제거하고 나서 커다란 동맥의 주행이 관찰된다. 화살표는 동맥의 주행을 보여주고 있다. 이 증례에서 동맥은 상악동 외측 골벽의 내측에 위치해 있었기 때문에 골창과 쉽게 분리되어 파열되지 않았다. 실제로 임상에서 이러한 크기의 동맥을 만날 가능성은 매우 낮다. **B.** 이 증례에서는 동맥이 골벽 내부에 일부 포함되어 있었기 때문에 박리하기가 쉽지 않았다. 이러한 경우에는 골창 제거 시 동맥이 파열될 가능성이 높다. 화살표는 동맥의 주행을 보여주고 있다. **C.** 컴퓨터 단층촬영 영상에서 이러한 동맥을 관찰할 수 있다(화살표). 동맥은 CT에서 보통 상악동 외측 골벽 내부의 타원형 투과상이나 골벽 내측의 동그란 함요부로 나타난다.

을 예방하고, 일단 출혈되면 어떻게 극복해야 하는지에 대해서 알고 있어야 한다.

(1) 모든 외측 상악동 골벽에는 동맥이 주행한다

후상치조 동맥(posterior superior alveolar artery)과 안와하 동맥(infraorbital artery)은 외경 동맥의 가지인 내악 동맥(internal maxillary artery, 상악 동맥; maxillary artery이라고도 불림)에서 유래한다. 이들 후상치조동맥과 안와하 동맥은 상악동 외측벽에서 고리(loop) 형태의 골내 문합(anastomosis; 혈관과 혈관이 서로 연결된 것)을, 상악 구강 점막 내에서 골외 문합을 이룬다(**2-54**).[131,133] 이 골내 문합이 외측 접근 상악동 골이식에서 골창을 형성할 때 파열될 수 있다. 이 동맥은 모든 사람의 상악동 외측벽에 존재하지만,[131-133] CT에서는 50-65.5% 정도에서만 관찰된다.[134-136]

임상적인 견지에서 상악동 외측벽 동맥은 그 수직적 높이, 직경, 골벽에 대한 수평적 위치 등이 중요하다. 동맥의 수직적 높이가 더 높을수록, 직경은 더 작을수록 수술에 더 유리하다. 또한 동맥은 상악동 골벽 내측면에 접해 있기 보다는 완전히 골 안에 위치해야 파열됐을 때 지혈이 더 용이하다(**2-55**). 이제부터 이에 대해 자세히 설명하도록 하겠다.

(2) 치조골정에서 10 mm 상방부까지는 동맥 파열의 가능성이 낮다

동맥은 수직적으로 외측 골창의 상방 변연보다 높거나 비슷한 위치에 존재한다. 따라서 동맥을 파열시키지 않기 위해서는 골창의 상방 변연을 동맥보다 더 아래쪽에 형성해 주어야 한다. 이러한 이유로 지금까지의 연구들에서는 치조골정에 대한 동맥의 수직적 높이에 가장 주목을 기울인 바 있다(**2-56**). 한국인 환자들의 CBCT를 이용한 단면 연구에 의하면, 동맥의 주행은 대체로 전후방이 높고 제1대구치나 관골 돌기 부근이 13.6-14.4 mm로 가장 낮은 루프 형태를 이룬다.[136,137]

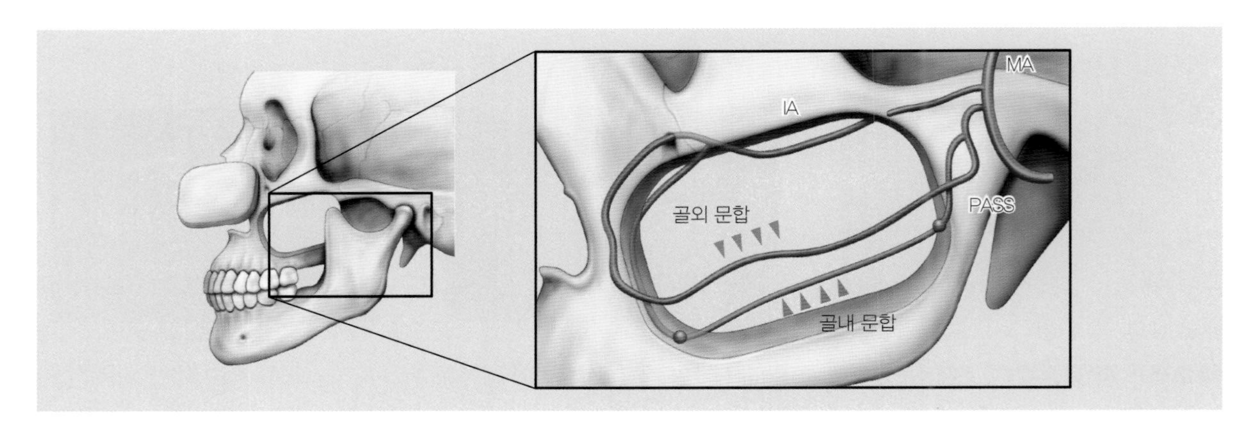

2-54 상악동 외측벽의 동맥 분포

후상치조 동맥(PSAA)과 안와하 동맥(IA)은 외경 동맥의 가지인 내악 동맥(MA)에서 각각 유래한다. 후상치조 동맥과 안와하 동맥은 상악동 외측벽에서 고(loop) 형태의 골내 문합(빨간색 화살표로 표시)을, 그리고 상악 구강 점막 내에서 골외 문(파란색 화살표로 표시)을 이룬다. 골내 문합의 높이가 낮으면 외측 골창을 형성하는 동안 파열될 수 있다.

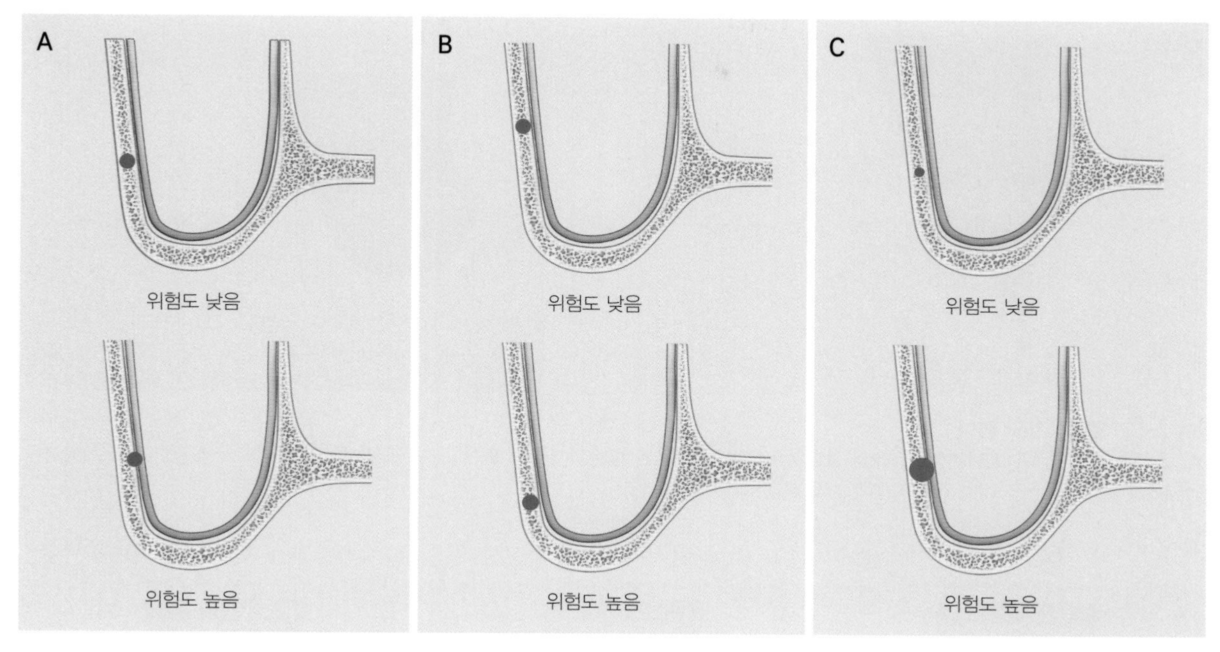

2-55 상악동 외측 골벽에 존재하는 동맥의 위험도 평가
A. 동맥이 완전히 골내에 위치하는 편이 골에 부분적으로 함입된 경우보다 지혈이 더 용이하다. 따라서 후자의 경우가 전자의 경우보다 동맥 파열 시 처치의 난이도가 높다. **B.** 동맥이 높이 위치한다면 외측 골창을 형성하는 동안 파열될 가능성이 낮다. 따라서 위험도가 낮다. **C.** 동맥의 크기가 작아야 출혈의 가능성이 낮고 일단 출혈되더라도 지혈이 용이하다.

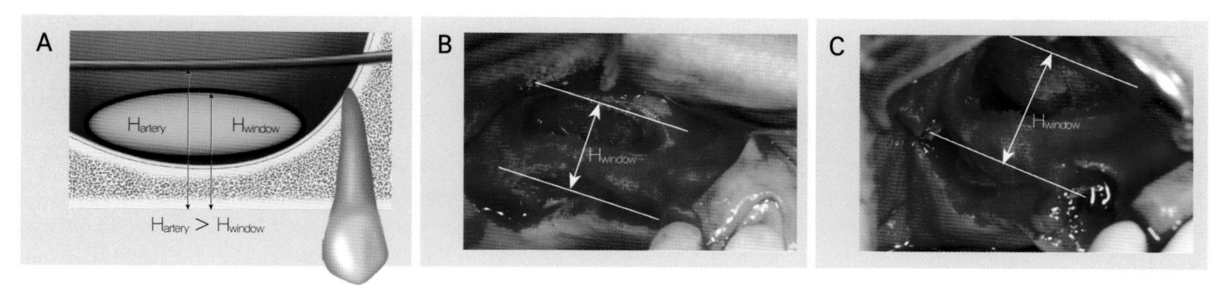

2-56 동맥의 수직적 위치와 골창의 상방한계는 골창 형성 시 동맥의 손상 가능성을 결정짓는 가장 중요한 요소이다.
A. 치조정에서 동맥까지의 거리(H_{artery})가 치조정에서 골창 상방 변연까지의 수직 거리(H_{window})보다 크면 골창 형성 중 동맥은 파열되지 않는다. **B, C.** 따라서 B증례에서와 같이 골창 상방 변연을 상대적으로 낮게(H_{window} <10 mm) 형성하면 C증례처럼 높게 형성할 때보다 동맥 파열의 가능성은 감소한다.

동맥의 수직적 위치는 개인별로 편차가 심할 뿐만 아니라 동일 환자에서도 치조골의 수직적 흡수 정도와 상악동의 함기화 정도에 의해 변화될 수 있다. 따라서 연구별로 동맥의 평균적인 수직 위치는 차이를 보였다. 사체에서 측정한 동맥의 높이는 치조골정으로부터 평균 19 mm 상방에 존재했다.[131] 이후의 연구들은 모두 CT를 이용했는데, 동맥은 치조골정에서 대체적으로 평균 16–17 mm 정도 상방 높이에 위치했으며, 인종에 따른 차이는 거의 없었다(**2-57**).[134–137] 상악 구치부가 결손되어 있을 때 상악동저에서 동맥까지의 거리는 평균 8.25 mm였다.[6]

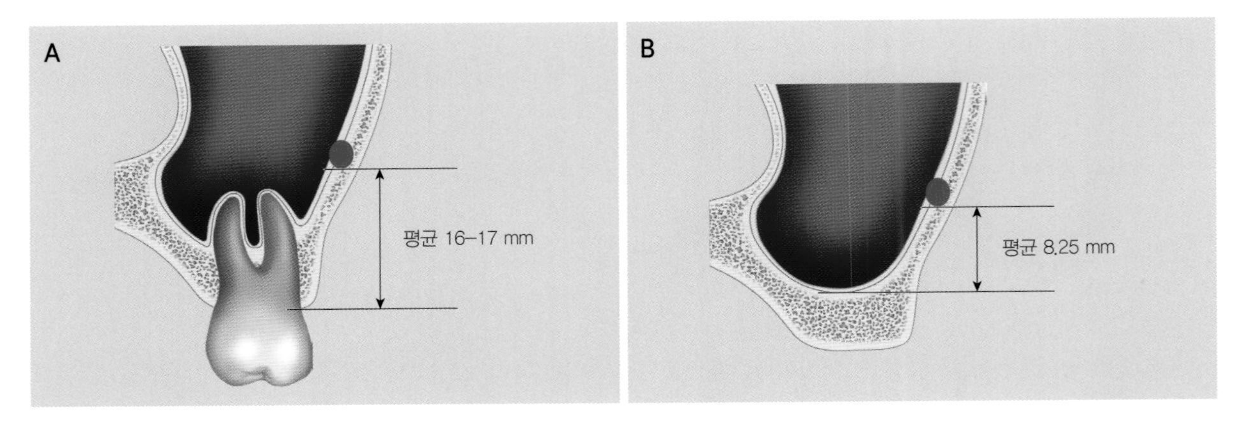

2–57 동맥의 평균 높이
A. 동맥은 치조골정에서 대체적으로 평균 16–17 mm 정도 상방 높이에 위치한다. **B.** 한 연구에서는 상악 구치부가 결손되어 있을 때 상악동저에서 동맥까지의 거리는 평균 8.25 mm였다.[6]

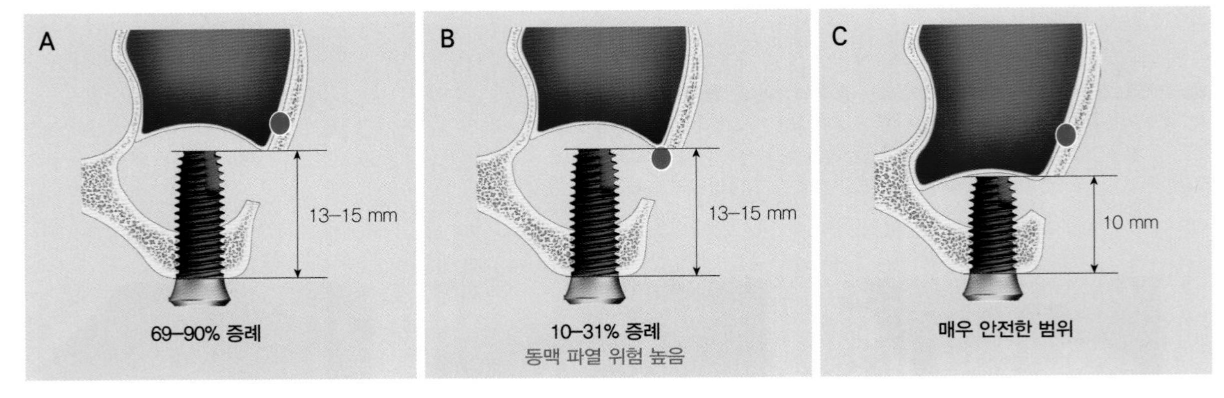

2–58 임플란트 매식체의 길이는 잔존 치조골정에서 외측 골창의 상방 변연까지의 거리와 거의 같다. 따라서 식립할 매식체의 길이가 짧아지면 외측 골창의 상방 변연 높이가 낮아지고, 결국 상악동 외측벽의 동맥이 파열될 가능성 또한 낮아진다.
A. 임플란트 매식체의 길이, 즉 치조골정에서 외측 골창의 상방 변연까지의 거리가 13–15 mm 사이일 때 동맥이 노출될 가능성은 69–90%이다. **B.** 임플란트 매식체의 길이가 13–15 mm 사이일 때 동맥이 노출될 가능성은 10–31%이다. **C.** 임플란트 매식체의 길이가 10 mm 이하이면 동맥이 노출되어 파열될 가능성은 거의 없어진다.

외측 골창의 상방 변연 높이는 보통 식립할 임플란트 매식체의 치근단첨 부위 높이와 같게 설정한다. 예컨대 10 mm 길이의 임플란트를 식립한다고 하면 골창의 상방 변연은 치조골정으로부터 10 mm 상방에 형성한다. 따라서 목표로 하는 임플란트 길이보다 더 낮은 위치에 동맥이 존재하면 상악동 골이식 중 파열될 가능성이 높다. 치조골정에서 골창 상방 변연까지의 거리 13–15 mm를 기준으로 했을 때에는 전체 환자 중 대략 10%–31%에서 동맥이 골창의 상방 변연 하방에 위치했다(2–58).[134,137,138] 그러나 최근에는 10 mm 이상의 임플란트는 잘 식립하지 않는 추세이기 때문에, 치조골정에서 10 mm 상방을 기준으로 하는 것이 적합하다고 생각한다. 한국인을 대상으로 한 연구에서는 치조골정에서 10 mm 상방 정도까지가 동맥을 거의 파열시키지 않는 매우 안전한 범위였다고 했다.[136]

동맥의 수직적 높이에 관련한 임상적 지침은 다음과 같다.

- 외측 접근법을 시행할 개별 환자에서 상악동 외측 골벽의 동맥 주행을 CBCT로 잘 관찰해야 한다. 동맥의 수직적 위치, 수평적 위치, 직경 등을 평가한다.
- 동맥의 주행이 관찰되면 이보다 적어도 2–3 mm 하방에 골창의 상방 변연을 위치시키도록 계획을 설정해야 한다.
- 동맥이 관찰되지 않는 증례에서도 동맥은 상악동 외측벽 주위를 주행하고 있을 수 있다. 따라서 이러한 증례에서의 위험성까지도 감안하여 치료 계획을 설정해야 한다. 상악동 골이식 부위에 식립할 임플란트의 길이를 10 mm로 설정한다면, 골창의 상방 변연은 치조정에서 10 mm 상방에 위치할 것이다. 이 높이로 골창의 위치를 설정한다면 동맥의 파열은 거의 피할 수 있다.

(3) 동맥은 수평적으로 상악동 골벽 내부와 골벽 내측의 상악동 막에 위치한다

동맥은 상악동 골벽 외측, 골벽 내부, 골벽 내측의 상악동 막에 위치할 수 있다. 이 중 주로 골벽 내부에 위치한 경우와, 골벽 내부와 내측에 걸쳐 위치하는 경우에 한하여 CT에서 동맥이 관찰 가능하다(**2–59**). 앞서 언급했지만 50–65.5% 사이의 환자에서만 CT로 동맥의 주행을 인지할 수 있었다.[134–136] 이는 동맥이 골벽 내부, 그리고 골벽 내부와 내측에 걸쳐 위치하는 증례가 50–65.5% 사이임을 의미하는 것이다.

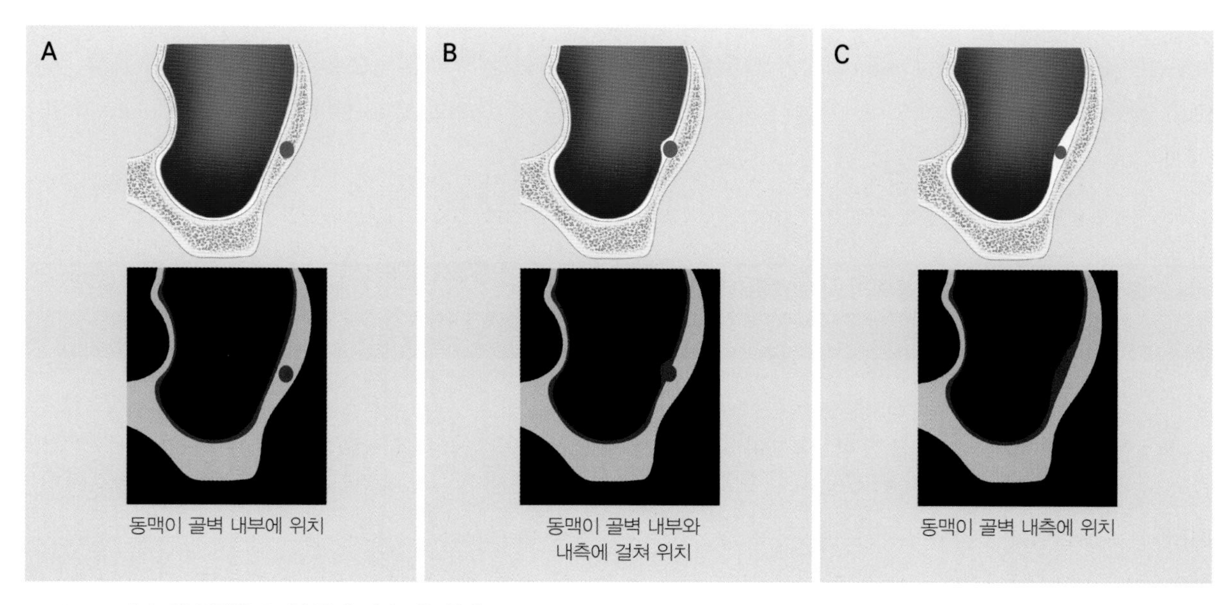

2–59 수술 전 동맥은 CT를 통해 진단 가능하다.
A. 동맥이 골벽 내부에 위치하면 원형의 방사선 불투과상으로 나타나 쉽게 진단할 수 있다. **B.** 동맥이 골벽 내부와 내측에 걸쳐 위치하면 상악동 외측 골벽의 내측이 부분적으로 함몰된 형태로 나타난다. **C.** 동맥이 골벽 내측에 위치하면 동맥의 위치를 진단하기가 거의 불가능하다. 동맥은 상악동 막과 동일한 방사선 불투과도를 보이기 때문이다.

한 단면 연구에서 동맥의 협-구개 위치를 세분화해서 분류했으며, 그 결과 동맥이 골벽 내부에 위치한 빈도는 64.3%, 상악동 내측에 위치한 빈도는 29.1%, 골벽 외측에 위치한 빈도는 6.6%였다고 하였다.[137] 사체와 CT를 이용한 연구에서는 동맥 중 71.4%는 외측벽 골 내부에 존재했고, 14.3%는 그 내측에서 상악동 막과 접하여 존재했다고 보고했다.[138] 결론적으로 동맥은 상악동 골벽 내부에 50–70% 정도가 존재하고 나머지 14.3–29.1% 정도는 상악동 막과 상악동 골벽 사이에 위치한다. 그리고 아주 적은 비율로 상악동 골벽 외측에도 존재할 수 있다.

이러한 동맥의 협-구개 위치는 임상적으로 어떤 의미를 지니고 있을까? 골벽 내부에 동맥이 주행하면 골창 형성 시 동맥의 파열은 피할 수 없지만, 일단 파열된 후에는 처치가 비교적 쉽다. 그러나 반대로 골벽 내측과 상악동 막에 동맥이 존재하면 조심스러운 접근으로 동맥의 파열을 예방할 수 있지만, 이것이 일단 파열되면 처치가 어렵게 된다(**2-9**).

(4) 동맥의 직경은 보통 1 mm 미만이지만, 10% 정도의 환자에서는 동맥의 직경이 2–3 mm에 이른다

이 동맥의 평균 직경은 1 mm를 약간 상회하지만, 최대 3 mm까지 이른다.[134,135,139] 한국인을 대상으로 한 단면 연구에서 상악동 외측벽 동맥의 직경은 평균 1.18 mm였다.[137] 이 중 직경이 1 mm 미만인 경우는 62.2%, 1 mm 이상인 경우는 37.8%였다. 유럽에서 시행한 연구에서는, CT로 관찰 가능한 동맥 중 12.7%가 직경이 2–3 mm, 40%가 1–2 mm, 47.3%가 1 mm 미만이었다.[135] 다른 연구에서는 동맥의 평균 직경은 1.20 mm (0.5–2.5 mm)였고, 직경이 1 mm 이상인 경우는 57.1%였다고 했다.[138] 결론적으로 동맥의 직경 1 mm를 기준으로 이보다 큰 경우에는 파열 시 지혈이 어렵다고 봤을 때, 전체 증례의 37.8–57.1%가 직경이 1 mm 이상이기 때문에 파열 시 지혈이 어렵다고 할 수 있다.

2-9 상악동 외측 골벽의 동맥 위치에 따른 파열의 예방과 처치

	골창 형성 시 동맥의 파열	동맥 파열 시 처치
골벽 내부에 위치한 동맥 (2-60)	• 외측 골벽 내부에 동맥이 주행하고 그 높이가 골창 형성 부위에 걸쳐 있다면 수술 중 동맥의 파열은 피할 수 없다.	지혈은 상대적으로 용이하다. • 상악동 막을 약간 거상한 후 압박 지혈 • 상악동 막을 거상한 후 전기 소작 • 니들 홀더나 지혈 겸자로 압착(뒤에서 자세히 설명)
골벽 내측(상악동 막)에 위치한 동맥 (2-61)	• 골창을 조심스럽게 형성하고 상악동 막을 주의 깊게 거상하여 동맥의 파열을 피할 수 있다.	일단 출혈이 발생하면 상악동 막 천공 가능성이 높아서 지혈은 비교적 어렵다. • 보스민으로 적신 거즈로 약하게 압박 지혈 • 지혈이 잘 안 되면 어렵더라도 상악동 막을 완전히 거상하고 이식재를 삽입하여 그 압력으로 지혈

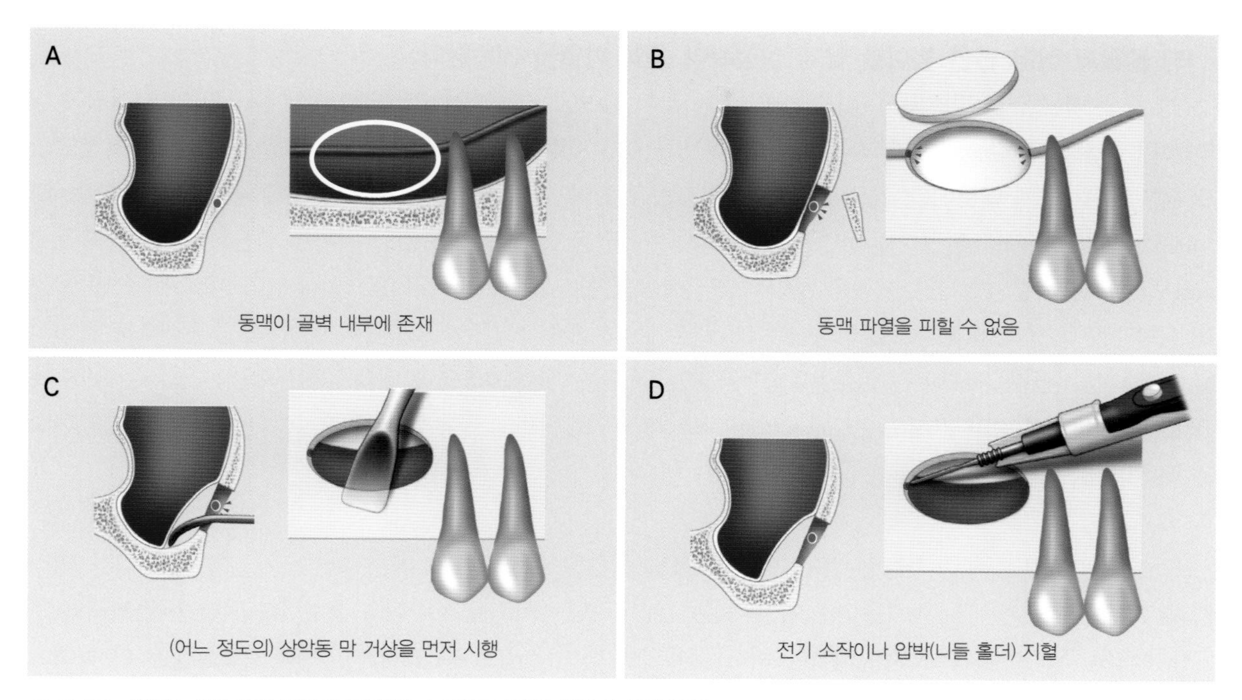

2-60 상악동 외측 골벽 내부에 존재하는 동맥이 파열된 경우의 처치 방법
A. 외측 골벽 내부에 동맥이 주행하고 그 높이가 골창의 상방 변연보다 근단측에 위치해 있다. **B.** 이러한 증례에서는 수술 중 동맥의 파열을 피할 수 없다. **C.** 일단 골창을 완전히 제거하고 상악동 막을 어느 정도 거상한다. 이를 통해 출혈부에서 상악동 막이 5 mm 이상 충분히 분리될 수 있도록 해준다. 상악동 막 거상 후 출혈부를 에피네프린으로 적신 거즈로 최소 2–3분간 압박 지혈한다. **D.** 압박 지혈만으로 지혈이 잘 이루어지지 않으면 전기소작기로 동맥 파열부를 소작하거나 니들 홀더 등으로 압박 지혈한다.

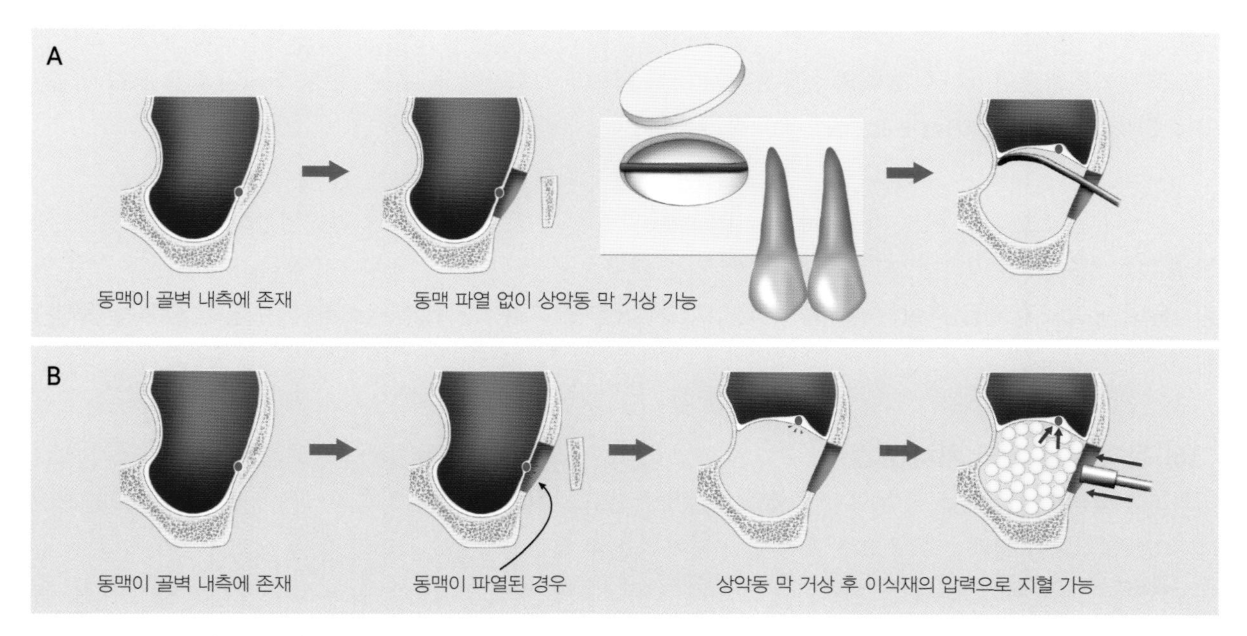

2-61 골벽 내측(상악동 막)에 위치한 동맥의 처치 방법
A. 골벽 내측에 동맥이 존재하면 골창을 조심스럽게 형성하고 상악동 막을 주의 깊게 거상하여 동맥의 파열을 피한다. **B.** 동맥이 파열되면 지혈의 난이도가 상대적으로 높다. 일단 상악동 막을 완전히 거상하고 골이식부 내부에 에피네프린으로 적신 거즈를 삽입하여 지혈을 시도한다. 전기 소작이나 강한 압박으로 지혈을 시행하면 상악동 막이 천공된다. 이식재를 삽입하면 이식재 자체의 압력으로 지혈이 가능하다.

(5) 골창의 상방 변연 높이를 낮게 설정하여 동맥 파열을 예방한다

상악동 동맥은 일단 파열되지 않도록 예방하는 것이 최선이다. 동맥이 파열되면 수술 중 시야가 방해되어 상악동 막 천공 등의 수술 중 합병증을 유발할 수 있을 뿐만 아니라, 부종, 혈종, 동통, 출혈 등의 수술 후 합병증도 유발할 수 있기 때문이다. 상악동 골이식 환자는 진단을 위해 가급적 CBCT를 촬영하는 것이 좋으며, 여기에서 동맥의 위치를 확인 가능하면 이를 고려하여 상악동 골창의 상방 변연 위치를 설정한다(동맥보다 2–3 mm 하방). 앞서 설명했지만, 상악동 골이식 부위에 식립할 임플란트의 길이를 10 mm 이하로 계획하면 골창의 상방 변연이 동맥을 파열시킬 가능성은 매우 낮아진다. 저자의 경우에도 예전에는 외측 접근 상악동 골이식을 시행하면 가급적 최대한 긴 임플란트를 식립했지만, 최근에는 10 mm 길이의 임플란트를 식립하는 것을 목표로 하고 있다. 이보다 긴 임플란트를 식립한다고 해서 임플란트의 골유착 성공 가능성이 높아지는 것은 아니기 때문이다.

모든 동맥이 CT로 확인 가능한 것은 아니며, CT를 촬영할 수 없는 조건에서 수술을 시행할 수도 있다. 이러한 경우에 동맥의 수직적 위치를 가늠할 수 있는 진단 요소는 치조골의 수직적 흡수 정도이다. 지금까지의 연구들에서 동맥의 수직적 위치는 대부분 치조골정으로부터의 거리로 측정하였다. 이때 치조골정은 그 높이가 안정적이라고 할 수는 없다. 치조골의 흡수 정도가 클수록 동맥은 치조정에 가까워지기 때문에 동맥 파열의 가능성은 증가한다.[1] 한 단면 연구에 의하면 잔존골이 심하게 흡수된(Lekholm & Zarb 분류 상 D, E형) 증례에서는 치조정에서 동맥까지의 수직 거리가 평균 10.9 mm였지만, 흡수 정도가 상대적으로 적은 증례(Lekholm & Zarb 분류 상 A, B, C형)에서는 평균 15 mm를 초과했다.[135]

따라서 치조골정의 상대적 높이와 상악동의 함기화 정도에 기초하여 동맥에서 손상에 의한 출혈을 야기하지 않을 원칙은 다음과 같다(**📷 2–62, 📁 2–10**).[136]

외측 골창을 일반적인 회전 기구(rotary instrument)가 아닌 압전 기구를 이용하여 형성하면 동맥 손상에 의한 출혈을 줄여줄 수 있다는 보고도 있었다.[140] 압전 기구는 골 조직에만 선택적으로 작용하기 때문에, 많은 임상가들이 동맥의 파열을 확실히 줄여줄 수 있다고 생각한다.[1] 그러나 이에 대한 의미 있는 임상 연구는 아직까지 이루어지지 못했다.

(6) 동맥 파열 시의 처치 방법

외과적 술식을 시행하는 중 동맥성 출혈이 발생하면 반드시 이를 지혈한 이후 술식을 진행하는 것이 원칙이다. 이는 불필요한 혈액 손실을 피하고 수술 부위의 시야를 확보하기 위해서이다. 이는 상악동 골이식 중의 동맥 출혈에도 동일하게 적용되는 원리이다. 그러나 동맥의 파열 부위가 상악동 막과 매우 근접해 있고, 지혈 중 상악동 막이 손상되어 천공되면 상악동 골이식의 예후는 불량해질 수 있기 때문에 변형된 접근이 필요할 수도 있다.

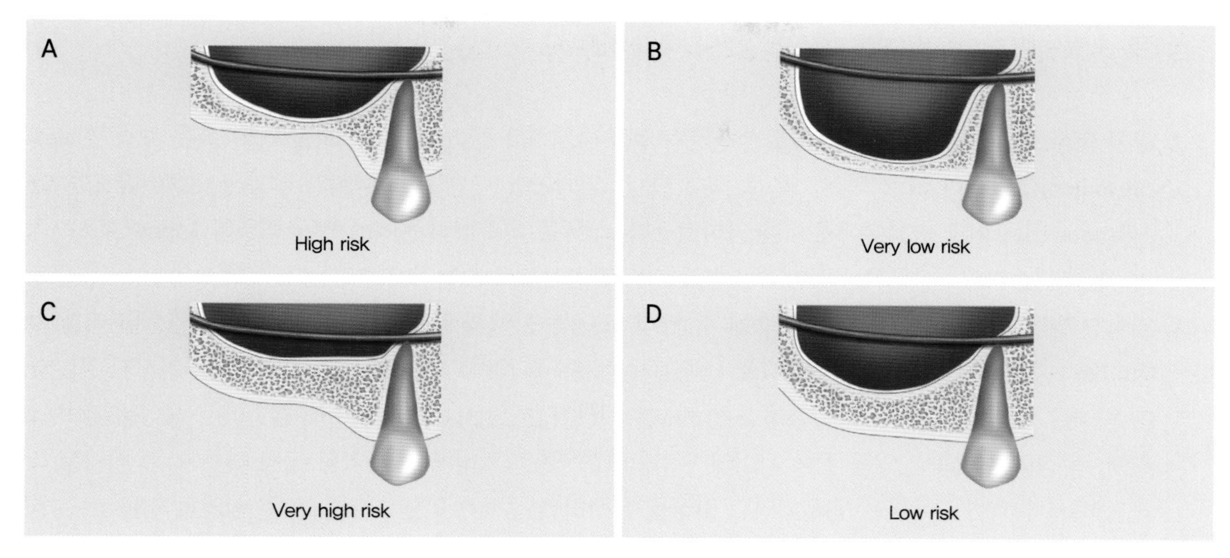

2-62 치조골정의 상대적 높이와 상악동의 함기화 정도는 동맥 파열 가능성을 가장 잘 예견할 수 있는 지표이다.
A. 상악동의 함기화 정도가 크고 치조골의 수직적 흡수도 큰 경우: 동맥 파열의 가능성이 높은 위험군이다. 반드시 외측 접근법을 시행해야 하지만, 골창의 상방 한계는 가급적 낮게(치조골정에서 10 mm 이내) 형성한다.
B. 상악동의 함기화 정도는 크지만 치조골의 수직적 흡수는 적은 경우: 동맥 파열의 위험이 가장 낮다. 외측 접근법을 시행하며 동맥의 파열 가능성은 고려하지 않아도 된다.
C. 상악동의 함기화 정도는 적지만 치조골의 수직적 흡수는 큰 경우: 만약 외측 접근법을 시행한다면 동맥 파열의 가능성이 가장 높다. 가능하다면 치조정 접근법을 고려한다.
D. 상악동의 함기화 정도도 적고 치조골의 수직적 흡수도 적은 경우: 저위험군이다. 그러나 이러한 증례에서는 치관–임플란트 비율이 좋기 때문에 외측 접근법보다는 치조정 접근법을 시행하는 것이 유리하다.

표 2-10 치조골의 수직적 흡수 정도에 따른 동맥 파열의 위험 정도와 그 대처 방법

치조골 수직 흡수량	상악동 함기화 정도	동맥 파열 위험도	수술적 대응
크다	적다	아주 높음	• 잔존골 높이가 어느 정도 확보된 증례라면 치조정 접근법을 고려한다. • 치관–치근비 개선을 위해 긴 임플란트 식립을 계획하고, 따라서 외측 접근법을 시행한다면 혈관 파열 가능성이 가장 높다. • 가능하다면 CT로 확인된 동맥 위치 하방에 골창을 형성한다. • 그러나 외측 접근 시 동맥 파열을 피할 수 없는 증례도 존재한다.
크다	크다	비교적 높음	• 동맥 파열의 가능성이 높지만 잔존골 높이가 낮아 대부분 외측 접근법만 가능하다. • 동맥의 위치를 CT로 확인하여 이보다 하방에 골창을 형성한다. • 가급적 골창의 상방 변연은 치조골정 10 mm 이내에 설정한다.
적다	적다	비교적 낮음	• 임플란트의 치관–임플란트비가 좋기 때문에 치조정 접근법이 유리하다. • 외측 접근법 시에는 동맥 파열 가능성이 높지는 않지만 주의를 요한다.
적다	크다	아주 낮음	• 동맥 파열 가능성은 최소이다. • 외측 접근법에 가장 적합한 상태이다.

상악동 외측벽 동맥이 파열되면 다음의 일반 원칙을 따른다.

① 골창 형성 중 동맥성 출혈이 처음 발생하면 수술을 중지하고 생리식염수로 적신 거즈, 혹은 보스민(heparin sodium 25,000 u)으로 적신 거즈로 최대 5분간 압박한다. 이때 거즈를 작게 말아서 핀셋이나 지혈 겸자(hemostat)로 잡고 출혈부에 압력을 가하면 된다. 상악동 외측벽의 동맥은 평균 직경이 1 mm 정도로 작기 때문에 대부분의 경우에는 자발적인 혈관 수축과 압박으로 지혈이 이루어진다.[131,132]

② 압박 지혈에도 불구하고 출혈이 지속될 수 있다. 이에는 동맥의 직경과 협-구개 위치가 영향을 미칠 수 있다(**📷 2-63**). 직경이 크고 수평적으로 내측에 위치할수록, 압박 지혈에도 지혈이 잘 이루어지지 않는다. 이 동맥은 12.7%의 환자에서 직경이 2-3 mm이다.[135] 또한 14.3-29.1% 정도의 환자에서 상악동 골벽 내측에, 즉 상악동 막과 상악동 골벽 사이에 위치한다.[137,138] 특히 동맥이 상악동 골벽 내측에, 즉 상악동 막과 접해서 위치한 경우에는 힘들더라도 골창을 완전히 형성하고 이를 제거한 이후 상악동 막을 어느 정도 거상한 채 지혈을 시도하는 것이 유리하다. 왜냐하면 동맥에 완전한 접근이 가능하고 상악동 막의 손상을 피할 수 있기 때문이다(**📷 2-60, 64**).[1] 이때 출혈로 인해 수술부에 대한 시야와 접근이 어려워질 수 밖에 없다. 골창 형성 중 시야를 확보하기 위해 석션팁을 수술부에 아주 근접시킨 상태에서 골창 형성을 위한 골삭제를 깊지 않게 시행하고, 어느 정도 골삭제가 이루어진 후에는 오스테오톰 등으로 골창을 골절시킨 후 제거하면 상악동 막의 천공을 예방해줄 수 있다(**📷 2-65**).

③ 동맥이 완전히, 혹은 대부분 골 안에 위치하면 전기 소작으로 지혈하는 것이 가장 쉽다. 상악동 막의 천공을 예방하기 위해 상악동 막이 거상된 상태에서 팁이 작은 보비로 지혈을 시도한다(**📷 2-64**). 이러한 시

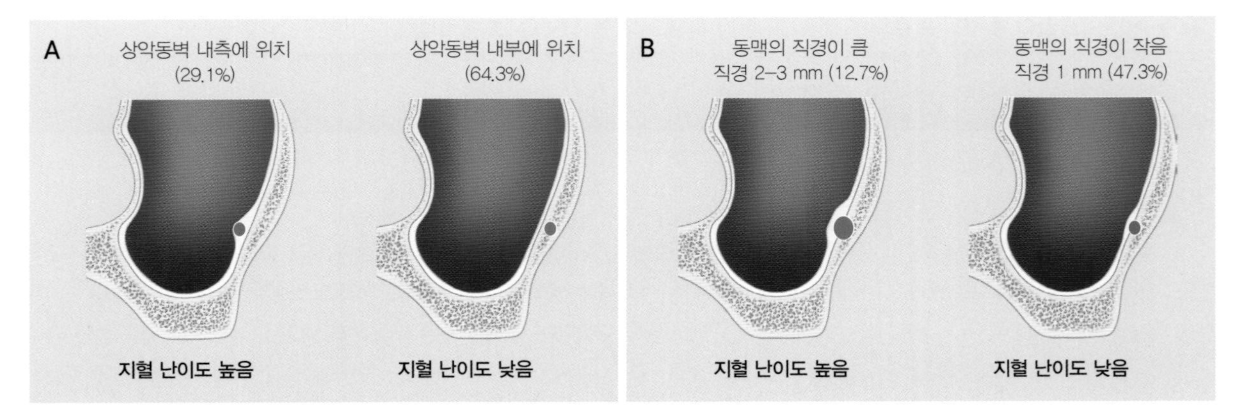

📷 2-63 동맥의 출혈 여부는 동맥의 수직적 높이와 골창의 상방 변연의 높이 관계가 가장 중요한 영향을 미치지만 일단 출혈이 발생했을 때 이를 지혈하는 난이도는 동맥의 협-구개 위치와 동맥의 직경이 가장 큰 영향을 미친다.
A. 동맥이 상악동 골벽 내부에 위치하면 지혈이 더 용이하다. 동맥은 상악동 막과 분리되어 있기 때문에 지혈 목적으로 압박을 강하게 가할 수 있다. 또한 동맥 주변 상악동 막을 충분히 거상해주면 전기 소작을 시행하더라도 상악동 막의 손상이나 천공을 피할 수 있다. 반면 동맥이 상악동 내측에 위치하면 동맥을 상악동 막과 분리해줄 수 없다. 따라서 지혈 목적으로 압박을 강하게 가할 수 없으며, 전기 소작으로 지혈하기가 거의 불가능하다. 동맥과 상악동 막을 분리할 수 없기 때문이다. 상악동 막과 동맥이 분리되지 않은 상태로 전기 소작을 시행하면 상악동 막은 손상되어 천공된다. **B.** 동맥의 직경 또한 지혈 시 중요한 요소이다. 동맥의 직경이 증가할수록 지혈은 더 어려워진다.

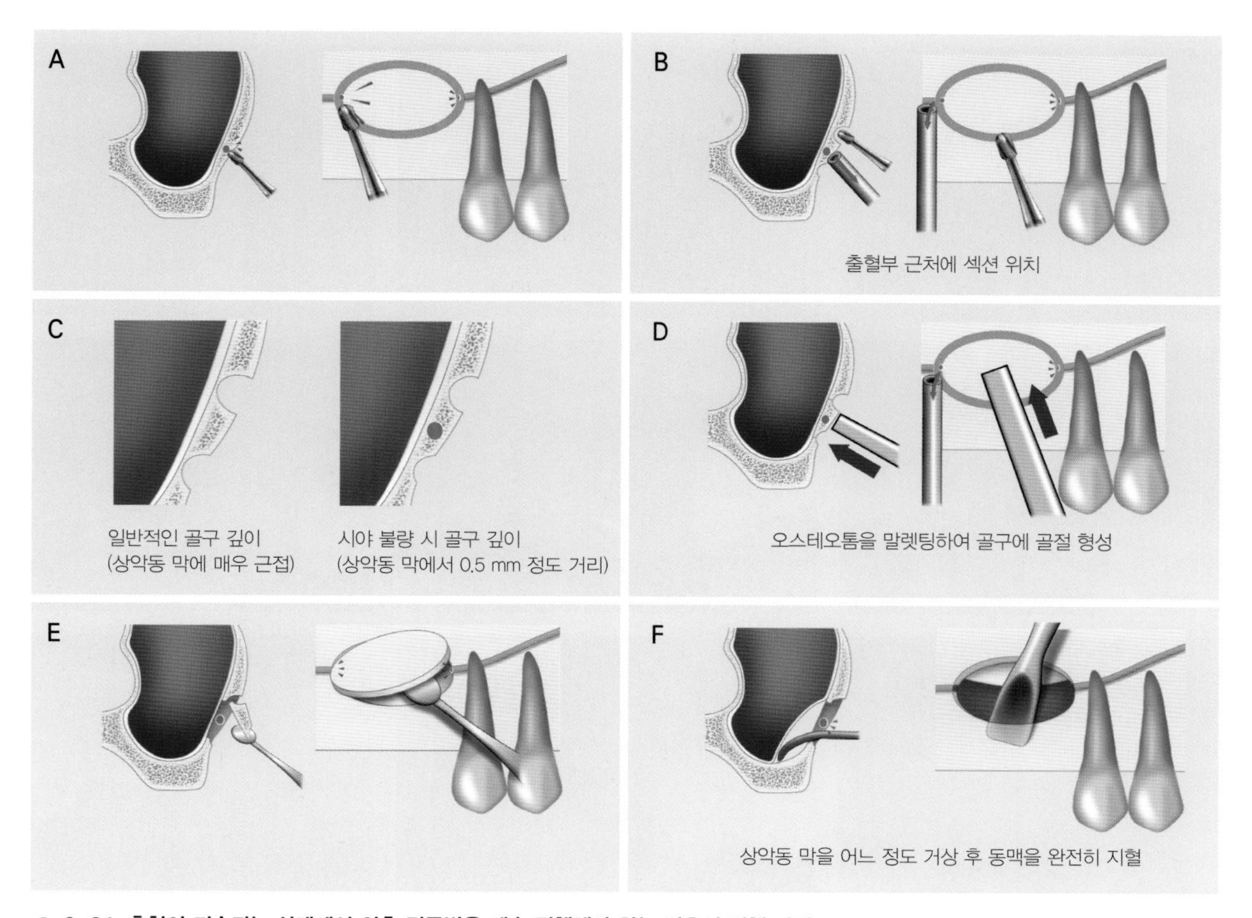

2-64 출혈이 지속되는 상태에서 외측 접근법을 계속 진행해야 하는 경우의 진행 과정
A. 수술 중 동맥 파열로 인해 출혈이 지속되고 압박 지혈로 지혈이 이루어지지 않는 경우에는 골창 제거 및 상악동 막 거상을 시행한 후 지혈을 시도해야 한다. **B.** 약간의 위험을 감수하고 출혈부(골창 형성부 후방) 근처에 석션을 위치시킨다. **C.** 시야가 좋지 않기 때문에 일반적인 증례보다 약간(0.5 mm 내외) 얕게 골구를 형성한다. **D.** 오스테오톰을 말렛팅하여 골구 부위를 골절시킨다. **E.** 골창을 분리하여 제거한다. **F.** 상악동 막을 어느 정도, 혹은 완전히 거상한 후에 출혈부에 지혈을 시도한다.

도에도 불구하고 지혈이 이루어지지 않으면 니들 홀더나 작은 지혈 겸자(hemostat) 등으로 골벽과 동맥을 압착한다(**2-66, 67**). 올바른 부위를 압착하였다면 출혈은 급작스레 멈출 것이다. 대략 5–10분 정도 이 상태로 시술을 멈추고 지혈되기를 기다린다. 이 방법은 가장 확실한 지혈 방법이다.

④ 동맥이 골벽 내측 상악동 막에 위치하면 상악동 골벽과 분리하여 상악동 막과 함께 거상할 수 있기 때문에 조심스럽게 수술을 진행하면 잘 파열되지 않는다(**2-61, 68**). 하지만 수술 중 동맥이 일단 파열되면 지혈은 더 어렵다. 전기 소작이나 압박 지혈 방법 모두 상악동 막의 천공을 유발할 수 있기 때문이다. 이러한 증례에서는 일단 상악동 막을 완전히 거상한 이후 지혈을 시도하는 것이 좋다. 우선 출혈 부위에 서지셀(Surgicel) 등의 지혈제를 작게 잘라서 적용하고 거상된 상악동 내부에 보스민이나 생리식염수로 적신 거즈를 조심스럽게 삽입하여 압박 지혈을 시도한다. 대부분의 경우에는 압박 지혈로 지혈이 이루어진다.

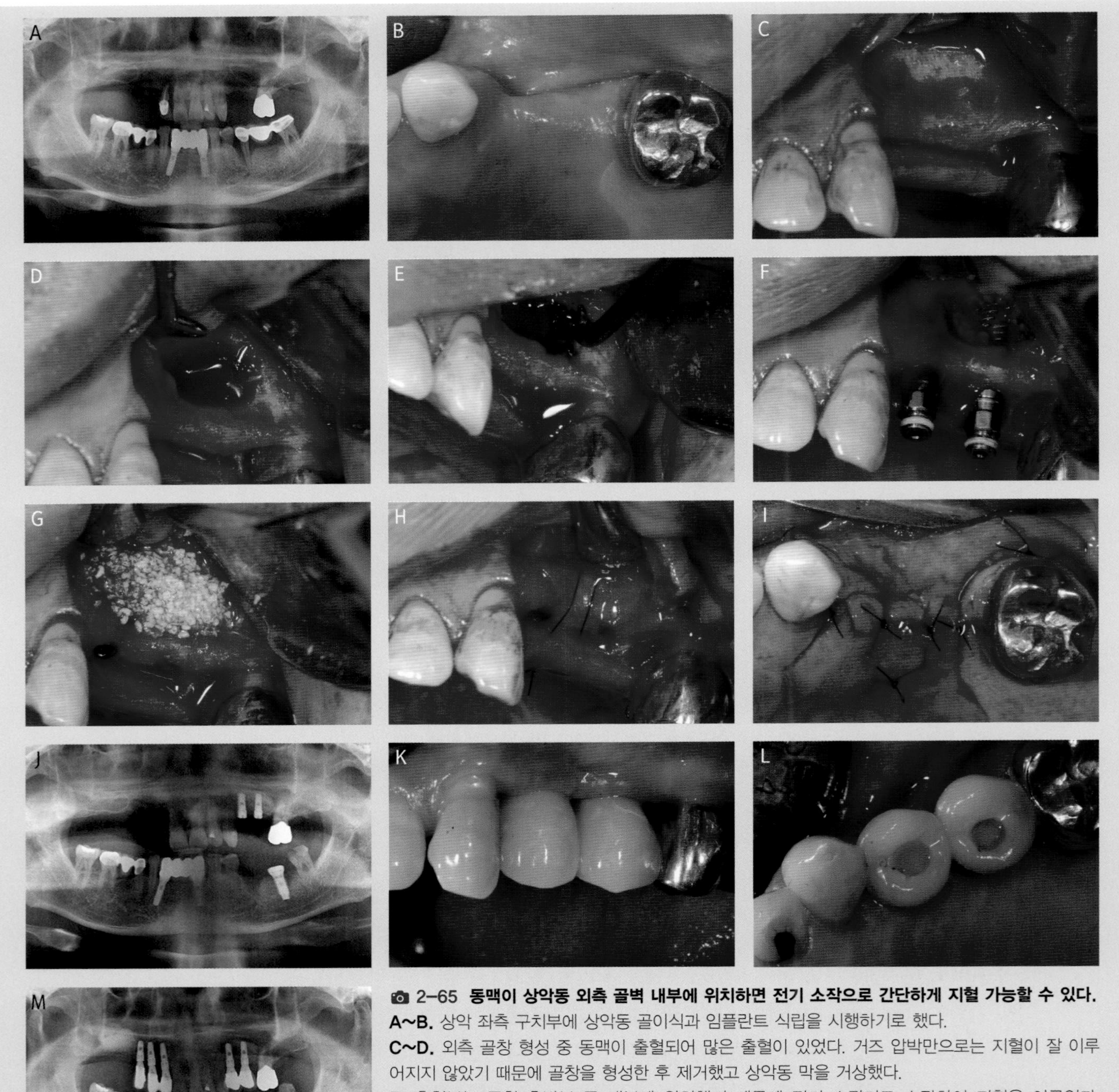

2-65 동맥이 상악동 외측 골벽 내부에 위치하면 전기 소작으로 간단하게 지혈 가능할 수 있다.

A~B. 상악 좌측 구치부에 상악동 골이식과 임플란트 식립을 시행하기로 했다.

C~D. 외측 골창 형성 중 동맥이 출혈되어 많은 출혈이 있었다. 거즈 압박만으로는 지혈이 잘 이루어지지 않았기 때문에 골창을 형성한 후 제거했고 상악동 막을 거상했다.

E. 출혈부는 골창 후방부 골 내부에 위치했기 때문에 전기 소작기로 소작하여 지혈을 이루었다.

F~J. 지혈을 확인한 후 임플란트 식립, 골이식, 차폐막 적용, 수술부 폐쇄 등 일련의 과정을 수행했다.

K~M. 8개월 후 보철 과정을 완료했다. 수술부는 정상적인 치료 결과를 보였다.

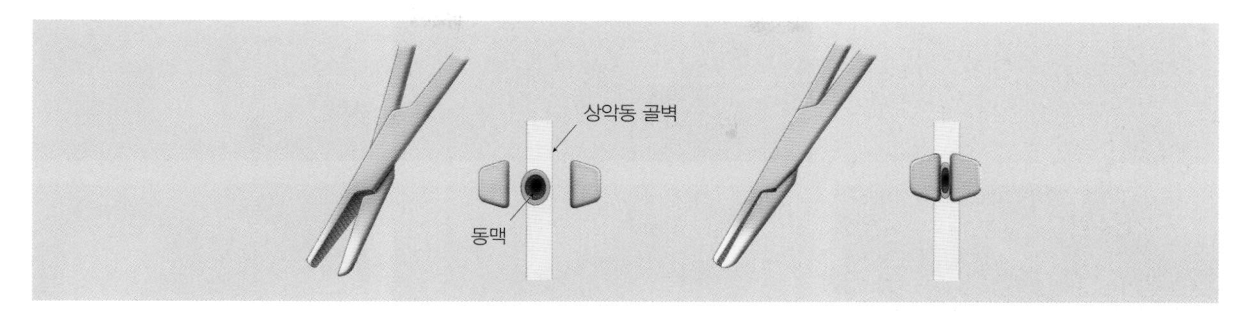

2-66 상악동 골벽 내부에 동맥이 존재하는 경우에는 니들 홀더나 지혈 겸자 등으로 동맥을 직접 압박하여 지혈을 이룰 수 있다.

이러한 처치 이후에도 약한 출혈이 이루어지면 이식재를 약간 과도하게 골증강부 내로 삽입해준다. 이를 통해 이식재는 상악동 막에 압박을 가하게 되고, 이 압력에 의해 지혈이 이루어진다. 경험에 의하면 지혈에 사용된 서지셀 등의 지혈제는 굳이 제거하지 않더라도 골재생의 결과에 영향을 거의 미치지 않는다 (2-67).

⑤ 이상의 처치 후 수술부를 폐쇄하기 전에 지혈이 완전히 이루어졌는지 반드시 평가해야 한다. 골증강부에서 지속적으로 맥동성 출혈이 이루어지면, 출혈의 양이 적더라도 잠재적인 위험 요소가 될 수 있기 때문에 반드시 지혈을 다시 시도해야만 한다.

⑥ 수술 후 잠재적인 출혈 위험이 있다고 판단되면 도란사민 정(transamin capsule)을 추가적으로 투약할 수 있다. 1회에 250–500 mg (1–2정)을 하루 세 번, 2–3일간 처방한다. 단, 혈전의 병력이 있는 환자(뇌혈전, 심근경색, 혈전정맥염 등) 및 혈전증을 일으킬 우려가 있는 환자들(아스피린 복용 환자 등)에서는 이 약의 처방이 금기증이다.

2) 상악동 격벽(Sinus septa)

영국의 해부학자인 Underwood는 상악동 격벽의 특성에 대해 처음으로 본격적으로 연구했으며, 따라서 상악동 격벽을 Underwood 격벽(Underwood's septa)이라고도 한다.[141] 상악동 격벽은 상악동 골이식에 있어 매우 주요한 해부학적 장해물이기 때문에 상악동 골이식술이 일반화된 이후로 많은 관심을 받고 있다.[142] 격벽이 존재하면, 특히 외측 접근법으로 상악동 골이식을 시행할 때에 상악동 막이 천공될 가능성이 매우 높아진다 (2-69).[143]

(1) 전체 환자의 20–30% 정도는 상악동에 격벽이 존재한다

상악동 격벽은, 문헌에 따라 총 인구 중 10–58%에서 존재한다고 보고된 바 있다.[14,144–150] 그러나 최근에는 CT와 내시경을 이용해 좀 더 정확한 진단에 기반한 연구 결과가 발표되고 있으며, 따라서 격벽의 유병률은 좀

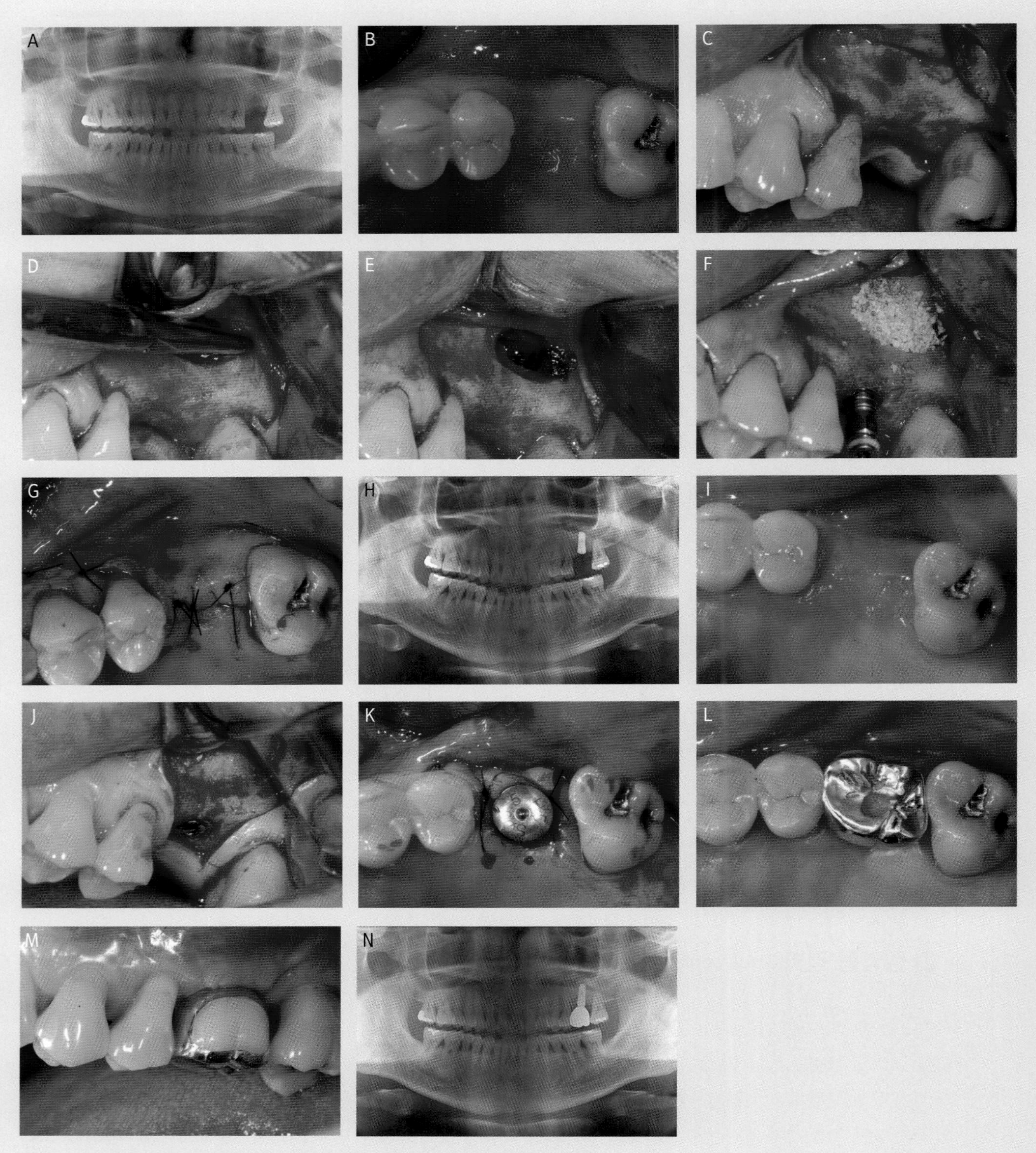

2-67 니들 홀더를 이용하여 상악동 외측벽의 동맥에서 발생한 출혈을 지혈한 증례

A~B. 좌측 제1대구치 치아 결손부에 상악동 골이식 및 임플란트 식립을 시행하기로 했다.

C~D. 외측 골창 형성 중 출혈이 발생했다. 일단 골창 제거 및 상악동 막 거상을 시행한 후 니들 홀더를 출혈부 쪽으로 삽입하여 압박 지혈을 시행했다.

E. 10여 분 후 니들 홀더를 제거했다. 약간의 출혈이 지속되었기 때문에 서지셀(surgicel)을 이용하여 추가적인 지혈을 시행했다.

F~H. 이후 임플란트 식립과 이식재 삽입을 정상적으로 시행했다. 서지셀은 그대로 위치시킨 채 차폐막을 적용하고 수술을 완료했다.

I~K. 4개월 3주 후 2차 수술을 시행했다. 이식된 골은 정상적으로 골화되었다.

L~N. 다시 1개월 후 보철 치료를 완료했다.

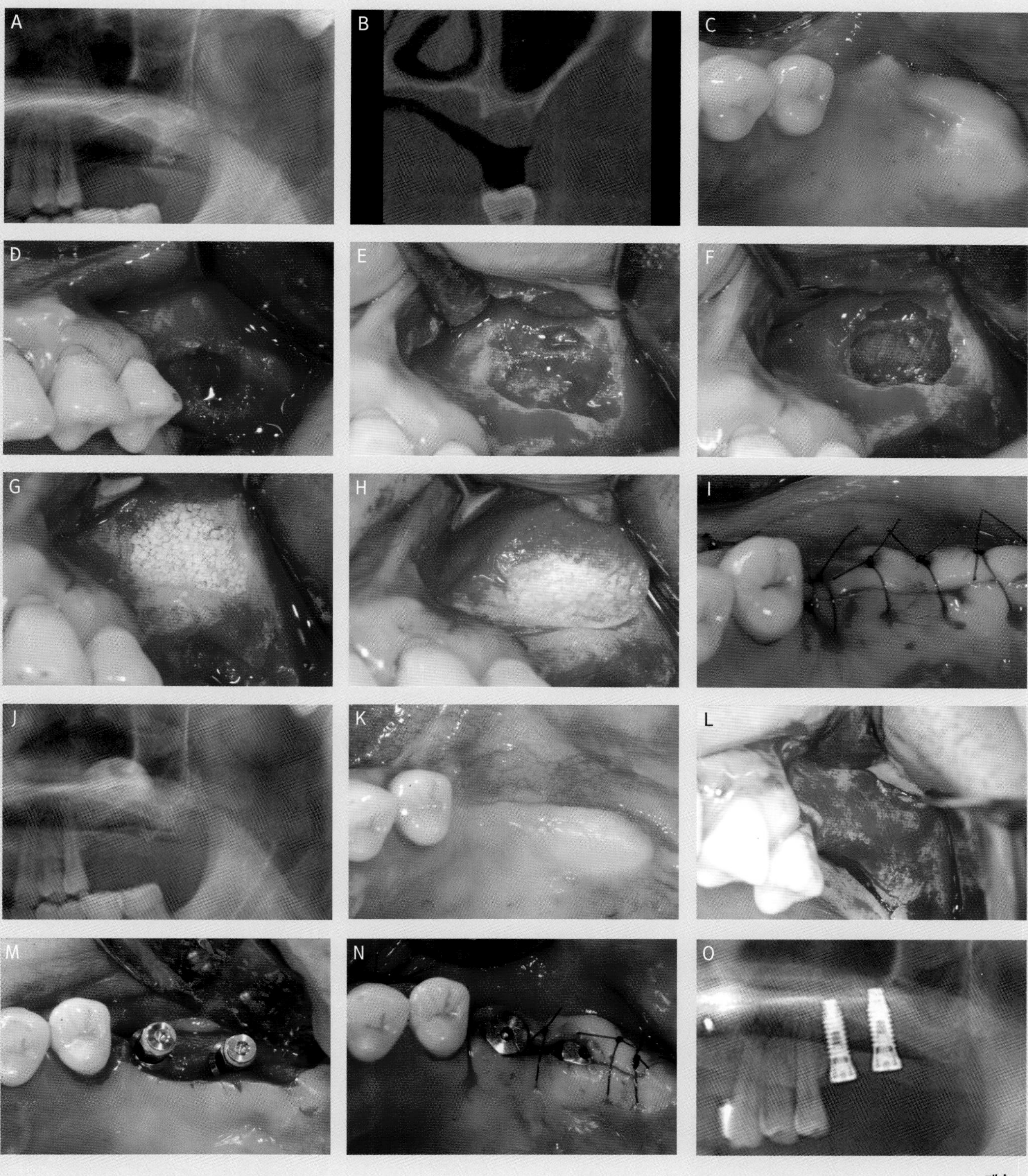

– 계속 –

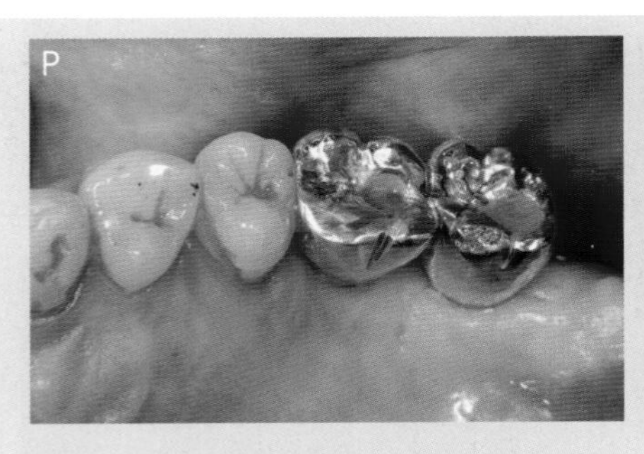

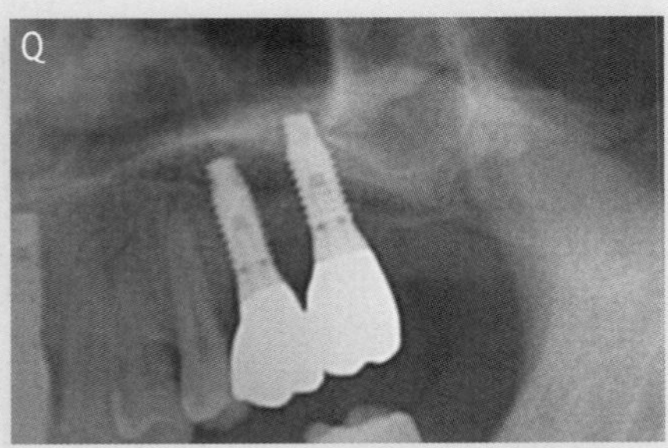

2-68 동맥이 골벽 내측에 위치했던 증례이다. 수술 중 동맥이 노출되었으나 파열되거나 출혈되지 않고 잘 보존되었다.

A~B. 상악 좌측 구치부에 상악동 골이식을 시행하기로 하였다. CT에서는 동맥을 찾을 수 없다. 이는 동맥이 상악동 골벽 내측에 위치하거나 이 영상에서 관찰 가능한 범위보다 더 상방에 위치함을 의미하는 것이다.

C~E. 외측 접근법으로 골창을 형성하여 제거한 후 수술부를 가로지르는 동맥이 관찰되었다. 동맥은 상악동 골벽 내측으로 주행했기 때문에 출혈이 발생하지는 않았다.

F~J. 상악동 막을 거상하고 3인산칼슘 이식재와 합성 차폐막을 적용한 후 수술부를 폐쇄했다.

K~O. 7개월 후 수술부를 다시 노출시키고 임플란트를 식립했다. 상악동 골이식부는 신생골로 완전히 재생되어 있었다**(L)**.

P~Q. 다시 1개월 후 보철 수복을 완료했다. **P**의 임상 사진은 보철 수복 6개월 후에 촬영한 것이다.

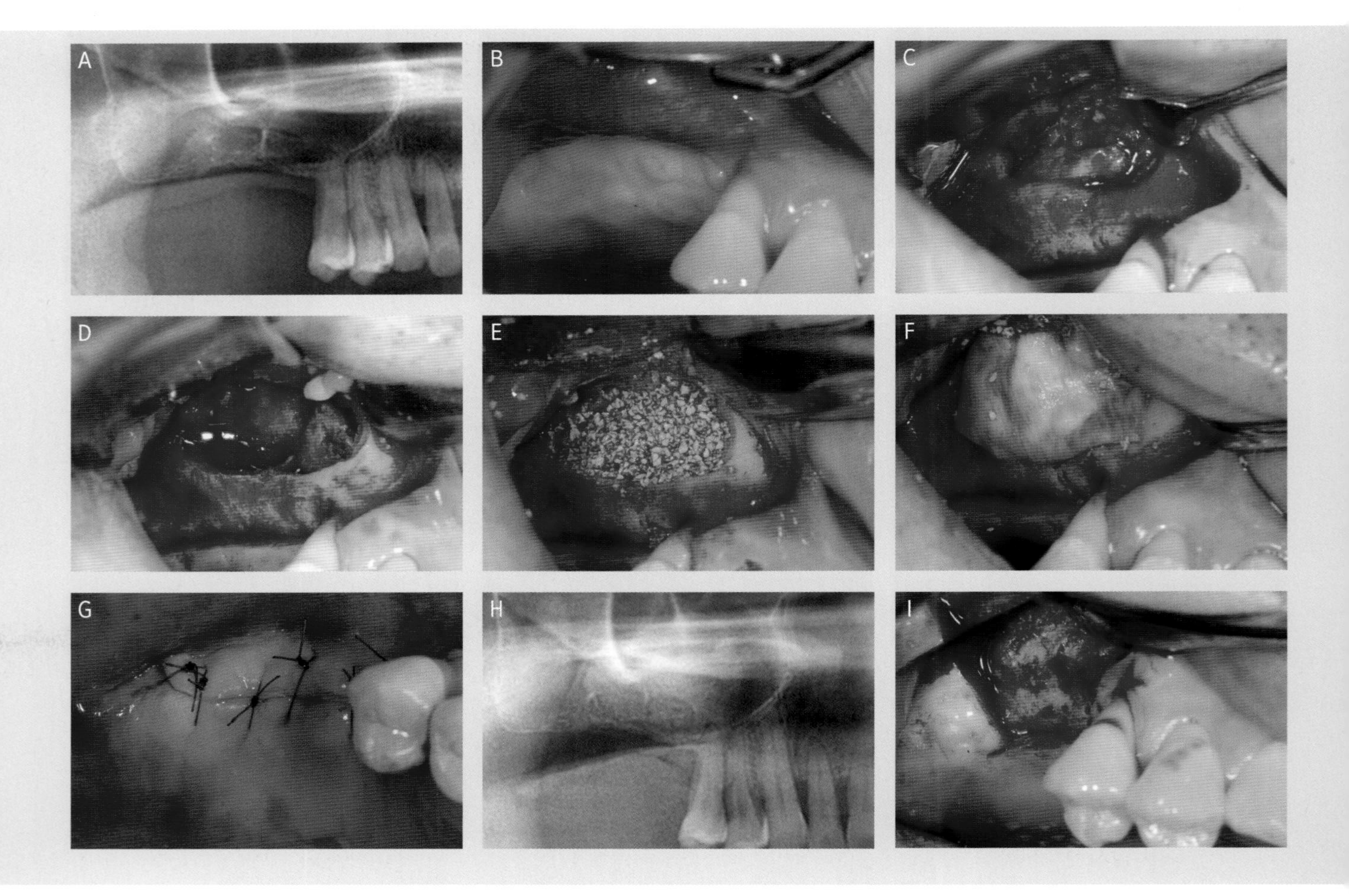

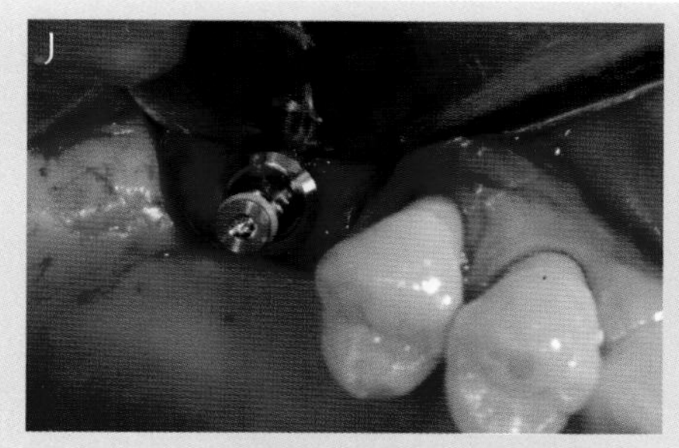

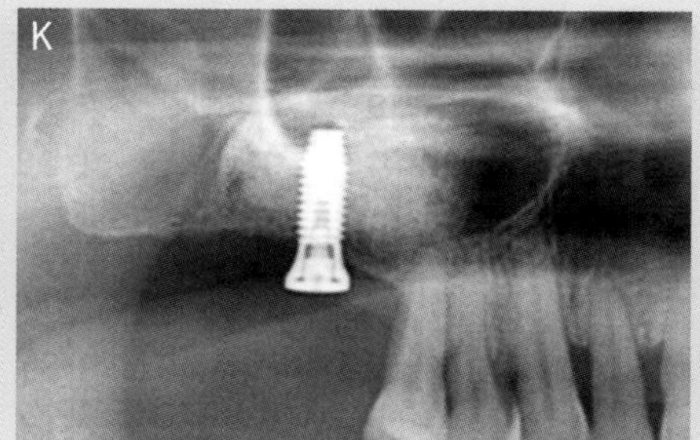

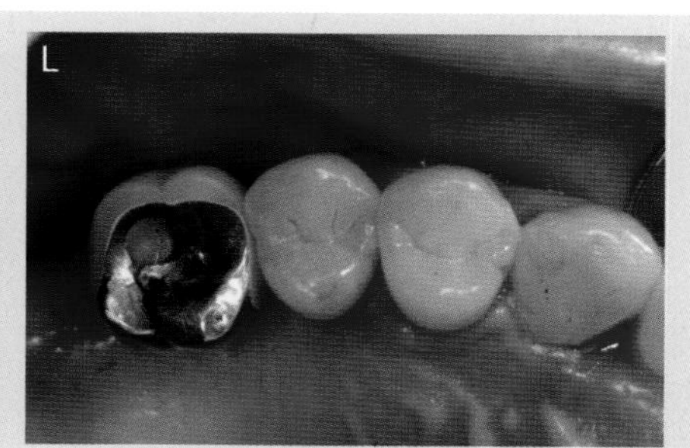

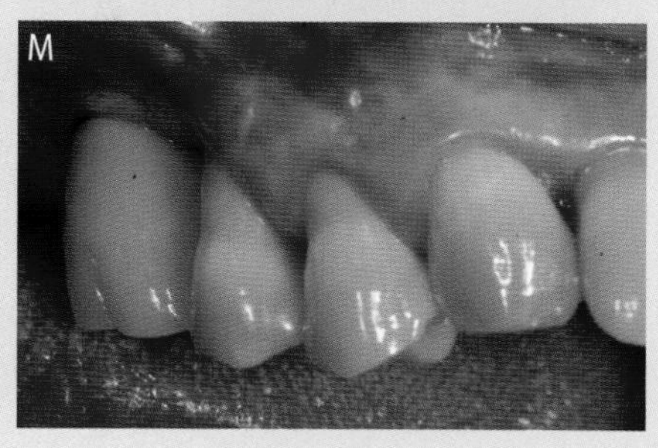

2-69 상악동 격벽이 존재하면 상악동 막 천공을 유발할 수 있다. 이미 다른 치과에서 상악동 골이식 중 상악동 막 천공으로 인해 수술이 실패하였고, 따라서 저자에게 의뢰되었던 증례이다.

A~H. 술전 방사선사진에서 수술부 중앙의 격벽을 확인할 수 있다**(A)**. 피판 거상 후 이전 수술로 인해 상악동 외측벽이 결손된 것을 확인할 수 있었고, 상악동 내부에는 반흔 조직이 형성된 것을 관찰할 수 있었다**(C)**. 섬유성 반흔 조직과 상악동 막을 거상한 후**(D)**, 탈단백 우골과 천연 교원질 차폐막을 적용하여 상악동 골이식을 시행했다. 수술 후 방사선사진에서 이식재가 돔 형태로 정상적으로 위치한 것을 확인할 수 있다**(H)**.

I~K. 상악동 골이식 6개월 후 임플란트 식립을 위해 수술부에 재진입했다. 골이식부에서는 신생골이 정상적으로 형성되어 있었다**(I)**.

L~M. 보철 완료 후 소견이다.

더 좁은 범위로 수렴되고 있다. 3D CT나 직접 관찰을 통해 상악동 격벽의 존재를 관찰한 일차 연구들만을 대상으로한 메타분석에 의하면, 상악동 격벽은 총 28.4%의 상악동에 존재한다.[151] 또한 CT와 직접 관찰의 방법을 이용한 일차 연구만 포함한 다른 체계적 문헌 고찰에서도 상악동 격벽은 20–33.2%에서 존재한다고 보고했다.[152] 따라서 상악동 격벽은 전체 인구의 20–30% 정도에 존재한다고 생각할 수 있다. 인종이나 성별에 따른 격벽의 유병률 차이는 아직 명확하게 밝혀지지 못했지만, 위의 메타분석에서는 아시아계 인종(22.9%)에서 격벽이 유의하게 적게 존재하고 남녀 간에는 차이를 보이지 않는다고 했다.[151]

파노라마 방사선사진은 상악동 격벽을 진단하기에 적합하지 못하다. 단면 연구들에 의하면, 파노라마 방사선사진은 약 20%의 빈도로 오진을 할 수 있다.[14,146] 또한 한 메타분석에서는 파노라마 방사선사진의 오진율이 평균 29.3%이고, 민감도(sensitivity)는 53.8%, 특이도(specificity)는 80.4%라고 했다.[151] 이렇게 파노라마 방사선사진의 민감도가 떨어지는 이유는 격벽의 방향 때문인 것으로 생각된다(2-70). 격벽은 보통 협-구개 방향(87.6%)을 향하지만, 근원심 방향(11.1%)을 향하거나 상악동저에 평행한 형태(1.3%)로 존재하기도 한다.[151] 파노라마 방사선사진은 협-구개 방향의 격벽은 비교적 잘 진단할 수 있지만, 나머지 방향의 격벽은 진단하기가

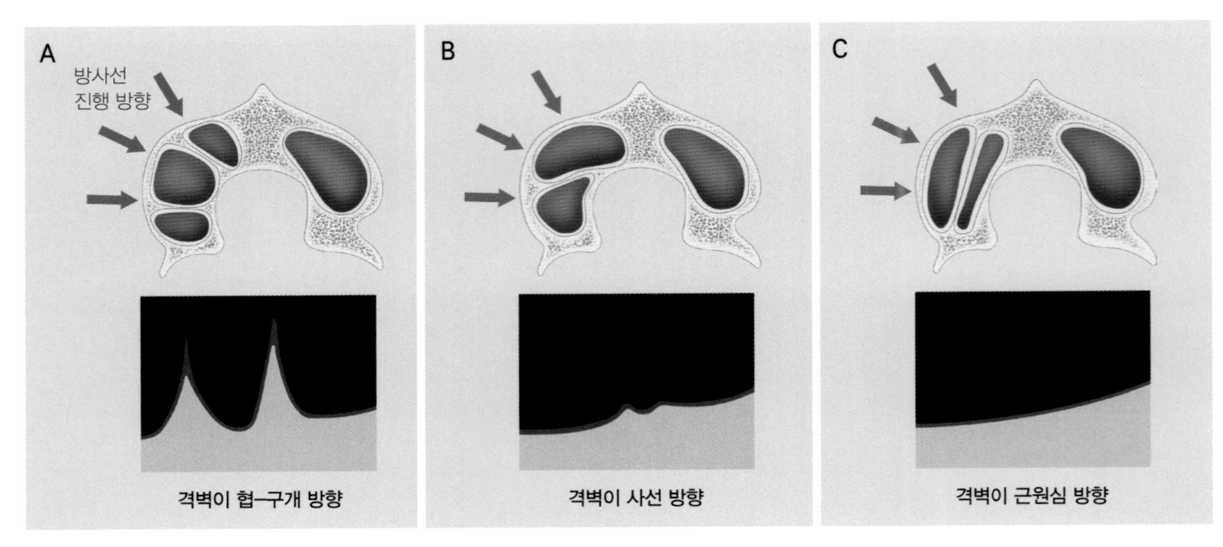

2–70 파노라마 방사선사진 촬영 시 방사선은 주로 협측에서 구개측을 향한다. 따라서 방사선의 조사 방향과 격벽의 방향이 다르면 방사선사진에 잘 나타나지 않는다.
A. 격벽이 방사선의 진행 방향과 비슷하게 협–구개 방향으로 존재하면 파노라마 방사선사진에 명확하게 잘 나타난다. **B.** 격벽이 협–구개 측으로 비스듬하게 존재하면 방사선사진에서 실제보다 훨씬 낮은 높이로 나타날 수 있다. **C.** 격벽이 근원심 방향으로 주행하면 파노라마 방사선사진에는 존재하지 않는 것으로 나타난다.

힘들다. 게다가 협–구개 방향의 격벽도 파노라마 방사선사진 촬영 시 방사선의 조사 방향과 평행하기보다는 비스듬하게 주행하는 경우가 많고, 이러한 경우에도 파노라마 방사선사진에 잘 나타나지 않을 수 있다.[152]

상악동 격벽이 존재하는 경우 보통 하나만 존재하지만, 드물게는 두 개, 혹은 아주 드물게 세 개 이상 존재하기도 한다.[146–148] 상악동 격벽이 존재하는 증례 중 88.4–98.4%에서는 하나의 격벽만이 존재했다.[152] 그러나 3.7%의 상악동에는 격벽이 두 개 존재하며, 0.5%의 상악동에는 격벽이 세 개 이상 존재한다.[151]

격벽은 대구치 부위에서 가장 흔하게 나타난다. 위의 메타분석에 의하면, 격벽의 존재 위치는 제1대구치–제2대구치 부위가 54.6%, 제1소구치–제2소구치 부위가 24.4%, 제2대구치 후방부가 21.0%였다.[151] 다른 체계적 문헌 고찰에서도 대구치 부위에 격벽이 50–60%로 가장 많이 위치한다고 보고했다.[152] 일반적인 견지에서 격벽은 제1대구치와 제2대구치 부위에 대략 50–60% 정도, 그리고 소구치 부위에 대략 25% 정도, 나머지는 대구치 후방부에 위치한다고 정리할 수 있다(**2–71**).[147,148]

(2) 상악 구치부 치아 발거 후에는 이차 격벽이 형성될 수 있다

Krennmair 등은 상악동 격벽의 발생 원인을 두 가지로 구분하였다. 이들은 상악동저의 성장 중 함기화의 속도 차이에 의해 격벽이 발생할 수 있으며, 이를 유전적 격벽, 혹은 일차 격벽(primary septa)이라고 하였다. 반면, 상악 구치부 치아가 상실되면 상악동저가 추가적으로 함기화되는데, 이때 함기화의 속도가 달라서 상악동

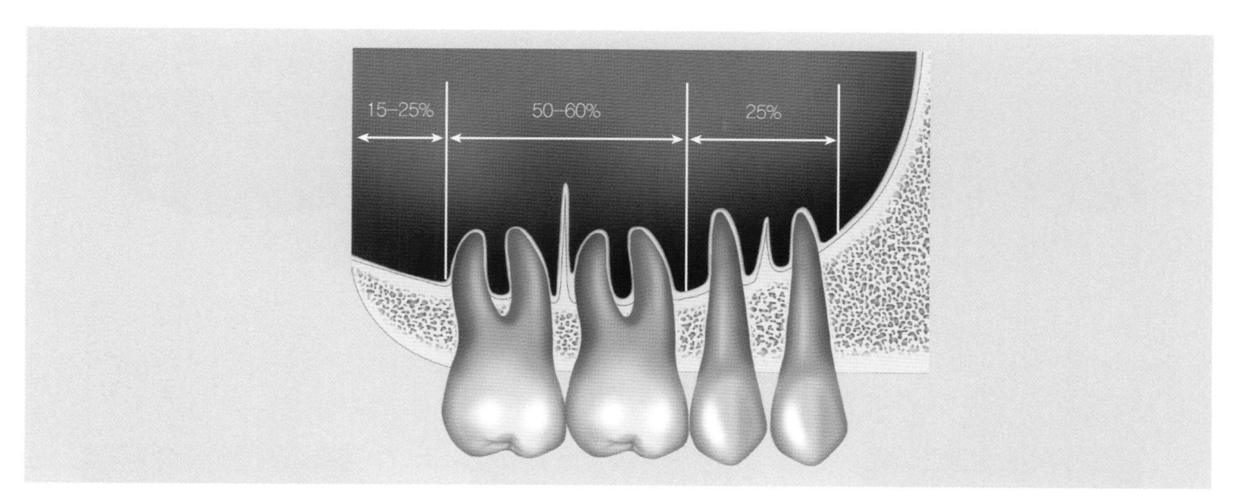

2–71 위치에 따른 격벽의 존재 빈도

저에 불규칙한 골의 돌기가 생길 수 있으며, 이를 이차 격벽(secondary septa)라고 하였다(2–72).[146] 이들은 그 근거로, 상악 구치부 치아가 상실된 경우에 비해 구치부 치아가 존재하는 경우에서 상악동 격벽이 유의한 정도로 더 적게 존재한다는 사실을 들었다. 이는 상악동 격벽에 관한 메타분석에서도 검증된 바 있다.[151] 이 메타분석에서는 상악 구치부가 무치악일 때, 특히 대구치 부위에서 상악동 격벽은 유의하게 높은 비율로 존재한다고 했다. 일차 격벽과 이차 격벽의 특성은 2–11에 정리하였다.[146]

이는 임상적으로 보았을 때 상악 치아의 치근이 상악동저보다 상방에 존재하는 경우에는, 발치 직후에는 치근의 형태가 상악동저에 그대로 남아있고[153] 그 이후에는 이차 격벽이 형성될 수 있기 때문에[146] 발치 후 대략 1년 이내에는 상악동저 거상이 힘들 수 있음을 의미한다(2–73).[148]

(3) 격벽의 위치, 수, 방향, 높이에 따라 치료 계획을 변경한다

전술했듯이, 상악동 격벽은 20% 이상의 상악동에 존재한다. 그리고 상악동에 격벽이 존재하면 외측 접근법의 난이도가 증가하고 격벽의 예리한 변연을 따라 상악동 막이 천공될 가능성이 증가한다. 게다가 격벽이 존재하면 상악동 막은 유의하게 얇아진다.[154] 결국 이러한 요소들은 외측 접근 상악동 골이식 중 상악동 막의 천공 가능성을 현저히 증가시킨다. 상악동 막 천공의 위험 요소를 분석한 연구에 의하면 상악동 격벽이 존재하면 상악동 막 천공 가능성은 4.8배 증가했으며, "잔존골 높이 3.5 mm 미만"과 "상악동 격벽의 존재"는 상악동 막 천공의 가장 주요한 위험 요소였다(2–74).[155]

상악동 격벽의 위치, 방향, 높이에 따라서 천공 발생의 빈도는 변화한다.[156] 따라서 이들 요소에 따라 수술 방법을 변형시켜야 한다. 아직까지 표준화된 접근 방법이 제시되지는 못했지만, 2013년 Wen 등은 상악동 격벽의 위치, 높이, 방향, 개수에 따른 진단과 처치 방법을 제시한 바 있다(2–12).[152]

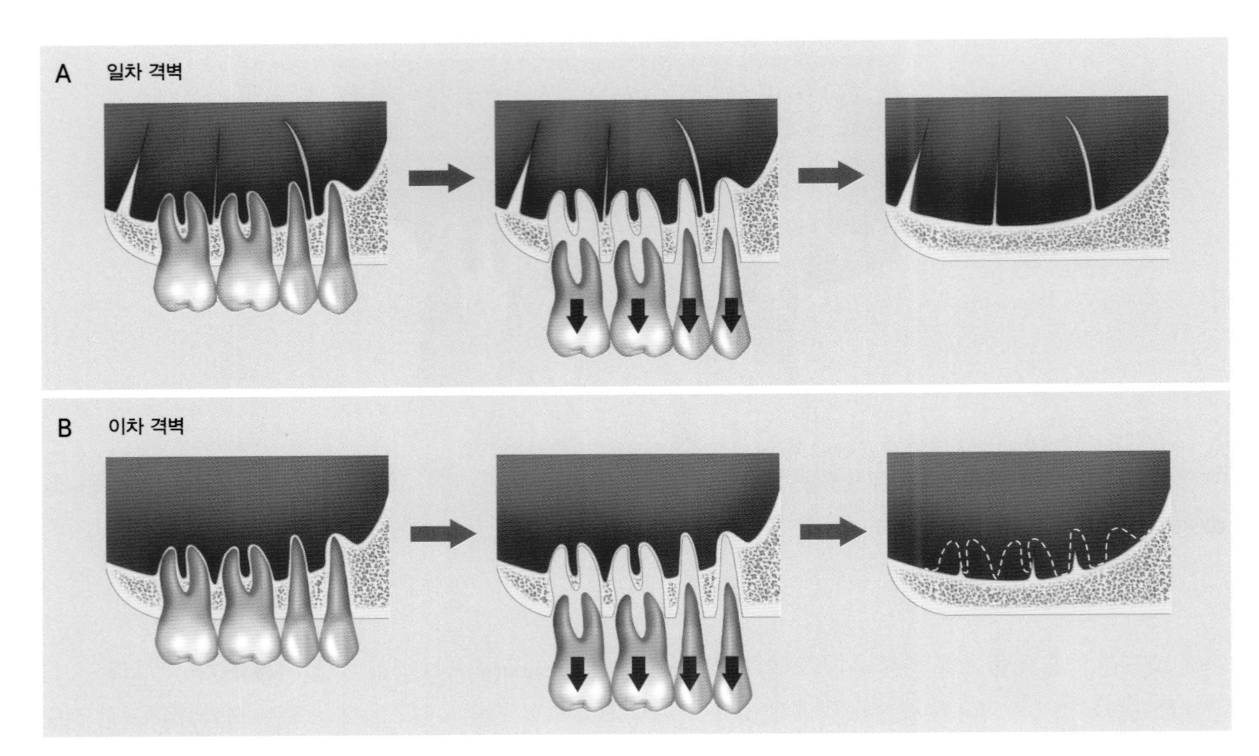

2-72 일차 격벽과 이차 격벽
A. 상악동저의 성장 중 함기화의 속도 차이에 의해 격벽이 발생할 수 있으며, 이를 유전적 격벽 혹은 일차 격벽이라고 한다. 일차 격벽은 대개 높이가 높고 치아의 존재 유무와 관계없이 존재한다. **B.** 상악 구치부 치아가 상실되면 상악동저가 추가적으로 함기화되는데, 이때 함기화의 속도가 달라서 상악동저에 불규칙한 골의 돌기가 생길 수 있으며, 이를 이차 격벽이라고 한다. 따라서 이차 격벽은 상악동저 하방에 치아가 존재하면 발생되지 않는다.

2-11 일차 격벽과 이차 격벽의 특성[146]

분류	일차 격벽	이차 격벽
원인	상악동의 성장 중 함기화의 속도차	치아 상실 후 상악동저 함기화
치아 상실 유무	유치악, 무치악 모두 가능	무치악에서만 발생
높이	높다	낮다
위치	모든 위치에서 발생	치아의 치근첨이 위치하던 부위

(4) 협-구개 방향의 격벽이 존재할 때의 대처

전술했듯이, 90%가량의 상악동 격벽은 협-구개 방향을 향한다.[151] 그리고 이렇게 협-구개 방향의 격벽이 가장 처치가 용이하다.[152] 외측 골창을 통해 격벽으로 분절화된 부위를 개별적으로 접근 가능하기 때문이다(2-75). 협-구개 방향에 격벽이 존재할 때 수술의 방법과 난이도를 결정짓는 요소는 다음과 같다(2-76).[151,152]

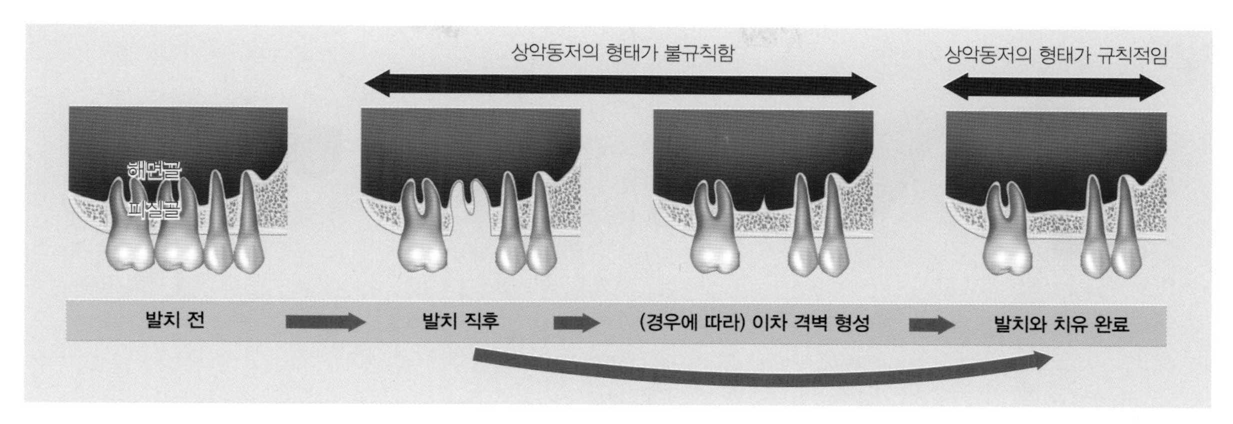

2-73 발치 후 시간 경과에 따른 상악동저의 형태
특히 치근이 상악동 내로 돌출된 경우에는 돌출된 치근의 형태 때문에 상악동저는 불규칙하다. 발치 후에는 상악동저가 평탄화되거나 이차 격벽이 형성된다. 이차 격벽이 형성된 경우에는 대략 1년 이내에 평탄화되는 경향이 있다.

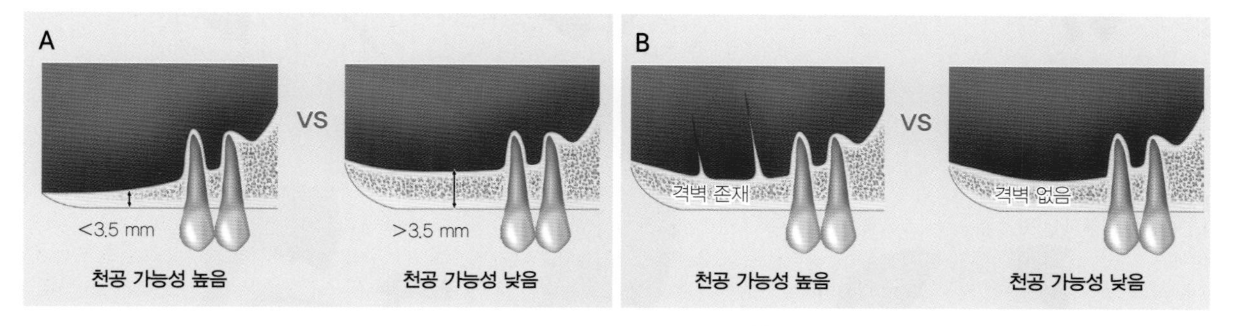

2-74 외측 접근 상악동저 거상술에 있어 상악동 막 천공의 해부학적 위험 요소[155]
A. 잔존골 높이 3.5 mm를 기준으로 이보다 잔존골 높이가 높으면 천공 가능성이 유의하게 낮다. **B.** 격벽이 존재하면 존재하지 않을 때보다 천공 가능성이 유의하게 높다.

2-12 상악동 격벽의 위치, 높이, 방향, 개수에 따른 진단과 처치 방법

분류	위치	개수	방향	높이	치료 방법
Easy (E)					
a	관골 돌기 전방	1	협-구개	≤6 mm	1개의 골창 형성
b	관골 돌기 전방	1	협-구개	>6 mm	2개의 골창 형성
Moderate (M)					
a	관골 돌기 후방	1	협-구개	≤6 mm	1개의 골창 형성 골창 형성을 위한 접근이 힘들면 치조정 접근
b	관골 돌기 후방	1	협-구개	>6 mm	1개의 골창 형성 후 격벽 제거
Difficult (D)					
a	관골 돌기 전방/후방	1	전후방	≤6 mm	1개의 골창 형성
b	관골 돌기 전방/후방	1	전후방	>6 mm	격벽 외측은 외측 접근, 격벽 내측은 치조정 접근
c	관골 돌기 전방/후방	≥2	협-구개		골창을 여러 개 형성

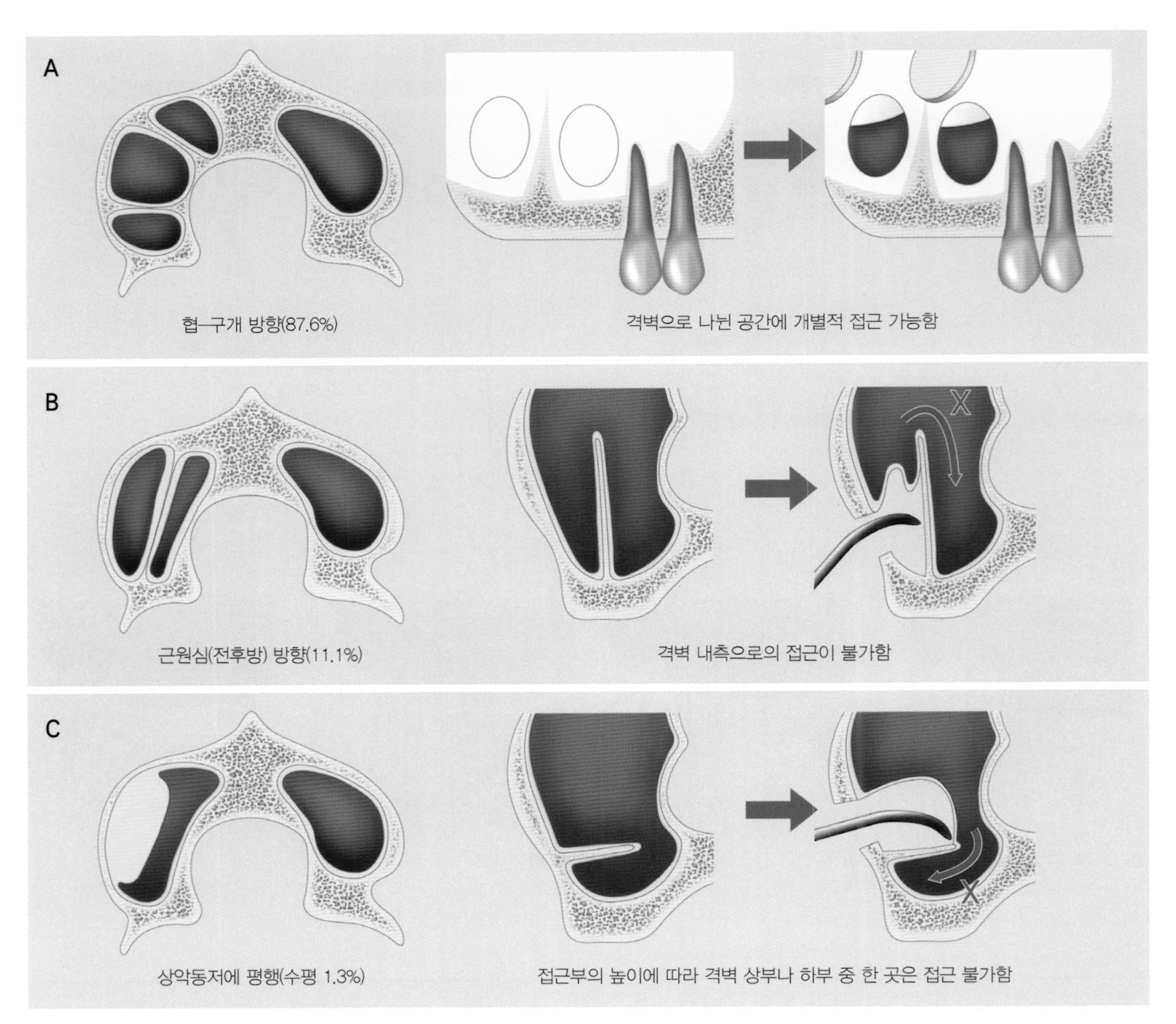

2-75 격벽의 주행 방향과 외측 접근법의 난이도[151,152]

A. 대부분(87.6%)의 증례에서 격벽은 협-구개 방향으로 주행한다. 이러한 증례에서는 격벽 전후방을 개별적으로 접근할 수 있다. 가장 처치가 용이한 주행 방향이다. **B.** 격벽은 11.1%의 증례에서 전후방으로 주행한다. 이러한 경우에는 격벽 내측에 접근하기 어렵다. **C.** 아주 드물게(1.3%) 격벽은 상악동저에 평행하게 수평으로 주행한다. 이러한 경우 격벽의 상부나 하부 중 한 곳으로의 접근이 매우 어렵다.

- 격벽의 전후방적 위치 격벽의 전후방적 위치는 협-구개 방향 격벽이 존재할 때 수술의 난이도를 결정하는 가장 중요한 요소이다. 상악동 외측벽은 관골 돌기에서 방향이 바뀌는데, 관골 돌기 전방부는 접근이 쉽지만 후방부는 접근이 어렵기 때문이다(2-77). 관골 돌기는 대체로 제1대구치와 제2대구치 사이에 위치하므로, 제1대구치 후방-제2대구치 부위에 격벽이 존재하면 처치가 더 어렵게 된다.
- 격벽의 높이 한 메타분석에 의하면 격벽의 평균 높이는 7.5 mm (95% CI 6.7-8.4 mm)이다.151 격벽의 높이가 낮으면 한 개의 골창을 형성하더라도 상악동 막을 거상할 수 있지만, 격벽이 높으면 각 분절 부위로 개별적인 골창을 형성하여 접근해야 하기 때문에 수술의 난이도가 증가한다.

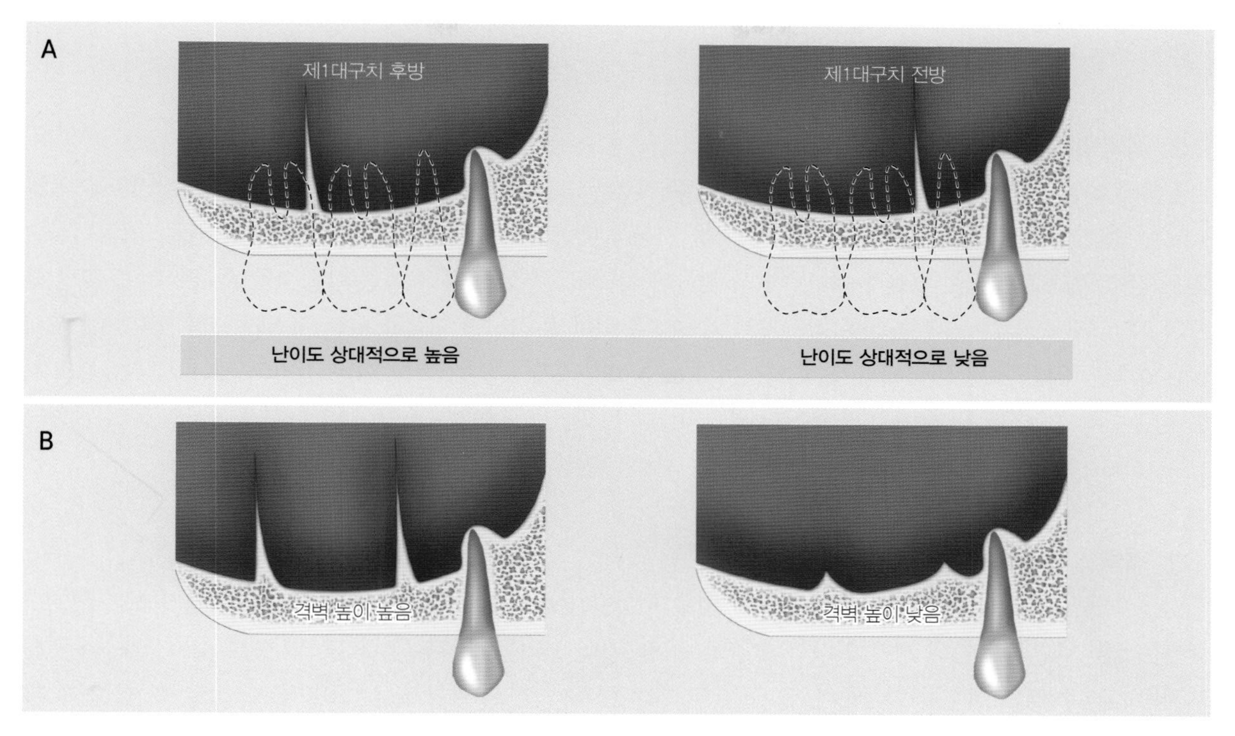

2-76 격벽이 협-구개 방향으로 주행할 때 외측 접근법의 난이도를 결정짓는 해부학적 요소
A. 격벽이 제1대구치 후방일 때가 전방일 때보다 난이도가 높다. 격벽 후방부로의 접근이 어렵기 때문이다. **B.** 격벽의 높이가 낮으면 하나의 골창을 형성해 격벽 전후방으로 동시에 거상할 수 있지만 격벽이 높으면 격벽 전후방으로 독립된 골창을 형성해 각각 상악동 막을 거상해야 한다. 따라서 격벽 높이가 낮으면 난이도는 상대적으로 낮아진다.

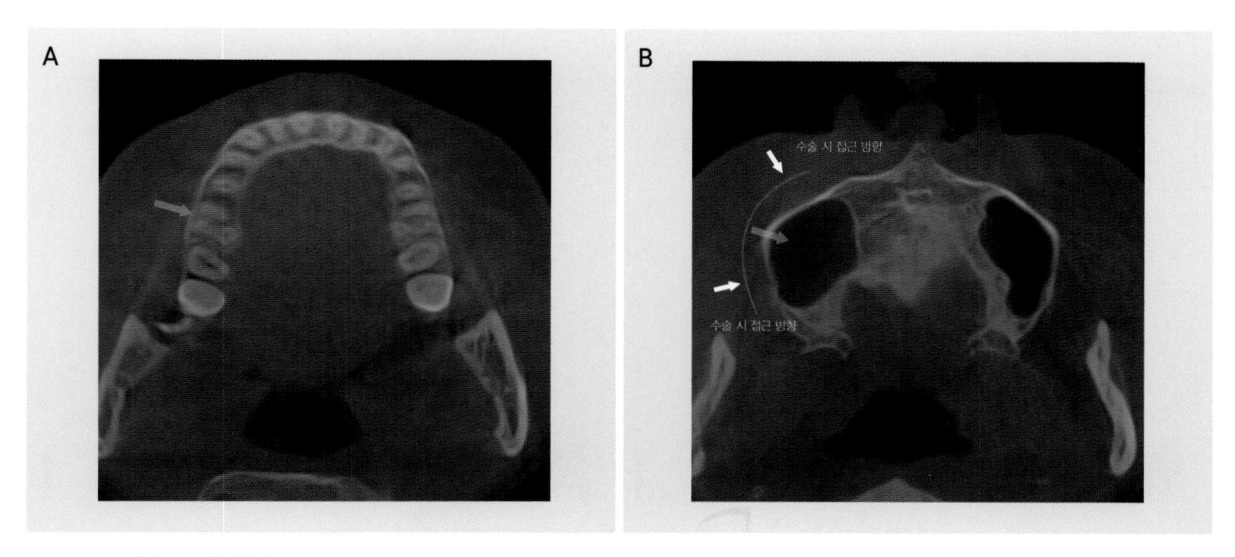

2-77 관골 돌기의 위치
A. CT에서 상악 제1대구치의 위치를 화살표로 표시했다. **B.** 동일한 위치에서 상부로 올리면 정확히 관골 돌기가 위치한다. 즉, 이 증례에서는 관골 돌기가 제1대구치 부위에 위치함을 알 수 있다. 상악동 외측벽은 관골 돌기에서 방향이 바뀌는데, 관골 돌기 전방부는 외측법에서 접근이 쉽지만 후방부는 접근이 어렵다. 기구의 접근 방향은 전방에서 후방을 향하기 때문이다.

격벽의 높이에 따른 골창 형성의 방법은 다음과 같다.

① 격벽의 높이가 2–3 mm 이하

골창의 하방 변연은 원래 상악동저에서 2–3 mm 상방에 형성하기 때문에 골창 형성에 특별한 변형을 가할 필요는 없다. 골창 형성을 완료하고 상악동 막을 거상할 때에는 격벽을 중심으로 앞과 뒤의 막을 각각 거상하면서 격벽 쪽으로 접근한다(**📷 2–78**). 격벽의 첨단에 가까워질수록 큐렛에 가하는 압력을 줄여주고, 큐렛의 첨단이 격벽 최상단점을 넘어 반대쪽으로 가지 않도록 주의한다. 이러한 과정을 통해 격벽의 전방과 후방에 존재하는 상악동 막은 서로 연결되어 함께 거상된다(**📷 2–79**). 이때 주의해야 할 점은 격벽의 높이가 내부(구개측)를 향할수록 높아진다는 점이다. 협측에서 격벽의 높이는 평균 1.6–3.5 mm인데 반해, 내측에서의 높이는 평균 5.5–7.6 mm이다.[152] 따라서 내측 상악동 막 박리 시 더 특별한 주의를 요한다.

② 격벽의 높이가 3–6 mm 사이

많은 이들이 "W"자 형태의 골창을 형성할 것을 추천한다(**📷 2–80**).[142] 그러나 저자의 경험상 이러한 형태의 골창은 형성하기가 불편할 뿐만 아니라 골창을 뜯어내거나 상악동 내부로 밀어 올리기에도 좋지 않기 때문에, 저자는 그냥 하나의 골창을 형성한다. 그 이후 격벽이 존재할만한 부위의 골을 다이아몬드 버로 조심스럽게 갈아낸다. 상악동 외측벽의 골이 삭제되고 그 내부의 상악동 막과 격벽이 드러나면 통상적인 방법으로 골창을 뜯어낼 수 있다(**📷 2–81**). 골창을 제거한 이후 상악동 막은 역시 격벽에서 먼 쪽으로부터 격벽 쪽으로 향하도록 거상한다.

③ 격벽의 높이가 6 mm를 초과

격벽의 관골 돌기 전방에 존재하고 그 높이가 6 mm를 초과하면, 복수의 골창을 형성하는 것이 일반적이다(**📷 2–82, 83, 84**). 또는 하나의 골창을 형성한 후 다이아몬드 버로 격벽이 위치한 부위의 골창을 세로로 이등분하면 두 개의 골창을 형성한 것과 동일한 효과를 볼 수 있다(**📷 2–85, 86**). 관골 돌기 후방부는 접근이 힘들기 때문에 이 방법을 적용하면 편리하다.[152]

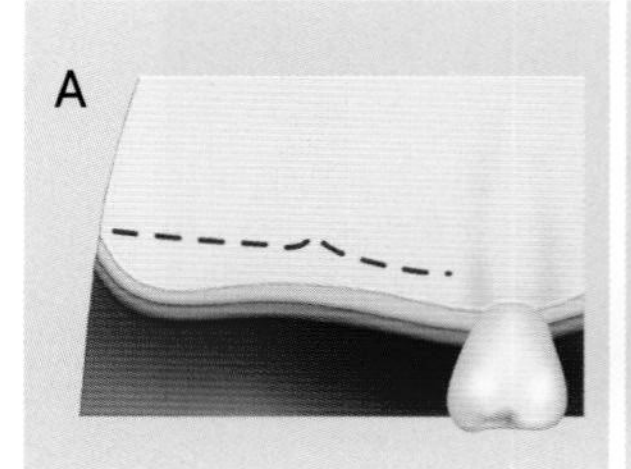

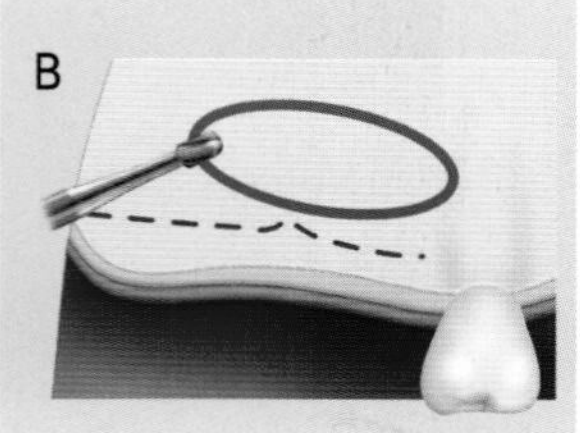

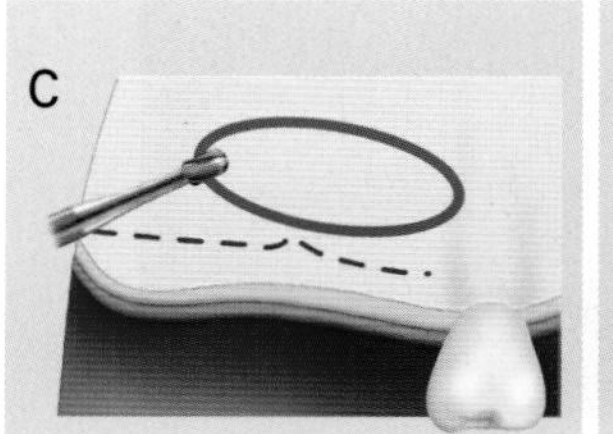

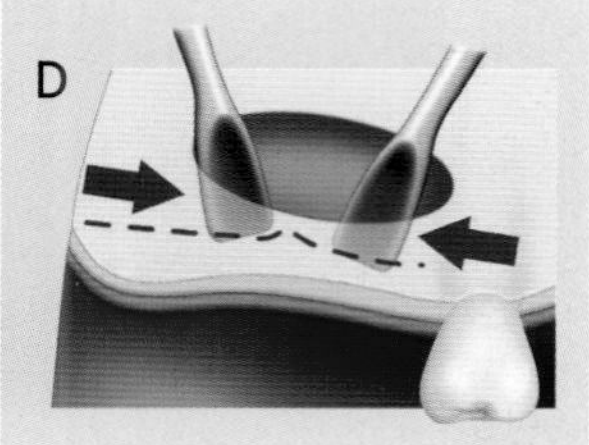

📷 2–78 격벽의 높이가 2–3 mm 이하인 경우에는 하나의 골창을 형성한다.
A. 낮은 격벽이 존재하는 경우이다. **B.** 일반적인 형태의 골창을 하나 형성한다. **C.** 골창을 제거한다. **D.** 상악동 막을 거상할 때에는 막을 천공시키지 않도록 각별한 노력을 기울인다. 일반 원칙은 항상 격벽의 근심측과 원심측을 따로따로 거상하고 점차 격벽 쪽으로 각각 진행하여 이를 연결시키는 것이다.

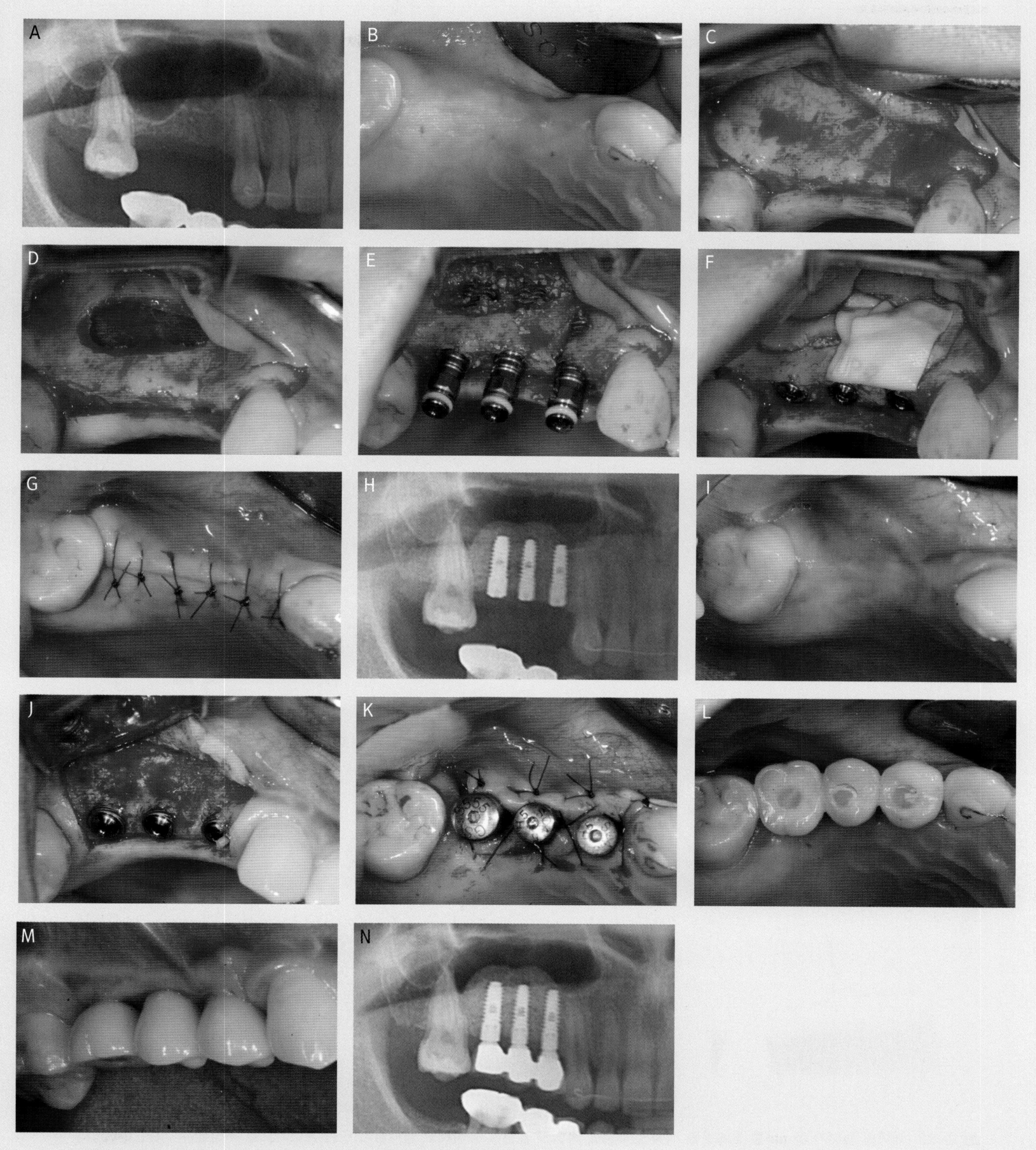

2-79 낮은 격벽이 존재할 때 하나의 골창을 형성하여 상악동저를 거상했던 증례

A~H. 상악동저를 거상하고 임플란트를 식립한 후 골이식을 시행했다. 술 전 방사선사진에서 확인 가능한 바와 같이 치아 결손부 상악동저의 중간 부위에 2차 격벽으로 생각되는 낮은 격벽이 존재한다**(A)**. 하나의 골창을 형성하고 격벽의 전후방을 거상하여 격벽부에서 연결했다**(D)**. 제1소구치 부위에는 수평적 결손 또한 존재하여 수평적 골증강을 시행하였다**(E~F)**.

I~K. 5개월 후 2차 수술을 시행하여 골증강부를 확인했다. 골유착과 골이식부의 신생골 형성은 성공적이었다. 그러나 약간의 열개 결손이 형성되어 있었다.

L~N. 대략 1.5개월 후 보철 치료를 완료했다.

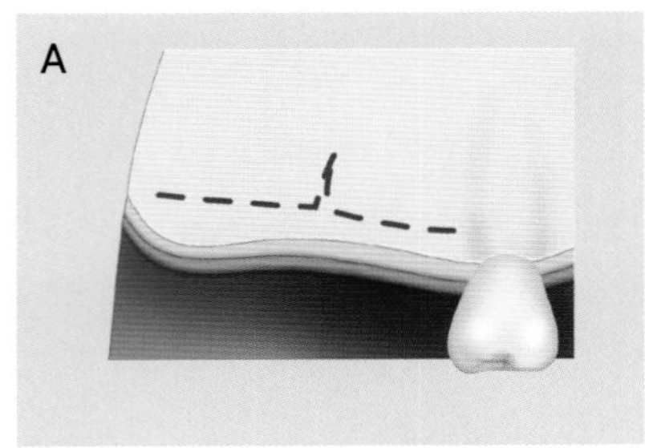

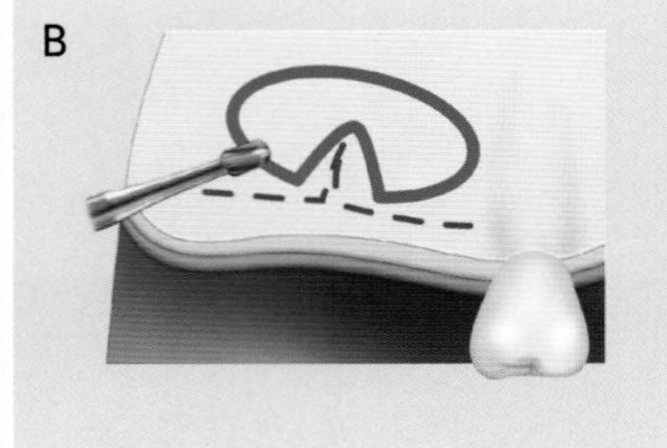

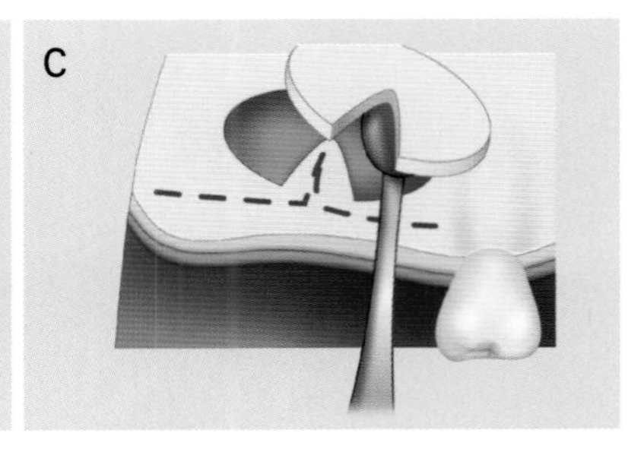

2-80 격벽의 높이가 3-6 mm 사이일 때에는 "W"자 형태의 골창을 형성하고 상악동저를 거상할 수 있다.
A. 상악동 격벽의 높이가 3-6 mm이다. **B.** 상악동저와 격벽의 외형을 따라 "W"자 형태의 격벽을 형성한다. **C.** 격벽을 제거한다. 상악동 막 거상은 역시 전방과 후방에서 각각 진행하여 격벽에서 만나도록 해준다.

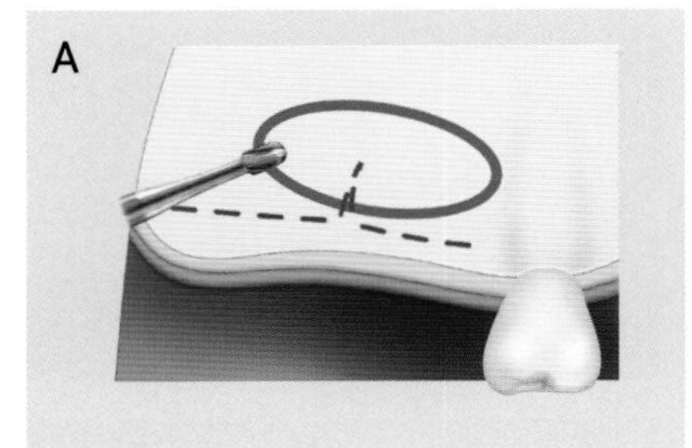

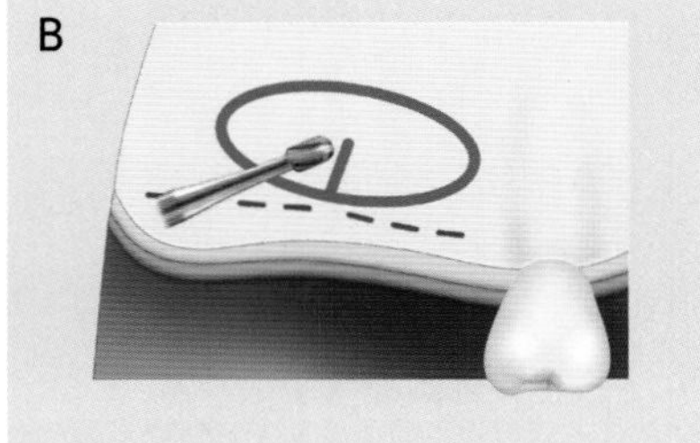

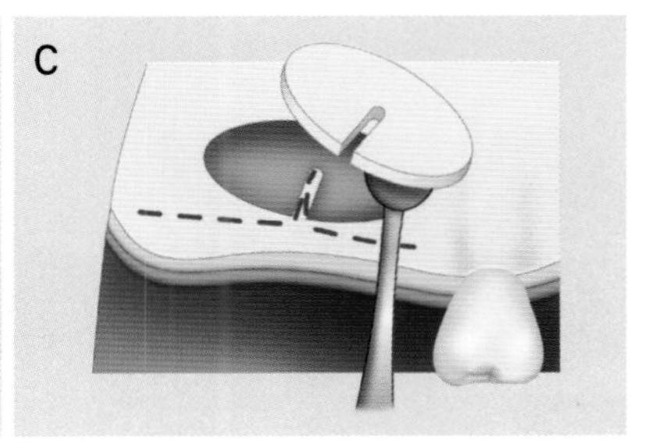

2-81 격벽의 높이가 3-6 mm 사이일 때 일반적인 형태의 골창을 약간 변형하여 상악동 내로 접근할 수도 있다.
A. 일반적인 형태의 타원형 골창을 형성한다. **B.** 격벽이 위치한 부위의 골벽을 다이아몬드 버로 조심스럽게 제거한다. **C.** 골창을 제거하고 역시 격벽의 전후방에서 상악동저를 따로 거상한다.

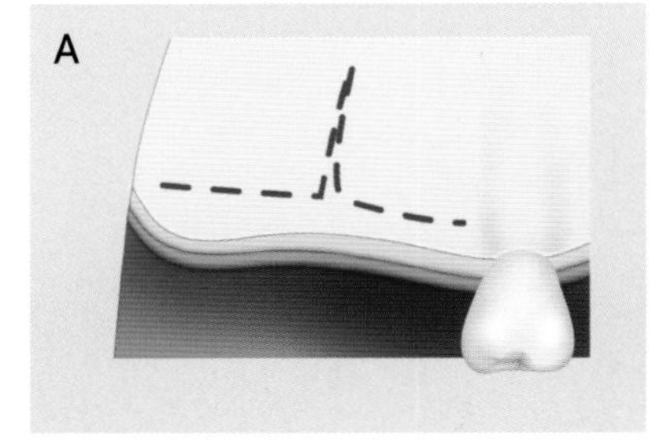

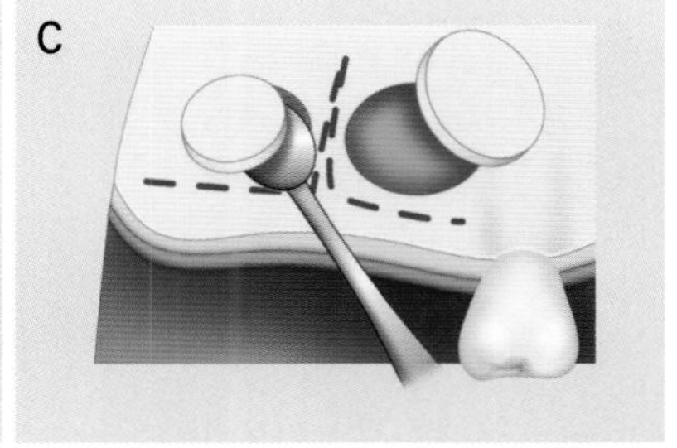

2-82 격벽의 높이가 6 mm를 초과하면 격벽 전후방에 독립된 골창을 형성하고 상악동저 또한 개별적으로 거상한다. 격벽 전후방의 거상된 상악동 막을 연결할 필요는 없다.
A. 격벽의 높이가 6 mm를 초과한다. **B.** 격벽 전후방에 골창을 따로 형성한다. **C.** 따로 형성된 골창을 각각 제거하고 상악동저를 개별적으로 거상한다.

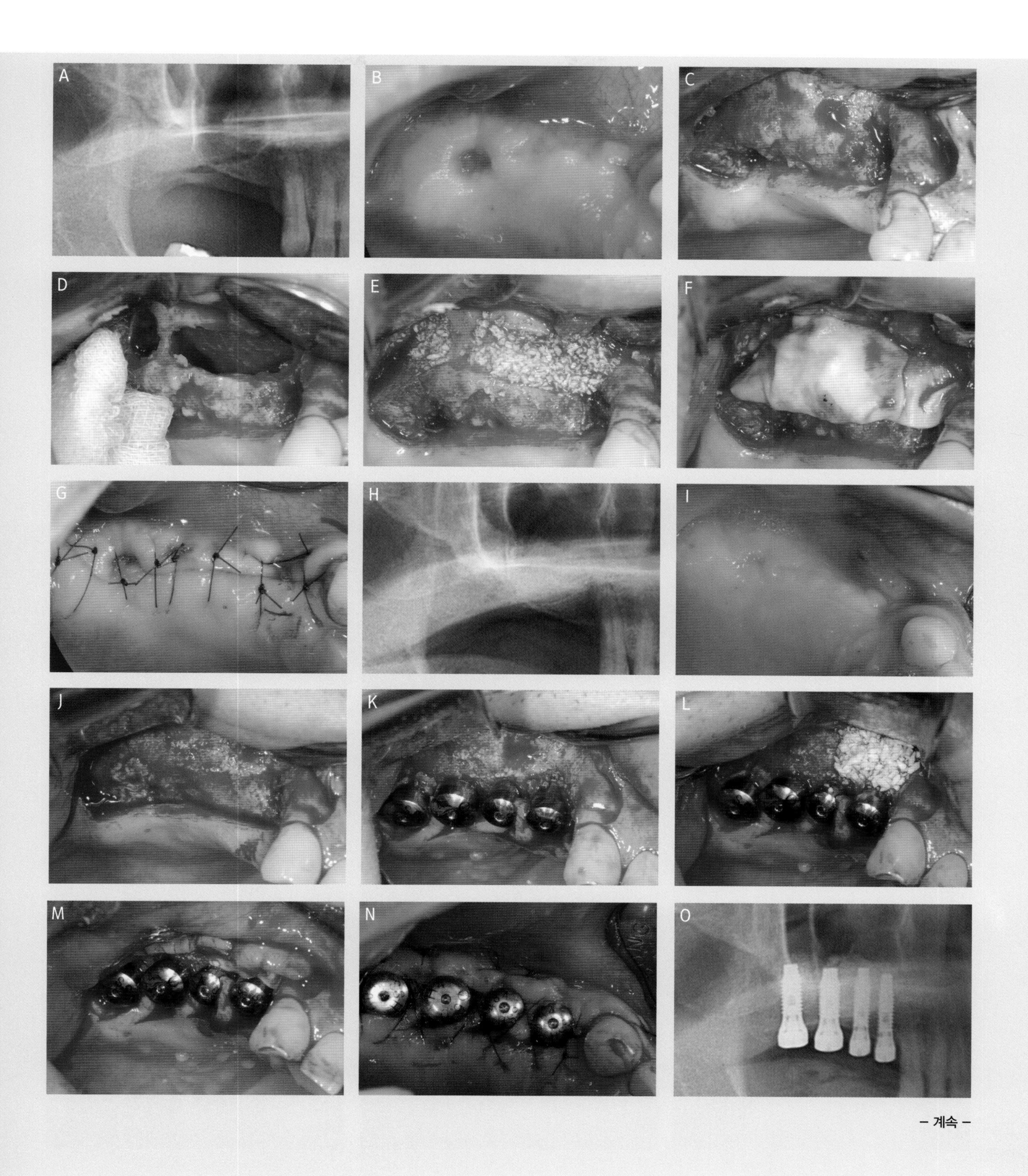

– 계속 –

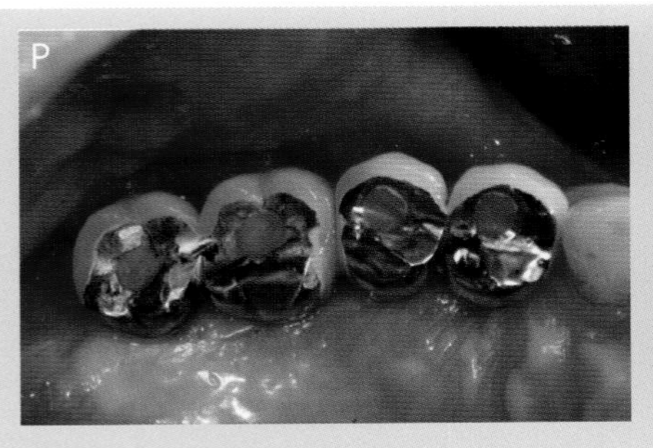
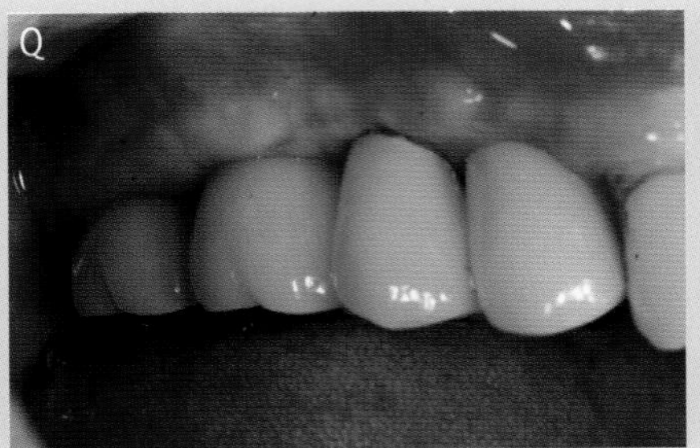
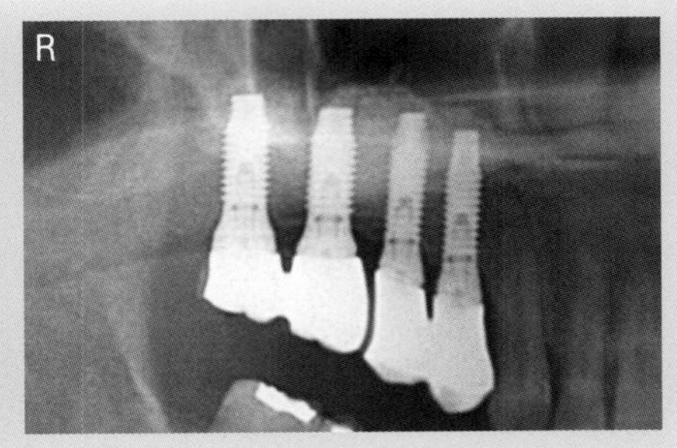

2-83 격벽의 전후방에서 골창 및 상악동저 거상을 따로 시행했던 증례

A~H. 치아 결손부 중간에 격벽이 존재한다**(A)**. 격벽의 높이가 높아서 격벽 전후방에서 골창을 따로 형성하고 상악동저 또한 개별적으로 거상했다**(D)**. 탈단백 우골을 이식하고 천연 교원질 차폐막을 적용한 후 수술부를 폐쇄했다. 수술 후 방사선사진에서 정상적으로 상악동 골이식을 이루어진 것을 확인할 수 있다**(H)**.

I~O. 약 6개월 2주 후 임플란트를 식립했다. 이식골은 정상적인 골화 상태를 보였다**(J, K)**. 제1소구치 부위에 약간의 열개가 존재하여 추가적인 골증강을 시행했다**(K, L)**.

P~R. 임플란트를 식립하고 약 4개월 3주 정도 후에 보철 치료를 완료했다. 상악동 내부의 골이식부는 격벽을 중심으로 개별적인 돔 형태를 보인다**(R)**.

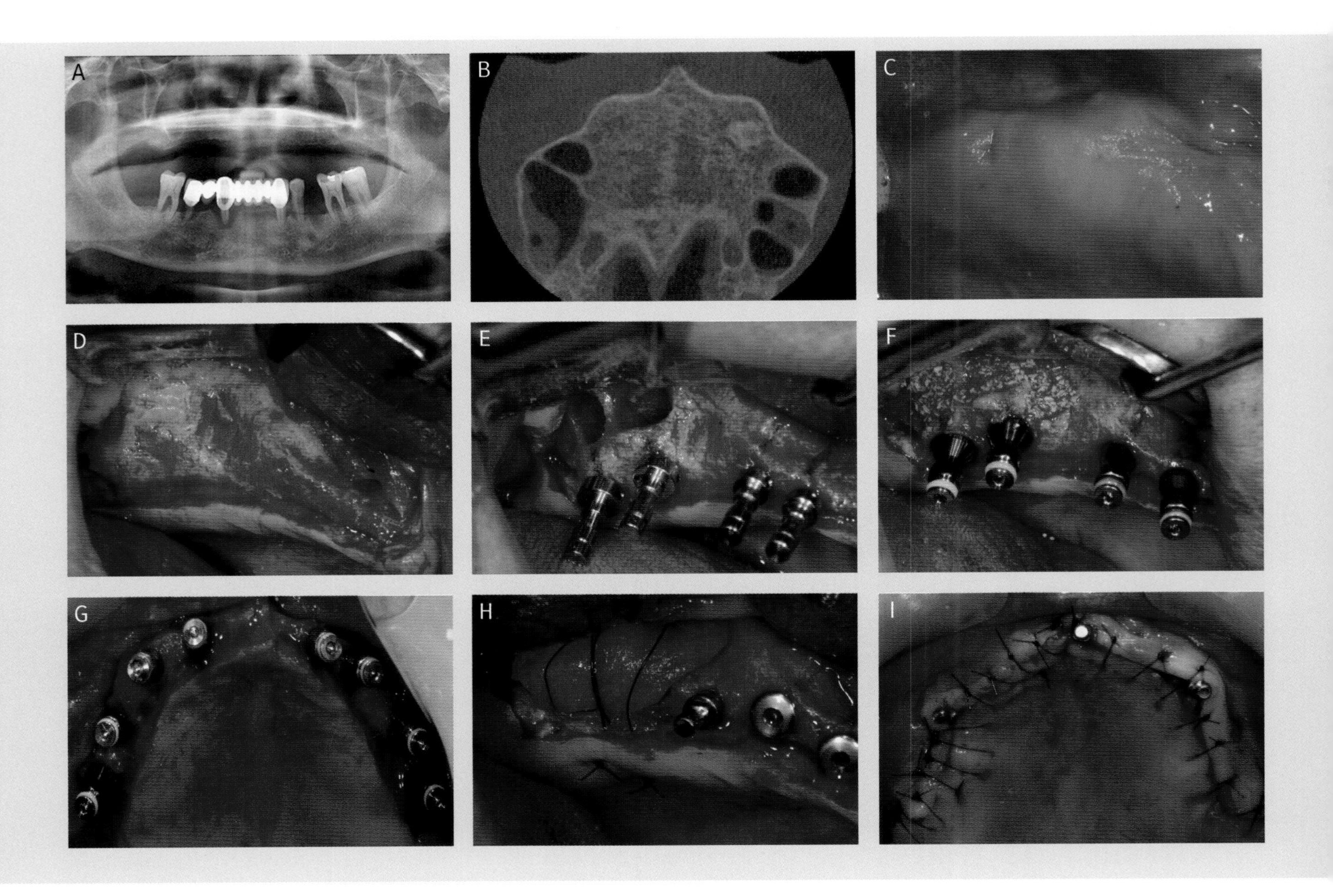

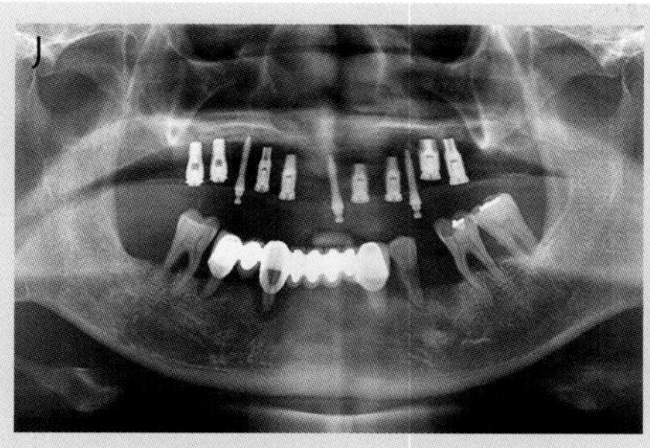

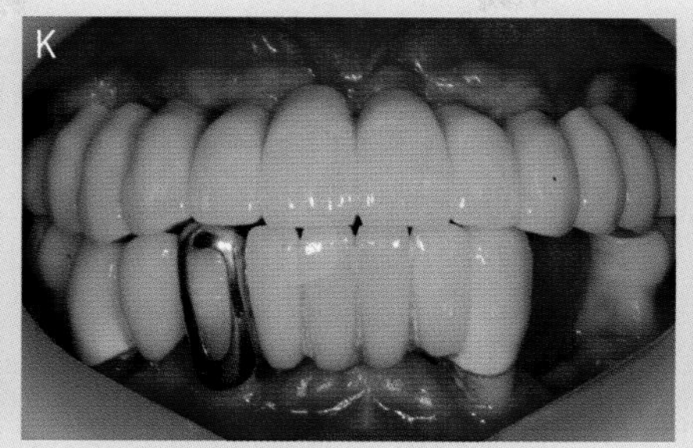

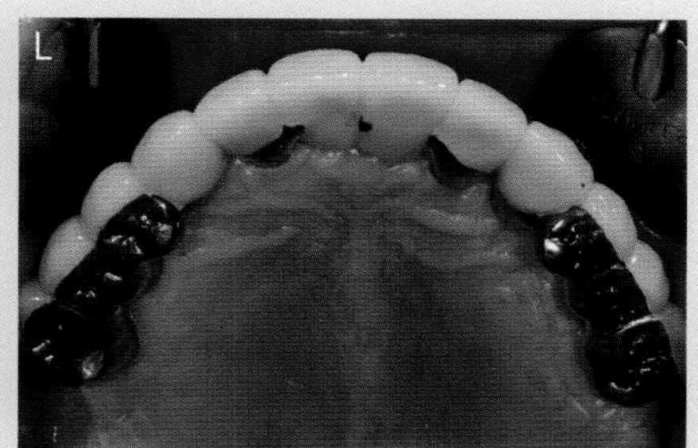

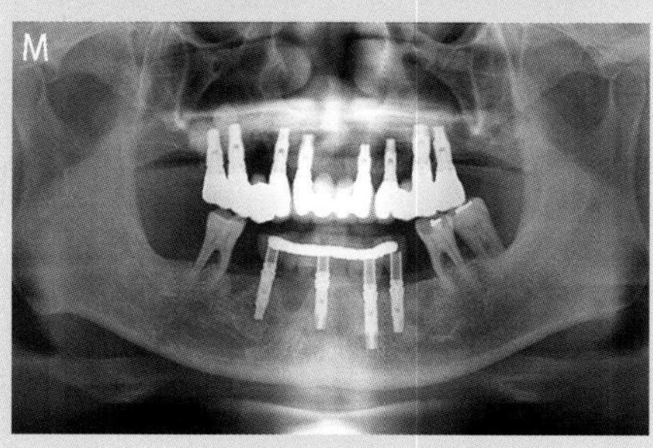

2-84 역시 격벽 전후방의 상악동저 거상을 따로 시행했던 증례이다.

A~J. 상악 전악을 수복했던 증례이다. 좌우측 상악동 모두 격벽이 존재했지만**(A, B)** 우측에만 상악동 골이식이 필요했다. 골창을 개별적으로 형성한 후 상악동저를 따로 거상했다**(E)**. 이후 임플란트를 식립하고 골이식재 또한 개별적으로 적용했다.

K~M. 약 7개월 후 보철 치료를 완성했다. 임상 사진은 보철물 장착 3개월 후 소견이다. 우측 상악동 내의 이식골은 역시 격벽을 중심으로 개별적인 돔 형태를 보인다**(M)**.

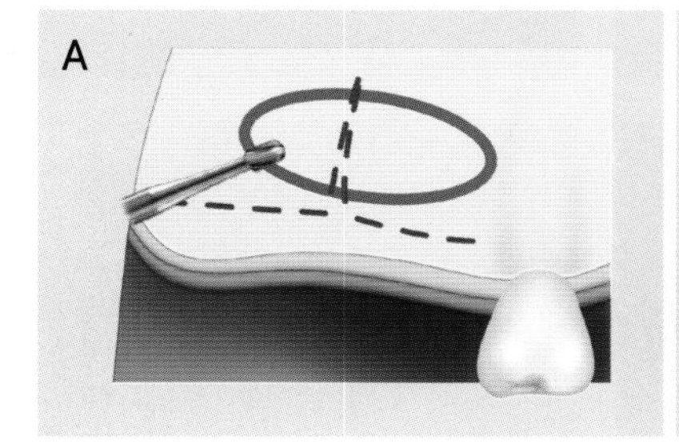

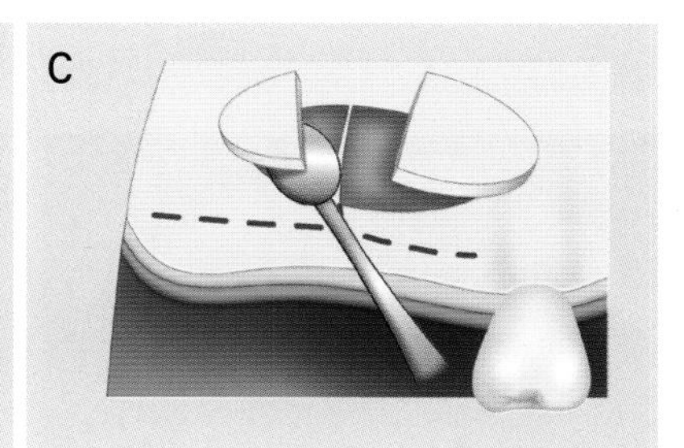

2-85 격벽의 높이가 6 mm 이상인 경우에도 하나의 골창을 형성한 후 격벽부를 다이아몬드 버로 조심스레 제거하여 골창을 형성해 줄 수 있다.

A. 격벽이 높은 증례에서 일반적인 형태의 타원형 골창을 크게 형성한다. **B.** 격벽 부위의 골벽을 다이아몬드 버로 조심스럽게 제거하여 격벽을 노출시킨다. 이때 격벽을 중심으로 전후방 골창은 분리된다. **C.** 격벽 전후방의 골창을 각각 제거한다.

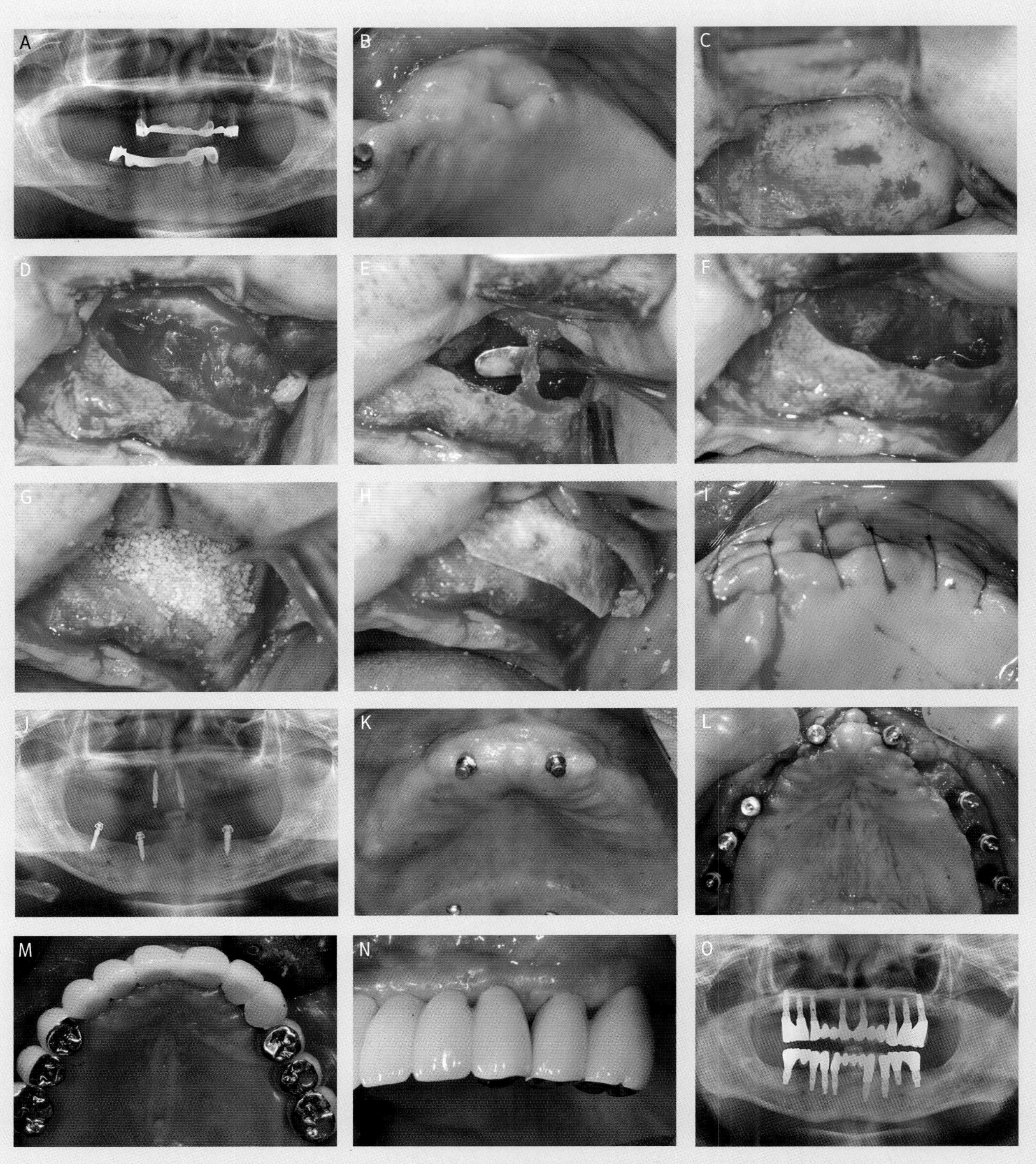

2-86 상악동 막을 거상한 이후 격벽을 제거할 수도 있다. 이는 주로 격벽 후방부에 골이식재를 쉽게 충전하기 위해 시행하는 것이다.

A~J. 상악 전악 수복 증례이다. 양측의 상악동 골이식이 필요하며 좌측 상악동 내에는 격벽이 존재한다**(A)**. 좌측에서 일단 하나의 골창을 형성한 후 격벽 부위를 다이아몬드 버로 제거한 후 격벽 전후방의 골창을 따로 제거했다**(D)**. 격벽 전후방의 상악동저를 개별적으로 거상했다**(E)**. 격벽은 외측 골벽부에서만 높게 존재했고 상악동저를 지나 내측 상악동벽에서는 격벽이 거의 사라졌다. 따라서 격벽 전후방의 상악동 막을 연결하여 거상하고 격벽을 제거했다**(F)**. 이후 합성골과 이종골 이식재를 적용하고**(G)** 합성 차폐막으로 이를 피개한 후**(H)** 수술부를 폐쇄했다**(I)**.

K~L. 약 7개월 후 임플란트 식립을 완료했다. 이식골에 특별한 이상 소견은 보이지 않았다.

M~O. 임플란트 식립 10개월 후 최종 보철물을 연결해 주었다.

일단 상악동 막을 안전하게 거상하였으면 통상적인 방법으로 골이식을 시행한다. 어떤 임상가는 상악동 막을 거상한 후 격벽을 제거하기도 하지만(📷 2-86), 이론적인 견지에서 다음과 같은 장점이 있기 때문에 격벽은 가급적 제거하지 않고 그대로 둔다.[157]

- 상악동 내부 골결손부의 골벽수를 증가시키기 때문에 골형성 능력을 증가시킬 수 있다.
- 이식재를 재위치에 잘 유지시킨다.
- 격벽 부위에 임플란트를 식립할 경우 훌륭한 임플란트 고정원이 된다.

(5) 기타 방향의 격벽이 존재할 때의 대처

격벽이 전후방으로 주행하면 격벽의 내측, 상악동저와 평행하게 존재하면 접근 위치에 따라 격벽의 상부나 하부 둘 중 하나는 원칙적으로 상악동 막 거상이 불가능하다(📷 2-75). 이러한 경우, 격벽의 위치에 따라 치료 계획을 결정한다.

상악동 막 거상이 불가능한 부위가 임플란트 식립과 관계없는 위치이면 상악동 골이식은 그냥 정상적인 방법으로 시행하면 된다. 그러나 상악동 격벽에 의해 접근이 불가능한 부위에 골이식이 필요하다면 치료 방법 자체를 변경하거나(치조정 접근 상악동 골이식이나 짧은 임플란트 식립), 수술 방법을 변형해야 한다. 어떠한 방법으로도 격벽에 의해 접근이 불가능한 부위가 존재하게 되고, 이 부위에 반드시 골증강술이 필요하다면 상악동 막을 의도적으로 천공시키면서 관심 부위의 격벽을 완전히 제거하고나서 3–4개월 후 수술부로 재접근하여 상악동 골이식술을 시행한다(📷 2-87, 88).

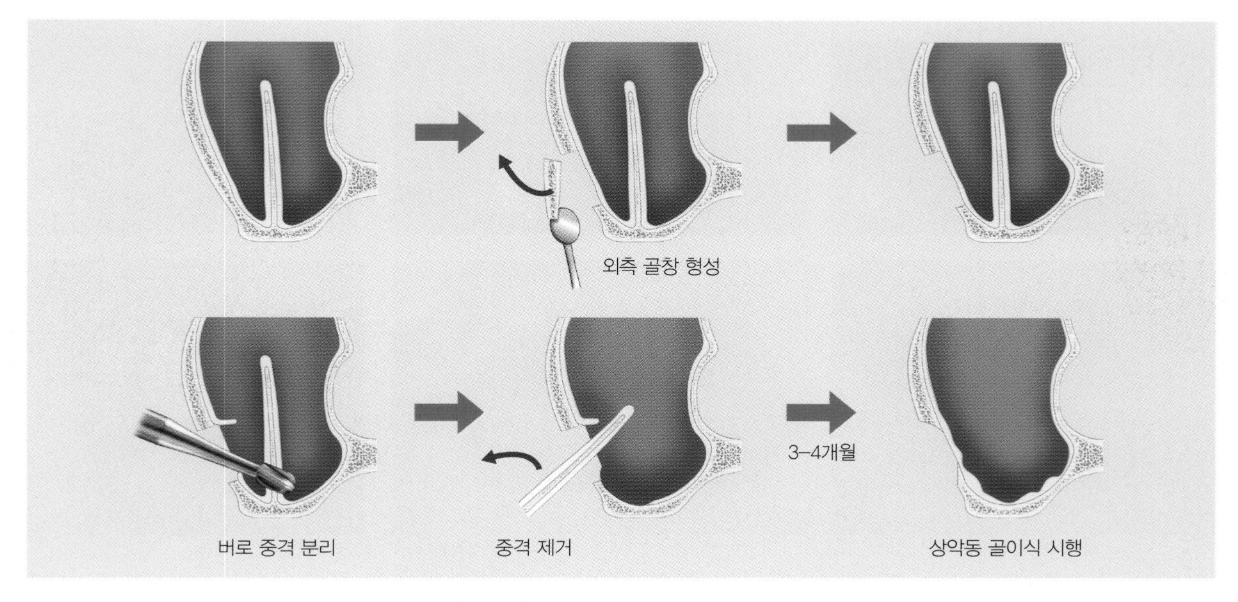

📷 2-87 격벽에 의해 접근이 불가능한 부위가 존재하지만 이 부위에 반드시 골증강술이 필요하다면 상악동 막을 의도적으로 천공시키면서 관심 부위의 격벽을 완전히 제거하고 난 뒤 3–4개월 후 수술부로 재접근하여 상악동 골이식술을 시행한다.

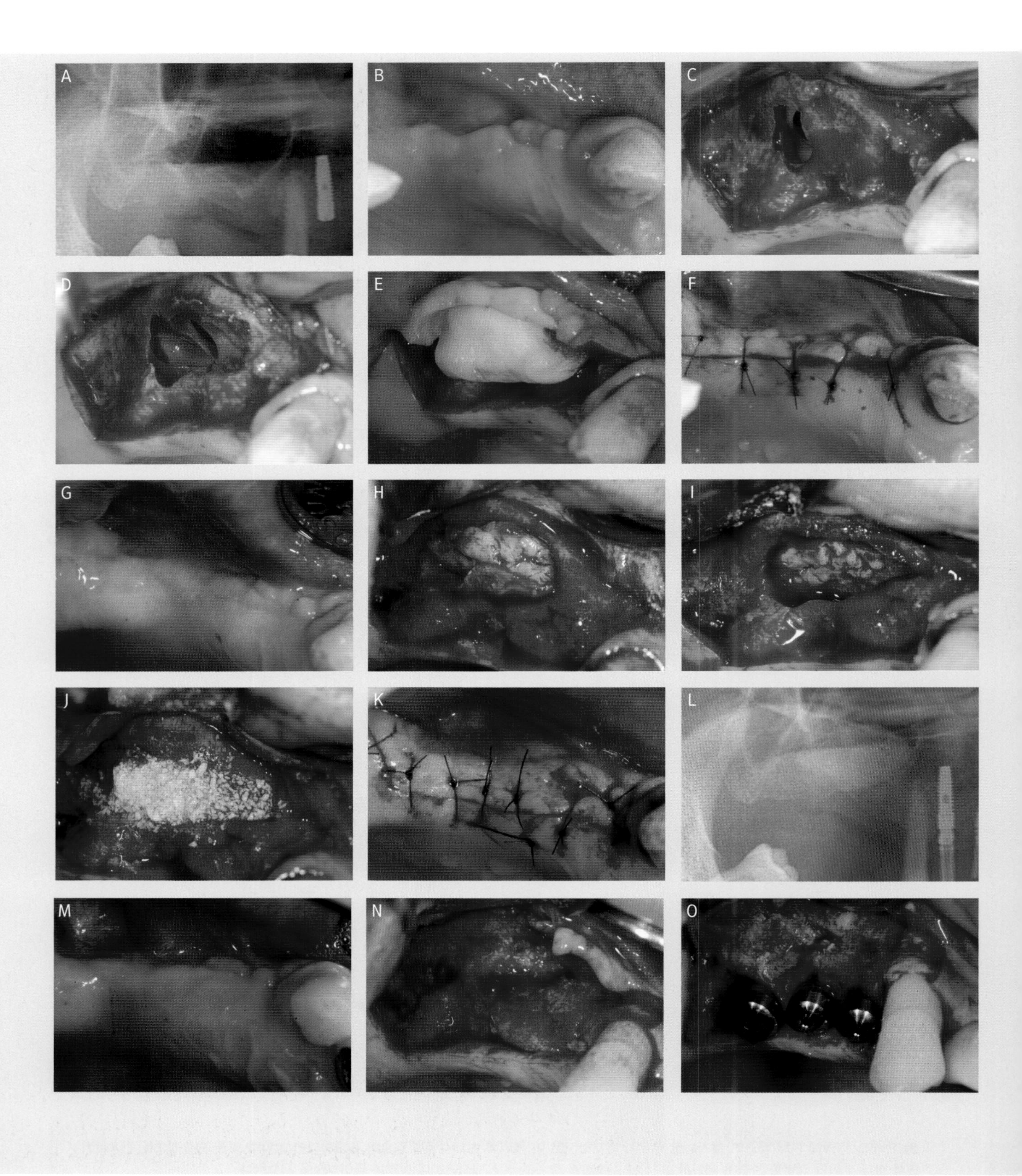
A
B
C
D
E
F
G
H
I
J
K
L
M
N
O

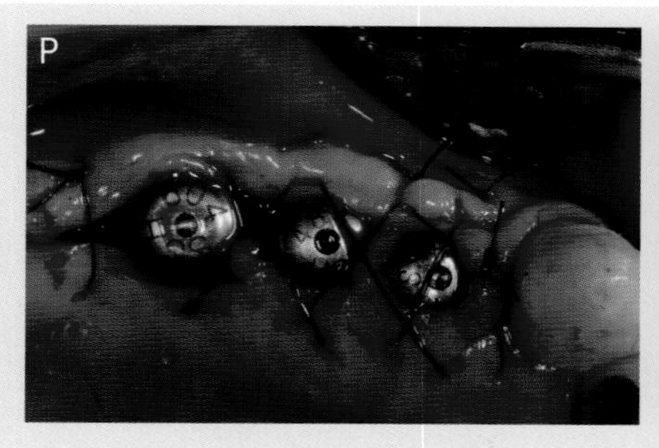

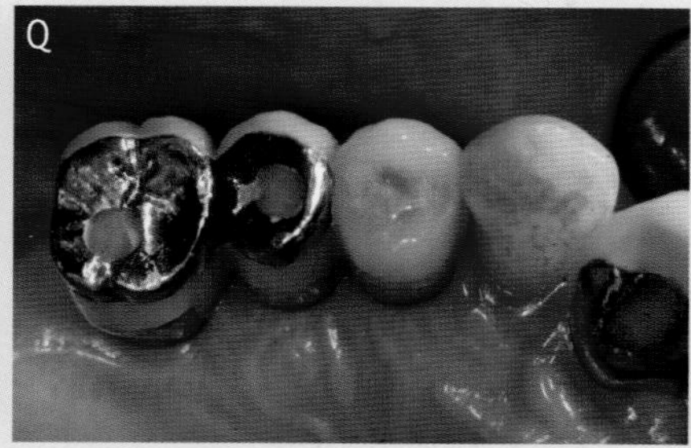

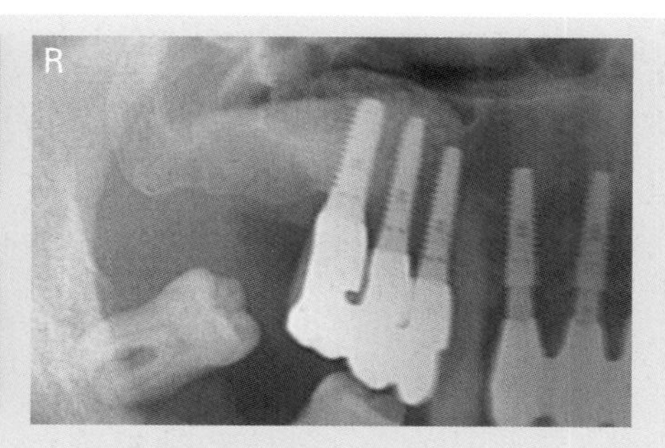

2-88 이 증례에서는 상악동 외측벽 일부가 결손되어 있었고, 따라서 수술부 접근을 위한 박리 중 상악동 막이 천공되었다. 천공의 크기가 컸기 때문에 중격을 완전히 제거하고 치유 기간을 부여한 후 다시 상악동으로 접근했다.

A~F. 술 전 파노라마 방사선사진에서 중격을 확인할 수 있다**(A)**. 피판을 거상했을 때 상악동 외측벽의 결손을 확인할 수 있었고**(C)**, 이 부위의 상악동 막은 크게 천공되었다. 이에 상악동 골이식은 차후에 다시 시행하기로 하고 중격을 론저와 라운드 버로 제거했다**(D)**. 교원질 스폰지를 적용하고 수술부를 폐쇄했다.

G~L. 6개월 후 수술부에 재접근하여 상악동 골이식을 시행했다. 외측 골창 형성부에는 두터운 섬유성 반흔 조직이 관찰되었다**(H)**. 이는 매우 단단하기 때문에 상악동 막 거상 시 가해지는 힘에 저항하여 거상을 힘들게 하지만 또다른 한편으로는 잘 찢어지지 않기 때문에 천공을 막아준다. 반흔성 상악동 막을 거상한 후**(I)**, 이종골을 이식하고 교원질 차폐막을 적용한 후 수술부를 폐쇄했다.

M~P. 다시 수술부에 접근하여 임플란트를 식립했다. 이식골의 골화는 성공적이었다**(O)**.

Q~R. 6개월 후 최종 보철물을 연결해 주었다.

(6) 상악동 막 거상 중 수복 불가능한 천공이 발생했을 때의 대처

만약 상악동 막 거상 중 수복 불가능한 천공이 발생하면 상악동 막의 상태를 고려하지 말고 격벽을 큰 라운드 버로 제거한다. 뾰족한 변연이 남지 않도록 격벽을 완전히 제거해주는 것이 좋다. 그리고 3–4개월 이후 수술부로 재접근하여 정상적인 방법으로 상악동 골이식을 시행한다(2-88).[158] 3–6주 후면 천공된 상악동 막이 임상적으로 충분히 재생되었다는 보고가 있었지만,[159] 전문가들은 상악동 막이 수술 중 천공되면 일반적으로 3–4개월 후 재수술을 시행할 것을 추천한다.

3) 흡연은 상악동 골이식의 금기증인가?

흡연은 해부학적 장해 요소는 아니지만 상악동 골이식에서 중요하게 고려해야 할 환자 요소이기 때문에 여기에서 간단하게 다루어 보도록 하겠다. 보건복지부에 의하면, 2018년 19세 이상 한국 성인의 흡연율은 22.4%이며 남성은 36.7%, 여성은 7.5%이다. 단순하게 계산했을 때 상악동 골이식을 시행받을 남성 환자 중 1/3 정도는 흡연자인 것이다.

흡연은 국소적 혈류량을 감소시키고, 치주 조직과 임플란트 주위 조직의 면역/염증/치유 과정에 악영향을 미치는 위험 요소로 널리 알려져 있다.[160–162] 특히 골증강술과 관련해서는, 흡연이 골–임플란트간 접촉, 골충전량, 재생골의 질에 악영향을 미칠 수 있음이 동물 연구를 통해 밝혀진 바 있다.[163–166]

(1) 흡연 환자에서 상악동 막이 더 잘 천공되는지는 확실하지 않다

흡연 여부가 상악동 막의 조직학적, 물리적 성질에 어떤 영향을 미치는지 명확하진 않지만, 한 메타분석에서는 흡연자에서 상악동 막 두께는 유의하게 두꺼워진다고 했으며, 이는 아마도 만성 자극에 의한 염증성 변화로 생각되었다.[39] 흡연은 상악동 골이식 중 상악동 막 천공을 증가시킬 수도 있다. 2015년의 후향적 연구에서는 흡연이 상악동 막 천공(오즈비 4.8), 술 후 상악동염(오즈비 12.3), 창상 열개(오즈비 16.1)에 유의하고 현저한 악영향을 미쳤다고 보고했다. 그러나 다른 후향적 연구에서는 낮은 잔존골 높이(오즈비 6.808)와 격벽의 존재(오즈비 4.023)만이 상악동 막 천공에 유의한 영향을 미쳤고, 흡연은 별다른 영향을 미치지 못했다고 했다.[167]

(2) 흡연은 상악동 골이식 후 식립한 임플란트의 성공률을 현저하게 저하시킨다

2014년의 한 메타분석에서는 흡연이 상악동 골이식 부위에 식립한 임플란트의 실패에 미치는 영향을 분석했다.[168] 총 7개의 일차 문헌이 메타분석에 포함되었으며, 전체 연구에서 흡연자와 비흡연자에서 임플란트 실패의 오즈비는 1.87이었고, 이는 유의한 차이를 보이는 것이었다(95% CI 1.35–2.58). 그러나 포함된 연구를 전향적 연구와 후향적 연구로 구분하면 그 결과에 차이를 보였는데, 전향적 연구에서는 흡연 시 임플란트의 실패 확률이 높긴 하지만 그 차이가 통계학적으로 유의하진 않았다(오즈비 1.55, 95% CI 0.91–2.65). 반면 후향적 연구에서는 오즈비가 2.07이었고, 이는 유의한 차이를 보이는 것이었다(95% CI 1.38–3.10). 후향적 연구에서는 연구 참여자에 대한 선택 편향이 발생하고, 이는 다른 교란 요소에 의한 오염에 따른 것이다. 따라서 후향적 연구에서는 원인 요소에 노출되는 여부에 따라 결과에 더 큰 차이를 보일 가능성이 높다. 결국 전향적 코호트 연구나, 엄정하게 수행되고 통계학적인 보정을 가한(다변량 분석 등) 후향적 연구의 결과가 더 필요하다. 2018년의 한 메타분석에서는 전향적 연구만을 포함했는데, 흡연이 상악동 골이식 부위에 식립한 임플란트의 실패 가능성을 4.8배(상대적 위험도 4.8, 95% CI 1.2–19.4) 증가시켰다고 했다.[169] 그러나 역시 포함된 문헌의 근거 수준은 그다지 높지 못했다고 했다. 이들 두 메타분석에서 임플란트의 실패로 표현된 흡연의 위험도에는 큰 차이를 보였지만, 어쨌건 상악동 골이식 후 식립한 임플란트는 비흡연자에 비해 흡연자에서 실패할 가능성이 대략 2–5배 더 높다고 결론 내릴 수 있다.

2010년대 중반 이후로는 다변량 분석법과 오즈비 계산 등을 통해 좀 더 교란 요소를 줄이고 정량적인 분석을 시행한 연구들이 보고되고 있다. 2019년에 발표된, 장기간(~20년) 추적 관찰된 환자들에서 상악동 골이식술의 위험 요소에 대한 후향적 연구에서는, 상악동 골이식 부위에 식립한 전체 임플란트의 20년 누적 생존율은 85%였고, 수술 전 잔존골 높이(3 mm 이상 92.4%, 3 mm 미만 78.8%)와 흡연 여부(비흡연자 90.0%, 흡연자 77.1%)만이 임플란트의 장기적 생존에 유의한 영향을 미쳤다고 했다. 2018년의 한 후향적 연구에서는 치료 결과에 영향을 줄 수 있는 여러 가지 요소와, 상악동 골이식된 부위에 식립한 임플란트의 생존 간에 어떠한 관계가 있는지를 다변량 분석을 통해 확인했다. 그 결과, 유일하게 흡연 여부와 수술 전 잔존골 높이만이 임플란트의 생존에 유의한 영향을 미쳤으며, 특히 흡연은 아주 현저한 영향을 미쳤다. 흡연자와 비흡연자에서 임플란트 실패의 오즈비는 8.3이었다.[170] 2019년에 시행된 메타분석은 임플란트 실패에 유의한 영향을 미치는 두 요소는 흡연 여부와 잔존골 높이였다고 보고했다.[171] 이상의 연구들을 정리해보면 상악동 골이식 후 임플란트 실패에는 수술 전 잔존골 높이(3 mm 기준)가 가장 큰 영향을 미치지만, 환자의 흡연 여부도 중요한 영향을 미친다는 사실을 알 수 있다.

그러나 개별 연구에서 흡연자의 기준이 제각각이었던 데다가 편향의 가능성을 제대로 통제하지 못한 경우가 대부분이었기 때문에 좀 더 확고한 기준으로 선정된 환자들에 대해 대규모의 전향적 코호트 연구가 필요하다고 생각된다. 또한 흡연이 상악동 골이식술로 형성된 신생골에 악영향을 미치는지, 임플란트와 신생골 간의 유착에 영향을 미치는지, 아니면 두 과정 모두에 악영향을 미치는지는 아직까지 밝혀지지 못한 상태이다. 한 후향적 연구의 결과에 의하면, 흡연은 상악동 골이식술 자체보다는 신생골과 임플란트 간의 골유착에 더 큰 악영향을 미칠 가능성이 높다.[167]

(3) 흡연 환자는 어떻게 대처해야 하는가?

흡연 환자에 대한 대처는 흡연의 위험성에 대해 환자에게 고지하는 것과 금연을 시행토록 하는 것으로 나뉜다.

① 흡연의 위험성 고지

흡연은 상악동 골이식 후 식립한 임플란트의 실패 가능성을 2–5배가량 높이며, 상악동 골이식 후 식립한 임플란트가 실패하는 가장 주요한 원인이 됨을 미리 환자에게 고지하고 필요시 동의서를 받는다. 이를 통해 금연을 거부한 환자에서 상악동 골이식이 실패하더라도 분쟁의 여지를 줄여줄 수 있을 것이다.

② 금연 프로토콜 시행

흡연자가 금연하게 되면 임플란트 치료의 결과에 어떤 영향을 미치는지, 그리고 금연 프로토콜은 어떻게 시행해야 하는지에 대해서는 사실 밝혀진 바가 거의 없다. 한 동물 실험에서는 지속적으로 흡연을 시킨 개체의 임플란트 주위골 밀도는 흡연을 시키지 않은 개체의 골밀도보다 유의하게 저하되었지만, 금연시킨 개체의 임플란트 주위골 밀도는 흡연을 하지 않는 개체의 밀도와 큰 차이를 보이지 않았다고 했다.[165] 임플란트 치료와 관련되어 금연의 효과를 평가한 유일한 임상 연구에서는 금연자와 비흡연자의 임플란트 실패율에는 차이를 보이지 않았지만, 흡연자는 비흡연자/금연자에 비해 임플란트의 실패율이 유의하게 높았다고 보고했다.[172] 이 연구에서는 "수술 1주 전부터 수술 8주 후까지" 금연을 시행했다.

참고문헌

1. Testori T, Weinstein T, Taschieri S, Wallace SS. Risk factors in lateral window sinus elevation surgery. *Periodontol 2000.* 2019;81(1):91-123.
2. Ritter FN. *The paranasal sinuses : anatomy and surgical technique.* 2d ed. St. Louis: Mosby; 1978.
3. Kim HJ, Yoon HR, Kim KD, et al. Personal-computer-based three-dimensional reconstruction and simulation of maxillary sinus. *Surg Radiol Anat.* 2003;24(6):393-399.
4. May M, Sobol SM, Korzec K. The location of the maxillary os and its importance to the endoscopic sinus surgeon. *Laryngoscope.* 1990;100(10 Pt 1):1037-1042.
5. H S. *Functional endoscopic sinus surgery: the Messerklinger technique.* Philadelphia, PA: BC Decker; 1991.
6. Timmenga NM, Raghoebar GM, Boering G, van Weissenbruch R. Maxillary sinus function after sinus lifts for the insertion of dental implants. *J Oral Maxillofac Surg.* 1997;55(9):936-939;discussion 940.
7. Jun BC, Song SW, Park CS, Lee DH, Cho KJ, Cho JH. The analysis of maxillary sinus aeration according to aging process; volume assessment by 3-dimensional reconstruction by high-resolutional CT scanning. *Otolaryngol Head Neck Surg.* 2005;132(3):429-434.
8. Ikeda A, Ikeda M, Komatsuzaki A. A CT study of the course of growth of the maxillary sinus: normal subjects and subjects with chronic sinusitis. *ORL J Otorhinolaryngol Relat Spec.* 1998;60(3):147-152.
9. Ariji Y, Kuroki T, Moriguchi S, Ariji E, Kanda S. Age changes in the volume of the human maxillary sinus: a study using computed tomography. *Dentomaxillofac Radiol.* 1994;23(3):163-168.
10. Rosen MD, Sarnat BG. Change of volume of the maxillary sinus of the dog after extraction of adjacent teeth. *Oral Surg Oral Med Oral Pathol.* 1955;8(4):420-429.
11. Harorh A, Bocutoğlu O. The comparison of vertical height and width of maxillary sinus by means of Waters' view radiograms taken from dentate and edentulous cases. *Ann Dent.* 1995;54(1-2):47-49.
12. Sharan A, Madjar D. Maxillary sinus pneumatization following extractions: a radiographic study. *Int J Oral Maxillofac Implants.* 2008;23(1):48-56.
13. Tallgren A. The continuing reduction of the residual alveolar ridges in complete denture wearers: a mixed-longitudinal study covering 25 years. *J Prosthet Dent.* 1972;27(2):120-132.
14. Ulm CW, Solar P, Gsellmann B, Matejka M, Watzek G. The edentulous maxillary alveolar process in the region of the maxillary sinus--a study of physical dimension. *Int J Oral Maxillofac Surg.* 1995;24(4):279-282.
15. Thomas A, Raman R. A comparative study of the pneumatization of the mastoid air cells and the frontal and maxillary sinuses. *AJNR Am J Neuroradiol.* 1989;10(5 Suppl):S88.

16. Shapiro R, Schorr S. A consideration of the systemic factors that influence frontal sinus pneumatization. *Invest Radiol.* 1980;15(3):191-202.
17. Drettner B. Measurements of the resistance of the maxillary ostium. *Acta Otolaryngol.* 1965;60(6):499-505.
18. Kosko JR, Hall BE, Tunkel DE. Acquired maxillary sinus hypoplasia: a consequence of endoscopic sinus surgery? *Laryngoscope.* 1996;106(10):1210-1213.
19. Avery JK, Chiego DJ. *Essentials of oral histology and embryology : a clinical approach.* 3rd ed. St. Louis, Mo.: Mosby Elsevier; 2006.
20. Insua A, Monje A, Urban I, et al. The Sinus Membrane-Maxillary Lateral Wall Complex: Histologic Description and Clinical Implications for Maxillary Sinus Floor Elevation. *Int J Periodontics Restorative Dent.* 2017;37(6):e328-e336.
21. Mogensen C, Tos M. Quantitative histology of the maxillary sinus. *Rhinology.* 1977;15(3):129-140.
22. Carmeli G, Artzi Z, Kozlovsky A, Segev Y, Landsberg R. Antral computerized tomography pre-operative evaluation: relationship between mucosal thickening and maxillary sinus function. *Clin Oral Implants Res.* 2011;22(1):78-82.
23. Pommer B, Unger E, SütöD, Hack N, Watzek G. Mechanical properties of the Schneiderian membrane in vitro. *Clin Oral Implants Res.* 2009;20(6):633-637.
24. Pommer B, Unger E, Suto D, Hack N, Watzek G. Mechanical properties of the Schneiderian membrane in vitro. *Clin Oral Implants Res.* 2009;20(6):633-637.
25. Gruber R, Kandler B, Fuerst G, Fischer MB, Watzek G. Porcine sinus mucosa holds cells that respond to bone morphogenetic protein (BMP)-6 and BMP-7 with increased osteogenic differentiation in vitro. *Clin Oral Implants Res.* 2004;15(5):575-580.
26. Srouji S, Kizhner T, Ben David D, Riminucci M, Bianco P, Livne E. The Schneiderian membrane contains osteoprogenitor cells: in vivo and in vitro study. *Calcif Tissue Int.* 2009;84(2):138-145.
27. Sohn DS, Moon JW, Lee WH, et al. Comparison of new bone formation in the maxillary sinus with and without bone grafts: immunochemical rabbit study. *Int J Oral Maxillofac Implants.* 2011;26(5):1033-1042.
28. Palma VC, Magro-Filho O, de Oliveria JA, Lundgren S, Salata LA, Sennerby L. Bone reformation and implant integration following maxillary sinus membrane elevation: an experimental study in primates. *Clin Implant Dent Relat Res.* 2006;8(1):11-24.
29. Scala A, Botticelli D, Rangel IG, Jr., de Oliveira JA, Okamoto R, Lang NP. Early healing after elevation of the maxillary sinus floor applying a lateral access: a histological study in monkeys. *Clin Oral Implants Res.* 2010;21(12):1320-1326.
30. Scala A, Botticelli D, Faeda RS, Garcia Rangel I, Jr., Américo de Oliveira J, Lang NP. Lack of influence of

the Schneiderian membrane in forming new bone apical to implants simultaneously installed with sinus floor elevation: an experimental study in monkeys. *Clin Oral Implants Res*. 2012;23(2):175-181.

31. Scala A, Lang NP, Velez JU, Favero R, Bengazi F, Botticelli D. Effects of a collagen membrane positioned between augmentation material and the sinus mucosa in the elevation of the maxillary sinus floor. An experimental study in sheep. *Clin Oral Implants Res*. 2016;27(11):1454-1461.
32. Rong Q, Li X, Chen SL, Zhu SX, Huang DY. Effect of the Schneiderian membrane on the formation of bone after lifting the floor of the maxillary sinus: an experimental study in dogs. *Br J Oral Maxillofac Surg*. 2015;53(7):607-612.
33. Favero V, Lang NP, Canullo L, Urbizo Velez J, Bengazi F, Botticelli D. Sinus floor elevation outcomes following perforation of the Schneiderian membrane. An experimental study in sheep. *Clin Oral Implants Res*. 2016;27(2):233-240.
34. Iida T, Carneiro Martins Neto E, Botticelli D, Apaza Alccayhuaman KA, Lang NP, Xavier SP. Influence of a collagen membrane positioned subjacent the sinus mucosa following the elevation of the maxillary sinus. A histomorphometric study in rabbits. *Clin Oral Implants Res*. 2017;28(12):1567-1576.
35. Jung UW, Unursaikhan O, Park JY, Lee JS, Otgonbold J, Choi SH. Tenting effect of the elevated sinus membrane over an implant with adjunctive use of a hydroxyapatite-powdered collagen membrane in rabbits. *Clin Oral Implants Res*. 2015;26(6):663-670.
36. Qian SJ, Mo JJ, Shi JY, Gu YX, Si MS, Lai HC. Endo-sinus bone formation after transalveolar sinus floor elevation without grafting with simultaneous implant placement: Histological and histomorphometric assessment in a dog model. *J Clin Periodontol*. 2018;45(9):1118-1127.
37. Jungner M, Cricchio G, Salata LA, et al. On the Early Mechanisms of Bone Formation after Maxillary Sinus Membrane Elevation: An Experimental Histological and Immunohistochemical Study. *Clin Implant Dent Relat Res*. 2015;17(6):1092-1102.
38. Aimetti M, Massei G, Morra M, Cardesi E, Romano F. Correlation between gingival phenotype and Schneiderian membrane thickness. *Int J Oral Maxillofac Implants*. 2008;23(6):1128-1132.
39. Monje A, Diaz KT, Aranda L, Insua A, Garcia-Nogales A, Wang HL. Schneiderian Membrane Thickness and Clinical Implications for Sinus Augmentation: A Systematic Review and Meta-Regression Analyses. *J Periodontol*. 2016;87(8):888-899.
40. Insua A, Monje A, Chan HL, Zimmo N, Shaikh L, Wang HL. Accuracy of Schneiderian membrane thickness: a cone-beam computed tomography analysis with histological validation. *Clin Oral Implants Res*. 2017;28(6):654-661.
41. Janner SF, Caversaccio MD, Dubach P, Sendi P, Buser D, Bornstein MM. Characteristics and dimensions

of the Schneiderian membrane: a radiographic analysis using cone beam computed tomography in patients referred for dental implant surgery in the posterior maxilla. *Clin Oral Implants Res.* 2011;22(12):1446-1453.

42. Cagici CA, Yilmazer C, Hurcan C, Ozer C, Ozer F. Appropriate interslice gap for screening coronal paranasal sinus tomography for mucosal thickening. *Eur Arch Otorhinolaryngol.* 2009;266(4):519-525.
43. Wen SC, Lin YH, Yang YC, Wang HL. The influence of sinus membrane thickness upon membrane perforation during transcrestal sinus lift procedure. *Clin Oral Implants Res.* 2015;26(10):1158-1164.
44. Marin S, Kirnbauer B, Rugani P, Payer M, Jakse N. Potential risk factors for maxillary sinus membrane perforation and treatment outcome analysis. *Clin Implant Dent Relat Res.* 2019;21(1):66-72.
45. Yilmaz HG, Tözüm TF. Are gingival phenotype, residual ridge height, and membrane thickness critical for the perforation of maxillary sinus? *J Periodontol.* 2012;83(4):420-425.
46. Vallo J, Suominen-Taipale L, Huumonen S, Soikkonen K, Norblad A. Prevalence of mucosal abnormalities of the maxillary sinus and their relationship to dental disease in panoramic radiography: results from the Health 2000 Health Examination Survey. *Oral Surg Oral Med Oral Pathol Oral Radiol Endod.* 2010;109(3):e80-87.
47. Yoo JY, Pi SH, Kim YS, Jeong SN, You HK. Healing pattern of the mucous membrane after tooth extraction in the maxillary sinus. *J Periodontal Implant Sci.* 2011;41(1):23-29.
48. Chen Y, Yuan S, Zhou N, Man Y. Transcrestal sinus floor augmentation with immediate implant placement applied in three types of fresh extraction sockets: A clinical prospective study with 1-year follow-up. *Clin Implant Dent Relat Res.* 2017;19(6):1034-1043.
49. Engström H, Chamberlain D, Kiger R, Egelberg J. Radiographic evaluation of the effect of initial periodontal therapy on thickness of the maxillary sinus mucosa. *J Periodontol.* 1988;59(9):604-608.
50. Connor SE, Chavda SV, Pahor AL. Computed tomography evidence of dental restoration as aetiological factor for maxillary sinusitis. *J Laryngol Otol.* 2000;114(7):510-513.
51. Rodrigues CD, Freire GF, Silva LB, Fonseca da Silveira MM, Estrela C. Prevalence and risk factors of mucous retention cysts in a Brazilian population. *Dentomaxillofac Radiol.* 2009;38(7):480-483.
52. Tarp B, Fiirgaard B, Christensen T, Jensen JJ, Black FT. The prevalence and significance of incidental paranasal sinus abnormalities on MRI. *Rhinology.* 2000;38(1):33-38.
53. Lum AG, Ogata Y, Pagni SE, Hur Y. Association Between Sinus Membrane Thickness and Membrane Perforation in Lateral Window Sinus Augmentation: A Retrospective Study. *J Periodontol.* 2017;88(6):543-549.
54. Rapani M, Rapani C, Ricci L. Schneider membrane thickness classification evaluated by cone-beam

computed tomography and its importance in the predictability of perforation. Retrospective analysis of 200 patients. *Br J Oral Maxillofac Surg.* 2016;54(10):1106-1110.

55. Insua A, Monje-Gil F, García-Caballero L, Caballé-Serrano J, Wang HL, Monje A. Mechanical characteristics of the maxillary sinus Schneiderian membrane ex vivo. *Clin Oral Investig.* 2018;22(3):1139-1145.
56. Guo ZZ, Liu Y, Qin L, Song YL, Xie C, Li DH. Longitudinal response of membrane thickness and ostium patency following sinus floor elevation: a prospective cohort study. *Clin Oral Implants Res.* 2016;27(6):724-729.
57. Qin L, Lin SX, Guo ZZ, et al. Influences of Schneiderian membrane conditions on the early outcomes of osteotome sinus floor elevation technique: a prospective cohort study in the healing period. *Clin Oral Implants Res.* 2017;28(9):1074-1081.
58. Timmenga NM, Raghoebar GM, Liem RS, van Weissenbruch R, Manson WL, Vissink A. Effects of maxillary sinus floor elevation surgery on maxillary sinus physiology. *Eur J Oral Sci.* 2003;111(3):189-197.
59. Manor Y, Mardinger O, Bietlitum I, Nashef A, Nissan J, Chaushu G. Late signs and symptoms of maxillary sinusitis after sinus augmentation. *Oral Surg Oral Med Oral Pathol Oral Radiol Endod.* 2010;110(1):e1-4.
60. Anavi Y, Allon DM, Avishai G, Calderon S. Complications of maxillary sinus augmentations in a selective series of patients. *Oral Surg Oral Med Oral Pathol Oral Radiol Endod.* 2008;106(1):34-38.
61. Havas TE, Motbey JA, Gullane PJ. Prevalence of incidental abnormalities on computed tomographic scans of the paranasal sinuses. *Arch Otolaryngol Head Neck Surg.* 1988;114(8):856-859.
62. Soikkonen K, Ainamo A. Radiographic maxillary sinus findings in the elderly. *Oral Surg Oral Med Oral Pathol Oral Radiol Endod.* 1995;80(4):487-491.
63. Cha JY, Mah J, Sinclair P. Incidental findings in the maxillofacial area with 3-dimensional cone-beam imaging. *Am J Orthod Dentofacial Orthop.* 2007;132(1):7-14.
64. Pazera P, Bornstein MM, Pazera A, Sendi P, Katsaros C. Incidental maxillary sinus findings in orthodontic patients: a radiographic analysis using cone-beam computed tomography (CBCT). *Orthod Craniofac Res.* 2011;14(1):17-24.
65. Ritter L, Lutz J, Neugebauer J, et al. Prevalence of pathologic findings in the maxillary sinus in cone-beam computerized tomography. *Oral Surg Oral Med Oral Pathol Oral Radiol Endod.* 2011;111(5):634-640.
66. Friedland B, Metson R. A guide to recognizing maxillary sinus pathology and for deciding on further preoperative assessment prior to maxillary sinus augmentation. *Int J Periodontics Restorative Dent.* 2014;34(6):807-815.
67. Chan HL, Wang HL. Sinus pathology and anatomy in relation to complications in lateral window sinus

augmentation. *Implant Dent.* 2011;20(6):406-412.

68. Lana JP, Carneiro PM, Machado Vde C, de Souza PE, Manzi FR, Horta MC. Anatomic variations and lesions of the maxillary sinus detected in cone beam computed tomography for dental implants. *Clin Oral Implants Res.* 2012;23(12):1398-1403.
69. Beaumont C, Zafiropoulos GG, Rohmann K, Tatakis DN. Prevalence of maxillary sinus disease and abnormalities in patients scheduled for sinus lift procedures. *J Periodontol.* 2005;76(3):461-467.
70. Kara MI, Kirmali O, Ay S. Clinical evaluation of lateral and osteotome techniques for sinus floor elevation in the presence of an antral pseudocyst. *Int J Oral Maxillofac Implants.* 2012;27(5):1205-1210.
71. Feng Y, Tang Y, Liu Y, Chen F, Li D. Maxillary sinus floor elevation using the osteotome technique in the presence of antral pseudocysts: a retrospective study with an average follow-up of 27 months. *Int J Oral Maxillofac Implants.* 2014;29(2):408-413.
72. Shanbhag S, Shanbhag V, Stavropoulos A. Volume changes of maxillary sinus augmentations over time: a systematic review. *Int J Oral Maxillofac Implants.* 2014;29(4):881-892.
73. Insua A, Monje A, Chan HL, Wang HL. Association of Inflammatory Status and Maxillary Sinus Schneiderian Membrane Thickness. *Clin Oral Investig.* 2018;22(1):245-254.
74. Kaliner MA, Osguthorpe JD, Fireman P, et al. Sinusitis: bench to bedside. Current findings, future directions. *J Allergy Clin Immunol.* 1997;99(6 Pt 3):S829-848.
75. Neville BW. *Oral and maxillofacial pathology.* 3rd ed. St. Louis, Mo.: Saunders/Elsevier; 2009.
76. Jensen OT. *The sinus bone graft.* 2nd ed. Chicago: Quintessence Pub. Co.; 2006.
77. Lanza DC, Kennedy DW. Current concepts in the surgical management of chronic and recurrent acute sinusitis. *J Allergy Clin Immunol.* 1992;90(3 Pt 2):505-510; discussion 511.
78. Narkio-Makela M, Qvarnberg Y. Endoscopic sinus surgery or Caldwell-Luc operation in the treatment of chronic and recurrent maxillary sinusitis. *Acta Otolaryngol Suppl.* 1997;529:177-180.
79. Melen I, Lindahl L, Andreasson L, Rundcrantz H. Chronic maxillary sinusitis. Definition, diagnosis and relation to dental infections and nasal polyposis. *Acta Otolaryngol.* 1986;101(3-4):320-327.
80. Lopatin AS, Sysolyatin SP, Sysolyatin PG, Melnikov MN. Chronic maxillary sinusitis of dental origin: is external surgical approach mandatory? *Laryngoscope.* 2002;112(6):1056-1059.
81. Mehra P, Murad H. Maxillary sinus disease of odontogenic origin. *Otolaryngol Clin North Am.* 2004;37(2):347-364.
82. Albu S, Baciut M. Failures in endoscopic surgery of the maxillary sinus. *Otolaryngol Head Neck Surg.* 2010;142(2):196-201.
83. Melén I, Lindahl L, Andréasson L, Rundcrantz H. Chronic maxillary sinusitis. Definition, diagnosis and

relation to dental infections and nasal polyposis. *Acta Otolaryngol.* 1986;101(3-4):320-327.

84. Dykewicz MS, Hamilos DL. Rhinitis and sinusitis. *J Allergy Clin Immunol.* 2010;125(2 Suppl 2):S103-115.
85. Gardner DG. Pseudocysts and retention cysts of the maxillary sinus. *Oral Surg Oral Med Oral Pathol.* 1984;58(5):561-567.
86. East D. Mucocoeles of the maxillary antrum. Description, case reports and review of the literature. *J Laryngol Otol.* 1985;99(1):49-56.
87. Maeda Y, Osaki T, Yoneda K, Hirota J. Clinico-pathologic studies on post-operative maxillary cysts. *Int J Oral Maxillofac Surg.* 1987;16(6):682-687.
88. Garg AK, Mugnolo GM, Sasken H. Maxillary antral mucocele and its relevance for maxillary sinus augmentation grafting: a case report. *Int J Oral Maxillofac Implants.* 2000;15(2):287-290.
89. Giotakis EI, Weber RK. Cysts of the maxillary sinus: a literature review. *Int Forum Allergy Rhinol.* 2013;3(9):766-771.
90. Friedland B, Metson R. A guide to recognizing maxillary sinus pathology and for deciding on further preoperative assessment prior to maxillary sinus augmentation. *International Journal of Periodontics & Restorative Dentistry.* 2014;34(6).
91. Kara M, Kirmali O, Ay S. Clinical evaluation of lateral and osteotome techniques for sinus floor elevation in the presence of an antral pseudocyst. *International Journal of Oral & Maxillofacial Implants.* 2012;27(5).
92. Mardinger O, Manor I, Mijiritsky E, Hirshberg A. Maxillary sinus augmentation in the presence of antral pseudocyst: a clinical approach. *Oral Surgery, Oral Medicine, Oral Pathology, Oral Radiology, and Endodontology.* 2007;103(2):180-184.
93. Tang ZH, Wu MJ, Xu WH. Implants placed simultaneously with maxillary sinus floor augmentations in the presence of antral pseudocysts: a case report. *Int J Oral Maxillofac Surg.* 2011;40(9):998-1001.
94. Cortes AR, Corrêa L, Arita ES. Evaluation of a maxillary sinus floor augmentation in the presence of a large antral pseudocyst. *J Craniofac Surg.* 2012;23(6):e535-537.
95. Wang M, Yan M, Xia H, Zhao Y. Sinus Elevation Through Transcrestal Window Approach and Delayed Implant Placement in 1- to 2-mm Residual Alveolar Bone: A Case Report. *Implant Dent.* 2016;25(6):866-869.
96. Celebi N, Gonen ZB, Kilic E, Etoz O, Alkan A. Maxillary sinus floor augmentation in patients with maxillary sinus pseudocyst: case report. *Oral Surg Oral Med Oral Pathol Oral Radiol Endod.* 2011;112(6):e97-102.
97. Gong T, Hu C, Chen Y, Zhou N, Wu H, Man Y. Raising the transcrestal sinus floor in the presence of antral pseudocysts, and in sinus floors with a normal Schneiderian membrane: a retrospective cohort study.

British Journal of Oral and Maxillofacial Surgery. 2019;57(5):466-472.

98. Testori T, Mantovani M, Wallace S, Capelli M, Fumagalli L, Parenti A. Maxillary sinus elevation with simultaneous cyst deflation: a clinical prospective study. *Int J Periodontics Restorative Dent*. 2015.
99. Yu H, Qiu L. Histological and clinical outcomes of lateral sinus floor elevation with simultaneous removal of a maxillary sinus pseudocyst. *Clin Implant Dent Relat Res*. 2019;21(1):94-100.
100. Oh JH, An X, Jeong SM, Choi BH. Crestal Sinus Augmentation in the Presence of an Antral Pseudocyst. *Implant Dent*. 2017;26(6):951-955.
101. Yu H, Qiu L. Histological and clinical outcomes of lateral sinus floor elevation with simultaneous removal of a maxillary sinus pseudocyst. *Clinical implant dentistry and related research*. 2019;21(1):94-100.
102. Chan H-L, Wang H-L. Sinus pathology and anatomy in relation to complications in lateral window sinus augmentation. *Implant Dentistry*. 2011;20(6):406-412.
103. Lin Y, Hu X, Metzmacher A-R, Luo H, Heberer S, Nelson K. Maxillary sinus augmentation following removal of a maxillary sinus pseudocyst after a shortened healing period. *Journal of oral and maxillofacial surgery*. 2010;68(11):2856-2860.
104. Hadar T, Shvero J, Nageris BI, Yaniv E. Mucus retention cyst of the maxillary sinus: the endoscopic approach. *Br J Oral Maxillofac Surg*. 2000;38(3):227-229.
105. Chiapasco M, Palombo D. Sinus grafting and simultaneous removal of large antral pseudocysts of the maxillary sinus with a micro-invasive intraoral access. *Int J Oral Maxillofac Surg*. 2015;44(12):1499-1505.
106. Cho SC, Wallace SS, Froum SJ, Tarnow DP. Influence of anatomy on Schneiderian membrane perforations during sinus elevation surgery: three-dimensional analysis. *Pract Proced Aesthet Dent*. 2001;13(2):160-163.
107. Velloso GR, Vidigal GM, Jr., de Freitas MM, Garcia de Brito OF, Manso MC, Groisman M. Tridimensional analysis of maxillary sinus anatomy related to sinus lift procedure. *Implant Dent*. 2006;15(2):192-196.
108. Monje A, Urban IA, Miron RJ, Caballe-Serrano J, Buser D, Wang HL. Morphologic Patterns of the Atrophic Posterior Maxilla and Clinical Implications for Bone Regenerative Therapy. *Int J Periodontics Restorative Dent*. 2017;37(5):e279-e289.
109. Chan HL, Monje A, Suarez F, Benavides E, Wang HL. Palatonasal recess on medial wall of the maxillary sinus and clinical implications for sinus augmentation via lateral window approach. *J Periodontol*. 2013;84(8):1087-1093.
110. Jang HY, Kim HC, Lee SC, Lee JY. Choice of graft material in relation to maxillary sinus width in internal sinus floor augmentation. *J Oral Maxillofac Surg*. 2010;68(8):1859-1868.
111. Chan HL, Suarez F, Monje A, Benavides E, Wang HL. Evaluation of maxillary sinus width on cone-beam computed tomography for sinus augmentation and new sinus classification based on sinus width. *Clin Oral*

Implants Res. 2014;25(6):647-652.

112. Avila G, Wang HL, Galindo-Moreno P, et al. The influence of the bucco-palatal distance on sinus augmentation outcomes. *J Periodontol.* 2010;81(7):1041-1050.
113. Soardi CM, Spinato S, Zaffe D, Wang HL. Atrophic maxillary floor augmentation by mineralized human bone allograft in sinuses of different size: an histologic and histomorphometric analysis. *Clin Oral Implants Res.* 2011;22(5):560-566.
114. Lombardi T, Stacchi C, Berton F, Traini T, Torelli L, Di Lenarda R. Influence of Maxillary Sinus Width on New Bone Formation After Transcrestal Sinus Floor Elevation: A Proof-of-Concept Prospective Cohort Study. *Implant Dent.* 2017;26(2):209-216.
115. Stacchi C, Lombardi T, Ottonelli R, Berton F, Perinetti G, Traini T. New bone formation after transcrestal sinus floor elevation was influenced by sinus cavity dimensions: A prospective histologic and histomorphometric study. *Clin Oral Implants Res.* 2018;29(5):465-479.
116. Wainwright M, Torres-Lagares D, Pérez-Dorao B, et al. Histological and histomorphometric study using an ultrasonic crestal sinus grafting procedure. A multicenter case study. *Med Oral Patol Oral Cir Bucal.* 2016;21(3):e367-373.
117. Spinato S, Bernardello F, Galindo-Moreno P, Zaffe D. Maxillary sinus augmentation by crestal access: a retrospective study on cavity size and outcome correlation. *Clin Oral Implants Res.* 2015;26(12):1375-1382.
118. Cheng X, Hu X, Wan S, Li X, Li Y, Deng F. Influence of Lateral-Medial Sinus Width on No-Grafting Inlay Osteotome Sinus Augmentation Outcomes. *J Oral Maxillofac Surg.* 2017;75(8):1644-1655.
119. Zheng X, Teng M, Zhou F, Ye J, Li G, Mo A. Influence of Maxillary Sinus Width on Transcrestal Sinus Augmentation Outcomes: Radiographic Evaluation Based on Cone Beam CT. *Clin Implant Dent Relat Res.* 2016;18(2):292-300.
120. Niu L, Wang J, Yu H, Qiu L. New classification of maxillary sinus contours and its relation to sinus floor elevation surgery. *Clin Implant Dent Relat Res.* 2018;20(4):493-500.
121. French D, Nadji N, Liu SX, Larjava H. Trifactorial classification system for osteotome sinus floor elevation based on an observational retrospective analysis of 926 implants followed up to 10 years. *Quintessence Int.* 2015;46(6):523-530.
122. Chen HH, Lin YC, Lee SY, Chang LY, Chen BJ, Lai YL. Influence of Sinus Floor Configuration on Grafted Bone Remodeling After Osteotome Sinus Floor Elevation. *J Periodontol.* 2017;88(1):10-16.
123. Temmerman A, Van Dessel J, Cortellini S, Jacobs R, Teughels W, Quirynen M. Volumetric changes of grafted volumes and the Schneiderian membrane after transcrestal and lateral sinus floor elevation procedures: A clinical, pilot study. *J Clin Periodontol.* 2017;44(6):660-671.

124. Kopecka D, Simunek A, Brazda T, Rota M, Slezak R, Capek L. Relationship between subsinus bone height and bone volume requirements for dental implants: a human radiographic study. *Int J Oral Maxillofac Implants.* 2012;27(1):48-54.

125. Hsu A, Seong WJ, Wolff R, et al. Comparison of Initial Implant Stability of Implants Placed Using Bicortical Fixation, Indirect Sinus Elevation, and Unicortical Fixation. *Int J Oral Maxillofac Implants.* 2016;31(2):459-468.

126. Yan X, Zhang X, Chi W, Ai H, Wu L. Comparing the influence of crestal cortical bone and sinus floor cortical bone in posterior maxilla bi-cortical dental implantation: a three-dimensional finite element analysis. *Acta Odontol Scand.* 2015;73(4):312-320.

127. Okumura N, Stegaroiu R, Kitamura E, Kurokawa K, Nomura S. Influence of maxillary cortical bone thickness, implant design and implant diameter on stress around implants: a three-dimensional finite element analysis. *J Prosthodont Res.* 2010;54(3):133-142.

128. Ivanoff CJ, Sennerby L, Lekholm U. Influence of mono- and bicortical anchorage on the integration of titanium implants. A study in the rabbit tibia. *Int J Oral Maxillofac Surg.* 1996;25(3):229-235.

129. Choucroun G, Mourlaas J, Kamar Affendi NH, Froum SJ, Cho SC. Sinus Floor Cortication: Classification and Prevalence. *Clin Implant Dent Relat Res.* 2017;19(1):69-73.

130. Ng P, Hu X, Wan S, Mo H, Deng F. Clinical Outcomes of Bicortical Engagement Implants in Atrophic Posterior Maxillae: A Retrospective Study with 1 to 5 Years Follow-up. *Int J Periodontics Restorative Dent.* 2018;38(5):e96–e104.

131. Solar P, Geyerhofer U, Traxler H, Windisch A, Ulm C, Watzek G. Blood supply to the maxillary sinus relevant to sinus floor elevation procedures. *Clin Oral Implants Res.* 1999;10(1):34-44.

132. Rosano G, Taschieri S, Gaudy JF, Del Fabbro M. Maxillary sinus vascularization: a cadaveric study. *J Craniofac Surg.* 2009;20(3):940-943.

133. Traxler H, Windisch A, Geyerhofer U, Surd R, Solar P, Firbas W. Arterial blood supply of the maxillary sinus. *Clin Anat.* 1999;12(6):417-421.

134. Elian N, Wallace S, Cho SC, Jalbout ZN, Froum S. Distribution of the maxillary artery as it relates to sinus floor augmentation. *Int J Oral Maxillofac Implants.* 2005;20(5):784-787.

135. Mardinger O, Abba M, Hirshberg A, Schwartz-Arad D. Prevalence, diameter and course of the maxillary intraosseous vascular canal with relation to sinus augmentation procedure: a radiographic study. *Int J Oral Maxillofac Surg.* 2007;36(8):735-738.

136. 김기영, 김상균, 서현수, 송윤정, 홍순민, 박준우. 한국인에서의 상악동 골이식술과 관련된 상악동 동맥 분포에 대한 예비 연구. 대한구강악안면외과학회지. 2008;34(3):358–362.

137. Kang SJ, Shin SI, Herr Y, Kwon YH, Kim GT, Chung JH. Anatomical structures in the maxillary sinus related to lateral sinus elevation: a cone beam computed tomographic analysis. *Clin Oral Implants Res.* 2013;24 Suppl A100:75-81.
138. Ella B, Sédarat C, Noble Rda C, et al. Vascular connections of the lateral wall of the sinus: surgical effect in sinus augmentation. *Int J Oral Maxillofac Implants.* 2008;23(6):1047-1052.
139. Testori T, Rosano G, Taschieri S, Del Fabbro M. Ligation of an unusually large vessel during maxillary sinus floor augmentation. A case report. *Eur J Oral Implantol.* 2010;3(3):255-258.
140. Wallace SS, Mazor Z, Froum SJ, Cho SC, Tarnow DP. Schneiderian membrane perforation rate during sinus elevation using piezosurgery: clinical results of 100 consecutive cases. *Int J Periodontics Restorative Dent.* 2007;27(5):413-419.
141. Underwood AS. An Inquiry into the Anatomy and Pathology of the Maxillary Sinus. *J Anat Physiol.* 1910;44(Pt 4):354-369.
142. van den Bergh JP, ten Bruggenkate CM, Disch FJ, Tuinzing DB. Anatomical aspects of sinus floor elevations. *Clin Oral Implants Res.* 2000;11(3):256-265.
143. Chanavaz M. Maxillary sinus: anatomy, physiology, surgery, and bone grafting related to implantology--eleven years of surgical experience (1979-1990). *J Oral Implantol.* 1990;16(3):199-209.
144. Betts NJ, Miloro M. Modification of the sinus lift procedure for septa in the maxillary antrum. *J Oral Maxillofac Surg.* 1994;52(3):332-333.
145. Krennmair G, Ulm C, Lugmayr H. Maxillary sinus septa: incidence, morphology and clinical implications. *J Craniomaxillofac Surg.* 1997;25(5):261-265.
146. Krennmair G, Ulm CW, Lugmayr H, Solar P. The incidence, location, and height of maxillary sinus septa in the edentulous and dentate maxilla. *J Oral Maxillofac Surg.* 1999;57(6):667-671; discussion 671-662.
147. Velasquez-Plata D, Hovey LR, Peach CC, Alder ME. Maxillary sinus septa: a 3-dimensional computerized tomographic scan analysis. *Int J Oral Maxillofac Implants.* 2002;17(6):854-860.
148. Kim MJ, Jung UW, Kim CS, et al. Maxillary sinus septa: prevalence, height, location, and morphology. A reformatted computed tomography scan analysis. *J Periodontol.* 2006;77(5):903-908.
149. Yang HM, Bae HE, Won SY, et al. The buccofacial wall of maxillary sinus: an anatomical consideration for sinus augmentation. *Clin Implant Dent Relat Res.* 2009;11 Suppl 1:e2-6.
150. Maestre-Ferrín L, Carrillo-García C, Galán-Gil S, Peñarrocha-Diago M, Peñarrocha-Diago M. Prevalence, location, and size of maxillary sinus septa: panoramic radiograph versus computed tomography scan. *J Oral Maxillofac Surg.* 2011;69(2):507-511.
151. Pommer B, Ulm C, Lorenzoni M, Palmer R, Watzek G, Zechner W. Prevalence, location and morphology

of maxillary sinus septa: systematic review and meta-analysis. *J Clin Periodontol.* 2012;39(8):769-773.

152. Wen SC, Chan HL, Wang HL. Classification and management of antral septa for maxillary sinus augmentation. *Int J Periodontics Restorative Dent.* 2013;33(4):509-517.

153. Sharan A, Madjar D. Correlation between maxillary sinus floor topography and related root position of posterior teeth using panoramic and cross-sectional computed tomography imaging. *Oral Surg Oral Med Oral Pathol Oral Radiol Endod.* 2006;102(3):375-381.

154. Cakur B, SümbüllüMA, Durna D. Relationship among Schneiderian membrane, Underwood's septa, and the maxillary sinus inferior border. *Clin Implant Dent Relat Res.* 2013;15(1):83-87.

155. Schwarz L, Schiebel V, Hof M, Ulm C, Watzek G, Pommer B. Risk Factors of Membrane Perforation and Postoperative Complications in Sinus Floor Elevation Surgery: Review of 407 Augmentation Procedures. *J Oral Maxillofac Surg.* 2015;73(7):1275-1282.

156. Khalighi Sigaroudi A, Dalili Kajan Z, Rastgar S, Neshandar Asli H. Frequency of different maxillary sinus septal patterns found on cone-beam computed tomography and predicting the associated risk of sinus membrane perforation during sinus lifting. *Imaging science in dentistry.* 2017;47(4):261-267.

157. Misch CE. *Contemporary implant dentistry.* 3rd ed. St. Louis: Mosby Elsevier; 2008.

158. Okada T, Kawana H. Two-Step Procedure for the Treatment of a Maxillary Sinus with Complex Sinus Septa: A Highly Predictive Method for Sinus Floor Augmentation After Perforation of the Maxillary Sinus Membrane. *Int J Periodontics Restorative Dent.* 2019;39(5):e175-e180.

159. Dagba A, Mourlaas J, Ochoa Durand D, Suzuki T, Cho S, Froum S. A novel approach to treat large Schneiderian membrane perforation—A case series. *Int J Dent Oral Health.* 2015;1:1-5.

160. Chambrone L, Chambrone D, Lima LA, Chambrone LA. Predictors of tooth loss during long-term periodontal maintenance: a systematic review of observational studies. *J Clin Periodontol.* 2010;37(7):675-684.

161. Chambrone L, Chambrone LA, Lima LA. Effects of occlusal overload on peri-implant tissue health: a systematic review of animal-model studies. *J Periodontol.* 2010;81(10):1367-1378.

162. Chambrone L, Preshaw PM, Rosa EF, et al. Effects of smoking cessation on the outcomes of non-surgical periodontal therapy: a systematic review and individual patient data meta-analysis. *J Clin Periodontol.* 2013;40(6):607-615.

163. Nociti FH, Jr., César NJ, Carvalho MD, Sallum EA. Bone density around titanium implants may be influenced by intermittent cigarette smoke inhalation: a histometric study in rats. *Int J Oral Maxillofac Implants.* 2002;17(3):347-352.

164. César-Neto JB, Duarte PM, Sallum EA, Barbieri D, Moreno H, Jr., Nociti FH, Jr. A comparative study

on the effect of nicotine administration and cigarette smoke inhalation on bone healing around titanium implants. *J Periodontol.* 2003;74(10):1454-1459.

165. César-Neto JB, Benatti BB, Sallum EA, Sallum AW, Nociti FH, Jr. Bone filling around titanium implants may benefit from smoking cessation: a histologic study in rats. *J Periodontol.* 2005;76(9):1476-1481.

166. Correa MG, Gomes Campos ML, César-Neto JB, Casati MZ, Nociti FH, Sallum EA. Histometric evaluation of bone around titanium implants with different surface treatments in rats exposed to cigarette smoke inhalation. *Clin Oral Implants Res.* 2009;20(6):588-593.

167. Tükel HC, Tatli U. Risk factors and clinical outcomes of sinus membrane perforation during lateral window sinus lifting: analysis of 120 patients. *Int J Oral Maxillofac Surg.* 2018;47(9):1189-1194.

168. Chambrone L, Preshaw PM, Ferreira JD, Rodrigues JA, Cassoni A, Shibli JA. Effects of tobacco smoking on the survival rate of dental implants placed in areas of maxillary sinus floor augmentation: a systematic review. *Clin Oral Implants Res.* 2014;25(4):408-416.

169. Antonoglou GN, Stavropoulos A, Samara MD, et al. Clinical Performance of Dental Implants Following Sinus Floor Augmentation: A Systematic Review and Meta-Analysis of Clinical Trials with at Least 3 Years of Follow-up. *Int J Oral Maxillofac Implants.* 2018;33(3):e45-e65.

170. Barbato L, Baldi N, Gonnelli A, Duvina M, Nieri M, Tonelli P. Association of Smoking Habits and Height of Residual Bone on Implant Survival and Success Rate in Lateral Sinus Lift: A Retrospective Study. *J Oral Implantol.* 2018;44(6):432-438.

171. Kim JS, Choi SM, Yoon JH, et al. What Affects Postoperative Sinusitis and Implant Failure after Dental Implant: A Meta-analysis. *Otolaryngol Head Neck Surg.* 2019;160(6):974-984.

172. Bain CA. Smoking and implant failure--benefits of a smoking cessation protocol. *Int J Oral Maxillofac Implants.* 1996;11(6):756-759.

3 CHAPTER

위축된 상악 구치부에서 술식의 선택

상악동 함기화에 의해 상악 치조골의 수직적 높이가 제한되면 사용 가능한 치료 옵션은 세 가지이다(📷 3–1).[1,2]

- 짧은 임플란트 식립
- 치조정 접근 상악동 골이식
- 외측 접근 상악동 골이식

술식 선택의 제1원칙은 "같은 결과를 보이면 가장 간단한 술식을 선택한다"이다. 따라서 특정한 잔존골 높이에서 임플란트의 생존율이나 성공률이 동일하다면 짧은 임플란트, 치조정 접근 상악동 골이식, 외측 접근 상악동 골이식의 순서로 술식을 선택해야 할 것이다.

1. 전문가들은 잔존골 높이에 따라 술식을 선택할 것을 권유했다

오래 전부터 전문가들은 상악 구치부에서 잔존골 높이에 따라 치료 옵션을 결정할 것을 추천했다. 이러한 술식 선택의 기준은 치료 개념의 변화를 반영하면서 변화해 왔다. 따라서 이를 간략하게 살펴봄으로써 상악 구치부에 대한 치료 개념이 어떻게 변화해 왔는지 간략하게 이해할 수 있을 것이다. 여기에서는 고전적인 기준으로써

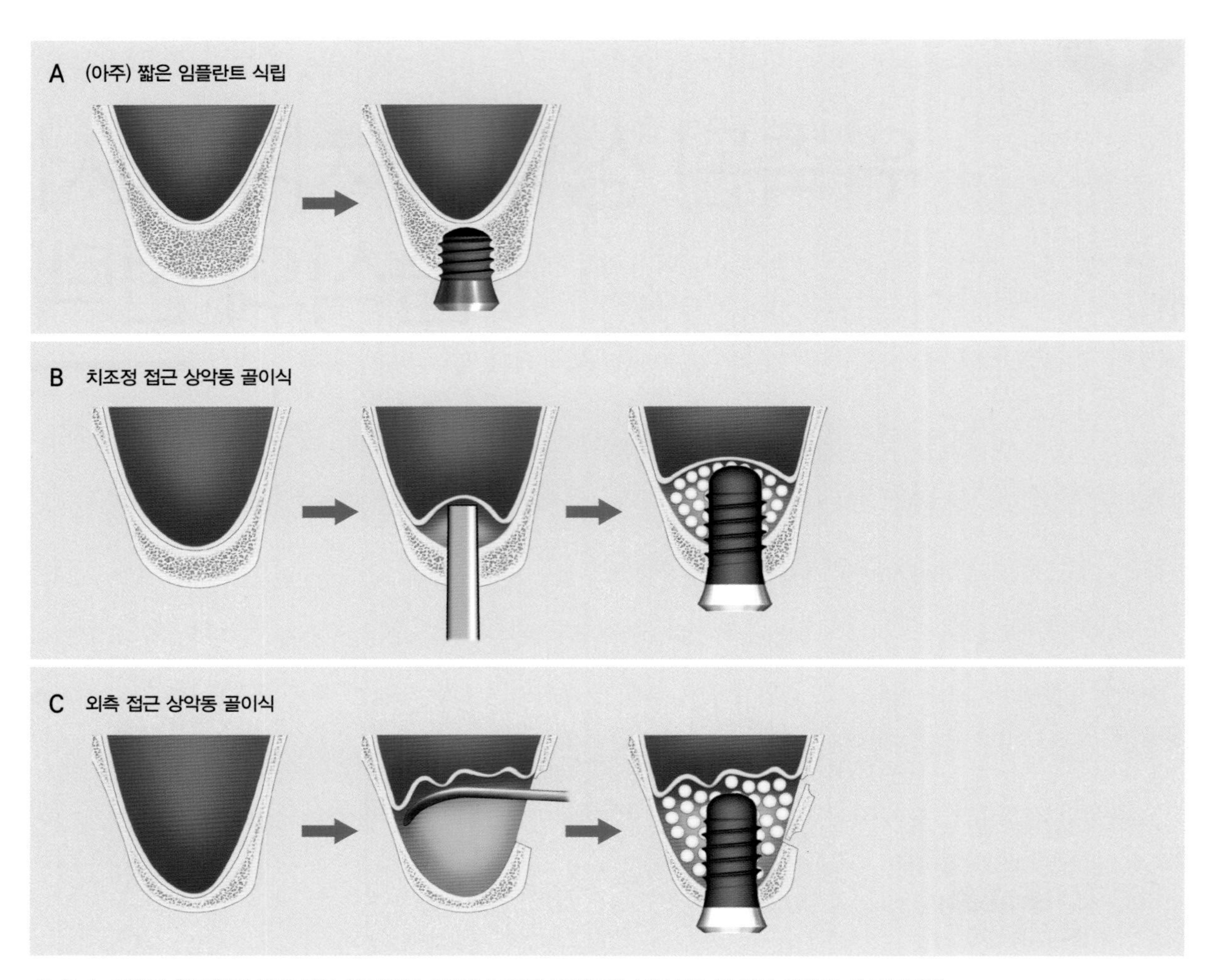

3–1 상악동 함기화에 의해 상악 치조골의 수직적 높이가 제한되면 사용 가능한 치료 옵션은 세 가지이다.
A. 골이식 없이 (아주) 짧은 임플란트 식립 **B.** 치조정 접근 상악동 골이식 후 표준 길이 임플란트 식립 **C.** 외측 접근 상악동 골이식 후 표준 길이 임플란트 식립

The sinus consensus conference of 1996의 기준을 먼저 설명하고, 2010년대의 극단적인 기준과 일반적인 기준을 하나씩 설명하겠다.

1) 1996년 The sinus consensus conference

일찍이 1996년 The sinus consensus conference에서는 10 mm 이상의 임플란트를 식립할 것을 목표로 했을 때 상악 구치부 잔존골 높이(Residual Bone Height, RBH)에 따라 다음과 같은 접근법을 선택할 것을 추천했다(3–2).[3]

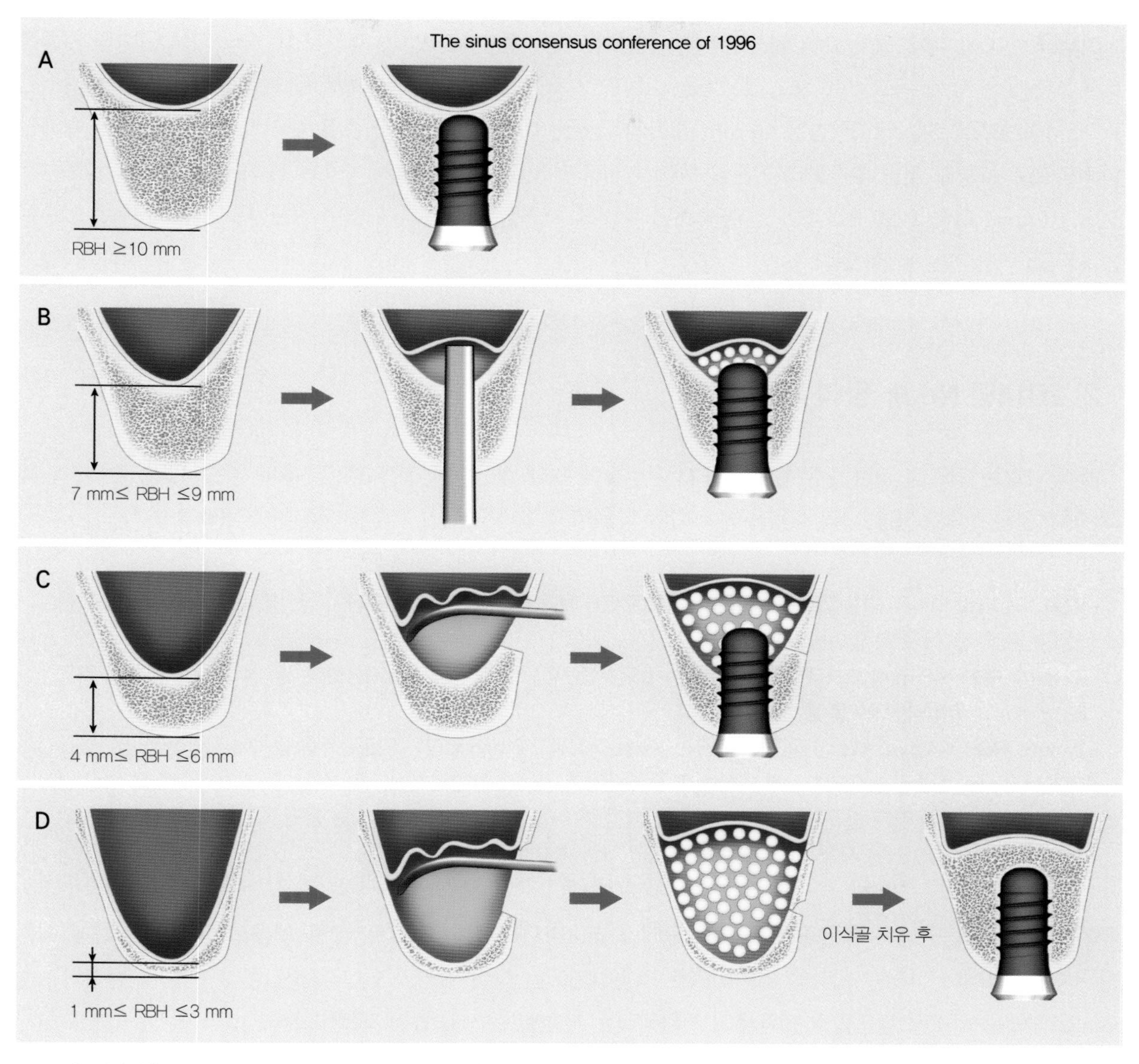

3-2 1996년 The sinus consensus conference에서 제안한 잔존 치조골 높이(Residual Bone Height, RBH)에 따른 치료 방법 오랫동안 상악 구치부의 표준 치료 지침으로 여겨졌다.

A. RBH ≥10 mm 임플란트만 식립 **B.** 7 mm≤ RBH ≤9 mm 오스테오톰을 이용한 치조정 접근법으로 상악동 골이식+임플란트 동시 식립 **C.** 4 mm≤ RBH ≤6 mm 외측 접근법으로 상악동 골이식+임플란트 동시 식립 **D.** 1 mm≤ RBH ≤3 mm 외측 접근법으로 상악동 골이식+임플란트 지연 식립

- **RBH ≥10 mm:** 임플란트만 식립
- **7 mm≤ RBH ≤9 mm:** 오스테오톰을 이용한 치조정 접근법으로 상악동 골이식 + 임플란트 동시 식립
- **4 mm≤ RBH ≤6 mm:** 외측 접근법으로 상악동 골이식 + 임플란트 동시 식립
- **1 mm≤ RBH ≤3 mm:** 외측 접근법으로 상악동 골이식 + 임플란트 지연 식립

이때에는 아직 기계 절삭 표면 임플란트를 사용하는 것이 일반적이었다. 따라서 10 mm 이상 길이의 임플란트를 식립하는 것이 목표였다. 오스테오톰을 이용한 치조정 접근법은 대개 치조골 높이를 3–4 mm 늘려주기 위해 시행하므로, 오스테오톰법은 10 mm 길이의 임플란트 식립을 위해 잔존골 높이가 7 mm 이상일 때에만 한정적으로 사용할 것을 추천했다(잔존골 높이 7 mm + 치조정 접근법 후 치조골 높이 증가 3 mm 임플란트 길이 10 mm). 결국 1990년대에는 현재의 개념에 비해 치조정 접근법이나 짧은 임플란트에 대해 매우 보수적인 시각을 가졌음을 알 수 있다.

2) 2014년 Nedir 등의 기준

골이식 없는 치조정 접근을 통한 상악동저 거상술에 관해 많은 연구를 시행한 Nedir 등은, 상악 구치부에 대해 외측 접근 상악동 골이식의 적용을 최소화한 다음의 다소 공격적인 기준을 제시하였다(**3–3**).[4]

- **RBH >8 mm:** 10 mm 임플란트를 식립한다. 상악동저가 천공되고 임플란트 치근단이 상악동 내로 1–2 mm 정도 진입하는 것은 임상적으로 받아들일 만하다.
- **4 mm≤ RBH ≤8 mm:** 오스테오톰을 이용한 치조정 접근법으로 상악동저를 거상한다. 골이식재를 적용하지 않고 8–10 mm 길이의 임플란트를 동시에 식립한다.
- **2 mm≤ RBH ≤4 mm:** 치조정 접근법 후 골이식재를 적용하고 8 mm 길이의 임플란트를 동시에 식립한다.
- **RBH ≤2 mm:** 잔존골 높이가 2 mm 이하이고 ① 피질골이 하나로 유합되어 있거나 소실, ② 발치 후 4개월 이상 경과하지 않아 상악동저가 불규칙, ③ 수술 후 치유 기간 중 가철성 임시 보철물을 적용 등의 조건을 지닌 경우에는 외측 접근 상악동 골이식을 시행하고 임플란트를 지연 식립한다.

이는 치조정 접근법의 적응증을 잔존골 높이 2 mm까지 확장한 것으로, 그들 나름의 임상적 결과에 기반한 것이다. 그러나 이러한 기준을 일반적으로 적용하기에는 다소 무리가 있다고 생각한다. 잔존골 높이가 2–4 mm일 때에는 치조정 접근법의 성공률이 저하된다는 분명한 근거가 있기 때문이다.

3) 2017년 Lundgren 등의 기준

2017년 Lundgren 등은 약간 보수적이지만 안정적인 결과를 얻을 수 있는 기준을 제시했다(**3–4**).[5]

(1) 8 mm 길이의 임플란트 식립이 목표

- **8 mm≤ RBH:** 임플란트만 식립
- **5 mm≤ RBH <8 mm:** 잔존골 폭이 충분하고 단일치 수복 시에는 치조정 접근법(±골이식재 적용) 후 임플란트 동시 식립

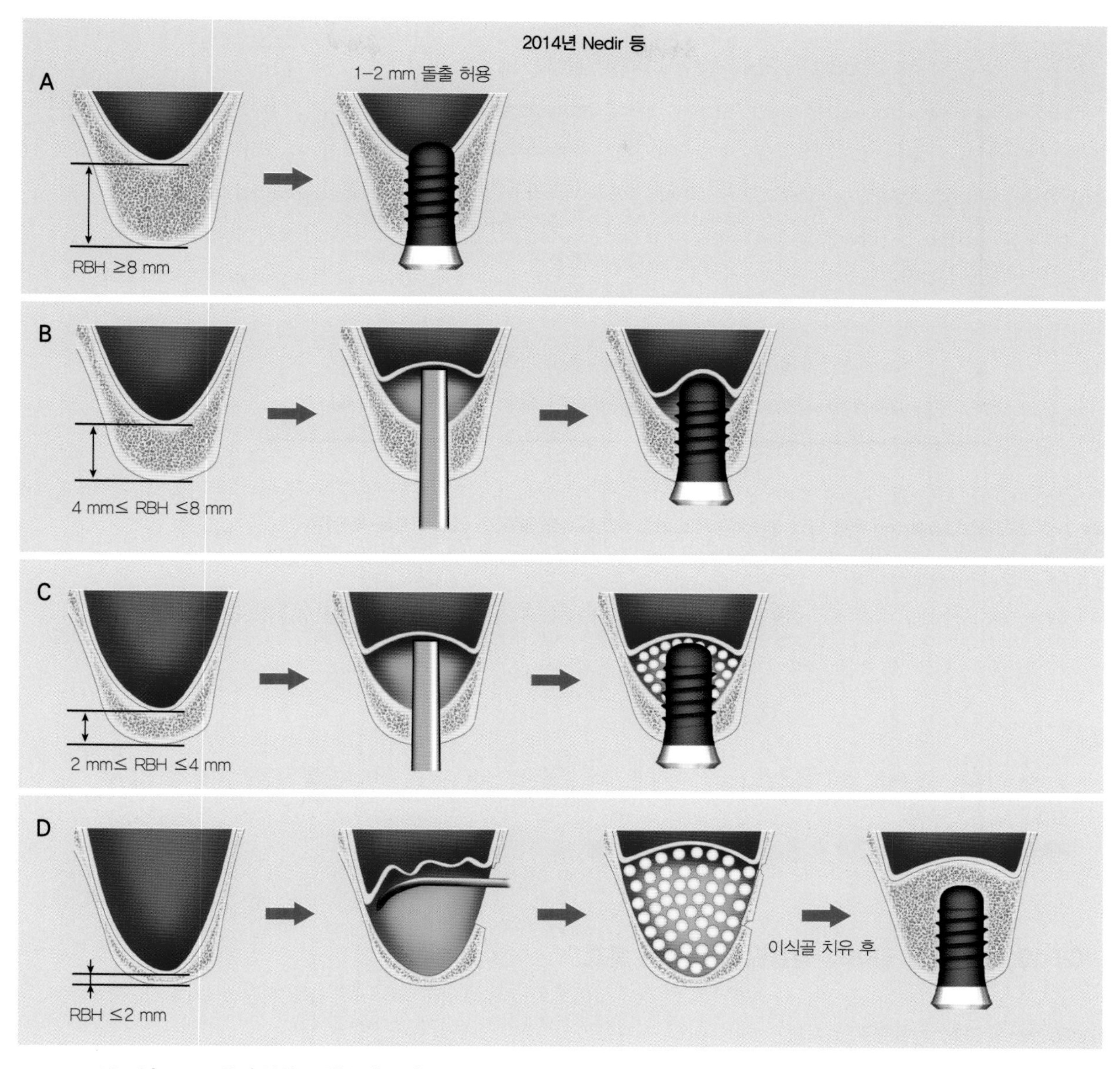

3–3 2014년 Nedir 등의 상악 구치부 치료 기준

골이식 없는 치조정 접근을 통한 상악동저 거상술에 관해 많은 연구를 시행한 Nedir 등은, 상악 구치부에 대해 외측 접근 상악동 골이식의 적용을 최소화한 다소 공격적인 치료 기준을 제시하였다.

A. RBH >8 mm 10 mm 임플란트를 식립한다. 상악동저가 천공되고 임플란트 치근단이 상악동 내로 1–2 mm 정도 진입하는 것은 임상적으로 받아들일 만하다. **B.** 4 mm≤ RBH ≤8 mm 오스테오톰을 이용한 치조정 접근법으로 상악동저를 거상한다. 골이식재를 적용하지 않고 8–10 mm 길이의 임플란트를 동시에 식립한다. **C.** 2 mm≤ RBH ≤4 mm 치조정 접근법 후 골이식재를 적용하고 8 mm 길이의 임플란트를 동시에 식립한다. **D.** RBH ≤2 mm 잔존골 높이가 2 mm 이하이고 ① 피질골이 하나로 유합되어 있거나 소실, ② 발치 후 4개월 이상 경과하지 않아 상악동저가 불규칙, ③ 수술 후 치유 기간 중 가철성 임시 보철물을 적용 등의 조건을 지닌 경우에는 외측 접근 상악동 골이식을 시행하고 임플란트를 지연 식립한다.

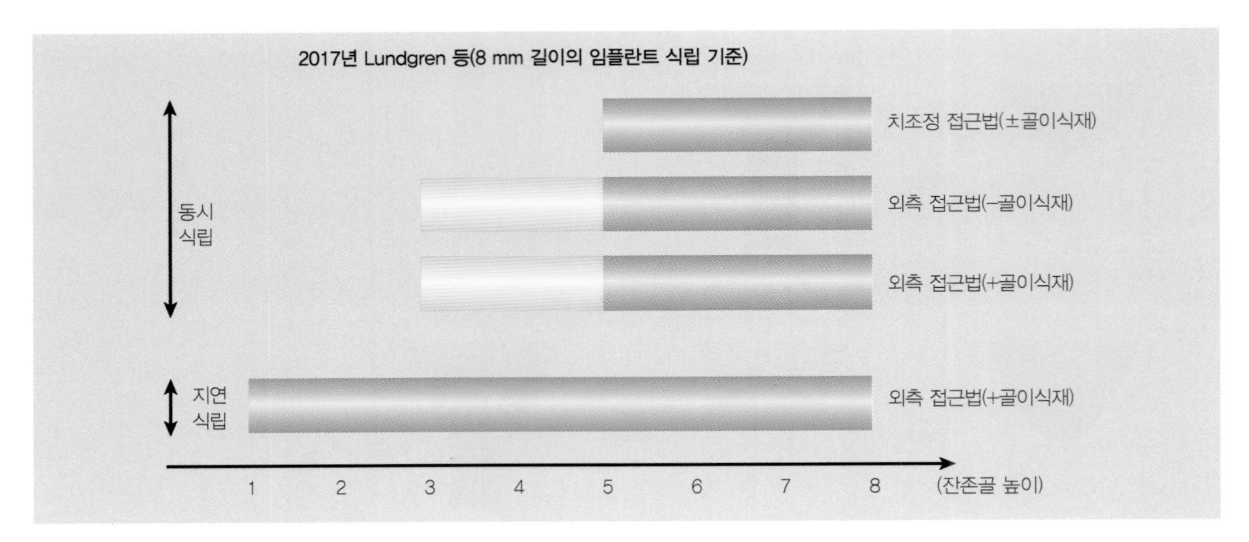

3-4 2017년 Lundgren 등은 약간 보수적이지만 안정적인 결과를 얻을 수 있는 기준을 제시했다.
이들은 8 mm 이상 길이의 임플란트 식립이 목표일 때 다음의 기준으로 치료 술식을 결정할 것을 추천했다.
- 8 mm≤ RBH 임플란트만 식립
- 5 mm≤ RBH <8 mm 잔존골 폭이 충분하고 단일치 수복 시에는 치조정 접근법(±골이식재 적용) 후 임플란트 동시 식립
- 3 mm≤ RBH ≤8 mm 외측 접근법(±골이식)과 동시에 임플란트 식립, 혹은 골이식재를 사용한 외측 접근법 후 임플란트 지연 식립
- RBH <3 mm 외측 접근법 후 골이식재 적용. 이후 임플란트 지연 식립

- **3 mm≤ RBH ≤8 mm:** 외측 접근법(±골이식)과 동시에 임플란트 식립, 혹은 골이식재를 사용한 외측 접근법 후 임플란트 지연 식립
- **RBH <3 mm:** 외측 접근법 후 골이식재 적용. 이후 임플란트 지연 식립

(2) 10 mm 이상 길이의 임플란트 식립이 목표

- **10 mm≤ RBH:** 임플란트만 식립
- **6 mm≤ RBH <10 mm:** 치조정 접근법(±골이식재 적용) 후 임플란트 동시 식립
- **3 mm≤ RBH ≤5 mm:** 외측 접근법(±골이식)과 동시에 임플란트 식립
- **RBH <3 mm (잔존골 높이와 상관없음):** 골이식재를 사용한 외측 접근 상악동 골이식 후 임플란트 지연 식립

이들은 잔존골 높이뿐만 아니라 다른 요소들도 술식을 선택하는 데 있어 중요한 고려 요소이기 때문에 여러 술식을 동시에 적용할 수 있는 회색 지대가 있음을 인정했다. 그리고 외측 접근 상악동 골이식 후 임플란트 지연 식립은 모든 잔존골 높이에 적용 가능하고, 치조정 접근법은 치조골 높이가 5–6 mm 이상인 경우에만 한정적으로 사용할 것을 추천했다. 그 이유는 일종의 경험 법칙(rule of thumb)으로써 "치조정 접근 상악동 골이식 시에 증강시킬 수 있는 수직적 골높이는 잔존 치조골보다 짧아야 한다"는 원리에 기초한 것이다(**3-5**). 예컨대 잔존골 높이가 5 mm이면 치조정 접근법으로 증강시킬 수 있는 수직적 골증강의 최대량은 4 mm가 되는

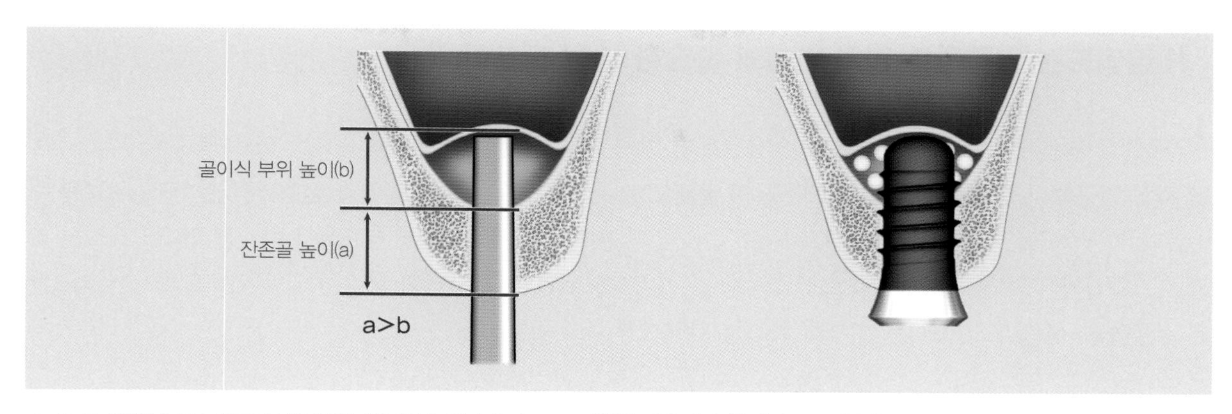

3-5 **일반적으로 치조정 접근법은 치조골 높이가 5-6 mm 이상인 경우에만 한정적으로 사용할 것을 추천한다.**
Lundgren 등은 일종의 경험 법칙(rule of thumb)으로써 "치조정 접근 상악동 골이식 시에 증강시킬 수 있는 수직적 골높이는 잔존 치조골보다 짧아야 한다"는 원리를 제시했다.

것이다. 따라서 10 mm 길이의 임플란트 식립이 목표라면 치조정 접근 상악동 골이식의 적응증이 되는 잔존골 높이는 6 mm 이상이 되어야 하는 것이다. 이들은 이러한 경험 법칙에 의거, 치조정 접근 상악동 골이식의 수직적 골증강량은 결국 3-4 mm 정도가 적당하다고 결론지었다.

2.
잔존골 높이는 술식 선택의 유일한 기준인가?

지금까지 상악 구치부에서 술식 선택의 기준으로는 잔존골 높이만을 제시했다. 그러나 임플란트의 성공에 있어 잔존골 높이만이 결정적인 요소로 작용하지는 않을 것이다. 많은 임상가들은 임플란트의 일차 안정, 또는 더 나아가 임플란트의 성공을 결정짓는 가장 중요한 요소로 임플란트를 식립할 부위의 국소적 골밀도와 골량을 꼽는다.[6,7]

골량은 치조골의 수직적 높이와 수평적 폭으로 이루어지는데, 앞서 살펴보았지만 상악 구치부, 특히 대구치부에서는 수평적 골량이 부족한 경우는 별로 없다.[8] 무치악 상악골을 분석해보면, 전치부에서는 수평적 결손이 매우 흔하지만 구치부, 특히 대구치부에서 치조골은 넓고 둥근 형태를 보이는 경우가 많다.[9,10] 따라서 상악 구치부 치아 결손을 수복할 때 골의 양 중에서 잔존골 높이만 고려하는 것은 타당하다. 하지만 국소적 골밀도가 언급되지 않는 것은 타당하지 못하다. 따라서 여기에서는 치조골의 높이에 따른 술식 선택에 대해 설명하기 전에, 국소적 골밀도와 잔존골 높이가 임플란트의 일차 안정과 골유착 성공에 미치는 영향에 대해 먼저 살펴볼 것이다.

1) 골밀도는 임플란트 일차 안정의 중요한 결정 요소이다

임플란트 식립부의 국소적 골밀도는 임플란트의 일차 안정을 결정짓는 가장 중요한 요소 중 하나이다. 일련의 사체 연구에서, 임플란트 식립부 치조골의 골밀도는 식립된 임플란트의 일차 안정과 유의한 비례 관계를 보여왔다.[11-13] 이러한 관계는 임상 연구에서도 나타났다. 전향적 단일 환자군 연구에서 방사선학적 골밀도는 식립 토크나 공진 주파수 분석값(ISQ)과 유의한 상관관계를 보였고, 골유착에 성공한 임플란트와 실패한 임플란트의 골밀도, 식립 토크, ISQ는 현저한 차이를 보였다.[14]

게다가 상악 구치부는 구강 내 치조골 중 가장 밀도가 낮은 부위이다. 많은 생체, 사체, 동물 연구에서 방사선학적, 조직학적 골밀도는 상악보다는 하악이, 구치부보다는 전치부가 높았고, 따라서 상악 구치부의 골밀도는 다른 부위보다 낮은 경향을 보였다.[15-18] 그러나 골밀도는 개인별로 많은 차이가 나기 때문에 상악 구치부라고 무조건 골밀도가 낮은 것은 아니므로 주의를 요한다.[19,20] 특히 2015년 Monje 등의 메타분석에서는, 전치부가 구치부보다 평균적인 골밀도가 높긴 하지만 같은 악골 내 부위의 골밀도라고 하더라도 개인별로 심한 변이를 보인다고 했다.[21] 또한 남성에서는 연령에 따른 골밀도의 차이를 보이지 않지만, 여성에서는 연령 증가에 따라 상악 구치부의 골밀도가 유의하게 감소한다.[22] 이렇게 상악 구치부의 골밀도가 큰 변이를 보이는 점은 잔존골 높이에 따른 술식의 성공을 평가하는 데 있어 큰 장해 요인이 될 것이다.

임상적으로 골밀도는 임플란트 식립을 위한 골삭제 시의 저항감이나 CBCT에서 측정한 골밀도로 평가 가능하다. 임플란트 식립을 위한 골삭제 시의 저항감은 조직학적 골밀도와 유의한 상관관계를 보인다.[15] 또한 CBCT로 측정한 치조골의 밀도는 마이크로 CT로 측정한 골밀도와 강한 상관관계를 보이기 때문에 술 전에 촬영한 CBCT로 골밀도의 측정이 가능하다.[23]

2) 골밀도와 잔존골 높이는 서로 상관성이 있는 것 같다

골밀도와 잔존골 높이가 서로 독립적인 변수라면 각 변수가 임플란트의 성공에 미치는 영향을 평가하는 것은 쉬울 것이다. 그러나 이들 두 요소는 서로 영향을 주고받는 것으로 생각되기 때문에 분석에 어려움이 더해진다. 한 단면 연구에서는 방사선학적 골밀도는 잔존골 높이가 높아질수록 유의하게 높아지는 경향을 보였다.[24] 또한 한 메타분석에서는 위축된 치조골의 밀도는 위축되지 않은 치조골 밀도보다 낮았다고 했다.[21] 이와는 달리 잔존골 높이와 골밀도는 별다른 상관성을 보이지 않았다는 보고도 있었기 때문에 이에 관해서는 아직까지 확정적인 결론을 내리기는 힘들지만, 골밀도와 잔존골 높이는 전반적으로 서로 상관된 경향을 보이는 것 같다.[25] 이는 잔존골 높이에 따른 임플란트의 성공을 분석하는 데 있어 어려움을 주는 사실이다. 잔존골 높이가 낮아질수록 임플란트의 성공률이 낮아지는 데에는, 잔존골 높이 자체에 더하여 잔존골의 밀도가 교란 요소로 작용할 수도 있기 때문이다(📷 3-6).

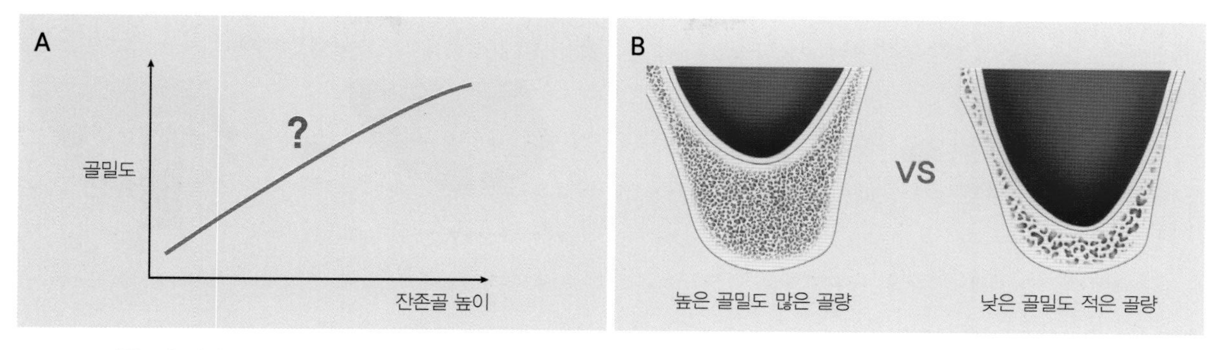

3-6 잔존골 높이와 밀도의 명확한 관계는 아직 밝혀지지 못했다.
A. 잔존골 높이와 골밀도가 서로 양의 상관관계를 지닌다면 잔존골 높이가 낮을 때 임플란트 성공률이 낮아지는 것은 골밀도와도 어느 정도 연관되어 있을 수 있다. **B.** 상악 구치부에서 골밀도와 골 높이(골량)가 양의 상관관계를 보일 때, 잔존골 높이가 높으면 골밀도 또한 높을 것이다. 반대로 잔존골 높이가 낮으면 골밀도 또한 낮아질 것이다. 결국 잔존골 높이가 낮으면 골량과 골밀도가 모두 저하되어 임플란트의 골유착 성공 가능성을 낮추게 될 것이다.

3) 상악동의 해부학적 형태도 잔존골 높이와 관련되어 있으며 상악동 골이식의 성공에 영향을 미칠 수 있다

이제 골밀도와 골량에 가려진 또 다른 요소를 살펴봐야 한다. 앞에서 살펴본 여러 가지 상악동의 형태 분류 중 상악동저의 협-구개 폭은 상악동 골이식의 성공에 중요한 영향을 미칠 수 있었다.[26,27] 한편 대구치부는 소구치부에 비해 치아 상실 후 잔존골 높이가 더 낮은 경향이 있다.[28] 또한 상악동의 협-구개 폭은 대구치부가 소구치부보다 더 크다.[29] 따라서 잔존골 높이와 상악동의 협-구개 폭은 상관성을 가질 가능성이 높다. 소구치부에서는 상악동 협-구개 폭이 좁고 잔존골 높이가 높고, 대구치부에서는 상악동 협-구개 폭이 넓고 잔존골 높이가 낮기 때문에 협-구개 폭이 좁아질수록 잔존골 높이가 높아지게 되는 것이다.

특히 치조정 접근법은 상악동저의 협-구개 폭에 의해 신생골의 질이 현저하게 좌우된다. Lombardi 등의 연구에 따르면, 치조정의 10 mm 상방 높이에서 상악동의 협-구개 폭이 12 mm 미만일 때에는 치조정 접근 상악동 골이식 부위의 신생 조직에서 광화 조직의 비율이 35.6±11.2%였지만, 12-15 mm일 때에는 13.1±8.9%, 15 mm를 초과할 때에는 3.3±3.1%였다고 했다.[30] 결국 상악동 폭이 15 mm를 초과하면 이 부위에 식립된 임플란트는 신생 조직으로부터 거의 아무런 지지도 받을 수 없음을 의미하는 것이다. 이는 잔존골 높이가 낮을 때 치조정 접근 상악동 골이식의 예후가 저하되는 현상은, 단순히 잔존골 높이뿐만 아니라 상악동의 협-구개 폭에 의해서도 영향을 받아 나타날 수 있음을 보여주는 결과이다(3-7).

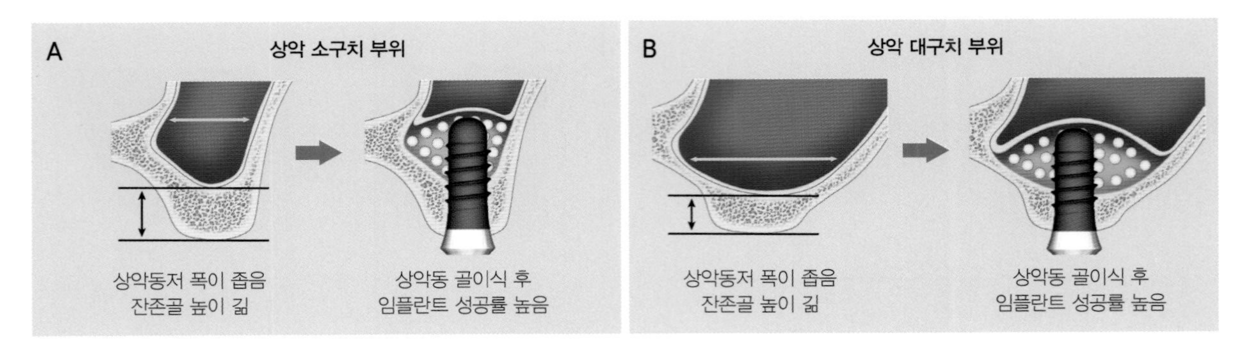

3-7 소구치부와 대구치부 치조골의 해부학적 특성은 치조정 접근법을 적용했을 때의 성공 가능성에 서로 다른 영향을 미칠 수 있을 것이다. 그러나 이는 아직까지 이론적인 예상이며 관련된 임상 연구로 검증되지는 못했다.
A. 상악 소구치 부위는 잔존골 높이가 상대적으로 높고 상악동저의 협-구개측 폭이 좁기 때문에 신생골 형성과 임플란트 성공에 매우 유리한 환경을 제공한다. **B.** 상악 대구치 부위는 잔존골 높이가 낮고 상악동저의 협-구개 폭이 넓어서 골증강술 후 골재생과 임플란트의 성공에 불리한 환경을 제공한다.

4) 잔존골 높이는 결국 술식 선택의 기준으로 사용 가능하다

지금까지 상악 구치부에서 잔존골 높이가 낮아지면 골밀도도 함께 저하되고 상악동저의 폭도 넓어지기 때문에 임플란트의 성공률이 저하될 수 있다는 사실을 알아보았다. 그럼에도 불구하고 잔존골 높이 자체는 임플란트의 일차 안정, 나아가 임플란트의 성공에 유의한 영향을 미치는 것은 확실하기 때문에, 잔존골 높이는 임플란트 및 술식을 선택하는 기준으로 사용 가능하다.

돼지를 이용한 일련의 연구에서는 외측 접근법으로 상악동저를 거상한 후 상악동저 골을 삭제하여 잔존골 높이를 인위적으로 2, 4, 6, 8 mm로 형성해 주었다(**3-8**). 각 높이의 치조골에 임플란트를 식립한 후 자가골을 이용해 상악동 골이식을 시행했다.[31,32] 그 결과, 식립 직후와 6개월 후에는 잔존골 높이가 커질수록 공진 주파수로 분석한 임플란트 안정도도 유의하게 증가했다. 또한 조직학적으로도 골-임플란트간 결합은 수술 6개월 후 잔존골 높이가 6 mm 이상일 때가 4 mm 이하일 때보다 유의하게 컸다. 마지막으로 치조골 높이가

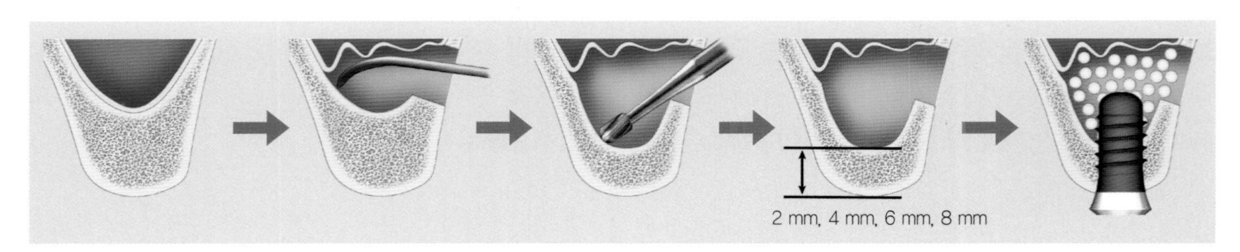

3-8 한 동물 연구에서는 상악동저 골을 삭제하여 치조골 높이를 인위적으로 조절한 후 상악동 골이식 및 임플란트 식립을 시행했다.
그 결과는 잔존골 높이 4-6 mm 사이의 어떤 범위가 임플란트의 일차 안정과 골유착 성공을 결정하는 데 있어 "결정적인 길이"가 될 수 있음을 보여주었다.

2 mm인 부위에 식립한 임플란트는 6개 중 2개가 탈락했지만, 그 이상의 치조골 높이에서 임플란트의 탈락은 없었다. 이는 상악 구치부에서 골밀도와 관계없이 잔존골 높이 4–6 mm 사이의 어떤 범위가 임플란트의 일차 안정과 골유착 성공을 결정하는 데 있어 "결정적인 길이"가 될 수 있음을 보여주는 결과이다.

위의 전임상 연구의 결과, 즉 상악 구치부에서 잔존골 높이는 임플란트의 일차 안정에 일정한 영향을 미친다는 사실은 일련의 임상 연구를 통해서도 검증되었다. 한 단일 환자군 연구에서는 골이식 없는 상악동저 거상술과 동시에 임플란트를 식립할 때 잔존골 높이는 임플란트의 식립 토크와 유의한 상관관계를 보였다고 보고했다.[33] 한 후향적 대조 연구에서는 잔존골 높이가 증가함에 따라 임플란트의 식립 토크가 유의하게 증가했다.[25] 구체적으로 잔존골 높이가 2 mm 미만일 때에는 평균 식립 토크가 18.92 Ncm, 2–4 mm일 때에는 24.47 Ncm, 4–6 mm에서는 24.90 Ncm, 6 mm 이상에서는 32.51 Ncm이었다(📷 3–9). 그러나 두 연구 모두 잔존골 높이와 일차 안정의 상관관계는 유의하긴 했지만 낮은 상관도를 보였다. 이는 상악 구치부의 잔존골 높이가 임플란트 일차 안정에 분명 영향을 미치기는 하지만 다른 요소들도 함께 영향을 미칠 수 있다는 사실을 보여주는 것이다.

5) 잔존골 높이 4–5 mm는 술식 선택의 기준점이다

외측 접근 상악동 골이식 시에는 잔존골 높이에 따라 임플란트의 동시 식립/지연 식립을 결정한다. 잔존골에서 일차 안정을 얻을 수 있으면 동시 식립을, 그렇지 않으면 지연 식립을 시행한다. 외측 접근 상악동 골이식은 상악 치조골 높이를 무제한적으로 증가시킬 수 있을 뿐만 아니라 이렇게 임플란트의 식립 시기를 조절할 수 있다는 점이 가장 큰 장점이다. 외측 접근법으로 상악동 골이식을 시행할 때에도 잔존골 높이가 낮은 상태(잔존골 높이 <4 mm)에서 임플란트를 동시에 식립하면 임플란트의 성공률은 분명 저하된다.[34–36] 그러나 잔존골 높이가 낮으면 임플란트를 지연 식립하고, 높이가 높으면 동시에 식립하면 임플란트는 일관되게 높은 성공률을 보인다.[37] 이는 외측 접근법은 잔존골 높이에 구애받지 않는 유일한 술식인 이유이다.

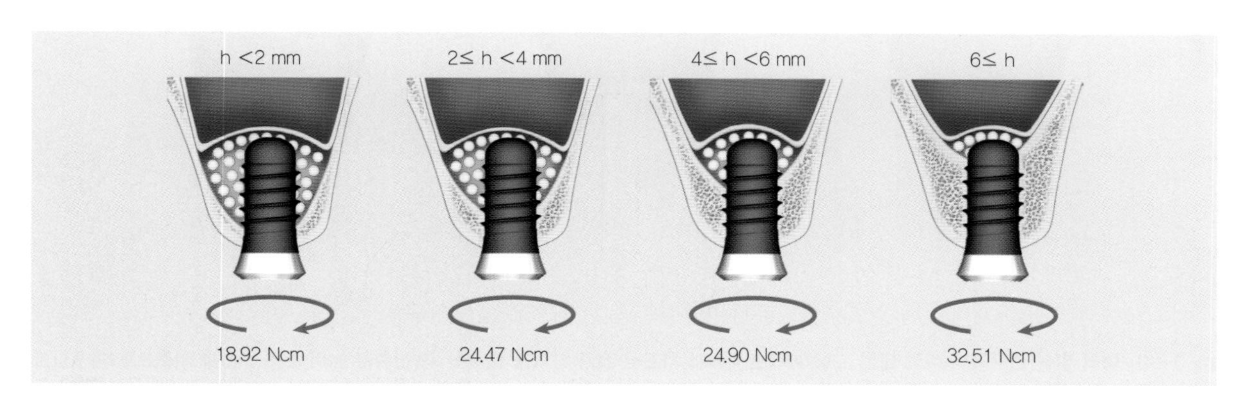

📷 3–9 상악 구치부에서 잔존골 높이와 임플란트의 식립 토크[25]
잔존골 높이 2 mm 미만, 2 mm 이상–6 mm 미만, 6 mm 이상 군에서 식립 토크는 유의한 차이를 보였다.

반면 치조정 접근법을 적용하거나 골이식 없이 짧은 임플란트만을 식립할 때에는 잔존골 높이가 중요한 예후 요소이다. 치조정 접근법을 적용할 때에는 대부분 골이식과 동시에 임플란트를 식립하기 때문이다. 앞서 언급했지만 치조정 접근 상악동 골이식 후 식립한 임플란트의 생존율은 잔존골 높이가 4–5 mm 이하인 경우에 비해 4–5 mm 이상인 경우에 10–20% 정도 더 향상된다.[38–41] 잔존골 높이가 4–5 mm 이상이면 치조정 접근 후 식립한 임플란트는 90% 후반대의 높은 골유착 성공률을 보여준다. 많은 일차 연구와 체계적 문헌 고찰/메타분석에서 치조정 접근 상악동 골이식 시 잔존골 높이 4–5 mm를 기준으로 임플란트의 생존율이나 성공률에 유의미한 차이가 있다는 결과를 일관되게 보여주었다(**📷 3–10**).[42–47]

그러나 임플란트 성공을 결정짓는 요소로 잔존골 높이는 매우 중요하다고 할 수 있지만 잔존골 골밀도, 상악동의 해부학적 형태, 술자의 숙련도, 임플란트 표면 및 형태 등도 이에 기여하기 때문에[48] 잔존골 높이가 4–5 mm 이상인 경우에만 상악동 골이식과 동시에 임플란트 식립이 가능하다고 단정적으로 결론 내릴 수는 없다. 나머지 요소들도 반드시 함께 고려해야 한다. 예컨대 두 임상 연구에서 치조골 높이가 4 mm 이하인 경우, 치조정 접근 상악동 골이식 후 식립한 임플란트의 생존율이 73.3–85.7%라고 했다. 이는 일반적인 견지에서 받아들이기 힘든 수치이지만, 개별 환자에서는 이러한 증례에서도 치조정 접근 상악동 골이식이 필요할 수 있다. 따라서 치조골 높이 이외의 다른 요소들(잔존골 밀도, 상악동의 해부학적 형태)을 고려하여 실패의 가능성을 최소화시킬 수 있는 진단 및 시술 능력을 가져야 할 것이다.

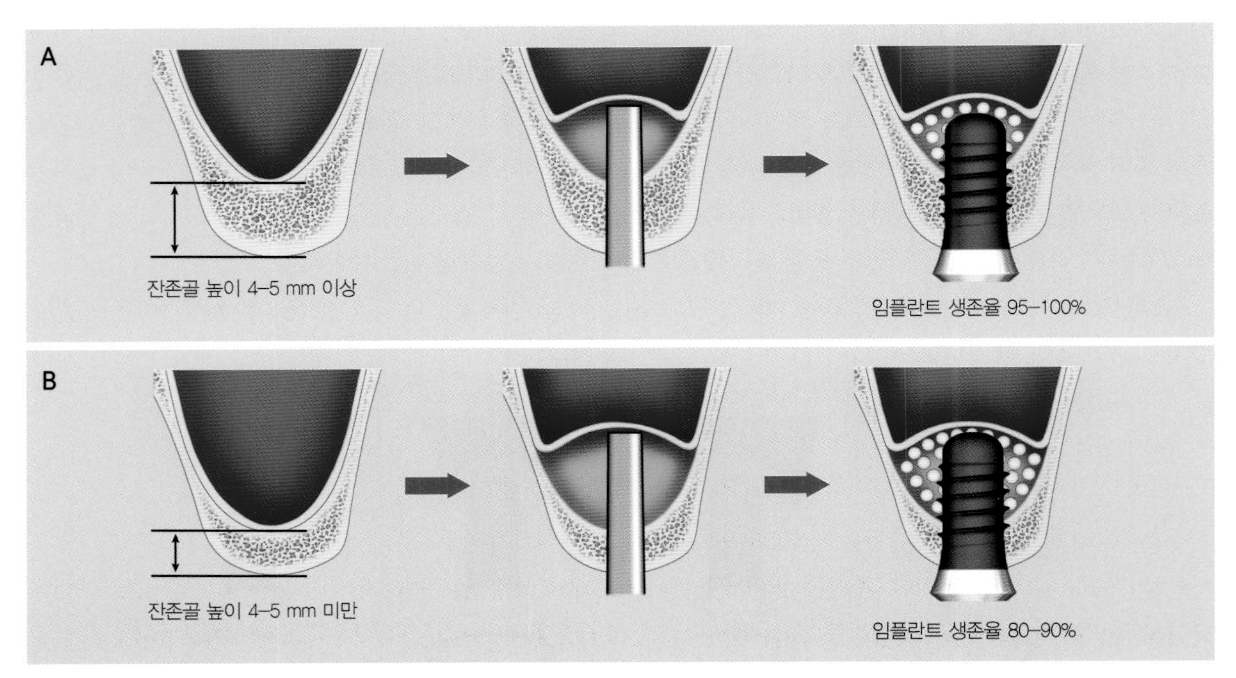

📷 3–10 여러 임상 연구와 체계적 문헌 고찰/메타분석에서 치조정 접근 상악동 골이식 시 잔존골 높이 4–5 mm를 기준으로 임플란트의 생존율이나 성공률에 유의미한 차이가 있다는 결과를 일관되게 보여주었다.

A. 잔존골 높이가 4–5 mm 이상이면 임플란트의 생존율은 대략 95–100%였다. **B.** 잔존골 높이가 4–5 mm 미만이면 임플란트의 생존율은 대략 80–90%였다.

결론적으로 상악 구치부에서 잔존 치조골 높이는 임플란트의 일차 안정을 결정하고, 따라서 임플란트의 골유착 성공을 결정짓는 주요한 요소이다. 그러나 잔존골의 골밀도나 해부학적 요소 또한 중요한 기여 요소이다. 결국 잔존골의 높이와 일차 안정의 관계는 어떤 절대적인 상관성을 보이기보다는, 특정한 범위 안에서만 상관성을 보일 것이다. 그리고 일정 치조골 높이 내에서 골밀도와 상악동 형태가 어떤 역치를 넘어서면 임플란트의 골유착 성공은 임상적으로 받아들일 수 있는 정도에 이를 것이다. 결국 골밀도 및 상악동의 해부학적 형태가 불량하더라도 상악동 골이식과 동시에 식립한 임플란트가 임상적으로 받아들일 수 있는 높은 성공률/생존율을 보이는 치조골 높이가 4–5 mm 정도인 것으로 보인다.

3.
잔존골 높이 4–7 mm에서 각 술식의 성공 비교

이제 위에서 Nedir나 Lundgren 등의 전문가들이 제시한 "잔존골 높이에 따른 치료 방법의 선택"이 과연 임상적 근거를 갖는 것인지 검증해 보아야 할 때이다. 앞서 살펴보았지만 잔존골 높이가 8 mm 이상인 경우와 4 mm 미만인 경우에는 술식을 선택하는 데 있어 이론의 여지가 없다. 8 mm 이상인 경우 상악동 골이식 없이 임플란트만 식립하면 되고, 4 mm 미만인 경우 외측 접근 상악동 골이식 후 표준 길이의 임플란트를 식립하면 되기 때문이다(📷 3–11).[37–40,49–59] 따라서 최근에는 상악 구치부에서 잔존골 높이가 4–7 mm 사이일 때 어떠한 술식을 적용하는 것이 최선인지를 결정하기 위한 연구가 많아지고 있다.

1) 짧은 임플란트 식립과 상악동 골이식의 비교

2010년대 이후로 두 가지 치료 옵션이 임상적으로 높은 성공률을 보이면서 상악 구치부 치료의 프로토콜에 있어 변화를 불러 일으키고 있다.

- 상악동 골이식 없이 짧은 임플란트(길이 <8 mm), 특히 아주 짧은 임플란트(길이 ≤6 mm)만 식립함
- (특히 치조정 접근법에서) 골이식재를 사용하지 않고 상악동저 거상술을 시행함

특히 6 mm 길이 임플란트가 높은 임상적 성공률을 보이면서, 잔존골 높이가 5–6 mm 이상인 경우 상악동 골이식은 임플란트의 성공 가능성을 아주 약간만 증진시켜 준다는 생각을 갖게 해주었다. 여기에서는 잔존골 높이가 4–7 mm 범위에서 짧은 임플란트와 상악동 골이식 후 식립한 표준 임플란트를 비교한 메타분석들의 결과를 간략히 요약해 보겠다.

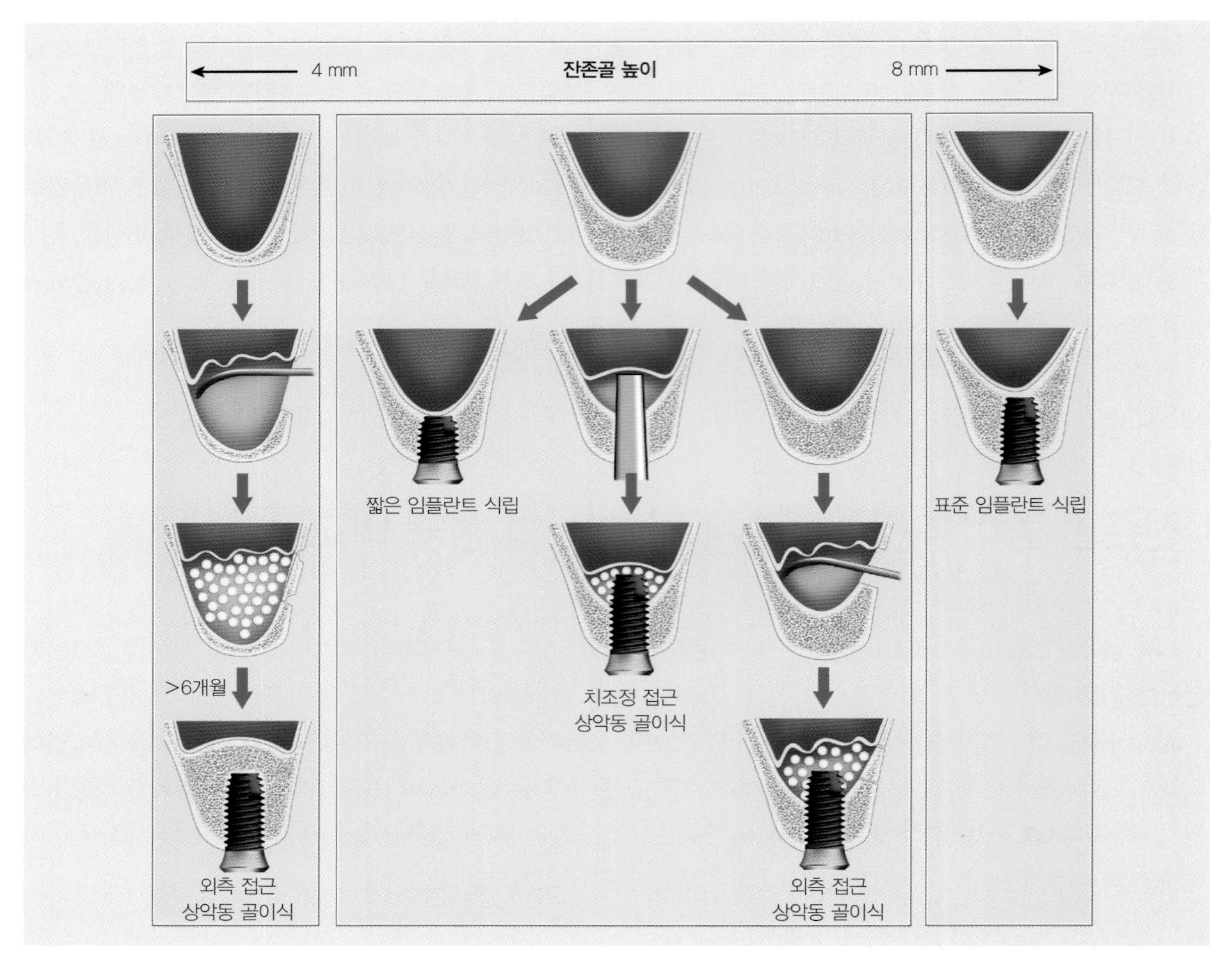

3-11 잔존골 높이에 따른 치료 방법의 선택

잔존골 높이가 8 mm 이상인 경우와 4 mm 미만인 경우에는 술식을 선택하는 데 있어 이론의 여지가 없다. 8 mm 이상인 경우 상악동 골이식 없이 임플란트만 식립하면 되고, 4 mm 미만인 경우 외측 접근 상악동 골이식 후 표준 길이의 임플란트를 식립하면 되기 때문이다. 그러나 잔존골 높이가 4–7 mm 사이일 때에는 골이식 없는 짧은 임플란트 식립, 치조정 접근 상악동 이식술 및 임플란트 식립, 외측 접근 상악동 골이식 및 임플란트 식립 등 몇 가지 치료 옵션이 존재하며 어떠한 술식이 더 우수한가에 대해서는 아직 명확한 결론을 내릴 수 없다.

(1) 상악 구치부에서 짧은 임플란트만 식립하면 상악동 골이식 후 표준 임플란트를 식립할 때와 비슷한 임플란트 성공률을 보인다

2014년의 코크란 리뷰에서는, 상악 구치부 치조골 높이가 4–9 mm인 경우 어떠한 치료법이 더 우수한 결과를 보이는지 알아보기 위해 무작위 대조 연구만을 대상으로 메타분석을 시행했다.[2] 그 결과 "5–8.5 mm 길이의 임플란트만 골증강 없이 식립했을 때"의 결과는 "상악동 골이식 후 표준 길이 임플란트를 식립했을 때"의 결과와 유의한 차이를 보이지 않았다. 보철적 실패와 임플란트 실패는 짧은 임플란트 식립 시 더 많이 발생했지만 유의한 차이를 보이지는 않았다. 그러나 상악동 골이식 시행 시 합병증 발생률은 4.77배(오즈비 4.77 95% CI 1.79–12.71) 높았다.

2015년에는 유럽 임플란트 학회에서 체계적 문헌 고찰을 발표했다.[60] 여기에서는 "짧은 임플란트만 식립"한 경우와 "상악동 골이식 후 표준 임플란트를 식립"한 경우의 결과를 비교했다. 총 8개의 무작위 대조 연구가 포함되었고, 모든 연구들은 편향의 위험이 적었다. 실제 포함된 짧은 임플란트의 길이는 모두 5–6 mm였으며 직경은 4–6 mm 사이였다. 반면 표준 임플란트의 길이는 10–15 mm 사이였고 직경은 모두 4 mm였다. 그 결과, 부하 8–9개월 후 임플란트 생존율은 표준 임플란트가 100%, 짧은 임플란트가 98.2%였다. 또한 16–18개월 후 임플란트의 생존율은 표준 임플란트가 99.5%, 짧은 임플란트가 99.0%였다. 이는 두 술식 모두 적어도 부하를 가한 후 1년 6개월 이내에는 비슷하게 성공적이라는 사실을 보여주는 것이다(3–12). 그러나 수술 합병증은 상악동 골이식 후 표준 임플란트를 식립했을 때가 세 배 더 많았고, 환자 만족도, 수술 시간, 비용에 있어 짧은 임플란트만 식립한 경우가 더 우수한 결과를 보였다.

2017년에는 상악 구치부에서 골이식 없이 5–8 mm 길이의 임플란트를 식립한 경우와 상악동 골이식 후 8 mm를 초과하는 길이의 임플란트를 식립한 경우의 결과를 비교하기 위해 무작위 대조 연구만을 대상으로 한 메타분석이 발표됐다.[61] 이 메타분석에서도 임플란트의 생존율은 두 치료 방법에서 동일하게 나타났다(상대적 위험도 1, 95% CI 0.97–1.03). 그러나 수술에 의한 합병증은 짧은 임플란트를 식립했을 때가 유의하게 적었다(상대적 위험도 0.58, 95% CI 0.37–0.90).

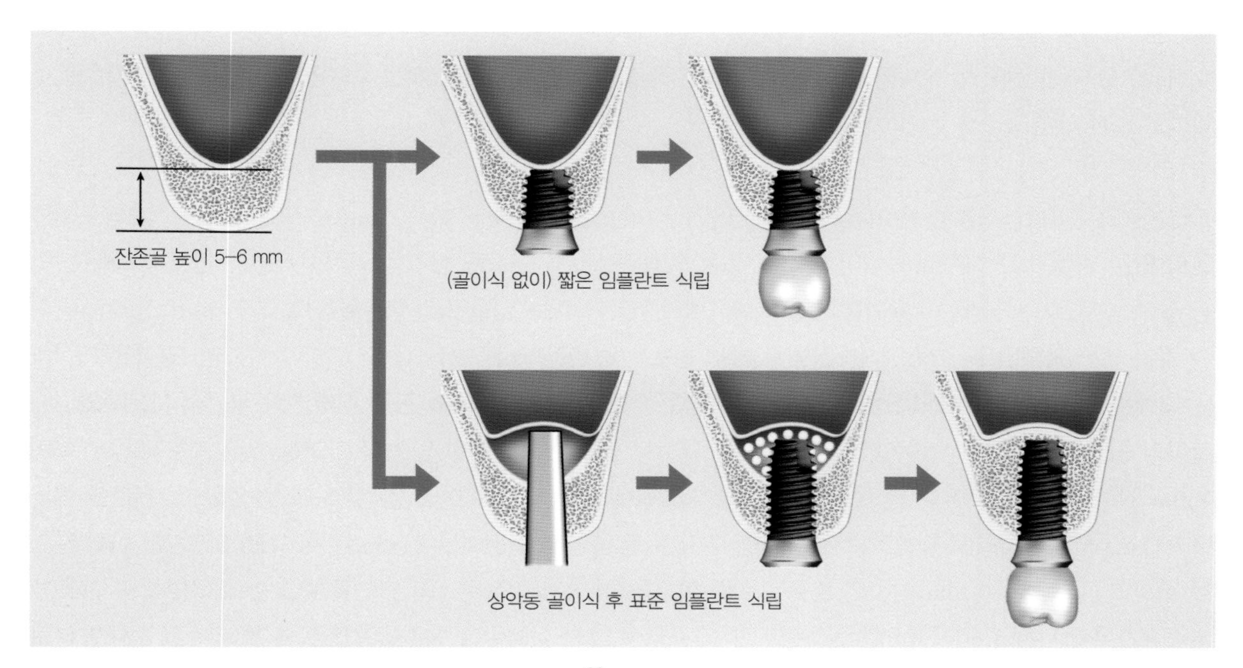

3–12 2015년 유럽 임플란트 학회의 체계적 문헌 고찰 결과[60]
골이식 없이 5–6 mm 길이의 아주 짧은 임플란트만 식립했을 때와 상악동 골이식 후 표준 길이(10–15 mm) 임플란트를 식립했을 때 단기간(부하 후 1.5년 후까지)의 임플란트 생존율은 거의 동일했다.

2019년의 메타분석에서는 상악 구치부에서 "골이식 없이 8 mm 이하 길이의 임플란트를 식립"했을 때와 "상악동 골이식 후 8 mm 초과 길이의 임플란트를 식립"했을 때의 결과를 비교했다.[62] 임플란트에 부하를 가한 후 3년 이상이 경과했을 때 임플란트의 생존율, 환자의 만족도, 치조정 골소실량 등에 있어 두 치료법은 별다른 차이를 보이지 않았다고 했다. 따라서 짧은 임플란트만 식립하는 술식은 표준 길이의 임플란트 식립을 위해 상악동 골이식을 시행하는 술식의 대체 치료법으로 적절하다고 결론 내렸다. 2020년에는 상악 구치부에서 잔존골 높이가 부족할 때 "짧은 임플란트(<8 mm)만 식립"한 경우와 "외측 접근 상악동 골이식 후 표준 길이의 임플란트(≥8 mm)를 식립"한 경우의 결과를 비교한 무작위 대조 연구만을 대상으로 한 메타분석이 발표됐다.[63] 그 결과, 임플란트 생존율을 비롯한 거의 대부분의 비교 지표에서 두 치료법은 비슷한 결과를 보였다. 따라서 저자들은 위축된 상악 구치부에서 "짧은 임플란트 식립"은 "상악동 골이식 후 표준 길이 임플란트 식립"의 좋은 대체 치료가 될 수 있다고 결론 내렸다.

2019년의 메타분석에서는 "6 mm 이하의 짧은 임플란트만 식립"한 경우와 "상악동 골이식 후 10 mm 이상의 표준 길이 임플란트를 식립"한 경우에서의 결과를 비교했다.[64] 이 메타분석에서는 7개의 무작위 대조 연구만을 포함했으며 임플란트의 3년 이상 생존율은 두 군에서 동일했다(상대적 위험도 1, 95% CI 0.97–1.04). 치조정 골소실량, 술중/술후 합병증은 짧은 임플란트 군에서 유의하게 적게 발생했다. 2019년의 또 다른 메타분석에서는 상악 구치부에서 "6 mm 이하의 짧은 임플란트를 식립"한 경우와 "치조정/외측 접근 상악동 골이식 후 표준 길이의 임플란트(≥10mm)를 식립"했을 때의 결과를 비교했다.[65] 그 결과, 치료 3년 후 임플란트의 생존율은 두 가지 치료 방법에서 별다른 차이를 보이지 않았지만, 짧은 임플란트를 식립한 경우에는 생물학적 합병증, 치조정 골소실, 수술 시간, 총 비용에서 유의하게 우수한 결과를 보였다. 따라서 상악 구치부 치조골이 수직적으로 위축됐을 때 상악동 골이식 없이 짧은 임플란트를 식립하는 것은 예지성 높은 치료 옵션이 될 수 있다고 결론 내렸다.

결론적으로 2010년대 중반 이후의 임상 연구들에서는 수직적 높이가 4–7 mm 정도로 위축된 상악 구치부에서 짧은 임플란트(<8 mm), 나아가 아주 짧은 임플란트(≤6 mm)를 상악동 골이식 없이 식립하더라도 상악동 골이식 후 표준 임플란트를 식립했을 때와 거의 차이가 없는 임플란트 생존율을 보였다. 반면 상악동 골이식 없이 짧은 임플란트만 식립하면 합병증 발생 빈도는 반 이상으로 축소되었다. 그러나 이러한 결과를 해석하는 데에는 몇 가지 주의가 필요하다. 일단 아주 짧은 임플란트(≤6 mm)에 관한 대부분의 임상적 자료는 6 mm 길이의 임플란트에 관한 것이다.[64,65] 4–5 mm 길이의 임플란트에 대한 임상적 결과는 매우 제한적이며, 특히 4 mm 길이의 임플란트에 관한 것은 단기간의 자료 밖에 없기 때문에 아직 임상적으로 안심하고 사용하기에는 무리가 있다.[66,67] 따라서 임상적으로 신뢰할 수 있는 임플란트의 길이는 6 mm까지로 제한하는 것이 좋다. 또한 상하악 관계없이 6 mm 이하의 임플란트와 10 mm 이상의 임플란트의 결과를 비교한 메타분석에 의하면, 부하 3년 후까지는 6 mm 이하의 임플란트와 10 mm 이상의 임플란트 생존율에 차이를 보이지 않았지만 부하 5년 후에는 6 mm 이하의 임플란트의 생존율이 유의하게 낮아졌다(상대적 위험도 0.92).[55] 다른 메타분석에서는 구치부에서 6 mm 이하의 임플란트(96%)는 10 mm 이상의 임플란트(98%)에 비해 부하 1–5년 후 생존율이

유의하게 낮지는 않지만 임플란트가 실패할 확률은 29% 더 높았다고 했다(상대적 위험도 1.29, 95% CI 0.67–2.50).[54] 또한 두 길이의 임플란트는 추적 관찰 기간이 길어질수록 생존율에 더 많은 차이를 보였다.

(2) 짧은 임플란트만 식립하면 수술 시간, 치료 기간, 비용, 합병증 발생률, 환자의 불편감을 줄여줄 수 있다

골이식 없이 짧은 임플란트만 식립하는 술식은 매우 간단한 과정이지만, 상악동 골이식술은 침습적인 술식이기 때문에 여러 가지로 불리한 점이 많다. 예전에는 술식의 궁극적인 성공 지표인 임플란트 성공률이나 생존율에 관심이 집중됐지만, 최근에는 환자의 만족도도 중요한 고려 요소가 되었기 때문에 수술 시간, 치료 기간, 합병증, 환자의 불편감 등에 대해 관심이 많아졌다. 그 결과로 2010년대 후반에는 이에 관한 일련의 무작위 대조 연구들이 발표되었다. 이를 표로 간단하게 정리해보면 다음과 같았다(■ 3-1).

■ 3-1 상악 구치부에서 상악동 골이식 없이 짧은 임플란트 식립 시 환자 중심적 결과에 관한 연구

연구	잔존골 높이	치료 방법	추적관찰	결과
Thoma 등, 2015[68]	5–7 mm	• 짧은 임플란트 식립(6 mm) • 외측 접근법(이식재+) + 표준 임플란트 식립(11–15 mm) • 치조정 접근법(이식재–) + 짧은 임플란트 식립(6.5 mm)	1년	• 임플란트 생존율 100% (표준 임플란트), 100% (짧은 임플란트) • 수술 시간은 짧은 임플란트만 식립하면 상악동 골이식술 및 표준 길이 임플란트 식립 시에 비해 71% 소요됨 • 수술 비용은 짧은 임플란트만 식립했을 때가 48%만 소요됨
Yu 등, 2017[69]	4–5 mm	• 치조정 접근법(이식재–) + 짧은 임플란트 식립(6.5 mm) • 외측 접근법(이식재+) + 표준 임플란트 식립(11–12.5 mm)	2년	• 임플란트 생존율 97.6% (표준 임플란트), 100% (짧은 임플란트) • 수직적 골 증강량 10.19 mm (표준 임플란트), 2.94 mm (짧은 임플란트) • 합병증(상악동 막 천공,감염, 비출혈, 두통)에 차이 없음
Bechara 등, 2017[70]	4 mm≤	• 짧은 임플란트 식립(6 mm) • 외측 접근법(이식재+) + 표준 임플란트(≥10 mm)	3년	• 임플란트 생존율 95.0% (표준 임플란트), 100% (짧은 임플란트) • 식립 직후–3년 후의 임플란트 안정도(ISQ)는 거의 비슷함 • 출혈, 부종은 상악동 골이식술 후 표준 임플란트를 식립하면 유의하게 많음 • 수술 시간은 짧은 임플란트 식립 시 59%만 소요됨(유의한 차이) • 수술 비용은 짧은 임플란트만 식립 시 52%만 소요됨(유의한 차이) • 환자의 최종 만족도는 비슷
Taschieri 등, 2018[71]	4–7 mm	• 짧은 임플란트(6.5–8.5 mm) • 외측 접근법(이식재+) + 표준 임플란트(≥10 mm)	3년	• 임플란트 생존율 100% (표준 임플란트), 100% (짧은 임플란트) • 부종, 혈종, 호흡 시 불편감은 상악동 골이식 후 표준 임플란트 식립 시 유의하게 큼 • 수면, 저작, 발음, 일상 생활, 통증은 상악동 골이식 후에 유의하게 큼 • 환자의 최종 만족도는 비슷

위의 표에서 잔존골 높이가 짧은 임플란트의 길이보다 작으면, 짧은 임플란트를 어떻게 식립할지 의문이 들 수도 있다. 이는 골이식재 없는 상악동저 거상술을 적용하여 극복할 수 있다. 즉, 골이식재를 적용하지 않고 오스테오톰만 적용하거나, 상악동저까지 골을 삭제하고 임플란트를 식립함으로써 상악동 막을 거상시키고, 이를 통해 임플란트 치근단 측에서 약간의 골증강을 얻을 수 있는 것이다(📷 3-13).[69,70] 뒤에서 자세히 설명하겠지만 골이식재를 적용하지 않는 상악동저 거상술의 성공은 짧은 임플란트의 적응증을 더 확장시키고 있다.

위의 결과를 종합하면 다음과 같다.

- 잔존골 높이 4–7 mm에서 짧은 임플란트(6–8 mm)만 식립할 때와 외측 접근 상악동 골이식 후 표준 임플란트 (≥10 mm)를 식립할 때, 3년까지의 임플란트 생존율에는 거의 차이가 없다.
- 수술 시간과 수술 비용은 짧은 임플란트만 식립할 때가 훨씬 적게 소요된다.
- 수술에 의한 생물학적 합병증(통증, 부종, 출혈 등)은 짧은 임플란트만 식립할 때가 훨씬 적게 발생한다.
- 수술 후의 불편감 또한 짧은 임플란트만 식립했을 때가 훨씬 적다.
- 최종적인 환자의 만족도는 비슷하다.

(3) 약간의 성공률 감소를 감수할 것인가, 합병증, 비용, 불편감을 감수할 것인가?

결국 잔존골 높이가 4–7 mm 사이일 때에는 골이식 없이 짧은 임플란트만 식립하는 치료 옵션과 상악동 골이식 후 표준 임플란트를 식립하는 치료 옵션이 모두 가능하다. 두 치료법 모두 확고한 임상적 근거에 기반해 있다. 결국 두 술식 중 어떤 술식을 선택할지는 술자와 환자의 선택이 가장 중요하다.

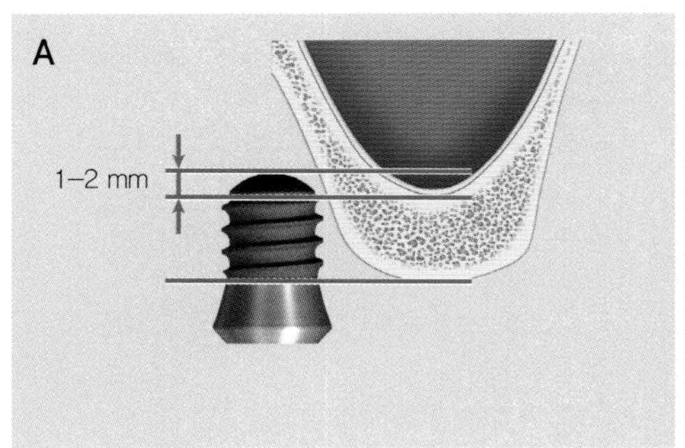

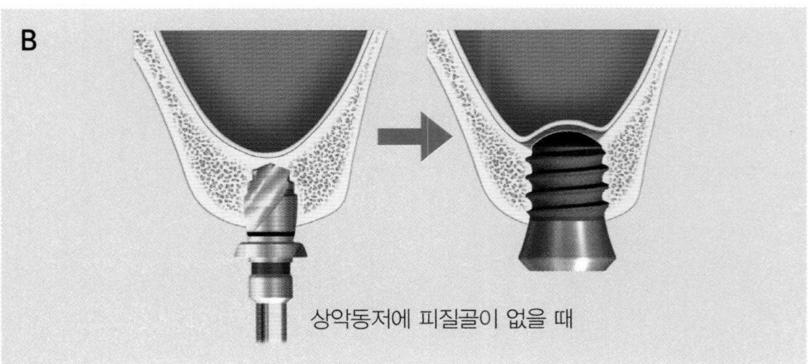

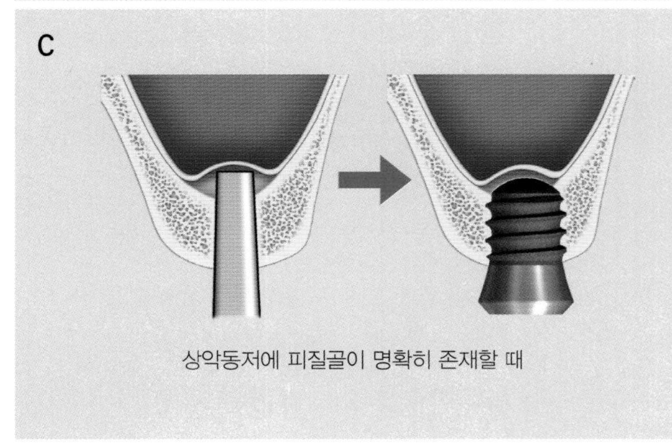

C
상악동저에 피질골이 명확히 존재할 때

📷 3-13 상악 구치부에서 잔존골 높이가 4–5 mm 정도일 때 잔존골 높이보다 1–2 mm 정도 긴 임플란트를 식립하는 술식은 그리 어렵지 않다.
A. 방사선사진을 통해 잔존골 높이를 측정하고 상악동 골이식 없이 아주 짧은 임플란트를 식립하기로 한 경우를 가정해보자. **B.** 일단 골삭제는 상악동저보다 1 mm 정도 하방까지만 진행한다. 방사선사진 상 상악동저에 피질골이 관찰되지 않으면 식립되는 임플란트 치근단이 상악동저를 골절시키며 상악동저를 거상시키도록 한다. **C.** 만약 방사선사진 상 상악동저의 피질골이 명확하게 관찰된다면 오스테오톰이나 기타 기구를 이용해 치조정 접근법으로 상악동저 피질골을 골절시키거나 제거한다. 이후 상악동저 거상이나 골이식 없이 임플란트를 식립한다.

약간의 성공률 감소를 감수하고 짧은 임플란트를 식립할 수도 있다. 짧은 임플란트, 특히 6 mm 길이의 아주 짧은 임플란트는 보철 부하 3년 후까지 표준 임플란트와 차이가 없는, 90% 후반대의 높은 임플란트 생존율을 보인다. 그러나 5년 이상의 장기적인 성공에 관한 보고는 매우 드물며, 일부 연구에서는 장기적으로 짧은 임플란트는 표준 임플란트보다 기능 중 탈락할 확률이 증가한다고 보고했다.[54,55]

상악동 골이식 후 표준 길이의 임플란트를 식립하는 것은 아직까지 치료의 표준 방법으로 남아 있다. 상악동 골이식술은 상악 구치부 치조골의 높이가 감소했을 때 이를 치료할 수 있는 표준 치료법으로 그 효과를 검증받았다. 그러나 상악동 골이식술 시 비용, 수술 시간, 합병증, 환자의 불편감이 증가한다는 사실은 반드시 명심해야 한다.[68–71]

그렇다면 어떤 치료법을 선택해야 하는가? 임플란트의 생존율과 비용, 수술 시간, 합병증, 환자의 불편감 등의 항목은 서로 직접적인 비교가 불가능하다. 결론은 모든 경우에 일괄적으로 적용 가능한 한 가지 해답은 없다는 것이다. 술자의 선호도와 수술 능력, 환자의 국소적 상태(교합압, 구강 악습관, 잔존골의 밀도), 환자의 선호도, 환자의 경제적, 신체적, 정신적 상태(침습적 수술을 받기 힘듦), 상악동 내에 처치가 힘든 병소의 존재 유무 등을 종합적으로 고려하여 선택해야 한다.[1,2] 그리고 우리에게는 다행히도, 환자들은 어떠한 치료법을 적용하더라도 술식이 성공하기만 한다면 일관되게 높은 만족도를 나타낸다.[70,71]

2) 치조정 접근법과 외측 접근법의 비교

(1) 잔존골 높이가 4–5 mm 이상이면 치조정 접근법과 외측 접근법은 비슷한 임상적 성공률을 보인다

앞서 계속 설명한 바와 같이 치조정 접근법을 시행하려면 최소한의 잔존골 높이가 필요하다. 그 이유는 두 가지이다.

- 치조정 접근법 시 상악동저를 거상시키는 양에는 한계가 있다.
- 치조정 접근법 시에는 동시에 임플란트를 식립하며, 일차 안정을 위해 최소한의 골높이가 필요하다.

치조정 접근 상악동 골이식 시에는 보통 3–4 mm의 수직적 증강을 목표로 하는 데 반해, 외측 접근 상악동 골이식 시에는 10 mm 이상의 수직적 증강이 가능하다.[72] 따라서 전문가들은 잔존골 높이가 4 mm 미만인 경우에는 치조정 접근 상악동 골이식을 거의 시행하지 않는다.[73] 그리고 앞서 살펴본 것처럼 임플란트의 일차 안정을 얻기 위해서는 4–5 mm 길이의 잔존골이 필요하기 때문에 주로 임플란트를 동시에 식립하는 치조정 접근법은 잔존골 높이가 이보다 낮은 증례에는 적용하기 어렵다(📷 3–14).

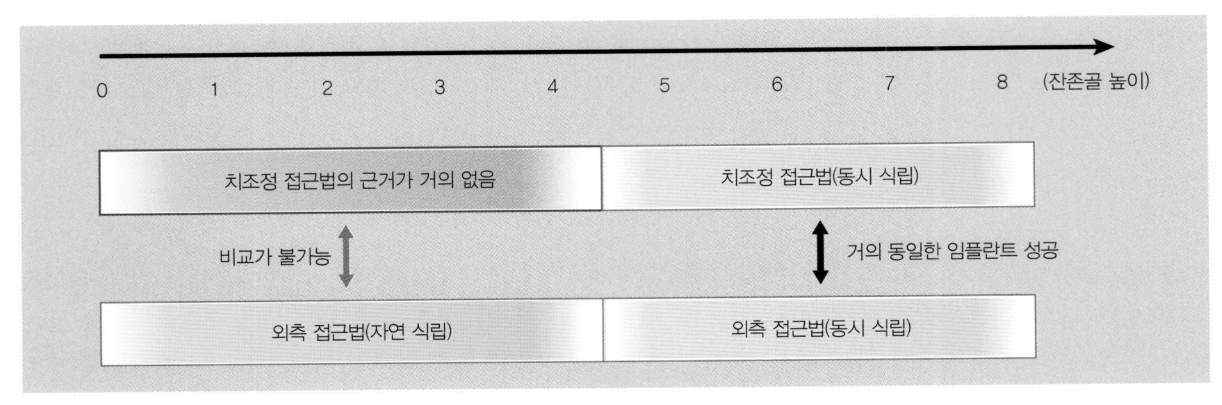

3-14 잔존골 높이가 4–5 mm 미만인 경우에는 치조정 접근법을 사용하는 전문가가 거의 없었다. 따라서 이렇게 잔존골 높이가 낮은 경우 치조정 접근법과 외측 접근법의 성공률을 비교하는 것은 큰 의미가 없다. 가용한 근거가 없기 때문이다.

따라서 잔존골 높이가 4 mm 미만인 경우에 두 술식을 비교하는 것은 무의미하다. 치조정 접근 상악동 골이식에 대한 근거가 거의 없기 때문이다. 그리고 잔존골 높이가 4–5 mm를 넘어서면 외측 접근법과 치조정 접근법을 적용했을 때 이 부위에 식립한 임플란트의 생존율에는 거의 차이를 보이지 않는다. 동일한 조건에서 두 수술 방법의 결과를 비교한 소수의 무작위 대조 연구와 몇몇 메타분석에서 잔존골 높이가 4–5 mm 이상이면 두 접근 방법은 결과에 차이를 보이지 않는다고 했다.[2,37,74]

(2) 치조정 접근법은 통증을 제외한 불편감과 합병증을 줄여준다

짧은 임플란트만 식립한 경우와 상악동 골이식술 후 표준 임플란트를 식립했을 때 환자의 삶의 질과 비용, 수술 시간 등은 현저한 차이를 보였다. 이는 상악동 골이식술 중 내측 접근법과 외측 접근법 사이에서도 비교 가능한 항목이다.

상식적으로 외측 접근법은 치조정 접근법보다 더 침습적인 수술이기 때문에 수술 중, 수술 후의 합병증이나 불편감에 있어 더 불리하다고 생각할 수 있다. 상악동 골이식 후 부종, 멍, 비출혈 등은 흔한 합병증이고, 수직 절개를 포함한 더 넓은 피판 거상, 더 긴 수술 시간, 더 흔한 상악동 막 천공 등으로 인해 외측 접근법 후에는 이러한 합병증이 더 자주 발생한다.[5,75] 전향적 대조 연구들에 의하면 하악 제3대구치 발치 시 피판 거상을 위해 수직 절개를 가하면 술 후 부종과 개구장애의 양은 증가한다.[76–78] 임플란트 수술 시 수술 시간이 60분 이상이면 술 후 통증과 멍은 유의하게 증가한다.[79] 이러한 측면에서 봤을 때 동일 조건(잔존골 높이 3–6 mm)에서 치조정 접근법을 사용하면 피판 형성 시 수직 절개의 개수와 전체 수술 시간(치조정 접근법 평균 54분 VS 외측 접근법 평균 86분)은 현저한 차이를 보이기 때문에 외측 접근법 시 환자의 불편감은 더 증가하게 된다.[80] 한 무작위 대조 연구에서 수술 후 환자의 연하, 저작, 발음, 일상 생활 복귀 여부 등은 모두 치조정 접근 후에 더 좋은 결과를 보였다. 또한 부종, 멍, 비출혈 등도 치조정 접근 시 더 적게 나타났다.[80]

그러나 치조정 접근법으로 가장 널리 사용되는 오스테오톰법은, 말렛팅 시 환자에게 느껴지는 통증과 공포감이 외측 접근법보다 크다는 단점이 있다. 한 무작위 대조 연구에서 환자들은 오스테오톰법 적용 시에는 외측 접근법 적용 시보다 수술 중 유의하게 더 큰 불편감을 느꼈다.[81] 한 후향적 연구에서는 치조정 접근 후 메스꺼움을 동반한 현기증이 2–4주간 나타나는 환자들이 있었으며, 이는 외측 접근 후에는 거의 나타나지 않는 증상이라고 보고했다.[82] 무작위 대조 연구들에 의하면 환자의 통증은 수술 당일에는 치조정 접근법을 적용했을 때가 훨씬 더 크며, 수술 2–3일 후까지도 치조정 접근법을 시행했을 때가 더 크다. 그 이후에는 큰 차이는 없지만 외측 접근법을 시행했을 때의 통증 정도가 더 크다.[80,83]

(3) 치조정 접근법은 적은 양의 이식재를 요하고 상악동 막 천공을 줄여준다

동일 조건에서 외측 접근법을 시행하면 치조정 접근법을 적용할 때보다 훨씬 더 많은 양의 이식재를 사용하게 된다(📷 3-15). 더 넓은 범위의 상악동 막을 거상하기 때문이다. 이는 장점이자 단점이 될 수 있다. 한 무작위 대조 연구에 의하면, 잔존골 높이가 4 mm 이상인 경우에서 외측 접근법 시에는 2.84 cm^3의 이식재가 사용됐고, 치조정 접근법 시에는 0.63 cm^3의 이식재가 사용됐다.[83] 다른 무작위 대조 연구에서는 잔존골 높이가 3–6 mm일 때 외측 접근법 시에는 1.98 cm^3의 이식재가 사용됐고 치조정 접근법 시에는 0.42 cm^3의 이식재가 사용됐다.[80] 결국 잔존골 높이가 동일하다고 가정하면, 외측 접근법 시에는 치조정 접근법 시보다 4.5–4.7배 가량의 이식재를 사용하게 된다는 사실을 알 수 있다.

대체적으로 수술 중 상악동 막의 천공 빈도는 외측 접근 시가 치조정 접근 시보다 높은 것으로 보고되고 있다(📷 3-16). 외측 접근 시에는 7–58%의 증례에서 상악동 막 천공이 발생하는 것으로 보고된 바 있다.[8,84-87] 최근의 메타분석에서는 외측 접근 상악동 골이식 시 막의 천공 발생 빈도는 19.5%였다.[88] 반면 치조정 접근 상악동 골이식 시의 상악동 막 천공 발생률은 0–21.4%로 보고되고 있으며, 전체적으로는 3.8%의 증례에서만 상악동 막 천공이 발생했다는 메타분석이 있었다.[89] 그러나 외측 접근 시 상악동 막 천공은 직접 눈으로 확인 가

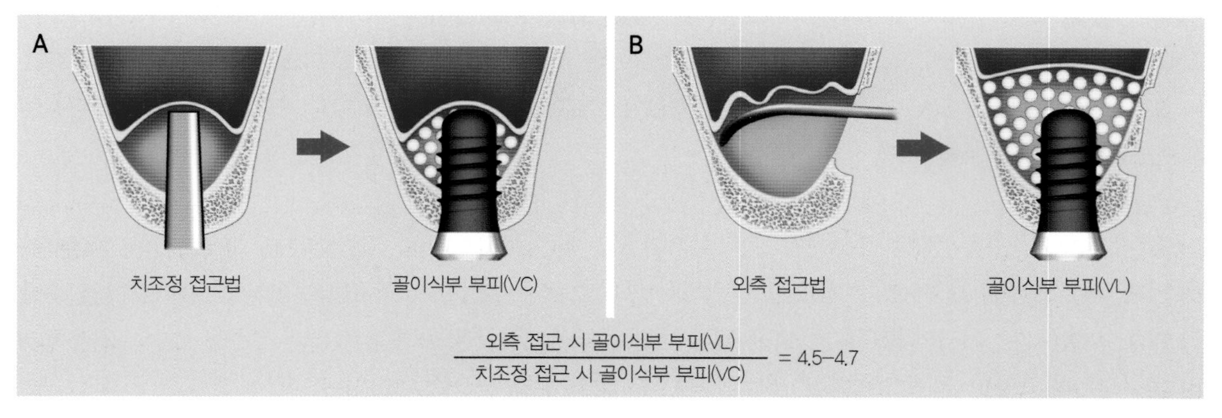

📷 3-15 잔존골 높이가 동일할 때 외측 접근법 시에는 치조정 접근법 시보다 4.5배–4.7배의 이식재가 필요하다.

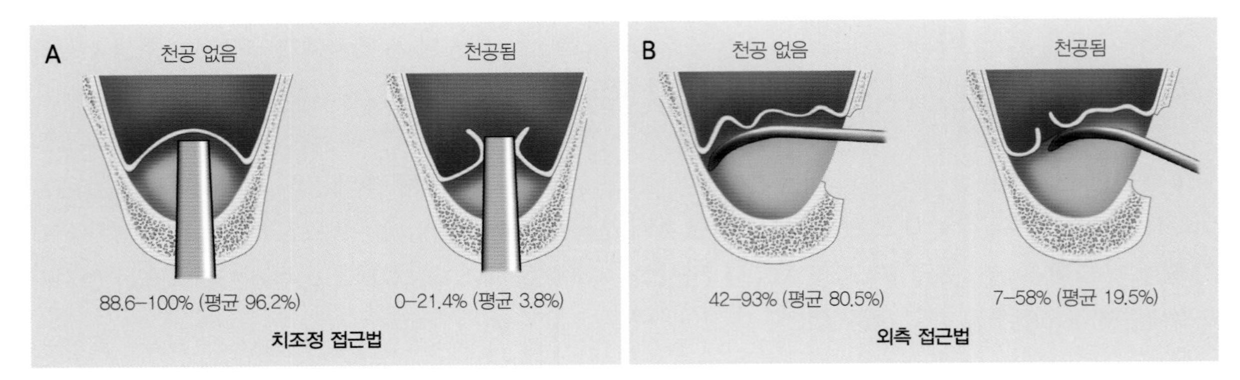

3-16 일반적으로 치조정 접근법보다는 외측 접근법 시 상악동 막이 더 자주 천공되는 것으로 알려져 있다.
A. 한 메타분석에 의하면 치조정 접근법 시 상악동 막 천공은 평균 3.8%의 증례에서 발생했다.[89] **B.** 또다른 메타분석에서 외측 접근법 시에는 상악동 막 천공이 평균 19.5%의 증례에서 발생했다.[88]

능하지만, 치조정 접근 시에는 주로 발살바법이라는 간접적인 방식을 사용할 뿐만 아니라, 이 방법은 정확도가 그리 높지는 않다고 생각되기 때문에 실제로는 더 높은 빈도로 상악동 막이 천공될 것이라고 생각되고 있다.[41]

일련의 대조 연구들에서는 대부분 치조정 접근 시가 외측 접근 시보다 수술 중 상악동 막 천공이 적게 발생했다고 보고했다. 한 후향적 연구에서는 치조정 접근법과 외측 접근법 시 상악동 막 천공 발생률이 21%와 58%,[90] 한 무작위 대조 연구에서는 0%와 10%,74 대규모의 후향적 연구에서는 1.5%와 13.4%,[91] 다른 후향적 연구에서는 4.16%와 6.45%,[82] 한 무작위 대조 연구에서는 0%와 15.4%[83]였다고 보고했다. 따라서 치조정 접근법 시 상악동 막 천공의 진단 방법이 부정확할 수도 있다는 점을 감안하더라도 치조정 접근법은 상악동 막 천공을 적게 유발시킨다고 결론 내릴 수 있다. 상악동 막의 천공은 큰 위험 요소는 아니지만, 이를 적절히 처치하지 못하면 상악동염 등의 합병증을 유발할 수 있다. 따라서 외측 접근법 시에는, 흔하진 않지만 상악동 막의 천공에 의해 상악동염을 유발하거나 이식재가 상악동 내로 유출될 가능성이 더 높다는 점은 염두에 두어야 한다.[74]

(4) 잔존골 높이가 4–7 mm이면 치조정 접근법은 표준 치료법이다

결국 잔존골 높이가 4–7 mm (또는 5–7 mm) 이상이면 치조정 접근법은 표준 치료법이 된다고 할 수 있다. 이 술식은 짧은 임플란트에 비해서는 장기간의 안정적인 임플란트 성공률을 보장할 수 있고, 외측 접근법에 비해서는 덜 침습적이다(**3-17**).

외측 접근법은 전체 상악동 골이식의 표준 술식이지만, 임플란트의 일차 안정을 얻을 수 있는 골높이에서는 첫 번째 치료 옵션이 될 수 없다. 치조정 접근법에 비해 더 높은 임플란트 성공을 보장하지 못하는 반면, 수술의 비용, 수술 시간, 환자의 불편감, 합병증 발생 빈도는 증가시키기 때문이다. 따라서 잔존골 높이가 4–7 mm인 범위에서는 치조정 접근법이 불가능하거나 예후가 좋지 못할 것으로 예상되는 경우에 한하여 외측 접근법을 적용하는 것이 유리할 것이다(**3-2**).

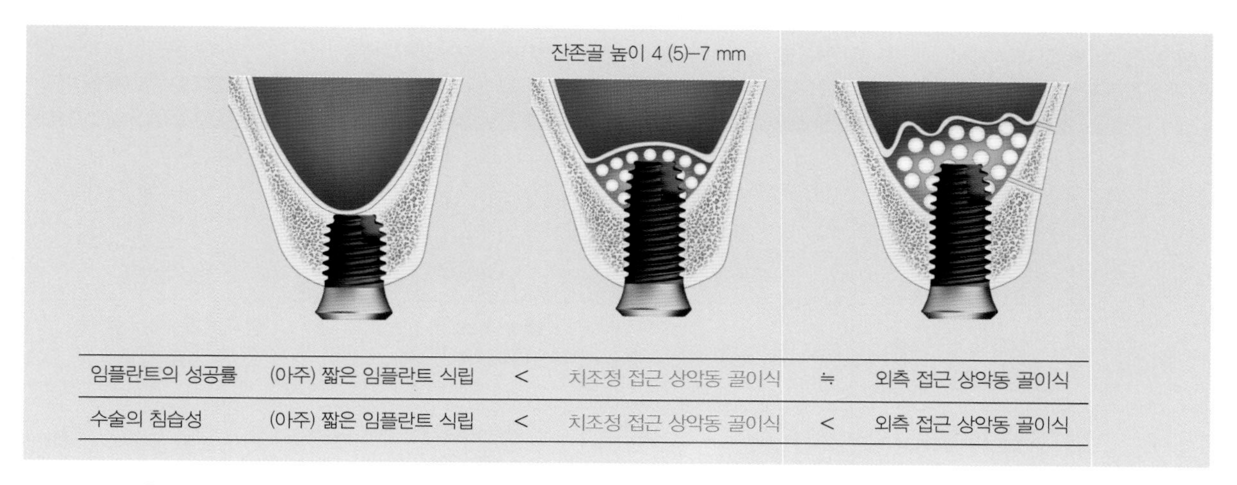

잔존골 높이 4 (5)–7 mm
임플란트의 성공률
(아주) 짧은 임플란트 식립
<
치조정 접근 상악동 골이식
≒
외측 접근 상악동 골이식
수술의 침습성
(아주) 짧은 임플란트 식립
<
치조정 접근 상악동 골이식
<
외측 접근 상악동 골이식

3–17 위축된 상악 구치부에서 임플란트의 성공률은 골이식 없이 아주 짧은 임플란트만 식립했을 때가 상악동 골이식 후 표준 길이 임플란트를 식립했을 때보다 낮다. 그러나 수술의 침습성은 아주 짧은 임플란트를 식립했을 때가 가장 낮고 외측 접근법 후 임플란트를 식립했을 때가 가장 높다.

3–2 잔존골 높이가 4–7 mm일 때 외측 접근법의 적응증

치조정 접근법을 시행하기가 불가능함	• 치조골 밀도가 낮아 임플란트 일차 안정을 얻을 수 없음 • 치조정 접근법이 실패한 부위의 재수술 • 치조정 접근법 시행 중 상악동 막이 천공됨 • 환자 내이에 질환이 존재함(어지럼증 등)
치조정 접근법의 예후가 좋지 못할 것으로 예상됨	• 여러 개의 임플란트 부위에 상악동 골이식 시행(말렛팅에 의한 불편감 증가, 수술 시간의 증가 등) • 환자의 구강 내 악습관, 큰 저작압, 최후방에 위치한 단일치 수복 등으로 긴 임플란트 식립이 필요 • 치조정 접근법에 불리한 해부학적 형태(상악동저의 폭이 큼, 상악동저의 경사도가 심함)

4.
상악 구치부 잔존골 높이에 따른 치료 방법

이제 상악 구치부에서 상악동 함기화에 의해 잔존골 높이가 감소했을 때 이를 극복할 수 있는 세 가지 방법을 정리할 때가 됐다. 세 방법의 적응증과 장단점을 정리해보면 **3–3**과 같다.

우리는 일반적인 상황에서 8 mm 이상 길이의 임플란트 식립을 목표로 해야 한다. 상악 구치부에서 상악동 함기화로 잔존골 높이가 저하되어 이 목표를 이룰 수 없다면 잔존골 높이를 상악동 골이식술로 증가시킨 후

표 3-3 상악 구치부에서 상악동 골이식 및 임플란트 길이 선택 방법의 장단점과 적응증

		짧은 임플란트	치조정 접근법	외측 접근법
적응증	잔존골 높이	4≤ h ≤6 (안정적인 성공을 위해서는 h ≥6 mm)	4≤ h	0 mm≤ h
	골밀도	중등도 이상	중등도 이상	관계 없음
	상악동 내 병소	관계 없음	병소 치료 후 임플란트 치료 시행	병소 치료 후 임플란트 치료 시행
	해부학적 변이	별로 관계 없음	상악동저 골의 형태에 영향 받을 수 있음	격벽에 영향 받음, 그러나 모든 증례에서 시행 가능
	이전에 임플란트 치료가 실패한 병력이 존재	실패의 가능성 현저히 증가	실패의 가능성 현저히 증가	실패의 가능성 증가
	환자의 전신적 상태	간단한 술식이므로 심한 전신 질환이 없으면 시행 가능	불안감이 크거나 내이 질환이 있는 환자는 시행 불가	환자의 전신 상태가 좋지 못한 환자에서 시행 불가
	저작압, 악습관	임플란트 실패 위험 증가	임플란트 실패 위험 중간	임플란트 실패 위험 최소
술 후 불편감	통증	최소	수술 중–3일 후까지 최대	수술 3일 이후 최대
	출혈	최소	중간	최대
	부종	최소	중간	최대
	생활 중 불편감	최소	중간	최대
합병증	상악동 막 천공	없거나 최소	중간	최대
	상악동염	없거나 최소	거의 없음	간혹 발생
수술 과정	난이도	최소	중간	최대
	수술 시간	최소	중간	최대
	필요한 이식재	없음	적음	많음
	수술 비용	최소	높음	최대
임상적 성공	잔존골 높이 <4 mm	식립 불가능	현저히 저하	최대의 성공률
	4 mm≤ 잔존골 높이 <7 mm	아주 약간의 성공률 저하	최대의 성공률	최대의 성공률

8 mm 이상의 임플란트를 식립하거나, 약간의 위험성을 감수하고 더 짧은 임플란트를 식립해야 한다(📷 3-18). 아쉽게도 우리에게는 어떤 경우에 어떤 술식을 선택해야 하는가에 대한 명확한 기준은 없다. 그러나 잔존골 높이는 가장 널리 쓰이는 기준이 되며, 최근의 임상 연구들의 결과를 참고하여 각 치료법의 적응증을 정리할 수 있다. 여러 임상가들은 잔존골 높이 4–8 mm 정도를 술식 선택의 기준으로 삼고 있다.[5] 8 mm 길이의 임플란트 식립을 목표로 할 때 다음 표는 식립의 기준이 될 것이다(📷 3-19).[92]

잔존골 높이(h)	상악동 골이식 시행하지 않음	치조정 접근 상악동 골이식	외측 접근 상악동 골이식
4 mm> h	**시행 불가**	**다음 경우 제한적으로 시행** • 단일치 수복 • 높은 밀도의 잔존골 • 임플란트 고정이 가능한 최소한의 골높이(h ≥3 mm) • 골재생에 유리한 상악동저 형태(좁은 협-구개 폭, 치아 상실부가 하방으로 오목함) • 술자의 숙련도가 높음 • 외측 접근 상악동 골이식에 불리한 해부학적 상태(처치가 힘든 격벽, 큰 동맥, 두꺼운 상악동 외측벽 등)	**첫 번째 치료 옵션**
4 mm≤ h ≤6 mm	**다음 경우 시행(6 mm 길이 임플란트 식립 목표. 필요시 골이식 없는 상악동저 거상술 시행)** • 환자의 경제적, 정신적, 신체적 문제로 골증강술을 시행할 수 없음 • 만성 상악동염이나 점액 저류낭종 등 처치가 힘든 상악동 내 병소가 존재 • 높은 밀도의 잔존골 • 인접한 표준 길이의 임플란트와 스플린팅 할 수 있음 • 술자의 숙련도가 떨어짐	**첫 번째 치료 옵션 (특히 5≤ h ≤6인 경우)**	**다음 경우 시행** • 낮은 밀도의 잔존골 • 이전의 치료가 실패한 재수술 부위 • 치조정 접근 상악동 골이식 시 상악동 막이 천공된 경우 • 상악동저가 경사도가 심함 • 골재생에 불리한 상악동저 형태(넓은 협-구개 폭 등) • 환자 내이에 질환이 존재함
6 mm< h <8 mm	**첫 번째 치료 옵션(필요시 골이식 없는 상악동저 거상술 시행)** • 가급적 8 mm 이상 길이의 임플란트를 식립 • 잔존골 높이가 6 mm 이상, 8 mm 미만이면 8 mm 임플란트 식립을 위해 골이식 없는 상악동저 거상술 시행 • 잔존골 높이와 동일한 길이의 임플란트 식립도 가능	**다음 경우 첫 번째 치료 옵션 (6 mm< 임플란트 길이 <8 mm 일 때의 임상적 성공에 대한 일반적 합의가 없음. 따라서 첫 번째 치료 옵션으로 선택할 수도 있음)** • 이전에 짧은 임플란트 식립이 실패한 경우 • 낮은 밀도의 잔존골	**다음의 경우에 제한적으로 시행** • 이전에 짧은 임플란트 식립이 실패한 경우 • 이전에 치조정 접근 상악동 골이식이 실패한 경우

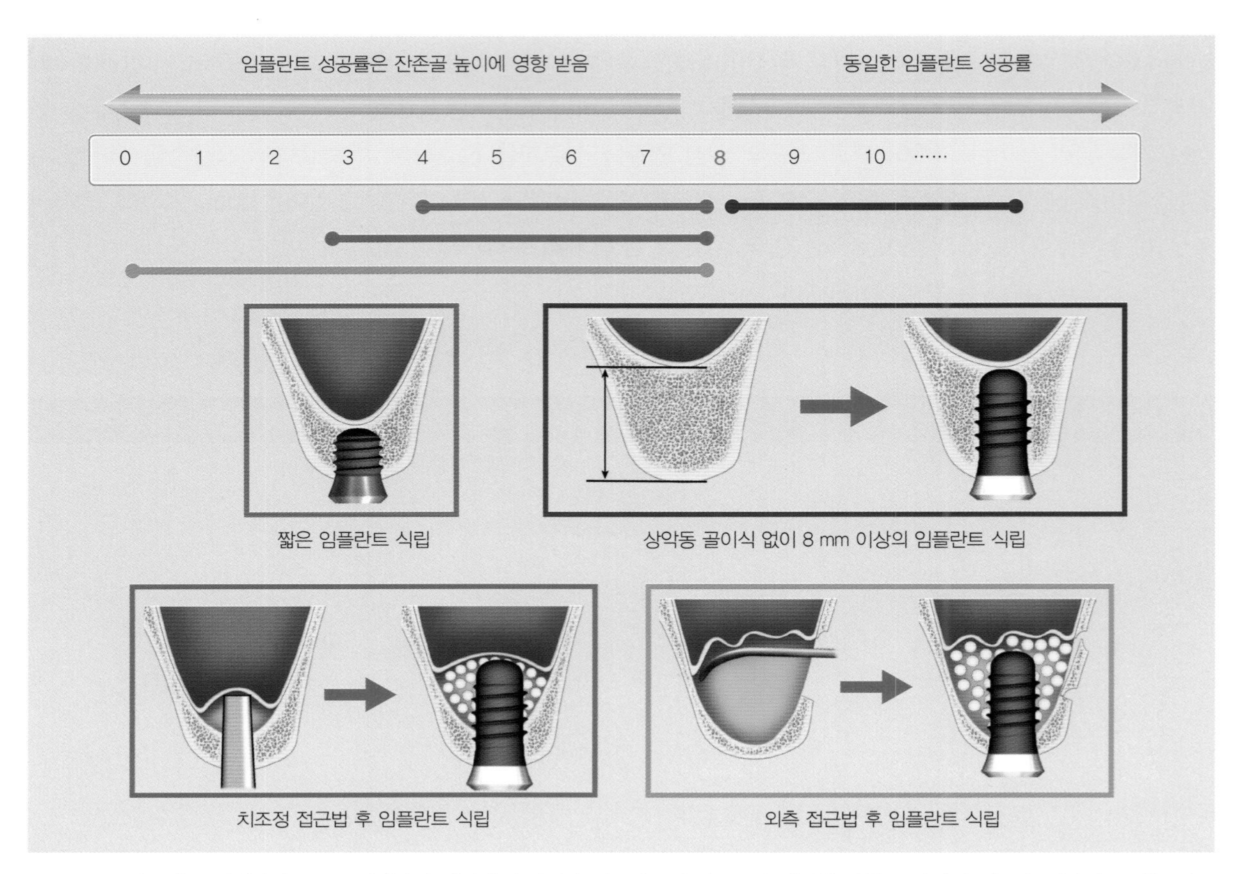

3–18 임플란트 매식체가 8 mm 이상이면 매식체의 길이가 임플란트의 성공률에 어떠한 영향도 끼치지 않는다. 따라서 우리는 잔존골 높이가 8 mm 이상이면 상악동 골이식 없이 단순히 8 mm 이상 길이의 임플란트만 식립하면 된다(파란색). 그러나 상악동 함기화로 인해 골이식 없이 8 mm 임플란트 식립이 불가능한 경우에는 상악동 골이식술로 잔존골 높이를 증가시킨 후 8 mm 이상의 임플란트를 식립하거나, 약간의 위험성을 감수하고 더 짧은 임플란트를 식립해야 한다. 이 그림은 잔존골 높이에 따라 사용 가능한 치료 옵션을 보여주고 있다. 골이식 없는 (아주) 짧은 임플란트 식립(보라색)은 잔존골 높이가 4 mm 이상인 경우 시행한다. 치조정 접근법 후 임플란트 식립(빨간색)은 잔존골 높이가 3–4 mm 이상이어야 가능하다. 외측 접근법 후 임플란트 식립은 잔존골 높이 8 mm 미만의 모든 증례에서 적용 가능하다(연두색).

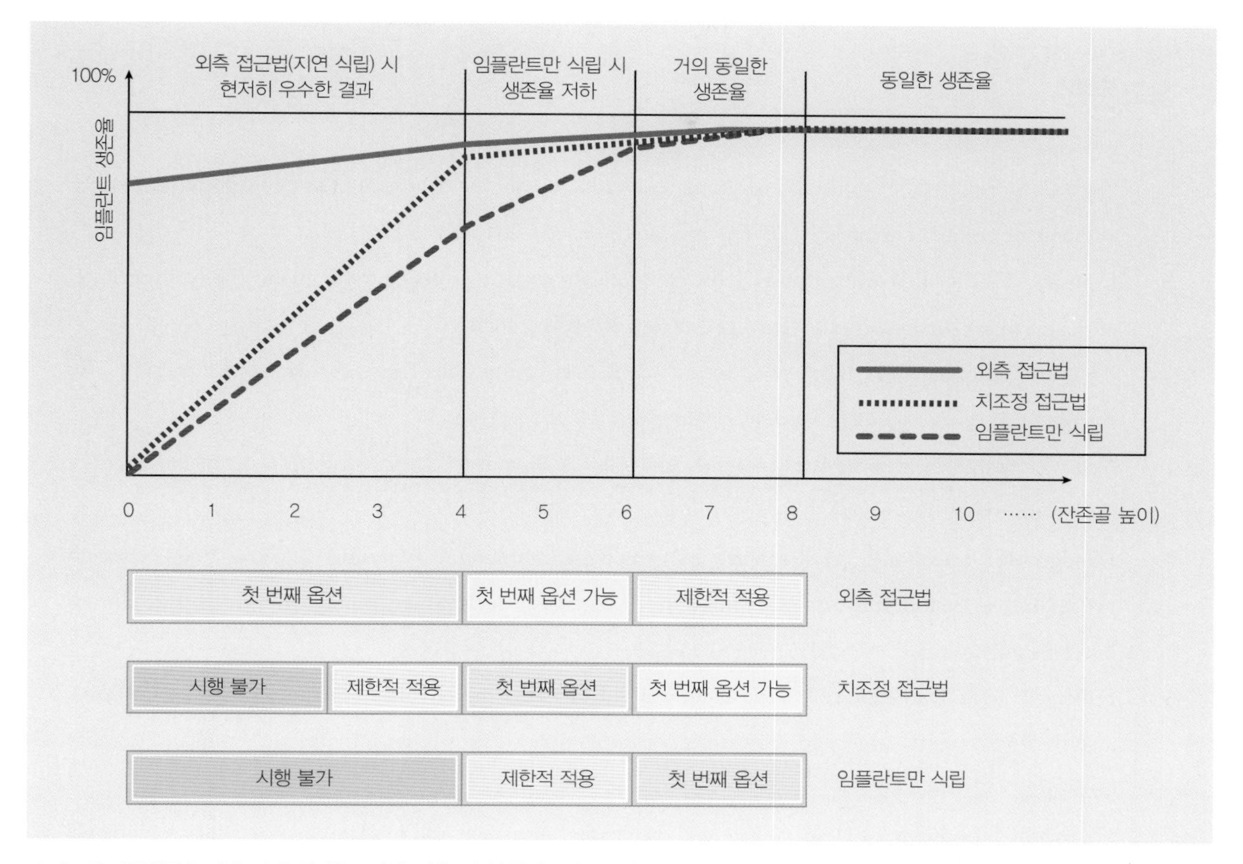

3–19 잔존골 높이에 따라 각 치료 방법 적용 시 임플란트의 생존율과 이에 따라 선호하는 치료 옵션

A. 외측 접근법은 잔존골 높이가 4 mm 미만일 때 다른 치료법에 비해 임플란트의 생존율을 유의하게 증가시킬 수 있다. 따라서 이러한 증례에서 첫번째 치료 옵션이 될 수 있다. 그러나 잔존골 높이가 6 mm를 초과하면 다른 치료법들과 비슷한 임플란트 생존율을 초래하지만 가장 술자–환자 비친화적인 술식이기 때문에 제한적으로만 적용한다. **B. 치조정 접근법**은 잔존골 높이가 3–4 mm 미만이면 임플란트의 생존율을 현저히 떨어뜨리기 때문에 적용에 주의를 요한다. 치조정 접근법은 보통 잔존골 높이가 4–6 mm 사이일 때 첫번째 적용 가능한 치료 옵션으로 생각된다. 외측 접근법과 비슷한 정도로 임플란트 생존율은 현저히 증가시키지만 외측 접근법보다는 더 용이한 치료법이기 때문이다. **C. 골증강술 없이 짧은 임플란트만 식립하는 술식**은 잔존골 높이가 6 mm를 초과할 때 첫번째 치료 옵션이 될 수 있다. 가장 간단하고 저렴한 치료법이지만 임플란트의 생존율은 다른 치료법과 큰 차이를 보이지 않기 때문이다. 잔존골 높이가 4–6 mm 사이이면 임플란트 생존율은 여타 치료법보다 떨어지기 때문에 골증강술이 어렵거나 불가능한 증례에 한해 제한적으로만 사용할 것을 추천한다.

참고문헌

1. Corbella S, Taschieri S, Del Fabbro M. Long-term outcomes for the treatment of atrophic posterior maxilla: a systematic review of literature. *Clin Implant Dent Relat Res.* 2015;17(1):120-132.
2. Esposito M, Felice P, Worthington HV. Interventions for replacing missing teeth: augmentation procedures of the maxillary sinus. *Cochrane Database Syst Rev.* 2014(5):Cd008397.
3. Jensen OT, Shulman LB, Block MS, Iacono VJ. Report of the sinus consensus conference of 1996. *The International journal of oral & maxillofacial implants.* 1998;13:11-45.
4. Nedir R, Nurdin N, Khoury P, El Hage M, Abi Najm S, Bischof M. Paradigm shift in the management of the atrophic posterior maxilla. *Case reports in dentistry.* 2014;2014.
5. Lundgren S, Cricchio G, Hallman M, Jungner M, Rasmusson L, Sennerby L. Sinus floor elevation procedures to enable implant placement and integration: techniques, biological aspects and clinical outcomes. *Periodontol 2000.* 2017;73(1):103-120.
6. Friberg B, Jemt T, Lekholm U. Early failures in 4,641 consecutively placed Branemark dental implants: a study from stage 1 surgery to the connection of completed prostheses. *Int J Oral Maxillofac Implants.* 1991;6(2):142-146.
7. Herrmann I, Lekholm U, Holm S, Kultje C. Evaluation of patient and implant characteristics as potential prognostic factors for oral implant failures. *Int J Oral Maxillofac Implants.* 2005;20(2):220-230.
8. Misch CE. *Contemporary implant dentistry.* 3rd ed. St. Louis: Mosby Elsevier; 2008.
9. Pietrokovski J, Starinsky R, Arensburg B, Kaffe I. Morphologic characteristics of bony edentulous jaws. *J Prosthodont.* 2007;16(2):141-147.
10. Monje A, Urban IA, Miron RJ, Caballe-Serrano J, Buser D, Wang HL. Morphologic Patterns of the Atrophic Posterior Maxilla and Clinical Implications for Bone Regenerative Therapy. *Int J Periodontics Restorative Dent.* 2017;37(5):e279-e289.
11. O'Sullivan D, Sennerby L, Meredith N. Measurements comparing the initial stability of five designs of dental implants: a human cadaver study. *Clin Implant Dent Relat Res.* 2000;2(2):85-92.
12. Akça K, Chang TL, Tekdemir I, Fanuscu MI. Biomechanical aspects of initial intraosseous stability and implant design: a quantitative micro-morphometric analysis. *Clin Oral Implants Res.* 2006;17(4):465-472.
13. Turkyilmaz I, Sennerby L, McGlumphy EA, Tözüm TF. Biomechanical aspects of primary implant stability: a human cadaver study. *Clin Implant Dent Relat Res.* 2009;11(2):113-119.
14. Turkyilmaz I, McGlumphy EA. Influence of bone density on implant stability parameters and implant success: a retrospective clinical study. *BMC Oral Health.* 2008;8:32.

15. Friberg B, Sennerby L, Roos J, Lekholm U. Identification of bone quality in conjunction with insertion of titanium implants. A pilot study in jaw autopsy specimens. *Clin Oral Implants Res.* 1995;6(4):213-219.
16. Aksoy U, Eratalay K, Tözüm TF. The possible association among bone density values, resonance frequency measurements, tactile sense, and histomorphometric evaluations of dental implant osteotomy sites: a preliminary study. *Implant Dent.* 2009;18(4):316-325.
17. Ulm C, Kneissel M, Schedle A, et al. Characteristic features of trabecular bone in edentulous maxillae. *Clin Oral Implants Res.* 1999;10(6):459-467.
18. Trisi P, Rao W. Bone classification: clinical-histomorphometric comparison. *Clin Oral Implants Res.* 1999;10(1):1-7.
19. Pommer B, Hof M, Fädler A, Gahleitner A, Watzek G, Watzak G. Primary implant stability in the atrophic sinus floor of human cadaver maxillae: impact of residual ridge height, bone density, and implant diameter. *Clin Oral Implants Res.* 2014;25(2):e109-113.
20. Monje A, González-García R, Monje F, et al. Microarchitectural pattern of pristine maxillary bone. *Int J Oral Maxillofac Implants.* 2015;30(1):125-132.
21. Monje A, Chan HL, Galindo-Moreno P, et al. Alveolar Bone Architecture: A Systematic Review and Meta-Analysis. *J Periodontol.* 2015;86(11):1231-1248.
22. Becktor JP, Hallström H, Isaksson S, Sennerby L. The use of particulate bone grafts from the mandible for maxillary sinus floor augmentation before placement of surface-modified implants: results from bone grafting to delivery of the final fixed prosthesis. *J Oral Maxillofac Surg.* 2008;66(4):780-786.
23. González-García R, Monje F. The reliability of cone-beam computed tomography to assess bone density at dental implant recipient sites: a histomorphometric analysis by micro-CT. *Clin Oral Implants Res.* 2013;24(8):871-879.
24. Monje A, Monje F, González-García R, et al. Influence of atrophic posterior maxilla ridge height on bone density and microarchitecture. *Clin Implant Dent Relat Res.* 2015;17(1):111-119.
25. Arosio P, Greco GB, Zaniol T, Iezzi G, Perrotti V, Di Stefano DA. Sinus augmentation and concomitant implant placement in low bone-density sites. A retrospective study on an undersized drilling protocol and primary stability. *Clin Implant Dent Relat Res.* 2018;20(2):151-159.
26. Avila G, Wang HL, Galindo-Moreno P, et al. The influence of the bucco-palatal distance on sinus augmentation outcomes. *J Periodontol.* 2010;81(7):1041-1050.
27. Lombardi T, Stacchi C, Berton F, Traini T, Torelli L, Di Lenarda R. Influence of Maxillary Sinus Width on New Bone Formation After Transcrestal Sinus Floor Elevation: A Proof-of-Concept Prospective Cohort Study. *Implant Dent.* 2017;26(2):209-216.

28. Kopecka D, Simunek A, Brazda T, Rota M, Slezak R, Capek L. Relationship between subsinus bone height and bone volume requirements for dental implants: a human radiographic study. *Int J Oral Maxillofac Implants*. 2012;27(1):48-54.
29. Niu L, Wang J, Yu H, Qiu L. New classification of maxillary sinus contours and its relation to sinus floor elevation surgery. *Clin Implant Dent Relat Res*. 2018;20(4):493-500.
30. Stacchi C, Lombardi T, Ottonelli R, Berton F, Perinetti G, Traini T. New bone formation after transcrestal sinus floor elevation was influenced by sinus cavity dimensions: A prospective histologic and histomorphometric study. *Clin Oral Implants Res*. 2018;29(5):465-479.
31. Fenner M, Vairaktaris E, Stockmann P, Schlegel KA, Neukam FW, Nkenke E. Influence of residual alveolar bone height on implant stability in the maxilla: an experimental animal study. *Clin Oral Implants Res*. 2009;20(8):751-755.
32. Fenner M, Vairaktaris E, Fischer K, Schlegel KA, Neukam FW, Nkenke E. Influence of residual alveolar bone height on osseointegration of implants in the maxilla: a pilot study. *Clin Oral Implants Res*. 2009;20(6):555-559.
33. Cricchio G, Imburgia M, Sennerby L, Lundgren S. Immediate loading of implants placed simultaneously with sinus membrane elevation in the posterior atrophic maxilla: a two-year follow-up study on 10 patients. *Clin Implant Dent Relat Res*. 2014;16(4):609-617.
34. Yamamichi N, Itose T, Neiva R, Wang HL. Long-term evaluation of implant survival in augmented sinuses: a case series. *Int J Periodontics Restorative Dent*. 2008;28(2):163-169.
35. Mardinger O, Nissan J, Chaushu G. Sinus floor augmentation with simultaneous implant placement in the severely atrophic maxilla: technical problems and complications. *J Periodontol*. 2007;78(10):1872-1877.
36. Felice P, Pistilli R, Piattelli M, Soardi E, Barausse C, Esposito M. 1-stage versus 2-stage lateral sinus lift procedures: 1-year post-loading results of a multicentre randomised controlled trial. *Eur J Oral Implantol*. 2014;7(1):65-75.
37. Antonoglou GN, Stavropoulos A, Samara MD, et al. Clinical Performance of Dental Implants Following Sinus Floor Augmentation: A Systematic Review and Meta-Analysis of Clinical Trials with at Least 3 Years of Follow-up. *Int J Oral Maxillofac Implants*. 2018;33(3):e45-e65.
38. Rosen PS, Summers R, Mellado JR, et al. The bone-added osteotome sinus floor elevation technique: multicenter retrospective report of consecutively treated patients. *Int J Oral Maxillofac Implants*. 1999;14(6):853-858.
39. Toffler M. Osteotome-mediated sinus floor elevation: a clinical report. *Int J Oral Maxillofac Implants*. 2004;19(2):266-273.

40. Pjetursson BE, Rast C, Bragger U, Schmidlin K, Zwahlen M, Lang NP. Maxillary sinus floor elevation using the (transalveolar) osteotome technique with or without grafting material. Part I: Implant survival and patients' perception. *Clin Oral Implants Res.* 2009;20(7):667-676.
41. Nkenke E, Schlegel A, Schultze-Mosgau S, Neukam FW, Wiltfang J. The endoscopically controlled osteotome sinus floor elevation: a preliminary prospective study. *Int J Oral Maxillofac Implants.* 2002;17(4):557-566.
42. Toffler M. Osteotome-mediated sinus floor elevation: a clinical report. *International Journal of Oral & Maxillofacial Implants.* 2004;19(2).
43. Rosen PS, Summers R, Mellado JR, et al. The bone-added osteotome sinus floor elevation technique: multicenter retrospective report of consecutively treated patients. *International Journal of Oral and Maxillofacial Implants.* 1999;14(6):853-858.
44. Călin C, Petre A, Drafta S. Osteotome-mediated sinus floor elevation: a systematic review and meta-analysis. *International Journal of Oral & Maxillofacial Implants.* 2014;29(3).
45. Shi J-Y, Gu Y-X, Zhuang L-F, Lai H-C. Survival of Implants Using the Osteotome Technique With or Without Grafting in the Posterior Maxilla: A Systematic Review. *International Journal of Oral & Maxillofacial Implants.* 2016;31(5).
46. Del Fabbro M, Corbella S, Weinstein T, Ceresoli V, Taschieri S. Implant survival rates after osteotome-mediated maxillary sinus augmentation: a systematic review. *Clinical implant dentistry and related research.* 2012;14:e159-e168.
47. Pjetursson BE, Rast C, Brägger U, Schmidlin K, Zwahlen M, Lang NP. Maxillary sinus floor elevation using the (transalveolar) osteotome technique with or without grafting material. Part I: Implant survival and patients' perception. *Clinical Oral Implants Research.* 2009;20(7):667-676.
48. Martinez H, Davarpanah M, Missika P, Celletti R, Lazzara R. Optimal implant stabilization in low density bone. *Clin Oral Implants Res.* 2001;12(5):423-432.
49. Nisand D, Picard N, Rocchietta I. Short implants compared to implants in vertically augmented bone: a systematic review. *Clin Oral Implants Res.* 2015;26 Suppl 11:170-179.
50. Thoma DS, Zeltner M, Husler J, Hammerle CH, Jung RE. EAO Supplement Working Group 4 - EAO CC 2015 Short implants versus sinus lifting with longer implants to restore the posterior maxilla: a systematic review. *Clin Oral Implants Res.* 2015;26 Suppl 11:154-169.
51. Thoma DS, Haas R, Tutak M, Garcia A, Schincaglia GP, Hammerle CH. Randomized controlled multicentre study comparing short dental implants (6 mm) versus longer dental implants (11-15 mm) in combination with sinus floor elevation procedures. Part 1: demographics and patient-reported outcomes at

1 year of loading. *J Clin Periodontol.* 2015;42(1):72-80.

52. Felice P, Pistilli R, Barausse C, Bruno V, Trullenque-Eriksson A, Esposito M. Short implants as an alternative to crestal sinus lift: A 1-year multicentre randomised controlled trial. *Eur J Oral Implantol.* 2015;8(4):375-384.
53. Srinivasan M, Vazquez L, Rieder P, Moraguez O, Bernard JP, Belser UC. Survival rates of short (6 mm) micro-rough surface implants: a review of literature and meta-analysis. *Clin Oral Implants Res.* 2014;25(5):539-545.
54. Papaspyridakos P, De Souza A, Vazouras K, Gholami H, Pagni S, Weber HP. Survival rates of short dental implants (</=6 mm) compared with implants longer than 6 mm in posterior jaw areas: A meta-analysis. *Clin Oral Implants Res.* 2018;29 Suppl 16:8-20.
55. Ravida A, Wang IC, Barootchi S, et al. Meta-analysis of randomized clinical trials comparing clinical and patient-reported outcomes between extra-short (</=6 mm) and longer (>/=10 mm) implants. *J Clin Periodontol.* 2019;46(1):118-142.
56. Slotte C, Gronningsaeter A, Halmoy AM, et al. Four-Millimeter-Long Posterior-Mandible Implants: 5-Year Outcomes of a Prospective Multicenter Study. *Clin Implant Dent Relat Res.* 2015;17 Suppl 2:e385-395.
57. Rokn AR, Monzavi A, Panjnoush M, Hashemi HM, Kharazifard MJ, Bitaraf T. Comparing 4-mm dental implants to longer implants placed in augmented bones in the atrophic posterior mandibles: One-year results of a randomized controlled trial. *Clin Implant Dent Relat Res.* 2018;20(6):997-1002.
58. Călin C, Petre A, Drafta S. Osteotome-mediated sinus floor elevation: a systematic review and meta-analysis. *Int J Oral Maxillofac Implants.* 2014;29(3):558-576.
59. Del Fabbro M, Testori T, Francetti L, Weinstein R. Systematic review of survival rates for implants placed in the grafted maxillary sinus. *Int J Periodontics Restorative Dent.* 2004;24(6):565-577.
60. Thoma DS, Zeltner M, Hüsler J, Hämmerle CH, Jung RE. EAO Supplement Working Group 4 - EAO CC 2015 Short implants versus sinus lifting with longer implants to restore the posterior maxilla: a systematic review. *Clin Oral Implants Res.* 2015;26 Suppl 11:154-169.
61. Fan T, Li Y, Deng WW, Wu T, Zhang W. Short Implants (5 to 8 mm) Versus Longer Implants (>8 mm) with Sinus Lifting in Atrophic Posterior Maxilla: A Meta-Analysis of RCTs. *Clin Implant Dent Relat Res.* 2017;19(1):207-215.
62. Nielsen HB, Schou S, Isidor F, Christensen AE, Starch-Jensen T. Short implants (≤8mm) compared to standard length implants (>8mm) in conjunction with maxillary sinus floor augmentation: a systematic review and meta-analysis. *Int J Oral Maxillofac Surg.* 2019;48(2):239-249.
63. Lozano-Carrascal N, Anglada-Bosqued A, Salomó-Coll O, Hernández-Alfaro F, Wang HL, Gargallo-

Albiol J. Short implants (<8mm) versus longer implants (≥8mm) with lateral sinus floor augmentation in posterior atrophic maxilla: A meta-analysis of RCT`s in humans. *Med Oral Patol Oral Cir Bucal.* 2020;25(2):e168-e179.

64. Yan Q, Wu X, Su M, Hua F, Shi B. Short implants (≤6 mm) versus longer implants with sinus floor elevation in atrophic posterior maxilla: a systematic review and meta-analysis. *BMJ Open.* 2019;9(10):e029826.
65. RavidàA, Wang IC, Sammartino G, et al. Prosthetic Rehabilitation of the Posterior Atrophic Maxilla, Short (≤6 mm) or Long (≥10 mm) Dental Implants? A Systematic Review, Meta-analysis, and Trial Sequential Analysis: Naples Consensus Report Working Group A. *Implant Dent.* 2019;28(6):590-602.
66. Esposito M, Barausse C, Pistilli R, et al. Posterior jaws rehabilitated with partial prostheses supported by 4.0 x 4.0 mm or by longer implants: Four-month post-loading data from a randomised controlled trial. *Eur J Oral Implantol.* 2015;8(3):221-230.
67. Felice P, Checchi L, Barausse C, et al. Posterior jaws rehabilitated with partial prostheses supported by 4.0 x 4.0 mm or by longer implants: One-year post-loading results from a multicenter randomised controlled trial. *Eur J Oral Implantol.* 2016;9(1):35-45.
68. Thoma DS, Haas R, Tutak M, Garcia A, Schincaglia GP, Hämmerle CH. Randomized controlled multicentre study comparing short dental implants (6 mm) versus longer dental implants (11-15 mm) in combination with sinus floor elevation procedures. Part 1: demographics and patient-reported outcomes at 1 year of loading. *J Clin Periodontol.* 2015;42(1):72-80.
69. Yu H, Wang X, Qiu L. Outcomes of 6.5-mm Hydrophilic Implants and Long Implants Placed with Lateral Sinus Floor Elevation in the Atrophic Posterior Maxilla: A Prospective, Randomized Controlled Clinical Comparison. *Clin Implant Dent Relat Res.* 2017;19(1):111-122.
70. Bechara S, Kubilius R, Veronesi G, Pires JT, Shibli JA, Mangano FG. Short (6-mm) dental implants versus sinus floor elevation and placement of longer (≥10-mm) dental implants: a randomized controlled trial with a 3-year follow-up. *Clin Oral Implants Res.* 2017;28(9):1097-1107.
71. Taschieri S, Lolato A, Testori T, Francetti L, Del Fabbro M. Short dental implants as compared to maxillary sinus augmentation procedure for the rehabilitation of edentulous posterior maxilla: Three-year results of a randomized clinical study. *Clin Implant Dent Relat Res.* 2018;20(1):9-20.
72. Al-Dajani M. Recent Trends in Sinus Lift Surgery and Their Clinical Implications. *Clin Implant Dent Relat Res.* 2016;18(1):204-212.
73. Chao YL, Chen HH, Mei CC, Tu YK, Lu HK. Meta-regression analysis of the initial bone height for predicting implant survival rates of two sinus elevation procedures. *J Clin Periodontol.* 2010;37(5):456-465.

74. Cannizzaro G, Felice P, Leone M, Viola P, Esposito M. Early loading of implants in the atrophic posterior maxilla: lateral sinus lift with autogenous bone and Bio-Oss versus crestal mini sinus lift and 8-mm hydroxyapatite-coated implants. A randomised controlled clinical trial. *Eur J Oral Implantol.* 2009;2(1):25-38.
75. Pjetursson BE, Lang NP. Sinus floor elevation utilizing the transalveolar approach. *Periodontol 2000.* 2014;66(1):59-71.
76. Alqahtani NA, Khaleelahmed S, Desai F. Evaluation of two flap designs on the mandibular second molar after third molar extractions. *J Oral Maxillofac Pathol.* 2017;21(2):317-318.
77. Baqain ZH, Al-Shafii A, Hamdan AA, Sawair FA. Flap design and mandibular third molar surgery: a split mouth randomized clinical study. *Int J Oral Maxillofac Surg.* 2012;41(8):1020-1024.
78. Kirk DG, Liston PN, Tong DC, Love RM. Influence of two different flap designs on incidence of pain, swelling, trismus, and alveolar osteitis in the week following third molar surgery. *Oral Surg Oral Med Oral Pathol Oral Radiol Endod.* 2007;104(1):e1-6.
79. Tan WC, Krishnaswamy G, Ong MM, Lang NP. Patient-reported outcome measures after routine periodontal and implant surgical procedures. *J Clin Periodontol.* 2014;41(6):618-624.
80. Farina R, Franceschetti G, Travaglini D, et al. Morbidity following transcrestal and lateral sinus floor elevation: A randomized trial. *J Clin Periodontol.* 2018;45(9):1128-1139.
81. Zhang XM, Shi JY, Gu YX, Qiao SC, Mo JJ, Lai HC. Clinical Investigation and Patient Satisfaction of Short Implants Versus Longer Implants with Osteotome Sinus Floor Elevation in Atrophic Posterior Maxillae: A Pilot Randomized Trial. *Clin Implant Dent Relat Res.* 2017;19(1):161-166.
82. Al-Almaie S, Kavarodi AM, Al Faidhi A. Maxillary sinus functions and complications with lateral window and osteotome sinus floor elevation procedures followed by dental implants placement: a retrospective study in 60 patients. *J Contemp Dent Pract.* 2013;14(3):405-413.
83. Temmerman A, Van Dessel J, Cortellini S, Jacobs R, Teughels W, Quirynen M. Volumetric changes of grafted volumes and the Schneiderian membrane after transcrestal and lateral sinus floor elevation procedures: A clinical, pilot study. *J Clin Periodontol.* 2017;44(6):660-671.
84. Pikos MA. Maxillary sinus membrane repair: report of a technique for large perforations. *Implant Dent.* 1999;8(1):29-34.
85. Block MS, Kent JN. Sinus augmentation for dental implants: the use of autogenous bone. *J Oral Maxillofac Surg.* 1997;55(11):1281-1286.
86. Timmenga NM, Raghoebar GM, Boering G, van Weissenbruch R. Maxillary sinus function after sinus lifts for the insertion of dental implants. *J Oral Maxillofac Surg.* 1997;55(9):936-939;discussion 940.

87. Schwartz-Arad D, Herzberg R, Dolev E. The prevalence of surgical complications of the sinus graft procedure and their impact on implant survival. *J Periodontol.* 2004;75(4):511-516.
88. Pjetursson BE, Tan WC, Zwahlen M, Lang NP. A systematic review of the success of sinus floor elevation and survival of implants inserted in combination with sinus floor elevation. *J Clin Periodontol.* 2008;35(8 Suppl):216-240.
89. Tan WC, Lang NP, Zwahlen M, Pjetursson BE. A systematic review of the success of sinus floor elevation and survival of implants inserted in combination with sinus floor elevation. Part II: transalveolar technique. *J Clin Periodontol.* 2008;35(8 Suppl):241-254.
90. Krennmair G, Krainhöfner M, Schmid-Schwap M, Piehslinger E. Maxillary sinus lift for single implant-supported restorations: a clinical study. *Int J Oral Maxillofac Implants.* 2007;22(3):351-358.
91. Tetsch J, Tetsch P, Lysek DA. Long-term results after lateral and osteotome technique sinus floor elevation: a retrospective analysis of 2190 implants over a time period of 15 years. *Clin Oral Implants Res.* 2010;21(5):497-503.
92. Al-Moraissi EA, Altairi NH, Abotaleb B, Al-Iryani G, Halboub E, Alakhali MS. What Is the Most Effective Rehabilitation Method for Posterior Maxillas With 4 to 8 mm of Residual Alveolar Bone Height Below the Maxillary Sinus With Implant-Supported Prostheses? A Frequentist Network Meta-Analysis. *J Oral Maxillofac Surg.* 2019;77(1):70.e71-70.e33.

외측 접근법

앞에서 설명한 바와 같이 짧은 임플란트의 지속적인 개선과 다양한 치조정 접근 술식의 개발로 인해 외측 접근법의 적응증은 지속적으로 줄고 있는 추세이다. 그러나 외측 접근 상악동 골이식술은 과거의 술식인 것만은 아니다. 임플란트 치의학 논문의 주제에 대한 체계적 문헌 고찰에 의하면 "외측 접근 상악동 골이식술"은 2001-2012년 동안 출판된 임플란트 관련 논문 주제 중 세번째로 많았고, 그 점유율은 10.7%나 되었다(즉시 부하 14.3%, 골대체재 11.6%).[1] 게다가 2001년부터 2012년까지 외측 접근 상악동 골이식술에 관한 논문의 평균 연간 증가율은 2.3%로, 역시 세 번째로 높은 수치였다. 이는 외측 접근 상악동 골이식술이 아직까지도 임상가들의 많은 관심을 받는 주요한 골증강 술식임을 보여주는 결과이다. 외측 접근법은 상악동 골이식의 표준 술식으로, 크게 두 가지 적응증에서 아직도 확고한 임상적 가치를 갖는다.

- 잔존골의 양과 밀도가 부족하여 상악동 골이식 시 임플란트의 일차 안정을 얻을 수 없는 경우(단계법)
- 기존의 기타 상악동 술식이 실패하여 재수술을 요하거나 여러 가지 다양한 이유로 다른 술식이 시행 불가능한 경우 (📷 4-1)

최근 치조정 접근법 중 수압 거상법이나 풍선 확장법은 상악동 막의 천공 없이 상악동저를 10 mm 이상 거상할 수 있을 정도로 개선되었다. 그러나 이들 술식이 잔존골 높이가 매우 낮은 증례에서 외측 접근법을 대체할 수 있을지에 대해서는 아직까지 확신할 수 없다. 이러한 증례에서 이들 치조정 접근 술식들의 결과에 대한 임상적 근거가 거의 전무할 뿐만 아니라 이론적으로도 수술의 확실성이 외측 접근법에 미치지 못하기 때문이다. 외측 접근법에서는 술자가 원하는 부위의 상악동 막을 원하는 양만큼 거상해줄 수 있는 반면, 치조정 접근

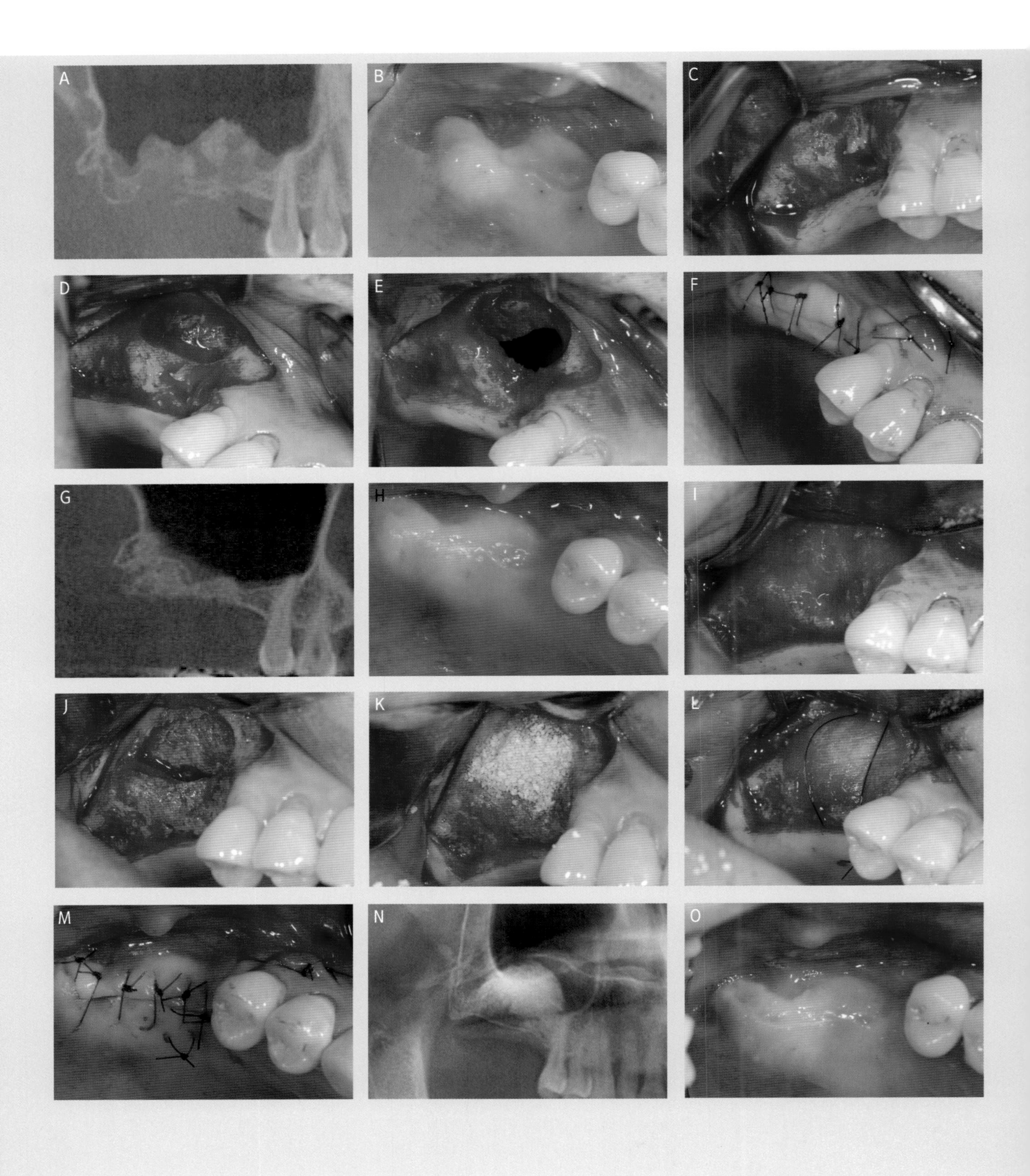
A
B
C
D
E
F
G
H
I
J
K
L
M
N
O

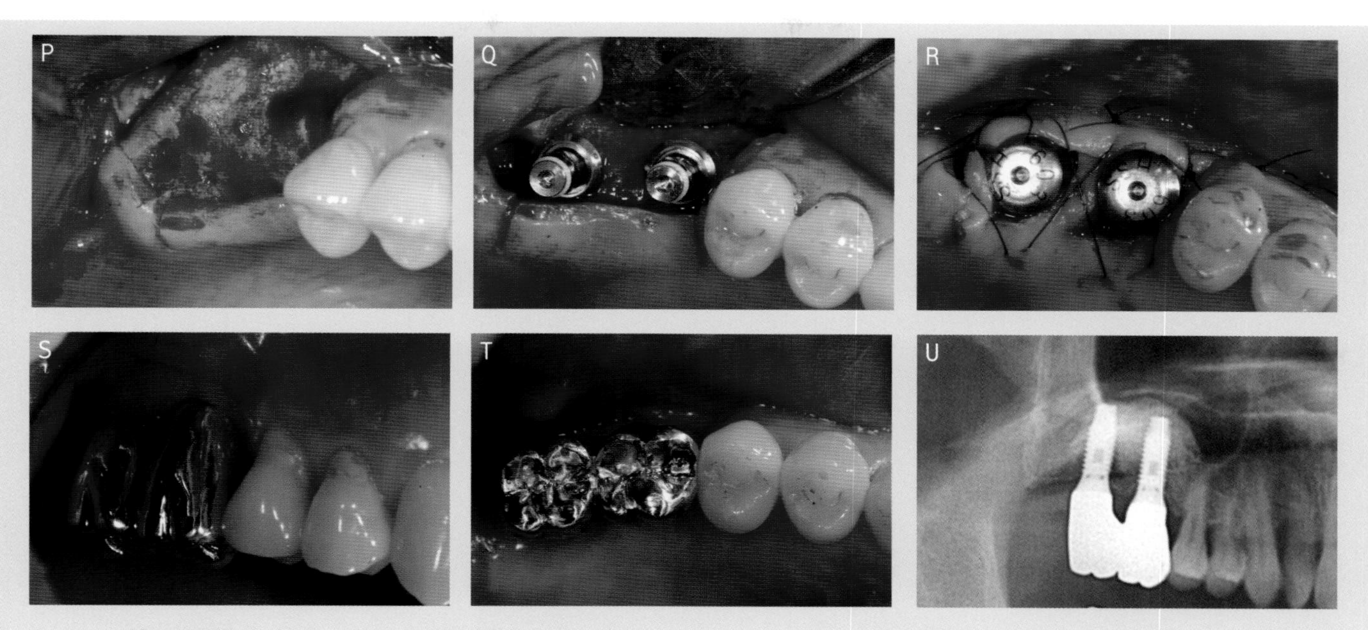

4-1 외측 접근법은 난이도가 높긴 하지만 상악동 골이식의 기본 술식으로 아직도 확고한 가치를 지닌다. 특히 이전에 상악동 골이식이 실패한 경우 구제 술식으로써 적용된다.

A~G. 기존에 다른 치과에서 시행된 치조정 접근 상악동 골이식이 실패했던 증례이다. 식립했던 임플란트는 탈락한 상태이며 이식된 골은 부분적으로 골화에 성공하여 곤봉처럼 상악동 내로 돌출되어 있다**(A)**. 이러한 상태로는 상악동 골이식이 불가능했기 때문에 일단 외측 골창을 형성하여 라운드 버로 골을 제거해 주었다. 상악동저는 다시 평탄화되었다**(G)**.

H~N. 대략 4.5개월 후 외측 접근법으로 수술부에 재진입하여 이종골과 합성골을 혼합하여 이식해주었다. 수술 후 촬영한 파노라마 방사선사진에서는 돔 형태의 정상적인 골이식 상태를 보여준다**(N)**.

O~R. 약 7개월 후 임플란트를 식립했다. 골이식부는 정상적으로 골화되어 있었다**(P)**.

S~U. 4개월 3주 후 보철 치료를 완성했다.

법을 이용한 술식들에서는 상악동 막의 거상량과 부위를 조절하기가 힘들다. 게다가 상악동 내에서 많은 양의 양질의 신생골을 형성시켜 주기 위해서는 상악동 막의 광범위한 거상을 통해 상악동저의 골을 넓게 노출시켜 주는 것이 유리하지만, 치조정 접근 술식들에서는 이를 술자가 원하는 대로 조절하는 것이 불가능하다.

외측 접근법은 상악동 골이식 부위를 직접적인 시야 하에서 확인할 수 있고 다양한 형태의 기구를 적용할 수 있는 유일한 술식이다. 따라서 기존 술식의 실패로 인해 잔존한 이식재나 이물을 확실히 제거하면서 수술이 가능하고, 상악동 내 병소가 존재하거나 해부학적으로 불리한 면이 존재할 때 이를 확실히 해소해줄 수 있다.

1.
절개에서 상악동 막 거상까지의 과정

상악동 막 거상까지는 세 단계로 이루어진다.

① 절개 및 피판 형성
② 외측 골창 형성
③ 상악동 막 거상

1) 외측 접근법에서 절개선 설정은 아주 중요하지는 않다

외측 접근 상악동 골이식 시 절개선 설정은 일반적인 치조골 증강술을 시행할 때에 비해 중요도가 떨어진다. 그 이유는 두 가지이다.

- 상악동 골이식은 치조골의 외부가 아닌 내부를 향하는 골증강술이다. 따라서 골이식 후 피판에 가해지는 장력이 별로 증가하지 않는다(📷 4-2).
- 상악동 골이식 시 절개선과 골증강부는 서로 떨어져 있다. 따라서 치유 기간 중 피판이 열개되어도 골재생의 과정에 결정적인 악영향을 미치지는 않는다(📷 4-3).

(1) 수평 절개의 위치는 치조정, 혹은 치조정에서 약간(2 mm 정도) 설측에 가한다

상악동 골이식 시의 절개와 피판 형성은 골증강술 시의 일반 원칙을 따른다. 상악동 골이식을 위한 수평 절개는 치조정 절개, 혹은 2 mm 가량 구개측으로 치우친 구개측 절개로 가한다(📷 4-4).

- 상악동 골이식과 더불어 추가적인 골증강을 시행하는 경우에는 피판의 혈행을 최대화하기 위해 임플란트 동시 식립 여부에 상관없이 치조정 절개를 가한다.
- 상악동 골이식 이외의 골증강은 시행하지 않으면서 임플란트를 동시에 식립하는 경우에는 임플란트 식립을 용이하게 해주기 위해 구개측 절개를 가한다.
- 상악동 골이식만 시행하는 경우에는 치조정 절개나 구개측 절개나 별다른 상관이 없다.

(2) 수직 절개는 짧게 가하고 인접 자연치의 먼 쪽 선각에 위치시킨다

후상치조동맥과 하안와동맥의 가지는 골 내부와 외부에서 각각 문합되는데, 골 외부 가지는 상악 전정 점막에서 문합된다. 그리고 그 높이는 치조정에서 평균 23–26 mm 상방이다.[2] 수직 절개를 너무 길게 가하면 이 동

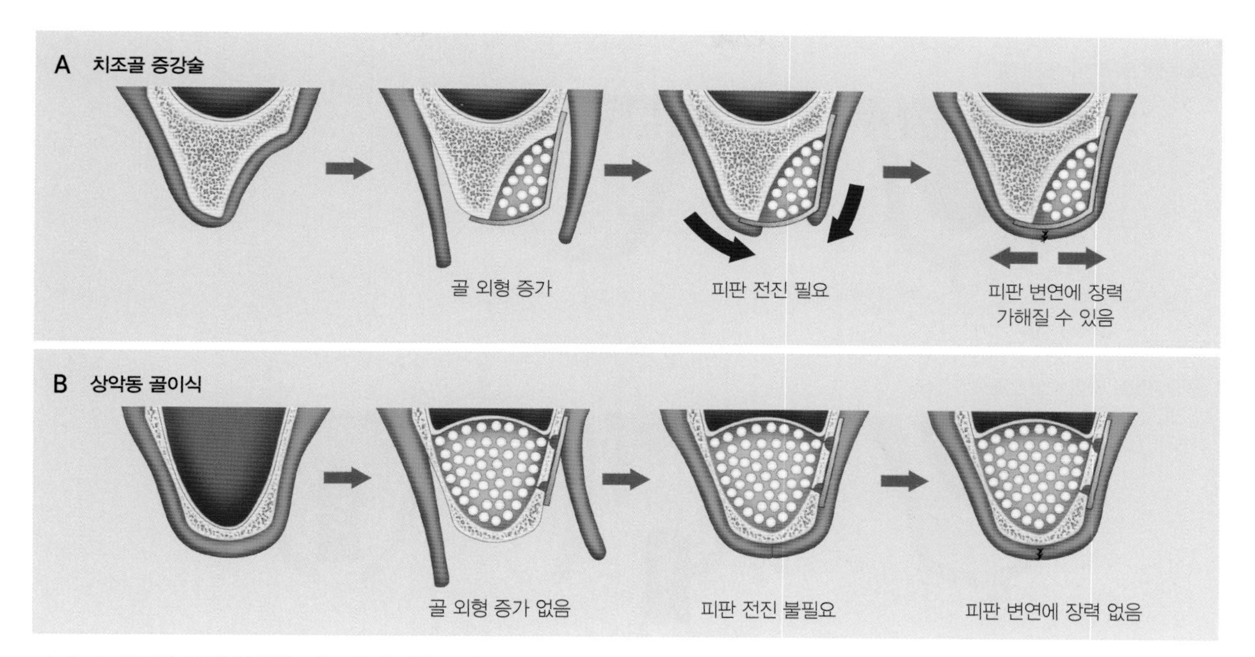

4-2 상악동 골이식 부위는 치조골의 외부가 아니라 내부를 향한다. 따라서 수술 후 피판에 가해지는 장력이 거의 증가하지 않는다.
A. 일반적인 치조골 증강술은 골외 결손부에 시행하게 된다. 따라서 골이식 후 골의 외형은 부피가 증가한다. 이에 따라 수술부를 피개하는 점막 피판은 수술 전보다 더 넓은 골표면을 피개해야만 하고, 따라서 치관측으로의 전진이 필요하다. 피판의 장력이 충분히 이완되지 못하면 피판 변연에 장력이 가해져 열개가 발생할 수 있다. **B.** 상악동 골이식 부위는 골표면의 내부이다. 따라서 수술부를 피개하는 점막 피판은 수술 전후에 비슷한 표면적의 골을 피개하게 된다. 결국 상악동 골이식 후 피판의 전진은 거의 불필요하며, 따라서 피판이 열개될 가능성 또한 매우 낮다.

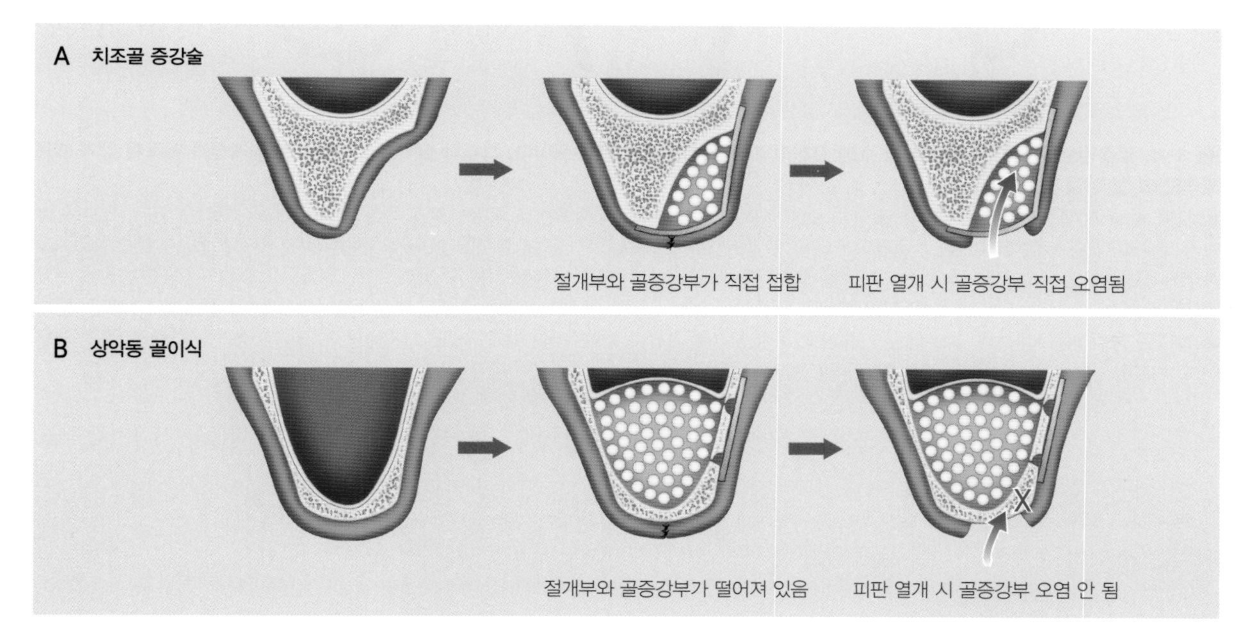

4-3 상악동 골이식 부위는 치관측보다는 치근단측에 위치한다. 따라서 치유 기간 중 절개선을 통한 오염의 가능성이 낮다.
A. 가장 흔한 결손인 열개 결손은 치조정 부위에 위치한다. 따라서 이 부위를 수복하면 골증강부는 절개선과 직접 접하게 된다. 만약 피판이 열개되면 골증강부는 직접적으로 오염되기 때문에 골재생 결과가 현저히 저하될 수밖에 없다. **B.** 상악동 골이식 부위는 천공 결손과 비슷하게 치조골의 치근단 부위에 위치하기 때문에 치조정에 위치한 절개선과 떨어져 있다. 따라서 피판이 열개되더라도 절개선으로부터 골이식부로 오염이 파급될 가능성이 낮다.

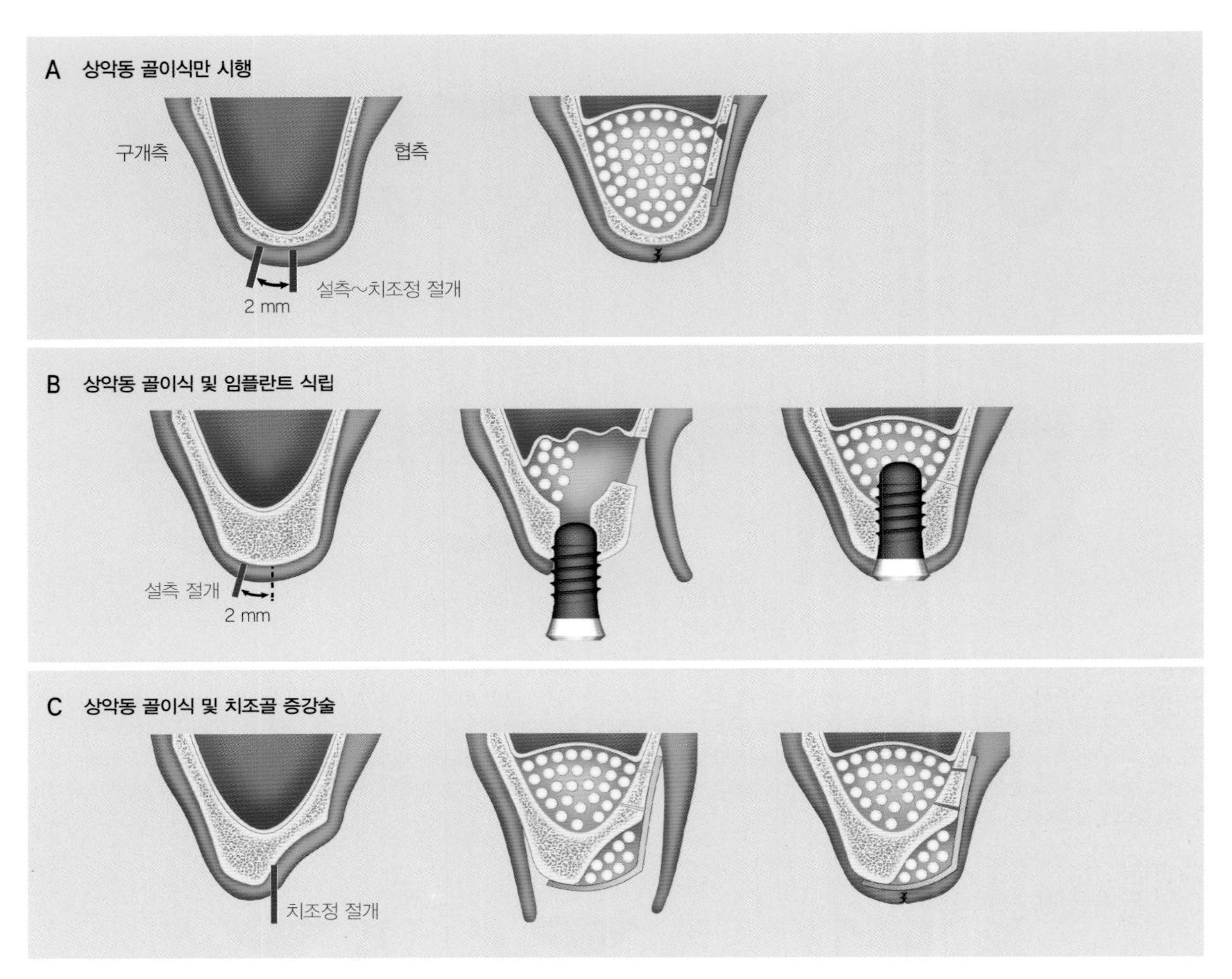

4-4 임플란트를 위한 골증강술 시 수평 절개의 기본 위치는 치조정 부위이다. 그러나 상악동 골이식부는 절개선과 떨어져 있기 때문에 약간의 설측 절개도 허용된다.
A. 상악동 골이식만 시행한 경우에는 술자의 편의에 따라 "치조정"~"치조정에서 2 mm 설측"까지 수평 절개를 가할 수 있다. 잔존골 높이가 낮아서 외측 골창의 하연이 치조정에 가까우면 절개선과 거리를 두기 위해 절개를 설측에 치우치도록 가한다. **B.** 상악동 골이식과 동시에 임플란트를 식립하는 경우에는 수평 절개를 치조정에서 2 mm 설측 부위에 가할 수 있다. 이는 임플란트 식립 시 설측 피판을 거상할 필요가 없도록 해준다. 또한 설측 피판 변연은 임플란트 식립 시 협–구개측 위치를 가이드해준다. **C.** 열개 등의 골결손부 수복과 동시에 상악동 골이식을 시행하는 경우에는 가급적 치조정 절개를 가한다. 이는 피판이 열개되면 치조정 근처 골결손부가 오염될 수 있기 때문이다. 치조정 절개는 피판 변연으로의 혈류량을 최대화시킬 수 있다.

맥을 절단시킬 수 있기 때문에 가급적 짧게 10–15 mm 이하로 가하는 것이 좋다(**4–5**).[3] 수직 절개의 전후방 위치는 술자의 경험이나 다른 골증강을 동시에 시행할지 여부에 따라 결정한다.

- 수직 절개의 위치는 대개 수술부 전후로 한 개 치아 정도를 포함하도록 하면 충분하다. 이는 수술부 인접 자연치의 먼 쪽 선각에 절개를 위치시키는 것이다(**4–6**).
- 상악동 골이식과 동시에 광범위한 골이식을 시행할 계획이거나, 수술 경험이 많지 않다면 수술부 전후로 두 번째 떨어진 치아에 수직 절개를 가할 수도 있다. 이때에는 먼 쪽 선각이나 가까운 쪽 선각을 술자의 편의대로 선택한다.

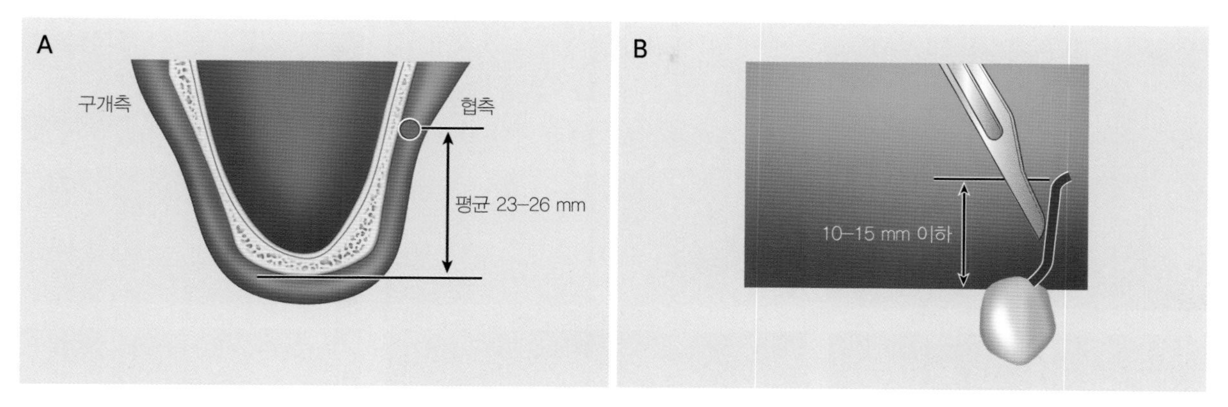

4–5 구강 점막 내 동맥의 손상을 피하기 위해 수직 절개의 길이는 제한해야 한다.
A. 상악 구강 점막 내부에서 동맥은 치조정보다 평균 23–26 mm 상방에서 주행한다. **B.** 점막 내부 동맥의 손상을 피하기 위해 수직 절개의 길이는 10–15 mm 이하로 제한한다.

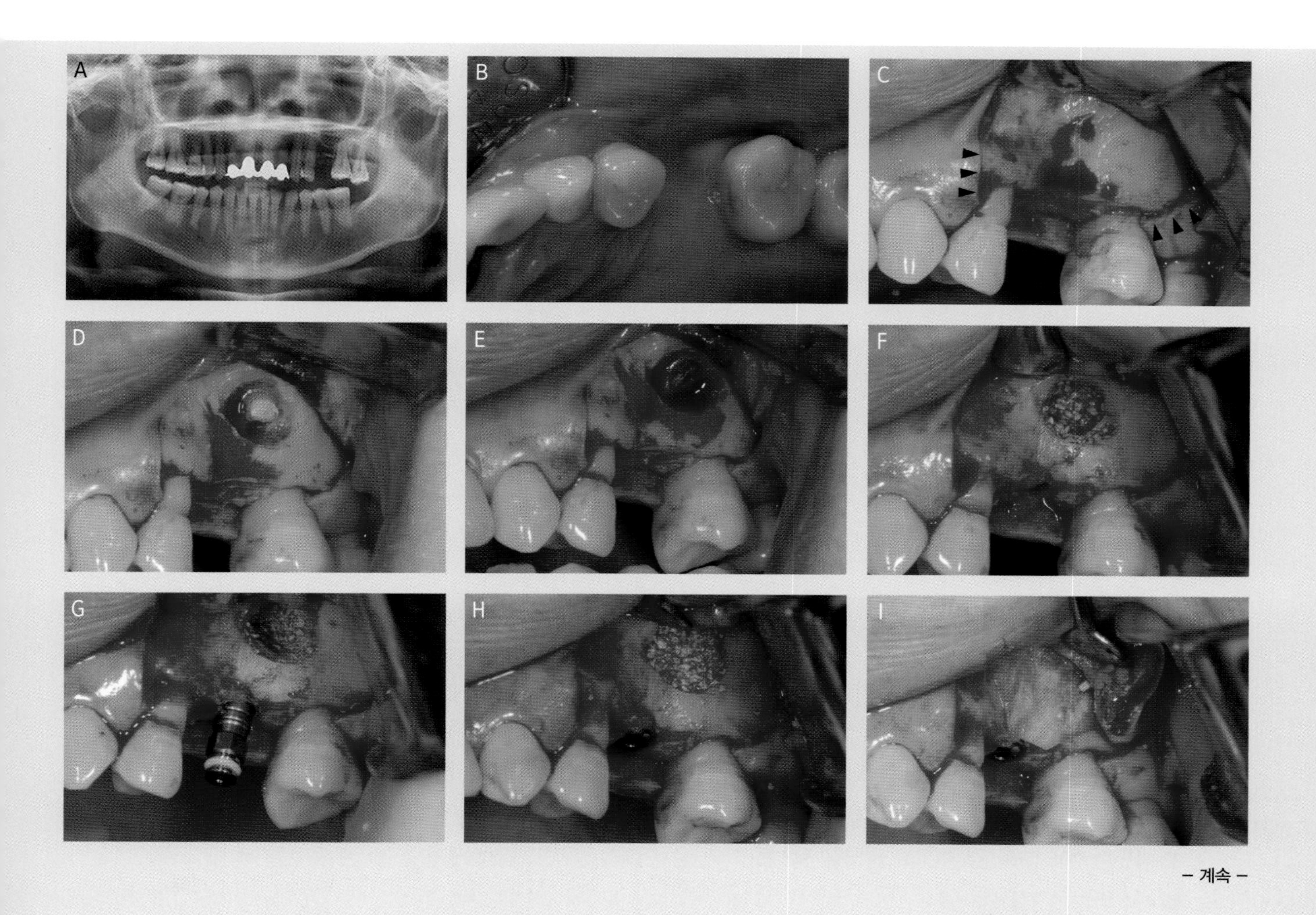

– 계속 –

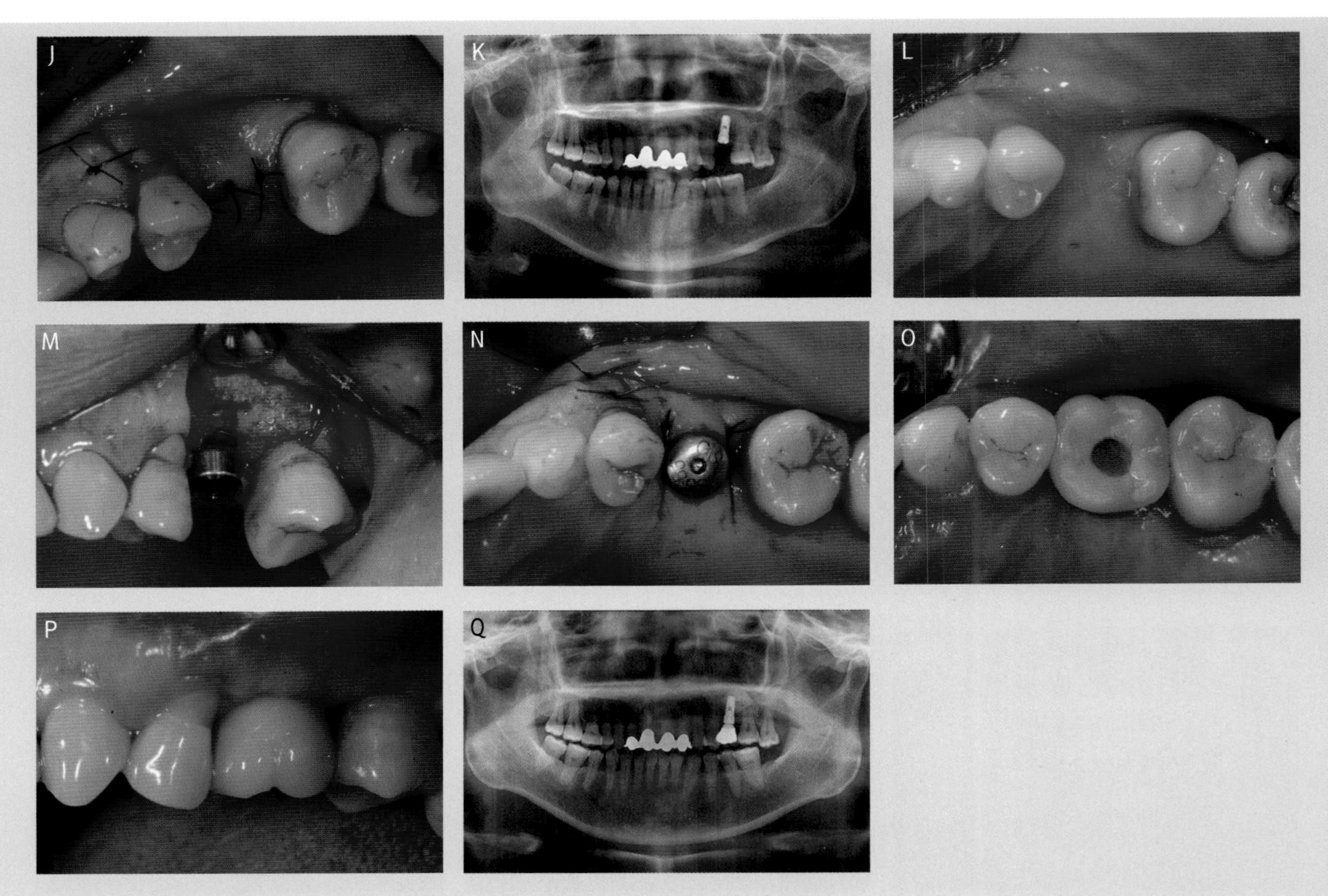

4-6 수직 절개의 위치는 대개 수술부 전후로 한 개 치아 정도를 포함하도록 하면 충분하다.
이는 수술부 인접 자연치의 먼 쪽 선각에 절개를 위치시키는 것이다(**C**).
A~K. 상악 좌측 구치부에 상악동 골이식과 동시에 임플란트를 식립했다. 다른 골증강 술식이 동반되지 않았다면 수직 절개는 수술부 인접 자연치의 먼 쪽 선각에 가한다.
L~N. 7개월 후 2차 수술을 시행했다. 임플란트의 골유착과 이식골의 골화는 성공적이었다.
O~Q. 1개월 1주 후 최종 보철물을 연결해 주었다.

2) 골창은 가능한 작게, 하지만 필요한 만큼은 크게 형성한다

충분한 양의 피판을 거상하여 상악동의 외측벽을 노출시키고 원하는 범위의 골창을 형성한다.

(1) 골창 형성 시에는 몇 가지 해부학적으로 고려해야 할 요소가 존재한다

상악동 골이식의 모든 과정은 골창을 통해 이루어지기 때문에, 이 이후의 수술 과정의 난이도는 골창을 어떻게 형성했는가에 따라 결정된다. 골창을 형성하기에 앞서 골창 형성 과정에 영향을 줄 수 있는 고려 요소들에는 **4-1**과 같은 것들이 있다.

4-1 골창 형성 과정에 영향을 미치는 요소

고려 요소	설명
상악동저의 높이와 형태	외측 골창은 상악동저보다 보통 2-3 mm 상방에 설정하므로 상악동저의 높이와 형태는 골벽의 형태를 결정하는 데 있어 매우 중요한 요소이다.
인접 자연치 치근의 위치와 형태	인접 자연치 치근의 길이와 형태에 따른 수술부로의 근접도도 중요하다. 골창 형성 시 인접 치아 치근의 손상을 피하기 위해 골창은 치근에서 최소 5 mm 이상 떨어지도록 형성한다.
상악동 외측벽의 두께	상악동 외측벽의 두께도 중요하다. 외측벽이 너무 두꺼우면 골창 형성이 어려울 뿐만 아니라 상악동 외측벽 내부 골수로부터의 출혈량도 많아진다. 외측벽이 너무 얇은 경우에는 상악동 막 천공의 가능성이 증가한다.
상악동 외측벽을 주행하는 혈관의 위치	혈관의 위치를 고려하여 골창의 상방 변연이 가급적 혈관 하방에 위치하도록 골창을 형성한다.
상악동 격벽의 존재와 위치	상악동 격벽의 존재 여부, 존재한다면 그 위치 및 주행 방향에 따라 골창의 범위와 형태를 변형한다.

상악동 외측벽의 두께는 평균 1–2 mm 사이이다.[4] 한 후향적 연구에서는 상악동 외측 골벽 두께가 0–1 mm는 21.9%, 1–2 mm는 60.6%, 2 mm 초과는 17.5%였다고 했다(**4-7**).[5] 또한 상악동 외측 골벽의 두께는 동일 환자에서도 전후방과 상하에 따라 차이가 난다(**4-8**).

- 전방이 평균 2 mm 가량으로 두껍고, 후방으로 갈수록 얇아져서 1 mm 정도에 이른다.[4,6]
- 하방의 치조정에 가까울수록 골벽은 얇고, 상방으로 치조정에서 멀어질수록 두꺼워진다.[6,7]

몇 가지 해부학적 요소와 환자 요소는 상악동 외측 골벽의 두께에 영향을 미친다.

- 잔존 치아의 개수 완전 무치악(0.95±0.26 mm)보다는 부분 무치악(1.31±0.3 mm)에서 유의하게 더 두껍고,[8] 상실된 치아 개수가 적을수록 유의하게 두꺼워진다.[7]
- 잔존 치조골 높이 잔존골 높이가 높아질수록 외측 골벽의 두께는 유의하게 두꺼워진다.[7]

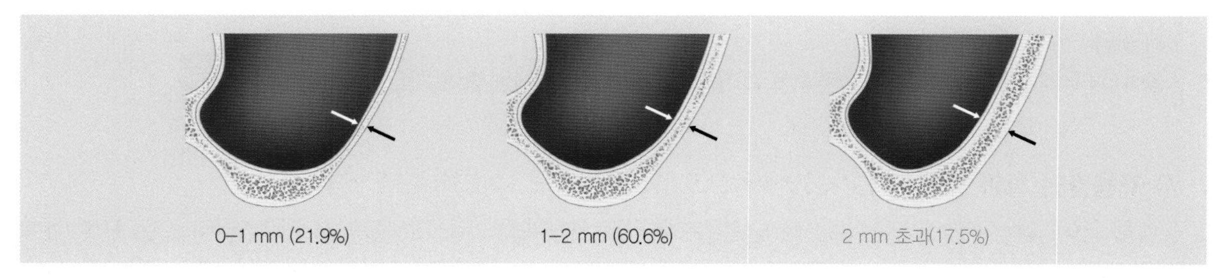

4-7 상악동 외측 골벽의 두께가 두꺼우면 골창 형성이 어려워진다. 특히 전체 인구의 17.5%는 상악동 외측 골벽이 2 mm를 초과할 정도로 두껍다. 이러한 경우에는 골창 형성의 난이도가 증가한다.

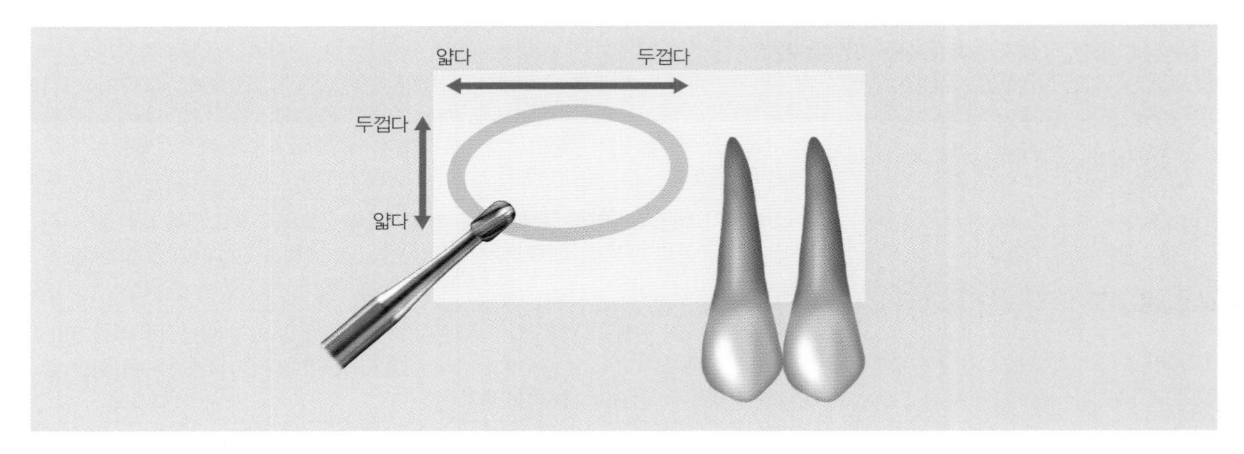

4-8 상악동 외측 골벽은 후방보다는 전방에서, 하방보다는 상방에서 두껍다.

- 성별 한 단면 연구에서는 성별에 따라서도 골벽의 두께에 유의한 차이를 보였다고 했지만, 그 차이는 0.26 mm로 그다지 크지 않았다. 따라서 성별에 의한 차이는 큰 고려 요소는 아닌 듯하다.[4]

과거 CT 사용이 일반화되기 전에는 상악동 외측벽의 두께를 인지하지 못한 채 외측 접근법을 시행하는 경우도 많았고, 뜻밖에 너무 두꺼운 골벽을 만나 수술을 어렵게 진행하게 되기도 했다(4-9). 그러나 CBCT의 사용이 일반화된 지금, 수술 전에 상악동 외측 골벽의 두께를 확인하고 두께가 2–3 mm 이상으로 너무 두꺼운 증례에서는 외측 접근법을 가급적 피하는 것이 좋다. 골벽의 두께가 두꺼워지면 그 자체로 골창을 형성하기가 어려울 뿐만 아니라, 상악동 외측벽의 동맥의 직경도 유의하게 증가하기 때문에 주의를 요한다.[4] 뒤에서 다시 설명하겠지만, 골벽이 2 mm 이상으로 두꺼우면 카바이드 버로 먼저 골삭제를 시행하고 골삭제부가 얇아져서 내부의 상악동 막이 회색조로 비치기 시작하면 다이아몬드 버로 바꿔서 골삭제를 마무리한다.

(2) 골창은 가능한 작게, 하지만 필요한 만큼은 크게 형성한다

골창을 크게 형성할수록 이후의 수술 과정이 쉬워지지만, 상악동 골이식의 예후는 저하될 수밖에 없다. 골창을 작게 형성하면 예후가 좋아지는 이유는 두 가지이다(4-10).

- 재생골의 질이 향상된다.
- 골이식부에서 골창을 통해 협측 점막 쪽으로 이식재가 유출되는 현상을 줄여준다.

① 재생골의 질이 향상된다.

골창을 작게 형성하면 골재생부는 더 넓은 수혜부 골과 접촉하므로, 재생골의 질이 향상된다. 한 단일 환자군 연구에 의하면 상악동 골이식 시 형성한 외측 골창의 면적은 수술 6개월 후 골이식부 재생 조직 내 광화 조직의 비율과 강한 음의 상관관계를 보였다.[9] 즉, 골창을 작게 형성할수록 재생 조직의 질은 향상된 것이다.

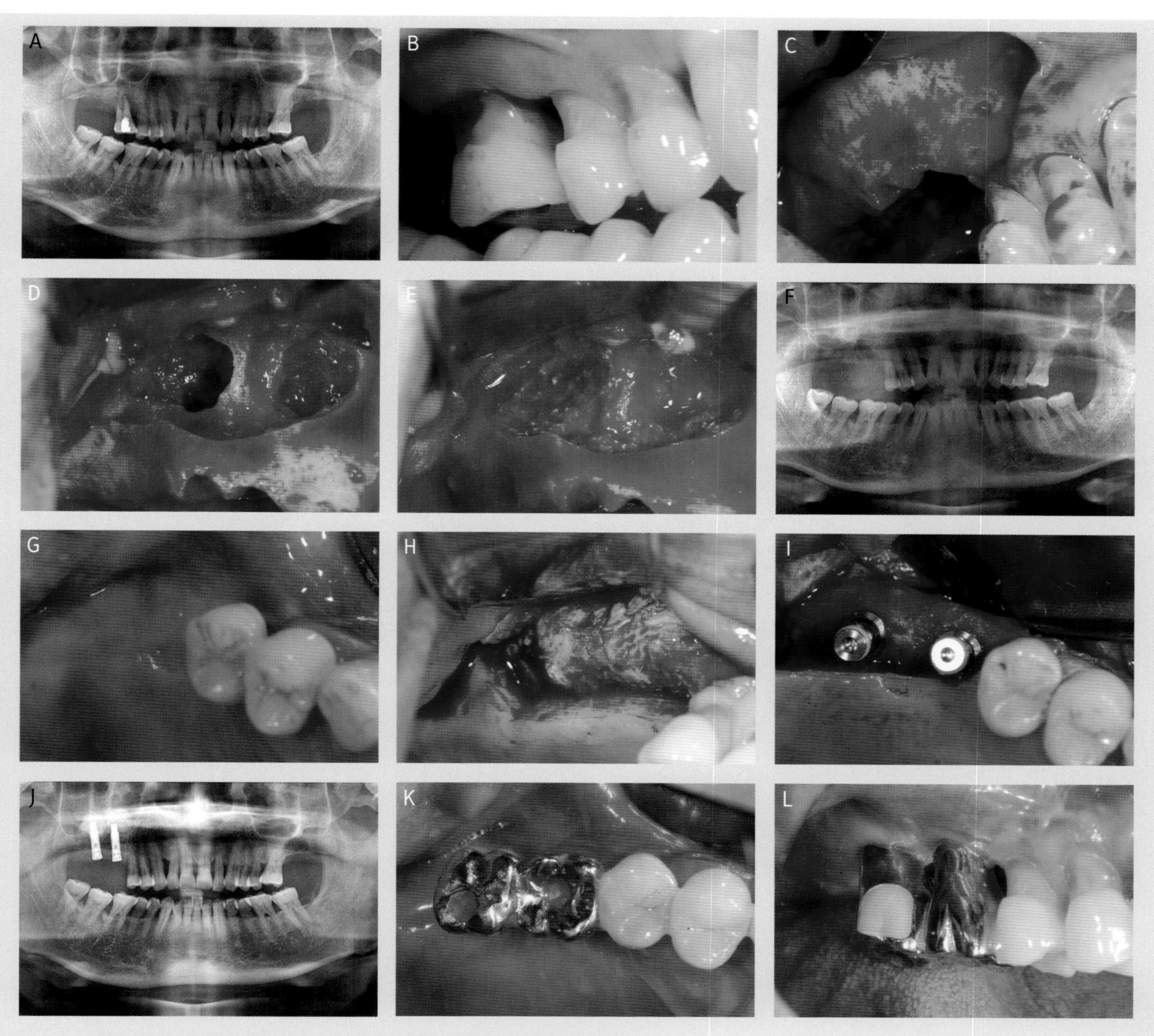

4-9 외측 골벽이 두꺼워 외측 접근 상악동 골이식에 어려움을 겪었던 증례이다.
이러한 상태를 수술 전에 CT 등으로 진단 가능하다면 치조정 접근법으로 전환한다.
A~F. 상악 우측 대구치 부위에 외측 접근 상악동 골이식을 시행했다. 상악동 외측 골벽은 3 mm 이상으로 엄청나게 두꺼웠으며 격벽까지 존재하여 접근에 어려움을 겪었다**(D)**.
G~J. 6개월 2주 후 임플란트를 식립했다.
K~L. 5개월 후 보철물을 연결해 주었다. 사진은 보철물 연결 2개월 후 소견이다.

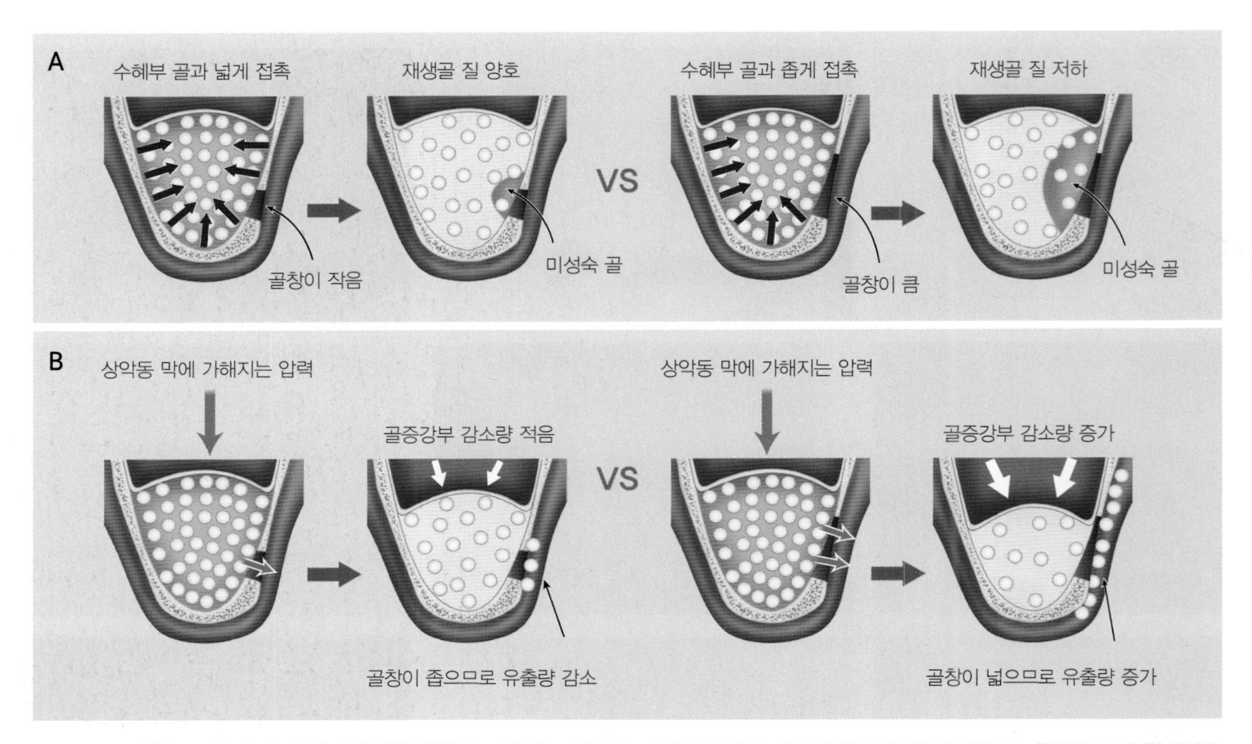

4-10 골창 크기는 수술 결과에 현저한 영향을 미치지는 않는다. 따라서 상악동 내로의 접근에 필요한 정도로 충분히 크게 형성해준다. 그러나 이론적으로 골창 크기가 작으면 유리한 것은 사실이다.
A. 골창 형성 부위는 치유 기간 중 신생골 형성에 별다른 기여를 하지 못한다. 따라서 골창을 작게 형성하면 골재생부는 더 넓은 수혜부 골과 접촉하므로 재생골의 질이 향상된다. **B.** 상악동 골이식 후에는 골이식재 상방의 상악동 막으로 공기압이 지속적으로 가해지며, 이로 인해 골이식재가 골창 외부, 즉 협측 점막의 하방으로 이동할 수도 있다. 골창을 작게 형성하면 치유 기간 중 이식골이 협측 점막 하방으로 유출되는 것을 줄여줄 수 있다.

② 골이식부에서 골창을 통해 협측 점막 쪽으로 이식재가 유출되는 것을 예방한다.

상악동 골이식 후에는 골이식재 상방의 상악동 막으로 공기압이 지속적으로 가해지며, 이로 인해 골이식재가 골창 외부, 즉 협측 점막의 하방으로 이동할 수도 있다. 골창을 작게 형성하면 치유 기간 중 이식골이 협측 점막 하방으로 유출되는 것을 줄여줄 수 있다.[10]

따라서 골창 형성의 원칙은 "가능한 크게"에서 "가능한 작게, 하지만 필요한 만큼은 크게"로 변화되었다.[10,11] 그러나 특히 초심자들에게 있어 가장 중요한 것은 상악동 막을 충분히 넓게 거상하고 거상 중 막을 천공시키지 않는 것이다. 따라서 초심자 때에는 상악동 막을 편안하게 충분히 거상할 수 있도록 골창을 크게 형성하고, 경험이 축적되어 감에 따라 골창의 크기를 감소시켜 나가는 것이 좋다.[10,11] 골창이 크다고 해서 상악동 골이식부에 식립한 임플란트의 성공률이 저하된다는 직접적인 근거는 없기 때문이다. "최소 골창 형성" 시의 원칙은, 기구 접근을 위해 "근원심과 상하 폭이 최소 5 mm는 되어야 한다"는 것이다.[10-12] 이를 위해 단일치 부위에 상악동 골이식을 시행할 때에는 직경이 5 mm 이상인 원이나 상하로 긴 타원형 골창을(**4-6**), 복수 치아 부위에 시행할 때에는 상하 폭이 5 mm 이상이고 근원심으로 긴 형태의 타원형 골창을 형성한다(**4-11**).

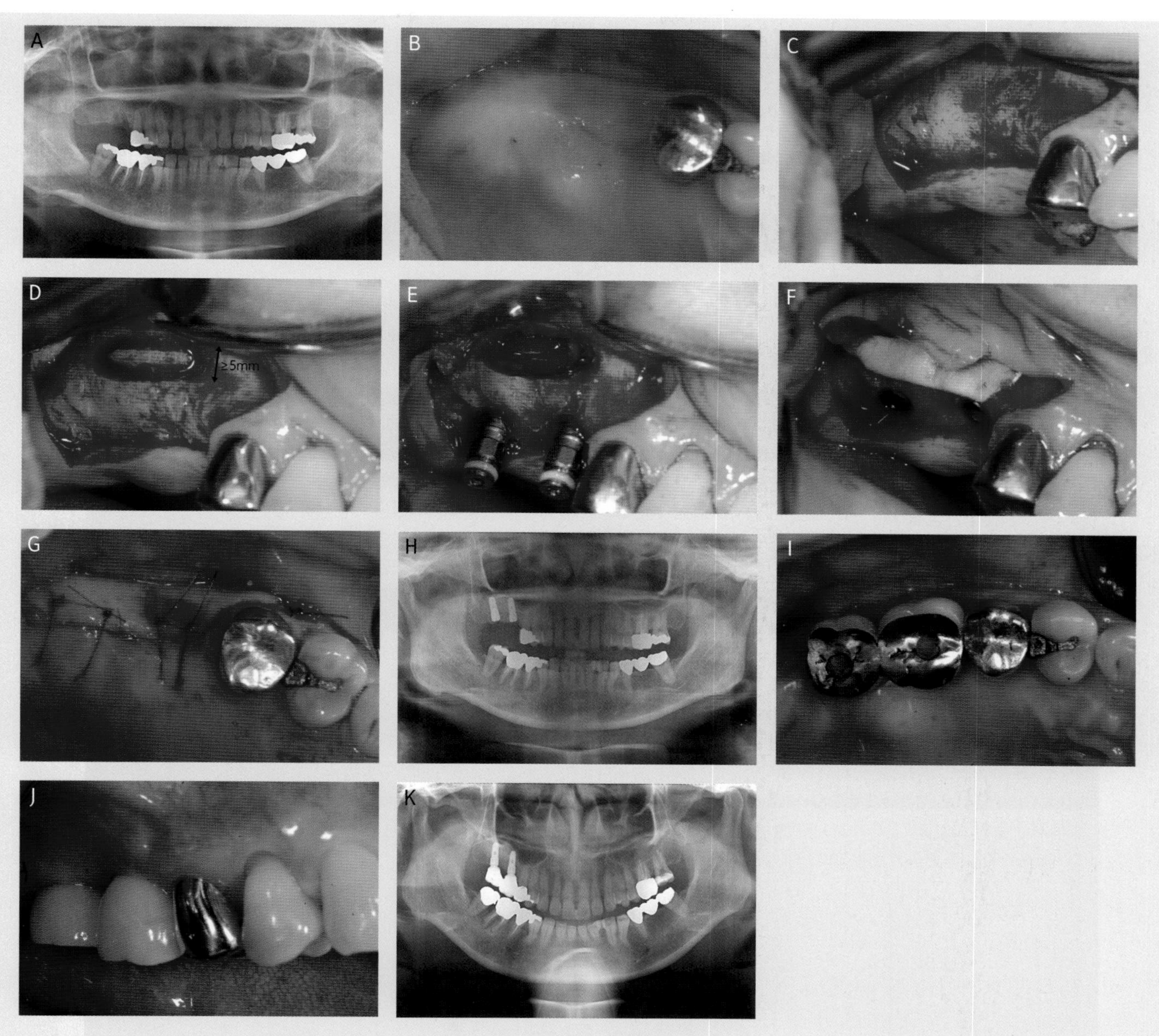

4-11 복수 치아 부위에 외측 적용법을 적용할 때에는 전후로 긴 타원형의 골창을 형성한다.

A~H. 외측 접근 상악동 골이식 후 임플란트를 식립했다. 골창은 상하로 납작하고 전후로 긴 타원형으로 형성한다. 이때 상하 폭은 최대한 줄여주는 것이 좋지만 기구 접근을 위해 최소 5 mm 이상은 되어야 한다**(D)**.

I~K. 대략 6개월 2주 후 2차 수술을 시행했다. 그리고 보철물은 2차 수술 1.5개월 후 연결해 주었다.

(3) 골창 형성의 일반 원칙

골창은 여러 가지로 형태로 형성 가능하지만, 일반적으로는 옆으로 긴 타원형으로 형성한다. 골창을 사각형으로 형성하면 꼭지점 부위의 예리한 골에 의해 상악동 막이 천공될 수 있기 때문이다. 표준적인 골창 형성의 범위는 다음과 같은 원칙을 따른다(**4-12**).[13]

골창 하연 상악동저에서 2–3 mm 정도 상방에 형성한다.

골창 하연의 높이를 너무 낮게, 즉 상악동저와 같은 높이로 형성하면 이식재가 상악동 내에서 잘 유지되지 않는다. 또한 잔존골의 강도가 낮아지기 때문에 상악동 골이식과 동시에 임플란트를 식립하면 치조골이 열개될 가능성도 높아진다(**4-13**). 반면 상악동저보다 너무 높게 골창 하연을 형성하면 시야가 좋지 않고 기구 접근이 쉽지 않기 때문에 상악동 막 천공의 가능성이 높아진다. 굳이 따지자면 골창 하연은 너무 높이 형성하는 것보다는 너무(매우) 낮게 형성하는 것이 더 유리하다(**4-14**).

**골창 상연 목표로 하는 길이의 임플란트 치근단부가 위치할 높이에 형성한다.
즉, 치조정으로부터 골창 상연까지의 거리가 임플란트의 길이와 비슷하게 위치시킨다.**

이식골을 골창 상연보다 2–3 mm 이상 더 높이 삽입하기는 쉽지 않기 때문에 이식골의 높이는 골창 상연에 의해 결정된다. 골창 상연을 너무 높게 형성하면 기구 접근이 쉽지 않고 상악동 외측벽에 위치하는 동맥이 파열될 가능성이 높아진다. 너무 낮게 형성하면 골창 자체의 상하 폭이 좁아져서 기구가 골창 내부로 잘 들어가지 않는다. 따라서 골창 상연과 하연 사이의 거리는 최소 5 mm 이상 되어야 한다.

골창 전연 골이식을 시행할 영역의 근심측 끝 부위까지 충분히 형성한다.

상악동 골이식을 시행할 때 시야와 기구 조작의 방향은 항상 전방에서 후방을 향한다. 따라서 골이식부보다 후방에 골창 전연을 형성하면 근심측 골이식부에 대한 시야와 기구 접근성은 심각하게 제한될 수밖에 없다. 또한 골이식재를 충전할 때에도 항상 전방에서 후방을 향하기 때문에, 근심 측으로 충분한 양의 골이식재를 충전할 수 없는 경우가 많다(**4-15**). 따라서 골창 전연은 반드시 가급적 최대한 전방으로 형성해 주는 것이 유리하다.

골창 후연 골이식을 시행할 영역의 원심측 끝 부위까지 형성한다.

위에서 서술한 바와 같이 시야와 기구 접근은 항상 근심에서 원심을 향하기 때문에 골창 후연 쪽의 상악동 막 거상은 매우 용이하다. 따라서 골창 후연의 위치는 크게 중요하지 않다.

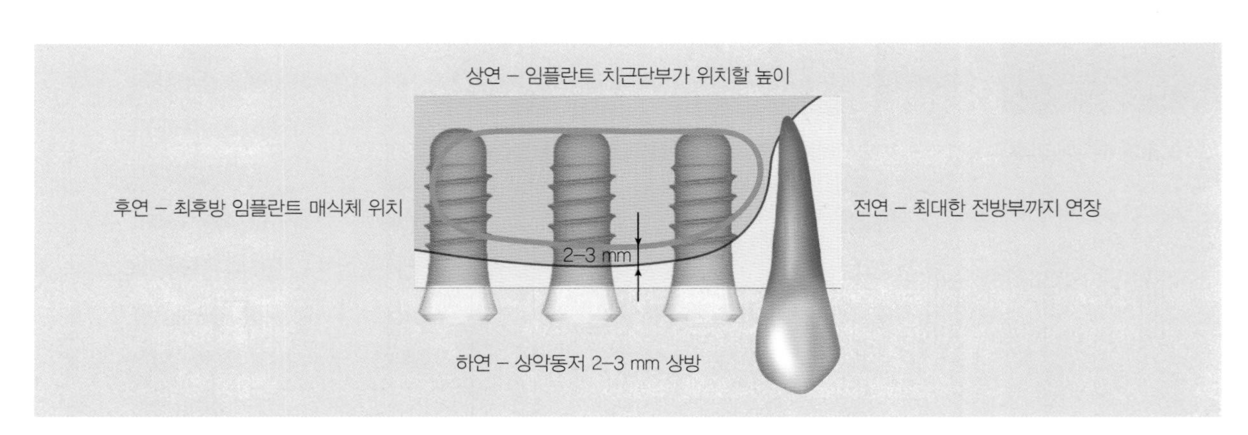

4–12 골창 형성의 범위. 전연은 기구의 접근과 시야 확보를 위해 최대한 전방으로 연장한다.
보통 최전방 임플란트 식립부보다 0.5치아 정도 전방까지 형성한다. 후방으로는 길게 연장할 필요가 없으며 최후방 임플란트 식립 위치까지 형성한다. 상연은 임플란트 치근단부 높이까지 형성하고 하연은 상악동저보다 2–3 mm 상방에 위치시킨다.

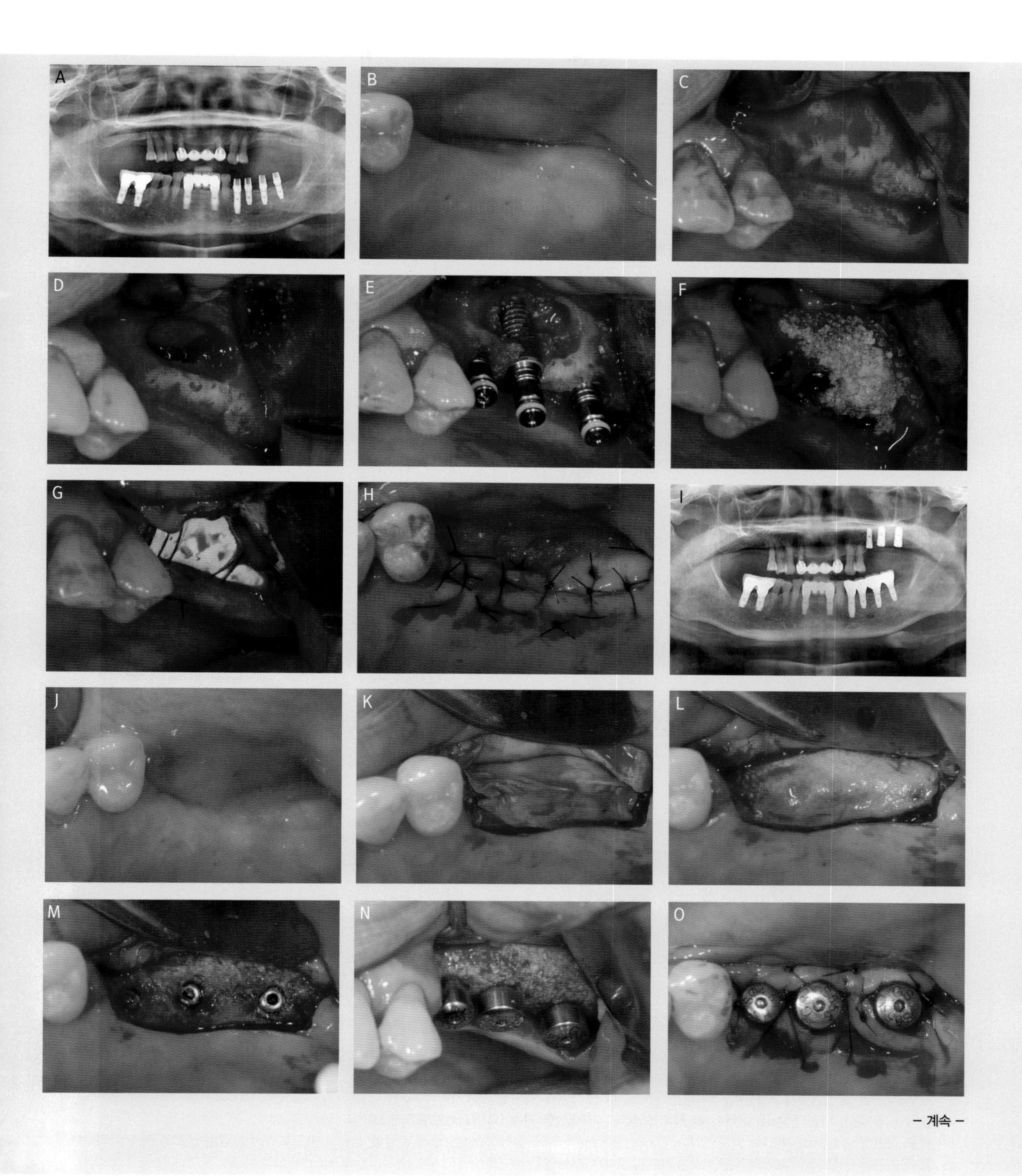

– 계속 –

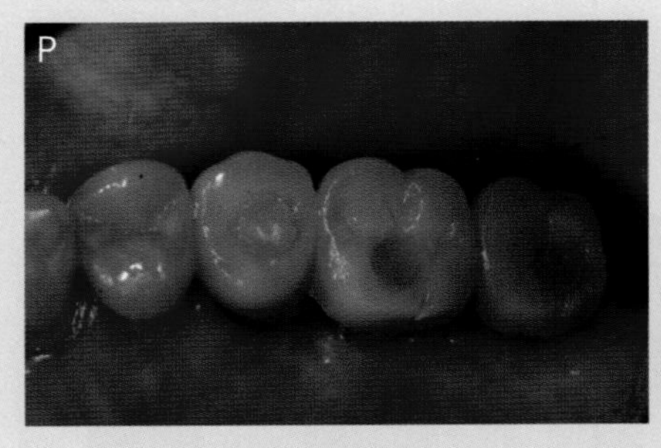

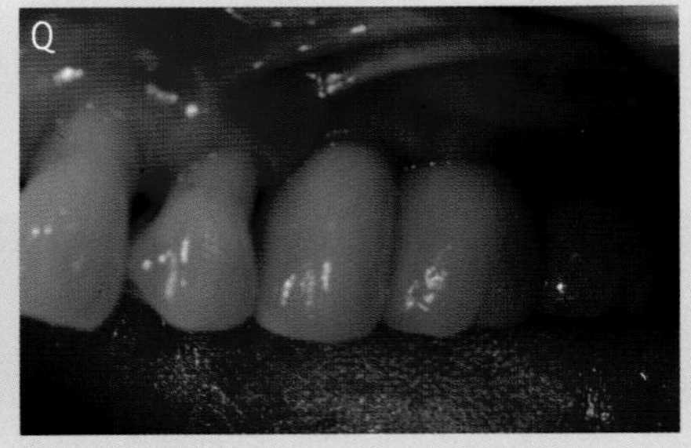

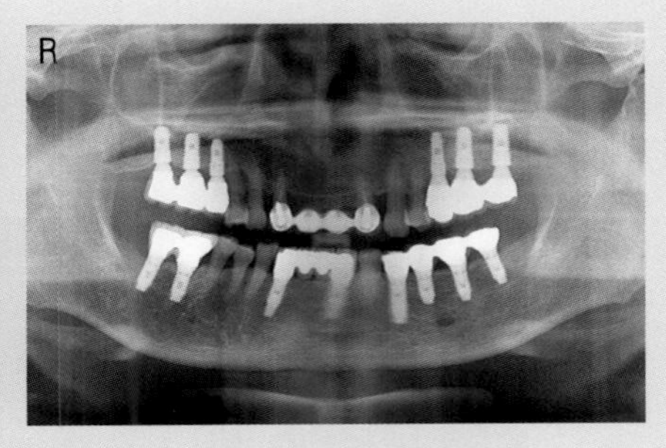

4-13 외측 골창 하연을 너무 아래쪽에 형성하면 치조골의 강도가 저하되어 임플란트 식립 중 골이 열개될 수 있다.
이 증례에서도 골창 하연을 낮게 형성하여 임플란트 식립 중 치조골이 열개되었다.
A~I. 상악동 골이식과 임플란트 식립을 동시에 시행한 증례이다. 골창 하연을 낮게 설정하여 임플란트 식립 중 치조골이 열개되었다**(E)**. 임플란트의 일차 안정은 어느 정도 확보할 수 있었기 때문에 임플란트는 제거하지 않았으며 열개부에는 탈단백 우골 적용 후 dPTFE 차폐막을 적용했다**(F, G)**.
J~O. 6개월 후 2차 수술을 시행했다. 가성 골막을 제거하고 충분한 질과 양으로 재건된 치조골을 확인할 수 있다.
P~R. 보철 부하 10개월 후 소견이다. 임상적, 방사선학적으로 특별한 문제를 보이지 않는다.

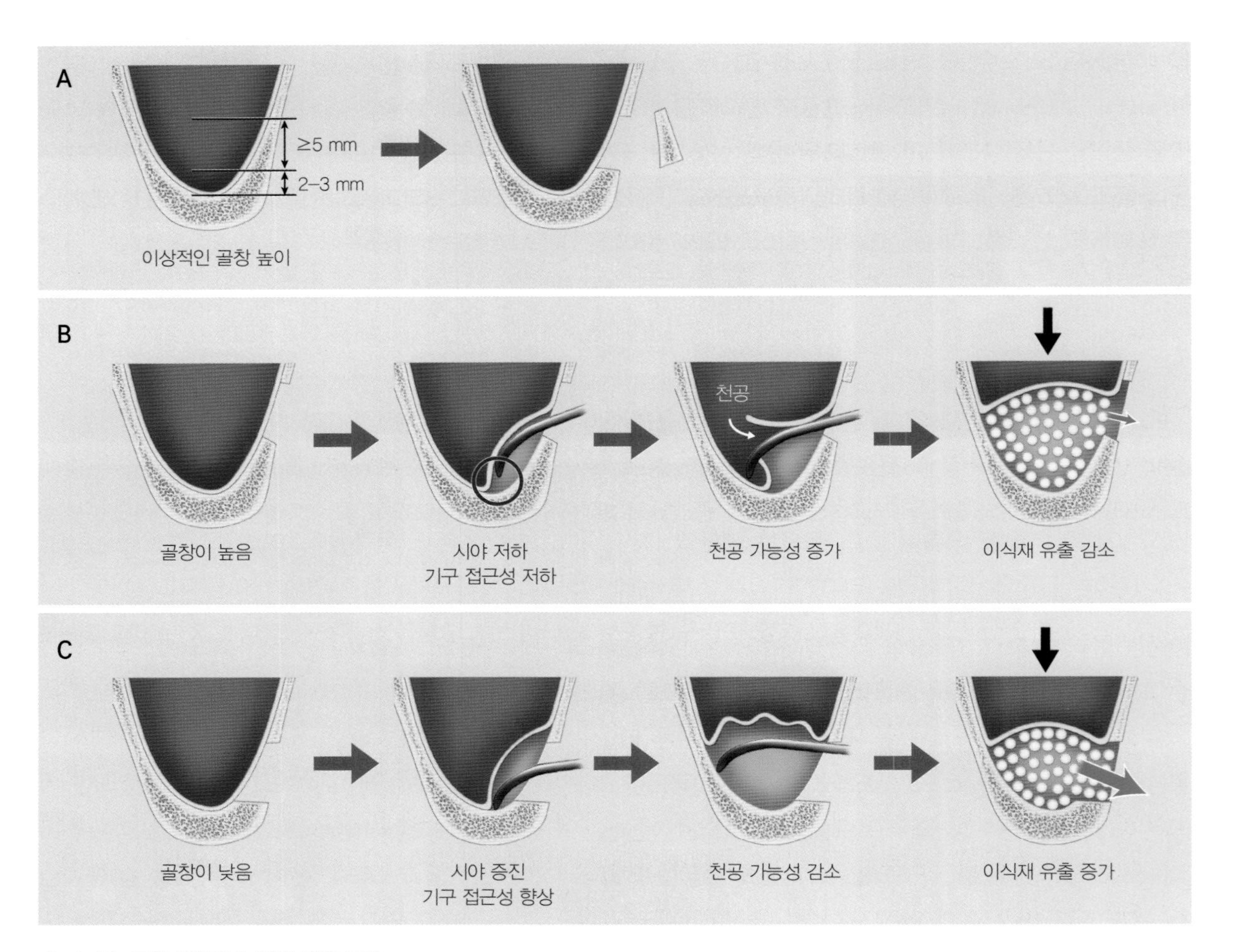

4-14 골창 하연의 높이에 대한 고려
A. 골창 하연은 상악동저보다 2–3 mm 정도 상방이 가장 좋다. **B.** 골창을 너무 높게 형성하면 상악동 내로의 시야가 제한되고 상악동저 쪽으로 기구 접근이 어려워진다. 이로 인해 상악동 막이 천공될 가능성이 증가한다. 그러나 만약 상악동 막이 천공되지 않고 정상적으로 상악동 골이식이 이루어지면 치유 기간 중 이식재의 유출이 줄어든다. **C.** 골창이 낮으면 시야와 기구 접근성은 개선된다. 따라서 상악동 막의 천공 가능성을 줄여줄 수 있다. 그러나 앞서 설명했듯 상악동 골이식과 임플란트 식립을 동시에 시행하면 치조골이 열개될 수 있으며 치유 기간 중 이식재가 많이 유출될 수 있다.

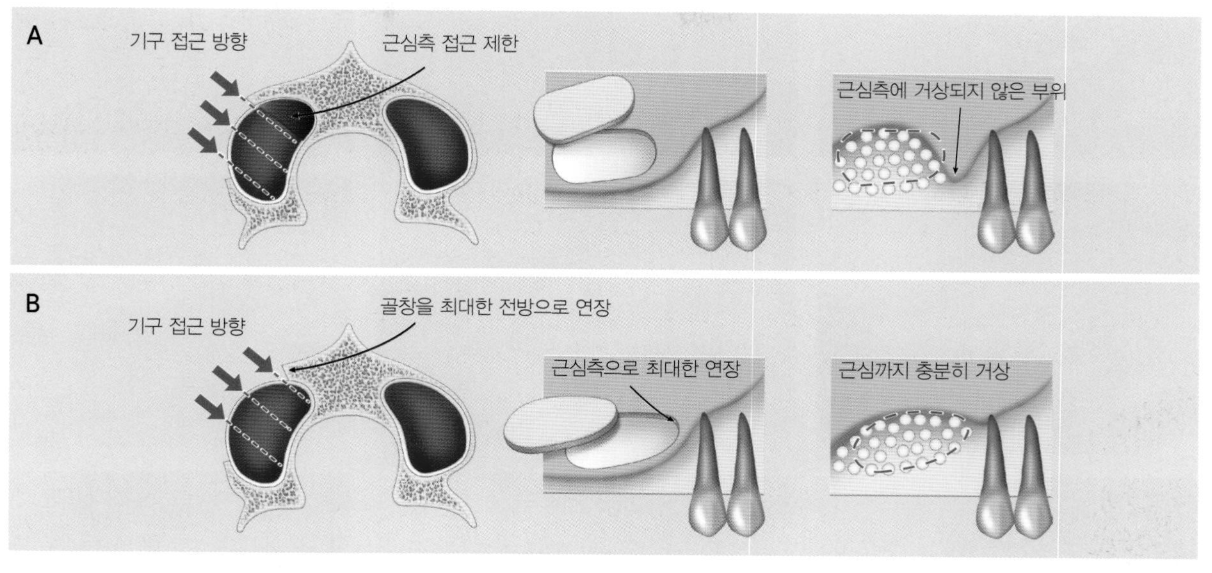

4-15 골창 전연은 기구 접근을 위해 충분히 전방에 형성해야 한다.
A. 상악동 막 거상 시 시야와 기구 접근의 방향은 전방에서 후방을 향한다. 따라서 골창 전연은 골이식 부위보다 더 전방에 형성해야 한다. 골창 전연을 충분히 전방에 형성하지 못하여 전방 상악동 막 거상과 골이식이 충분하지 못하면 근심측에 거상되지 못한 부위가 형성될 수 있다. **B.** 골창을 최대한 전방으로 연장해주면 근심측의 상악동 막을 충분히 거상할 수 있다. 따라서 근심측에도 충분히 많은 양의 골을 형성해줄 수 있다.

(4) 회전 기구에 연결한 다이아몬드 버로 골구를 형성한다

골삭제 기구로 계획한 골창의 변연부에 골구(bone groove)를 형성한다. 골삭제 기구로는 크게 고전적인 회전 기구(rotary instrument)와 압전 기구(piezoelectric instrument)를 이용할 수 있다.

① 회전 기구

골삭제를 위한 회전 기구로는 일반적으로 로우 스피드 핸드피스나 하이 스피드 핸드피스에 다이아몬드 버 또는 카바이드 버를 연결한 것을 이용한다. 이 중에서도 가장 표준적인 기구는 로우 스피드 스트레이트 핸드피스에 다이아몬드 버를 연결한 것이다. 스트레이트 핸드피스가 콘트라앵글 핸드피스에 비해 수술 부위에 대한 접근이 확실히 더 용이하며, 하이 스피드보다는 로우 스피드 하에서 골의 절삭 효율이 더 낮기 때문에 부주의한 골삭제로 인해 상악동 막이 천공될 가능성이 더 줄기 때문이다. 그러나 개인적인 경험으로는 하이 스피드 핸드피스에 익숙해지면 상악동 막 천공의 가능성은 높아지지 않고도 빠른 시간 내에 효율적인 골구 형성이 가능해진다(**4-16**).

골창 형성에는 둥근 다이아몬드 버와 카바이드 버를 이용한다. 상악동 외측벽이 1 mm 이하로 얇으면 상악동 막 천공 가능성이 상대적으로 낮은 다이아몬드 버만을 이용해 골구를 형성해 준다(**4-17, 18**). 상악동 벽이 두꺼운 경우에는 절삭 효율이 좋은 둥근 카바이드 버로 먼저 골삭제를 시행하고 하방의 상악동 막에 의해

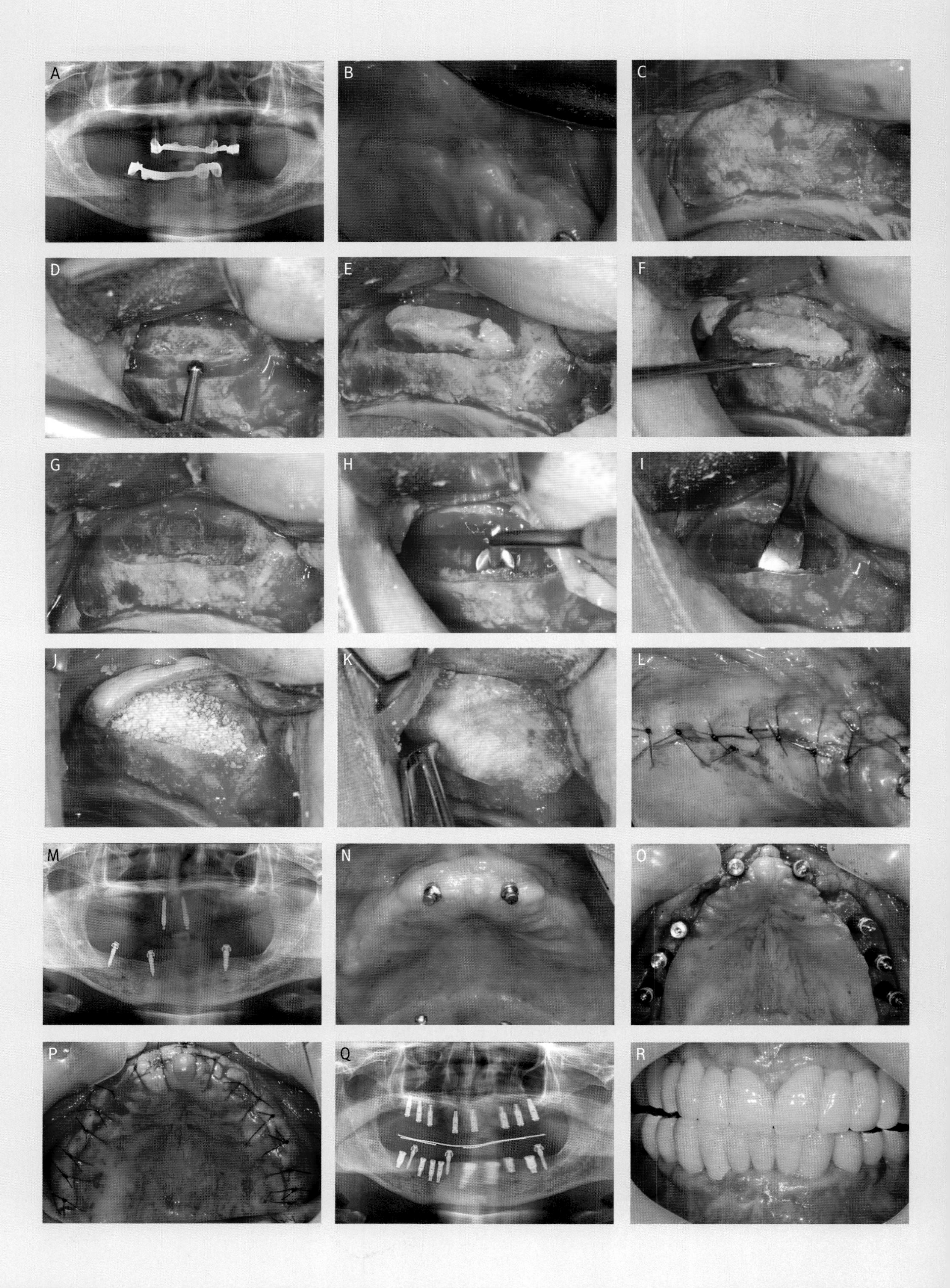
A
B
C
D
E
F
G
H
I
J
K
L
M
N
O
P
Q
R

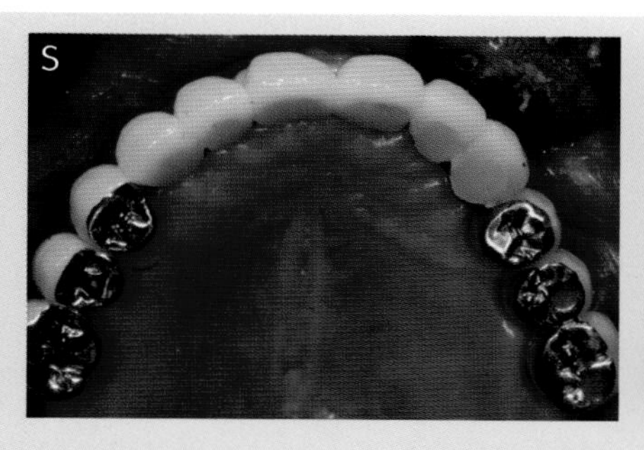

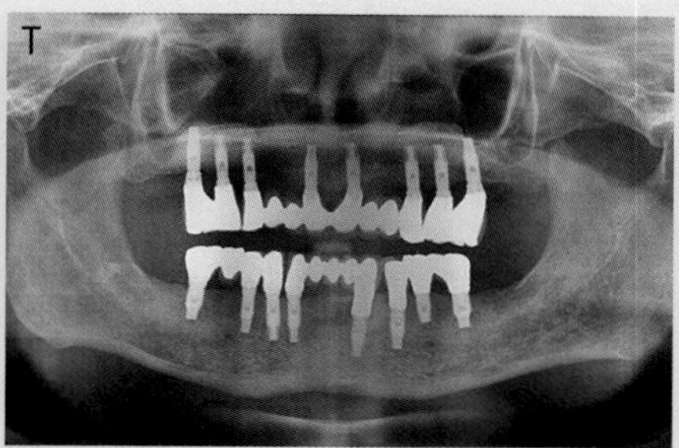

4-16 골창 형성은 여러 가지 속도의 회전형 기구를 이용하여 시행한다.
전통적으로는 로우 스피드 핸드피스에 연결한 라운드 버를 이용하지만 저자는 하이 스피드 핸드피스에 라운드 버를 연결하여 골을 삭제하는 것을 더 선호한다.

A~M. 외측 접근법으로 상악동 골이식을 시행했다. 하이 스피드에 연결한 라운드 카바이드 버와 라운드 다이아몬드 버를 이용하여 외측 골창을 형성했다**(D)**. 상악동 막의 손상 없이 골창을 제거해 주었다**(G)**. 이종골과 합성골을 혼합하여 골이식을 시행하고 합성 흡수성 차폐막으로 이를 피개해 주었다.

N~Q. 약 6개월 3주 후 임플란트를 식립했다.

R~T. 최종 보철물 연결 후의 소견이다. 기능 부하 이후에도 임상적, 방사선학적으로 건전한 상태를 유지하고 있다.

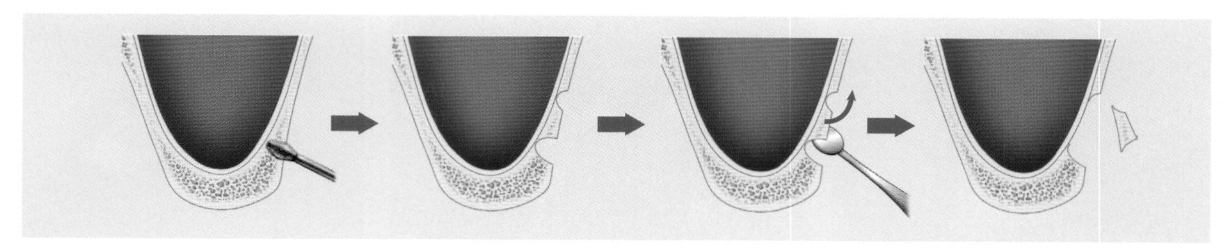

4-17 상악동 외측벽이 1 mm 이하로 얇으면 카바이드 버를 사용하지 않고 다이아몬드 버 만으로 골창을 형성한다.

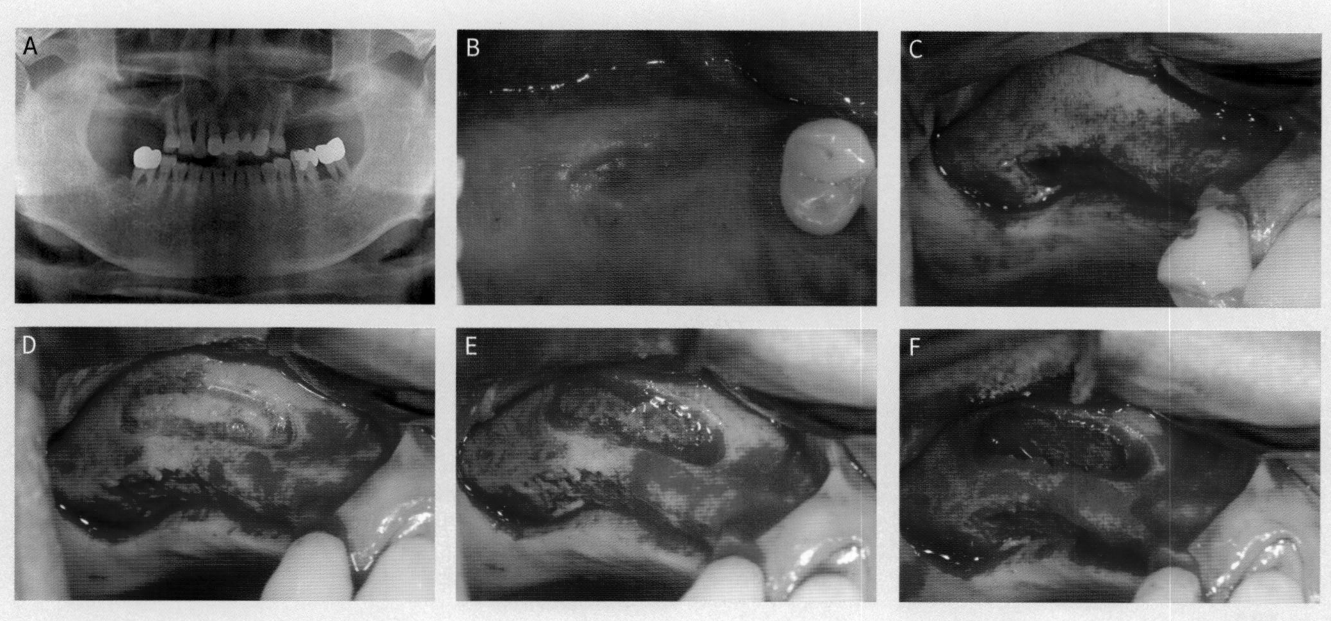

- 계속 -

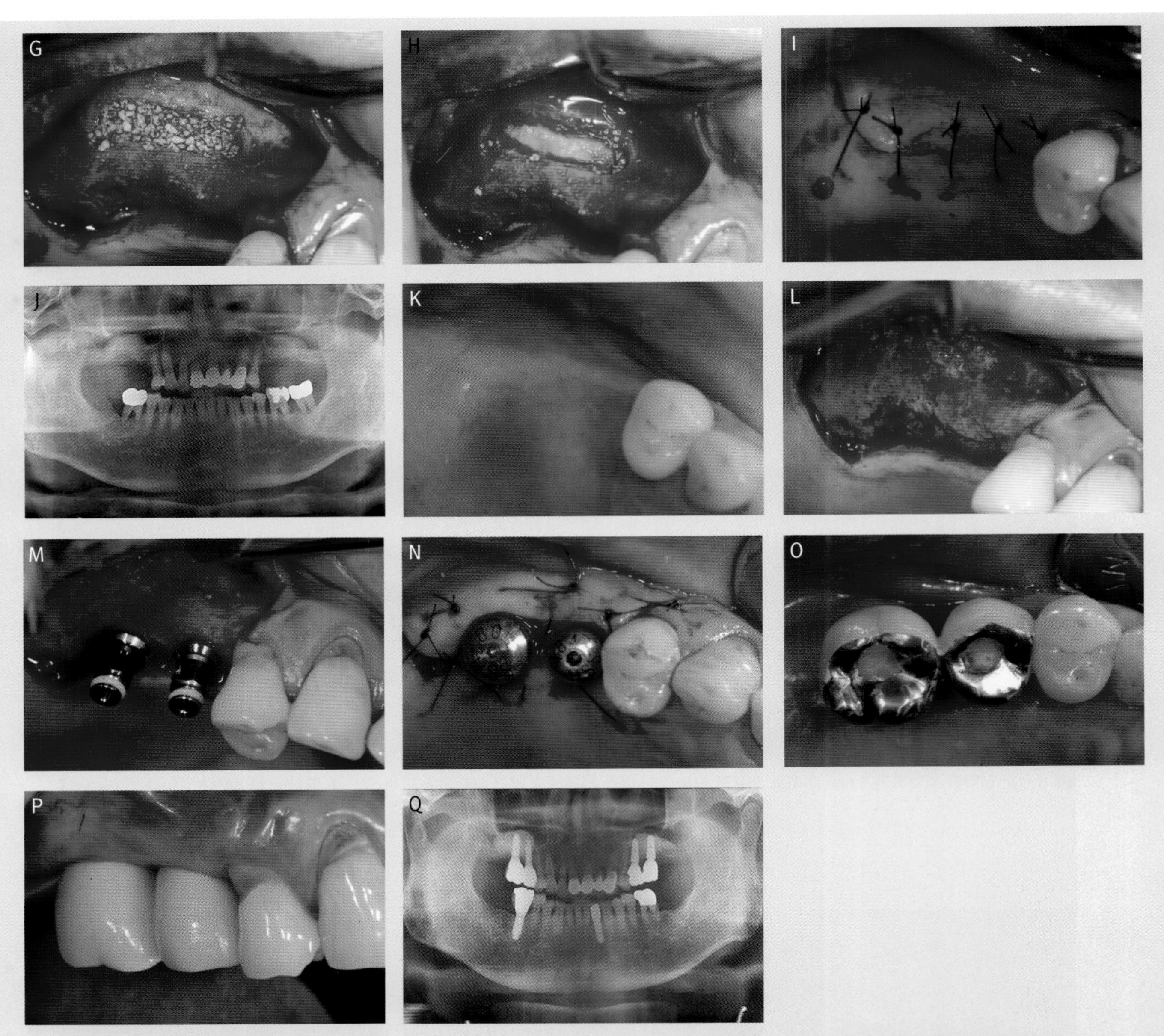

4-18 상악동 외측 골벽이 얇으면 상악동 막의 회색조가 희미하게 비쳐 보일 수 있다. 이러한 경우에는 다이아몬드 버만으로 골창을 형성한다.

A~J. 양측 상악동에 외측 접근법으로 골이식을 시행했다. 상악동 외측벽에 약간의 회색조가 보인다**(C)**. 다이아몬드 버로 골구를 형성하고**(D)**, 골창을 제거했다**(E)**. 이후 상악동 막 거상, 이종골 삽입, 골창 재위치 후 수술부를 폐쇄했다.

K~N. 6개월 후 임플란트를 식립했다.

O~Q. 다시 5개월 후 최종 보철물을 연결해 주었다.

회색조가 나타나기 시작하면 천공의 가능성을 낮출 수 있는 다이아몬드 버로 바꿔준다(📷 4-19, 20). 저자의 경험 상 골벽 두께가 대략 0.5–1 mm 정도 남으면 상악동 막의 회색조가 보이기 시작한다.

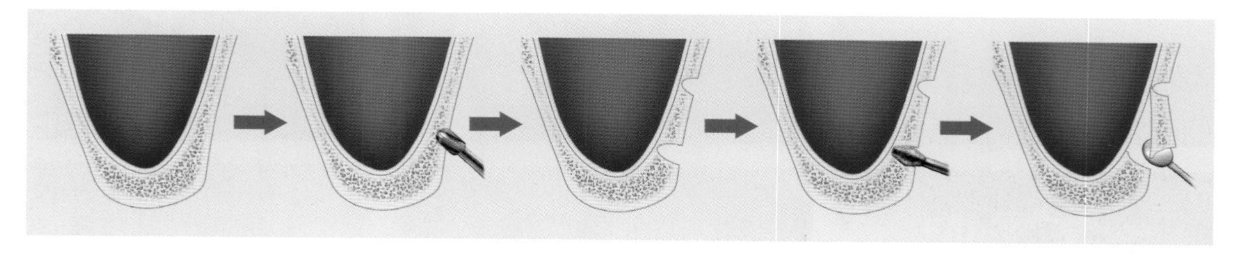

📷 4-19 **상악동 벽이 중등도 이상으로 두꺼우면 절삭 효율이 좋은 카바이드 버로 먼저 골구를 형성하고 상악동 막의 회색조가 비쳐 보이기 시작하면 다이아몬드 버로 바꿔서 진행한다.**

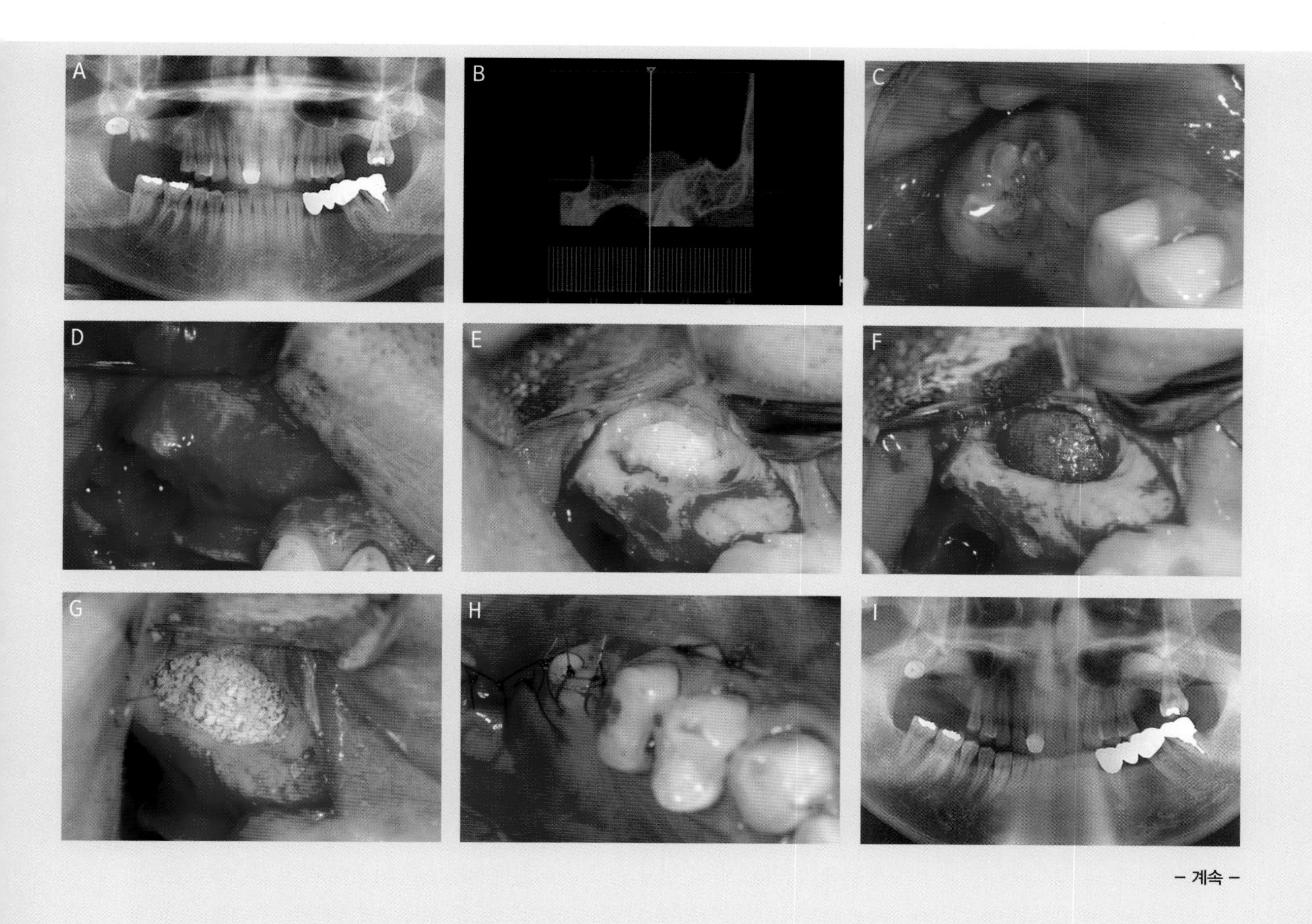

– 계속 –

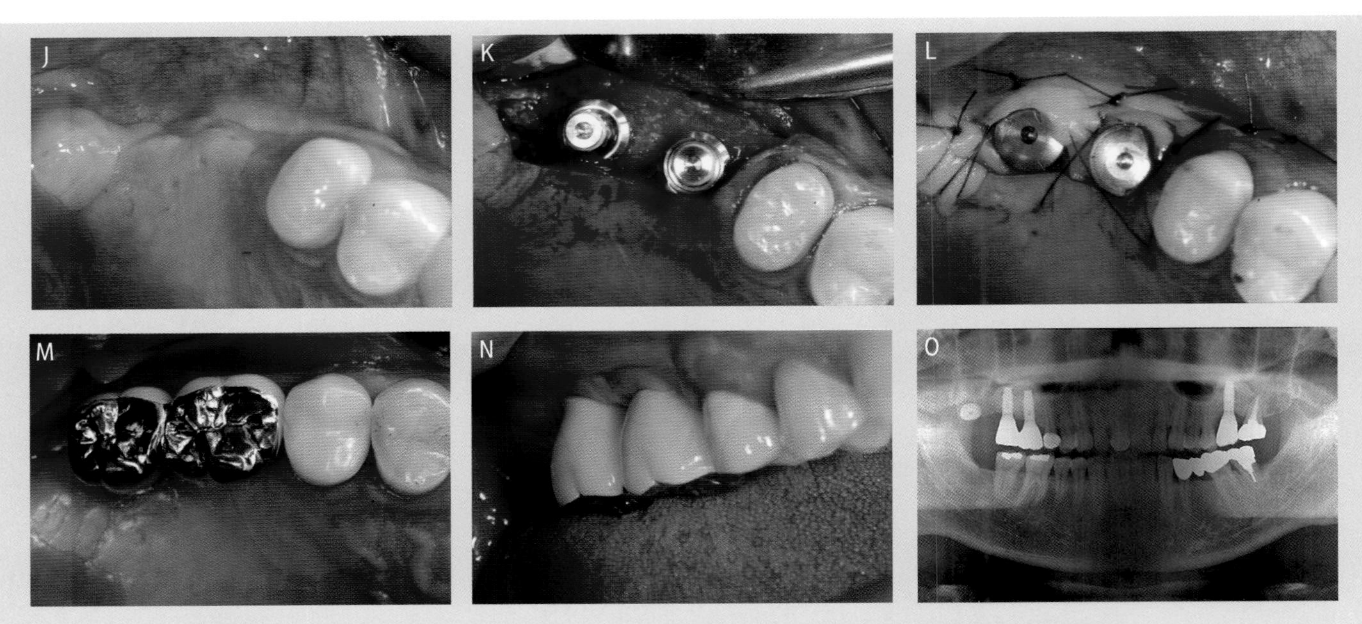

4-20 상악동 외측벽이 일반적인 두께 이상이면 카바이드 라운드 버와 다이아몬드 라운드 버를 병용하여 골창을 형성한다.
A~I. 상악동 외측벽은 상악동 막의 회색조를 전혀 보이지 않는다**(D)**. 카바이드 버 적용 후 다이아몬드 버를 적용하여 골창을 형성하고 제거했다**(E, F)**. 이후 이종골 이식재와 교원질 차폐막을 적용하여 상악동 골이식을 시행했다.
J~L. 7개월 후 임플란트를 식립했다.
M~O. 약 5개월 후 보철 치료를 완성했다. 사진은 보철 부하 2개월 후 소견이다.

기계 주수는 골삭제 중 생성되는 골 가루(bone powder)를 곧바로 제거해주고 출혈에 의해 수술부로 흘러드는 혈액을 씻어주기 때문에 시야 확보에 더 도움을 준다. 뿐만 아니라 상악동 막에 수력학적 압력을 가하여 상악동 골벽과의 분리를 용이하게 해주고 버에 의한 천공도 어느 정도 예방해 준다.[14] 따라서 주사기로 주수하는 것보다는 기계 주수가 더 좋다.

② 압전 기구

압전 기구를 이용하면 골삭제에 많은 시간이 걸리긴 하지만 연조직을 손상시키지 않으며 골삭제면이 깨끗해진다는 이론적 장점이 있다. 따라서 골창 형성 중 상악동 막을 천공시킬 가능성이 낮아질 것이란 믿음에서 임상적으로 널리 사용되게 되었다.[15,16] 그러나 한 무작위 대조 연구에서는 압전 기구를 사용하면 고전적인 회전 기구에 비해 상악동 막 천공이나 술 후 창상 치유에 있어 별다른 이점이 없었던 반면, 수술 시간은 평균적으로 4분가량 더 연장됐다고 보고했다.[17] 또 다른 무작위 대조 연구에서도 회전 기구와 압전 기구 사용 시 상악동 막의 천공 빈도에는 별다른 차이를 보이지 않았다.[18] 2015년에 발표된 메타분석에서는 압전 기구와 고전적인 회전형 절삭 기구를 이용한 외측 골창 형성 후 그 결과에 있어 어떤 차이가 있는지를 비교했다.[19] 그리고 그 결과는 역시 앞의 연구들과 비슷했는데, 상악동 막의 천공 빈도나 식립된 임플란트의 단기간의 생존율에는 거의 차이를 보이지 않았고, 오직 수술 시간만이 압전 기구 사용 시 유의하게 더 오래 소요된다는 차이를 보였다.

이에 저자들은 골창 형성 시 수술 기구보다는 술자의 경험과 능력이 수술 결과를 결정짓는 데 있어 더 중요한 요소라고 결론지었다.

(5) 골구 형성이 완료되면 큐렛으로 골창을 제거한다

골구 형성이 완료되면 골창을 제거한다. 원래 전통적으로는 골창의 상연을 경첩처럼 이용하여 골창 전체를 내측으로 골절시킨 후 상악동 막을 거상했다.[20] 골창을 내측 골절시킨 채 상악동 막을 거상하면 골재생을 위한 환경 조성과 상악동 재함기화 예방에 있어 분명히 이론적인 이점이 있음에도 불구하고 막거상의 난이도가 증가하고 골창 변연과 인접한 상악동 막이 천공될 가능성이 높아지기 때문에 현재 대부분의 술자들은 골창을 제거하는 방법을 선호한다(**📷 4-21**).[21,22] 두 방법을 적용했을 때 최종적인 임상 결과에 어떤 영향을 미치는가에 대한 연구는 없었지만, 전문가들의 의견이나 저자의 경험에 비추어볼 때 거의 아무런 차이도 보이지 않는 것으로 보인다.

골구 형성과 골창 제거의 과정은 다음과 같다(**📷 4-16, 22, 23**).

① 상악동 외측벽의 골을 삭제하다 보면 내부의 상악동 막이 비쳐 보이기 시작하면서 점차 회색조를 나타낸다. 이때부터 골삭제를 천천히 진행하면서 버에 작은 힘만을 가한다.

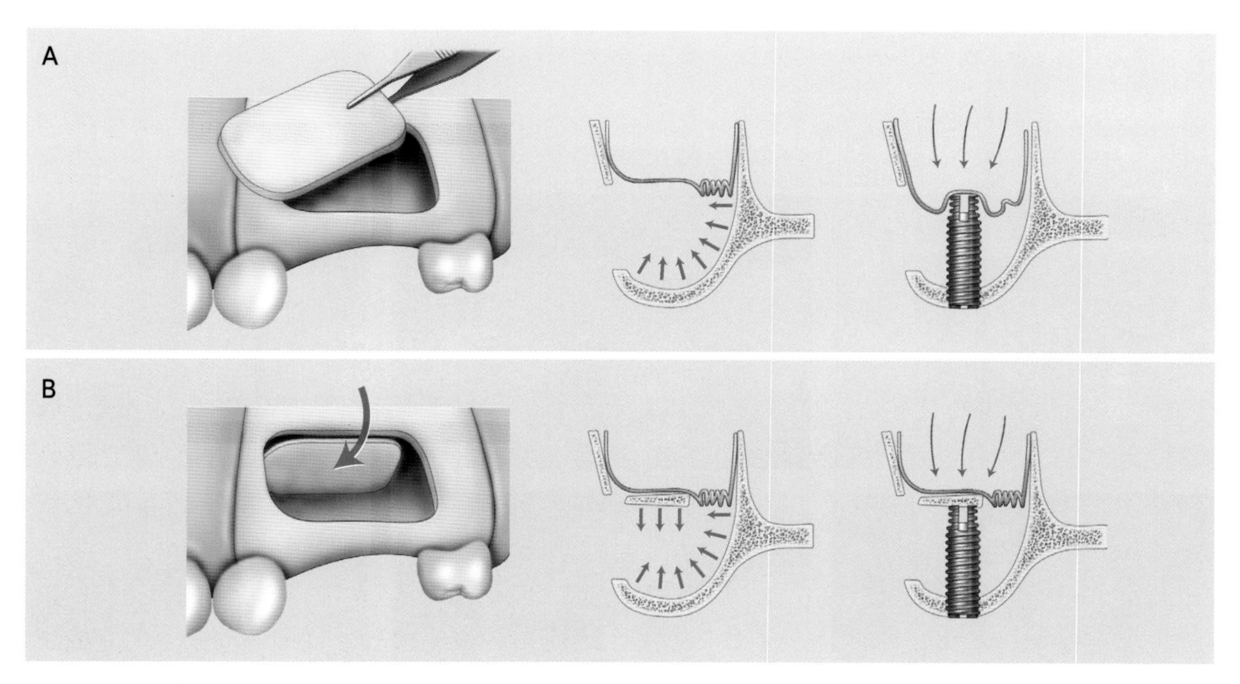

📷 4-21 골창은 두 가지 방법으로 처리 가능하다.
A. 일반적으로는 큐렛을 이용하여 골창을 주변 골에서 완전히 분리한 후 제거한다. **B.** 과거에는 골창을 내측으로 골절시켜서 상악동 막을 하방에서 지지해주는 역할로 많이 이용했다. 골창이 붙어있으면 이론적으로 신생골 형성이 촉진되고 재함기화를 예방해준다. 그러나 수술이 더 어렵고 상악동 막이 천공될 가능성이 증가하기 때문에 최근에는 골창을 제거하는 경우가 더 많다.

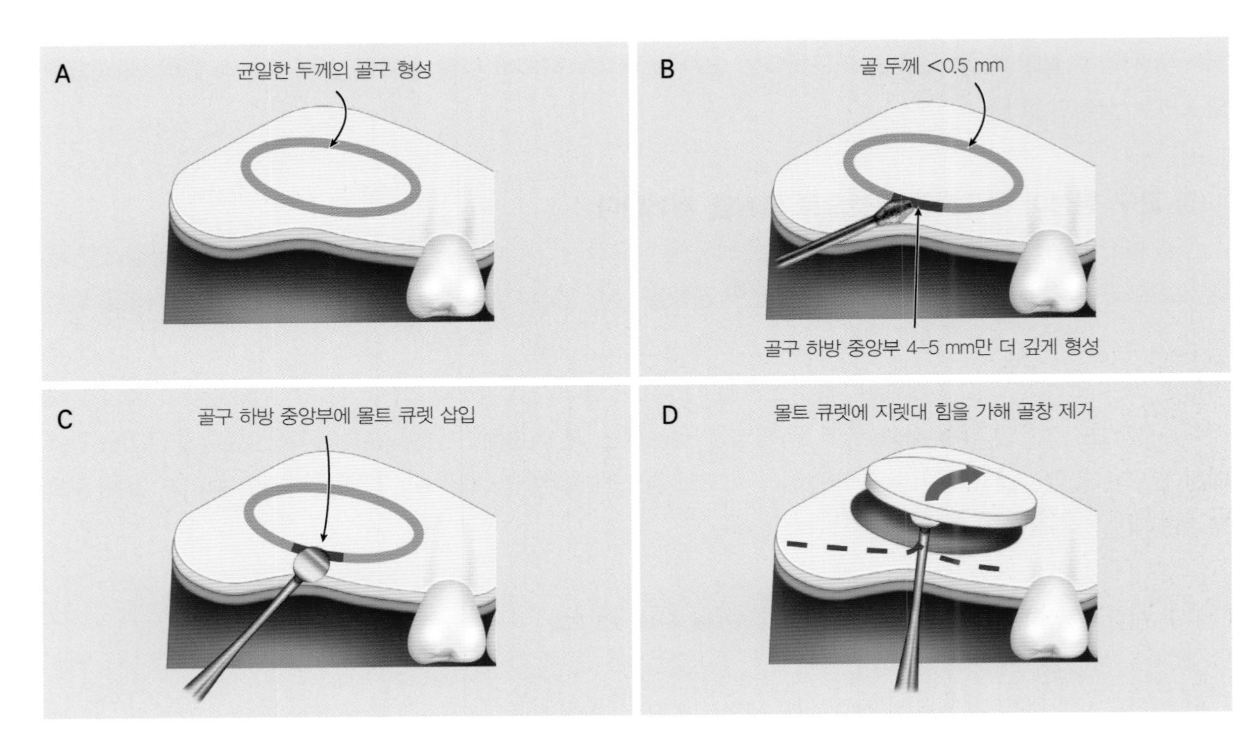

4–22 골창을 제거하는 과정

A. 전체 골구를 균일한 두께로 형성한다. 상악동 막을 완전히 노출시키려면 상악동 막을 천공시킬 수 있기 때문에 골구 하방으로 회색조가 진하게 비칠 때까지만 골삭제를 진행한다. 이때 골의 두께는 대략 0.5 mm 미만이다. **B.** 골구 하연의 중앙부만 다른 부위보다 더 깊게 골구를 형성한다. 이때 상악동 막 일부가 노출될 수도 있다. 이때 버를 내측으로 힘을 주어 가하지 말아야 한다. **C.** 골구 하방 중앙에 몰트 큐렛을 조심스레 삽입한다. **D.** 큐렛을 지렛대처럼 활용하여 골창을 제거한다.

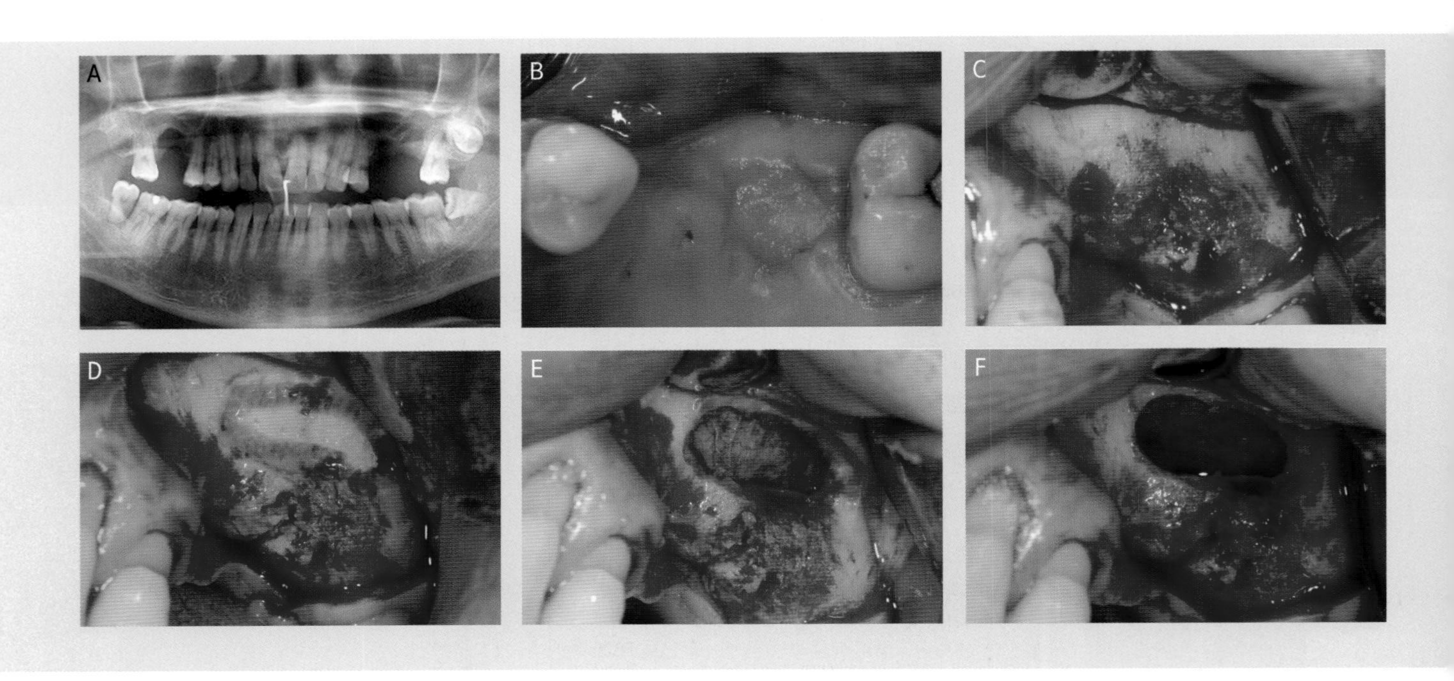

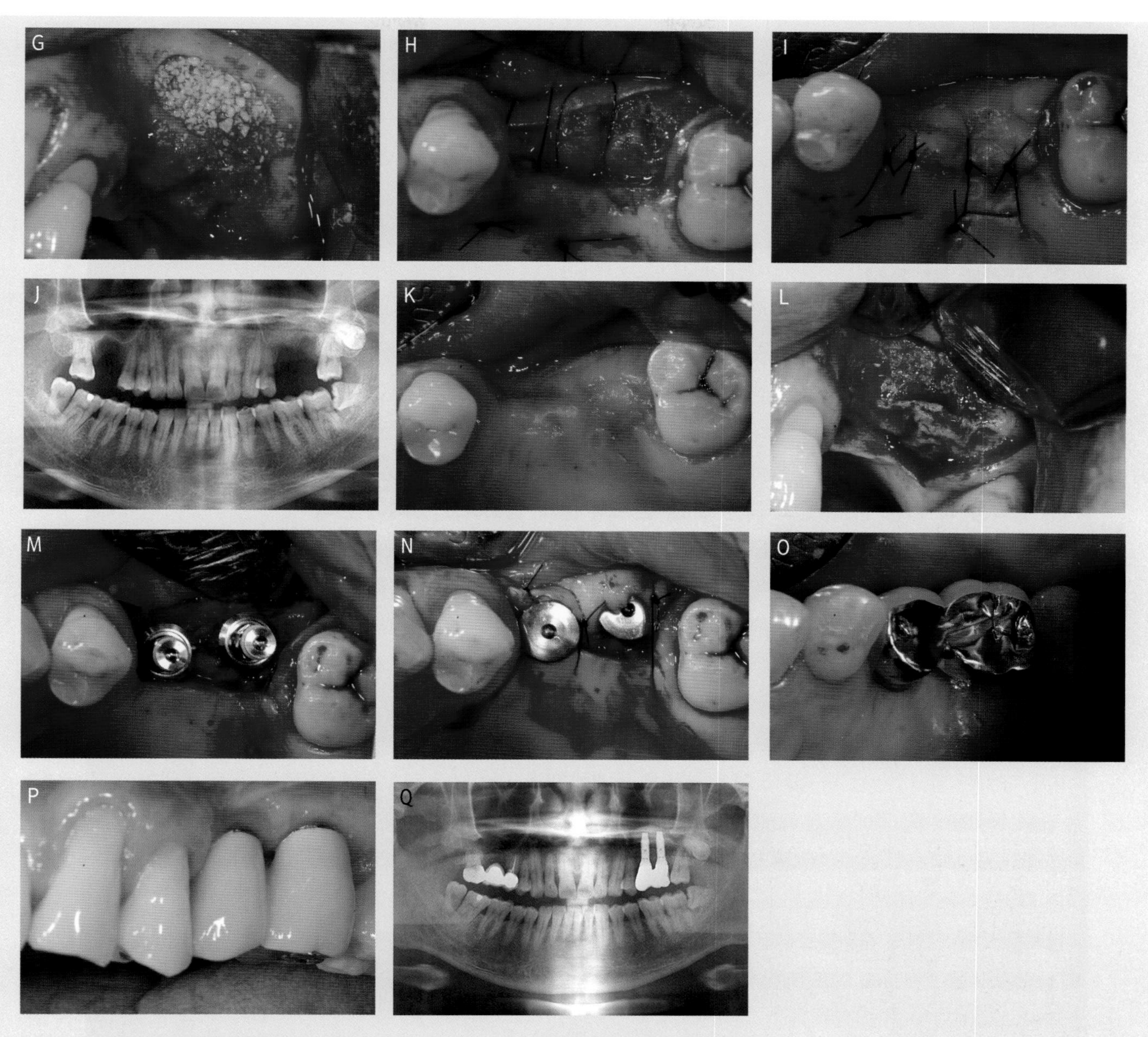

4-23 골창을 제거하기 전에 골구는 상악동 막에서 0.5 mm 정도 떨어진 깊이까지만 진행한다(D).

A~J. 상악동 골이식을 시행했다. 골창을 제거하기 위해 골구를 형성했다**(D)**. 골창을 뜯어내기 전 골구로 상악동 막의 회색조가 비쳐 보여야만 한다. 이 상태에서 골창 하연 중앙부 골구만 더 깊이 진행한 후 큐렛으로 골창을 제거한다. 상악동 막의 손상 없이 골창을 제거했다**(E)**. 이후 큐렛으로 상악동 막을 거상하고 골이식을 시행한 후 수술부를 폐쇄했다.

K~N. 6개월 후 임플란트를 식립했다.

O~Q. 보철물 연결 후의 소견이다.

② 다이아몬드 버가 상악동 막에 약간 닿더라도 거의 천공을 유발하지 않지만, 막이 극도로 얇은 경우에는 천공될 수도 있으므로 최대한 조심한다. 전체 골구를 따라 균등한 두께의 얇은 골이 남도록 주의해준다.
③ 마지막으로 골창 하방 중앙부 4–5 mm 정도의 골구를 특히 더 얇게 형성한 후 이 부위에 몰트 큐렛을 삽입하고 지렛대의 원리로 골창을 제거한다.

3) 상악동 막 거상

외측 접근법의 최대의 장점은 술자가 원하는 부위의 상악동 막을 원하는 양만큼 거상할 수 있다는 점이다. 따라서 이러한 장점은 극대화하고, 상악동 막의 천공 발생 가능성은 최소화할 수 있도록 가장 주의를 기울이며 상악동 막을 거상한다.

(1) 상악동 막 거상 중 큐렛의 첨단(tip)은 반드시 골과 접촉하고 있어야 한다

골창을 제거하고 상악동 막을 거상하기 시작한다. 상악동 막을 골에서 처음 분리할 때 천공되기 쉽기 때문에 많은 주의를 기울여야 한다. 끝이 "ㅗ"자 형태로 생긴 큐렛은 골과 상악동 막을 처음으로 분리해 내는 데 매우 유용하다(**4–16, 24**). 골창을 제거한 후 상악동 접근부의 크기를 좀 더 확대해야 할 필요가 있다면 이 기구로 골창 변연 부위의 상악동 막을 골과 분리시키고 나서 바로 골을 추가적으로 삭제한다. 이를 통해 상악동 막의 천공을 예방하면서 골창을 확대할 수 있다(**4–25**).

이후 다양한 형태의 큐렛을 이용하여 상악동 막을 거상한다. 많은 제조 회사에서 다양한 종류의 상악동 막 거상 전용 큐렛을 시판 중에 있기 때문에 본인에게 친숙하고 다루기 쉬운 것을 선택하여 이용하도록 한다. 상악동 막의 천공을 예방하기 위해 상악동 막 거상 중 큐렛의 끝은 반드시 골에 접촉하고 있어야 한다(**4–16, 26**).

상악동 막은 골창의 중앙부로부터 거상하며, 한 부위만 너무 집중적으로 거상하지 않는 것이 좋다. 한 부위의 상악동 막을 3–4 mm 정도 거상하면 근원심으로 이동하면서 동일한 양을 거상한다. 이러한 방법으로 전후

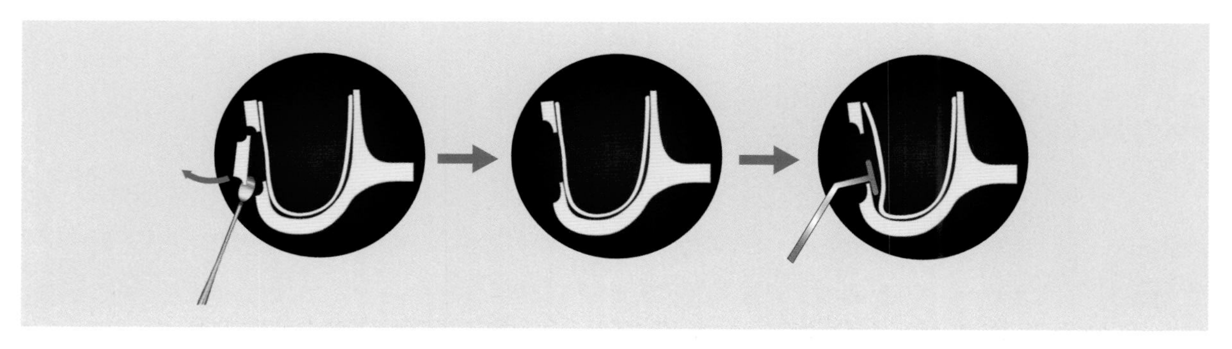

4–24 상악동 막을 상악동 골벽과 처음 분리할 때에는 끝이 "ㅗ"자 형태로 생긴 큐렛을 이용하면 편리하다.

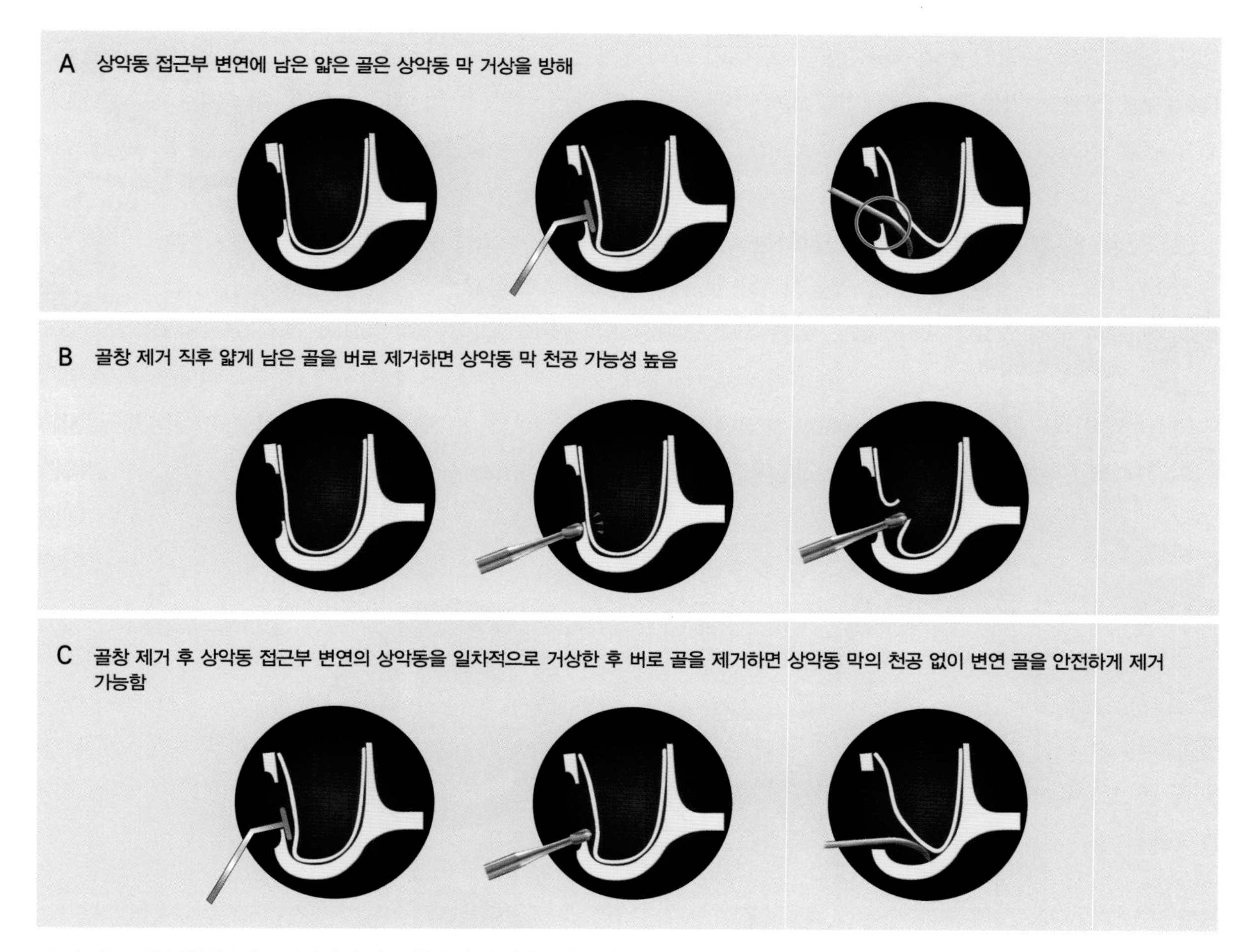
A 상악동 접근부 변연에 남은 얇은 골은 상악동 막 거상을 방해
B 골창 제거 직후 얇게 남은 골을 바로 제거하면 상악동 막 천공 가능성 높음
C 골창 제거 후 상악동 접근부 변연의 상악동을 일차적으로 거상한 후 바로 골을 제거하면 상악동 막의 천공 없이 변연 골을 안전하게 제거 가능함

4-25 골창 변연부에는 제거되지 않은 얇은 골이 남아있게 된다. 이를 제거하면 상악동 골이식이 더 수월해진다.
A. 골창 변연부의 얇은 골은 기구 접근과 시야에 방해가 된다. **B.** 골창 제거 직후에 얇은 골을 바로 제거하면 상악동 막이 천공될 수 있다. **C.** 골창 제거 후 상악동 막을 일차적으로 거상한다. 이후에 변연부 골을 바로 제거하면 상악동 막이 유동성을 갖기에 잘 천공되지 않는다.

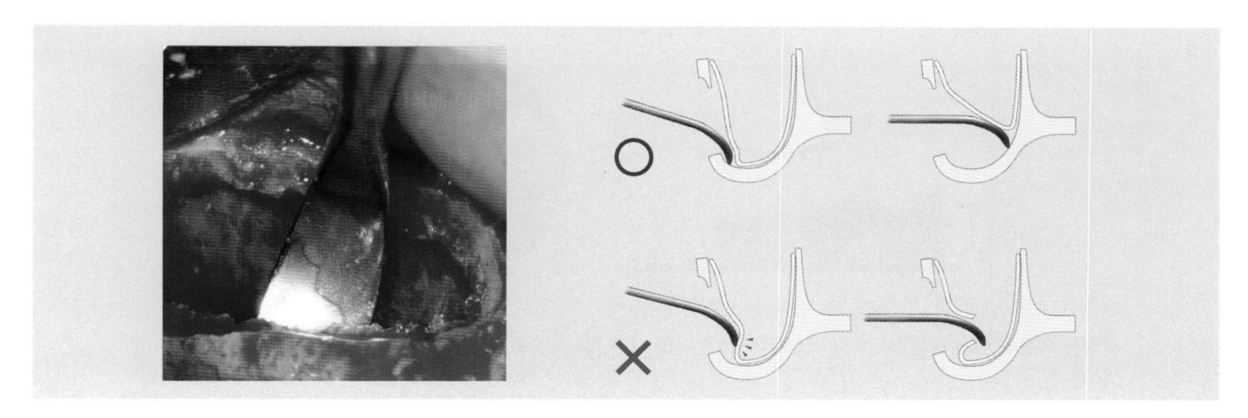
○
×

4-26 상악동 막 거상 중 큐렛의 첨단은 상악동 막의 천공을 예방하기 위해 반드시 골과 접촉하고 있어야만 한다.
만약 큐렛의 첨단을 골과 접촉시킬 수 없다면 골창을 더 크게 형성해 주어야만 한다.

방의 전체 상악동 막이 3–4 mm 정도 거상되면 다시 동일한 방법으로 막을 3–4 mm씩 반복적으로 거상한다(**📷 4-27**). 간혹 상악동 막이 골과 단단히 유착된 부위가 나타날 수 있는데, 이러한 경우에는 너무 무리한 힘을 가하지 말고 유착된 부위의 전방과 후방 막을 거상하고 유착된 부위로 진행해준다.

(2) 전방과 내측 상악동 막을 거상하는 데 최선의 노력과 주의를 기울인다

상악동 막을 거상하는 데 있어 가장 어려운 부위는 전방과 내측이다.[23] 전방과 내측은 상악동 막 거상을 위한 시야가 매우 좋지 않으며 기구 접근 또한 어렵기 때문이다. 앞의 "상악동의 임상 해부학"에서 이미 설명했지만, 특히 소구치부에서는 내측 상악동벽과 상악동저가 만나는 부위인 비구개 함요가 예각을 이루는 경우가 많다. 따라서 이 부위에서는 상악동저에서 상악동 내측벽 쪽으로 이어지는 부위의 상악동 막을 거상할 때 상악동 막이 천공될 가능성이 더 증가하므로 굉장히 세심한 주의를 요한다(**📷 4-28**).[6,24]

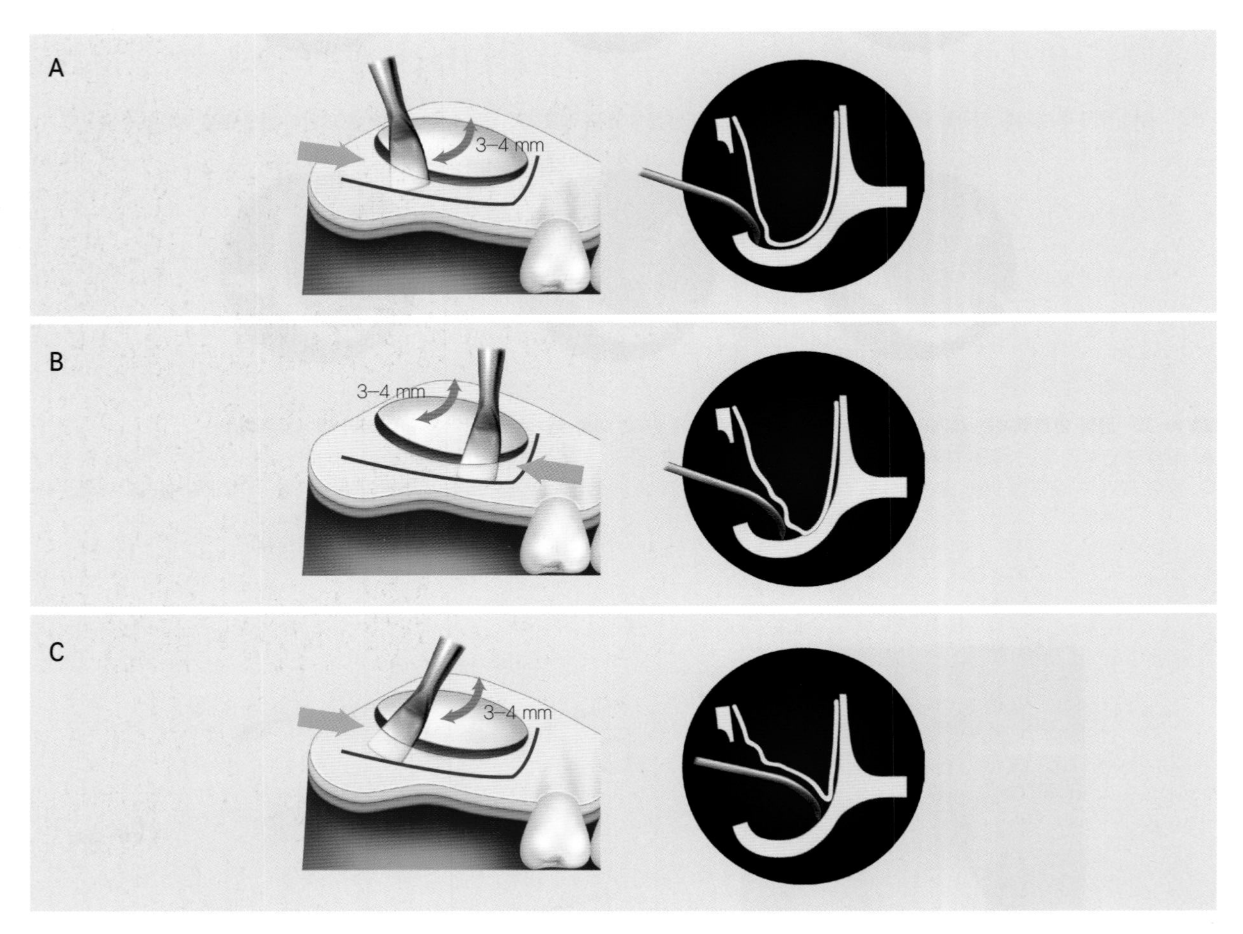

📷 4-27 상악동 막은 골창의 중앙부로부터 거상하며 한 부위만 너무 집중적으로 거상하지 않는 것이 좋다.
한 부위의 상악동 막을 3–4 mm 정도 거상하면 근원심으로 이동하면서 동일한 양을 거상한다. 이러한 방법으로 전후방의 전체 상악동 막이 3–4 mm 정도 거상되면 다시 동일한 방법으로 막을 3–4 mm씩 반복적으로 거상한다.

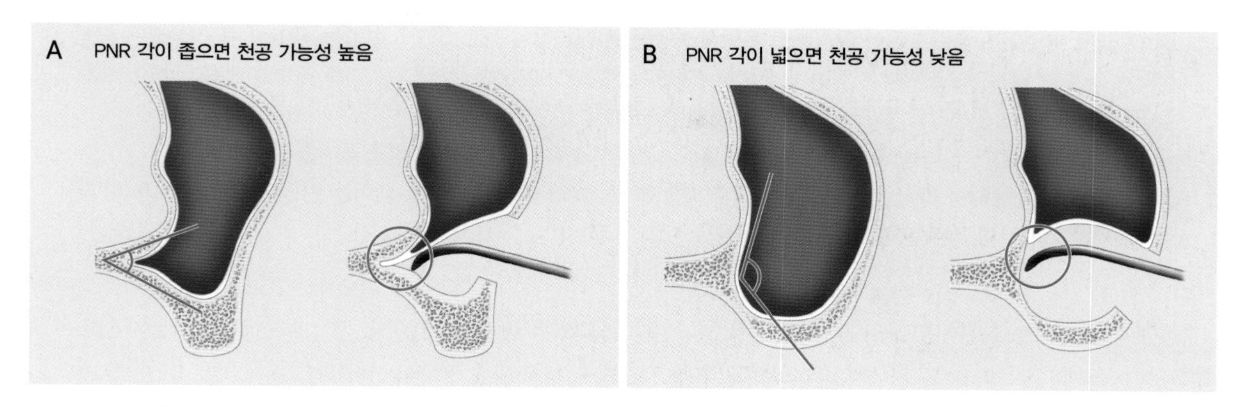

4-28 상악동저에서 상악동 내측벽으로 이어지는 부위는 상악동 막 천공의 가능성이 크다.
A. 소구치부, 특히 PNR (비구개 함요)의 각이 작은 부위는 천공 가능성이 현저히 증가한다. **B.** 대구치부는 일반적으로 PNR 각이 크기 때문에 천공 가능성이 감소한다.

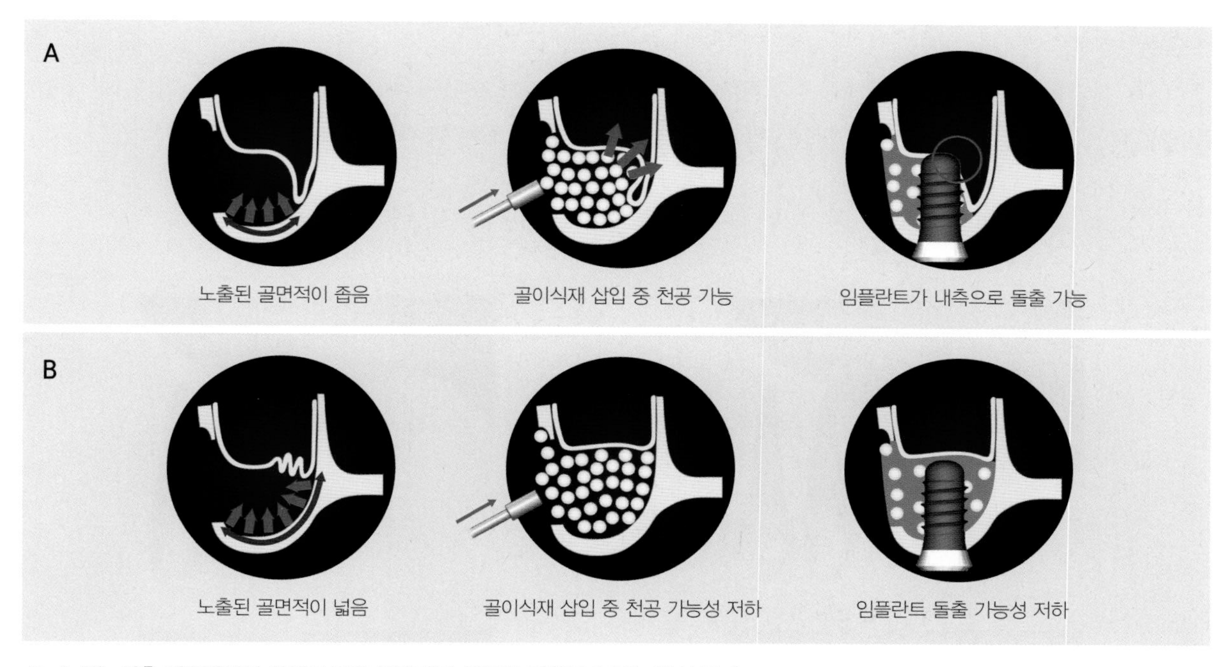

4-29 외측 접근법에서 상악동 막은 내측까지 충분히 거상시켜 주는 것이 좋다.
A. 내측으로 거상이 충분하지 못하면 골이식부와 접하는 노출된 상악동 골벽의 면적이 좁기 때문에 신생골 형성에 불리하다. 또한 이식재 삽입 중 상악동 막 천공 가능성이 증가하며 치유 기간 중 임플란트가 상악동 내로 돌출될 가능성 또한 증가한다. **B.** 내측으로도 상악동 막을 충분히 거상해주면 여러 가지로 유리하다. 노출된 골면적이 증가하여 신생골 형성이 원활해지고 수술 중 상악동 막 천공 가능성 또한 감소한다. 골이식 후 임플란트가 상악동 내로 돌출될 가능성도 감소한다.

그럼에도 불구하고 내측으로는 상악동 내측벽이 노출될 정도까지 충분히 거상시키는 것이 좋다. 그 이유는 다음과 같다(**4-29**).

- 좀 더 넓은 골면이 노출됨으로써 이식부의 골형성 능력을 증진시킬 수 있다.[25–27] 상악동 골이식 후 신생골은 항상 상악동 내부의 골표면으로부터 시작하여 중심부 쪽으로 진행하기 때문에,[28] 상악동 내측 골벽과 외측 골벽이 모두 골이식재와 만나면 신생골이 훨씬 빠르게 많이 형성된다.[26,27]
- 골이식재를 충전할 때 상악동 막에 가해지는 장력을 이완시킴으로써 천공의 가능성을 줄여줄 수 있다.[29]
- 상악동 내측벽과 상악동 막이 분리되지 않으면 상악동 골이식부와 상악동 내측벽 사이는 빈 공간으로 남으며, 이 부위로 임플란트가 식립되면 상악동 골이식의 이점을 누릴 수 없다.[30]

전방부, 즉 주로 소구치부에서 충분한 상악동 막을 거상해주지 못하면 수술 후 2차원적 방사선사진으로도 확인 가능하다. 게다가 소구치 부위는 상악동의 함기화에도 불구하고 잔존골 높이가 어느 정도 확보된 경우가 많으므로 차후 상악동 골이식 부위에 임플란트를 식립하면서 치조정 접근법으로 추가적인 골이식을 시행할 수 있다(📷 4–30).

반면 내측 상악동 막을 제대로 거상하지 못한 채 상악동 골이식을 시행하면 수술 후 2차원적인 방사선사진으로는 별다른 문제를 느끼지 못할 수도 있기 때문에 굉장히 어려운 임상적 상황에 직면하게 될 수도 있다. 특히 내측 상악동 막을 충분히 거상해 주지 못하면 재생골의 밀도가 저하될 수 있고 이로 인해 이 부위에 식립한 임플란트가 실패할 수도 있는데, 이러한 재생골의 질과 관련된 요소는 방사선사진으로 진단이 쉽지 않다.

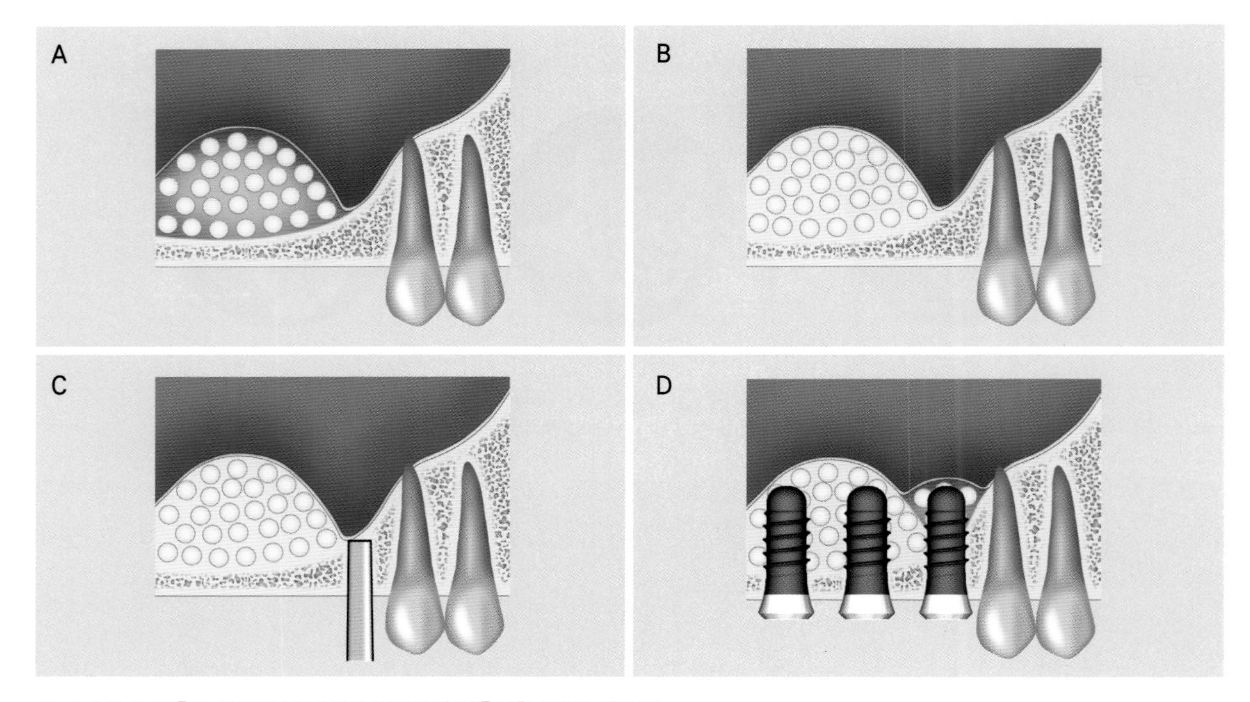

📷 4–30 근심측의 상악동 막 거상과 골이식이 불충분한 경우는 흔하다.
이러한 경우에는 임플란트 식립 시 치조정 접근법으로 추가적인 골이식이 가능하다.

2.
상악동 막 천공

상악동 막은 조직학적으로 평균 두께가 1 mm에 이르지 못하는 얇은 막이며, 상악동 막의 고유층(결합 조직층)에는 탄성 섬유가 거의 없기 때문에 상악동 막을 손상시키지 않으면서 골벽에서 분리하는 것은 사실 쉬운 일은 아니다.[31] 따라서 상악동 막의 천공은 상악동 골이식술 시 매우 흔하게 접할 수 있다. 상악동 막 천공은 상악동 골이식술 시 수술 중 발생하는 가장 흔한 합병증이다. 물론 술자의 경험과 시술 능력에 따라 달라지겠지만 전체 상악동 골이식 증례 중 7–58%에서 상악동 막 천공이 발생하는 것으로 보고된 바 있다.[29,32–35] 제6회 유럽 치주과학회 워크샵(6th European Workshop on Periodontology)에서 일차 문헌들을 메타분석한 결과에 의하면, 상악동 막 천공의 발생 빈도는 19.5%였다.[36] 따라서 일반적인 견지에서 상악동 막 천공은 대략 20%의 빈도로 발생한다고 말할 수 있을 것이다.

상악동 막이 천공되면 이식재가 상악동 내부로 유출됨으로써 원하는 양의 골증강량을 얻을 수 없을 뿐만 아니라 상악동염 등의 여러 가지 합병증을 유발할 수 있다. 따라서 상악동 골이식술 시 상악동 막의 천공 발생 가능성을 줄여주고, 실제로 상악동 막이 천공되면 이를 적절히 처치할 수 있는 방법을 숙지하고 있어야만 한다.

1) 상악동 막 천공의 위험 요소

상악동 막 천공의 발생에 영향을 미치는 요소에는 환자 요소와 술자 요소가 있다. 그러나 결국 수술의 결과는 술자가 책임을 져야 하기 때문에 술자는 환자 요소를 정확히 파악하고 수술 중 천공 가능성을 최소화시킬 수 있도록 최선을 다해야만 한다.

(1) 환자의 다양한 전신적, 국소적 요소는 상악동 막의 천공 가능성에 영향을 미친다

상악동 막 천공 발생 빈도에 영향을 미칠 수 있는 요소에는 **4-2**와 같은 것들이 있다.

상악동 격벽, 상악동저 골의 부재, 잔존골 높이는 상악동 막의 천공에 가장 지대한 영향을 미치는 해부학적 요소로 보인다. 상악동 막의 두께, 상악동 내부의 해부학적 형태, 흡연 유무는 앞의 요소들에 비해서는 그 중요성이 떨어지지만 역시 상악동 막의 천공에 영향을 줄 수 있다.

① 잔존골 높이

상악동 막 천공의 위험 요소를 평가한 일련의 후향적 연구들에서는, 잔존골 높이가 주요한 위험요소라고 결론 내렸다.[37,38] 이들 연구에서는 잔존골 높이가 낮아질수록 상악동 막의 천공 가능성은 유의하게 높아졌다. 한

표 4-2 상악동 막 천공에 영향을 미치는 요소

환자의 위험 요소	단점
잔존골 높이가 낮음	잔존골 높이가 낮으면(<3 mm) 좀 더 광범위한 상악동 막 거상이 필요하며 이는 상악동 막 천공 가능성을 증가시킬 수 있다.
상악동저 골의 부재(failure of sinus floor bone)	치조골의 극단적인 흡수로 인해 치조골이 부분적으로 상실되면 상악동 막과 구강 점막이 유착될 수 있으며, 이러한 경우 상악동 막의 천공 가능성은 증가한다.
상악동 막의 두께	질환이 없는 상악동 막은 두꺼워질수록 천공에 잘 저항한다(~2 mm). 그러나 염증성 병변으로 두꺼워진 상악동 막은 천공될 가능성이 증가한다.
상악동 격벽	격벽은 상악동 막 천공에 있어 매우 주요한 위험 요소이다.
상악동 내부의 해부학적 형태	상악동저의 폭, 상악동의 내측벽과 외측벽이 이루는 각도, 비구개 함요의 존재는 상악동 막 천공에 영향을 미칠 수 있다.
흡연	흡연자의 상악동 막이 더 잘 천공된다는 의견이 있지만 아직 명확하지는 않다.

대조 연구에서도 잔존골 높이가 1–3 mm인 경우가 4 mm 이상인 경우보다 더 많은 상악동 막 천공이 발생했다고 보고했다.[39] 이는 어찌 보면 당연한 결과라고 할 수 있다. 잔존골 높이가 더 낮을수록 더 많은 양의 골을 증강시켜야 하고, 따라서 상악동 막을 더 광범위하게 거상시켜야 하기에 막 천공의 가능성도 증가할 것이다.

② 상악동저 골의 부재

상악동저 골의 부재는 잔존골 높이 감소가 극단적으로 진행되어 일부 부위에서 치조골이 상실됨에 따라 상악동 막과 구강 점막이 치조골 없이 직접 접하는 상태를 의미한다(**사진 4-31**).[40] 한 단면 연구에 의하면, 임플란트 식립이 예정된 환자 중 17.4%에서 상악동저 골이 부재한 부위가 존재했다.[41] 상악동저 골이 부재한 경우에는 상악동 막과 구강 점막을 분리하는 과정에서 상악동 막이 천공될 가능성이 매우 높다.[42,43] 한 환자-대조군 연구에 의하면 4개 이상의 인접치를 발치한 경우(오즈비 3.67)와 치주염으로 치아를 발거한 경우(오즈비 6.39)에 상악동저 골의 부재가 유의하게 더 많이 발생했다.[44] 또한 이 연구에서는 상악동저 골이 부재한 경우에는 13.3%의 증례에서, 상악동저 골의 부재가 없는 경우에는 3.7%의 증례에서 상악동 막이 천공되었다고 했다. 즉, 상악동저 골이 부재한 증례에서는 상악동 막 천공이 대략 3.6배 정도 더 많이 발생한 것이다(**사진 4-32**).

③ 상악동 막의 두께

이에 대해서는 이미 앞에서 자세히 설명했으므로 자세한 설명은 생략하도록 한다. 상악동 막은 건전할 때에는(≤2 mm) 두꺼워질수록 천공 가능성이 낮아지는 반면, 염증성 부종 상태에 있을 때에는(≥2 mm) 확실하지는 않지만 천공에 대한 저항성이 약해지는 것 같다. 상악동 막의 두께와 구강 점막의 두께는 모종의 유전적 상관관계에 있을 수도 있음이 한 단면 연구에서 제시된 바 있다.[45] 즉, 상악 전치부의 치은 두께가 0.6–0.8 mm

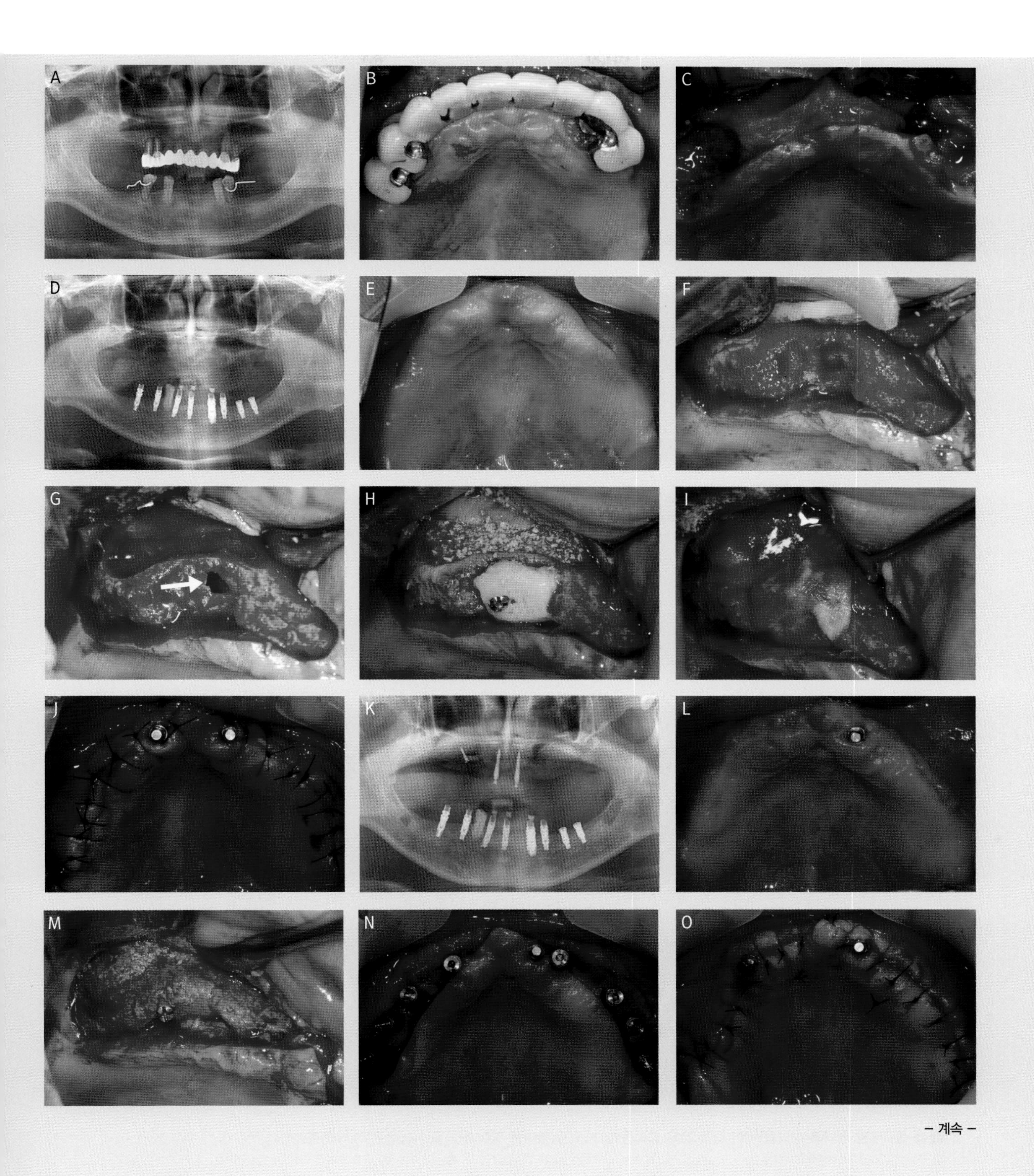

– 계속 –

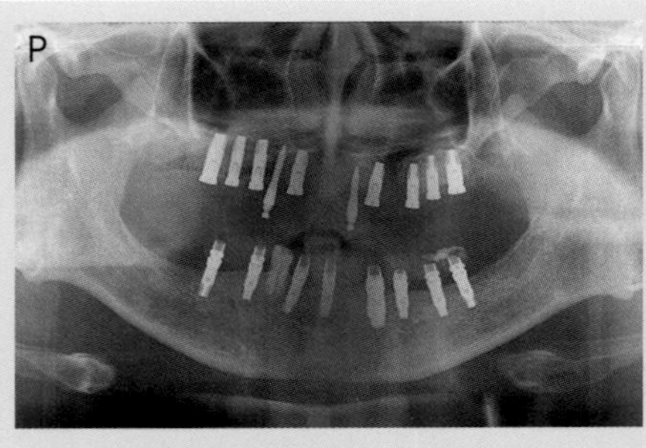

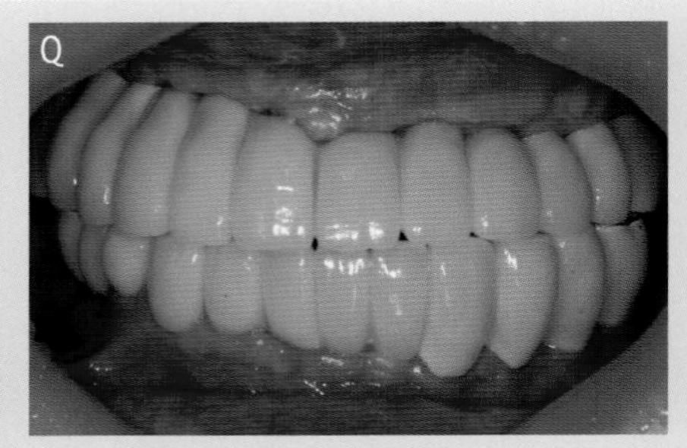

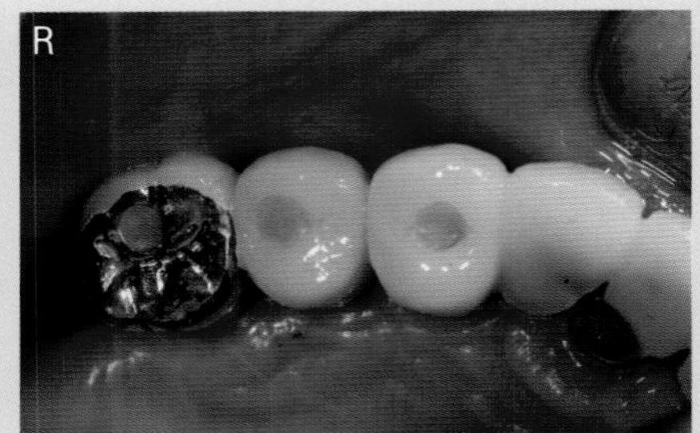

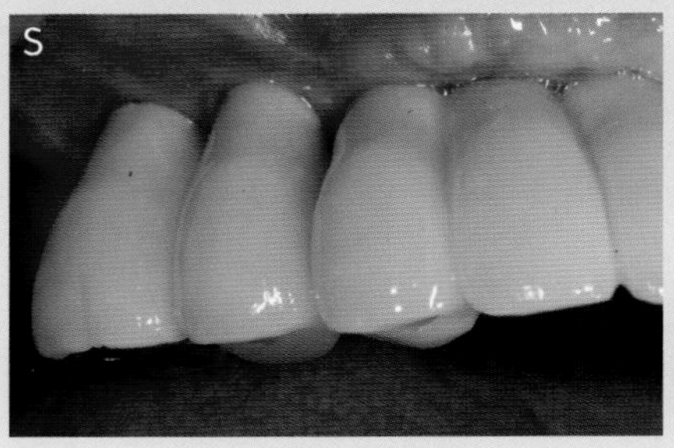

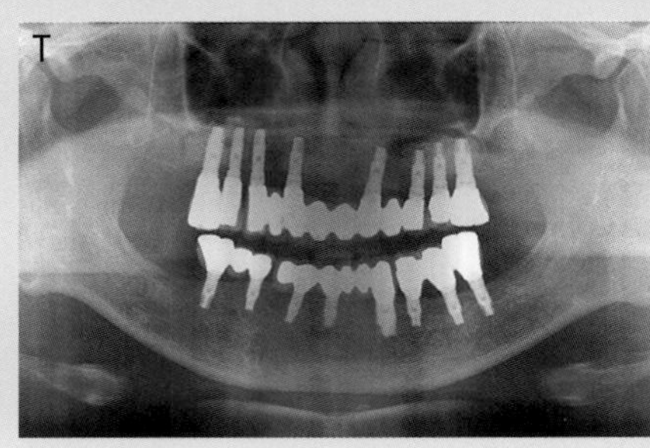

4-31 상악동저 골이 부재하면 구강 점막과 상악동 막이 직접 접하기 때문에 상악동 골이식 시 상악동 막의 천공 가능성이 현저히 증가한다. 이 증례에서는 발치 전 자연치 주위 치조골의 심한 파괴로 인해 상악동저 골이 부재했다.

A~C. 상악에 잔존한 일부 자연치를 모두 발거하고 임플란트로 수복하기로 했다. 방사선사진에서 우측 제1, 제2소구치 주위의 현저한 치조골 파괴를 확인할 수 있다**(A)**.

D~K. 2개월 3주 후 상악동 골이식을 시행했다. 상악 우측 소구치부 치조골은 수직적으로 함몰되어 있었으며 일부 부위에서는 골이 부재했다**(G)**. 이 부위는 하악지에서 채취한 자가 블록골을 이용하여 수복해 주었고 상악동 골이식은 자가골과 이종골을 혼합하여 시행했다.

L~P. 대략 6개월 후 임플란트를 식립했다. 블록골은 주위골과 잘 유합되어 있었고 상악동 골이식 또한 성공적이었다.

Q~T. 고정성 임시 보철물을 거쳐 최종 보철물을 장착해 주었다. 장기간의 추적 관찰 동안 임플란트 부위는 특별한 문제없이 안정적인 상태를 보여주었다.

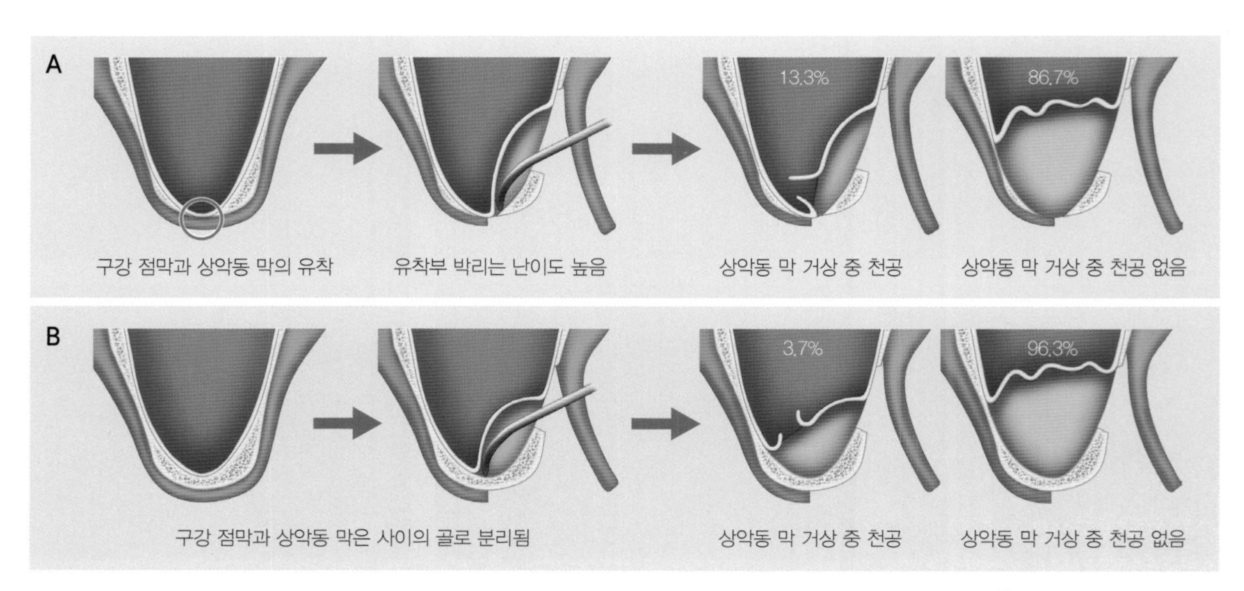

4-32 구강 점막과 상악동 막이 접한 경우 상악동저 거상 중 상악동 막이 천공될 가능성은 현저히 증가한다.[44]

A. 상악동저 골이 부재한 경우에는 13.3%의 증례에서 상악동 막이 천공되었다. **B.** 상악동저 골의 부재가 없는 경우에는 3.7%의 증례에서 상악동 막이 천공되었다.

정도로 얇은 표현형을 지닌 환자의 상악동 막은 평균 0.61 mm였던 반면, 치은 두께가 1 mm 이상으로 두꺼운 표현형을 지닌 환자의 상악동 막은 평균 1.26 mm였다.

④ 상악동 격벽

격벽은 외측 접근법 시 상악동 막의 천공에 단연 가장 많은 영향을 미치는 해부학적 요소이다. 한 후향적 연구에서는 상악동 격벽(오즈비 4.8)이 상악동 막 천공에 유의한 영향을 미쳤다고 보고했다.[46] 한 단일 환자군 연구에서는 상악동 막의 천공에 영향을 줄 수 있는 요소들을 평가했고, 그 결과 상악동 격벽은 가장 주요한 요소였으며 격벽이 존재하면 수술 중 상악동 막의 천공은 유의하게 증가했다고 보고했다.[47] 또 다른 연구에서도 격벽이 존재하면 42.9%, 존재하지 않으면 23.8%의 증례에서 상악동 막 천공이 발생했다고 보고했다.[48]

⑤ 상악동 내부의 해부학적 형태

이 주제에 대해서도 이미 앞에서 자세히 설명한 바 있다. 상악동저의 폭이 좁아지면(즉, 상악동의 외측벽과 내측벽이 이루는 각도가 작아지면) 상악동 막 거상을 위한 기구 접근이 제한되기 때문에 상악동 막의 천공 발생 가능성은 증가한다.[49–51] 또한 비구개 함요가 예각으로 깊이 형성되어 있으면 상악동 내측벽에서 상악동 막이 천공될 가능성이 증가한다.[24]

⑥ 흡연

흡연은 골증강술에 있어 여러 가지 악영향을 미칠 수 있으며, 상악동 막의 천공 발생 가능성 또한 증가시킬 수 있다. 흡연 여부가 상악동 막의 조직학적, 물리적 성질에 어떤 영향을 미치는지 명확하진 않지만, 한 메타분석에서는 흡연자에서 상악동 막 두께는 유의하게 두꺼워진다고 했다.[52]

흡연은 상악동 골이식 중 상악동 막 천공을 증가시킬 수 있다는 후향적 연구들의 결과가 축적되고 있다. 한 후향적 연구에서는 흡연이 상악동 막 천공(오즈비 4.8), 술 후 상악동염(오즈비 12.3), 창상 열개(오즈비 16.1)에 유의하고 현저한 악영향을 미쳤다고 보고했다. 한 연구에서는 흡연자에서 비흡연자에서보다 상악동 막 천공이 두 배가량 더 많이 발생했지만(46.2 vs 23.4%) 이 차이가 통계학적으로 유의하지는 않았다고 했다.[48] 한 후향적 연구에서는 상악동 격벽(오즈비 4.8), 잔존골 높이(오즈비 0.01), 흡연(오즈비 4.8)이 상악동 막 천공에 유의한 영향을 미쳤다고 보고했다.[46]

그러나 몇몇 후향적 연구에서는 흡연이 상악동 막 천공의 발생 빈도에 별다른 영향을 미치지 못했다고 보고했다.[47,48] 위에서 인용한 한 후향적 연구에서는 낮은 잔존골 높이(오즈비 6.808)와 격벽의 존재(오즈비 4.023)만이 상악동 막 천공에 유의한 영향을 미쳤고, 흡연은 별다른 영향을 미치지 못했다고 했다.[47] 아직 확실하게 결론 내릴 수는 없지만 흡연은 잔존골 높이나 격벽의 존재와 같은 해부학적 위험 요소보다는 상악동 막 천공에 영향을 덜 끼치는 것 같다.

⑦ 기타 요소

위에 열거한 이외의 다른 요소들은 상악동 막 천공에 거의 영향을 미치지 못하는 것 같다. 한 후향적 연구에서는 상악동 막 천공에 영향을 미칠 수 있는 여러 요소를 평가했는데, 성별, 연령, 좌우, 외측 상악동 골벽 두께, 외측 골벽 내 혈관의 존재, 임플란트 동시 식립 유무, 식립된 임플란트의 개수, 식립 부위 등은 상악동 막 천공에 별다른 영향을 미치지 못했다고 보고했다.[5] 또 다른 후향적 연구에서는 흡연, 임플란트 동시 식립 여부, 수술 부위(소구치-대구치) 등은 상악동 막 천공에 어느 정도 영향을 미치긴 하지만 유의한 차이를 보이진 못했다고 했다.[48]

(2) 술자의 능력은 상악동 막의 천공에 가장 지대한 영향을 미친다

아마도 몇몇 해부학적 인자를 제외한다면, 혹은 가장 결정적으로 술자의 기술과 능력이 상악동 막 천공에 가장 지대한 영향을 미칠 것이다. 수술 과정 중 상악동 막이 천공되는 이유는 **4-3**과 같으며, 따라서 이를 예방하기 위해 최선의 노력을 기울여야 한다(**4-33**).[38,42,53-56]

4-3 상악동 막 천공의 발생 원인

단계	천공 이유
골창 형성	• 상악동저 골의 부재에 의해 상악동 막과 구강 점막이 직접 접촉하고 있던 경우에는 구강 점막을 박리하다가 상악동 막이 천공될 수 있음 • 골삭제 기구로 골구(bone groove) 형성 중 과도한 압력을 가하면 우발적으로 골과 상악동 막을 동시에 천공시킬 수 있음 • 상악동 막이 너무 얇으면 골삭제 기구와의 약한 접촉에도 천공될 수 있음 • 골창 형성 중 상악동 외측벽 동맥이 출혈되고, 이를 제대로 지혈하지 못한 상태에서 수술을 진행하면 시야가 나빠짐. 이 상태에서는 골창 형성 중 상악동 막이 노출되더라도 이를 인지하지 못할 수 있고, 이로 인해 골삭제 기구로 막을 천공시킬 수 있음 • 골창을 뜯어내거나 내측 골절시킬 때 뾰족한 골 변연에 상악동 막이 찢어짐 • 골창을 너무 강한 힘으로 막에서 분리하여 막이 천공됨
상악동 막 박리	• 골창을 너무 작게 형성하여 기구 접근성이 좋지 못한 상태에서 박리(특히 전방) • 상악동저가 협-구개 방향으로 너무 좁거나 비-구개 함요가 예각으로 존재하여 막 거상이 어려움(특히 소구치부) • 상악동 막이 너무 얇으면 약한 힘으로 박리하더라도 천공될 수 있음 • 상악동 막 거상 시 거상 기구의 끝(첨단)이 골과 접촉하고 있지 않거나 너무 강한 힘으로 박리 • 상악동 막에 낭종성 병소 존재 • 상악동 외측벽 동맥의 출혈로 시야가 좋지 못한 상태에서 박리 • 상악동 격벽이 존재하거나 상악동저 형태가 매끈하지 않고 불규칙함 • 이전에 실패한 상악동 골이식에 의해 상악동 막이 반흔화되어 잘 박리되지 않고, 박리된 후에도 잘 거상되지 않음
이식재 삽입	• 상악동 막을 충분히 박리하지 못함(특히 내측과 전방) • 이식재를 과도한 압력으로 삽입 • 표면이 거친 형태의 이식재 삽입

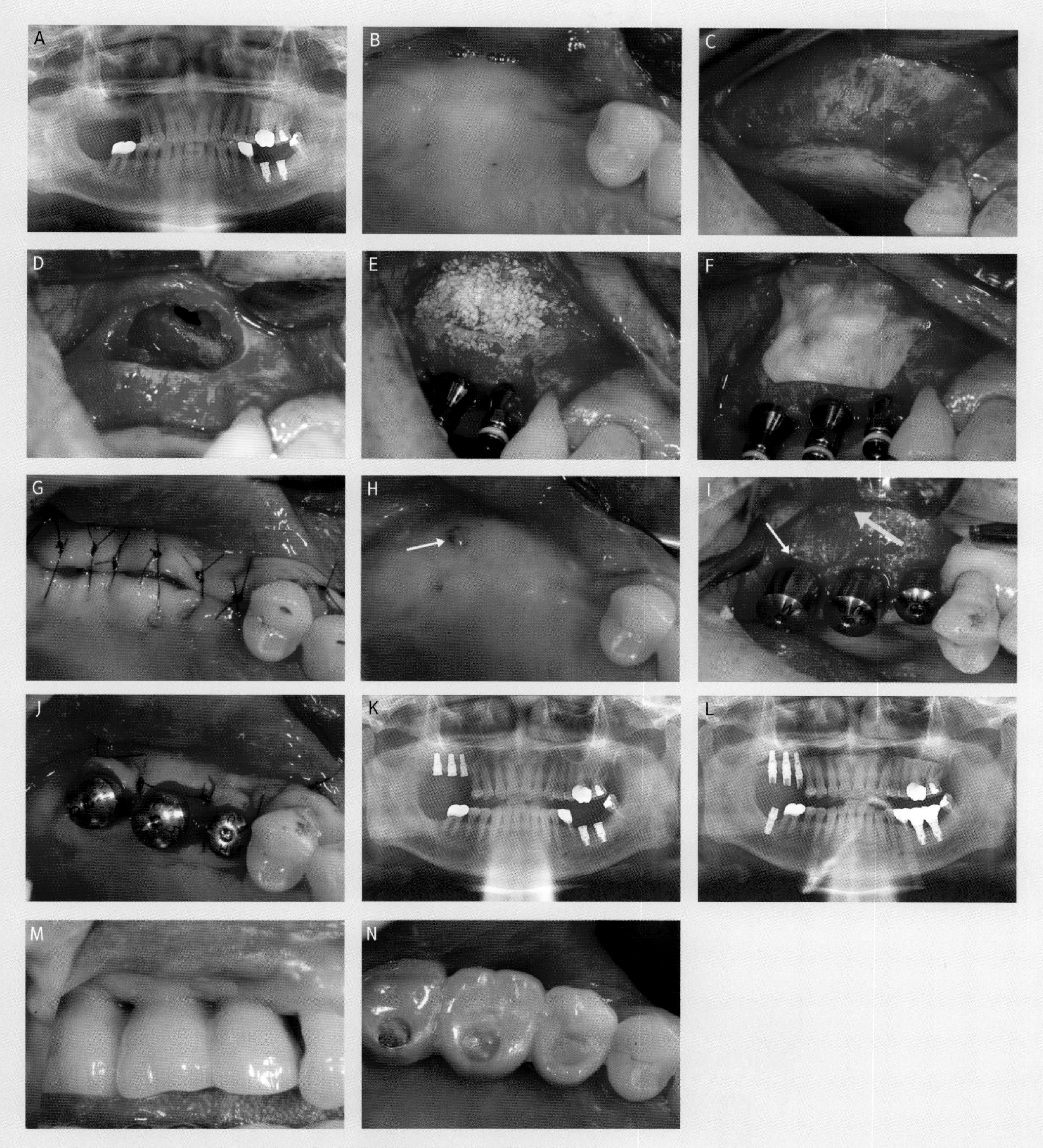

4-33 골창 형성 시 라운드 버를 부주의하게 적용하여 상악동 막을 천공시킨 증례이다.

A~G. 상악 우측 구치부에 상악동 골이식을 시행했다. 라운드 버에 의해 골창의 상방 변연 부근 상악동 막이 천공되었다**(D)**. 이를 천연 교원질 차폐막으로 수복한 후 임플란트를 식립하고 골이식재를 적용했다.

H~K. 대략 6개월 후 2차 수술을 시행했다. 2차 수술 전 수술부 점막에 누공이 관찰되어**(H)** 수술부의 감염을 의심했지만 다행히 골이식부는 정상적으로 치유되었고 cover screw 상방의 단순 염증으로 확인되었다**(I)**.

L~N. 다시 5개월 정도 후 보철물을 연결해 주었다.

2) 상악동 막 천공을 제대로 대처하지 못하면 병발증이 발생할 수 있다

상악동 막이 천공된 상태에서 이를 제대로 대처하지 못한 채 상악동 골이식을 완료했다고 해보자. 이러한 경우 발생하는 문제는 근본적으로 두 가지 이유 때문에 초래된다(📷 4-34).[29,46,57-60]

- 이식재가 상악동 내로 유출됨 – 상악동 내 감염, 상악동의 기능 장애, 골증강량 감소 등이 유발됨
- 골이식부가 천공 부위를 통해 오염됨 – 세균 침투에 의한 이식재 오염, 골재생 실패, 임플란트의 골유착 실패와 탈락 등이 유발됨

(1) 상악동 막 천공 시 이식재가 상악동 내부로 유출되면 상악동 내부는 병적 상태에 이를 수 있다

상악동 막이 천공된 상태에서 이를 적절히 대처해주지 못하고 상악동 골이식을 진행하면, 이식재가 상악동 내부로 유출되고 이로 인해 감염이 발생할 수 있다.[61] 한 후향적 연구에서는 상악동 골이식 중 상악동 막이 천공된 경우에는 11.3%에서 상악동염 증상이 발생한 반면, 천공되지 않은 경우에는 1.4%에서만 상악동염 증상이 발생했으며 이는 유의한 차이를 보이는 것이었다.[60]

게다가 이식재가 상악동 내로 유출되면 상악동 막에 염증성 변화를 초래하여 정상적인 섬모 작용을 억제할 수 있고 비구–비도 복합체를 물리적으로 폐쇄할 수도 있다(📷 4-35). 2019년의 한 메타분석에 의하면, 상악동 골이식 후 상악동염이 발생하는 데 유의한 영향을 미친 두 요소는 수술 전에 이미 존재하던 상악동염과 수술 중 상악동 막의 천공이었다.[62]

(2) 상악동 막이 천공되면 골재생에 실패하고, 이로 인해 임플란트의 골유착이 실패할 수 있다

1996년의 The Sinus Consensus Conference에서 실패한 상악동 골이식 증례를 분석한 바에 의하면, 총 164

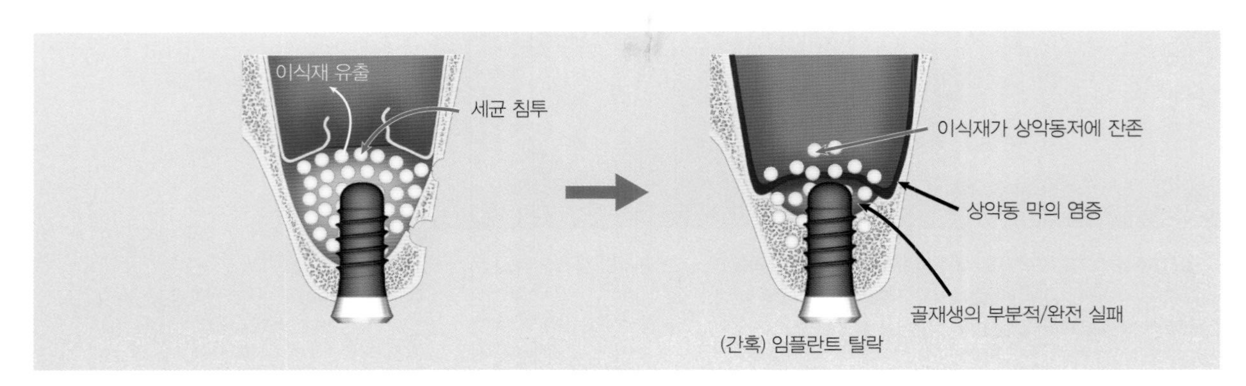

📷 4-34 상악동 막이 천공된 상태에서 이를 제대로 대처하지 못한 채 상악동 골이식을 완료하면 몇 가지 문제를 일으킬 수 있다.
- 이식재가 상악동 내로 유출되어 상악동 내 감염, 상악동의 기능 장애, 골증강량 감소 등이 유발된다.
- 골이식부가 천공 부위를 통해 오염되어 세균 침투에 의한 이식재 오염, 골재생 실패, 임플란트의 골유착 실패와 탈락 등이 유발된다.

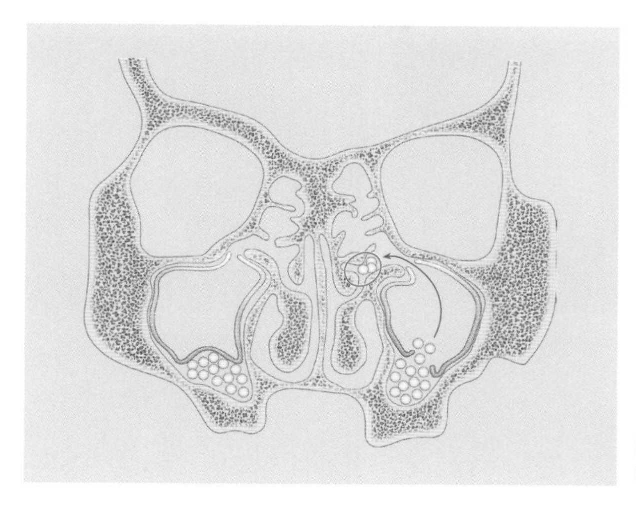

4-35 아주 드물긴 하지만 상악동 내로 유출된 이식재는 비구-비도를 물리적으로 폐쇄할 수 있다.

회의 실패 중 79회(48%)가 수술 중 합병증에 의한 것이었고 수술 중 합병증에서는 상악동 막의 천공이 38회로 48%를 차지하였다.[63] 즉, 상악동 골이식 전체 실패 중 약 1/4 가량이 수술 중 상악동 막의 천공에 의해 유발된 것이었다. 또한 상악동 골이식 시의 합병증을 분석한 한 임상 연구에 의하면, 상악동 막이 천공되면 술 후 합병증 발생 비율이 유의하게 높아지는 것으로 나타났다.[29] 상악동 막이 천공된 경우 신생골 형성량과 임플란트의 성공이 유의하게 저하된다는 대조 연구도 있었다.[59] 대규모의 환자를 대상으로 시행한 후향적 코호트 연구에서도 상악동 골이식 후 실패한 모든 임플란트는 수술 중 상악동 막이 천공된 부위에 식립한 것이었다고 하였다.[64] 대규모의 후향적 연구에서는 359건의 상악동 골이식 중 41%에서 상악동 막이 천공됐고, 실패한 임플란트 중 70% 정도는 상악동 막이 천공된 증례에 식립된 것이었다고 했다.[60]

2018년에는 상악동 막 천공이 상악동 골이식 부위에 식립한 임플란트의 성공에 어떠한 영향을 미치는지를 평가한 메타분석이 발표되었다.[65] 총 58개의 대조 연구에서 3,884건의 상악동 골이식(외측 접근 3,438건, 치조정 접근 446건) 부위에 식립한 7,358개의 임플란트를 그 대상으로 했기 때문에 광범위하고 다양한 임상 연구의 결과를 포괄했음을 알 수 있다. 그리고 그 결과는 상악동 막 천공과 임플란트 실패가 명확하고 유의한 상관관계에 있음을 보여주었다. 통계학적으로 임플란트 실패와 상악동 막 천공은 다음의 식으로 나타낼 수 있었다.

실패한 임플란트 개수 = 0.365 + 0.0017 × 상악동 막 천공 횟수

또한 수술 중 상악동 막이 천공된 부위에 식립한 임플란트는 천공되지 않은 부위에 식립한 임플란트보다 2.07배 더 많이 실패했다(오즈비 2.07, 4-36). 마지막으로 상악동 막이 천공됐을 때에는 사용된 술식(외측/치조정), 기구, 사용된 이식재가 임플란트의 실패 확률에 별다른 영향을 미치지 못했다.

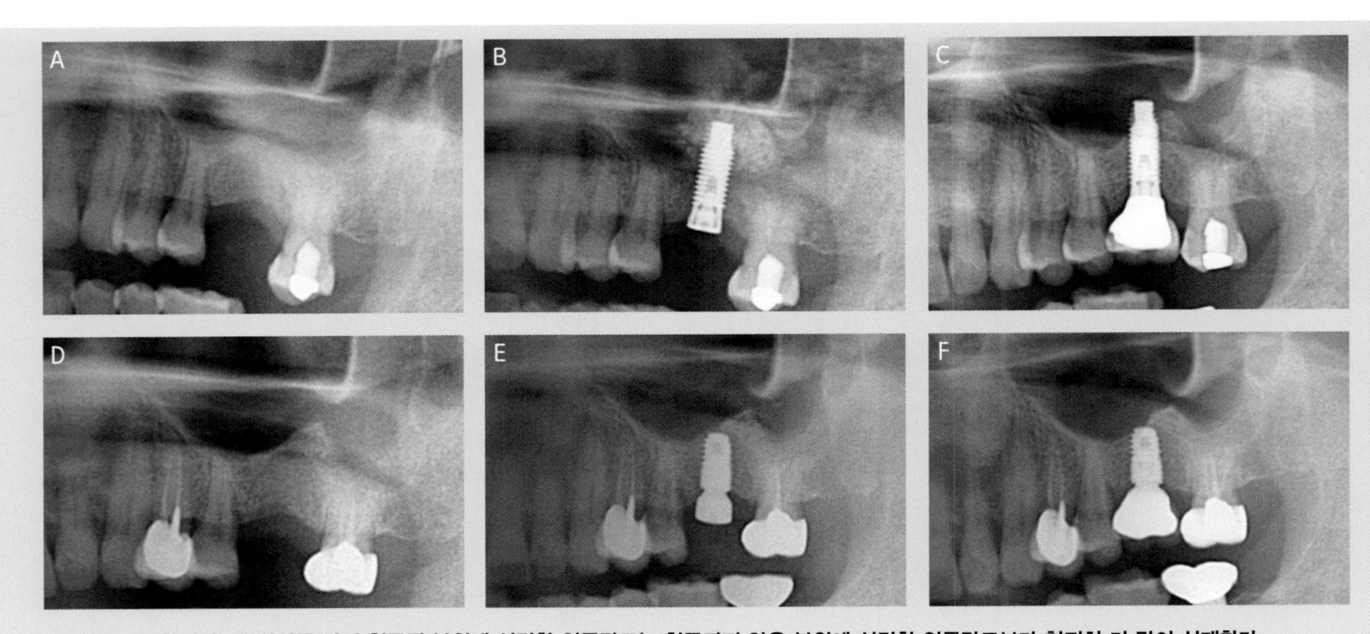

4-36 또한 수술 중 상악동 막이 천공된 부위에 식립한 임플란트는 천공되지 않은 부위에 식립한 임플란트보다 현저히 더 많이 실패한다.
A~B. 상악동 막이 천공되고 적절히 수복해 주지 못한 채 임플란트 식립 및 상악동 골이식을 시행했다. 이식재가 상악동 내부로 유출된 것을 확인할 수 있다.
C. 일단 골유착은 성공한 것으로 판단되어 보철 치료까지 완성했다(8개월 1주 후).
D. 그러나 임플란트는 보철 부하 5개월 후 골유착을 상실하여 탈락했다.
E. 다시 2개월 후 임플란트를 식립했다. 골삭제 시 잔존한 상악동 골이식 부위는 정상적인 골화가 진행된 것으로 판단되어 추가적인 골이식은 시행하지 않았다.
F. 임플란트 식립 3개월 후 보철 부하를 시행했다. 현재 환자는 10년 이상 별다른 문제를 보이지 않고 있다.

(3) 상악동 막이 천공되었을 때 이를 적절히 대처하면 병발증의 가능성을 줄여줄 수 있다

상악동 골이식에 대한 경험이 축적되어 가면서, 상악동 막 천공 시 이를 대처하는 방법도 개선되고 있다. 사실 상악동 막 천공 시 임플란트의 실패 가능성이 현저히 증가함을 보였던 임상 연구들을 자세히 살펴보면, 적절한 처치가 이루어지지 못한 경우가 많음을 알 수 있다.[29,59,64]

수복 가능한 작은 크기의 천공에 대해 적절한 진단과 처치만 이루어진다면 상악동 막이 수술 중 천공되더라도 최종적인 결과에 별다른 악영향을 미치지 못한다는 많은 임상적 결과가 보고되었다.[29,38,66] 한 후향적 연구에서는 적절한 수복만 이루어지면 천공의 발생 여부나 천공 크기에 따라 그 부위에 식립한 임플란트의 성공에는 별다른 차이를 보이지 않았다고 했다.[67] 심지어 한 대조 연구에서는 상악동 막이 천공된 부위를 교원질 차폐막으로 수복한 부위의 신생 조직 내 광화 조직 비율은, 천공되지 않은 부위의 비율보다 유의하게 높았다고 보고했다(26.3±6.3% vs 19.1±6.3%).[68]

결국 상악동 막 천공은 상악동 골이식의 성공에 큰 영향을 미칠 수 있는 수술 중 합병증이지만, 술자가 이를 얼마나 잘 대처할 수 있는가는 그 결과에 지대한 영향을 미친다고 결론 내릴 수 있다. 이는 상악동 막 천공이 미치는 영향을 평가한 임상 연구의 결과가 매우 이질적으로 다양하게 나타나는 이유가 될 것이다. 따라서 수복 가능한 증례에서 적절한 방법으로 천공된 상악동 막을 수복해준다면 골재생과 임플란트의 결과는 현저히 개선된다고 할 수 있다.

3) 상악동 막 천공은 그 위치와 크기에 따라 구분한다

외측 접근법에서는 상악동 막이 쉽게 진단 가능하다. 육안으로 확인이 가능하기 때문이다. 그리고 상악동 막 천공이 발생되면 그 발생 부위와 천공의 크기에 따라 예후와 대처 방법이 달라진다. 따라서 전문가들은 이에 기반하여 상악동 막 천공을 분류하였다.

(1) 상악동 막 천공의 진단

상악동 막 천공이 골창 형성 중, 혹은 골창 제거 직후에 발생했다면 이는 육안으로 쉽게 진단 가능하다. 그러나 상악동 막을 내측으로 어느 정도 이상 거상한 후에는 육안으로 진단이 힘들기 때문에 몇 가지 보조적인 방법으로 천공 여부를 진단한다.

- 정상적인 호흡에 따른 상악동 막의 움직임
- 상악동 막 거상 시 기구에 전해지는 압력
- 상악동 막 거상부에 생리식염수 적용

① 정상적인 호흡에 따른 상악동 막의 움직임

상악동 막이 천공되지 않았다면, 호흡 과정 중 비강으로부터 비구–비도를 통해 들어온 공기에 의해 상악동 막은 계속 팽창–수축을 반복한다. 환자가 코로 호흡하게 하면 상악동 막은 마치 풍선처럼 흡기 시에는 압축되었다가 호기 시에는 다시 팽창하는 것을 볼 수 있다(**📷 4–37**). 따라서 이러한 흡기–호기에 따른 상악동 막의 수축–팽창이 보이지 않으면 상악동 막의 천공을 의심할 수 있다.

② 상악동 막 거상 시 기구에 전해지는 압력

상악동 외측벽의 막이 천공되었다면 육안으로도 쉽게 확인이 가능하다. 하지만 상악동저의 내측이나 전방에 위치한 상악동 막의 천공은 육안으로 쉽게 확인이 불가능할 수도 있다. 이때 상악동 막 거상 시 기구에 전해지는 압력으로도 상악동 막 천공을 진단할 수 있다. 건전한 상악동 막을 거상할 때에는 상악동 막의 팽창되는 힘에 의해 기구에서 약간의 저항감을 느낄 수 있다. 그러나 상악동 막이 천공되면 이러한 저항감이 소실된다(**📷 4–38**). 따라서 이러한 손의 감촉은 육안으로 식별이 힘든 부위의 천공을 진단할 수 있는 보조적인 방법으로 사용이 가능하다.

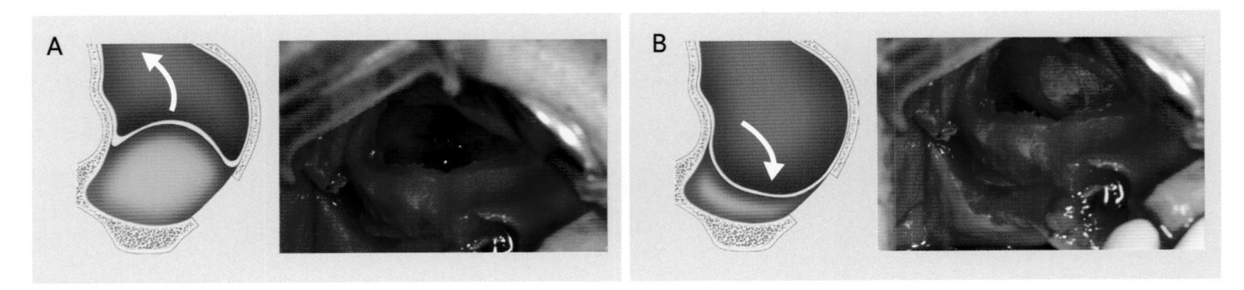

4-37 상악동 막이 천공되지 않았다면 상악동 막 거상을 완료한 후 상악동 막은 호흡에 따라 움직임을 보인다.

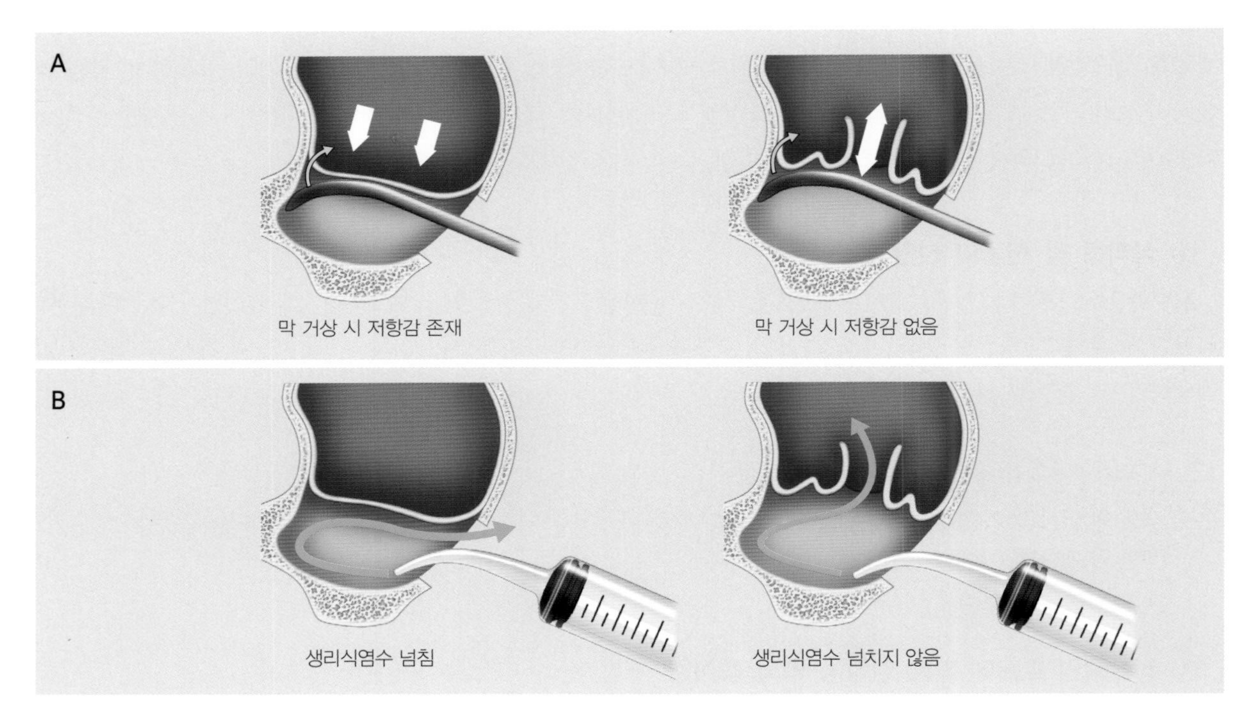

4-38 상악동 막 천공을 진단하는 방법들
A. 상악동 막이 천공되지 않았다면 상악동 막 거상 시 저항감이 느껴지지만 천공된 이후에는 저항감이 현저히 줄어든다. **B.** 생리식염수를 상악동저에 주입했을 때 막이 천공되지 않은 경우에는 생리식염수가 다시 넘쳐 나오지만 천공된 경우에는 생리식염수가 천공부를 통해 유출되기 때문에 식염수가 넘치지 않는다.

③ 상악동 막 거상부에 생리식염수 적용

생리식염수를 수술 부위에 적용하여 간단히 천공 여부를 진단할 수 있다. 상악동 막이 천공되지 않았다면 생리식염수는 수술부 밖으로 흘러 넘치게 된다. 그러나 상악동 막이 천공된 경우에는 주입된 생리식염수가 천공된 막을 통해 상악동 내부로 흘러 들기 때문에 흘러 넘치지 않으며 환자는 코로 물이 넘어가는 느낌을 받게 된다(**4-38**).

(2) 천공 위치에 따른 분류

다른 대부분의 임상가들이 상악동 막의 천공을 그 크기에 따라 분류한 반면, Fugazzotto와 Vlassis는 그 위치에 따라 분류하였다. 이들은 처음에는 천공의 위치를 다섯 가지로 분류하였지만, 다시 세 가지로 분류한 개선된 방법을 제시하였다(표 4-4, 사진 4-39).[53,69]

① 1형 천공

1형 천공은 적절히 대처만 하면 골이식의 결과에 악영향을 미치지 않는다. 상악동 막이 천공되면 천공부의 크기는 상악동 막 거상 중 그 크기가 점점 증가하지만, 상악동 상연 쪽은 상악동 막 거상을 직접 시행하는 부위가 아니기 때문에 천공부의 크기가 증가하지 않기 때문이다. 1형 천공 시 천공 부위에서는 직접적인 상악동 막 거상을 피하고 나머지 부위에서만 상악동 막을 거상하더라도 원래 계획한 정도로 상악동 막을 거상할 수 있다. 상악동 막의 거상이 완료되면 골에서 분리된 막이 서로 겹쳐지면서 막이 저절로 폐쇄될 수 있다. 이식재가 상악동으로 유출될 것이 걱정된다면 CollaTape으로 간단히 폐쇄할 것을 추천한다(사진 4-40).

② 2형 천공

2형 천공은 1형 천공보다 대처가 더 힘들고 최종 결과에 악영향을 미칠 가능성도 더 높다. 2A형 천공이 발생하면 천공 부위보다 더 외곽으로 추가적인 골창을 형성한다. 이를 통해 천공부 외곽으로 손상되지 않은 상악

표 4-4 위치에 따른 상악동 막 천공의 분류(Fugazzotto와 Vlassis)

천공 분류	천공 위치
1형 천공	• 골창 상부(치근단측)의 천공
2형 천공 – 2A형 천공 – 2B형 천공	• 골창 측면과 하부(치조정측)의 천공 • 천공 부위 바깥으로 4–5 mm의 막을 추가적으로 거상할 수 있음 • 천공 부위가 거상된 점막의 최외곽에 존재. 천공 부위 바깥으로 추가적인 거상 불가함
3형 천공	• 골창 중심부의 천공

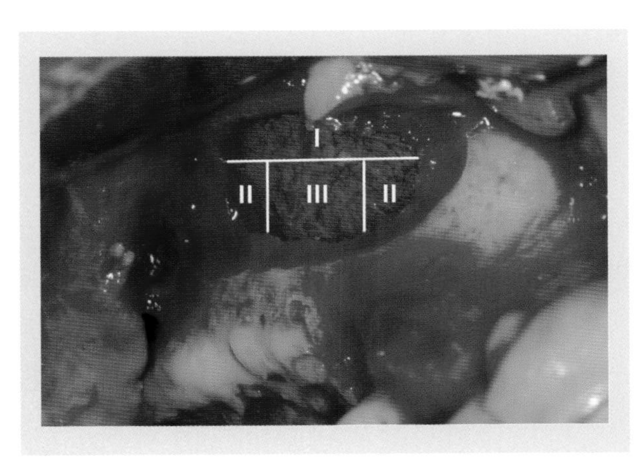

사진 4-39 Fugazzotto와 Vlassis의 위치에 따른 상악동 막 천공의 분류법(표 4-4 참조)[53,69]

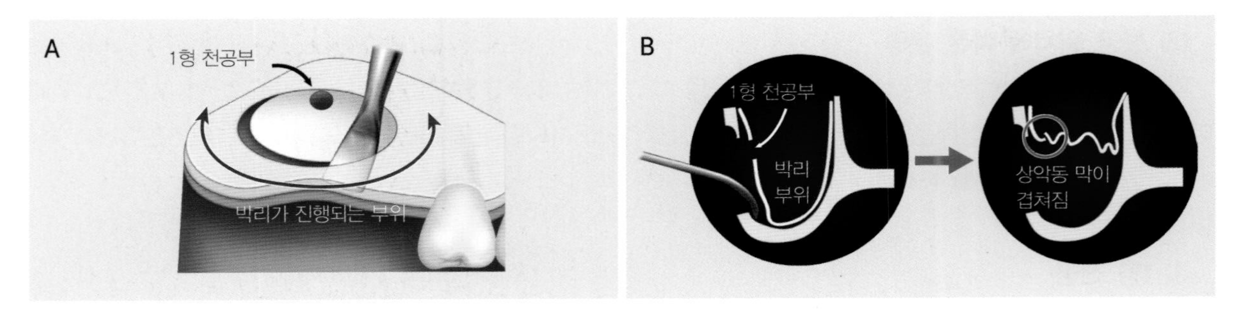

4-40 1형 천공 시의 대처법
A. 1형 천공 시 천공 부위에서는 직접적인 상악동 막 거상을 피하고 나머지 부위에서만 상악동 막을 거상하더라도 원래 계획한 정도로 상악동 막을 거상할 수 있다. **B.** 상악동 막의 거상이 완료되면 골에서 분리된 막이 서로 겹쳐지면서 막이 저절로 폐쇄될 수 있다. 이식재가 상악동으로 유출될 것이 걱정된다면 CollaTape으로 간단히 폐쇄할 수도 있다.

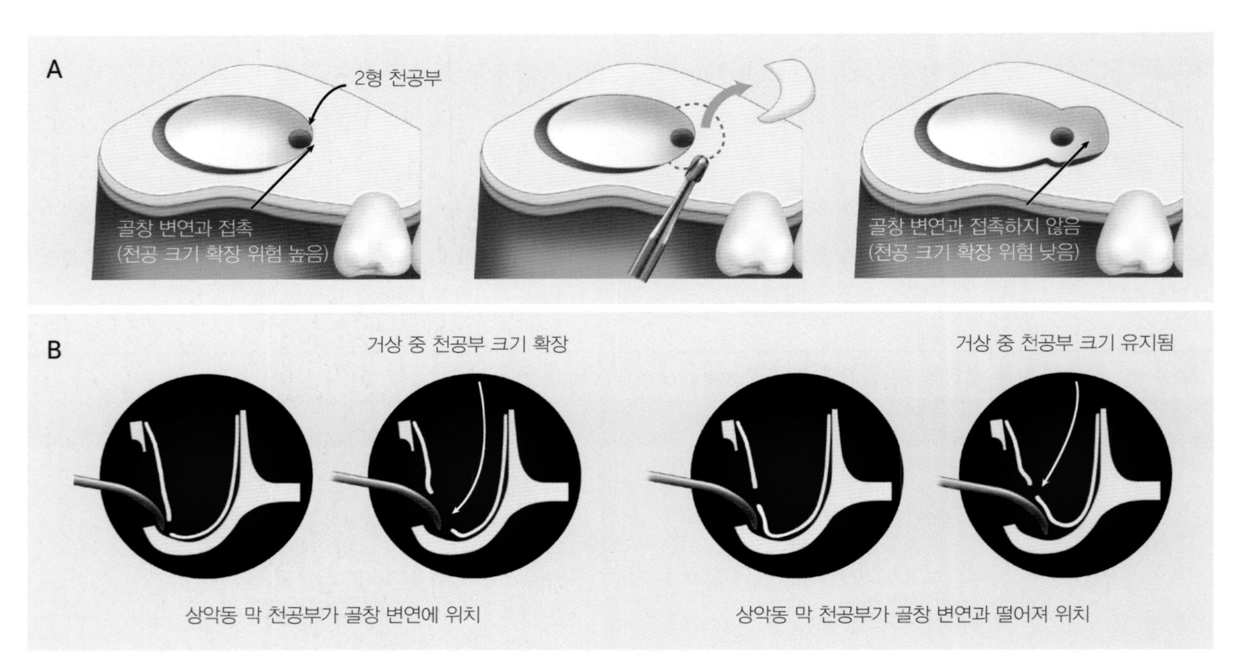

4-41 2A형 천공 발생 시의 대처법
A. 2A형 천공이 발생하면 천공 부위보다 더 외곽으로 추가적인 골창을 형성하여 천공부를 변연이 아닌 중앙부로 이동시킨다. **B.** 상악동 막 천공부가 골창 변연에 위치하면 상악동 막 거상 중 천공부는 추가적인 손상을 받고, 결국 천공 크기가 증가한다. **C.** 천공부를 골창 변연이 아닌, 골창 중앙부로 이동시키면 상악동 막 거상 중 천공부는 직접적으로 기구와 접촉하지 않는다. 따라서 천공부 크기 증가 등의 위험성이 현저히 감소한다.

동 막을 노출시킬 수 있다. 이후 천공 부위는 직접 건드리지 않고 상악동 막을 거상한다(**4-41**). 거상을 완료한 후 2–3 mm 정도의 천공이 남아있으면 CollaTape을 적용한다. 만약 천공의 크기가 3 mm를 초과하면 흡수성 차폐막을 적용하고 이식재를 충전한다. 차폐막으로 수복 불가능할 정도로 천공의 크기가 커지면 수술을 중지하고 3–4개월 후 재수술을 시행한다.

2B형 천공이 발생하면 천공된 상악동 막을 건드리지 않고 막을 거상하기가 불가능하다. 따라서 천공된 막 부위는 골에서 분리하는 과정 중에 계속 그 크기가 커지게 된다. 막 거상을 완료하고 나서 천공부가 너무 커지지 않았으면 흡수성 차폐막을 적용하여 천공된 막을 수복한다. 천공부의 크기가 수복 불가능할 정도로 커지면 3–4개월 후 재수술을 시행한다.

③ 3형 천공

3형 천공에서도 천공 부위를 건드리지 않고 상악동 막을 거상하는 것은 쉽지 않다. 천공부의 위치에 따라 2형 천공의 대처 방법을 그대로 적용한다.

(3) 천공 크기에 따른 분류

상악동 막의 천공 시에는 그 위치도 중요하게 고려해야 하지만, 사실 제일 중요한 것은 천공의 크기이다. 상악동 막 천공 시 그 크기는 골재생과 임플란트의 예후를 결정짓는 가장 중요한 요소로 생각되고 있다.[65] 천공의 크기가 증가할수록 상악동 골이식부는 상악동 내부로 더 많이 노출되며, 이것이 이식재의 유출량과 골재생부의 오염도를 결정짓기 때문이다. 이는 임상 연구들의 결과로도 잘 드러난다. 한 임상 연구에 의하면, 상악동 골이식 중 막이 천공되었을 때 이를 수복한 후 식립한 임플란트의 생존율은 천공된 막의 크기와 반비례하는 경향을 보였다.[70] 다른 전향적 연구들에서도 상악동 막 천공의 크기는 재생골의 질과 식립된 임플란트의 예후를 결정짓는 가장 중요한 요소로 나타났다.[68,71]

따라서 많은 임상가들은 상악동 막의 천공을 그 크기에 따라 분류하였다. 이들은 막의 천공 크기가 특정한 임계점을 넘으면 수술 중 수복이 불가능하다고 생각하였으며, 따라서 상악동 막이 이러한 임계 크기 이상 천공된 경우에는 자연적으로 수개월 간 수복될 때까지 기다렸다가 다시 수술을 진행할 것을 추천하였다.[33,38,66,72] 이러한 상악동 막 천공의 임계 크기는 2–10 mm까지 다양하게 보고되었지만, 일반적으로는 5 mm 정도가 그 기준으로 제시되고 있다.

4) 상악동 막 천공의 예방

상악동 막이 천공된 후 이를 처치하는 것보다는 천공되지 않도록 예방하는 것이 훨씬 중요하다. 위에서 설명한 상악동 막 천공의 위험 요소를 숙지하고 수술에 주의를 기울여 상악동 막의 천공을 예방한다. 상악동 막 천공을 예방하기 위한 방법을 **4–5**에 정리해 보았다.

4-5 상악동 막 천공의 예방 방법

단계	천공 이유
골창 형성	• 수술 전 CBCT를 통해 상악동의 골구조물과 상악동 막의 두께 및 형태를 철저히 확인(상악동 외측벽 두께, 상악동저의 폭, 상악동저의 형태, 비구개 함요 형태, 상악동 외측벽의 동맥, 상악동 격벽의 존재 유무와 길이 및 위치, 상악동 막 두께, 상악동 막의 형태 변화, 상악동 막과 구강 점막이 직접 접촉한 부위의 유무 등) • 상악동 막과 구강 점막이 접한 부위가 존재하면 이 부위의 피판을 거상할 때 상악동 막이 천공되지 않도록 최대한 주위를 기울임. 항상 접한 부위의 주변부를 충분히 거상한 이후 접한 부위로 거상을 진행함 • 원칙에 따른 충분한 크기와 형태의 골창 외형 설정. 특히 전방부는 기구 접근이 어려운 방향이고, 상악동 내 형태가 상악동 막 거상에 불리하기 때문에 충분히 크게 골창을 형성해야 함 • 골창 형태는 예리한 부위가 형성되지 않도록 최대한 부드러운 외형으로 형성함 • 상악동 격벽이 존재한다면 골창의 개수, 크기, 위치 변경 여부 등을 결정 • 상악동 외측벽의 동맥이 예상되는 골창 형성부를 가로지를 때 이를 회피하여 골창 형성. 단 골증강 위치와 양에 영향이 별로 없어야 함 • 상악동 외측벽 동맥에서 출혈이 발생하면 시야를 개선시키기 위해 이를 철저히 지혈한 이후 수술 진행 • 골구 형성 중 우발적인 천공이 이루어지지 않도록 골삭제는 최소한의 힘을 가하면서 진행하고, 가급적 카바이드 버보다는 다이아몬드 버를 이용함. 다이아몬드 버는 상악동 막에 직접 닿더라도 최소한의 힘을 가한 상태라면 상악동 막이 잘 천공되지 않음 • 골구의 깊이는 골창의 모든 부위에서 상악동 막의 회색조가 균일하게 비쳐 보일 수 있도록 형성함. 골구가 깊지 않은 부위가 있으면 골창을 뜯어낼 때 골창이 파절되면서 막이 천공될 수 있음 • 골창을 뜯거나 내측 골절 시킬 때에는 최소한의 힘으로 서서히 진행함
상악동 막 박리	• 상악동 막을 박리할 때에는 항상 기구 끝(첨단)이 골과 접촉하고 있어야 함 • 상악동 막 박리는 최소한의 힘으로 시행해야 함 • 골창이 작아서 특정 부위로 상악동 막 거상을 위한 기구 접근이 힘들면 그 부위에 추가적인 골창을 형성하여 기구 접근성을 향상시킴 • 낭종성 병소가 존재하면 이를 보존한 채 막을 거상할지, 흡인 후 거상할지, 아니면 제거 후 재수술을 시행할지 결정. 낭종성 병소가 존재하면 막의 유연성이 떨어지기 때문에 막 거상의 난이도는 증가함 • 격벽이 존재하는 부위에서는 격벽의 첨단 부근에서 상악동 막의 천공 가능성이 증가하므로 최대한 조심스럽게 거상함. 항상 막거상은 격벽에서 먼 쪽에서 격벽 쪽으로 진행하고, 격벽 첨단부에서 직접 상악동 막은 거상하지 말아야 함 • 이전에 상악동 골이식이 실패한 부위는 상악동 막이 반흔화되어 있어서 거상에 더 많은 힘을 요하기 때문에 적절히 조절된, 상대적으로 강한 힘으로 거상을 시행함
이식재 삽입	• 이식재 삽입 전에 상악동 막 천공 여부를 반드시 확인함 • 상악동 막 거상이 원하는 부위까지 충분히 이루어졌는지 확인함(특히 전방과 내측) • 이식재 삽입 시에는 전방과 내측부터 삽입하고 후방과 외측으로 진행함 • 이식재 삽입 시 절대 과도한 압력을 가하지 않음. 가볍게 눌러주는 정도의 압력만 가함 • 표면이 너무 거칠지 않은 이식재 삽입

5) 상악동 막 천공의 처치–상악동 골이식부를 그 상방의 상악동 내부로부터 완전히 격리시킬 수 있어야 한다

상악동 막이 천공되었을 때 그 처치의 제1원칙은 다음과 같다.

"상악동 막 하방의 골증강부를 그 상방의 상악동 내부로부터 완전히 격리시킬 수 있어야 한다."

이러한 원칙에 가장 큰 영향을 주는 것은 천공부의 크기이다. 천공부의 크기가 커지면 이들 부위를 서로 격리하는 것이 물리적으로 더 어려워지기 때문이다. 여러 가지 방법으로 천공 부위를 수복하더라도 천공부의 크기가 커지면 그 부위에 식립한 임플란트의 성공률은 명확히 저하된다.[70] 따라서 천공부의 크기에 따라 처치 방법을 결정하고, 어떠한 처치로도 완전한 격리가 어렵다고 판단되면 수술을 연기해야만 한다.

상악동 막 하방을 여러 가지 방법으로 격리한다고 하더라도 천공의 크기가 임계점을 넘지 않고 격리의 방법이 적절하면 골재생의 결과가 저하되지는 않는다. 상악동 골이식 후 신생골은 골표면으로부터 형성되지 거상된 상악동 막 하방으로부터 형성되지는 않기 때문이다.[73–75]

(1) 상악동 막이 천공되면 그 크기에 따라 처치 방법을 결정한다

다시 말하지만, 천공의 크기에 따라 그 처치 방법을 결정한다.[54,67,70] 천공의 크기에 따라 수복의 난이도와 수복 종류, 그리고 골증강의 결과가 결정되기 때문이다. 그러나 아쉽게도 어떤 처치 방법을 어떤 증례에 적용해야 하는가에 대한 가이드라인은 아직까지 없는 실정이다.[38,73] 지금까지 제시된 처치 방법들을 정리해보면 **4–6**과 같다(**4–42**).

상악동 막 천공의 크기와 관계없이 어떠한 치료법을 사용하더라도 이식재와 상악동 내부를 격리시키는 것이 불가능하다고 판단되면 반드시 수술을 중단하고 재수술을 시행해야 한다. 재수술을 계획했다면 골창 상부에 흡수성 차폐막이나 교원질 스폰지 등을 적용하여 협측 점막의 골막과 상악동 막이 유착되는 정도를 최소화시킬 것을 추천한다.[54]

6) 차폐막을 이용한 상악동 막 천공의 수복

상악동 막 천공 시의 표준적인 처치 방법은 천공된 부위를 포함하여 상악동 막 하방에 차폐막을 적용하여 상악동 내부와 이식재를 물리적으로 격리시켜주는 것이다. 차폐막은 크게 두 가지 방법으로 적용 가능하다.

표 4-6 천공의 크기에 따른 처치 방법

천공의 크기	처치 방법	설명
작은 천공 (천공 <2 mm)	아무런 처치도 하지 않음[42,53,66,69]	천공의 크기가 작고 천공부가 상방에 위치하면 거상된 상악동 막이 서로 겹쳐지면서 천공부가 저절로 수복된다.
	동종 피브린이나 자가 혈소판 풍부 피브린 이용[29,76–79]	피브린은 생체 내에서 2주 이내에 흡수되므로 작은 천공부에서 중등도의 천공부에만 적용 가능하다.
중등도 천공 (2≤ 천공 ≤10 mm)	흡수성(교원질) 차폐막으로 천공 부위 폐쇄[29,38,49,53,59,64,66,69,78,80–82]	가장 많이 이용되는 방법이다. 작은 천공에서 커다란 천공까지 광범위하게 적용 가능하지만 중등도 천공에 가장 많이 이용된다.
	직접 봉합[29,53,76,83]	천공된 막의 양측 변연부를 직접 봉합한다. 상악동 막은 얇은 데다가 거상된 상태에서는 유동적이기 때문에 봉합은 쉽지 않고, 따라서 난이도가 높다.
커다란 천공 (천공 >10 mm)	블록골 이식재 이용[64,66]	블록골 이식재를 이식해주면 천공된 상악동 막을 통해 이식재의 유출을 원천적으로 예방할 수 있다. 그러나 상악동 골이식 시 블록골은 점차 사용하지 않는 추세이고 수술 과정도 어렵기 때문에 추천할 만한 술식은 아니다.
	협지방 조직 이식(buccal fat pad)[64,84]	협지방을 유경 피판으로 이식하는 술식으로 아주 커다란 천공이 발생한 경우에 한하여 사용한다. 임상적 근거는 매우 적다.
모든 크기	수술 연기	천공을 수복하는 데 실패한 모든 증례에서 수술을 3–4개월 후로 연기한다.

- 차폐막을 상악동 막과 이식재 사이에 적용하여 이식재를 상악동 막으로부터만 격리시킨다.
- 상악동 막과 모든 골벽으로부터 이식재를 차폐시킨다.

(1) 천공된 상악동 막으로부터 이식재를 차단하는 것은 상악동 막 천공에 대한 표준 처치법이다

천공된 상악동 막 하방에 이식재를 적용하여 이식재로부터 상악동 막을 차폐시켜주는 것은 상악동 막 천공의 표준 처치법이다. 앞서 설명했지만 상악동 막은 신생골 형성 능력이 거의 없다. 상악동 골이식 후 신생골로 이주하는 골형성 세포는 주변의 골에서 유래하는 것이지 상악동 막에서 유래하는 것은 아니다(**4–43**).[85,86] 상악동 막 하방에만 차폐막을 적용하면 상악동 골이식부에 접한 상악동저와 상악동 내측벽의 골표면을 차단하지 않기 때문에 골형성의 결과에 악영향을 미칠 가능성은 낮다.[82]

문헌에서는 천연 교원질 차폐막이 이러한 용도로 가장 많이 이용됐다고 나와 있지만, 해당 차폐막은 너무 유연해서 이식재를 삽입하는 중에 상악동 내측으로 전위될 수 있기 때문에 약간의 뻣뻣함이 있는 교차 결합 교원질 차폐막을 이용하는 것이 임상적으로는 더 편리하다. 수술 과정은 다음과 같다(**4–44, 45, 46**).

① 상악동 막 거상을 완료하고 이식재를 삽입하기 전에 적절한 크기의 차폐막을 선택한다.

② 차폐막의 절반가량은 상악동 막을 피개하는 목적으로, 나머지 절반은 상악동 외측 골벽에서 고정을 얻거

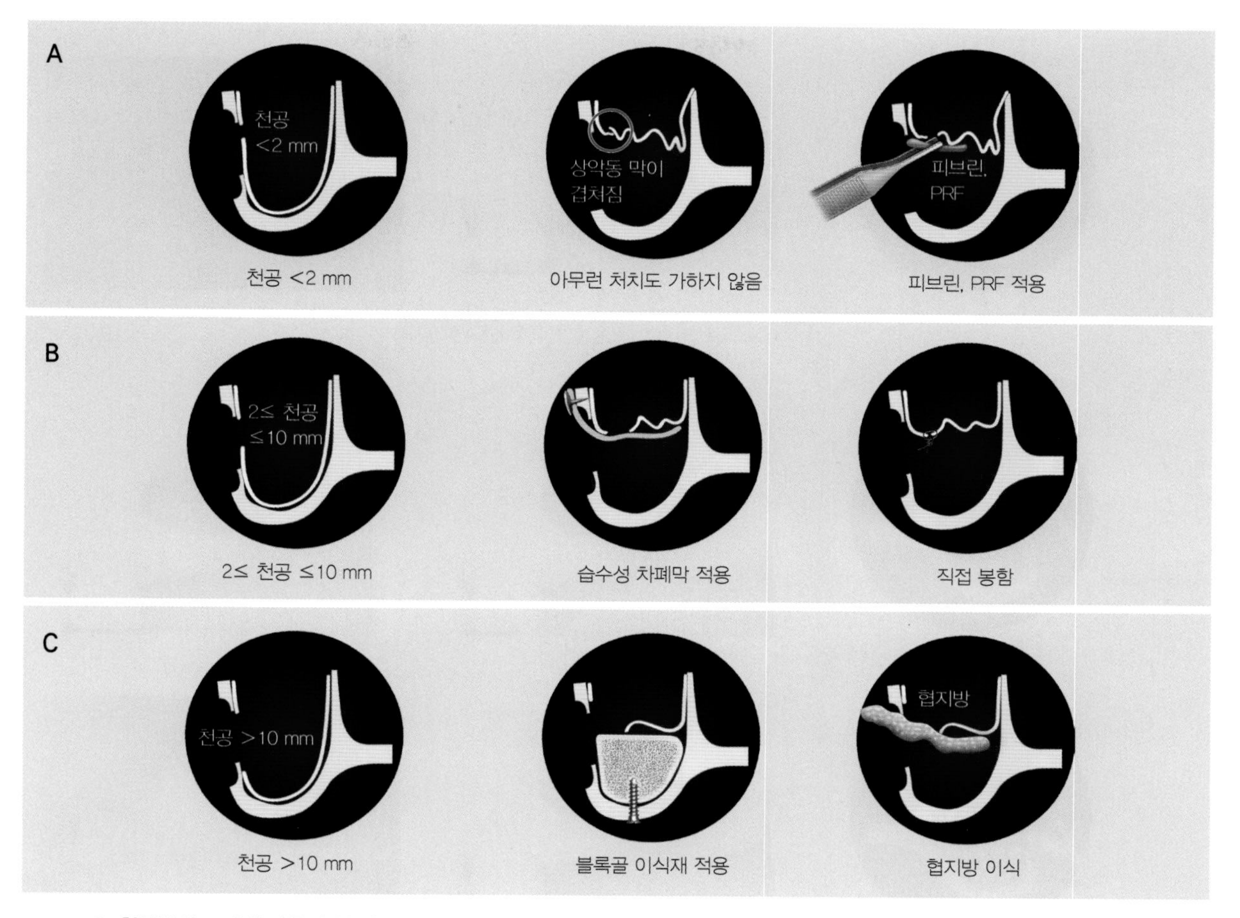

4-42 천공부의 크기에 따른 수복 방법

A. 작은 천공 (천공 <2 mm) 아무런 처치도 가하지 않거나 동종 피브린/자가 혈소판 풍부 피브린으로 천공부를 수복한다. **B.** 중등도 천공 (2≤ 천공 ≤10 mm) 흡수성(교원질) 차폐막으로 천공 부위를 폐쇄하거나 천공부를 직접 봉합한다. **C.** 커다란 천공(천공 >10 mm) 일차적으로는 천공부의 치유를 도모한 이후 재수술을 시행하는 것이 가장 좋다. 수술을 연기하지 않는 경우에는 블록골 이식재를 이용하거나 협지방 조직 이식으로 천공부를 수복한 후 골이식을 시행한다.

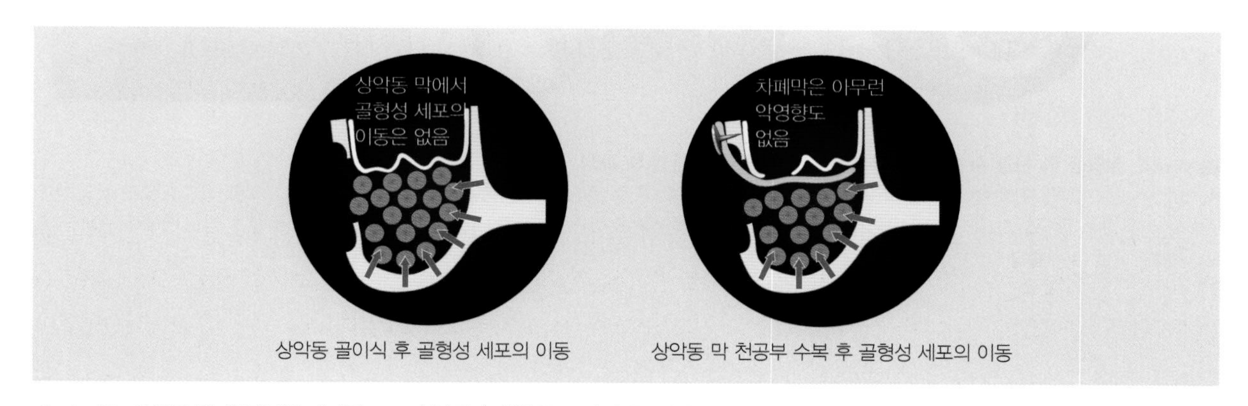

4-43 상악동 막 천공부를 차폐막으로 수복하면 상악동 골이식 후 신생골 형성이 저하될 가능성을 지적하는 이들도 있다. 그러나 이는 잘못된 생각이다. 상악동 막은 신생골 형성에 도움을 주는 부위가 아니기 때문에 차폐막으로 골재생부와 분리되더라도 골형성에 어떠한 악영향도 미치지 않기 때문이다.

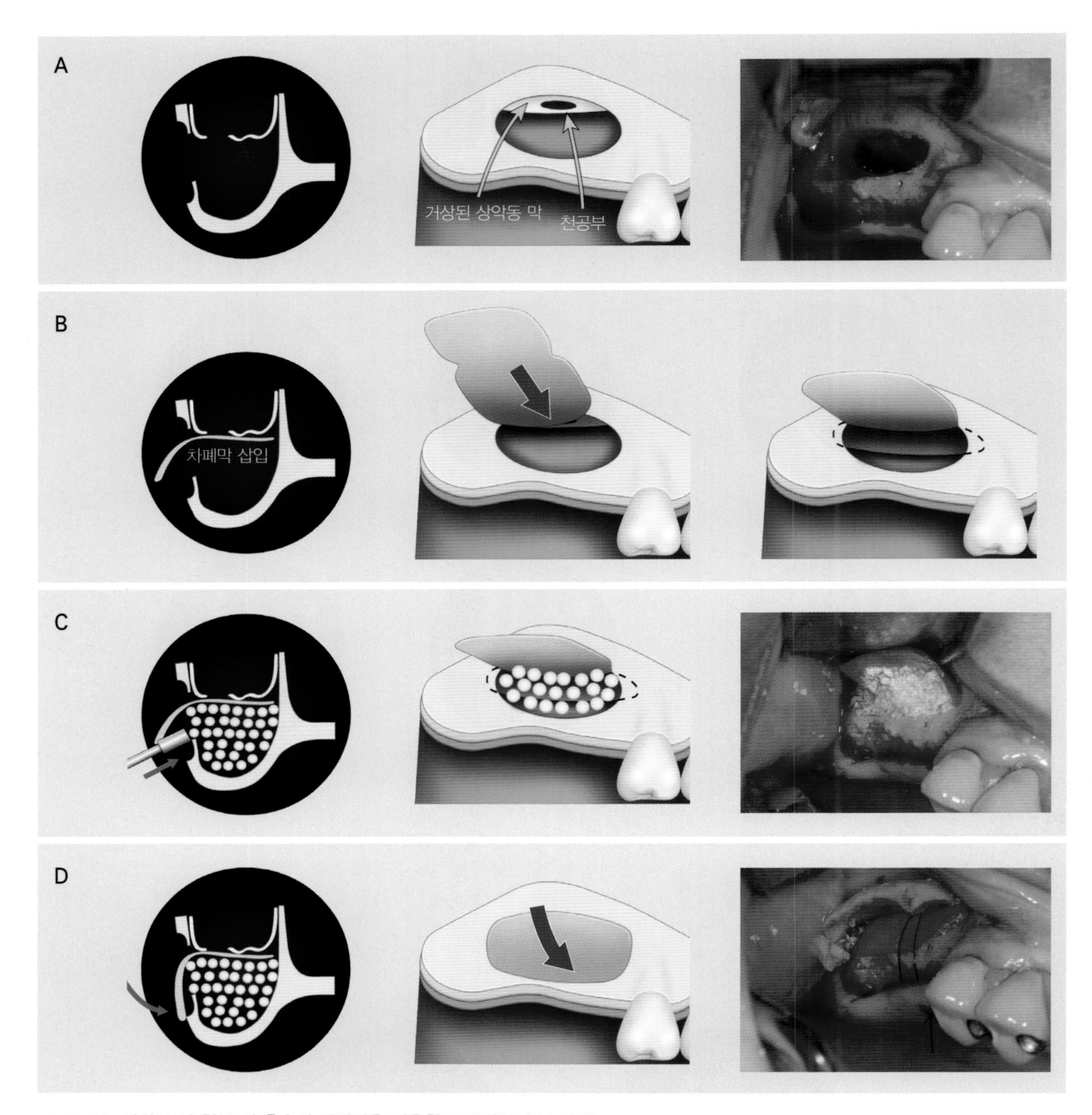

4-44 상악동 막 천공 시 흡수성 차폐막을 이용한 표준적인 수복 과정

A. 상악동 막 거상을 완료한다. **B.** 차폐막을 8자 형태로 다듬어 준 후 절반을 상악동 내에 삽입한다. **C.** 이식재를 조심스럽게 삽입한다. 이식재의 유출을 예방하기 위해 반드시 낮은 압력으로 이식재를 적용해야만 한다. **D.** 이식재를 적용한 이후 골창 외부로 돌출된 차폐막으로 골창 부위를 피개한다.

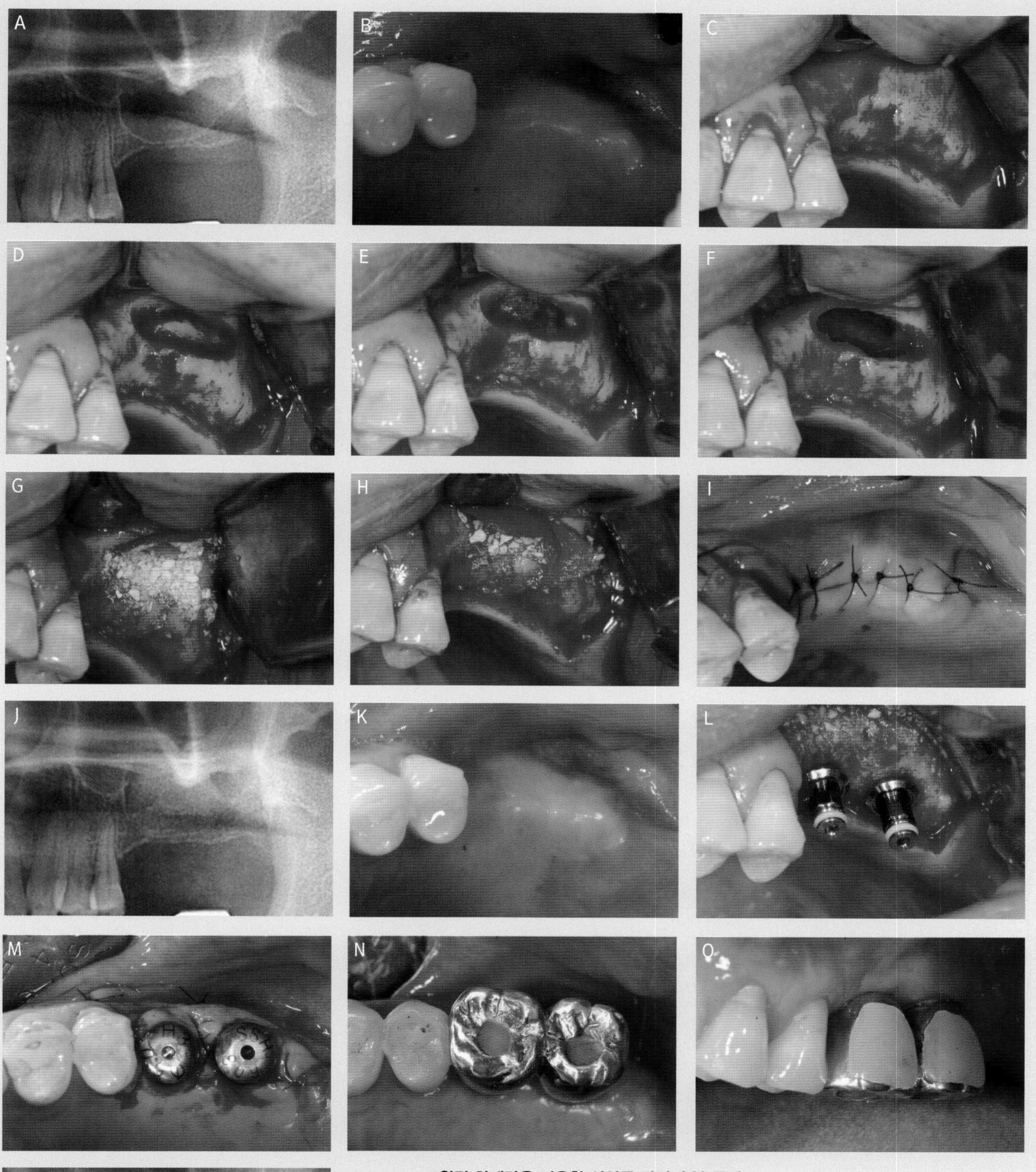

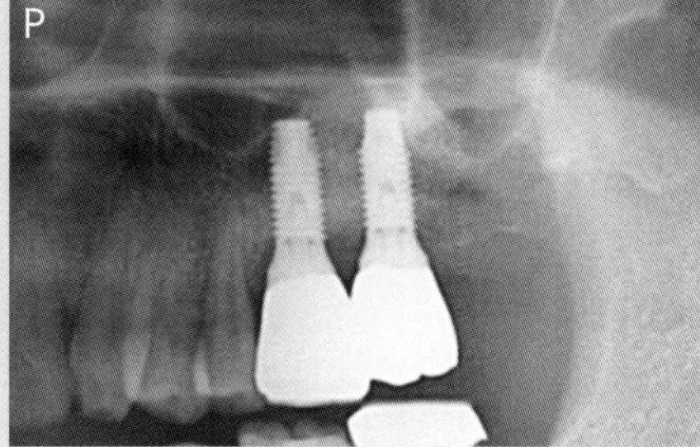

4-45 교원질 차폐막을 이용한 상악동 막의 수복 증례

A~J. 외측 접근법으로 상악동 골이식을 시행했다. 상악동 막 거상 후 상악동 막의 천공이 확인되지는 않았지만 호흡에 따른 상악동 막의 움직임이 적었기 때문에 작은 천공이 의심되었다. 따라서 차폐막을 적용하여 상악동 막을 수복하고 이식재를 적용했다. 수술 후 상악동 골이식부는 정상적인 돔 형태를 보였고 이식재가 유출된 소견은 관찰되지 않았다**(J)**.

K~M. 7개월 후 임플란트를 식립했다. 골이식을 시행한 부위에는 임플란트 식립에 적절한 양과 질의 골이 형성되어 있었다**(L)**.

N~P. 4개월 후 보철물을 연결해 주었다.

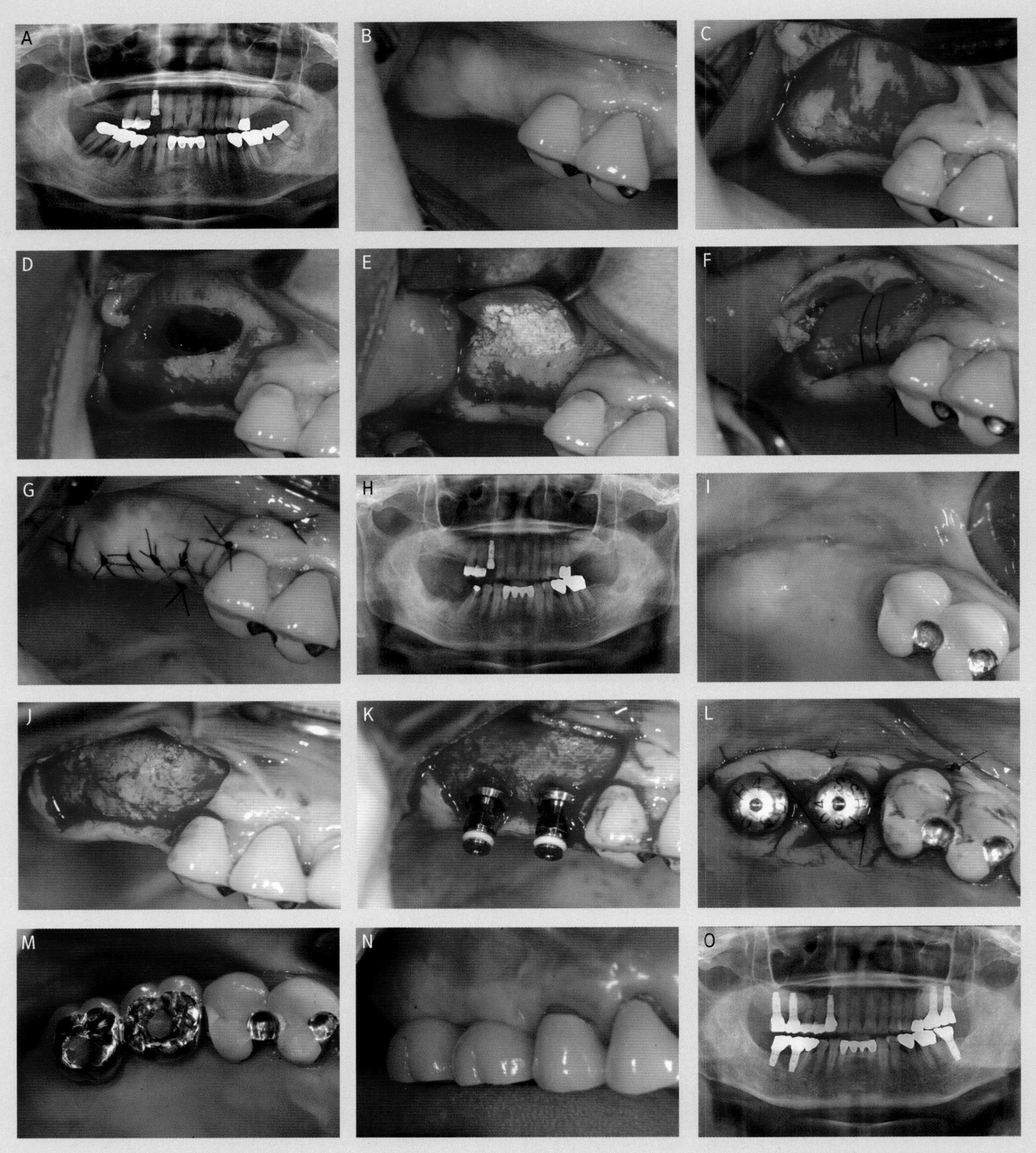

4-46 이 증례에서도 상악동 막의 천공을 직접 확인하지는 못했지만 상악동저 거상 부위 중앙의 격벽으로 인해 상악동 막 천공이 의심되었기 때문에 차폐막으로 상악동 막을 수복해 주었다.

A~H. 외측 접근법으로 상악동 골이식을 시행했다. 차폐막을 부분적으로 상악동 내에 삽입한 후 이식재를 적용했다**(E)**. 이후 차폐막을 꺾어서 골이식부를 피개했다**(F)**. 수술 후 방사선사진에서는 정상적인 골이식 소견을 보였다**(H)**.

I~L. 7개월 3주 후 임플란트를 식립했다.

M~O. 4개월 2주 후 보철 치료를 완성했다.

나 외측 골창 부위를 피개하는 목적으로 사용하면 편리하다(그림 4-47).[31,53,69,81,82] 이를 위해 차폐막을 "8" 자 모양으로 잘라준다. 8자의 가운데 함몰부를 상악동 외측 골벽에 끼우면 적절한 고정을 얻을 수 있다.

③ 상악동 내부로 8자형으로 형성해준 차폐막의 한쪽을 삽입하고 그 하방으로 골이식재를 삽입한다. 이식재를 삽입할 때에는 많은 주의를 기울여야 한다. 너무 강한 압력으로 이식재를 삽입하면 이식재가 상악동

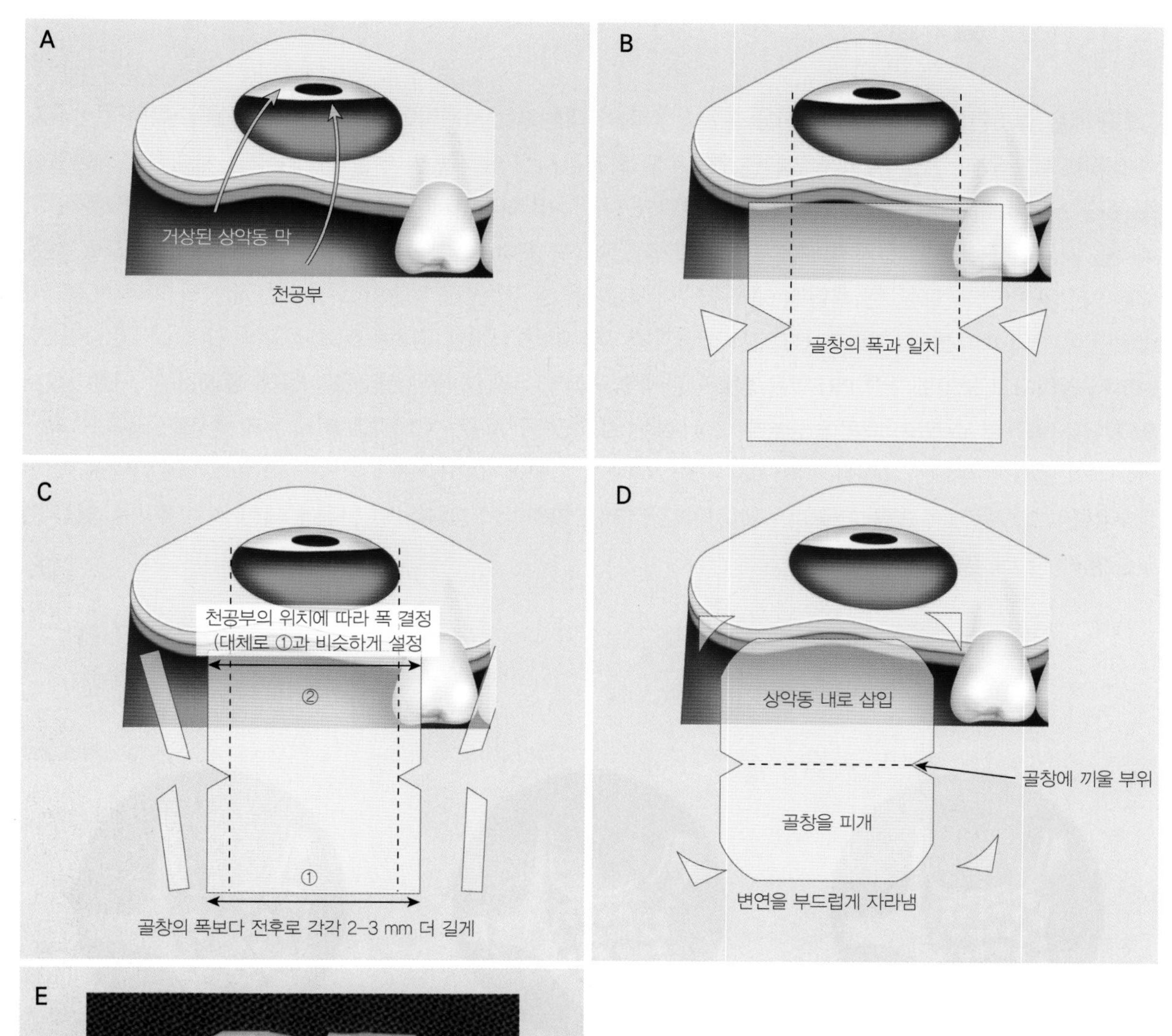

그림 4-47 상악동 막 천공 시 이를 수복하기 위해 적용하는 차폐막의 형성 방법
A. 상악동 막이 천공되었다. **B.** 골창의 폭보다 5–6 mm 이상 더 큰 폭의 차폐막을 선택한다. 차폐막 중앙부의 양쪽을 골창의 폭과 일치하도록 삼각형 모양으로 잘라낸다. **C.** 상악동으로 삽입될 부위와 골창을 피개할 부위의 폭은 비슷하게 형성한다. 보통 골창 폭보다 양측으로 각각 2–3 mm 더 크게 형성한다. **D.** 차폐막 모서리를 부드럽게 잘라준다. **E.** 실제로 상악동 막을 수복하기 위해 준비한 차폐막.

내부로 유출될 수 있기 때문이다.[59] 따라서, 특히 천공부 크기가 큰 경우에는, 이식재를 삽입할 때 최소한의 압력만 가하는 것이 좋다.

④ 골이식재 삽입을 완료하고 상악동 외부에 남은 차폐막을 옆에서 봤을 때 "ㄱ" 모양이나 "ㄴ" 모양이 되도록 90°로 꺾어준다. 상방으로 꺾어주면 핀이나 택으로 외측 골벽에 고정해주고 하방으로 꺾어주면 외측 골창을 피개해준다. 후자의 술식이 더 간단하고 이론적으로도 유리하기 때문에 아래쪽으로 꺾는 방법을 더 선호한다(**📷 4-48**).

최근에는 혈소판 풍부 피브린(PRF)을 교원질 차폐막 대용으로 사용하여 상악동 막 천공을 수복하려는 시도가 이루어지고 있다. 동물 실험에 의하면 인위적으로 천공시킨 상악동 막 하방에 PRF막과 차폐막을 적용했을 때 수술 2주 후 PRF 사용 군에서는 천공된 부위가 다시 상피화되면서 정상 조직으로 치유된 반면, 교원질 차폐막을 사용한 군에서는 천공 부위에서 상피화가 진행되지 못하고 염증 세포가 침윤된 섬유화 조직으로 치유되는 양상을 보였다. 또한, 한 후향적 대조 연구에서는 상악동 막 천공 시 PRF로 수복한 환자와 막이 천공되지 않았던 환자의 예후를 비교했고, CT에서의 골증강 양상이나 식립된 임플란트의 성공에 있어 아무런 차이도 보이지 않았다고 보고했다.[79] PRF막은 혈소판과 백혈구에서 유래한 성장 인자를 이용해 천공된 막과 골이식재의 치유를 촉진할 수 있기 때문에 단순한 조직 차단 효과만 존재하는 차폐막에 비해 유리한 면이 있다. 그러나 PRF막의 물리적 강도는 교원질 차폐막보다 훨씬 떨어질 수밖에 없기 때문에 중등도 이상 크기의 상악동 막 천공 시에는 그 사용에 주의를 기울여야 할 것이다. 그리고 PRF막의 상악동 막 천공에 대한 처치 효과는 임상 연구를 통해 좀 더 검증되어야 한다.

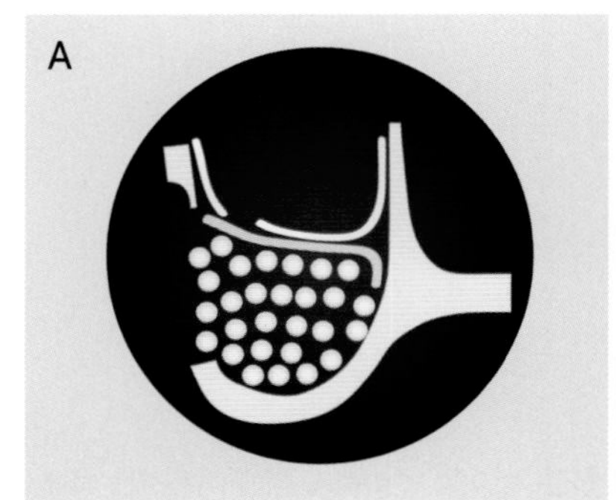

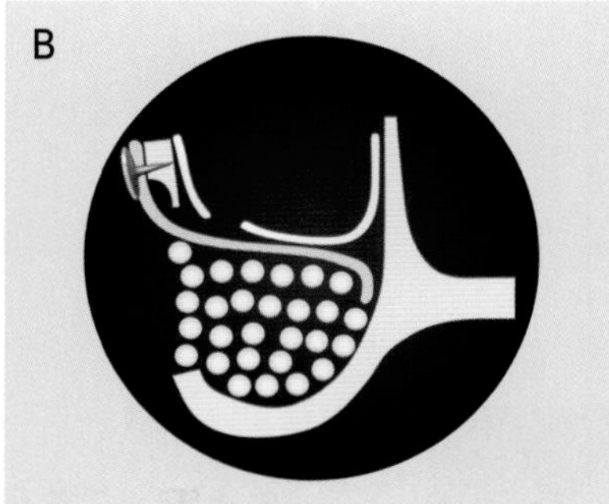

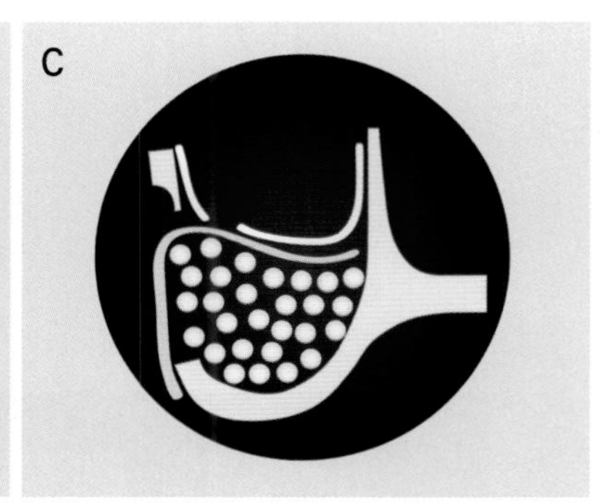

📷 4-48 차폐막으로 골이식부의 상부를 피개해 주는 여러 다양한 방법들
표준 방법 이외에도 다양한 방법으로 차폐막을 적용할 수 있다.
A. 차폐막을 상악동 골이식부 내부로 완전히 집어 넣는다. 이 방법에서는 이식재를 충전하는 동안 차폐막이 움직이면서 천공 부위가 노출되고, 이를 통해 이식재가 상악동 내부로 유출될 가능성이 있기 때문에 좋지 못하다. **B.** 골창 외부로 꺼낸 차폐막 부위를 tack이나 pin으로 상악동 외측벽에 고정한다. 이는 차폐막을 가장 확실하게 고정할 수 있는 방법이지만 상악동 외측벽을 피개하기 위해 추가적인 차폐막이 필요하고 tack이나 pin을 미리 준비해야 한다는 단점이 있다. **C.** 표준 방법이다. 차폐막으로 골이식부 상부를 덮고 골이식재를 충전한 후 골이식부 외부의 차폐막 부위를 "ㄱ"자 형태로 꺾어서 외측 골창을 덮는다.

(2) 심한 천공의 수복 시에는 이식재 전체를 차폐막으로 둘러싸기도 한다

Proussaefs와 Lazada는 상악동 막의 천공이 너무 큰 경우에는 일반적인 수복 방법으로 이식재를 상악동 막 상방으로부터 완전히 격리해줄 수 없기 때문에 이식재를 차폐막으로 완전히 둘러싼 형태로 상악동 내에 적용할 것을 추천했다. 그리고 이들은 이 방법을 "Loma Linda Pouch"법이라고 명명하였다.[81] 이 방법에서는 흡수가 빠르고 부드러운 천연 교원질 차폐막인 Bio-Gide를 이용한다. 골창보다 충분히 큰 차폐막을 선택하고, 이를 골창 내부로 밀어 넣는다. 이때 차폐막의 변연은 절대로 차폐막 내부로 밀려들어가지 않도록 주의하고 핀으로 외측벽에 고정한다. 이를 통해 상악동 외측벽으로만 열려 있는 하나의 "주머니"가 상악동 내부에 형성된다. 이 상태에서 골이식재를 충전하면 골이식부는 차폐막으로 만든 주머니로 인해 상악동 내부와 완전히 분리되기 때문에 골이식재가 유출되지 않는다. 이후의 과정은 세 가지 중 한 가지 방법으로 마무리한다(📷 4-49).

- 이 상태로 봉합을 시행하여 수술을 완료한다. 골이식재는 협측 점막 골막과는 접촉한다(Fugazzotto와 Vlassis[69]).
- 상악동 밖으로 남긴 차폐막으로 골이식부 외측을 덮어서 쌈처럼 골이식재를 둘러싼다(Proussaefs와 Lazada[81]).
- 또 하나의 추가적인 차폐막으로 골이식재의 외측을 폐쇄한다(Testori 등[82]).

이 방법은 이식재의 상악동 내로의 유출은 원천적으로 예방해 주지만, 혈액과 골형성 세포를 공급하는 골벽 표면으로부터 골이식부를 완전히 차단하기 때문에 골형성이 방해될 수 있다.[54,82] 상악동 골이식 후 신생골은 상악동 내부 골표면으로부터 시작되는데, 이를 차폐막으로 막아주면 신생골 형성은 현저히 줄어들 수밖에 없기 때문이다(📷 4-50).[87,88] 이 술식에 대한 임상적인 근거는 거의 없다. 몇몇 증례 보고에서만 이 술식을 적용한 후 골이식부 내에서 신생골이 형성된 것을 조직학적으로 관찰 가능했고, 이 방법으로 골이식한 부위에 식립한 임플란트를 성공적으로 수복할 수 있었다고 보고했다.[69,82] 개인적으로는 이 술식은 추천할만하지 못하다고

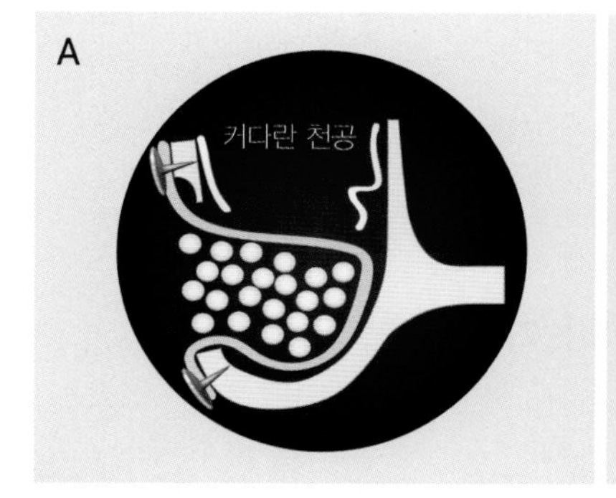

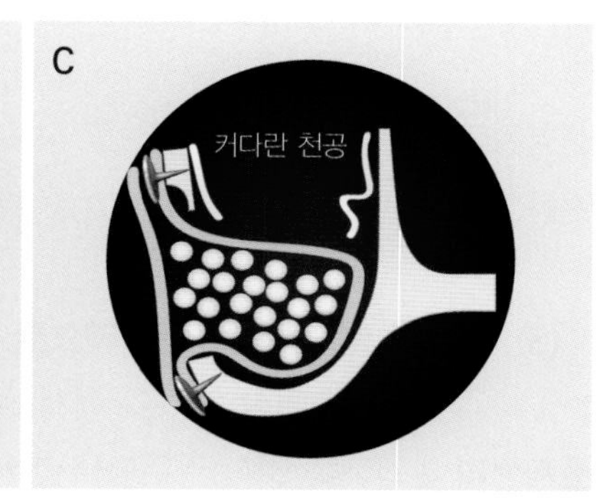

📷 **4-49** 상악동 막이 매우 심하게 천공된 경우에는 일차적으로 상악동 막의 치유를 도모한 이후 상악동 골이식을 재차 시행하는 것이 좋다. 그러나 상악동 막 천공 후 동시에 골이식을 시행한다면 상악동 골이식부를 차폐막으로 완전히 둘러싸는 방법을 이용할 수도 있다. 그러나 이러한 방법은 임상적 근거가 매우 부족하다.
A. Fugazzotto와 Vlassis의 방법. 외측 골창 부위를 피개하지 않았다.[69] **B.** Proussaefs와 Lazada는 상악동 밖으로 남긴 차폐막으로 골이식부를 덮었다. 이들은 이를 "Loma Linda Pouch"법이라고 명명하였다.[81] **C.** Testori 등은 또 하나의 추가적인 차폐막으로 이를 폐쇄할 것을 추천하였다.[82]

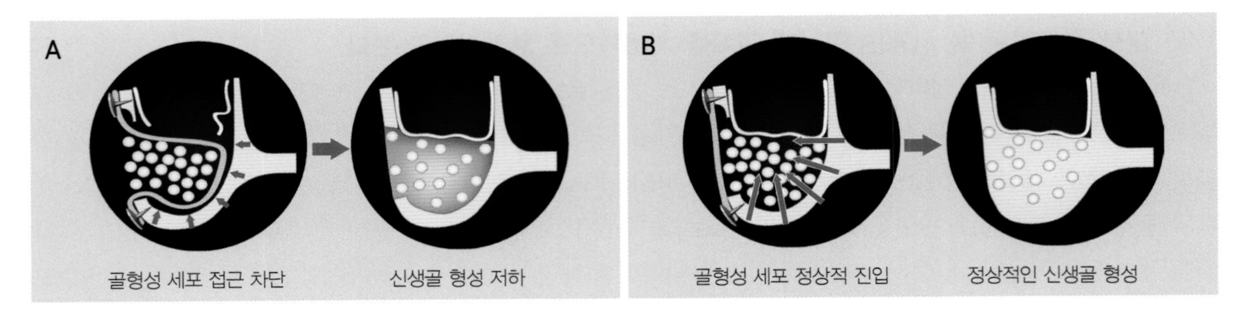

4-50 "Loma Linda Pouch"법 등 상악동 내부를 차폐막으로 완전히 둘러싸는 방법은 상악동 내부의 신선한 골면이 골이식부와 접촉하는 것을 방해하기 때문에 신생골 형성이 저하될 수도 있다.
A. 예컨대 Fugazzotto와 Vlassis의 방법을 적용하면 차폐막은 상악동의 내측 골벽과 골증강부의 직접 접촉을 막는다. 따라서 골재생부로의 골형성 세포와 혈관의 진입이 저하된다. **B.** 일반적인 상악동 골이식술에서는 외측 골창 부위에만 차폐막을 적용한다. 이때에는 상악동 내측 골벽이 골재생부와 넓게 접촉되므로 신생골 형성이 원활하다.

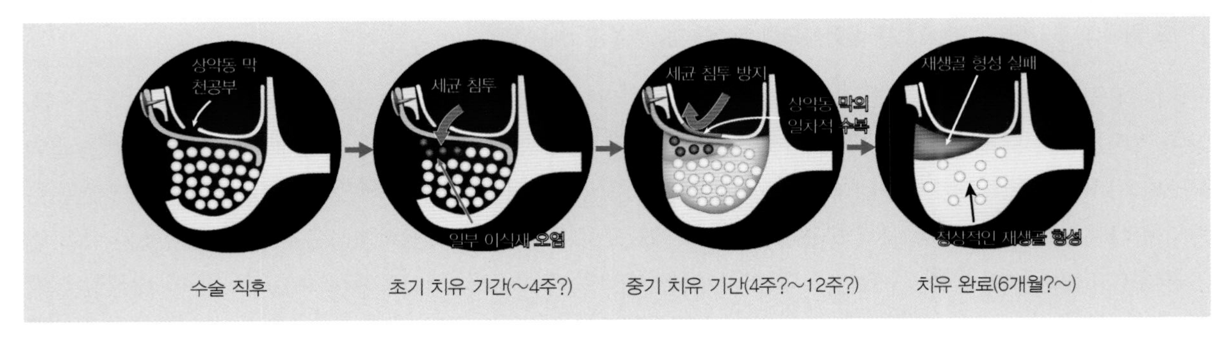

4-51 상악동 막이 천공되어 차폐막으로 수복한 경우에는 골재생이 부분적으로 저하될 수 있을 것이다. 초기 치유 기간(~4주?) 동안 막이 천공된 부위는 상악동 내 세균으로 오염되며 이것이 차폐막을 지나 천공부 근처의 골이식재까지 다다를 수 있기 때문이다. 그러나 골이식재의 오염은 부분적으로만 발생할 것이고 골이식부의 골화가 시작되면(4~12주?) 더 이상의 오염은 중지될 것이다. 결국 치료 완료 후 천공부 근처에서 부분적인 골화의 실패가 관찰될 것이다.

생각된다. 이 술식을 적용해야 할 정도로 큰 천공이 발생했다면 예지성 높은 치료 결과를 얻기 위해 천공부가 수복될 3-4개월의 시간을 부여한 후 재수술을 시행하는 것이 유리하다.

(3) 상악동 막 천공을 차폐막으로 수복하면 골재생은 얼마나 저하되는가?

앞서 "상악동의 임상 해부학"에서 상악동 막이 건전한 경우에는 상악동 막 하방에 차폐막을 적용하더라도 골재생의 결과에는 별다른 영향을 미치지 못한다는 사실을 보여준 바 있다.[74] 그렇다면 상악동 막이 천공되어 이를 차폐막으로 수복한 경우에는 골재생의 결과가 어떻게 될까?(**4-51**)

일련의 동물 연구에 의하면, 상악동 골이식 후 초기 치유 과정 동안에는 천공된 상악동 막이 재생될 때까지 차폐막이 천공 부위를 통해 상악동 내부로 노출되고, 따라서 세균에 오염되면서 염증성 치유 과정을 거치기 때문에 골재생이 저하되었다. 한 동물 연구에서는 인위적으로 상악동 막 천공을 형성한 후 차폐막을 적용하고 이식재를 삽입했을 때 천공된 부위는 수술 4주 후까지 완전히 폐쇄되지 못해서 이식재가 조금씩 유출되는 모습을 보였다고 했다.[73] 상악동 막은 수술 12주 후에야 완전히 폐쇄되었다. 토끼 모델에서 인위적으로 상악동 막을 천공시키고 교원질 차폐막으로 수복한 부위는, 상악동 막이 천공되지 않은 부위에 비해 수술 후 초기(2–4주) 골형성 속도가 유의하게 저하되는 양상을 보였다.[88]

그러나 이러한 초기의 골형성 저하는 차폐막 자체의 문제라기보다는 상악동 막의 천공이라는 신체적 변화에 기인한 것이다. 상악동 막 거상 후 천공을 인위적으로 작게(5×4 mm) 형성한 후 천연 교원질 차폐막으로 이를 수복한 경우와 아무런 처치도 하지 않은 경우를 비교한 동물 연구에서는, 통계학적으로 유의한 차이를 보이지는 않았지만 차폐막으로 수복한 군에서 수술 12주 후까지 전반적으로 신생골 형성량이 더 많았다고 했다. 이는 차폐막을 천공부에 적용하는 것이 이식재의 유출을 방지할 뿐만 아니라 초기 치유에 있어 약간의 도움을 줄 수 있다는 점을 시사하는 결과이다.

일련의 임상 연구들에 의하면 동물 연구에서 밝혀진 초기의 골재생 저하는 6개월 이상 현저히 지속되었다. 한 대조 연구에서는 양측 상악동 골이식 시 한쪽만 상악동 막이 천공된 환자들에 대해 치유 기간 후 재생골의 상태를 조직학적으로 비교했다.[59] 그 결과, 재생 조직 내 신생골 함량(33.58% vs 14.17%)은 천공되지 않은 수술부가 유의하게 더 높았고, 이식재 표면 중 신생골과 접하는 부위의 비율(40.17% vs 14.5%) 또한 천공되지 않은 부위가 더 높았다. 다른 대조 연구에서도 상악동 막이 천공되어 차폐막으로 수복해 준 부위의 신생골 함량은 천공되지 않은 부위의 신생골 함량(34.40% vs 12.80%)보다 유의하게 낮았다고 보고했다(📷 4–52).[71] 그러나 다른 대조 연구에서는 수술 중 상악동 막이 천공되어 차폐막으로 수복해 주었던 부위의 신생골 함량은 26.3±6.3%, 천공되지 않은 부위의 신생골 함량은 19.1±6.3%였고, 이는 유의한 차이를 보이는 것이었다고 했다.[68] 그러나 이러한 현상으로 인해 이 부위에 식립한 임플란트의 골유착 성공 가능성이 얼마나 저하되는지는 아직 명확하지 않다. 또한 이들 연구에서 상악동 막의 천공 크기에 대한 측정치가 명확히 제시되지 않았다는 점은 아쉬운 측면이다. 위의 세 임상 연구 중 마지막 연구에서는 상악동 막의 천공 크기가 확실히 더 작았으며, 따라서 골재생 저하의 정도는 앞의 두 연구보다 크지 않았다.

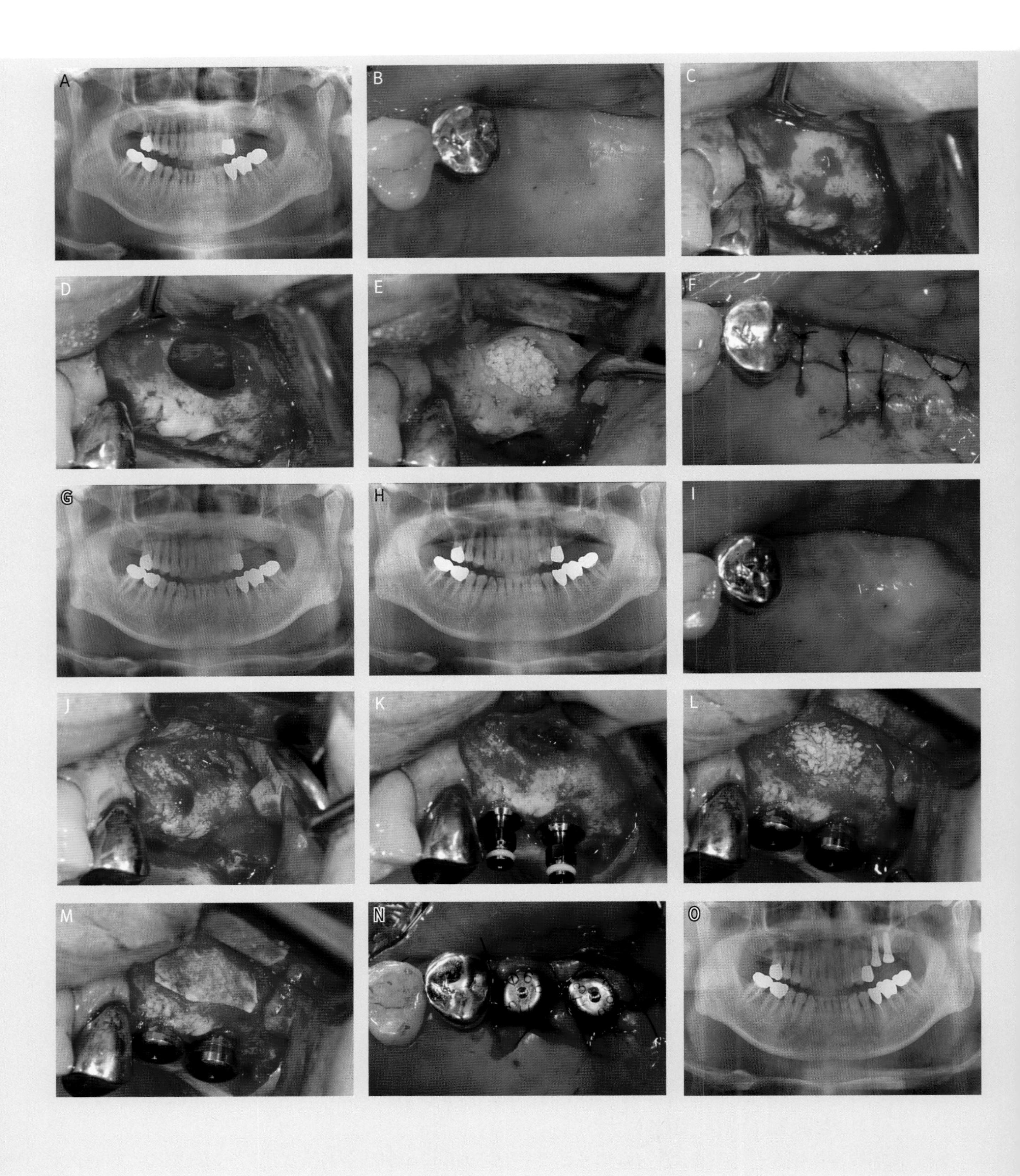
A
B
C
D
E
F
G
H
I
J
K
L
M
N
O

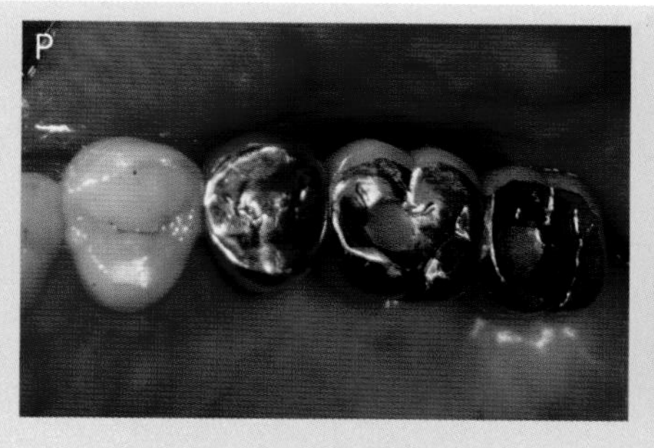

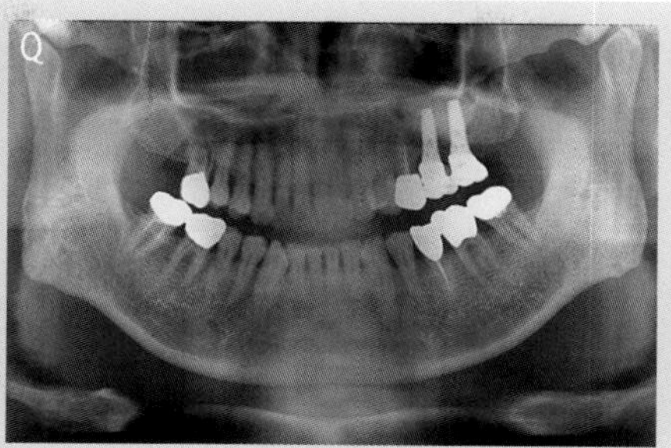

4-52 **상악동 막 천공부를 수복한 이후 골이식부 골재생이 부분적으로 실패했던 증례이다.**
A~G. 외측 접근법 중 격벽 부위 근처의 상악동 막이 천공되었다. 이를 차폐막으로 수복하고 이종골을 이식했다.
H~O. 6개월 후 임플란트 식립 전 방사선사진 상에서는 골이식 부위가 정상적으로 치유된 것으로 보인다**(H)**. 방사선 불투과성은 증가했고 상악동 골이식부는 전형적인 돔 형태를 보인다. 그러나 외측 골창에서 부분적으로 골형성이 실패한 부위가 관찰됐다**(J)**. 골화에 실패한 이식재를 큐렛으로 소파한 이후 임플란트를 식립했다**(K)**. 이후 재차 골이식재와 차폐막을 적용하고 수술부를 폐쇄했다.
P~Q. 4개월 1주 후 보철 치료를 완성했다. 특별한 이상 소견은 보이지 않았다.

3. 상악동 골이식을 위한 골이식재

골증강술을 위한 골이식재의 종류와 성질에 관해서는 앞서 살펴보았기 때문에 여기에서는 상악동 골이식에 관련된 사항에 대해서만 아주 간략하게 살펴보도록 하겠다.

1) 상악동 골이식을 위한 이식재의 종류

상악동 골이식술은 그 예후가 매우 좋을 뿐만 아니라 표준화하기도 쉬운 술식이기 때문에 새로운 이식재의 골형성 효과를 검증하기 위한 일종의 테스트 베드로 가장 많이 이용되고 있다. 거의 모든 이식재가 상악동 골이식에 성공적으로 사용 가능할 뿐만 아니라 심지어 이식재를 사용하지 않더라도 많은 양의 신생골을 형성할 수 있다. 뒤에서 다시 설명하겠지만 상악동 내면은 골형성 능력이 매우 좋은 부위이며, 따라서 거상된 상악동 막과 상악동저 골표면 사이에 이식재를 위치시키면 그 종류와 관계없이 대부분 성공적인 골재생의 결과를 보인다.

(1) 자가골 이식재는 가장 빠르게 양질의 신생골을 형성할 수 있지만 골대체재보다 임플란트의 성공 가능성을 증가시키지 못한다

상악동 골이식을 위해 가장 처음으로 이용된 것은 장골(iliac bone)에서 채취한 자가골 이식재였으며, 자가골

이식재는 아직까지도 상악동 골이식을 위한 이식재의 황금 기준으로 남아있다.[20,63,89] 자가골 이식재의 장점과 단점은 ■ **4-7**과 같다.

자가골 이식재는 구강 내에서 채취한 골과 구강 외에서 채취한 골로 나눌 수 있다. 구강 외에서는 장골에서 가장 많이 채취한다. 장골에서는 많은 양의 골을 채취할 수 있기 때문에 양측 상악동이 현저히 함기화되어 골이식이 필요한 경우 유용하다. 그러나 장골에서 골을 채취하기 위해서는 전신 마취를 시행해야 하고 술 후 수일에서 수주 정도 걷기가 불편하며 무엇보다도 이식된 골이 흡수되어 상악동저가 다시 함기화되는 "재함기화(repneumatization)" 현상이 구강 내에서 채취한 골에 비해 더 심하게 발생한다는 단점이 있다.[63,90,91]

한편 구강 내 골은 국소 마취로도 채취할 수 있다는 장점이 있다. 그러나 구강 내에서는 많은 양의 골을 채취할 수 없기 때문에 함기화의 정도가 심한 상악동이나 양측 상악동에 골이식을 시행해야 하는 경우에는 구강 내에서 채취한 골만으로는 충분한 양의 골을 얻을 수 없다.[92] 따라서 일부 임상가들은 골대체재인 이종골이나 합성골을 부피 확장재의 개념으로 자가골 이식재에 섞어서 이용하기도 한다(**4-53**). 그러나 일련의 조직계측학적 연구들에 의하면 자가골 이식재와 골대체재를 혼합하여 이식하면 골대체재를 단독으로 이용했을 때보다 더 양질의 골을 형성시키지는 못하였다.[93,94] 게다가 골이식된 부위에 식립한 임플란트의 성공률도 더 향상시키지는 못하였다(**4-54, 55**).[93,95]

■ 4-7 상악동 골이식술 시 자가골 이식재의 장단점

장점	단점
• 가장 오랜 기간 사용되어 온, 가장 확실히 검증된 이식재이다. • 동종골/이종골 이식재와 달리 전염성 질환에 이환될 가능성이 없다. • 가장 빠르게 골재생이 완료된다. • 재생 조직 내의 광화 조직 비율이 가장 높다.	• 골이식 공여부를 필요로 하기 때문에 수술 시간이 연장되고 추가적인 수술 부위를 요한다. • 골 공여부의 합병증과 불편감이 발생할 수 있다. • 이식골이 가장 많이 흡수된다. • 구강 외에서 자가골을 채취할 때에는 전신 마취가 필요할 수 있으며, 특히 장골 이식 시에는 일시적인 보행 장애가 발생할 수 있다.

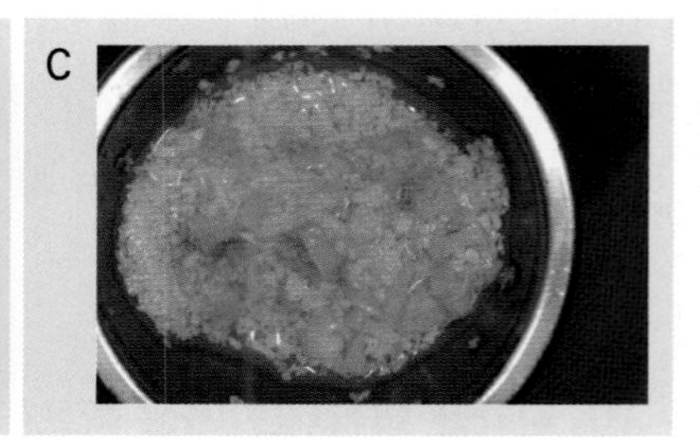

4-53 자가골과 골대체제(이종골)를 혼합한 혼합 이식재이다.
A. 하악지에서 트레핀 드릴로 원형의 피질골을 채취했다. **B.** 본 크러셔에서 골을 입자화했다. **C.** 자가 입자골과 이종골을 혼합했다. 이때 이종골은 자가골의 부피를 확장시키는 역할과 골이식 후 골증강부의 부피를 유지하는 역할을 하게 된다.

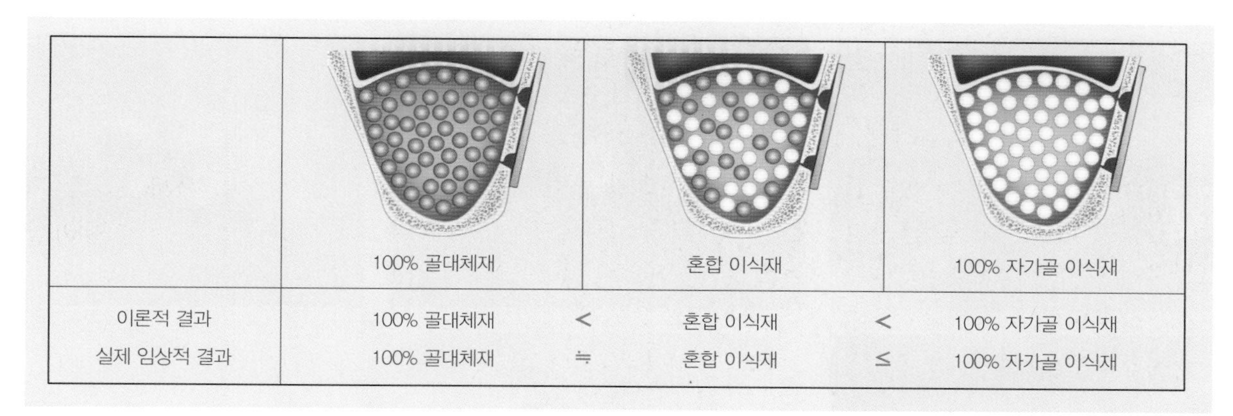

	100% 골대체재		혼합 이식재		100% 자가골 이식재
이론적 결과	100% 골대체재	<	혼합 이식재	<	100% 자가골 이식재
실제 임상적 결과	100% 골대체재	≒	혼합 이식재	≤	100% 자가골 이식재

4–54 이론적으로 골이식재 내에서 자가골 이식재의 함량이 높아질수록 재생골의 질(혹은 광화된 정도)이 향상된다. 그러나 실제 임상 연구들에서는 혼합 이식재와 100% 골대체재를 사용했을 때 재생골의 질에 별다른 차이를 보이지 못했다.

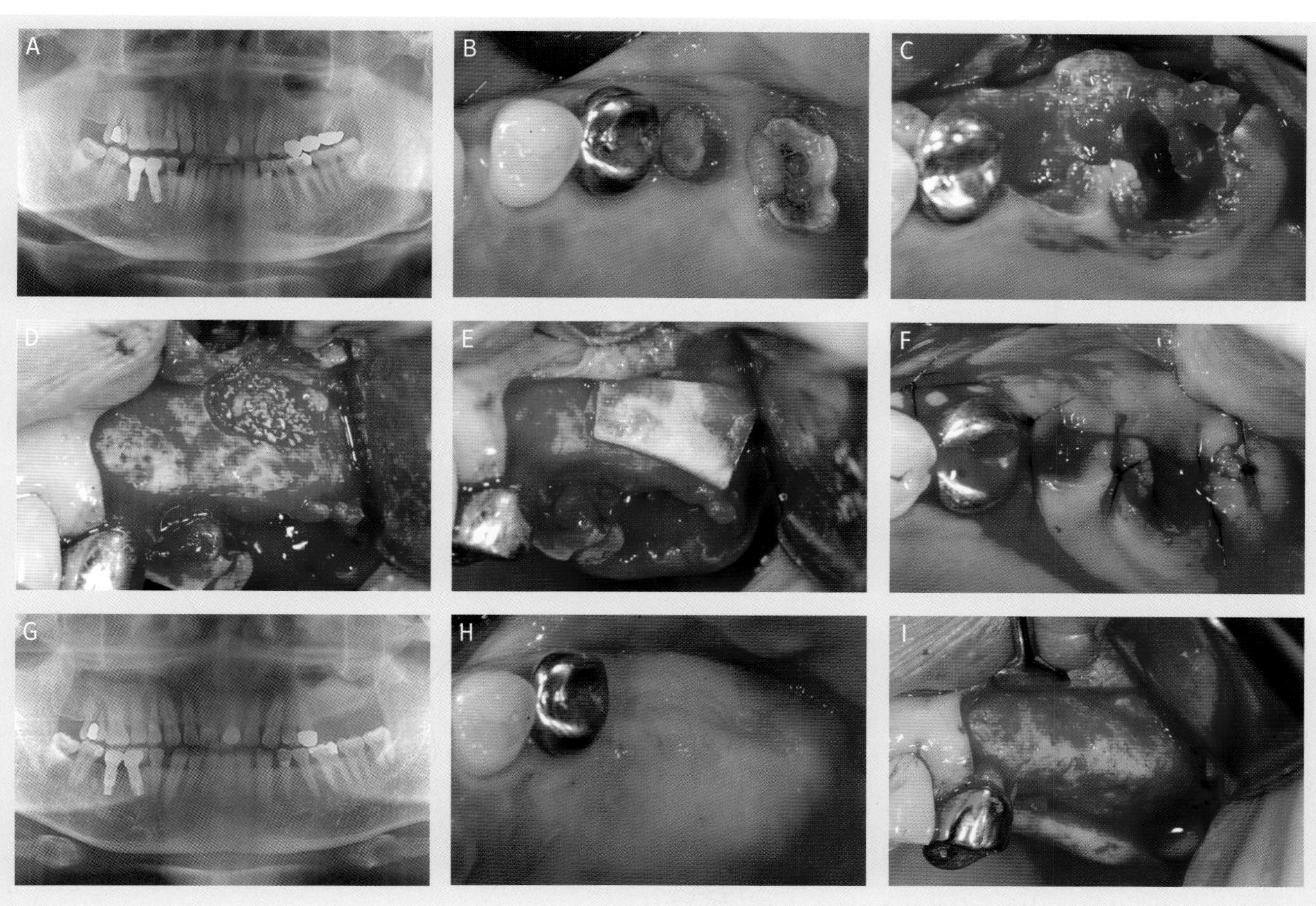

– 계속 –

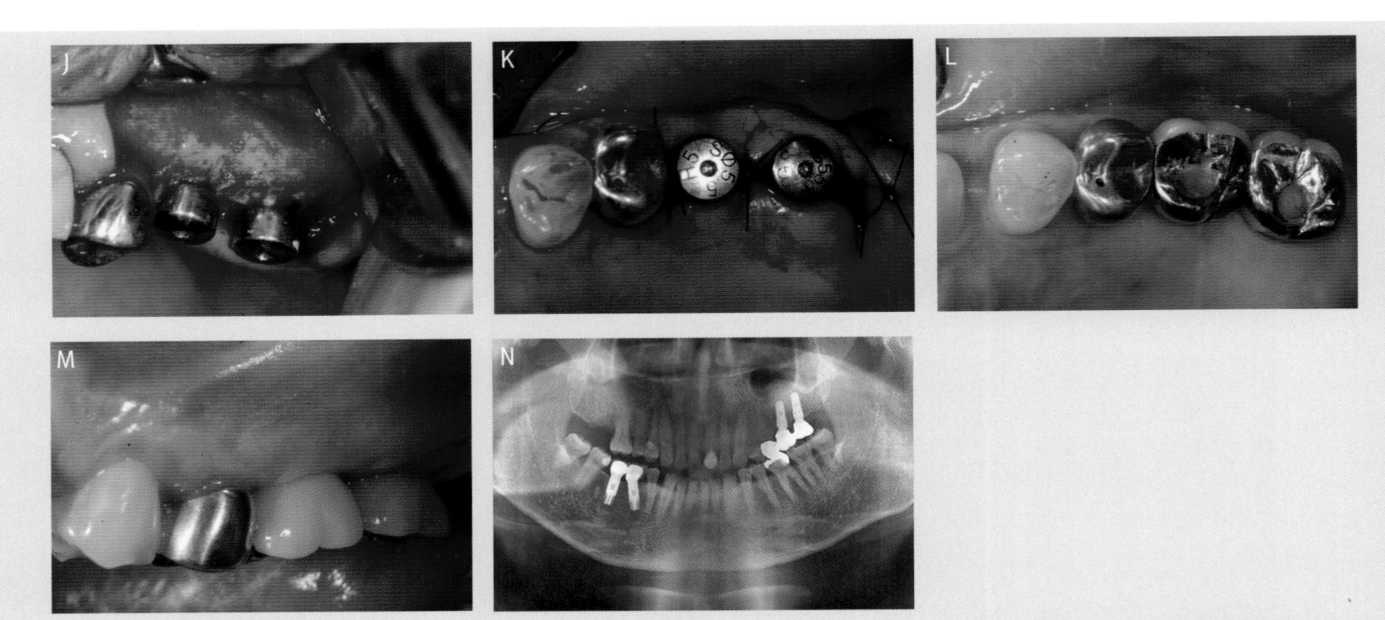

4-55 상악동 골이식 시 자가골을 반드시 포함할 필요는 없다. 다만 골이식부 근처에서 다량의 자가골을 채취할 수 있다면 골대체재와 혼합하여 사용 가능하다.
A~G. 이 증례에서는 골이식부 후방의 상악 결절에서 자가골을 채취할 수 있었다. 따라서 이를 동종골과 혼합하여 적용해 주었다.
H~K. 5개월 3주 후 임플란트를 식립했다. 상악동 골이식은 성공적인 결과를 보이고 있었다.
L~O. 약 5개월 후 보철 치료를 완성했다.

현재 상악동 골이식에 자가골 이식재를 사용하는 임상가는 급속히 줄고 있다. 여타 이식재에 비해 분명한 장점이 있긴 하지만 충분한 치유 기간만 부여되면 상악동 골이식부에 식립한 임플란트의 성공 가능성이 다른 이식재를 사용했을 때에 비해 더 증가하지 않기 때문이다. 1990년대 후반 이후로 공신력 있는 기관이나 개인이 시행한 모든 체계적 문헌 고찰에서는 상악동 골이식에 있어서는 자가골 이식재와 골대체재의 효과에 차이가 없다고 결론 내린 바 있다.[36,63,96-98] 심지어 Cochrane Systematic Review에서는 골대체재, 특히 탈단백 우골(Bio-Oss)과 β 3인산칼슘(Cerasorb)은 상악동 골이식에서 자가골 이식재와 비슷한 효과를 보인다는 확고한 근거가 있기 때문에 이를 대체할 수 있다고까지 결론지은 바 있다.[99]

결론적으로 자가골 이식재는 상악동 골이식술에서 한정적인 증례에 한하여 사용한다.[100]

- 치료 기간을 최대한 단축시킬 필요가 있음
- 골대체재를 사용한 기존의 상악동 골이식술이 실패

(2) 탈단백 우골은 상악동 골이식술에서 표준 골대체재이며 우수한 임상적 결과를 보인다

이종골, 그 중에서도 특히 탈단백 우골인 Bio-Oss는 비자가 골이식재의 표준으로 간주될 정도로 널리 사용되고 있다.[101] 상악동 골이식술 시 자가골 이식재와 더불어 탈단백 우골은 가장 광범위하게 사용되고 있을 뿐만 아니라 예지성 높은 임상적 결과를 보여주고 있다(**4-56, 57**).

이종골로 상악동 골이식을 시행했을 때 상악동 내부에 형성되는 신생 조직 내의 광화 조직 비율은 골이식을 시행하지 않은 정상적인 상악 구치부의 비율과 차이가 없다. 상악 구치부 골에서 광화 조직이 차지하는 비율은 평균 약 30–45% 정도이다.[102–104] 탈단백 우골로 골이식한 상악동에 형성되는 골에서 광화된 조직은 대략적으로 30–40% 정도(14.7–68.8%)를 차지하는 것으로 보고되었다.[93,94,105–112] 또한 대조 연구에서도 자가골 이식재, 혼합 이식재, 그리고 탈단백 우골로 상악동 골이식을 시행했을 때 형성되는 골의 질에는 차이가 없는 것으로 나타났다.[93,94]

탈단백 우골의 가장 큰 장점 중 하나는 이식골의 부피가 거의 줄지 않고 잘 유지된다는 점이다. 탈단백 우골의 제조 업체는 원래 이 이식재를 흡수성 이식재로 소개했지만[113] 실제로 상악동 골이식 후에는 거의 흡수되지 않은 채 장기간 유지된다. 상악동 골이식 시행 후 10년 이상이 경과해도 현저한 양의 탈단백 우골이 남아 있음이 보고된 바 있다.[109,114] 건전한 골조직을 조직계측학적으로 분석하면 광화 조직과 광화 조직 이외의 연조직(골수, 혈관, 골기질 등)으로 나눌 수 있다. 반면 골대체재를 이용한 신생골을 조직계측학적으로 분석하면 조직은 광화 조직, 잔존 이식재, 골수를 포함한 연조직으로 구분할 수 있다. 탈단백 우골 사용 후 신생 조직의 치유가 완료되었을 때 잔존 이식재는 광화 조직의 비율을 줄이지 않고 연조직의 비율을 줄이는 것으로 나타났다(**4-58**). 결국 잔존한 탈단백 우골 이식재는 전체 골증강 부위의 부피는 잘 유지하면서도 골과 임플란트 간의 결합에는 악영향을 미치지 않는다. 인체 및 동물 실험을 통해 잔존한 탈단백 우골은 골과 임플란트의 결합을 방해하지 않는다는 사실이 밝혀졌다.[93,110,115]

탈단백 우골의 흡수되지 않는 성질은 또 다른 부가적인 장점을 부여한다. 앞서 설명했듯이 잔존한 이식재는 골조직 중 원래 연조직이 차지하는 부위에 위치한다. 이는 광화된 골조직과 더불어 재생골 내의 석회화 함량을 높임으로써 골밀도를 증진시키고, 결국 이 부위에 식립된 임플란트의 일차 안정을 증진시킬 수 있다.[93] 탈단백 우골로 상악동 골이식을 시행하면 일정 기간 후 주변골보다 골이식부의 방사선 불투과성이 훨씬 큰 것을 볼 수 있다(**4-59**).[116] 이는 골밀도가 높음을 보여주는 간접적인 증거이며, 실제로 한 동물 실험에 의하면 탈단백 우골로 상악동 골이식한 부위에 식립한 임플란트가 건전한 상악 구치부에 식립한 임플란트에 비해 일차 안정의 정도가 더 컸다.[117]

(3) 비탈회 동종골 이식재는 이종골과 비슷한 정도의 임상적 성공을 보인다

상악동 골이식과 관련하여 비탈회 동종골 이식재에 관한 문헌은 많지 않지만, 다수의 조직계측학적 연구들에서는 비탈회 동종골 이식재로 상악동 골이식을 시행하면 대략 30% 이상의 광화 조직을 포함하는 신생골이

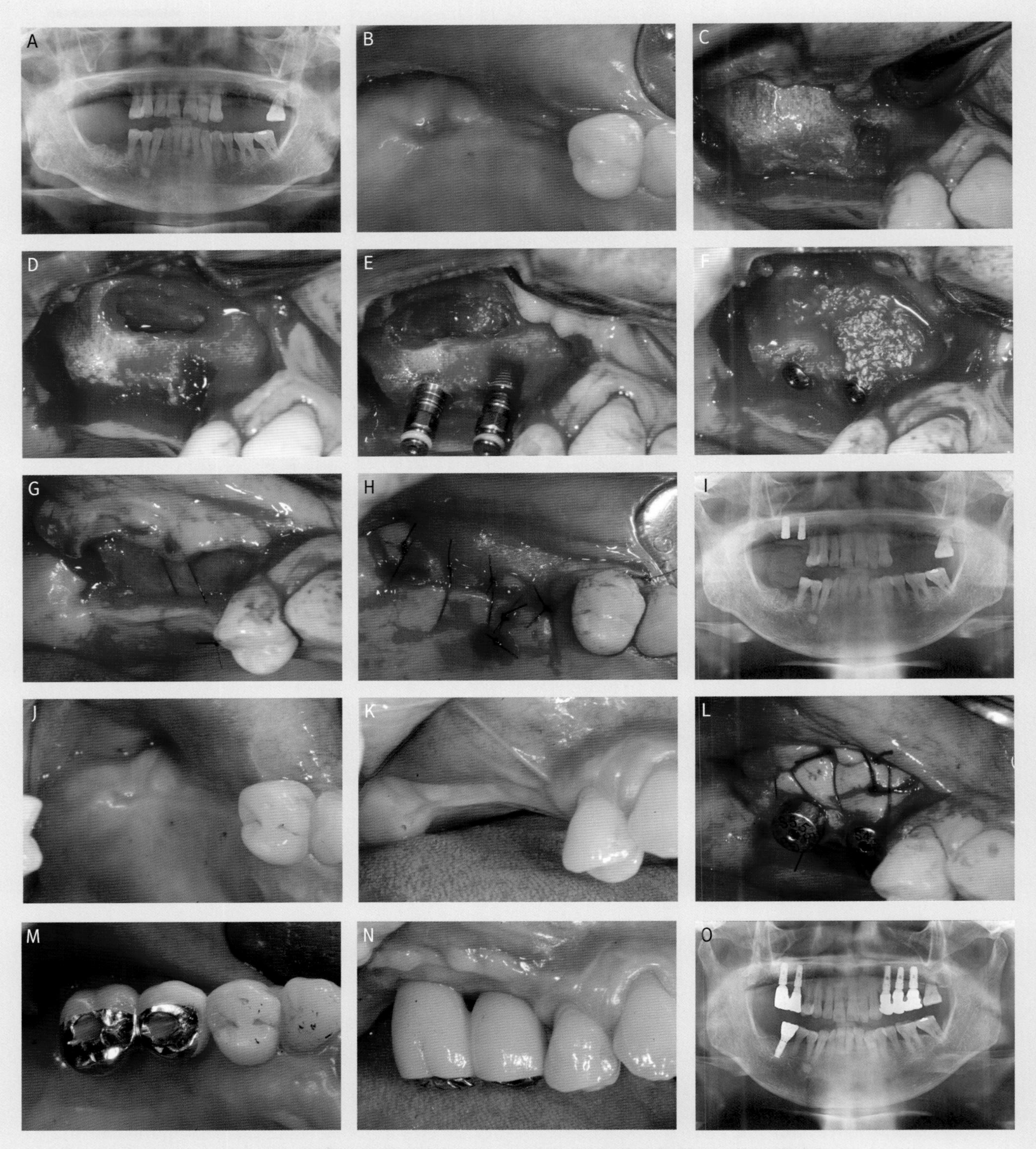

4-56 탈단백 우골은 자가골 이식재와 더불어 상악동 골이식술에서 가장 많은 임상 문헌의 지지를 받는 골이식재이다.
저자의 경험으로도 상악동 골이식에 탈단백 우골을 적용하면 우수한 결과를 얻을 수 있었다.
A~I. 상악 우측 구치부에 임플란트를 식립하며 탈단백 우골로 상악동 골이식을 시행했다. 또한 제2소구치 부위에서는 협측의 열개 결손도 보이고 있었기 때문에 같은 이식재로 골유도 재생술을 시행했다. 골증강부는 교차결합 교원질 차폐막으로 피개했다.
J~L. 대략 5개월 후 2차 수술을 시행하면서 유리 치은을 이식했다. 이를 통해 각화 점막을 증진하고 전정을 깊게 만들어 주었다.
M~O. 1개월 2주 후 보철물을 연결했다.

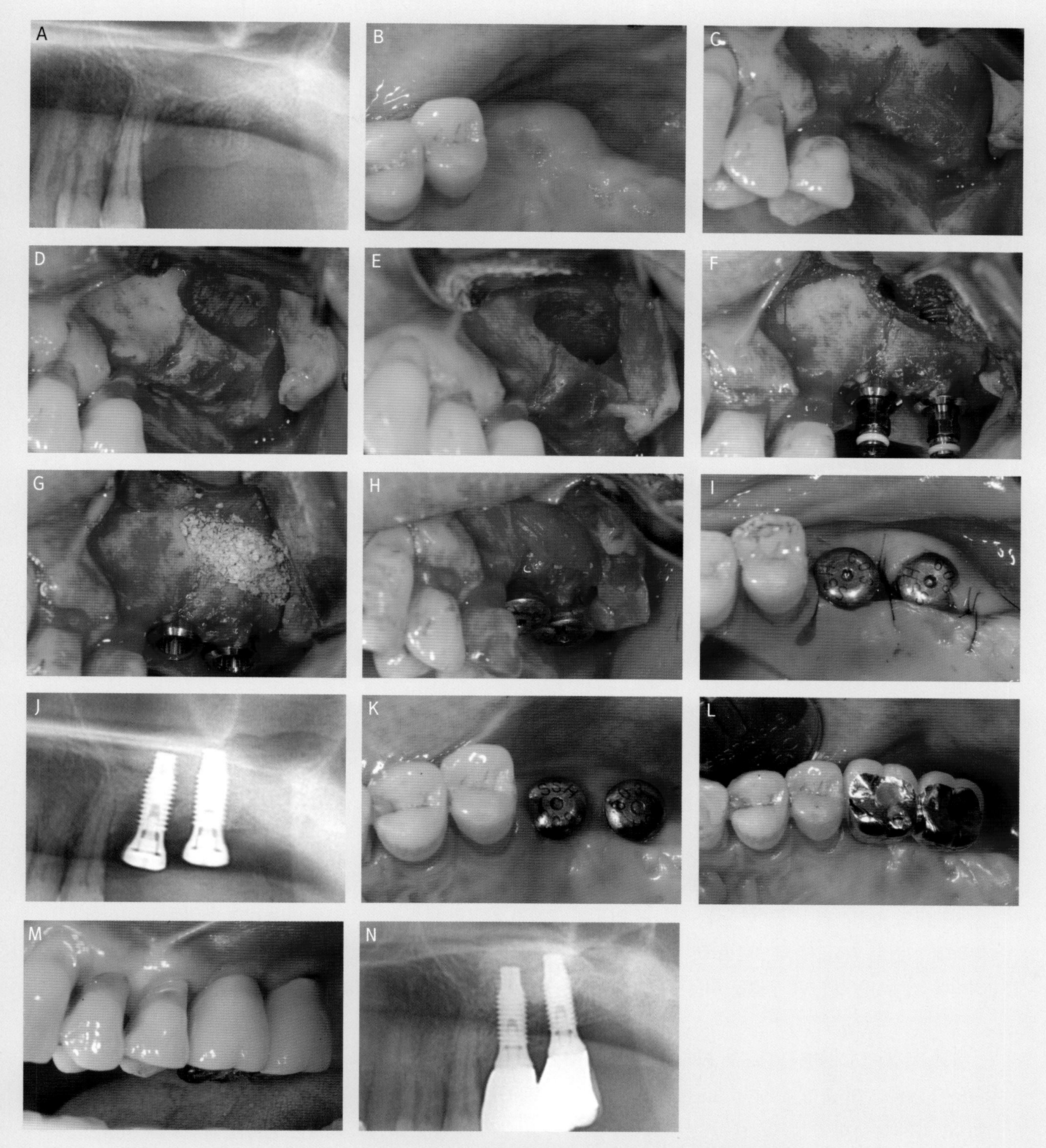

4-57 이 증례에서는 상악동 골이식부 협측 치조골의 돌출부를 제거하여 탈단백 우골과 혼합한 후 이식해 주었다.
A~J. 수술부 협측 골에 돌출부가 존재한다**(B, C)**. 이를 제거했다**(D)**. 이후 일반적인 방법으로 상악동 골이식을 시행하고 임플란트를 식립했다.
K~N. 6개월 3주 후 최종 보철물을 연결했다.

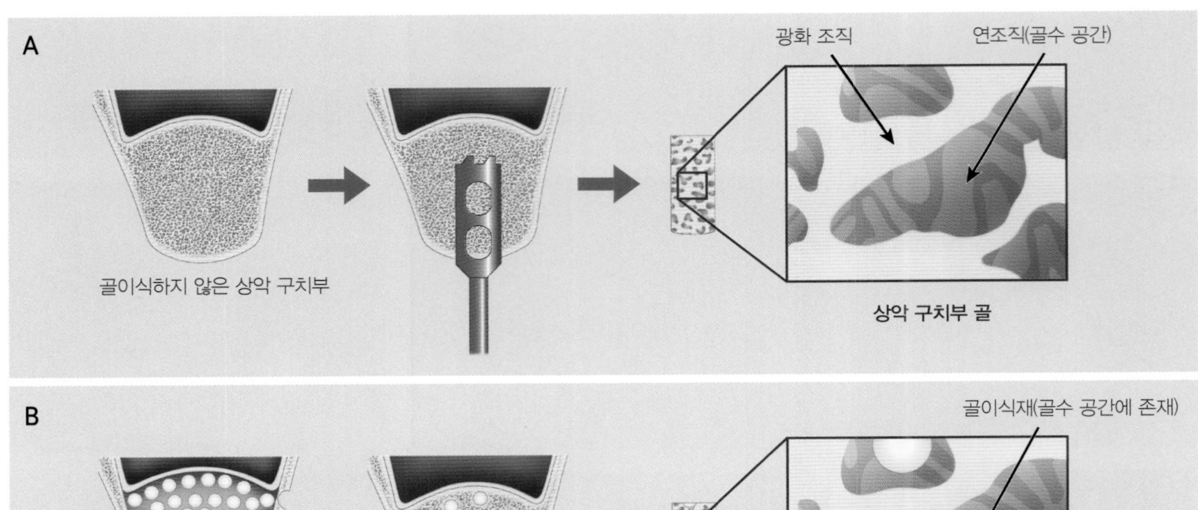

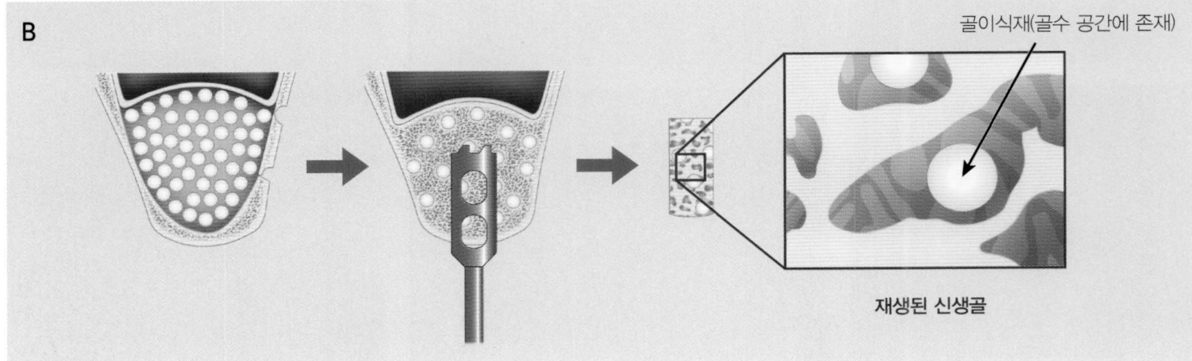

4-58 상악동 골이식에 사용된 탈단백 우골은 치유가 완료된 후에도 골재생부 내에 현저히 남아있다. 그러나 이로 인해 광화 조직의 형성이 방해받지는 않는 것으로 보인다.

A. 골이식하지 않은 정상적인 상악 구치부 치조골을 현미경으로 관찰하면 광화 조직과 골수 공간이 보일 것이다. **B.** 탈단백 우골로 상악동 골이식한 부위를 역시 현미경으로 관찰하면 잔존한 이식재는 골의 광화된 부분이 아닌, 골수 공간 내에 주로 위치한다. 따라서 임플란트를 실제적으로 지지하게 될 광화된 조직의 형성을 방해하지 않는다.

형성된다고 보고하였다.[118-124] 단일 환자군 연구에 의하면 비탈회 동종골 이식재를 이용하여 상악동 골이식한 부위에 식립한 임플란트의 3년 누적 생존율은 97.7%였다.[125] 전반적으로 비탈회 동종골을 이용하여 상악동 골이식을 시행하면 탈단백 우골을 이용했을 때와 비슷한 임상적 결과를 보인다(**4-60**).

탈회 동결 건조 동종골(Demineralized Freeze-Dried Bone Allograft, DFDBA)은 상악동 골이식에 가급적 사용하지 않는 것이 좋다. 1996년 the Sinus Consensus Conference에서는 "탈회 동종 이식재는 자가 이식재와 혼합 시 자가 이식재의 성공을 방해하는 것처럼 보였다"고 했다.[63] 동물 실험에 의하면 상악동 골이식에 사용된 탈회 동종골은 신생골 형성을 방해했을 뿐만 아니라 골-임플란트간 결합도 저하시켰다.[126,127] 또한 인체 연구에서도 탈회 동결 건조 동종골은 상악동 내에서 의도한 골유도 효과를 보이지 못했다.[128]

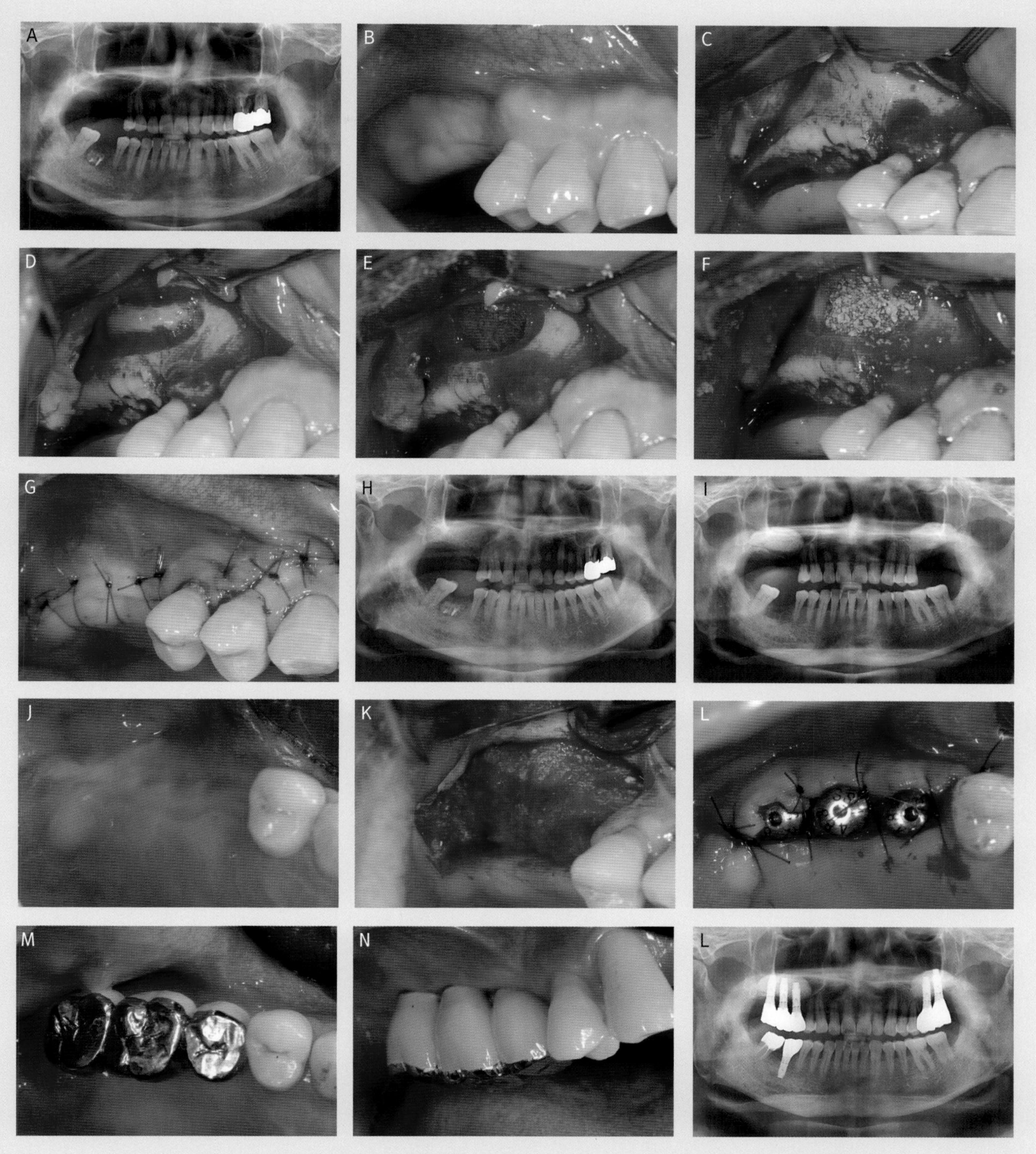

4-59 탈단백 우골로 상악동 골이식을 시행하면 치유가 완료된 후 골이식부의 방사선 불투과성은 주위의 정상골보다 훨씬 높아진다. 이는 재생골 내의 광화 조직과 잔존한 탈단백 우골의 불투과성이 더해지기 때문이다.

A~H. 100% 탈단백 우골을 이용하여 상악동 골이식을 시행했다. 상악동 골이식 부위의 방사선 불투과성은 주위골과 비슷하다**(H)**.

I~L. 약 5.5개월 후 임플란트를 식립했다. 이때 골이식부의 방사선 불투과성은 주위골에 비해 현저히 증가해 있었다**(I)**.

M~O. 최종 보철물을 연결하고 6개월이 경과한 이후이다. 상악동 골이식부의 증가된 불투과성은 그대로 유지되고 있다**(O)**.

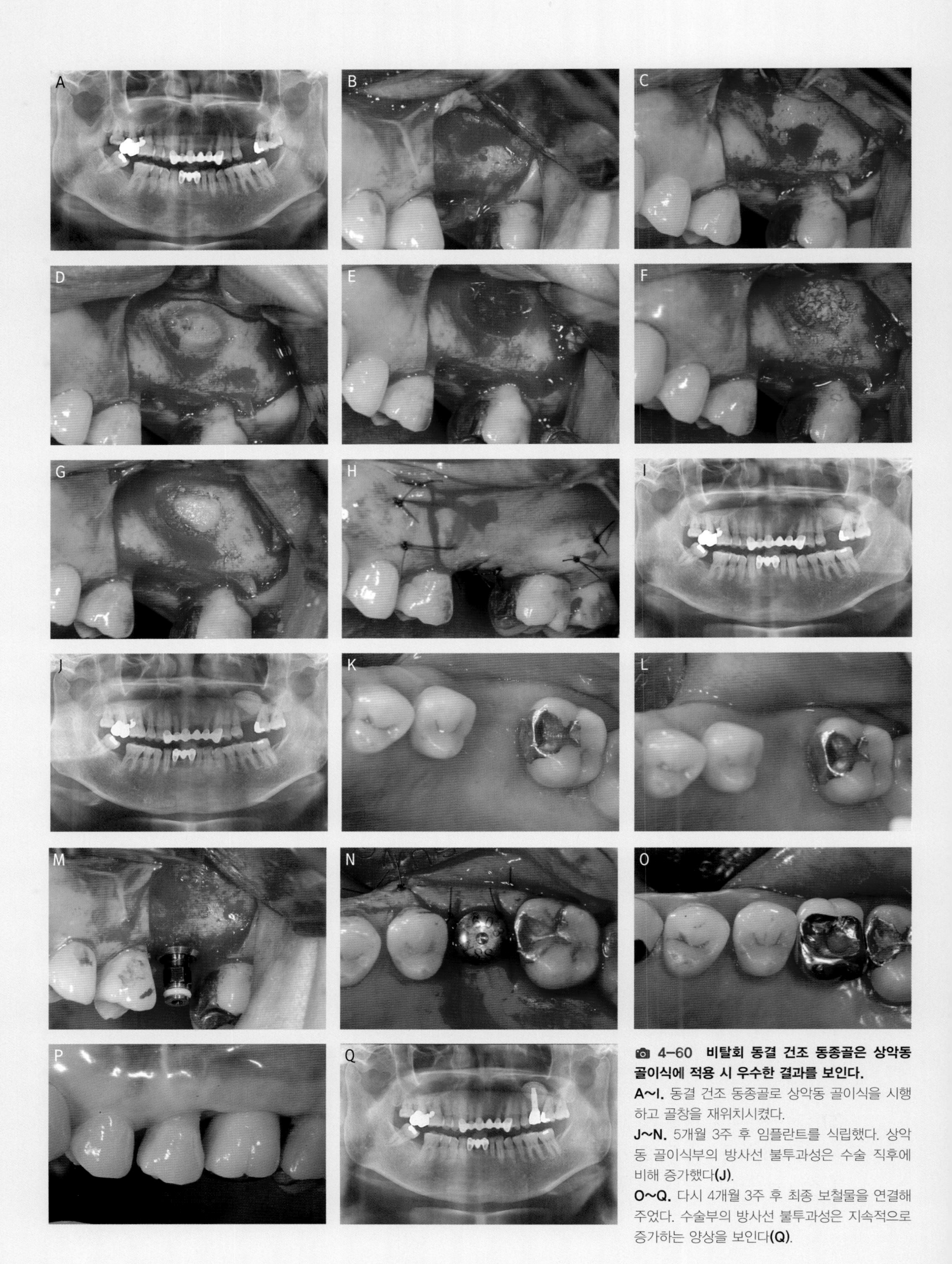

4-60 비탈회 동결 건조 동종골은 상악동 골이식에 적용 시 우수한 결과를 보인다.

A~I. 동결 건조 동종골로 상악동 골이식을 시행하고 골창을 재위치시켰다.

J~N. 5개월 3주 후 임플란트를 식립했다. 상악동 골이식부의 방사선 불투과성은 수술 직후에 비해 증가했다**(J)**.

O~Q. 다시 4개월 3주 후 최종 보철물을 연결해 주었다. 수술부의 방사선 불투과성은 지속적으로 증가하는 양상을 보인다**(Q)**.

(4) 3인산칼슘은 거의 완전히 흡수되는 합성골 이식재이며 상악동 골이식술에서 우수한 결과를 보인다

자가골 이식재, 동종골 이식재, 그리고 이종골 이식재는 모두 생체 유래 재료이다. 자가골 이식재는 흡수량이 많고 골채취 과정이라는 추가적인 수술이 필요하다는 단점이 있으며, 동종골 이식재와 이종골 이식재는 사용이 간단하지만 전염병 감염의 우려가 있다는 단점이 있다. 합성골 이식재는 이러한 생체 유래 이식재의 단점이 없기 때문에 결국 골이식재의 궁극적인 형태가 될 것이다. 앞선 장에서 골이식재의 특성에 관해 설명하면서 골전도성을 갖는 이식재는 그 물리적 형태가 매우 중요하다고 하였으며 합성골 이식재는 동종골이나 이종골 이식재에 비해 이러한 점이 떨어지기 때문에 아직까지 많이 사용하고 있지 않는다고 하였다. 그러나 상악동 내부는 매우 골형성 능력이 높은 공간이라는 점을 생각했을 때 여타 다른 치조골 결손부에 비해 합성골 이식재가 좋은 결과를 나타낼 가능성이 높다.

합성골 이식재로 가장 많이 사용되는 것은 3인산칼슘이다. 3인산칼슘은 이미 1986년에 비자가 골이식재로는 최초로 상악동 골이식에 사용된, 역사가 오래된 이식재이다.[20] 3인산칼슘은 탈단백 우골과 더불어 상악동 골이식술에 사용되는 골대체재 중 신뢰할 만한 근거가 가장 많이 축적된 이식재이다.[100] 3인산칼슘은 상악동 골이식에서 매우 효과적인 골이식재임이 여러 임상 연구를 통해 밝혀졌다.[105,129–133]

이 이식재는 동종골이나 이종골과 같은 수산화인회석계 이식재와 달리, 1–2년 후 상악동 내에서 완전히 흡수되면서 골과 대체된다.[130,134,135] 이러한 현상은 방사선사진으로도 확인 가능하다. 즉, 3인산칼슘만으로 상악동 골이식을 시행하면 수술 직후에는 극도로 방사선 불투과성을 보이다가 6개월 이상이 경과하면 주변 골과 구분할 수 없을 정도로 자연골에 유사한 방사선 불투과성을 보이게 되는 것이다(📷 4–61). 3인산칼슘은 파골세포를 이주를 유도하는 특정 분자를 활성화시키기 때문에 다른 골대체재보다 상대적으로 더 많이 흡수되는 것으로 알려졌다.[136,137]

이는 이 이식재의 장점이자 단점이 될 수 있다. 이식재가 잔존하여 발생할 수 있는 이물 반응이나 골유착 방해 등의 문제는 전혀 걱정할 필요가 없지만, 부피가 많이 축소되어 재함기화가 많이 이루어지며 골삭제 시 느껴지는 골밀도가 약하여 임플란트의 일차 안정을 크게 얻을 수 없다는 단점이 있다. 저자는 이에 수산화인회석계 이식재와 3인산칼슘을 혼합하여 상악동 골이식을 시행하는 것을 선호했다. 수산화인회석계 이식재는 부피 감소를 막아주고, 3인산칼슘은 흡수되면서 신생골이 형성될 수 있는 공간을 제공한다(📷 4–62, 63). 최근에는 흡수가 잘 되지 않는 수산화인회석과 흡수가 빠른 3인산칼슘을 혼합하여 제조한 이식재가 시장에 광범위하게 시판되고 있다.

(5) 두 가지 상의 인산칼슘 이식재는 3인산칼슘의 단점을 극복하기 위해 개발되었고, 상악동 골이식에서 좋은 임상적 결과를 보인다

두 가지 상의(이상, 二相) 인산칼슘(biphasic calcium phosphate, BCP)은 인산 칼슘의 두 가지 상인 수산화인

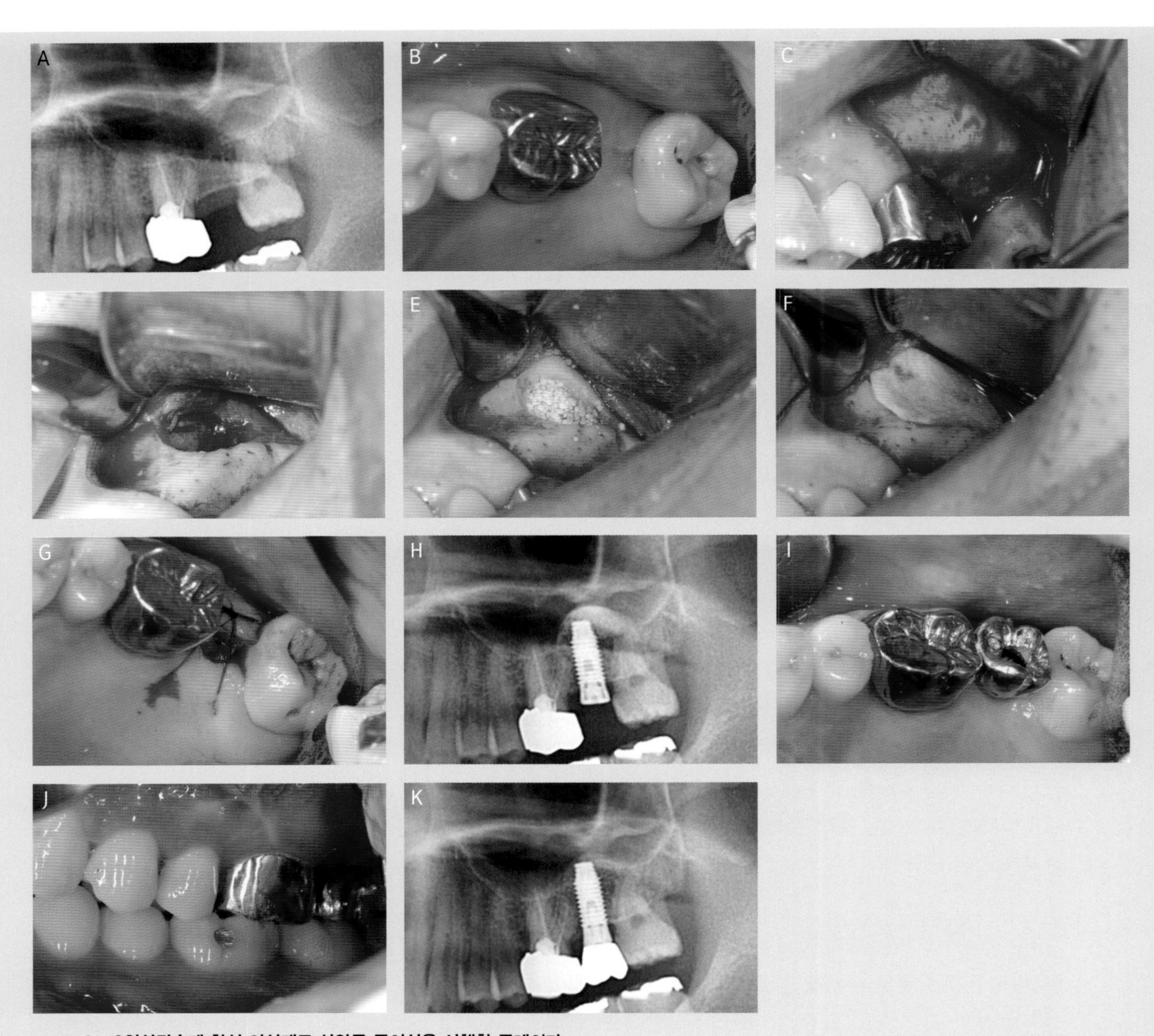

4-61 3인산칼슘계 합성 이식재로 상악동 골이식을 시행한 증례이다.

이 이식재는 천연 수산화인회석계 이식재와는 반대로 처음에 방사선 불투과성이 크다가 점차 감소하는 양상을 보인다. 이는 이 이식재가 빠르게 흡수되면서 재생골로 대체되기 때문인 것으로 생각된다.

A~H. 외측 접근법으로 3인산칼슘 이식재를 상악동저에 이식하고 임플란트를 식립했다. 골이식부의 방사선 불투과성은 주위골에 비해 훨씬 크다**(H)**.

I~K. 약 6.5개월 후 보철물을 연결했다. 골이식부의 방사선 불투과 정도는 주위의 자연골과 거의 동일하다**(K)**. 또한 이종골이나 비탈회 동종골 이식재를 사용했을 때와는 다르게 골이식부의 높이가 지속적으로 감소하는 양상을 보인다. 이 또한 3인산칼슘 이식재가 잘 흡수되는 성질에 기인한 것이다.

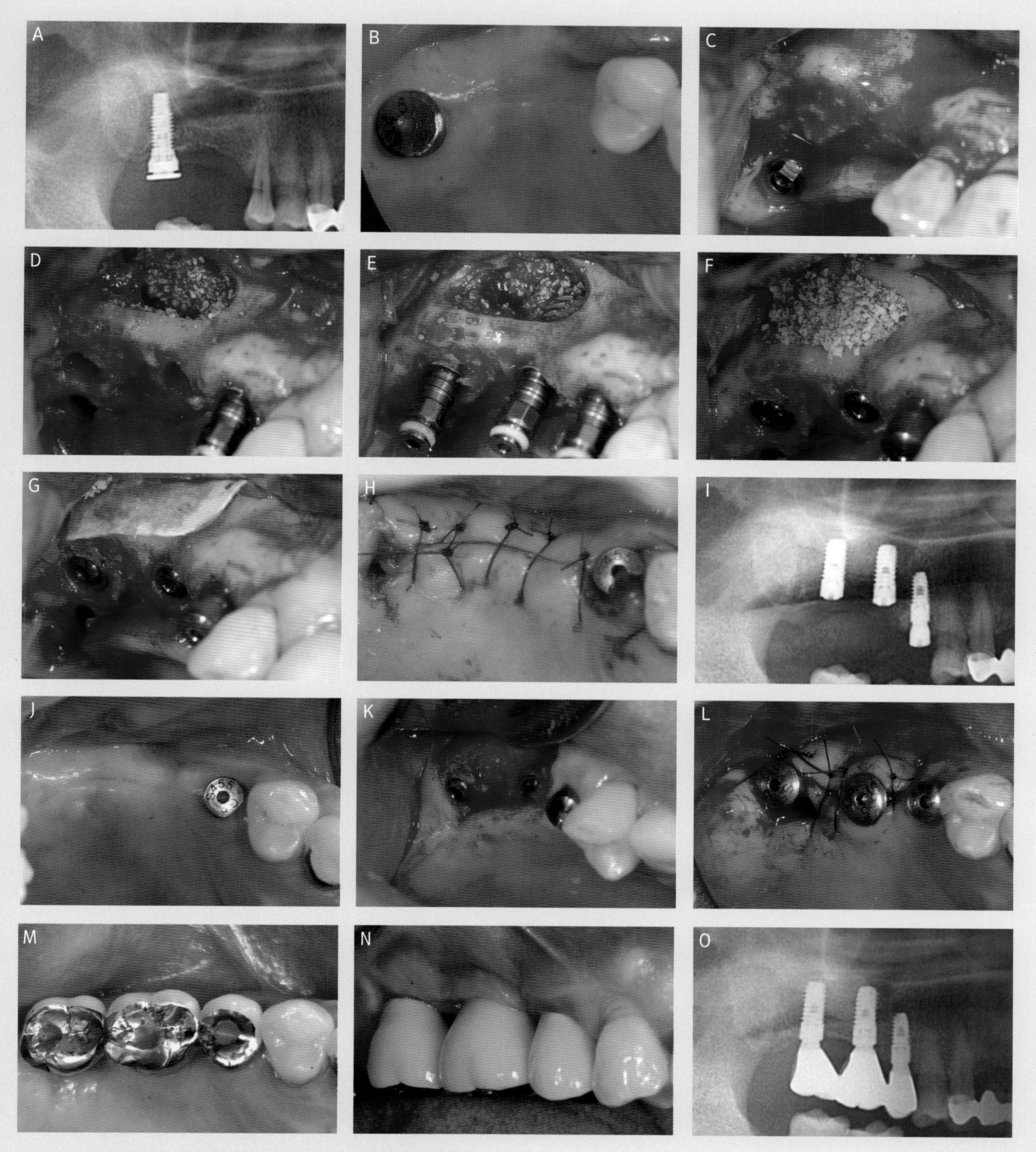

4–62 이종골과 3인산칼슘 이식재를 혼합하여 이식한 증례이다.
이렇게 천연 수산화인회석 이식재와 3인산칼슘 이식재를 혼합하면 두 이식재의 성질을 적절히 이용할 수 있다는 장점이 있다. 이는 결국 두 가지 상을 지닌 인산칼슘 이식재의 개발로 이어졌다.
A~I. 이전의 수술로 잔존한 임플란트는 위치가 불량했기 때문에 제거했다. 이후 혼합 이식재로 골이식을 시행하면서 임플란트를 식립했다.
J~L. 6개월 후 2차 수술을 시행했다.
M~O. 약 한 달 후 보철 수복을 완료했다.

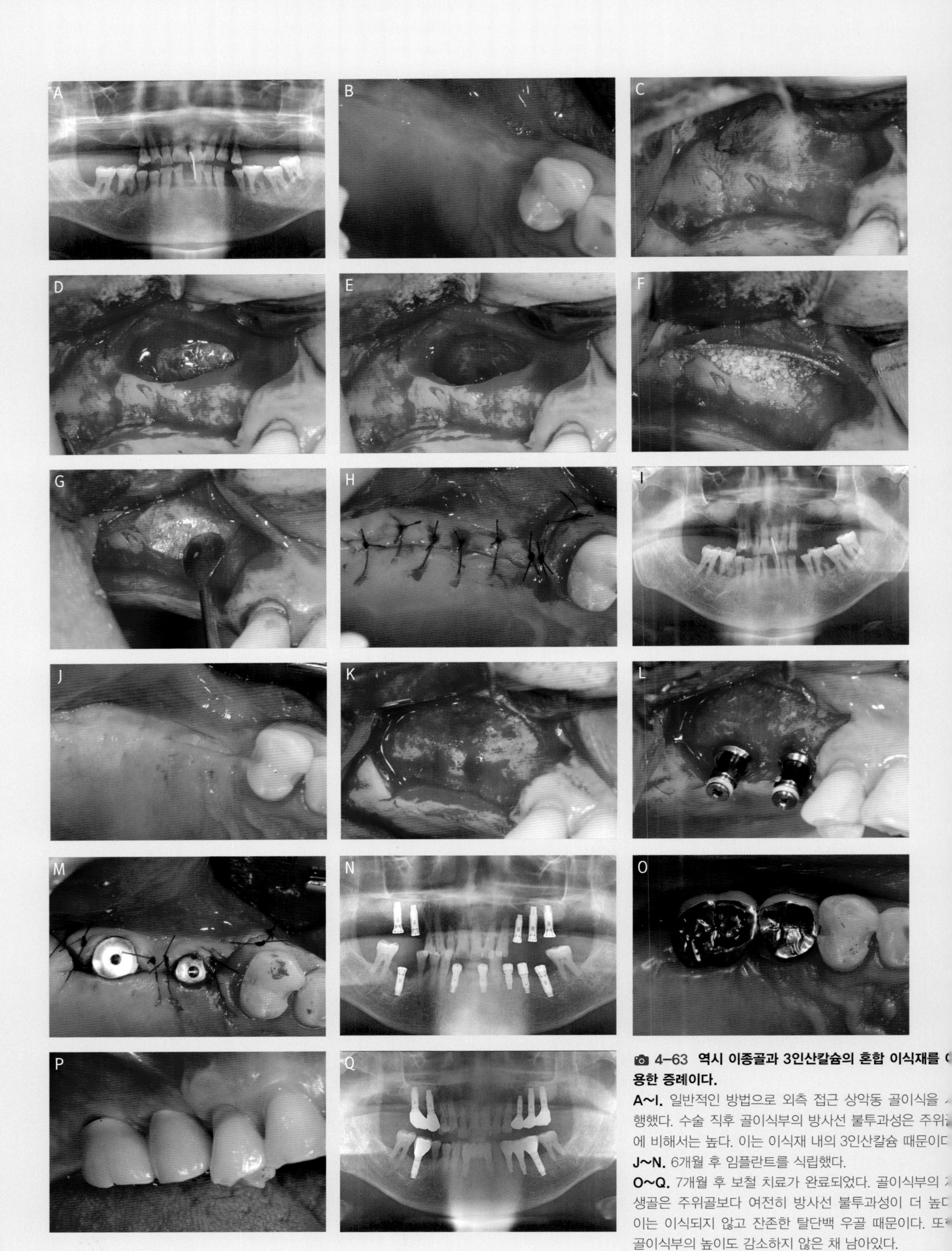

4–63 역시 이종골과 3인산칼슘의 혼합 이식재를 용한 증례이다.

A~I. 일반적인 방법으로 외측 접근 상악동 골이식을 행했다. 수술 직후 골이식부의 방사선 불투과성은 주위에 비해서는 높다. 이는 이식재 내의 3인산칼슘 때문이다

J~N. 6개월 후 임플란트를 식립했다.

O~Q. 7개월 후 보철 치료가 완료되었다. 골이식부의 생골은 주위골보다 여전히 방사선 불투과성이 더 높다 이는 이식되지 않고 잔존한 탈단백 우골 때문이다. 또 골이식부의 높이도 감소하지 않은 채 남아있다.

회석 $Ca_{10}(PO_4)_6(OH)_2$과 β 3인산칼슘 $Ca_3(PO_4)_2$을 혼합한 이식재이다. 수산화인회석은 생체 내에서 잘 흡수되지 않기 때문에 골재생부의 부피를 유지시켜주고, 인산칼슘은 비교적 빠르게 흡수되면서 신생골로 대체된다 (📷 4-64).[138] 대체로 다공성의 수산화인회석 골격에 인산칼슘을 코팅한 형태로 많이 출시되고 있다. BCP는 현재 상악동 골이식과 관련된 골이식재로 가장 큰 관심을 받고 있다.

BCP는 질량비로 대개 60-80%의 수산화인회석과 20-40%의 3인산칼슘이 가장 많이 이용된다. 그러나 몇몇 임상 연구의 결과에 의하면, 3인산칼슘의 비율이 더 높은 이식재와 수산화인회석의 비율이 더 높은 이식재는 그 결과에 있어 큰 차이를 보이지 않았다.[139,140] 이 이식재를 상악동 골이식에 사용했을 때의 조직계측학적인 결과는 다른 골대체재와 큰 차이가 없는, 성공적인 골재생을 이룰 수 있음을 보여주었다.[141-148] 자가골 이식재보다는 신생 조직 내 광화 조직의 비율이 유의하게 낮았지만,[149-151] 탈단백 우골이나 동종골 이식재와는 비슷한 정도의 광화 조직 비율을 보였다.[145-147,151,152] 또한 잔존 이식재의 양은 탈단백 우골과 비슷하거나 적었다.[141,143,145,147,153] 한 무작위 대조 연구에서는 다양한 종류의 이식재를 상악동 골이식에 이용하고 신생 조직을 6개월 후 조직계측학적으로 관찰했는데, BCP와 탈단백 우골에서 잔존 이식재가 가장 높은 비율로 나타났다.[151] 한 메타분석에서는 탈단백 우골과 β 3인산칼슘(Monophasic Calcium Phosphate, MCP)/BCP로 상악동

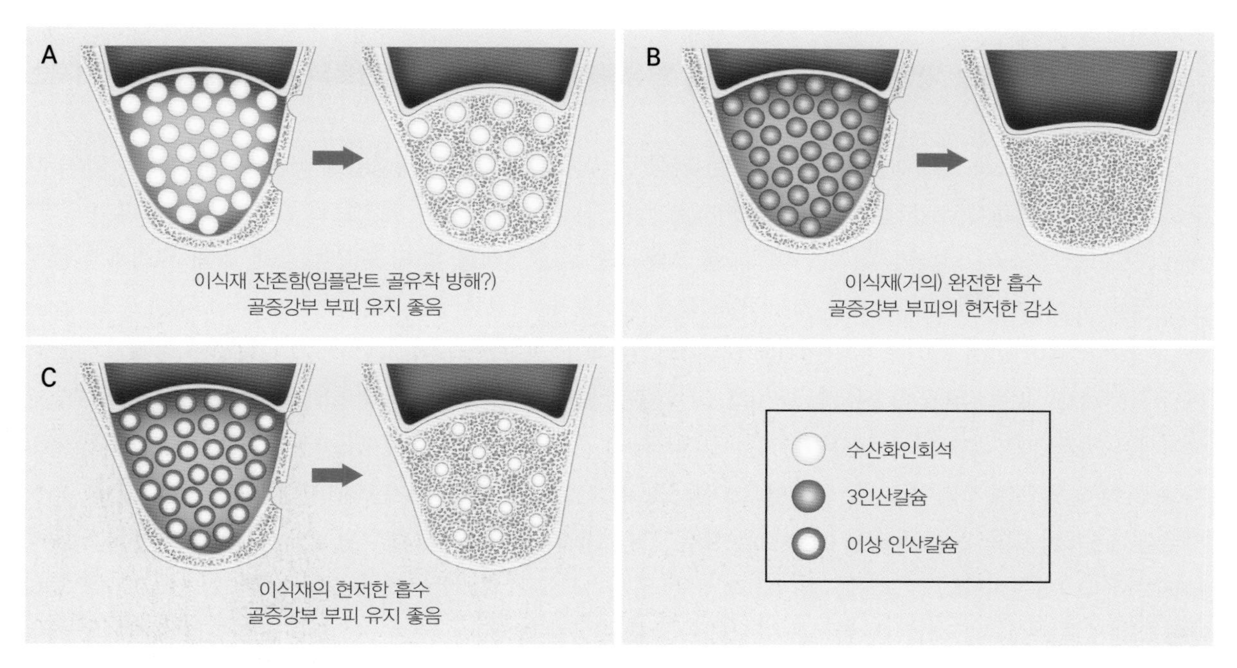

📷 4-64 이상 인산칼슘 이식재의 원리

A. 수산화인회석계 이식재는 생체 내에서 잘 흡수되지 않는다. 따라서 골이식 후 잔존한 수산화인회석계 이식재는 이식부의 부피를 효율적으로 유지시켜준다. 그러나 잔존한 이식재가 골유착을 방해할 잠재적 위험성 또한 잔존한다. **B.** 3인산칼슘 이식재는 이식 후 일정 기간이 경과하면 거의 완전히 흡수된다. 이로 인해 잔존한 이식재가 골유착을 방해할 가능성은 없지만 골증강부의 부피는 현저히 감소할 수 있다. **C.** 이상 인산칼슘 이식재는 보통 수산화인회석 표면을 3인산칼슘이 둘러싼 구조를 갖는다. 따라서 골이식부가 치유됨에 따라 3인산칼슘이 흡수되어 잔존 이식재의 비율을 효율적으로 줄여준다. 또한 잔존한 수산화인회석 이식재는 골증강부의 부피를 유지시켜 준다.

골이식을 시행한 후의 조직계측학적 결과를 비교했다. 그 결과 MCP/TCP를 이용했을 때 광화 조직의 비율은 더 높았지만 평균 차이가 0.145로 거의 차이를 보이지 않았다. 반면 골-임플란트간 결합은 탈단백 우골을 이용했을 때가 0.807 더 높았다. 임상적으로는 거의 의미가 없지만 통계학적으로는 유의한 차이였다.[154]

BCP로 상악동 골이식한 부위에 식립한 임플란트는 다른 이식재로 골이식한 부위의 임플란트와 별다른 차이가 없는, 높은 정도의 성공률/생존율을 보였다.[155] 다수의 무작위 대조 연구와 전향적 대조 연구에서는 단-중기적(1-3년) 임플란트 생존율은 이 이식재를 사용했을 때와 탈단백 우골이나 자가골 이식재를 사용했을 때 거의 차이를 보이지 않았다고 보고했다.[145,150,152] 이 이식재는 탈단백 우골과 비슷하게 잔존 이식재가 흡수되지 않고 남아있기 때문에 재함기화에 잘 저항한다. 임상 연구에 의하면 이 이식재로 상악동 골이식을 시행하면 수술 6개월 후 평균 85% 정도의 이식골 부피가 유지된다.[156,157] 이는 탈단백 우골을 사용했을 때와 비슷한 축소 정도를 보이는 것이다.[158]

2) 상악동 골이식에서 이식재 선택의 기준

지금까지 살펴본 바와 같이 각 이식재는 저마다의 특성이 있기 때문에 이를 고려하여 이식재를 선택한다.

(1) 자가골 이식재는 가장 양질의 신생골을 형성하지만, 이것이 임플란트의 성공률을 증진시키지는 않는다

상악동 골이식에 자가골 이식재를 사용하는 가장 큰 이유는 질 좋은 재생골을 빠르게 형성할 수 있기 때문이다. 여타 골대체재는 골전도 효과만을 지니는 반면, 자가골 이식재는 골전도와 골유도 효과를 갖는다.[159] 2012년의 메타분석에 의하면, 자가골 이식재를 적용하면 수술 5개월 후에 3인산칼슘에 비해 유의하게 좋은 질의 골을 형성한다.[160] 2016년에는 역시 외측 접근 상악동 골이식 시 이식재의 종류에 따라 재생 조직 내 광화 조직의 비율이 어떤 차이를 보이는지에 대한 메타분석이 있었고, 자가골 이식재를 사용하면 수술 9개월 후까지 골대체재(탈단백 우골)를 사용할 때보다 이 비율이 12.20% 유의하게 높게 나타났다.[161] 2010년의 메타분석에서는 자가골 이식재를 사용했을 때에는 골대체제나 혼합 이식재를 사용했을 때보다 광화 조직의 비율이 7-26% 더 높았으며, 이는 유의한 차이를 보이는 것이었다고 했다.[162] 2017년의 메타분석에서는 자가골 이식재(수술 4.5개월 이후 신생골 비율 >40%)는 모든 기간 내내 다른 골이식재(수술 4.5개월 이후 신생골 비율≒30%)보다 더 높은 비율의 신생골을 형성했고, 이는 통계학적으로 유의했다고 보고했다.[163] 그러나 자가골 이식재를 다른 이식재(이종골 이식재, 합성골 이식재)와 혼합 사용했을 때에는 다른 이식재를 단독으로 사용했을 때보다 신생골 형성량을 늘려주지는 못했다. 결국 이는 상악동 골이식 시 자가골 이식재를 이용하면 재생골 내 광화 조직 함량을 유의하게 늘려줄 수 있다는, 즉 재생골의 골질이 더 우수하다는 사실을 잘 보여주는 결과이다.

이렇게 자가골 이식재를 사용하여 재생골의 질을 향상시키면 향후 이 부위에 식립하는 임플란트가 골과 접촉하는 비율을 증가시킬 수 있다. 한 동물 실험에서는 상악동 골이식에 자가골과 탈단백 우골의 비율을 다양하게 적용해 보았고, 이것이 상악동 골이식과 동시에 식립한 임플란트가 12주 후 골과 접촉하는 정도에 어떤 영향을 미치는지 평가했다.[164] 그 결과 자가골과 탈단백 우골의 혼합 이식재나 자가골 단독 이식재를 사용했을 때가 탈단백 우골만 단독으로 사용했을 때보다 골–임플란트간 접촉이 유의하게 높았다.

그러나 임상 연구들에서 골대제재를 단독으로 사용했을 때와 자가골 이식재를 사용했을 때에 임플란트의 생존율은 별다른 차이를 보이지 않았다.[160] 즉, 자가골 이식재를 사용하면 조직학적으로 더 양질의 신생골을 형성하지만 이것이 임플란트 성공률의 향상으로 이어지지는 않는 것이다.[165] 최근의 메타분석들에 의하면, 상악동 골이식 시 자가골 이식재나 골대체재를 사용했을 때 식립된 임플란트의 성공률에는 거의 차이를 보이지 않았다. 2014년의 메타분석에서는 골대체재 사용 시 98.6±2.6%, 자가골 이식재 사용 시 97.4±2.2%의 임플란트 생존율을 보였다.[159] 2018년의 메타분석에서는 비록 상악동 골이식에 사용된 골이식재에 따른 임플란트의 장기적 성공을 비교한 무작위 대조 연구는 없었지만, 5년 이상 추적 관찰한 연구에서 자가골 이식재를 사용한 경우에는 임플란트의 5년 생존율이 97%, Bio–Oss만 사용한 경우에는 임플란트 5년 생존율이 95%를 보여 별다른 차이가 없었다고 했다.[166] 2019년의 메타분석에서는 잔존골 높이가 6 mm 이하인 경우에서 외측 접근 상악동 골이식을 시행하고 그 경과를 5년 이상 관찰한 연구만을 대상으로 했을 때, 골대체재나 자가골 이식재를 단독으로 사용했을 때의 누적 연평균 임플란트 실패율은 0.23%로 동일했다.[167] 따라서 충분한 치유 기간이 부여되기만 한다면 골대체재는 자가골 이식재와 비슷한 임상적 효과를 보인다고 결론 내릴 수 있다(**4–65**).

(2) 자가골 이식재는 골대체재보다 상악동 골이식 후 치유 기간을 2개월가량 단축시킬 수 있다

임상가들은 상악동 골이식 후 임플란트를 단계법으로 식립할 때에는 3–18개월의 치유 기간을 부여한다.[167] 그러나 이는 과학적인 근거에 의한 것이라기 보다는 임상가들의 개인적인 경험에 의해 결정하는 경우가 많다.[167]

상악동 골이식술에서 자가골 이식재가 여타 골대체재에 대해 가질 수 있는 가장 큰 장점은 치유 기간을 감소시킬 수 있다는 점이다.[23,159] 자가골 이식재를 사용하면 재생 조직 내 광화 조직의 비율은 빠르게 증가하여 안정화되기 때문이다. 한 메타분석에 의하면, 상악동 골이식 4–9개월 후에는 자가골 이식재를 사용했을 때가 골대체재를 사용했을 때보다 광화 조직이 10% 이상 유의하게 더 많았지만, 9개월 이상이 경과한 후에는 별다른 차이를 보이지 않았다.[100] 그러나 또 다른 메타분석에서는 자가골 이식재(수술 4.5개월 이후 광화 조직 비율 >40%)는 모든 치유 기간 내내(4.5–13.5개월) 다른 골이식재(수술 4.5개월 이후 광화 조직 비율≒30%)보다 더 높은 비율의 광화 조직을 형성했고, 이는 통계학적으로 유의했다.[163] 이는 자가골 이식재를 이용하면 여타 골이식재를 이용할 때보다 상악동 골이식부의 골재생이 더 빠르게 이루어지기 때문이다. 한 동물 연구에 의하면 상악동 골이식부의 신생골은 자가골이나 혼합 이식재를 사용하면 초기(2–3주)에 더 활발히 형성된 반면, 탈단백 우골만 사용하면 후기(8–9주)에 더 활발히 형성됐다.[164]

4-65 이론적으로 생각했을 때 자가골 이식재가 아닌 여타의 골대체재를 상악동 골이식에 사용하면 잔존한 이식재가 임플란트의 골유착을 방해하여 골유착 성공률을 저하시킬 수도 있다. 그러나 실제 임상 연구들의 결과 100% 골대체재를 이용하거나 자가골 이식재를 이용했을 때 임플란트의 성공률은 비슷한 결과를 보였다.

상악동 골이식 후 치유 기간이 경과함에 따라 재생 조직 내 광화 조직의 비율은 증가한다.[100] 그러나 시간 경과와 비율 증가가 선형적인 관계를 보이는 것 같지는 않고, 초기 3–4개월까지의 선형적 증가 이후에는 안정기에 이르는 것 같다.[162,163] 그리고 이러한 선형적 증가 시기에 자가골 이식재는 현저하게 더 양질의 재생골을 형성하는 것이다(4-66).[168] 비록 사람과 다른 대사 및 치유 속도 때문에 직접적인 비교는 어렵지만, 동물을 이용한 실험에서도 이렇게 상악동 골이식부 재생골의 빠른 형성과 이후의 안정적인 유지라는 현상은 동일하게 나타났다.[169–172] 자가골을 이용하면 안정기 이후로 신생골의 함량에는 큰 변화 없이 재생골이 성숙되지만, 골대체재를 사용하면 통계학적인 유의성은 보이지 않으나 재생 조직 내 광화 조직의 비율은 꾸준히 증가한다.[163] 결론적으로 골대체재를 사용하면 6개월의 치유 기간을 부여하는 것으로 충분한 골재생을 기대할 수 있지만, 자가골 이식재를 사용하면 골이식 3–4개월 후에도 상악동 골이식이 가능할 정도로 양질의 재생골이 형성된다는 사실을 알 수 있다.

(3) 자가골 이식재와 β 인산칼슘은 재함기화가 심하지만 수산화인회석계 이식재나 이상 인산 칼슘은 거의 재함기화되지 않는다

상악동 골이식술 후에도 자연적인 함기화와 비슷하게 골증강부의 부피가 감소하는 현상이 발생하며 이를 "재함기화"라고 한다. 재함기화가 크다고 해서 그 부위에 식립한 임플란트의 실패 가능성이 증가한다는 근거

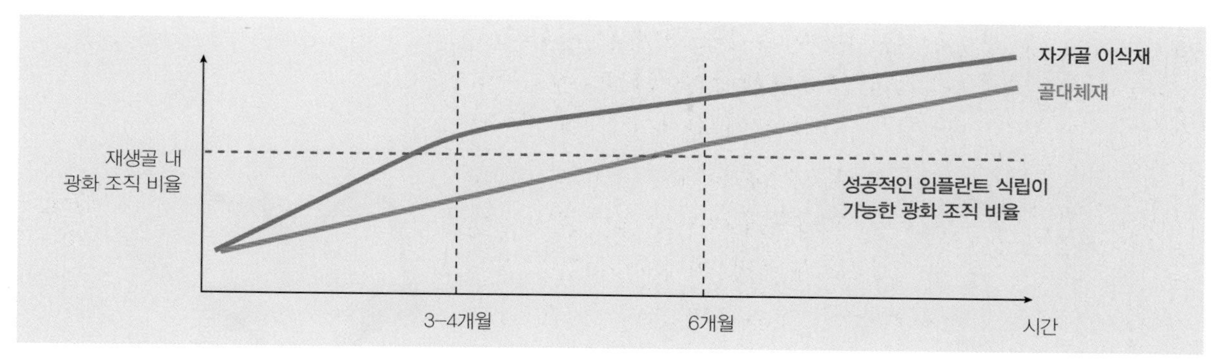

4–66 상악동 골이식에서 자가골 이식재의 가장 큰 장점은 빠른 치유 속도이다.
골대체재를 이용하면 6개월 이상의 치유 기간을 부여해야 하는 반면, 자가골 이식재를 적용하면 골이식 3–4개월 후에도 임플란트를 식립할 수 있을 정도로 골치유가 빠르게 진행된다.

는 없지만, 재함기화가 심한 이식재를 사용할 때에는 향후의 흡수 정도를 생각해서 더 많은 양의 이식재를 적용해야 한다.

재함기화의 가장 큰 원인은 함기화와 동일하게 흡기 시 비구를 통해 상악동 내부로 가해지는 공기압으로 생각된다. 이를 결정적으로 증명할 수 있는, 토끼를 이용한 실험이 2002년 발표됐다(4–67).[173] 이 실험에서는 각 개체에서 양측 상악동 막을 거상해 주고 한쪽은 젤라틴 스폰지로 비구를 폐쇄해 주었고, 다른 한쪽은 비구를 그대로 두었다. 그 결과 1주 후에는 양측에서 비슷하게 거상된 상악동 막과 상악동저 사이의 공간은 혈병과 육아조직으로 채워져 있었다. 그러나 6주 후에는 비구를 폐쇄한 쪽은 거상된 부피가 유지된 채 신생골이 형성된 반면, 폐쇄하지 않은 쪽은 거상된 막이 다시 원래 위치로 원위치되면서 거의 골증강 효과를 얻을 수 없었다. 따라서 거상된 상악동 막 하방의 공간 유지를 위해 이식재나 임플란트 매식체를 위치시키지 않고 쉽게 흡수되는 재료나 혈병을 위치시키면 재함기화를 피할 수 없다. 토끼를 이용한 동물 실험에서 상악동 막 거상 후 탈단백 우골을 적용하면 10주 후 원래 부피를 유지하며 신생골이 형성됐지만, 혈병만을 적용하면 거상된 공간을 사라지고 완전히 원래 위치로 재함기화됐다.[174] 또 다른 토끼 실험에서도 거상된 상악동 막 하방에 탈단백 우골을 적용하면 40일 후까지 골재생부를 안정적으로 유지시켜줄 수 있었지만, 교원질 스폰지를 적용하면 수술 21일 후 이미 골재생부의 부피는 2/3가 감소했다.[175]

상악동 내부는 골형성 효과가 뛰어나기 때문에 골이식재 없이도 신생골을 형성할 수 있는 능력이 있다는 점을 고려한다면, 상악동 내부에 골이식재를 위치시키는 가장 중요한 이유는 골재생부의 재함기화를 최소화함으로써 공간을 지속적으로 유지시키는 것이라는 점이 명확해진다. 상악동 골이식 시 골이식재를 위치시키지 않으면 이식재를 적용할 때보다 신생골의 질이 오히려 더 우수하다는 근거가 존재한다. 한 전향적 단일 환자군 연구에 의하면 외측 접근법으로 골이식재 없이 상악동 막을 거상하면 재생골 하부와 상부의 광화 조직 비율은 각각 56.7±11.9%와 59.9±13.4%이었다.[176] 이는 심지어 자가골 이식재를 사용해도 얻기 힘든 높은 비율이

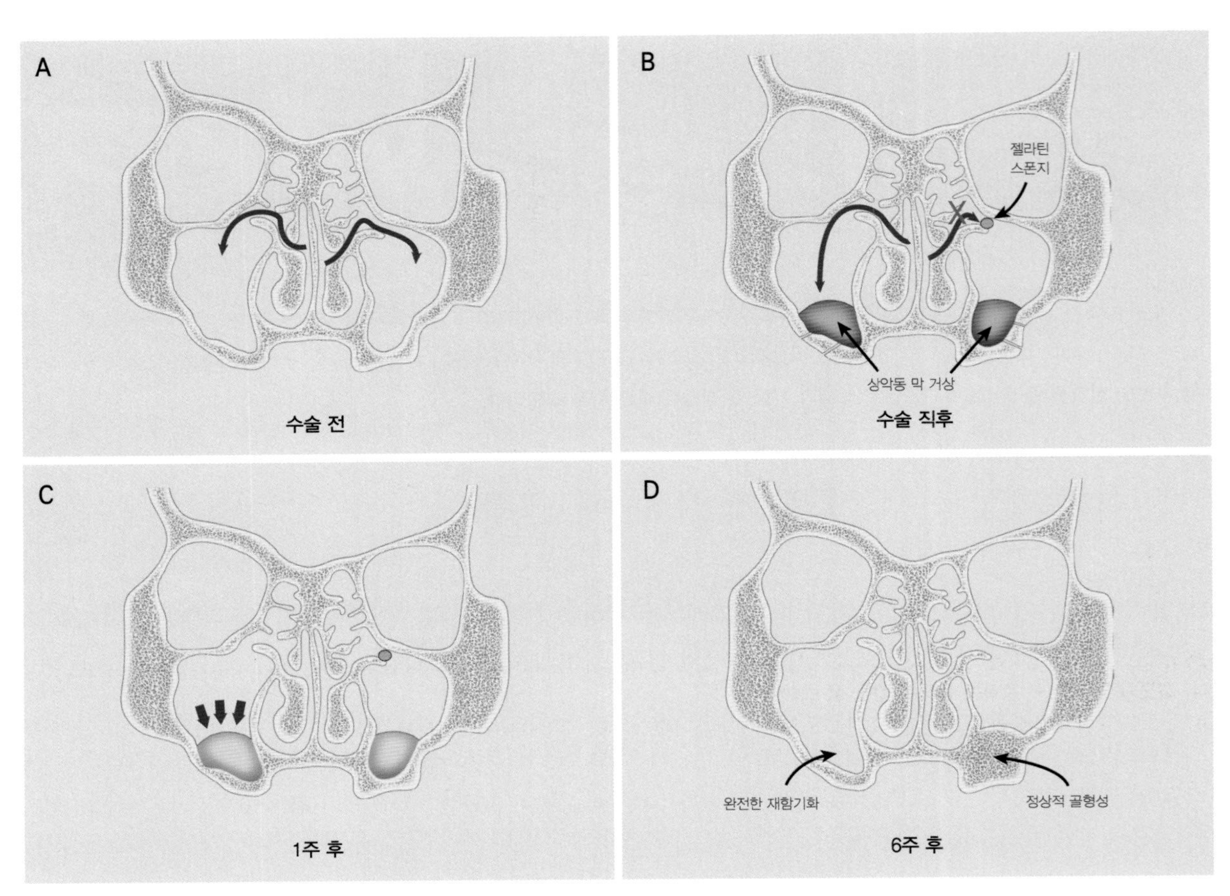

4-67 재함기화의 원인이 호흡 시 가해지는 공기압임을 증명한 실험[173]

A. 수술 전에는 비구를 통해 호흡 시 공기압이 양측 상악동에 균일하게 전달된다. **B.** 양측 상악동 막을 거상해 주고 한쪽은 젤라틴 스폰지로 비구를 폐쇄해 주었고, 다른 한쪽은 비구를 그대로 두었다. **C.** 1주 후 양측에서 비슷하게 거상된 상악동 막과 상악동저 사이의 공간은 혈병과 육아조직으로 채워져 있었다. **D.** 6주 후에는 비구를 폐쇄한 쪽은 거상된 부피가 유지된 채 신생골이 형성된 반면, 폐쇄하지 않은 쪽은 거상된 막이 다시 원래 위치로 원위치되면서 거의 골증강 효과를 얻을 수 없었다. 비구가 폐쇄되었던 쪽은 호흡 시의 공기압이 거상된 상악동 막까지 전달되지 않았기 때문에 재함기화가 발생하지 않았던 것이다.

다. 이러한 결과는 한 동물 연구에서 치조정 접근법으로 상악동저 증강술을 시행할 때 이식재를 사용하지 않으면 이식재를 사용할 때보다 골-임플란트 간 결합과 신생골 형성량이 모두 높았다는 보고와 합치되는 결과이다.[177]

최근 골이식 없는 상악동저 거상술의 광범위한 성공은 상악동 내부의 높은 골형성 능력을 보여주는 것이다. 그러나 이때 상악동 막의 하방 이동을 막기 위해 식립된 임플란트 매식체는 상악동의 재함기화를 이식재만큼 막아주지 못한다. 최근의 무작위 대조 연구에서는 잔존골 높이가 4–6 mm인 경우에 상악동 막을 거상하고 임플란트를 식립하면서 탈단백 우골을 이식하면 평균 8.59±0.74 mm를 수직적으로 증강시킬 수 있었지만, 이식재를 적용하지 않으면 4.85±0.5 mm만 증강시킬 수 있었다고 했다(**4-68**).[178] 즉, 탈단백 우골은 재함기화에 의한 골증강량의 감소를 유의하게 줄여줄 수 있었던 것이다.

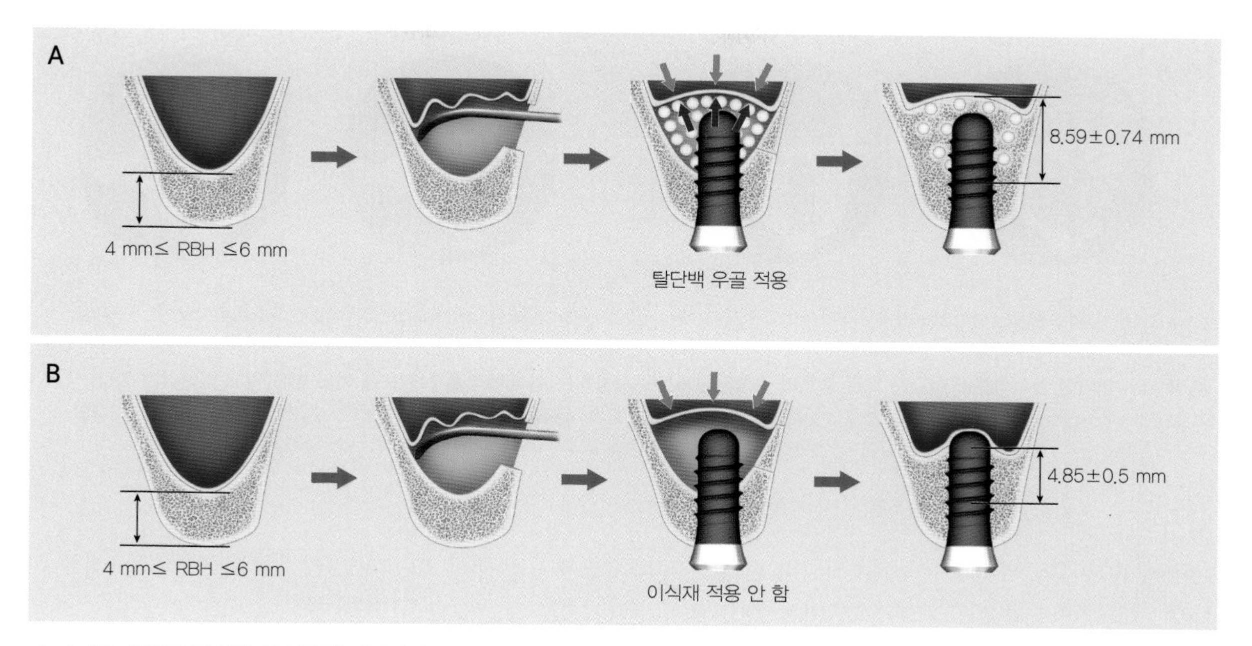

4-68 상악동 골이식 시 적용된 이식재의 가장 큰 역할은 상악동의 재함기화를 예방하여 골증강부의 부피와 높이를 유지시키는 것이다. 최근의 임상 연구 결과는 이러한 점을 잘 보여준다.[178]

A. 잔존골 높이가 4-6 mm인 경우에 상악동 막을 거상하고 임플란트를 식립하면서 탈단백 우골을 이식하면 평균 8.59±0.74 mm를 수직적으로 증강시킬 수 있었다. **B.** 동일한 경우에 상악동 막을 거상하고 임플란트를 식립한 후 이식재를 적용하지 않으면 상악동저 높이를 4.85±0.5 mm만 증가시킬 수 있었다.

그러나 모든 이식재가 동일한 정도로 재함기화를 예방하는 것은 아니다. 이식재의 생물학적 흡수 정도나 압력에 저항하는 물리적 강도는 재함기화 정도에 영향을 미칠 것이다. 골이식재 중에서도 흡수에 취약한 이식재, 즉 자가골 이식재나 3인산칼슘 등은 재함기화에 저항할 수 있는 능력이 약하다. 미니 피그를 이용한 실험에서는, 상악동 막 거상 후 자가골 이식재를 적용하면 수술 10일 후부터 이미 재함기화가 시작되는 것이 관찰됐으며, 이후 지속적으로 골증강부의 부피가 현저히 감소하는 모습을 보였다.[170] 미니 피그를 이용한 다른 비슷한 실험에서도 자가골 이식재만 이용하면 이미 수술 30일 후에 초기 거상량의 거의 50%에 가까운 높이가 감소했고, 90일 후에는 70%에 가까운 높이가 감소했다고 보고했다.[170] 자가골 이식재는 채취 부위나 조성에 따라 재함기화 정도가 다르다. 구강외 골이며 대부분이 해면골인 장골은 상악동 골이식 후 거의 50%의 골이 흡수되는 것으로 알려져 있다.[179] 구강 내 골이며 대부분이 피질골인 하악에서 채취한 골은 한 동물 실험에서 39.8%가 감소됐다.[115] 한 후향적 대조 연구에서는 상악동 골이식 시 자가 블록골을 이용했을 때에는 21.5%, 자가 입자골을 이용했을 때에는 39.2%의 부피가 수술 6년 후에 감소해 있었다고 보고했다.[180] 한 증례 연구에서는 자가골로 상악동 골이식을 시행했을 때 수술 3개월 후보다 1년 후에는 증강된 부피의 24.8%가 감소해 있었다.[181] 따라서 자가골 이식재를 이용하여 상악동 골이식을 시행할 때에는 최종적으로 필요한 골이식의 양보다 거의 두 배가량의 골을 이식해 주어야 할 것이다(**4-69**).

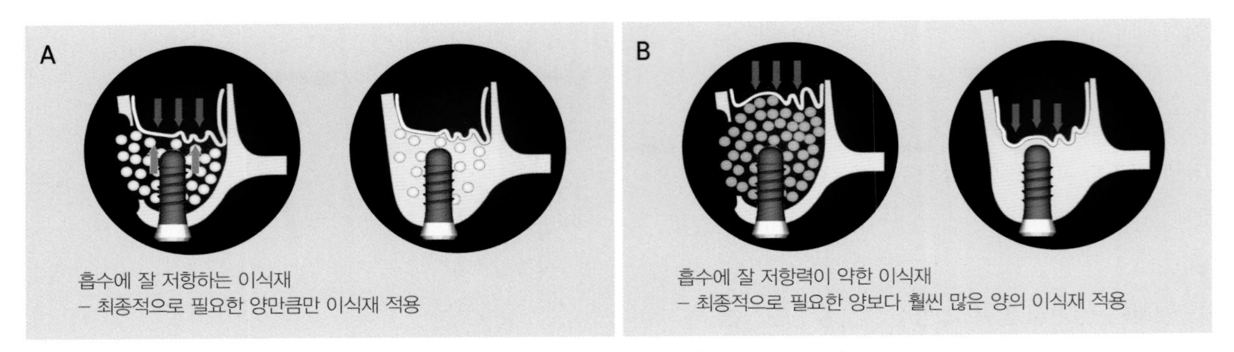
A
B
흡수에 잘 저항하는 이식재
– 최종적으로 필요한 양만큼만 이식재 적용
흡수에 잘 저항력이 약한 이식재
– 최종적으로 필요한 양보다 훨씬 많은 양의 이식재 적용

4-69 상악동 골이식뿐만 아니라 모든 종류의 골증강술에서는 사용하는 이식재의 흡수 정도를 어느 정도 알고 있어야만 한다.
A. 탈단백 우골 등의 흡수에 잘 저항하는 이식재는 골이식 시 최종적으로 필요한 양과 비슷한 정도의 양으로만 적용한다. **B.** 자가골 이식재나 3인산칼슘 등 흡수에 저항력이 약한 이식재는 최종적인 흡수 정도를 고려하여 과도한 양으로 적용해야 한다.

이에 반해 탈단백 우골은 오랜 시간이 경과한 후에도 전체 이식재의 9.3–16.5%만 흡수되며, 초기 6개월 이내의 재함기화 이후로는 거의 부피 변화 없이 유지되는 것으로 보고되었다.[115,182–185] 이는 임플란트로 가해지는 부하를 지지하는 골을 유지한다는 측면에서 매우 중요하다고 생각된다. 즉, 탈단백 우골로 상악동 골이식을 시행하면 재함기화를 예방하며 이를 통해 부하–지지골을 효과적으로 유지시킬 수 있다.[186] 두 가지 상의 인산칼슘 또한 이식부의 재함기화를 잘 예방해준다. 단일 환자군 연구에서 이 이식재를 상악동 골이식에 사용했을 때 수술 6개월 후까지 이식 부피의 84.32%가 유지됐다. 평균 축소량은 0.21 cc이었다.[156] 한 무작위 대조 연구에서는 상악동 골이식 6개월 후 BCP만 사용했을 때에는 15%, BCP와 자가골을 혼합했을 때에는 18% 정도의 이식골 부피가 감소했다.[157] 한 대조 연구에서는 수술 1년 후 탈단백 우골을 사용했을 때에는 0.29 mm, BCP를 사용했을 때에는 0.43 mm의 이식골 높이가 감소했다고 보고했다.[158] 결국 탈단백 우골 등의 수산화인회석계 이식재나 BCP 이식재는 원하는 양보다 10–20% 정도만 더 과도한 양으로 이식하면 된다.[93,187–190]

2014년의 체계적 문헌 고찰에서는 이식재의 종류에 따른 상악동 재함기화의 정도를 평가했다.[191] 자가골 이식재만 사용했을 때에는 수술 6개월–2년 후 대략 45%의 이식골 부피가 감소한 반면, 골대체재나 혼합 이식재를 사용했을 때에는 대략 18–22%의 이식골 부피만이 감소했다. 포함된 일차 연구들의 이질성 때문에 직접적인 비교는 할 수 없었지만, 상악동 골이식 시 자가골 이식재를 이용하면 현저하게 더 많은 정도의 재함기화를 보인다고 결론 내릴 수 있었다.

3) 상악동 골이식술에서 골이식재의 임상적 적용

(1) 골이식재는 적절한 압력 하에 필요보다 많은 양으로 적용한다

이식재는 절대로 과도한 압력으로 충전하지는 말아야 한다. 한계를 넘는 압력을 가하며 이식재를 충전하면 수술 중 상악동 막이 천공될 수 있으며, 혹시 수술 중에 막이 천공되지 않았더라도 수술 후 상악동 막이 괴사되어 상악동 내부로 이식재를 누출시켜 골이식 실패를 야기하게 될 수 있다.[35,192,193] 한 후향적 분석에서는 상악동 골이식 후 만성 상악동염이 발생한 환자들 중 절반 이상이 수술 중 과도한 압력으로 이식재를 충전했다고 보고하였다.[194] 또한 3인산칼슘 등의 물리적 강도가 약한 특정 이식재들은 과도한 압력을 가하면 다공성의 미세 구조가 파괴되어 골전도 성질이 약화될 수 있다. 원하는 양의 골증강을 얻기 위해서는 상악동 막을 충분히 거상시키지 못한 상태에서 이식재를 강한 압력으로 밀어 넣기 보다는 상악동 막을 충분히 거상한 후 상대적으로 약한 압력으로 이식재를 삽입하는 것이 더 좋다. 상악동 막이 충분히 거상되면 작은 압박으로도 이식재를 원하는 양만큼 충분히 충전시킬 수 있다(**4-70**).

상악동 막을 거상할 때에 동일한 이유로, 이식재는 후방보다는 전방을 충전하기가 더 어렵다. 또한 내측부터 차근차근 이식재를 충전해야 내측에서 상악동 막이 충분히 거상된 채로 유지되면서 이식재가 내측 골벽과 맞닿을 수 있다(**4-71**). 따라서 골이식재는 항상 전방과 내측부터 충전하는 것이 좋다.

상악동 골이식술 시에는 재함기화의 정도를 예상하여 최종적으로 필요한 양보다 더 많은 양의 골이식재를 위치시킨다. 위에서 살펴본 것처럼 이식재의 종류가 가장 중요한 요소이지만, 다른 요소들도 재함기화 정도에 영향을 미치기 때문에 이에 대해 고려한 후 이식재 양을 결정한다(**4-8**).[91,185,191,195]

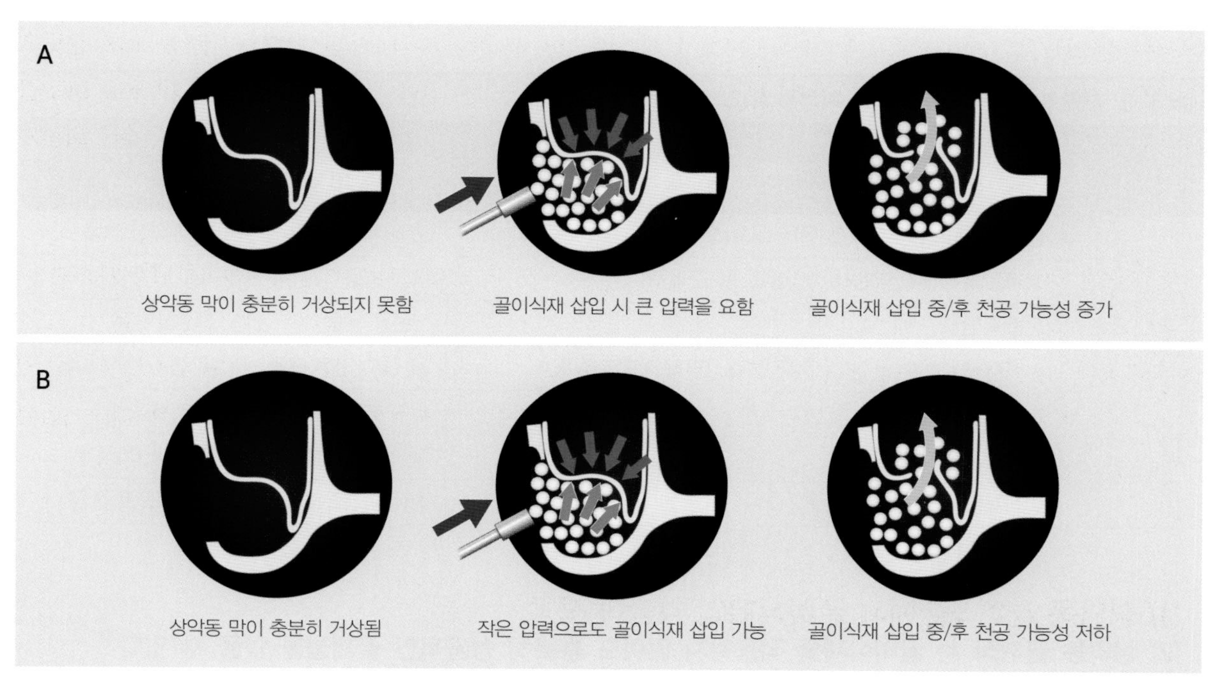
A
상악동 막이 충분히 거상되지 못함
골이식재 삽입 시 큰 압력을 요함
골이식재 삽입 중/후 천공 가능성 증가
B
상악동 막이 충분히 거상됨
작은 압력으로도 골이식재 삽입 가능
골이식재 삽입 중/후 천공 가능성 저하

4-70 상악동 막을 충분히 거상해야 이식재를 작은 압력으로 안전하게 적용할 수 있다.
A. 상악동 막을 충분히 거상시키지 못한 경우에는 골이식재를 삽입하기 위해 큰 압력을 가해야 한다. 이로 인해 이식재 삽입 중, 혹은 후에 상악동 막이 천공될 수 있다. **B.** 상악동 막을 내측까지 충분히 거상해주면 이식재를 작은 압력 하에서도 충분히 삽입할 수 있다. 이는 결국 상악동 막 천공 가능성을 줄여준다.

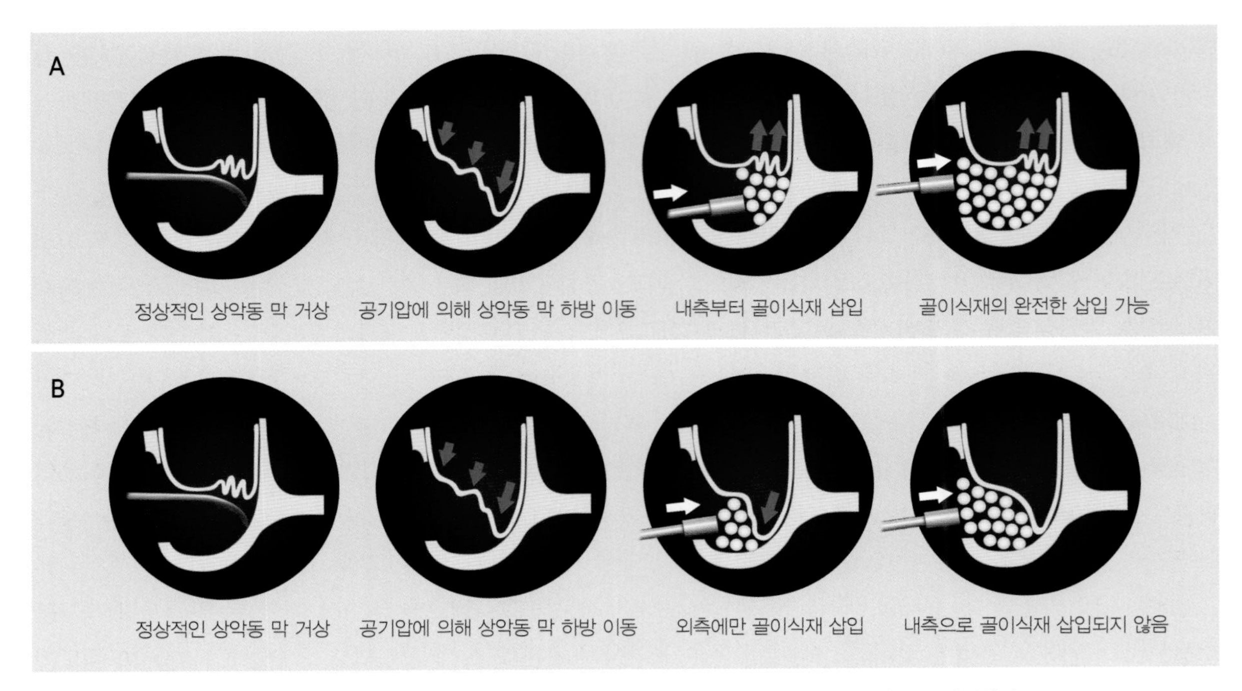

4-71 상악동 막을 내측까지 충분히 거상했다고 하더라도 공기압에 의해 상악동 막은 다시 하방으로 이동된다.
A. 따라서 다시 하방 이동된 상악동 막 내측부터 다시 골이식재를 차근차근 적용해야 골이식재를 전체 골증강부에 충분히 적용할 수 있게 된다. **B.** 만약 골이식재를 내측부터 충분히 삽입하지 못하면 상악동 내측으로는 충분한 골증강을 이루지 못한다.

4-8 재함기화의 정도에 영향을 미치는 요소

	개별 요소	재함기화 정도	
		많다	적다
환자 요소	상실된 치아 수(무치악 범위)	상실 치아 많음	상실 치아 적음
	상악동의 해부학적 형태(상악동의 협–구개 폭)	폭이 넓음	폭이 좁음
	잔존골 높이	잔존골 낮음	잔존골 높음
	이식재와 수혜부 골 간의 접촉 면적(상악동 막의 거상량)	골 접촉 면적 좁음	골 접촉 면적 넓음
	환자의 고유한 재함기화 능력(호흡 시 상악동 내 압력의 정도)	압력 높음	압력 낮음
술자 요소	선택한 이식재의 종류	자가골, 인산칼슘	수산화인회석계
	이식재를 삽입할 때의 압력	상대적으로 낮음	상대적으로 높음

(2) 상악동 골이식 시 골이식재를 적용하지 않아도 충분히 성공적인 골재생을 얻을 수 있다

상악동 골이식을 단계법으로 시행할 때에는 반드시 골이식재를 위치시켜 재생골의 부피를 유지해야 한다. 그러나 동시법으로 시행할 때에는 골이식재 적용 없이 식립한 임플란트로 거상된 막을 지지해 줄 수 있다. 이렇게 거상된 채 유지된 상악동 막 하방으로는 신생골이 형성되기 때문에 동시법에서 골이식재의 사용은 필수적이지 않게 되었다(📷 4-72). 이러한 "골이식재를 사용하지 않는 상악동 골이식술"은 특히 치조정 접근법에서 광범위하게 사용되면서 표준 술식 중의 하나로 자리잡았다. 따라서 골이식재를 적용하지 않는 술식에 대해서는 뒤의 "치조정 접근법"에서 좀 더 자세히 다룰 것이다.

몇몇 구강악안면외과의사들은 상악동 막이 상악동 골벽으로부터 분리되면 상악동 골벽과 상악동 막 사이의 빈 공간에 골이 형성된다는 사실을 우연히 발견하였다.[196,197] 또한 이미 1990년대 초반에 상악동 막을 상악동저에서 거상한 후 임플란트를 식립하여 상악동 막을 지지해주면 골이식재를 충전하지 않고도 어느 정도의 골이 재생될 수 있다는 사실이 동물 실험을 통해 밝혀진 바 있다.[198] 이러한 사실은 별다른 주목을 받지 못하다가 2000년대 중반 이후로 Lundgren 등의 노력을 통해 다시 조명 받고 있다.[199] 그는 상악동 골이식을 위해 내원한 환자의 상악동 내 낭종을 상악동 골이식 3개월 전에 통상적인 외측 접근법으로 제거하였다.[196] 이때 상악동 막은 낭종으로 접근하기 위해 상악동저로부터 거상하였으며, 낭종 제거 후 골창은 다시 원위치시켰다. 이들은 상악동 골이식을 위해 다시 수술 부위를 노출시켰을 때 상악동저가 거상되었던 부위에 신생골이 현저히 생성된 것을 확인할 수 있었다. 따라서 이들은 상악동 막을 거상하여 공간을 유지시키는 것만으로도 상악동 내에 골을 형성할 수 있는지 검증하기 위한 임상 실험을 진행하였다. 이들은 전향적 단일 환자군 연구에서, 총 10명의 환자에서 12 부위에 상악동 골이식을 이식재 없이 임플란트 식립과 동시에 시행하였다.[200] 평균 잔존골 높이는 7 mm (4–10 mm)였고 식립된 임플란트의 길이는 10–15 mm였다. 수술 시 상악동은 통상적인 방법으로 외측 골창을 형성하였고 상악동 막을 거상한 후 임플란트를 식립하여 상악동 막을 지지해 주었다. 뜯어냈던 골창은 원위치시키고 봉합을 시행하여 수술을 완료하였다(📷 4-73). 수술 12개월 후 방사선사진에서 상악동저에 신생골

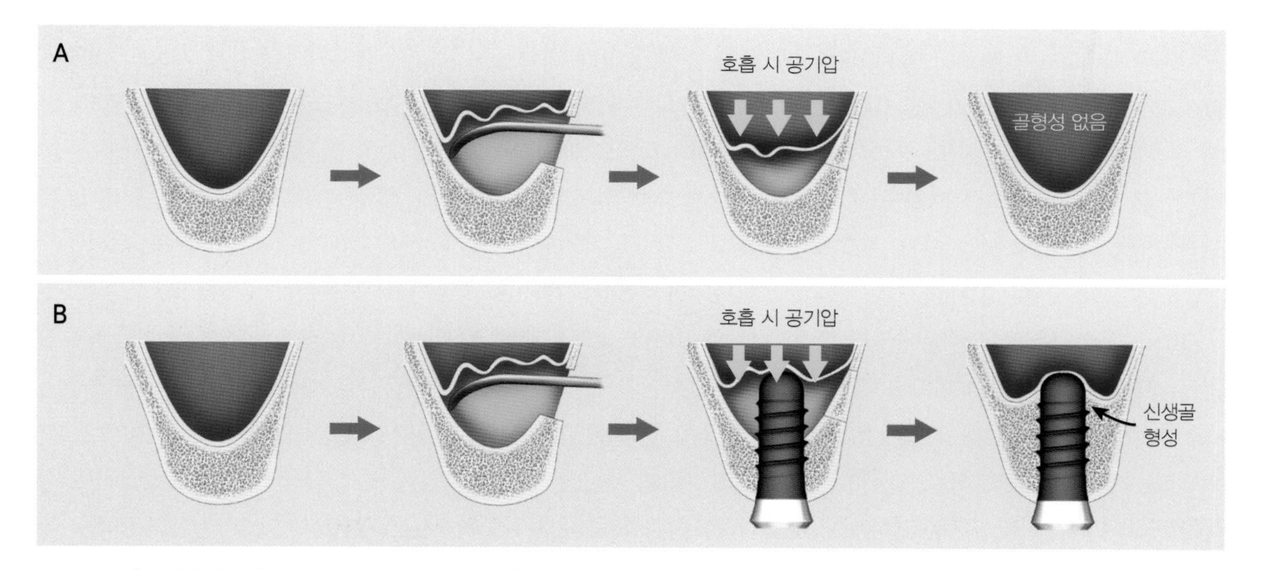

📷 4-72 "골이식재를 사용하지 않는 상악동 골이식술"의 원리
A. 상악동 막을 거상한 후 그대로 수술부를 폐쇄하면 상악동 막은 다시 원위치되면서 아무런 골증강 효과도 얻을 수 없다. **B.** 상악동 막 거상 후 임플란트를 식립하면 식립된 임플란트의 치근단 부위는 공기압에 의해 다시 원위치되려는 상악동 막을 지지해주는 역할을 한다. 임플란트로 거상된 상악동 막과 상악동 내측골 사이의 빈 공간에는 신생골이 형성된다.

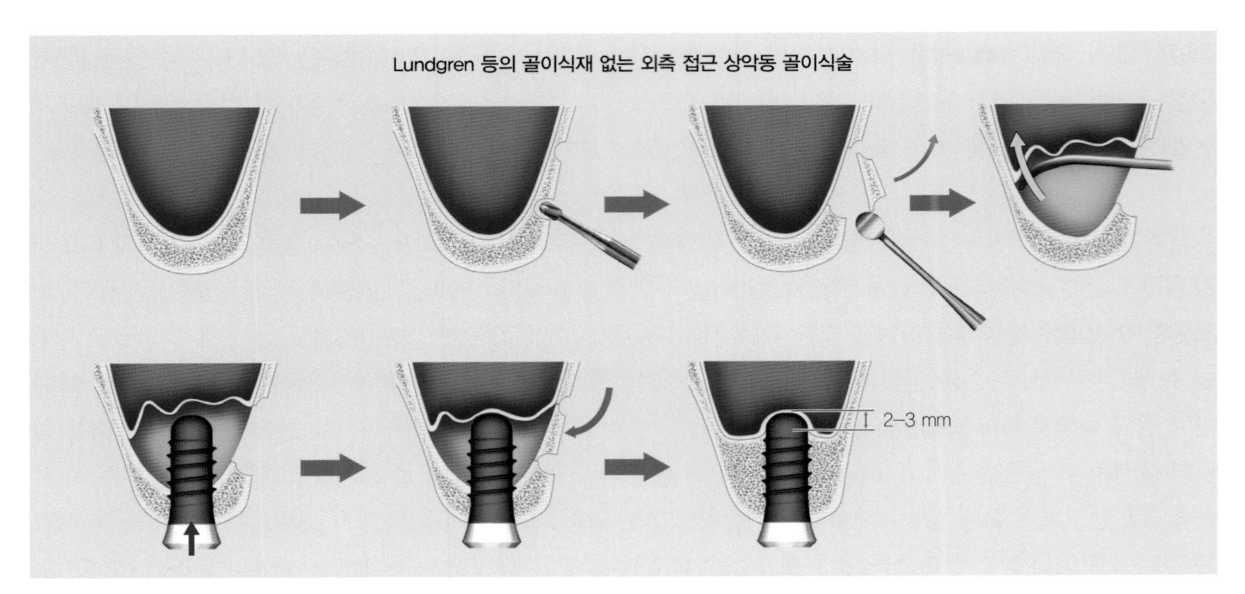

4–73 Lundgren 등은 골이식재 없는 외측 접근 상악동 골이식 술식을 정립하고 초기 임상 결과를 발표했다.[199,200]
골이식재를 사용하지 않으면 공기압 때문에 임플란트 치근단 2–3 mm 정도는 상악동 막과 직접 접하게 된다.

이 형성된 것을 관찰할 수 있었고 모든 임플란트가 성공적이었다고 하였다. 이후 임상 연구들에서 외측 접근법 시 골이식재를 적용하지 않고도 평균 10 mm에 이르는 높이의 신생골을 형성할 수 있음을 보여주었다.[201,202]

이후 2000년대 후반부터 외측 접근법 시 골이식재를 적용한 경우와 적용하지 않은 경우의 임상적 결과를 비교한 무작위 대조 연구들이 발표되었다. 잔존골 높이가 평균 대략 3–6 mm인 경우에 이식재를 사용하지 않는 술식과 자가골, 동종골, 이종골 이식재를 이용한 술식은 적어도 임플란트의 단기적 생존이나 재생골의 질에 있어 큰 차이를 보이지 않았다.[203–205] 또한 2010년대 후반의 메타분석에서는 외측 접근법에서 골이식재를 사용하지 않는 술식은 골이식재를 사용하는 술식과 별다른 차이 없이 임플란트를 성공시킬 수 있다고 결론 내렸다.[206–208]

골이식재를 사용하지 않는 술식은 임플란트 매식체로 상악동 막을 지지해주기 때문에 상악동 내부로 돌출된 임플란트 매식체의 길이에 따라 골재생 높이가 결정된다.[202,206–208] 또한 임플란트 매식체의 치근단 변연 2–3 mm 정도는 상악동 막과 직접 접하게 된다.[198] 상악동 막은 지속적으로 가해지는 공기압에 의해 하방으로 전위되려는 상태에 있기 때문이다.[209] 임플란트 매식체의 치근단 부위가 상악동 막과 직접 접촉하고 있더라도 임플란트의 예후가 저하되지는 않는다. 그러나 임플란트 치근단 높이보다 재생골 높이가 더 낮게 형성된다는 점을 고려하여 필요한 임플란트 매식체 길이보다 3 mm 이상 긴 임플란트를 식립하는 것이 좋다. 2018년에는 한 문헌 고찰에서 외측 접근 상악동 골이식 시 이식재를 사용하지 않았을 때 장기적 결과가 어떠했는지 평가했다.[210] 실험연구는 거의 없었기 때문에 관찰연구만을 대상으로 했으며, 평균 수직적 골재생량은 5.7 mm였고 5년간 임플란트 생존율은 93.1%였다. 특히 이식재를 사용하지 않을 때에는 임플란트의 길이가 임플란트 실패에 현저한 영향을 미쳤는데, 그 길이가 13 mm 이상일 때 더 높은 생존율을 보였다. 이는 상악동 내부로의 임플란트 돌출량이 골재생량, 나아가 임플란트의 성공 가능성에 유의한 영향을 미친다는 사실을 잘 보여주는 결과이다.

상악동저 거상술 후 골이식재를 적용하지 않기 위해서는 동시에 식립된 임플란트로 거상된 상악동막을 지지해 주어야 하기 때문에 잔존골에서 임플란트의 일차 안정을 얻을 수 있어야 한다.[100] 이 술식을 시행함에 있어 일반적인 상악동 골이식술과 다른 점은 골재생부가 더 넓은 면적의 골과 접촉하도록 하고, 상악동 내부에서 처음 형성되는 혈병이 잘 유지될 수 있도록 외측 골창의 하연을 더 높이 형성해야 한다는 것이다. Lundgren은 골창 하연을 상악동저보다 최소 5 mm 이상 높게 형성할 것을 추천했다.[100] 이 술식의 일반적인 과정은 다음과 같다(**📷 4-74**).[211]

① 통법에 의해 골창을 형성한다. 골창 하연은 상악동저보다 5 mm 가량 상방에 위치하도록 해준다.
② 골창을 제거한 후 상악동 막을 거상한다. 상악동 막에 압력이 가능한 적게 가해지도록 상악동 막은 충분히 넓게 거상해 주어야 한다.
③ 임플란트를 식립한다. 임플란트는 거상된 상악동 막을 지지해주는 유일한 구조물이기 때문에 충분한 일차 안정을 얻을 수 있어야 한다.
④ 상악동 내부가 혈액으로 완전히 충전된 것을 확인한다. 초기 치유에 있어 혈병은 중요하다고 생각되기 때문에 출혈량이 부족하다면 환자의 정맥혈이나 PRF 등을 충전해준다.

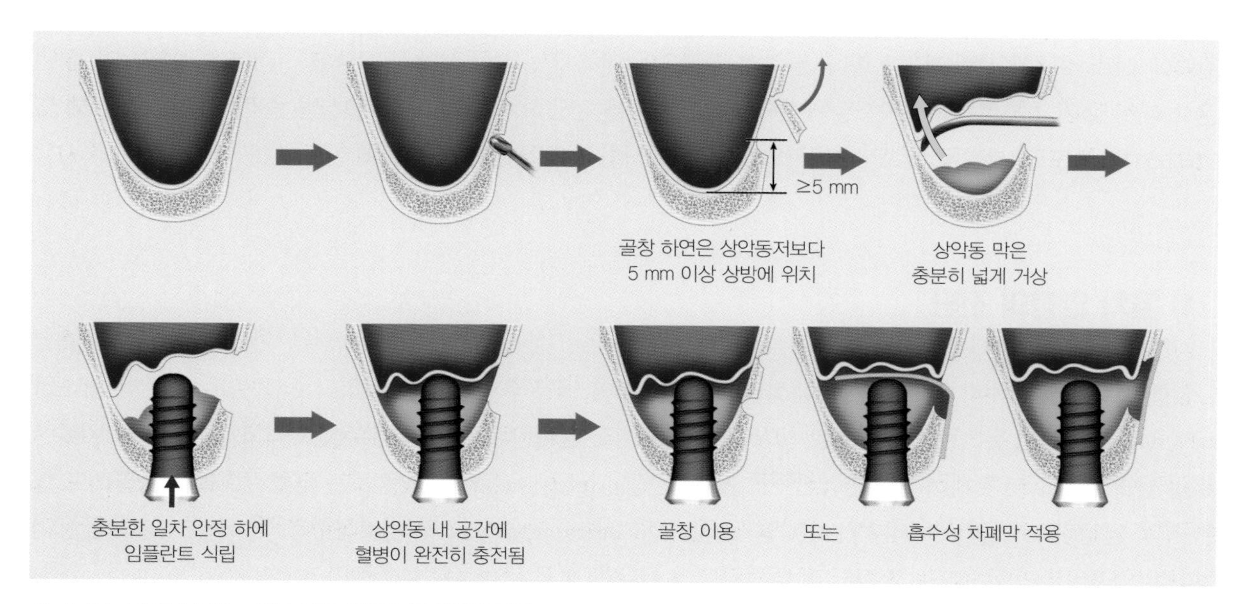
≥5 mm
골창 하연은 상악동저보다
5 mm 이상 상방에 위치
상악동 막은
충분히 넓게 거상
충분한 일차 안정 하에
임플란트 식립
상악동 내 공간에
혈병이 완전히 충전됨
골창 이용
또는
흡수성 차폐막 적용

📷 4-74 골이식재 없는 외측 접근 상악동 골이식의 과정
골이식재를 사용할 때보다 골창을 조금 더 높이 형성하는 것이 좋고 상악동 막은 충분히 넓게 거상해준다. 외측 골창부는 뜯어낸 골창을 재위치시키거나 흡수성 차폐막으로 피개해준다.

⑤ 차폐막을 적용한다. 단순히 외측 골창을 피개하는 방법을 적용할 수도 있고 상악동 막이 천공됐을 때 수복하는 방법처럼 상악동 막과 외측 골창을 "ㄱ"자로 피개하는 방법을 사용할 수도 있다. 제거한 골창은 임플란트 매식체 치근단 변연과 상악동 막 사이에 위치시키거나 폐기한다.

4.
상악동 골이식과 임플란트 식립

상악동 골이식 시 임플란트를 동시에 식립할지(동시법), 혹은 상악동 골이식을 먼저 시행하고 신생골 형성이 어느 정도 완성된 후 임플란트를 식립할지(단계법)를 결정하는 것은 중요하다. 임플란트의 식립 시기에 따라 전체 치료 기간과 수술 횟수가 정해지기 때문이다. 앞서 "술식의 선택"에서 살펴본 것처럼 전문가들은 대체로 잔존골 높이에 따라 임플란트 식립 시기를 결정하는 경향이 있으며, 대개는 잔존골 높이가 3 mm, 혹은 4 mm 이상인 경우에는 동시 식립을, 잔존골 높이가 이보다 낮은 경우에는 지연 식립을 시행할 것을 추천한다 (📷 4-75).[23,31,212–215] 외측 접근법에서 동시법과 단계법의 기준을 잘 준수하기만 한다면 임플란트의 성공률에는 별다른 차이를 보이지 않는다.[167]

임플란트 동시 식립 여부는 임플란트를 식립하여 일차 안정을 얻을 수 있는가 여부에 따라 구분하게 된다. 이 주제를 이해하기 위해서는 단순히 상악동 골이식술과 관련된 내용뿐만 아니라 일차 안정, 잔존골의 골량과 골밀도, 상악동 골이식과 임플란트 식립 시기, 그리고 임플란트 성공에 관해 세부적으로 살펴보고 이들 간의 관계에 대해서도 알고 있어야만 한다. 골량과 골밀도에 대해서는 앞선 장에서 설명했기 때문에 이에 대한 설명은 최대한 줄이고, 이번 장에서는 일차 안정, 일차 안정을 진단하는 방법, 일차 안정을 증진시킬 수 있는 방법, 그리고 마지막으로 상악동 골이식술에서의 임플란트 식립에 대해 논의해 보도록 한다.

1) 일차 안정의 진단

임플란트는 골 내에서 동요 없이 안정적으로 유지되어야 골유착에 성공할 수 있다. 임플란트가 골 내에서 물리적으로 고정되지 못하면 임플란트는 미세하게 동요하고, 임플란트 주위에 섬유성 조직이 형성되면서 임플란트는 골과 유착하지 못하여 탈락한다.[216,217] "일차 안정(primary stability)"의 정도는 임플란트를 치조골에 식립한 직후 임플란트가 골 내에서 미세하게 움직이는 정도(micromovement)와 반비례한다.[218] 따라서 일차 안정이 높아야 임플란트의 동요도는 저하되고, 임플란트의 골유착 성공 가능성은 높아진다고 할 수 있다.

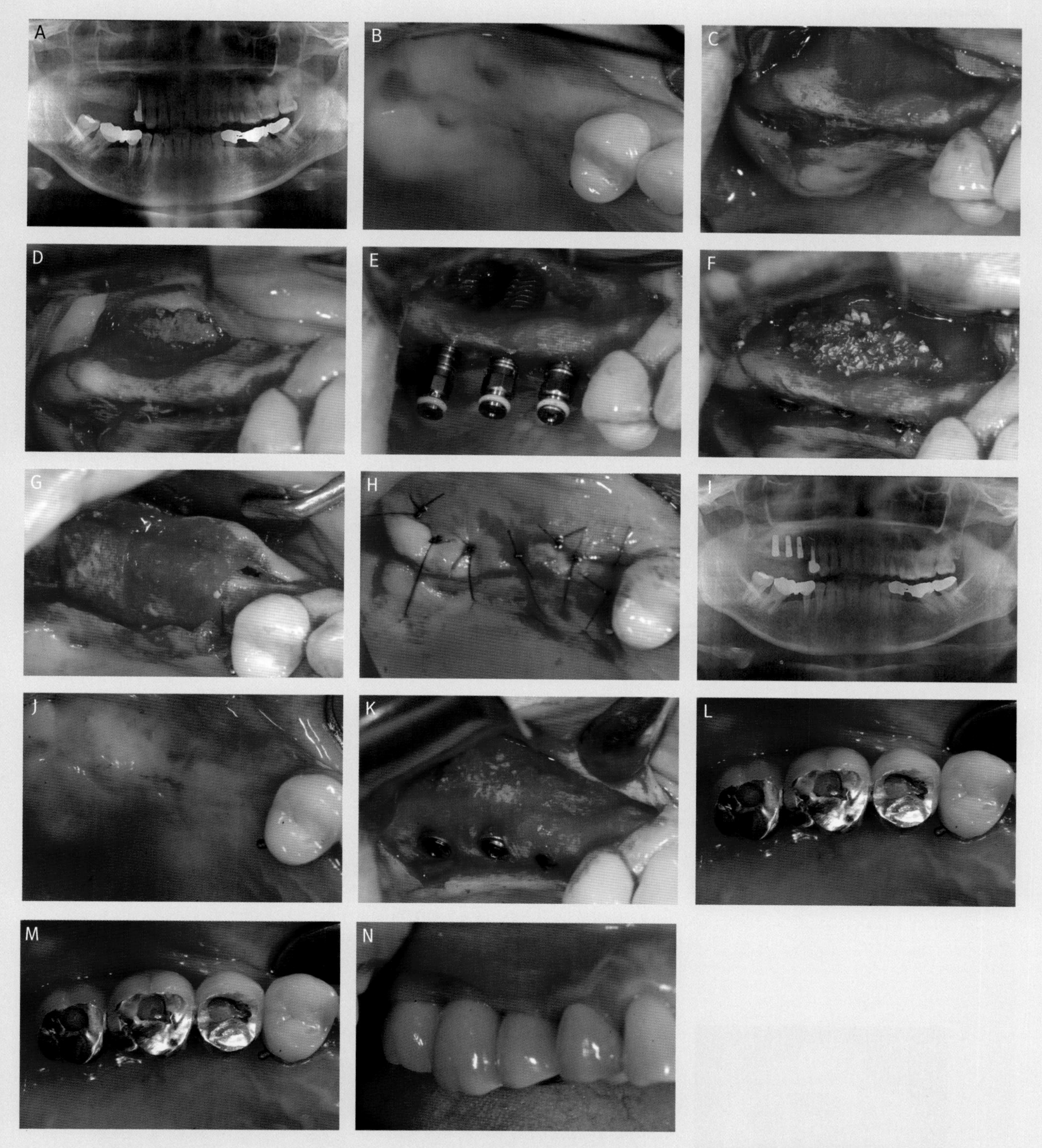

4-75 잔존골 높이가 3-4 mm 이상이고 임플란트 식립 시 충분한 일차 안정을 얻을 수 있으면 상악동 골이식과 동시에 임플란트 식립이 가능하다.
A~I. 잔존골 높이가 3 mm 이상이기에 상악동 골이식과 동시에 임플란트를 식립했다. 잔존골 밀도 또한 좋았기 때문에 충분한 일차 안정을 확보하여 임플란트를 식립할 수 있었다. 또한 설측에 약간의 열개 결손이 존재했기 때문에 이 부분도 수복해 주었다.
J~L. 5개월 1주 후 2차 수술을 시행했다. 제1대구치와 제2대구치 부위의 임플란트 협측엔 약간의 열개 결손이 형성되었지만 협측 각화 점막이 충분했고 열개의 양이 크지 않았기 때문에 별다른 처치를 가하지 않았다.
M~N. 1개월 후 보철물을 연결했다.

(1) 식립 토크와 공진 주파수 분석은 일차 안정을 측정하는 가장 일반적인 방법이다

임상에서 일차 안정의 정도를 직접 측정할 수 있는 방법은 없고, 주로 그 유사치로써 공진 주파수 분석법과 식립 토크 값이 많이 쓰인다(**4-76, 77, 78, 4-9**).[218-221]

(2) 식립 토크와 공진 주파수 분석은 진정한 일차 안정의 정도가 아니다

일반적으로 임상가들은 식립 토크를 일차 안정의 정도와 동일시하는 경향이 있고, 따라서 임플란트 식립 시 일차 안정을 증진시키기 위해 식립 토크를 증진시킬 수 있는 방법을 적용한다. 그러나 식립 토크나 공진 주파수 분석이 임플란트의 진정한 일차 안정의 정도를 얼마나 잘 반영하는지는 아직 제대로 밝혀지지 못했다. 임플란트 식립 후 정밀 측정 장치로 계측한 임플란트의 미세 동요 정도는 식립 토크나 공진 주파수와 유의한 상관성을 보이기는 했지만 상관성의 정도는 낮은 편이었다.[222-224]

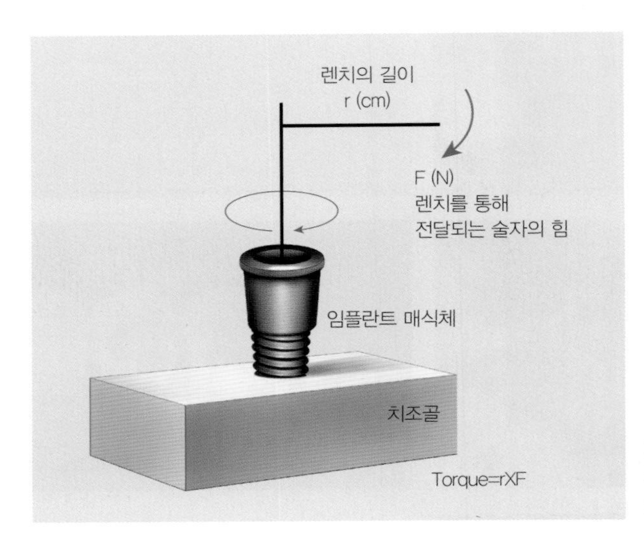

4-76 물리학적으로 토크는 물체를 회전시키는 능력이다. 대부분의 렌치는 토크를 측정할 수 있는 형태로 시판되고 있다. 식립 토크는 일차 안정과 대체로 비례한다는 것이 일반적인 의견이다.

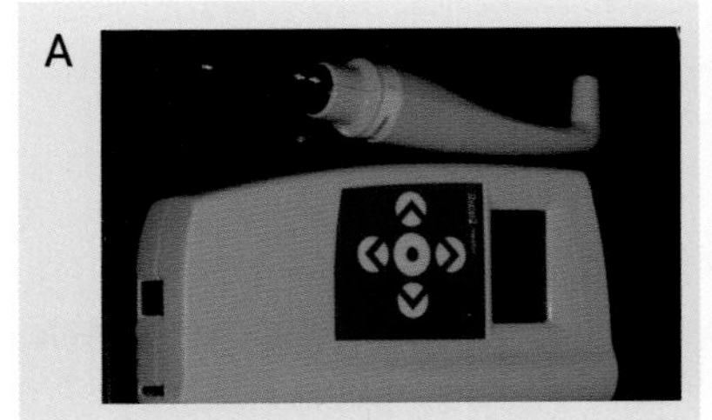

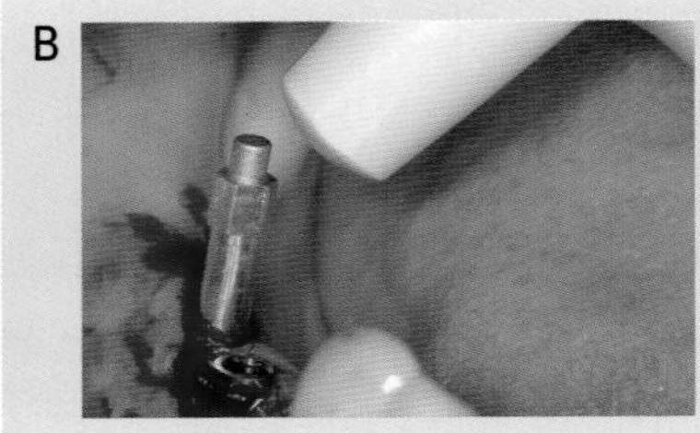

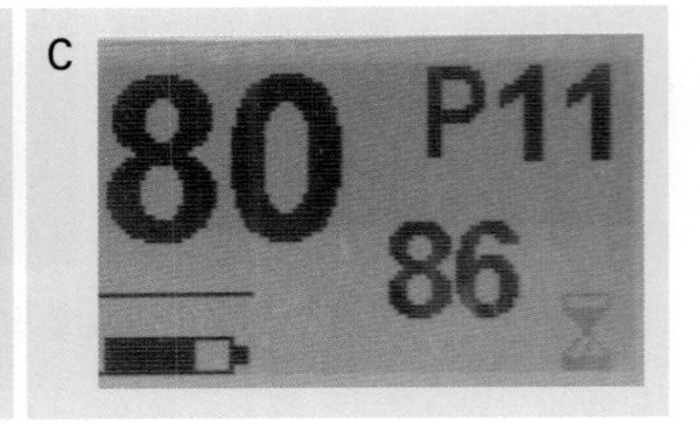

4-77 공진 주파수 분석 장치인 Osstell Mentor (Integration Diagnostics, Gothenburg, Sweden)
A. Osstell 본체 **B.** Smart Peg를 임플란트 매식체에 직접 돌려 끼워 연결한 후 Osstell 장치의 끝을 Smart Peg 끝에 근접시켜 공진 주파수 값을 측정한다. **C.** 공진 주파수 값이 측정되면 "삐" 소리와 함께 ISQ 값이 LCD 창에 표시된다. 정확한 측정을 위해 각각 다른 방향에서 적어도 두 번 이상 측정할 것을 권유한다.

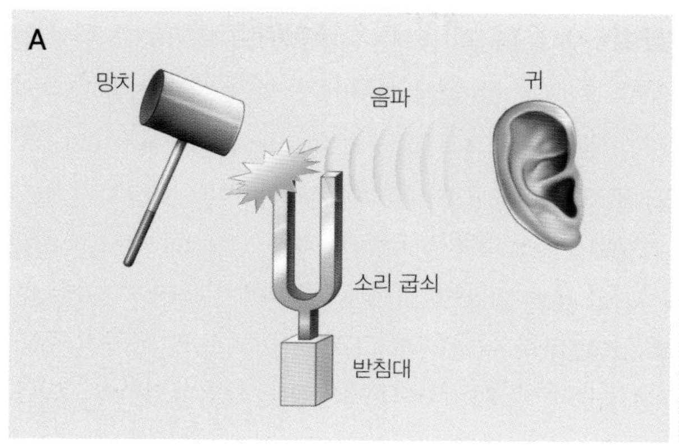

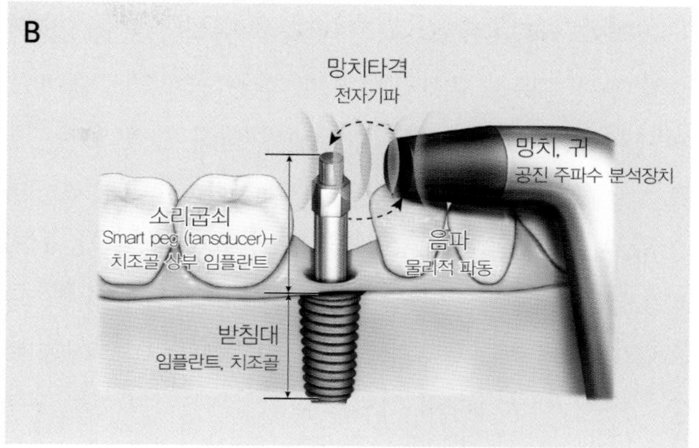

4-78 공진 주파수 분석 장치의 작동 원리

소리 굽쇠를 두드리고 이를 듣는 과정과 유사하다. **A.** 소리 굽쇠는 받침대에 고정된 굽쇠를 망치로 두들기면 형성되는 음파를 귀로 듣게 되는 원리이다. **B.** 공진 주파수 분석의 기본 원리는 소리 굽쇠의 원리와 같다. 받침대에 해당하는 임플란트 매식체와 치조골에 소리 굽쇠에 해당하는 Smart peg를 연결한다. 망치는 공진 주파수 분석 장치로, 소리 굽쇠에서는 굽쇠를 망치로 직접 타격하는 반면, 공진 주파수 분석 장치에서는 일정한 파동의 전자기파를 Smart peg로 보낸다. 자성을 띈 Smart peg는 이 전자기파에 따라 소리 굽쇠처럼 물리적으로 진동하고, 공진 주파수 분석 장치에서는 이러한 진동을 다시 전자기 파형으로 수신한다.

4-9 일차 안정의 지표인 식립 토크와 공진 주파수 분석

일차 안정 지표	식립 토크 (Insertion Torque, IT)	공진 주파수 분석 (Resonance Frequency Analysis, RFA)
정의	• 임플란트를 식립할 때 필요한 힘(임플란트를 회전시키기 위해 필요한 힘)	• 임플란트에 진동을 가했을 때 임플란트가 공명 진동하며 발산하는 주파수의 최대값
단위 및 측정	• 회전 중심축에서 반지름 r인 거리에서 F의 힘이 회전운동 접선 방향으로 가해질 때 rF (단위 Ncm)	• 진동수(=주파수; 단위 Hz) • 임플란트 시스템에 따라 진동수는 다르기 때문에 ISQ (Implant Stability Quotient)라는 표준 수치 이용 (단위 없음)
장점	• 임플란트 식립 시 토크 렌치나 엔진에서 간단히 측정 가능하다. • 식립 토크는 임플란트의 골유착 성공을 어느 정도 예견할 수 있는 지표이다. • 특히 즉시 부하를 가할 때 임플란트의 골유착을 신뢰성 있게 예견할 수 있다.	• 안정의 정도를 객관화된 수치로 표현할 수 있다. • 치유 기간 중 어느 때나 반복 측정이 가능하다. • 치유 기간 중 측정값의 변화량이 임플란트의 예후와 밀접한 관련성을 보인다.
단점	• 치유 기간 중 반복 측정이 불가능하다.	• 측정을 위해 추가적인 기구를 필요로 한다. • 임플란트 식립 당시의 측정값은 임플란트의 예후와 큰 상관성을 보이지 않는다.

게다가 식립 토크와 공진 주파수 분석은 분명 임플란트의 안정도를 평가하는 방법임에도 불구하고 두 측정 방법에서 계측된 결과값은 서로 상관 정도가 그렇게 높지도 못하다. 한 임상 연구에서 식립 토크와 공진 주파수 분석값인 ISQ는 유의한 상관관계에 있었다고는 했지만, 중등도의 상관성만 보였다(r=0.399, p=0.000).[225] 또 다른 임상 연구에서는 밀도가 낮은(D4) 골에서는 식립 토크와 ISQ 값이 유의한 상관관계를 보였지만 밀도가 높거나 중등도인 골에서는 유의한 상관성을 보이지 않았다고 했다.[226] 한 체계적 문헌 고찰에 의하면 식립 토크와 ISQ는 유의한 상관관계를 보이지 못했다.[227] 따라서 이 문헌 고찰의 저자들은 두 측정 방법은 독립적인 지표이며 서로 교차 사용이 가능한 지표는 아니라고 결론 내렸다.

결국 식립 토크나 공진 주파수 분석은 진정한 일차 안정의 측정 지표는 아니며, 일차 안정과 일정 정도 연관된 서로 다른 지표를 측정하는 방법이라는 사실을 알 수 있다. 대부분의 임상 연구에서 임플란트 일차 안정의 지표로 이 두 가지를 사용하기 때문에, 일차 안정과 관련된 임상 연구를 해석하는데 있어 세심한 주의를 기울여야 한다는 사실을 알 수 있다.

(3) 골밀도는 측정이 쉬운 골질의 대리 지표이다

그렇다면 식립 토크와 공진 주파수 분석은 구체적으로 어떠한 지표를 반영하는 계측 방법일까? 논의를 시작하기에 앞서 골질과 골밀도에 대한 간단한 설명이 필요하다. 골질을 평가하는 데 있어서 가장 자주 사용되는 방법은 Lekholm & Zarb의 분석법이다(📷 4-79, 📁 4-10).[228]

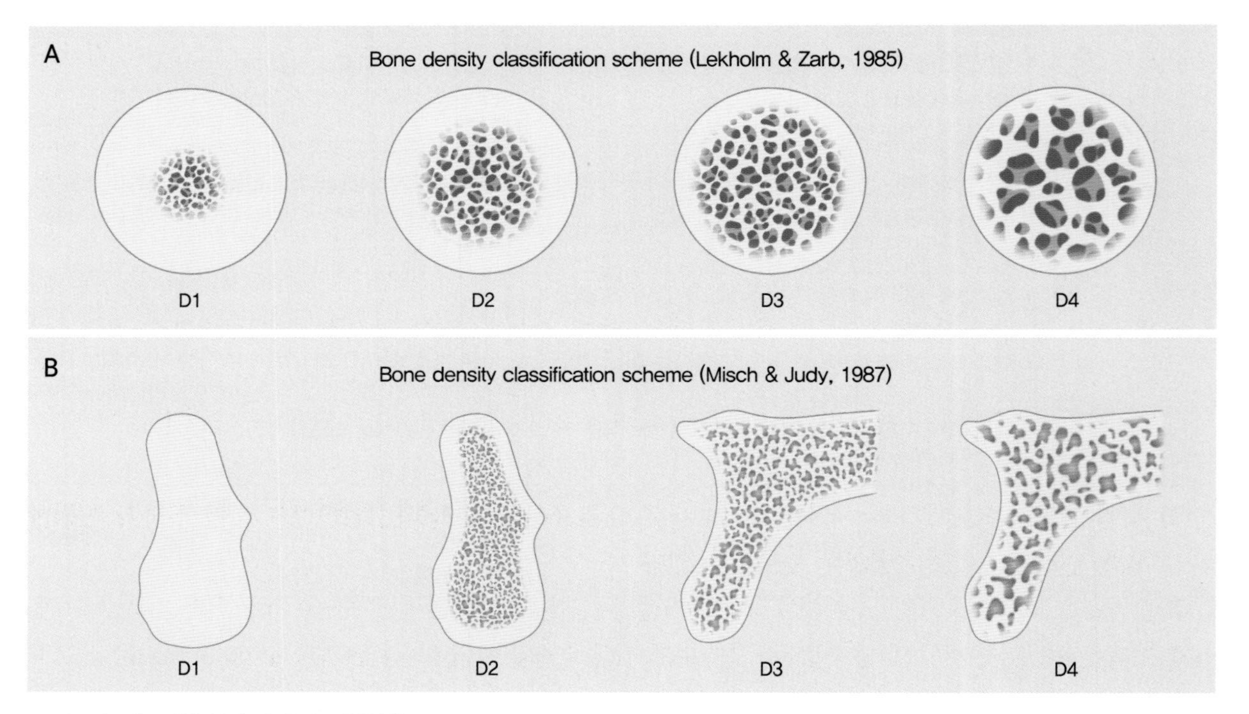

📷 4-79 대표적인 골질 및 골밀도 분류법
A. Lekholm & Zarb의 골질 분류법(📁 **4-10** 참조) **B.** Misch & Judy의 골밀도 분류법(📁 **4-10** 참조)

4-10 가장 널리 사용되는 골질과 골밀도의 구분 방법

Lekholm & Zarb, 1985 (방사선사진 상 피질골과 소주골의 형태)		Misch & Judy, 1987 (골삭제 시 손으로 느끼는 저항감)	
1형	대부분의 치조골이 균일한 치밀골로 이루어짐	D1	오크 나무(떡갈나무)의 밀도
2형	두꺼운 치밀골이 치밀한 소주골을 둘러쌈	D2	소나무의 밀도
3형	얇은 피질골이 적절한 강도의 치밀한 소주골을 둘러쌈	D3	발사나무의 밀도
4형	얇은 피질골이 낮은 밀도의 소주골을 둘러쌈	D4	스티로폼의 밀도

"불량한 골질(poor bone quality)"의 치조골에 식립한 임플란트는 일차 안정이 저하되며, 따라서 이러한 부위에는 높은 일차 안정을 얻을 수 있는 방법을 모색해야 한다는 것이 일반적인 임상가들의 생각이다.[229] 따라서 임상가들은 골질을 진단할 수 있는 여러 가지 방법을 모색해 왔다. 그러나 골질과 골밀도의 개념은 임상가들이나 치의학 연구자들 사이에서 혼용해서 사용되어 왔기 때문에 여러 가지 혼란이 존재한다.

① 엄밀하게 말해서 골질은 골밀도를 포괄하는 개념으로, 골질은 임플란트 식립부 골의 치유 능력을 나타내는 개념이라고 할 수 있다. 골질이 좋으면 그 부위에 식립한 임플란트의 성공 가능성이 증가하는 것이다. 따라서 골질을 결정하는 요소는 골의 밀도뿐만 아니라 골대사, 골세포의 생명 주기, 세포외 기질의 성질, 골 내부의 혈관화 정도 등이 모두 포함된다.[230]

② "불량한 골질"은 악골의 해부학적 분류 지표인 Lekholm & Zarb의 4형골(type IV bone)과 동일한 것으로 잘못 생각되는 경우가 많다.[231] 그러나 Lekholm과 Zarb는 4형골을 "낮은 밀도의 소주골을 둘러싼 얇은 피질골"로 정의했고, 진정한 골질은 골에 직접 시험적으로 드릴을 적용해야 그 느낌으로 알 수 있다고 지적한 바 있다.[228] "불량한 골질"은 정의가 어려운 개념이며, 여러 연구자들은 골의 밀도, 경도, 강직도 등의 물리적 성질이나 피질골 두께나 골소주 형태 등의 형태학적 특징 등 중에서 어떠한 요소가 이에 가장 중요한 요소인지 결정하기 위해 분투해왔지만 아직까지도 명확한 결론을 내리지 못하고 있다.[229]
따라서 임상 연구나 우리의 일상적인 진료에서 골질을 평가하는 것은 매우 어렵거나 거의 불가능하다. 반면 골밀도는 방사선학적 방법, 조직학적 방법, 임플란트 식립 시 느껴지는 골의 저항감을 통해 우리가 비교적 쉽고 명확하게 파악할 수 있다. 그러나 임플란트의 예후를 결정짓는 것은 정의상 골밀도보다는 골질이 된다. 결국 골밀도는 측정이 쉬운 골질의 대리 지표로써 우리의 임상이나 연구 과정 중 사용된다.

(4) 식립 토크와 공진 주파수 분석은 골의 서로 다른 측면을 분석하는 방법이며 식립 토크가 진정한 일차 안정을 더 잘 반영하는 것으로 보인다

우선 식립 토크는 측정이 간단한, 일차 안정을 측정하는 가장 대표적인 진단 방법이다.[232,233] 임플란트 식립 직후 조직학적으로 측정한 골-임플란트간 결합도는 식립 토크와 유의한 상관관계를 보인다(r^2=0.66).[234] 조직학적인 골-임플란트간 결합이 일차 안정을 나타내는 지표라고 하면 식립 토크는 조직학적으로 평가한 일차 안정의 정도와 중등도 이상의 상관성을 보인 것이다.

그리고 식립 토크를 결정하는 가장 중요한 요소는 골밀도이다. 한 임상 연구에서는 방사선학적 골밀도와 식립 토크는 중등도 이상의 유의한 상관성을 갖는다고 보고했다(8 mm 임플란트 r=0.699, 10 mm 임플란트 r=0.771).[235] 한 임상 연구에서는 마이크로 CT로 계측한 골의 성질 중 어떤 것이 식립 토크와 ISQ 값에 영향을 미치는지 평가했다. 그 결과 골밀도와 골의 미세 구조는 식립 토크와 유의한 상관관계를 보였으며, 이들 두 요소가 식립 토크값의 42%를 결정하는 것으로 나타났다.[236] 한 임상 연구에서는 Lekholm & Zarb 분류상 1–2형, 3형, 4형 골에서 식립 토크는 각각 평균 32, 17, 10 Ncm이라고 했고, 이는 서로 모두 유의한 차이를 보이는 것이었다.[237] 결국 이 연구에서 식립 토크는 골밀도를 가장 잘 보여주는 지표였다.

반면 ISQ는 골밀도보다는 골의 다른 성질에 의해 더 많이 영향을 받는 것 같다. 위의 연구에서 ISQ는 골밀도나 골의 미세 구조와는 유의한 상관관계를 보이지 않았다.[236] 즉, 식립 토크와 ISQ 값은 전반적으로 비례하는 관계에 있긴 하지만, 뭔가 다른 것을 평가하는 것이다. 이는 다른 임상 연구에서도 비슷하게 나타났다. 이 연구에서 식립 토크는 임플란트 식립부 치조골의 피질골 두께와 유의한 상관관계를 보인 반면, ISQ는 치조골의 해면골 구조와 유의한 상관관계를 보였다.[238] 신선 우골을 이용한 실험에서는 식립 토크가 조직학적인 골밀도나 골–임플란트간 결합 정도와 유의한 상관관계를 보였다.[239] 그러나 식립 토크와 ISQ 간의 상관성은 명확히 드러나지 않았다. 한 임상 연구에서 ISQ 값은 해면골의 밀도와 유의한 상관관계를 보였다.[240] 또한 임플란트 길이와 직경은 RFA와 유의한 상관관계를 보였다. 결국 공진 주파수 분석값인 ISQ는 치조골의 전체적인 골밀도 자체보다는 해면골의 밀도와 구조, 그리고 임플란트의 특성에 좌우되는 지표인 것으로 추측된다. 이는 일차 안정의 지표로써 ISQ의 진단적인 가치가 식립 토크보다 낮은 주요한 이유일 것이다. 한 임상 연구에 의하면 임플란트 식립 시 식립 토크는 임플란트의 골유착 성공과 유의한 상관성을 보였지만, 임플란트 식립 직후의 ISQ 값은 임플란트의 골유착 성공과 아무런 상관성도 보이지 않았다.[241] 즉, 식립 토크는 일차 안정을 결정하는 골의 밀도를 잘 반영하는 지표임에 비해 ISQ는 골의 밀도를 잘 반영하지 못하기 때문에 일차 안정, 나아가 임플란트의 골유착 성공 여부를 판단하기에 어려움이 있는 진단 방법인 것이다.

2) 일차 안정은 임플란트 골유착의 성공을 결정짓는가?

(1) 즉시–조기 부하(식립 후 2개월 미만) 시에는 식립 토크가 임플란트 골유착의 성공을 예견할 수 있는 지표이다

일차 안정은 골유착의 성공에 영향을 미칠 수 있다. 특히 임플란트 식립 후 즉시 수복/즉시 부하나 조기 부하(임플란트 식립 후 2개월 이내)를 가할 때에는 식립 토크가 임플란트의 성공을 예견할 수 있는 주요한 진단 방법으로 인정받고 있다.[232] 즉시 부하 시에는 20 Ncm 이상의 식립 토크, 혹은 55 이상의 RFA값을 얻지 못하면 임플란트의 실패 가능성은 현저히 증가한다.[219,237,242,243] 따라서 대부분의 전문가들은 안전하게 식립 토크가 30 Ncm 이상인 경우에만 즉시 부하를 가할 것을 추천했다.[244]

(2) 고전적 부하(식립 후 2개월 이상) 시에는 식립 토크는 민감도가 낮아서 진단적인 가치가 떨어진다

대규모의 환자를 대상으로 한 많은 후향적 단일 환자군 연구에서, 임플란트 식립부의 골량과 골질이 고전적/표준 부하 임플란트의 골유착 성공을 결정짓는 매우 결정적인 요소 중 하나라고 보고한 바 있다.[245–247] 또한 2017년의 한 메타분석에서는 Lekholm & Zarb 분류 상 1형골과 4형골에서 임플란트의 실패율이 상승하는 경향을 보인다고 했다.[248] 이는 불량한 골질, 혹은 낮은 골밀도와 임플란트 실패에는 상관성이 있음을 보여주는 것이다. 그러나 골밀도가 일차 안정과 밀접하게 관련되어 있다고 하더라도, 골밀도 자체가 일차 안정, 혹은 일차 안정의 지표인 식립 토크와 동일한 지표는 아니다. 따라서 밀도가 낮은 골에서 임플란트의 성공률이 저하되었다고 해서 반드시 식립 토크가 낮은 임플란트가 성공률이 저하된다고 볼 수는 없다. 게다가 "일차 안정" 자체가 진단적인 가치가 있는지에 대해서도 의문이 제기될 수 있다. 이미 시장에서 사라진 과거의 임플란트 중에는 극단적으로 높은 일차 안정을 부여할 수 있는 디자인도 존재하기 때문이다.[229]

전임상 연구에서는 식립 토크가 낮은 임플란트도 고전적 부하를 가하면 높은 성공률을 나타냈다. 한 동물 연구에서는 하악 구치부 치아 상실부에서 골삭제의 직경을 조절하여 각각 식립 토크가 0 Ncm, 30 Ncm, 70 Ncm이 되도록 조절해 주었다.[249] 4개월 후 임플란트 식립부를 조직학적으로 관찰한 결과 골–임플란트간 접촉은 55.2–62.1% 사이의 수치를 보였으며, 세 방법 사이에 거의 차이를 보이지 않았다(**4–80**). 비슷한 다른 동물 실험에서도 역시 하악 구치부에서 골삭제 직경을 조절하여 식립 토크를 각각 평균 7, 15, 19, 36 Ncm으로 조절했을 때 4개월 후의 조직학적인 골–임플란트 간 결합에는 어떠한 차이도 보이지 않았다.[250] 또 다른 동물 실험에서는 식립 토크를 각각 평균 110 Ncm과 10 Ncm으로 조절하여 임플란트를 식립했다.[251] 6주 후에 비록 식립 토크가 높았던 군에서 임플란트 제거 토크와 골–임플란트 간 결합의 정도가 더 높긴 했지만 모든 임플란트가 골유착에 성공했다.[251]

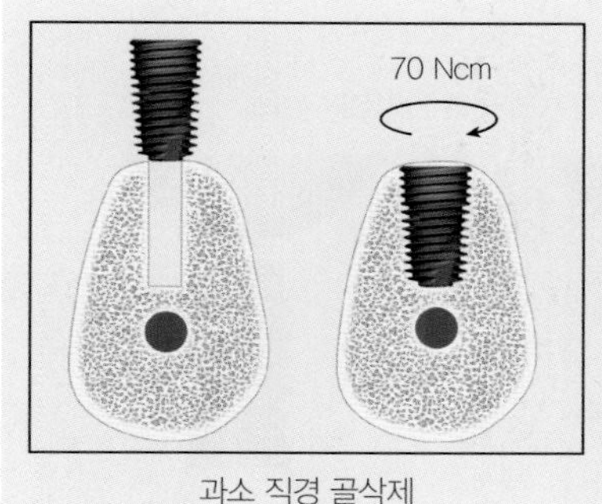

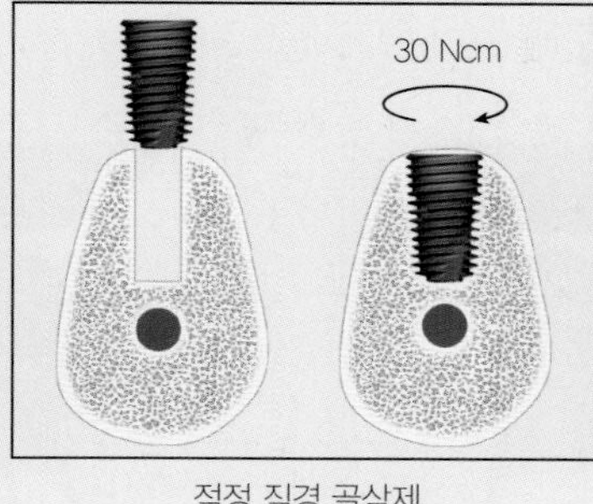

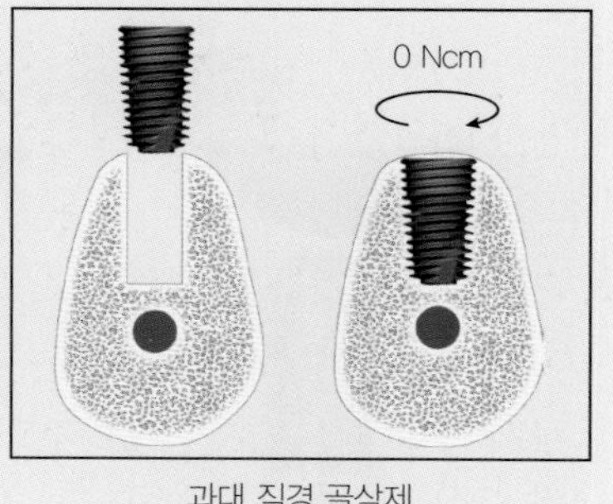

4–80 낮은 식립 토크는 임플란트 골유착 실패로 직결되는가? 임상가들의 일반적인 경험이나 예측과는 달리, 동물 실험 환경에서는 표준/지연 부하 시 식립 토크와 임플란트 골유착 성공의 상관관계가 명확하게 나타나지 않는다. 한 동물 연구에서는 하악 구치부 치아 상실부에서 골삭제의 직경을 조절하여 각각 식립 토크가 0 Ncm, 30 Ncm, 70 Ncm이 되도록 조절해 주었다.[249] 4개월 후 임플란트 식립부를 조직학적으로 관찰한 결과 골–임플란트간 접촉은 세 조건 사이에서 거의 차이를 보이지 않았다.

임상적으로 일차 안정이 결여된 상태는 두 가지로 나눌 수 있다(4-81).[249]

- 일차 안정의 완전한 상실 임플란트는 회전 운동과 좌우로의 수평적 운동에 모두 동요를 보임
- 회전 운동에 대한 안정성의 상실 임플란트는 상하 좌우로의 수평적, 수직적 운동에는 저항하지만 회전력을 가하면 쉽게 회전함. 예컨대 커버 스크루를 핸드 드라이버로 조이면 매식체가 함께 회전함

한 동물 실험에서는 완전히 안정적인 상태, 회전 운동에 안정성이 결여된 상태, 일차 안정이 완전히 결여된 상태의 임플란트를 12주 후에 조직학적으로 평가했다. 그 결과, 모든 임플란트는 골 내에서 안정적으로 유지되었지만 일차 안정이 완전히 결여된 임플란트의 골-임플란트간 결합 정도는 유의하게 더 낮았다.[252] 이는 회전 운동에 대해 안정성이 결여된 상태의 임플란트는 고전적 부하 시에는 성공적인 골유착을 이룰 수 있음을 보이는 실험 결과였다.

그러나 임상 연구에서는 일차 안정과 임플란트 골유착 성공의 관계가 명확하지 않다. 분명 식립 토크가 낮아지면 임플란트의 성공 가능성은 낮아지긴 하지만, 이것이 임상적으로나 통계학적으로 유의미한 차이를 보이는가에 대해서는 논란의 여지가 있다. 한 전향적 연구에서는 하악 전치부에서 식립 토크와 임플란트 성공 간에는 별다른 상관성을 보이지 않았다고 보고했다.[253] 1,960명의 환자에게 4,114개의 임플란트를 식립하고 일차 안정에 따른 임플란트 성공률을 측정한 대규모의 전향적 단일 환자군 연구에서는 임플란트의 일차 안정 정도를 "회전 운동에 안정적", "저항감이 느껴지는 약간의 회전", "저항감이 느껴지지 않는 회전", "회전과 측방으로 비안정" 등 네 가지로 구분했다.[241] 그 결과, 보철 연결 시 회전 운동에 안정적이었던 임플란트는 99.1%, 저항감이 느껴지는 약간의 회전 임플란트(n=158)는 98.1%, 저항감이 느껴지지 않는 회전 임플란트(n=51)는 94.1%, 회전과 측방으로 비안정 임플란트(n=4)는 100%의 생존율을 보였고, 이는 통계학적 유의성을 보이는 것이었다

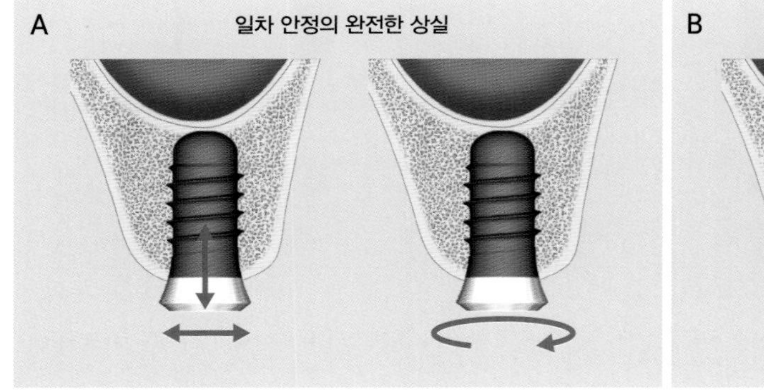

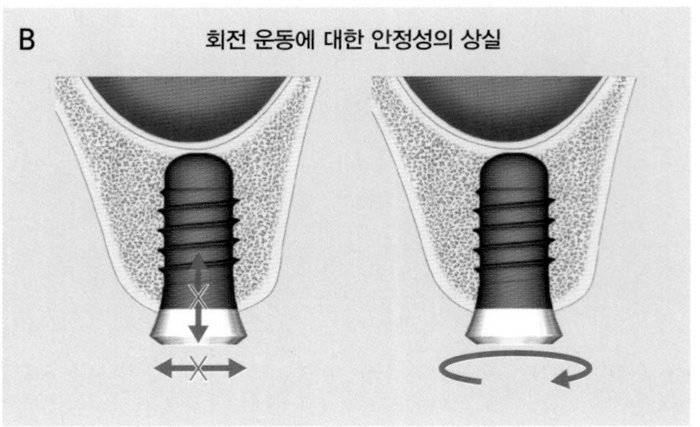

4-81 일차 안정의 결여는 두 가지로 나눌 수 있다.
A. 일차 안정의 완전한 상실. 임플란트는 회전 운동과 좌우로의 수평적 운동에 모두 동요를 보인다.
B. 회전 운동에 대한 안정성의 상실. 임플란트는 상하 좌우로의 수평적, 수직적 운동에는 저항하지만 회전력을 가하면 쉽게 회전한다. 예컨대 커버 스크루를 핸드 드라이버로 조이면 매식체가 함께 회전하는 상태이다. 이때 식립 토크는 거의 0 Ncm에 가깝다.

(📷 4-82). "회전과 측방으로 비안정" 임플란트의 수는 너무 적었기 때문에 이를 제외한다면 일차 안정이 저하될수록 임플란트의 실패율은 상승하는 관계를 보였다. 그러나 적어도 회전 운동에만 비안정성을 보이는 임플란트는 95%에 가까이 골유착에 성공할 수 있었다. 이는 식립 토크가 일차 안정의 지표로 쓰일 수는 있지만, 적어도 고전적 부하를 가할 때에는 임플란트 성공을 예측할 수 있는 진단 방법으로써는 민감도가 떨어지는 방법이라는 사실을 보여주는 것이다. 즉, 식립 토크가 거의 0 Ncm에 가깝더라도(회전 운동에 비안정), 식립 토크로 측정할 수 없는 임플란트의 수평적, 수직적 움직임만 없다면 임플란트는 거의 골유착에 성공할 수 있는 것이다.

심지어 골유착 기간이 지난 후 일부러, 혹은 의도하지 않고 골유착을 파괴하여 회전 저항성이 약한 상태로 만든 임플란트는 다시 골유착을 이룰 수도 있다. 한 동물 실험에서는 일부러 골삭제를 과도하게 시행하여 임플란트 식립 후 회전 저항이 없도록 해주었다.[254] 4주 후 실험군에서 임플란트에 역방향으로 힘을 주어 골유착을 파괴하고 다시 식립했으며 대조군에서는 임플란트를 그대로 두었다. 다시 4주 후 조직학적으로 관찰한 결과, 실험군에서 오히려 골-임플란트간 접촉이 유의하게 더 높았고 ISQ 수치 또한 유의하게 더 높았다. 한 임상 연구에서도 비슷한 결과를 보여주었다. 하악 전방부에 식립한 임플란트를 식립 1.5개월과 3개월 후 역방향으로 회전시켜 골유착을 파괴한 후 다시 원위치로 식립했다.[255] 이를 다시 각각 3.5개월과 5개월 후 주위골과 함께 제거하여 조직학적 분석을 시행했다. 그 결과 임플란트의 제거 토크는 오히려 더 증가했으며, 조직학적으로는 성공적인 골유착이 이루어진 것을 확인할 수 있었다. 한 무작위 대조 연구에서는 조기 부하와 고전 부하의 프로토콜 결과를 비교하기 위한 연구를 시행했다.[256] 조기 부하군(식립 후 6주)에 포함된 임플란트 중 네 개의 임플란트는 지대주 연결 중 매식체가 약간 회전했으며 이때 환자는 통증을 호소했다. 이러한 임플란트에 6주의 추가적인 치유 기간을 부여했을 때 모두 성공적인 결과를 보였다.

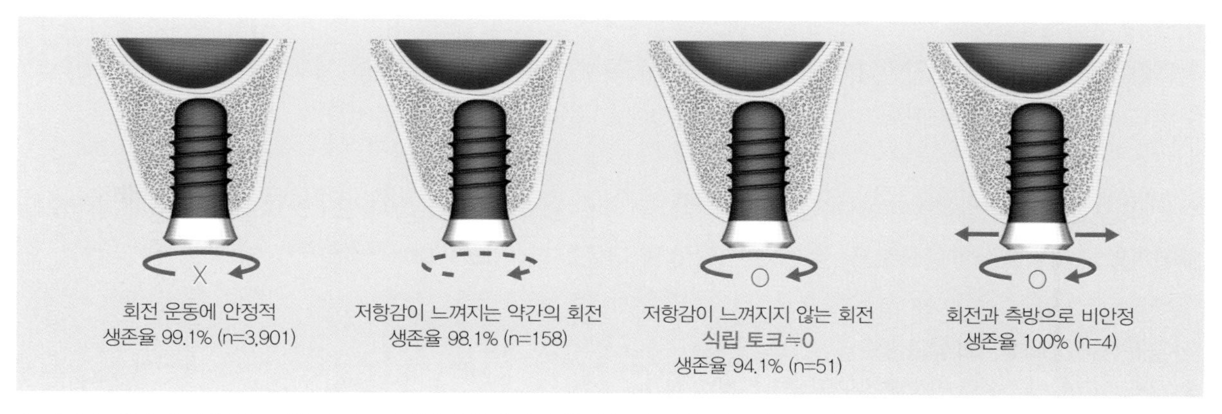

📷 **4-82** 임상 연구에서도 식립 토크로 측정한 일차 안정과 임플란트 골유착 성공의 관계가 통계학적 유의성을 가질 정도로 명확하지 않았다. 그림은 대규모의 전향적 단일 환자군 연구의 결과이다.[241] 특히 "저항감이 느껴지지 않는 회전" 상태의 임플란트(n=51)는 94.1%의 임플란트 생존율을 보였다. 이는 적어도 회전 운동에만 비안정성을 보이는 임플란트는 95%에 가까이 골유착에 성공할 수 있었다는 것으로, 식립 토크가 고전적 부하를 가할 때에는 임플란트 성공을 예측할 수 있는 진단 방법으로써는 민감도가 떨어지는 방법이라는 사실을 보여주는 것이다. 즉, 식립 토크가 거의 0 Ncm에 가깝더라도(회전 운동에 비안정), 식립 토크로 측정할 수 없는 임플란트의 수평적, 수직적 움직임만 없다면 임플란트는 거의 골유착에 성공할 수 있는 것이다.

이러한 결과는 고전적인 문헌들과는 차이를 보이는 점으로, 이는 임플란트의 표면 성질이 개선된 점에서 그 일부 이유를 찾을 수 있다. 동물 연구들에 의하면 매끈한 표면의 임플란트는 치유 기간 중 안정적으로 유지되지 못하고 미세하게 움직이면 골유착에 실패하는 반면, 거친 표면 임플란트는 움직임의 양이 상대적으로 크더라도 성공적으로 골유착을 이룰 수 있었다.[257-259] 한 후향적 연구에서는 회전력에 저항이 없는 임플란트와 회전 운동에 안정적인 임플란트의 5년 누적 생존율은 각각 91.1%와 82%로 유의한 차이를 보였다.[260] 그러나 이 연구에서는 즉시 부하와 고전 부하의 프로토콜이 섞여 있었고 임플란트 표면도 기계 절삭 표면과 거친 표면 임플란트가 섞여 있었기 때문에 결과 해석에 주의를 요한다고 했다. 거친 표면 임플란트를 사용했을 때에는 식립 시 회전력에 저항이 없더라도 골유착에 실패할 가능성이 별로 저하되지 않았다.

3) 우리는 어떻게 일차 안정을 증진시킬 수 있는가?

(1) 술자가 조절할 수 있는 요소보다는 임플란트 식립부에서 주어진 골량과 골밀도가 임플란트 골유착의 예후에 더 중요하게 작용한다

임플란트의 일차 안정은 환자의 국소적 요소(골밀도, 골량)와 술자가 결정할 수 있는 요소(적절한 디자인과 크기의 임플란트 선택, 골삭제 방법의 변형)에 의해 결정된다.[218] 그리고 골량이 충분한 조건에서는 임플란트 식립부 치조골의 국소적 골밀도가 일차 안정을 결정짓는 가장 중요한 단일 요소라고 생각된다.[229,261] 임플란트를 식립한 직후 조직학적으로 계측한 골-임플란트간 결합도는 골밀도와 굉장히 높은 상관관계를 보인다.[234] 골-임플란트간 결합도의 92%는 골밀도에 의해 결정된다(r^2=0.92). 이는 일차 안정의 지표인 식립 토크보다도 더 높은 상관성을 보이는 결과였다(식립 토크와 골-임플란트간 결합도의 상관관계 r^2=0.66). 즉, 실제적인 일차 안정은 식립 토크보다 오히려 임플란트 식립부의 골밀도와 더 큰 상관관계를 보일 수 있다는 것이다. 폴리우레탄 블록에 임플란트를 식립하는 실험에서는 골삭제 직경을 감소시킴에 따라 ISQ나 식립 토크는 증가했지만 유의한 차이를 보이지는 않았다. 그러나 블록의 밀도를 증가시킴에 따라 이들 지표는 유의하게 증가했다.[262] 이는 골삭제 직경보다는 골밀도가 식립 토크나 ISQ에 더 큰 영향을 미친다는 뜻이다.

요약하자면 일차 안정은 한 가지 요소로만 결정될 수는 없으며, 여러 가지 요소들의 중첩된 효과에 영향을 받게 된다. 이들 요소의 중요도를 순서대로 나열하면 다음과 같다(📷 4-83).[229,262-264]

- 임플란트 식립부 골의 양과 밀도
- 임플란트 식립을 위한 골삭제 정도(골삭제 직경)
- 임플란트 디자인 및 표면 처리

즉, 우리가 해줄 수 있는 것(수술적 방법이나 임플란트의 선택)보다는 원래 환자의 국소적 상태(골밀도와 골량)가 일차 안정에 훨씬 더 크게 기여한다.[248,261]

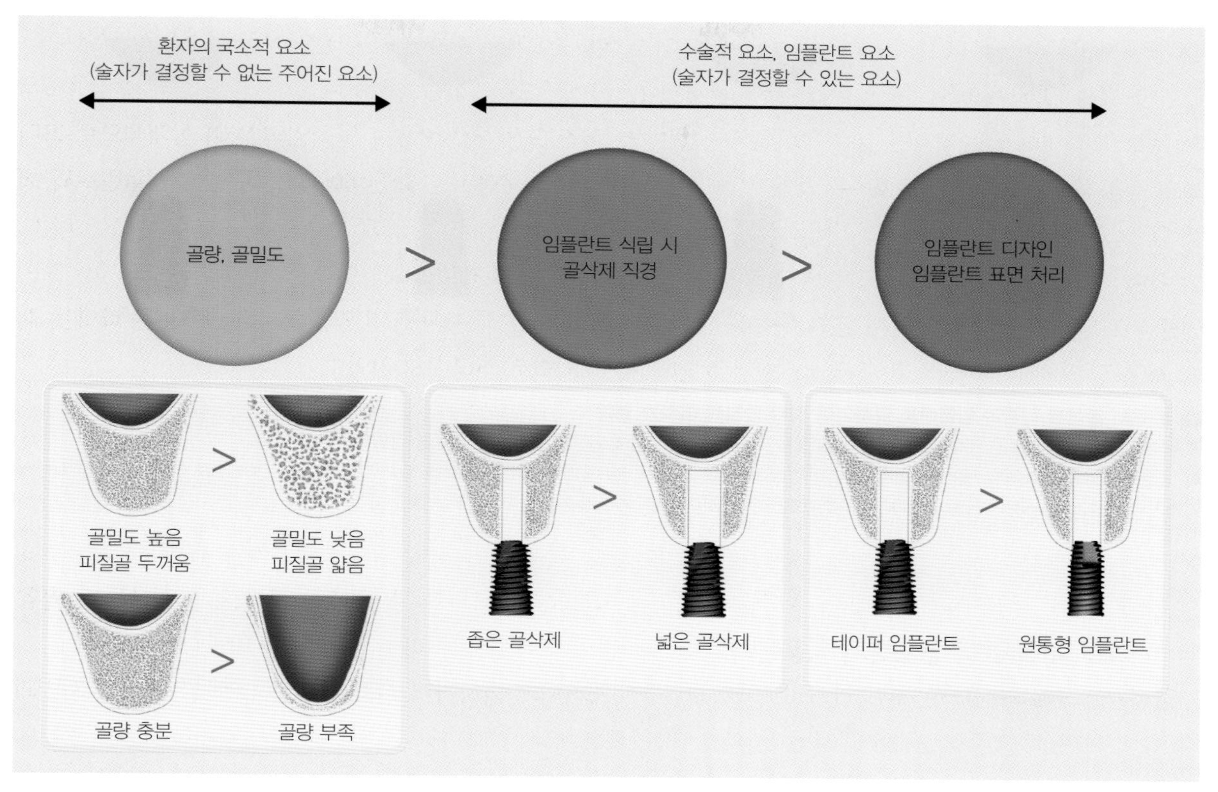

4-83 일차 안정을 결정하는 요소들
일차 안정은 환자의 국소적 요소, 술자의 수술 요소, 임플란트 요소에 의해 결정된다. 이 중 술자가 결정할 수 없는, 즉 해당 환자에게 주어진 요소인 국소적 요소인 골밀도와 골량은 일차 안정을 결정짓는 가장 중요한 요소이다. 수술 요소와 임플란트 요소는 술자가 선택 가능하거나 조절할 수 있는 요소이다. 이 중 술자의 수술적 요소(골삭제 직경)가 임플란트 요소보다 더 중요하다고 생각된다. 임플란트 디자인과 표면 처리 등의 임플란트 요소는 가장 중요도가 떨어지는 요소로 생각된다.

(2) 골삭제 직경을 감소(과소 골삭제)시키면 일차 안정 자체는 증가시킬 수 있지만 이것이 임플란트의 골유착 성공 가능성을 증가시키지는 못한다

우리가 임플란트의 일차 안정을 증진시키기 위해 사용할 수 있는, 가장 간단하면서도 효과가 좋은 방법은 골삭제의 직경을 감소시키는 것이다. 이를 "과소 골삭제(under-preparation)"라고 부르도록 하겠다.[265] 전문가들은 상악동 골이식과 동시에 임플란트를 식립할 때에는 높은 일차 안정을 기대하기 힘들기 때문에 과소 골삭제법을 추천하며, 이제 밀도가 낮은 상악 구치부에 임플란트를 식립할 때에는 하나의 표준적인 프로토콜이 되었다.[200,202,266,267]

과소 골삭제는 우리가 일차 안정을 증진시키기 위해 사용할 수 있는 또 다른 방법인 테이퍼 임플란트 식립보다 일차 안정을 훨씬 더 증진시킬 수 있다. 실험 연구에 의하면, 과소 골삭제 시에는 임플란트와 골삭제부의 직경 차이에 따라서 공진 주파수 값이나 식립 토크 값이 50-100% 증가한다.[268] 그러나, 일련의 임상 연구들에

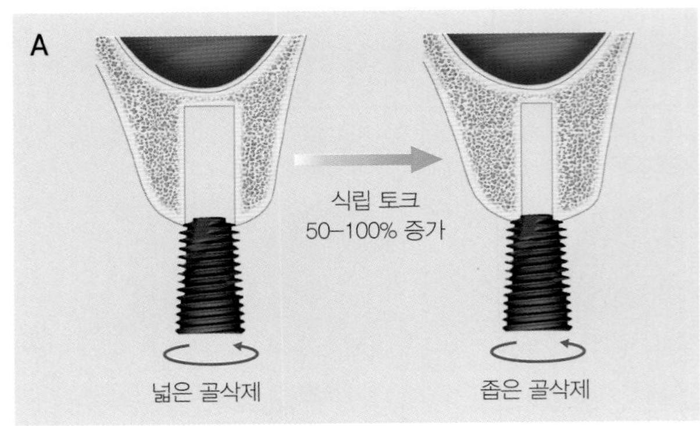

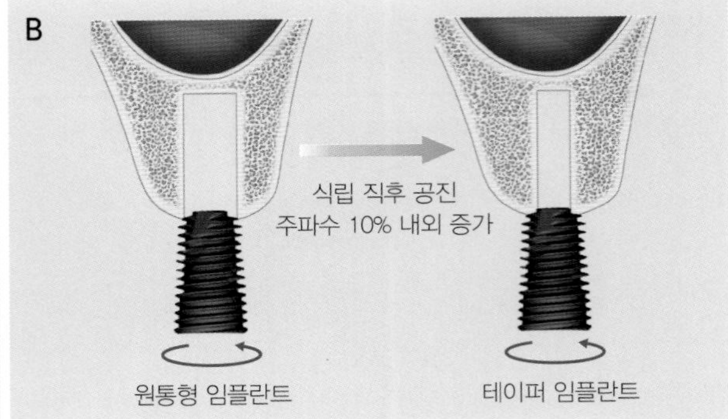

4–84 골삭제 직경과 임플란트 디자인이 일차 안정에 미치는 영향
아직까지 이에 대해 많은 것이 밝혀지지는 않았지만 가용한 연구들에 근거한 결과는 다음과 같았다.[268,229]
A. 임플란트 식립을 위한 골삭제의 직경을 조절하여 식립 토크를 50–100%까지 증가시킬 수 있다. **B.** 임플란트 디자인은 우리 생각보다 일차 안정에 미치는 영향이 적다. 테이퍼 임플란트를 식립하면 원통형 임플란트를 식립할 때보다 공진 주파수 값을 10% 정도만 증가시킨다.

의하면 테이퍼 임플란트는 원통형 임플란트에 비해 식립 토크나 공진 주파수 값을 최대 10% 내외로 밖에 증가시킬 수 없다(**4–84**).[229] 게다가 이러한 차이는 6주–6개월이 경과하면서 사라지게 된다.[269,270]

과소 골삭제 시에는 임플란트 주위골이 임플란트에 의해 압력을 받으면서 이에 대한 반작용으로 임플란트 쪽으로 압력이 작용하면서 식립 토크가 증가하게 된다.[268,271,272] 또한 임플란트와 골삭제 직경의 차이에 따라 식립 토크는 선형적으로 증가하는 양상을 보인다.[262,268,271] 그러나 과소 골삭제 시의 이러한 이점은 임플란트 식립 2–3주 후부터 이미 사라진다. 일련의 동물 연구나 체외 연구에 의하면 식립 직후의 골–임플란트간 결합과 임플란트 주위골의 밀도는 과소 골삭제 시가 표준 골삭제 시와 비교하여 증가했지만[272,273], 식립 2–3주 이후로는 이러한 차이가 사라졌다.[268,274–276] 임플란트 식립 2주 후와 4개월 후 골–임플란트간 결합은 표준 직경의 골삭제를 시행했을 때가 과소 골삭제를 시행했을 때보다 오히려 더 높았다는 보고도 있었다.[249,268] 모든 종류의 연구 형태를 포괄한 체계적 문헌 고찰에서는 골삭제 직경이 생역학적, 생물학적, 임상적 결과에 미치는 영향을 평가했다.[277] 그 결과는 다음과 같았다(**4–85**).

- 밀도가 낮은 골에서 과소 골삭제 시 표준 골삭제 시보다 유의하게 높은 식립 토크를 얻을 수 있다. 그러나 피질골이 두꺼워 밀도가 높은 골에서는 이러한 효과가 명확하지 않다.
- 치유가 완료된 후의 골–임플란트간 결합은 골삭제 직경과 관계없이 비슷하다.
- 임상 연구에서는 밀도가 낮은 골에서 과소 골삭제는 안전하게 시행 가능한 술식임을 보였지만 표준 골삭제에 비해 이점이 있는지는 불분명하다.

앞서 고전적 부하 시 골유착의 실패를 초래할 정도로 낮은 일차 안정은, 식립 토크로 측정이 힘들 정도로 매우 낮은 범위라고 했다. 핸드 드라이버로 돌리는 힘에도 저항하지 못할 정도로 식립 토크는 낮은 경우라도 (식립 토크 <5 Ncm) 좌우, 수직적 유동성만 없다면 골유착에 성공할 가능성은 매우 높다. 따라서 극단적으로

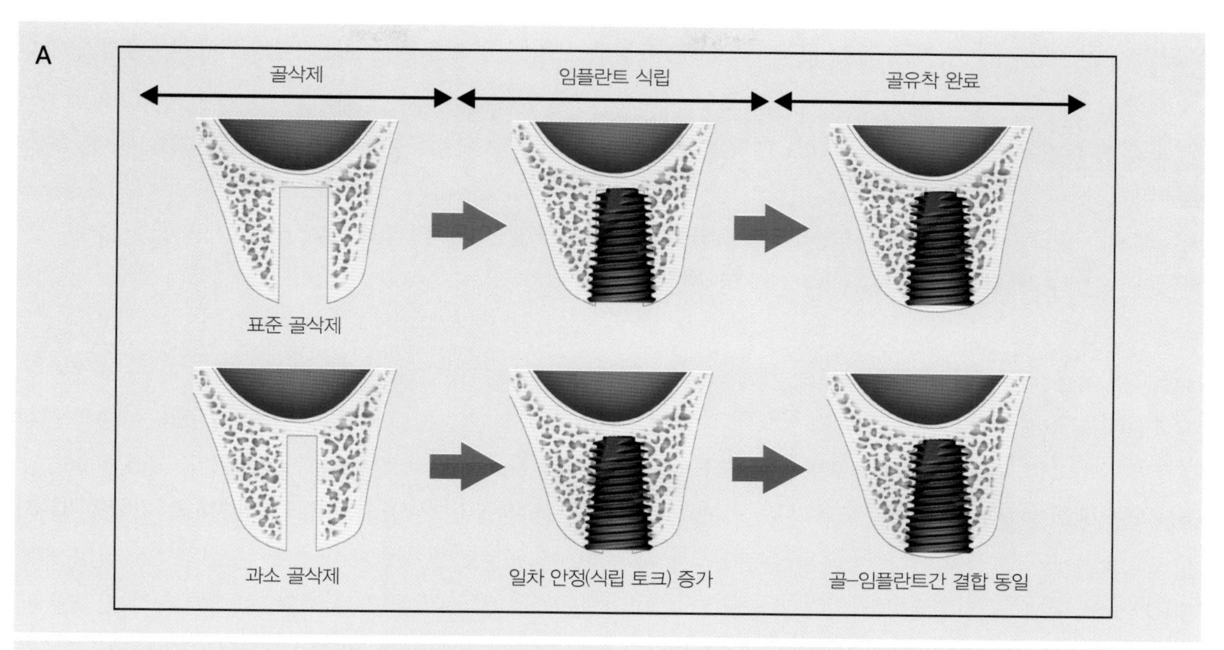

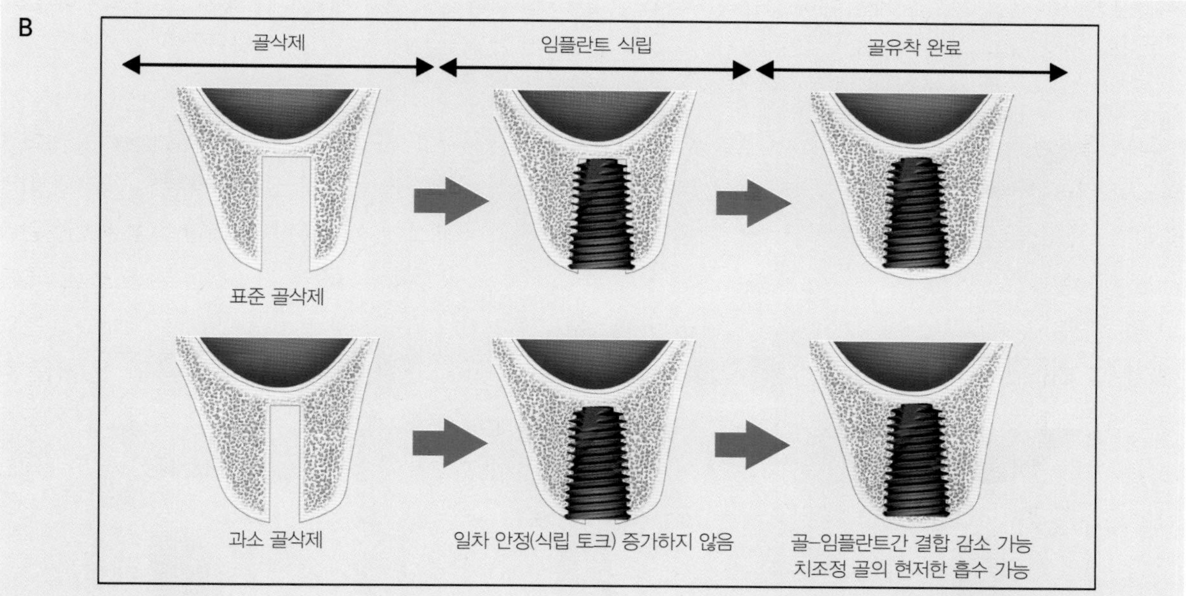

4-85 치조골 밀도에 따른 과소 골삭제의 효과
A. 밀도가 낮은 골에서 과소 골삭제 시 표준 골삭제 시보다 유의하게 높은 식립 토크를 얻을 수 있다. 그러나 치유가 완료된 후의 골-임플란트간 결합은 골삭제 직경과 관계없이 비슷하다. **B.** 밀도가 높은 골에서는 과소 골삭제 시 식립 토크가 증가한다는 근거는 없다. 또한 치료가 완료된 후에는 과소 골삭제 후 식립한 임플란트의 골-임플란트간 결합이 오히려 감소할 수도 있으며 치조정 골의 현저한 흡수를 초래할 수도 있다.

밀도가 낮은 부위가 아니라면 과소 골삭제에 의해 추가되는 식립 토크는 임플란트의 성공에 크게 영향을 미치지 못하는 것으로 보인다. 전향적 대조 연구들에 의하면 과소 골삭제 시행 시 임플란트 식립 토크나 공진 주파수 값은 증가시킬 수 있지만 그 효과가 제한적인 것으로 보이며, 임플란트의 골유착 성공은 이들 요소와 크게 관련이 있는 것으로 보이지는 않는다.[264,278] 이는 동물 연구들의 결과와도 일치하는 결과이다.[268,275] 동물 실험들에서는 밀도가 높은 골에서는 골삭제 직경을 과다하게 크게, 심지어 임플란트 직경보다 크게 형성해도 임플란트는 안정적으로 골유착이 이루어졌다.[249,268,279]

골삭제 폭은 얼마나 감소시켜야 하는가에 대한 명확한 기준은 없지만, 일반적인 추천 사항은 표준 골삭제 폭보다 10% 정도를 감소시키는 것이다.[239,280] 예컨대 5 mm 직경의 임플란트 식립을 위해 4.5 mm 직경의 골삭제가 필요하다면, 과소 골삭제 시에는 골삭제의 폭을 4.0–4.1 mm 정도로 감소시켜 주는 것이다(📷 4-86). 한 임상 연구에서는 원통형 임플란트를 식립할 때 골삭제 직경과 임플란트 직경의 차이가 0.5 mm 이상일 때 회전 저항도는 급격히 상승했다.[281] 동물 실험에서는 해면골에 임플란트를 식립할 때 표준 폭보다 10% 감소시킨 경우가 25% 감소시킨 경우보다 식립 토크를 더 유효하게 증가시킬 수 있었다고 보고했다.[282] 위에 언급된 대부분의 연구에서 과소 골삭제를 위해 표준 골삭제보다 0.3–0.4 mm 정도 골삭제 폭을 감소시켰다.

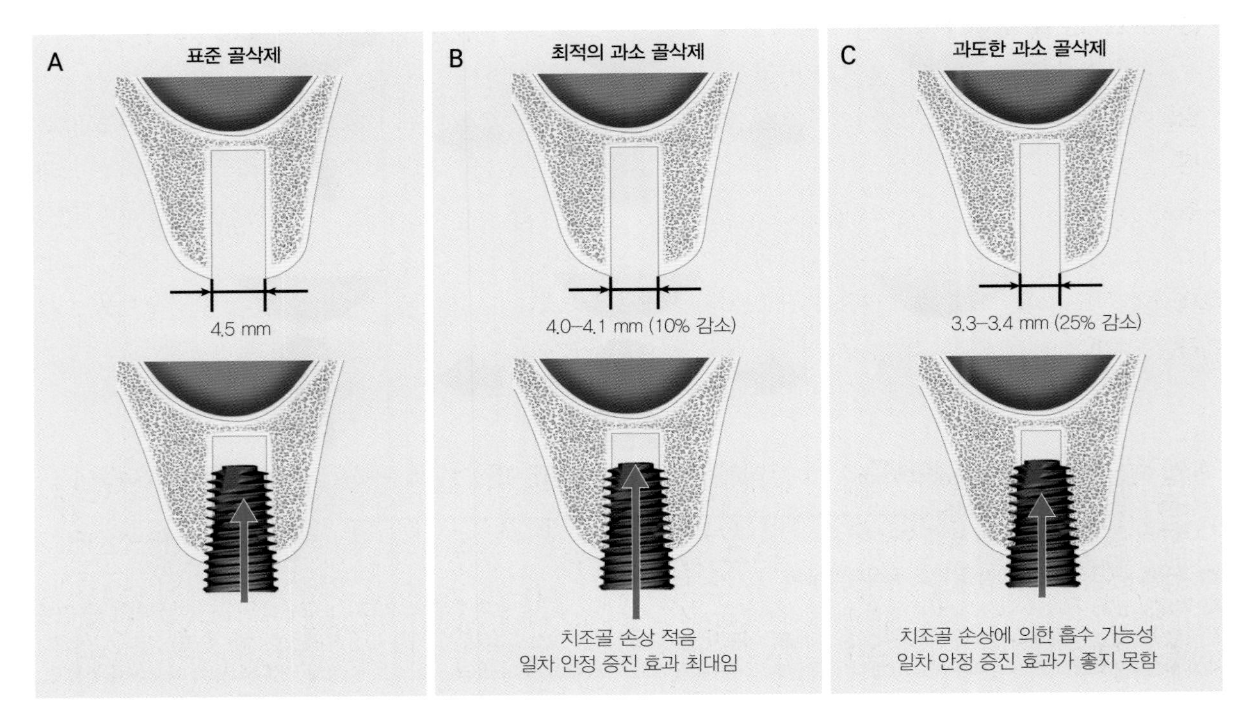

📷 4-86 과소 골삭제는 일반적으로 추천되는 골삭제 직경보다 10% 정도 작은 직경으로 골삭제를 시행하는 것이다.
A. 제조사마다 다르긴 하지만 5 mm 직경의 임플란트를 식립할 때에는 보통 4.5 mm 전후의 직경으로 골삭제를 시행하는 것이 표준이다.
B. 과소 골삭제는 표준 골삭제보다 대략 10% 작은 직경으로 골삭제를 시행하는 것이므로 4 mm 내외의 직경으로 골삭제를 시행하면 최적의 과소 골삭제가 된다. 적절한 증례에서 이렇게 과소 골삭제를 시행하면 치조골 손상은 적으면서 일차 안정의 증진 효과는 최대가 된다.
C. 이보다 더 심하게 과소 골삭제를 시행하면(예컨대 25% 과소 골삭제) 임플란트 식립 후 치조골이 과도하게 손상되어 치유 기간 중 병적으로 흡수될 수 있으며 일차 안정은 오히려 저하될 수 있다.[282]

이보다 더 골삭제 감소 폭을 늘리면 임플란트 성공에 오히려 더 해가 될 수 있다. 몇몇 임상 연구에서는, 테이퍼 임플란트 식립 시 과도한 식립 토크를 가하면 오히려 임플란트의 골유착 실패로 연결될 수 있다고 보고한 바 있다.[283,284] 한 동물 연구에 의하면, 과소 골삭제 후 임플란트 식립 시 과도한 토크가 가해지면 임플란트 주위골에 가해지는 응력이 증가하면서 골조직의 일시적인 괴사는 증가하고 골재생의 정도는 줄어드는 것으로 나타났다.[285] 또한 과소 골삭제 후 테이퍼 임플란트를 식립하면 식립 토크는 증가하지만 임플란트 주위골의 미세 골절이 증가하면서 파골 세포 활성이 증가한다. 이에 따라 골유착의 정도는 더 증가하지 않고 치조정 골소실 양은 오히려 더 증가하게 된다.[286] 즉, 과도한 식립 토크가 가해지면 일차 안정의 정도는 더 증가할 수 있을지언정 골유착의 정도는 오히려 저하될 수 있으며, 임플란트 주위골의 손상이나 파괴 정도는 증가할 수 있다는 것이다(📷 4-87).[287] 일련의 임상 연구에서는 식립 토크가 50 Ncm 미만인 경우와 50 Ncm 이상인 경우, 치조정 골소실의 양과 협측 점막의 퇴축량이 유의하거나 유의하지 않게 더 많이 발생했다고 보고했다.[288-292] 이는 상악동 골이식술과 동시에 임플란트를 식립하는 경우에 더 중요하게 고려해야 하는 요소이다. 상악동 골이식술을 위해 외측 골창을 형성하면 치조골의 강도는 저하된다. 이러한 치조골에 과도한 식립 토크에 의한 압박이 가해지면 치조골은 열개되거나 파절될 수 있다. 고전적 부하를 가할 때 적절한 식립 토크의 기준은 아직까지 정해지지는 못했지만 대략 10–50 Ncm 사이의 식립 토크가 적절한 것으로 보인다.

(3) 오스테오톰을 이용한 수평적 골압축은 임플란트의 일차 안정을 일관되게 향상시키지 못하며 골유착 성공 가능성을 높이지 못한다

임플란트의 일차 안정을 향상시키기 위한 또다른 골삭제 방법으로써 "오스테오톰을 이용한 수평적 골압축(이후 '골압축')" 방법이 있다. 오스테오톰 상악동저 거상술에서는 첨단이 편평하고 약간 함몰된 형태의 오스테오톰을 사용하는 반면, 골압축을 위해서는 오스테오톰의 전진을 쉽게 하기 위해 첨단이 부드럽게 볼록한 형태의 오스테오톰을 사용한다(📷 4-88, 89). 골압축법은 과소 골삭제법과 비슷하게 임플란트 주위골을 압축시킴으로써 국소적으로 골밀도를 증가시킬 수 있고, 따라서 임플란트의 일차 안정을 증진시킬 수 있다는 생각에서 시행하는 것이다. 밀도가 낮은 골에 골압축을 시행하면 조직학적으로 골밀도가 유의하게 증가한다.[293]

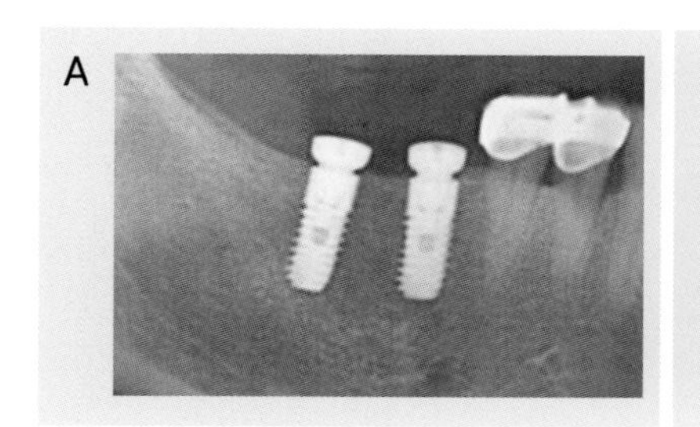

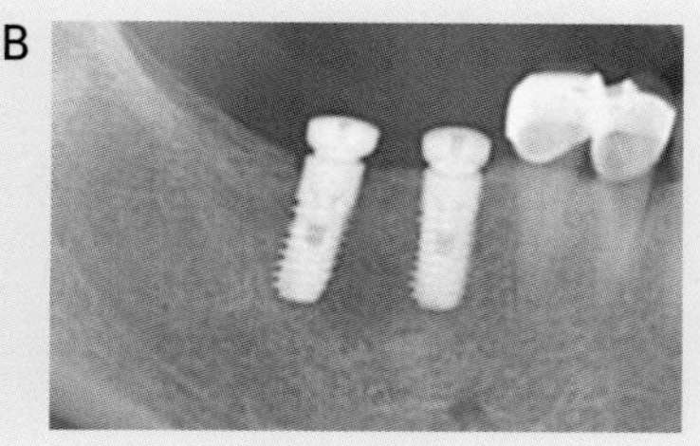

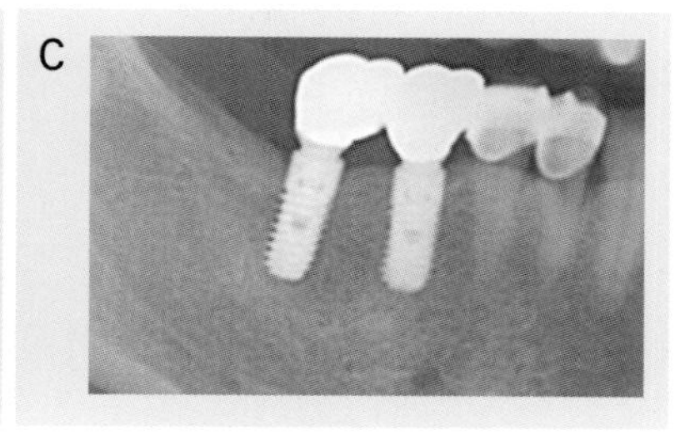

📷 4-87 과도한 식립 토크의 문제
특히 피질골 부위에 과도한 압축력이 발생하면서 치조정 골을 흡수시킨다.
A. 하악 대구치 부위에 임플란트를 식립하였다. 골삭제 중 느껴진 골밀도가 낮았다고 판단하였기 때문에 테이퍼 임플란트를 식립하였지만 식립 토크가 50 Ncm 정도로 굉장히 높았다. **B.** 3개월 후 보철물 장착 전 소견. 치조정 부위의 골흡수는 과도한 식립 토크로 인해 치조정 부위의 피질골에 발생한 과도한 응력에 의해 발생한 것으로 보인다. **C.** 보철물 장착 후 방사선사진. 비록 광범위하고 파괴적인 골흡수에 이르진 않았지만 특히 제2대구치 부위의 임플란트 주위 피질골이 많이 흡수되었다.

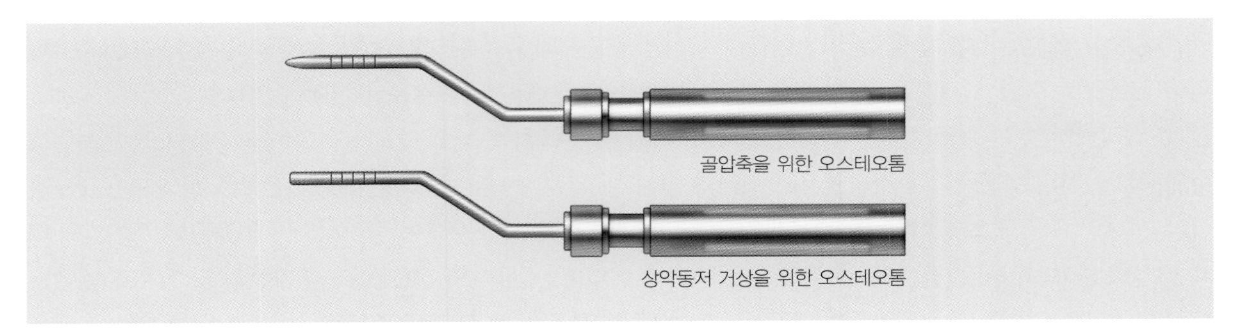

4-88 골밀도를 증가시키기 위한 목적과 치조골 폭을 확장시키기 위한 목적으로는 주로 끝이 볼록한 형태의 오스테오톰을 이용하며 상악동저를 거상하기 위한 목적으로는 편평하거나 오목한 형태의 것을 이용한다.

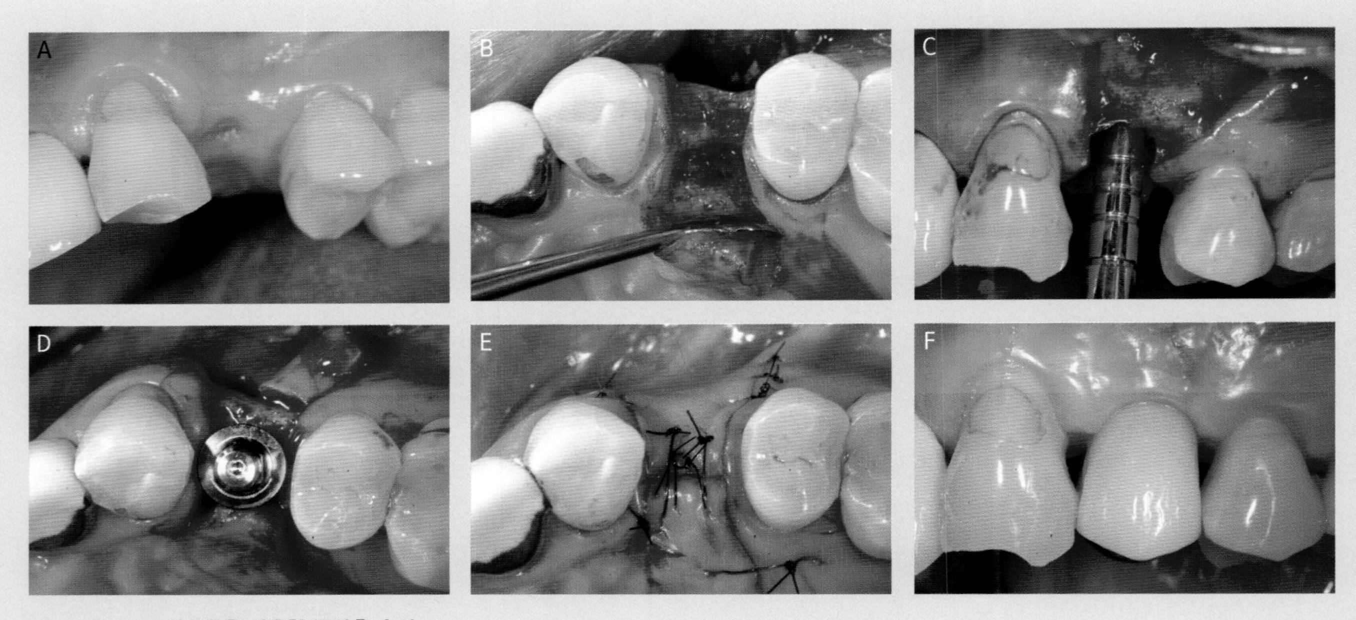

4-89 오스테오톰을 이용한 골압축 술식
과거에는 밀도가 낮은 골에 임플란트를 식립할 때 골의 밀도를 향상시키기 위한 목적으로 많이 시행했지만 현재는 별다른 임상적 이점이 없는 것으로 밝혀졌다.
A~E. 발치 후 조기에 임플란트를 식립했다. 임플란트 식립부의 골밀도가 낮았기 때문에 오스테오톰으로 골압축을 시행했다(**C**).
F. 6개월 후 보철 치료를 완성했다. 이 사진은 보철 부하 6개월 후 소견으로 별다른 문제를 보이지 않았다.

골압축 시 오스테오톰을 사용하는 방법은 여러 가지가 있는데, 보통은 첫번째 트위스트 드릴(대개 2 mm 직경)로 우선 골삭제를 시행하여 골의 밀도를 확인하고 오스테오톰을 위한 일종의 가이드가 될 수 있는 골삭제 공간을 확보한다. 이후 점차 직경이 커지는 오스테오톰을 이용하여 필요한 최종 직경의 오스테오톰까지 골압축을 시행한다(**4-90**).[294] 원하는 깊이까지 오스테오톰을 전진시킨 후에는 약 1분 정도 그대로 유지하여 오

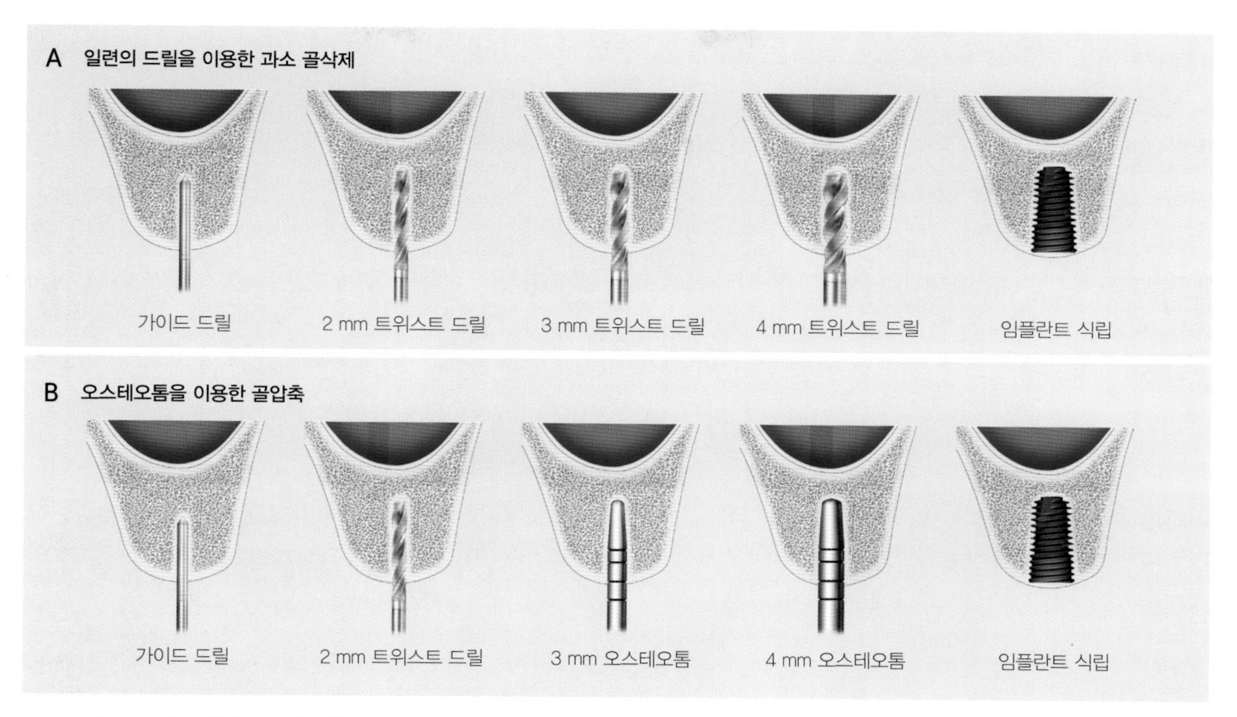

4-90 과소 골삭제와 오스테오톰을 이용한 골압축 술식
A. 과소 골삭제는 최종 골삭제 트위스트 드릴 직경의 크기를 줄이는 것 이외에는 일반적인 골삭제 방법과 동일하다. **B.** 골압축 술식은 여러 가지가 있지만 보통은 첫 번째 트위스트 드릴(대개 2 mm 직경)로 우선 골삭제를 시행하여 골의 밀도를 확인하고 오스테오톰을 위한 일종의 가이드가 될 수 있는 골삭제 공간을 확보한다. 이후 점차 직경이 커지는 오스테오톰을 이용하여 필요한 최종 직경의 오스테오톰까지 골압축을 시행한다.

스테오톰 주위골이 압축될 수 있는 충분한 시간을 부여한다.

골압축법이 임플란트의 일차 안정을 증진시킬 수 있는가에 대해서는 상당한 논란이 존재한다. 연구자들은 실험실에서 밀도가 낮은 골을 재현하기 위해 다공성의 폴리우레탄 블록이나 동물/인간 사체에서 채취한 밀도가 낮은 골(늑골, 장골, 경골 과두 등)을 이용했다. 그리고 이들 시료에 드릴을 이용한 표준 골삭제와 오스테오톰을 이용한 골압축을 적용한 후 임플란트를 식립해 일차 안정을 측정했다. 그리고 그 결과로 골압축법 적용 시 식립 토크나 공진 주파수 분석으로 측정한 일차 안정이 현저히 증가했다는 보고,[295,296] 표준 골삭제법과 골압축법에서 일차 안정에 별다른 차이를 보이지 않았다는 보고,[293,297,298] 오히려 표준 골삭제를 시행했을 때가 골압축을 시행했을 때보다 일차 안정이 더 좋았다는 보고[299–301]가 혼재되어 나타났다. 이는 아마도 사용한 시료의 재료적 특성, 밀도, 형태 등의 차이, 사용한 임플란트 매식체의 형태와 크기 차이, 골압축 방법의 차이 등에 따라 골압축법의 효과가 민감하게 반응하기 때문인 것으로 보인다.

골압축법의 이러한 일관성 없는 효과는 동물/임상 연구에서도 비슷하게 나타났다. 개의 장골에 골압축법과 표준 골삭제법으로 임플란트를 식립하면 5주 후 ISQ 값에 거의 차이를 보이지 않았다.[302] 미니 피그를 이용한 동물 실험에서 경골 과두에 표준 골삭제법과 골압축법으로 임플란트를 식립했을 때 임플란트의 제거 토크는 식립 7일 후와 28일 후 모두 표준 골삭제 시에 훨씬 높았다.[303] 식립 7일 후 골압축법 적용군에서 임플란트 주위골의 골소주가 파절된 양상을 보였는데, 이것이 이러한 결과에 영향을 미친 것으로 보였다. 한 전향적 대조 연구에서는 상악 구치부에서 오스테오톰 골압축과 표준 골삭제법을 적용한 후 임플란트를 식립했을 때 식립 직후부터 골유착이 완료될 때까지 ISQ 값에는 거의 차이를 보이지 않았다.[304] 한 무작위 대조 연구에서는 상악 전치부에서 골압축법과 표준 골삭제법으로 임플란트를 식립한 후 ISQ 값의 변화를 비교했다.[294] 그 결과 임플란트 식립 직후에는 골압축법으로 식립한 임플란트의 ISQ 수치가 훨씬 더 유의하게 높았지만 이러한 차이는 3개월 후 소실되었다. 또한 치조정 골소실량은 수술 3개월 후 골압축법 적용군에서 유의하게 더 많았지만 이후 이러한 차이는 사라졌다. 정리하자면 골압축법으로 임플란트를 식립하면 증례에 따라 임플란트의 일차 안정은 증진될 수도, 그렇지 않을 수도 있지만, 임플란트가 골유착을 이룬 후에는 표준 골삭제법과 비슷한 정도의 안정도를 보인다는 사실을 알 수 있다.

그렇다면 골압축법과 과소 골삭제법 중 더 효율적인 방법은 무엇일까? 한 실험실 연구에서는 폴리우레탄 블록에서 과소 골삭제 후 임플란트를 식립했을 때에는 표준 골삭제법을 적용했을 때보다 일차 안정이 유의하게 증진됐지만, 골압축법을 적용한 후에는 임플란트의 일차 안정이 오히려 저하되었다.[300] 한 동물 실험에서는 양의 대퇴골 과두에 표준 골삭제, 과소 골삭제, 오스테오톰 골압축을 적용하고 식립 토크와 임플란트 식립 직후의 골-임플란트간 결합도를 비교했다(4-91).[298] 거친 표면 임플란트를 식립했을때 과소 골삭제법은 식립 토크(115.2±31.1 Ncm)와 제거 토크(102.9±36.4 Ncm)가 표준 골삭제법(식립 토크 70.8±25.7 Ncm, 제거 토

4-91 양의 대퇴골 과두에 표준 골삭제, 과소 골삭제, 오스테오톰 골압축을 적용하고 식립 토크와 임플란트 식립 직후의 골-임플란트간 결합도를 비교한 연구 결과[298]
식립 토크와 제거 토크는 모두 과소 골삭제 시에 가장 높았다. 반면 오스테오톰 골압축 시에는 표준 골삭제를 시행했을 때보다 토크가 오히려 감소하는 양상을 보였다. 골-임플란트간 결합 또한 과소 골삭제 시에 가장 높았다. 이는 과서 골삭제가 물리적으로나 조직학적으로 임플란트의 일차 안정을 증진시키는 데 있어 가장 효율적인 방법임을 보이는 결과이다.

크 76.6±24.4 Ncm)이나 오스테오톰 골압축법(식립 토크 66±24.1 Ncm, 제거 토크 51±23.6 Ncm)보다 현저히 높았다. 조직학적인 골–임플란트간 결합은 표준 골삭제 시 48.7±2.8%, 과소 골삭제 시 87.5±5.6%, 오스테오톰 골압축 시 77.6±16.6%으로 역시 과소 골삭제에서 가장 우수했지만, 과소 골삭제법과 골압축법에서 서로 통계학적으로 유의한 차이를 보이지는 않았다. 결론적으로 골압축법과 과소 골삭제법 중 어떤 방법이 더 우수한 방법인가에 대해 대답해 줄 수 있는 직접적인 근거는 매우 희박하다고 할 수 있다. 그러나 소수의 전임상 연구에서는 과소 골삭제법이 일차 안정을 증진시키는 데 있어서는 가장 우수한 방법임을 보여주었다.

결국 오스테오톰을 이용한 골압축법은 여러 가지 요소에 그 결과가 민감하게 좌우되는 방법이며, 따라서 그 결과에 편차가 크다는 사실을 알 수 있다. 또한 이 방법으로 일차 안정을 증진시킨다고 해서 임플란트의 골유착 성공 가능성이 증가하지도 않는다. 특히 상악동 골이식부의 골구조는 다른 부위에 비해 얇아서 오스테오톰 적용 과정 중 가해지는 외상에 의해 파절될 가능성이 높기 때문에 이 방법을 적용하는 것은 피해야 한다고 생각한다. 더 효과가 좋거나 비슷한 데다가 비외상적인 방법인 과소 골삭제법이 상악동 골이식에서는 더 추천되는 방법이라고 결론 내릴 수 있다.

(4) 테이퍼 임플란트가 골질이 불량한 치조골에서 임플란트의 성공 가능성을 증가시킨다는 근거는 약하다.

임플란트의 일차 안정을 증진시킬 수 있는 또 다른 방법은 테이퍼 임플란트를 사용하는 것이다.[305] 임플란트 매식체의 형태는 기본적으로 원통형이지만, 이중에서도 특히 "매식체 직경이 근단측으로 갈수록 좁아지는 원통형 임플란트(cylindrical implant where the endosseous part narrows in diameter toward the apex)"를 테이퍼 임플란트로 정의내릴 수 있다(📷 4–92).[229]

테이퍼 임플란트를 식립하기 위한 골삭제 방법은 크게 두 가지이다(📷 4–93).

- 테이퍼한 형태의 골삭제를 시행 임플란트의 치관측 변연부터 치근단측 변연까지 임플란트 주위골에 가해지는 응력의 정도가 비슷함

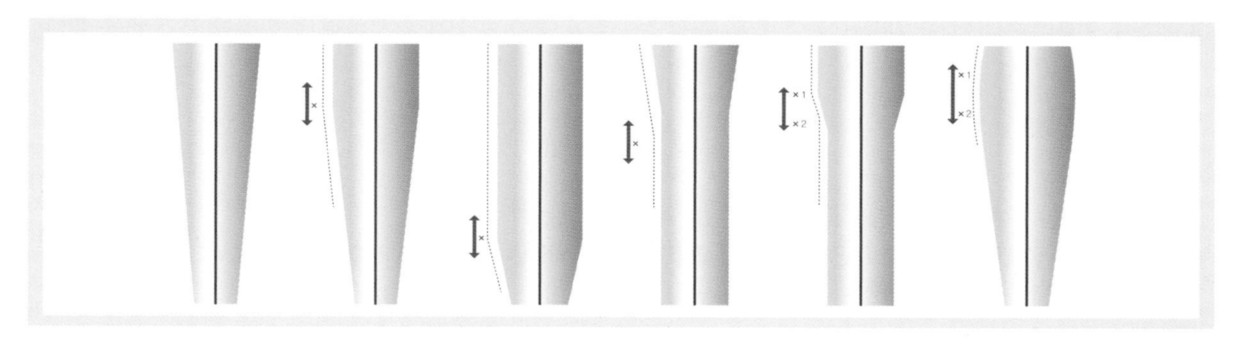

📷 4–92 테이퍼 임플란트는 "매식체 직경이 근단측으로 갈수록 좁아지는 원통형 임플란트"로 정의 내릴 수 있으며 다양한 형태를 포괄한다.

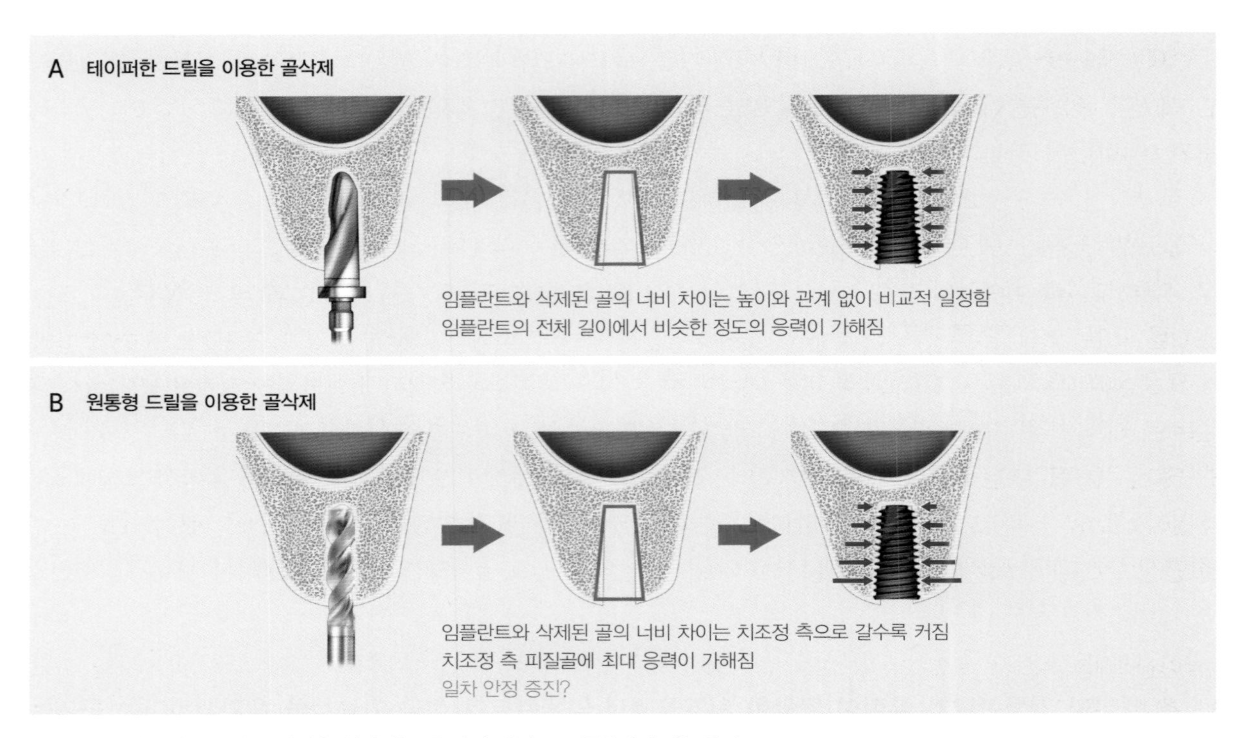
A 테이퍼한 드릴을 이용한 골삭제
임플란트와 삭제된 골의 너비 차이는 높이와 관계 없이 비교적 일정함
임플란트의 전체 길이에서 비슷한 정도의 응력이 가해짐
B 원통형 드릴을 이용한 골삭제
임플란트와 삭제된 골의 너비 차이는 치조정 측으로 갈수록 커짐
치조정 측 피질골에 최대 응력이 가해짐
일차 안정 증진?

4-93 테이퍼 임플란트 식립을 위해서는 두 가지 방법으로 골삭제가 가능하다.
A. 테이퍼한 형태의 골삭제를 시행. 임플란트의 치관측 변연부터 치근단측 변연까지 임플란트 주위골에 가해지는 응력의 정도가 비슷하다.
B. 원통형 골삭제를 시행. 임플란트 치관측으로 갈수록 골삭제부의 폭과 임플란트 매식체 폭의 차이가 커지기 때문에 치관측 골, 즉 피질골에 가해지는 응력이 증가한다. 이러한 골삭제 방법은 밀도가 낮은 골에서 일차 안정을 증가시키기 위해 사용되고 있으며, 따라서 골밀도가 상대적으로 낮은 상악에서는 테이퍼 임플란트 식립 시 적용한다.

- 원통형 골삭제를 시행 임플란트 치관측으로 갈수록 골삭제부의 폭과 임플란트 매식체 폭의 차이가 커지기 때문에 치관측 골, 즉 피질골에 가해지는 응력이 증가함

두 번째 골삭제 방법은 밀도가 낮은 골에서 일차 안정을 증가시키기 위해 사용되고 있으며, 따라서 골밀도가 상대적으로 낮은 상악에서는 테이퍼 임플란트 식립 시 일반적으로 두번째 방법으로 골삭제를 시행한다.[238] 결국 테이퍼 임플란트로 일차 안정을 증진시키는 술식은 일종의 "과소 골삭제법의 변형 방법"으로 생각할 수 있다.

테이퍼 임플란트는 애초에 두 가지 목적으로 독립된 그룹에 의해 개발되었다.

- 골밀도가 낮은 곳에서 일차 안정을 증진시키기 위한 목적으로 사용[306]
- 발치 후 즉시 임플란트 식립 시 치근의 자연스런 외형과 비슷한 임플란트 매식체 외형을 부여함으로써 임플란트 식립을 용이하게 함[265]

현재 임플란트 업계의 동향은 테이퍼 임플란트의 전성시대라고 불릴 만하다. 임플란트에 대해 가장 광범위한 데이터베이스를 가진 웹사이트인 osseosource.com의 자료에 의하면, 오늘날 전체 임플란트 종류의 50% 정도가 테이퍼한 형태이다.[229]

"불량한 골질"은 높은 일차 안정을 위해 테이퍼 임플란트를 식립해야 하는 중요한 적응증으로 생각되어 왔다. 지금까지 여러 동물 실험, 실험실 연구, 임상 연구들이 불량한 골질에서 테이퍼 임플란트의 유용성에 관한 결과를 보여주었다.[229,269,307,308] 한 임상 연구에서는 상악 전치부에서 골삭제 직경과 임플란트 형태에 따라 회전 운동에 대한 안정도가 어떻게 영향 받는지 평가했다.[281] 그 결과, 회전력에 대한 비안정성을 보이는 임플란트는 테이퍼 임플란트(1.1%)가 원통형 임플란트(20.5%)보다 월등히 적었다. 그렇다면 밀도가 낮은 골에 식립한 테이퍼 임플란트는 원통형 임플란트에 비해 진정한 이점이 있을까? 있다면 얼마나 도움이 될까? 2010년대 후반에 테이퍼 임플란트와 관련된 중요한 메타분석들이 발표된 바 있으며, 여기에서는 이들 메타분석의 결과를 중심으로 이에 대해 설명해 보겠다.

2018년에는 테이퍼 임플란트와 원통형 임플란트의 안정도로써 식립 토크와 공진 주파수 값(ISQ)을 비교한, 총 5개의 무작위 대조 연구를 포함한 메타분석이 발표됐다.[263] 식립 직후와 8주 후에는 테이퍼 임플란트의 ISQ 값이 더 컸고(각각 평균 0.51, 0.04 차이), 12주 후에는 원통형 임플란트의 ISQ 값이 평균 0.95 더 컸다. 그러나 이러한 차이는 임상적으로나 통계학적으로 봤을 때 별다른 차이를 보이지 않는 것이었다. 식립 토크는 테이퍼 임플란트가 평균 2.98 Ncm 더 컸으며, 이는 통계학적으로는 유의한 차이기는 했지만 임상적으로는 크게 의미 있는 차이라고 보기는 힘들다. 이는 테이퍼 임플란트를 사용하면 식립 직후의 공진 주파수 값이 원통형 임플란트를 식립했을 때보다 더 컸지만, 그 차이가 점차 사라지면서 비슷해졌다는 한 무작위 대조 연구의 결과와 매우 유사한 결과이다.[309]

2018년에 6th ITI Consensus Conference에서는 테이퍼 임플란트와 원통형 임플란트의 결과를 비교한 체계적 문헌 고찰을 시행하고 이에 기반하여 합의 보고(consensus statement) 및 임상적 권유 사항(clinical recommendation)을 제시했다.[229,310] 그리고 체계적 문헌 고찰의 결과 3개의 무작위 대조 연구를 포함하여 분석을 시행했는데, 이들 연구의 이질성이 컸기 때문에 메타분석은 불가능했다고 한다. 그러나 개별 연구들에서는 테이퍼 임플란트나 원통형 임플란트 모두 별다른 차이 없이 만족할 만한 결과를 보였다고 결론지었다. 따라서 ITI에서는 밀도가 낮은 골에서 테이퍼 임플란트를 사용해야 하는가에 대해서는 약간은 유보적인 결론을 내렸다. 임플란트 디자인의 선택은 임플란트의 일차 안정을 증진시킬 수 있는 여러 방법 중 하나에 불과하고, 테이퍼 형태는 일차 안정을 증진시키기 위해 적용할 수 있는 여러 가지 디자인 변형 방법 중 하나일 뿐이기 때문이다. 임플란트 디자인 요소에는 테이퍼 유무뿐만 아니라 표면 거칠기, 나사산의 형태와 크기, 치근단부의 형태 등 여러 가지가 있으며, 단순히 테이퍼 유무 한가지만으로 특정 임플란트의 임상적 결과가 결정될 수는 없다.[311-314]

4) 상악동 골이식술과 임플란트의 식립

(1) 동시법과 단계법 선택의 기준은 결국 골량과 골밀도이다

상악동 골이식 시 임플란트를 동시에 식립할 수 있다면 치료 기간을 적어도 3개월 이상 단축시킬 수 있으며 수술 횟수도 1회 줄여줄 수 있다. 따라서 가능하다면 상악동 골이식과 동시에 임플란트를 식립하는 것이 유리하다. 그러나 임플란트의 성공을 확신할 수 없는 상태에서 무리하게 임플란트를 상악동 골이식과 동시에 식립하고 이로 인해 임플란트가 골유착에 실패한다면, 오히려 치료 기간이나 횟수가 단계법을 적용했을 때보다 증가할 수 있기 때문에 동시법/단계법 적용 기준을 철저히 준수해야 한다.

상악동 골이식과 동시에 임플란트를 식립할지(동시법), 혹은 상악동 골이식 후 재생골의 치유가 완료된 후 임플란트를 식립할지(단계법)를 결정짓는 최종적인 기준은 잔존골에서 충분한 정도의 일차 안정을 얻을 수 있는가의 여부이겠지만, 임플란트 식립 시 충분한 일차 안정을 이룰 수 있는가의 여부는 결국 임플란트 식립부의 골량과 골질에 좌우될 수밖에 없다.[315] 앞서 살펴보았지만 임플란트 식립부 골삭제 방법을 변형하거나 테이퍼 임플란트를 사용하는 방법은 임플란트의 성공에 거의 영향을 미치지 못하고, 환자의 국소적 골량과 골질(혹은 골밀도)이 임플란트 성공에 가장 중요한 영향을 미치기 때문이다(**📷 4-83**). 게다가 상악동 골이식 부위는 구강 내에서 국소적인 골량(잔존골 높이)과 골밀도가 가장 불량한 부위이다. 따라서 상악동 골이식 시 임플란트를 동시에 식립하면 임플란트 실패의 가능성이 약간이라도 증가할 수 있는 위험성을 감수해야만 한다.[316]

상악 구치부에서 잔존골 높이는 임플란트의 일차 안정과 비례 관계에 있다는 분명한 근거가 존재한다. 동물실험에서 상악동 골이식부의 잔존골 높이는 임플란트 식립 직후와 6개월 후의 ISQ 수치와 유의한 상관관계를 보였다.[108] 한 증례 연구에서는, 골이식 없는 상악동저 거상술과 동시에 임플란트를 식립할 때 잔존골 높이는 임플란트의 식립 토크와 유의한 상관관계를 보였다고 보고했다.[266] 후향적 대조 연구에서는 잔존골 높이에 따라 임플란트의 식립 토크에 유의한 차이를 보였다.[280] 구체적으로 잔존골 높이가 2 mm 이하일 때에는 18.92 Ncm, 2–4 mm일 때에는 24.47 Ncm, 4–6 mm에서는 24.90 Ncm, 6 mm 이상에서는 32.51 Ncm이었다(**📷 4-94**). 그러나 상악동 골이식 시 잔존골 높이 4–5 mm를 기준으로 한 동시법/단계법의 원칙만 지킨다면 평균적으로 충분한 일차 안정을 얻을 수 있다. 한 대조 연구에서는 골밀도와 관계없이 잔존골 높이가 4 mm 이상인 경우에는 동시법으로, 4 mm 미만인 경우에는 단계법으로 임플란트를 식립했다.[233] 그 결과, 두 군에서 평균 식립 토크는 각각 23.77±12.63 Ncm과 26.48±20.80 Ncm이었고 ISQ는 65.25±4.45와 67.92±10.99로 서로 차이가 없이 충분한 일차 안정을 얻을 수 있었다고 했다.

그러나 지금까지의 연구 결과들을 종합해 볼 때 골밀도가 중등도 이상인 부위에서는 잔존골 높이가 2–3 mm만 확보되어도 충분한 일차 안정, 나아가 충분히 높은 임플란트의 성공을 예상할 수 있지만, 골밀도가 낮은 경우에는 잔존골 높이가 최소 4–5mm 이상이어야 임플란트가 예지성 있게 성공할 수 있는 것으로 보인다(**📷 4-95**).[266,280,317–319] 또한 치조정 접근법과는 달리 외측 접근법에서는 수술 중간에도 임플란트의 식립 시

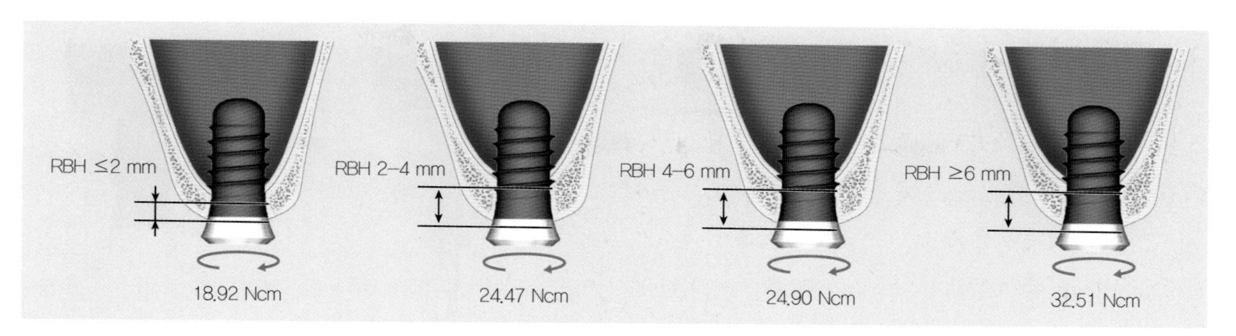

4–94 임상 연구에서는 상악 구치부에서 잔존골 높이가 증가함에 따라 임플란트의 식립 토크 또한 유의하게 증가하는 양상을 보였다.

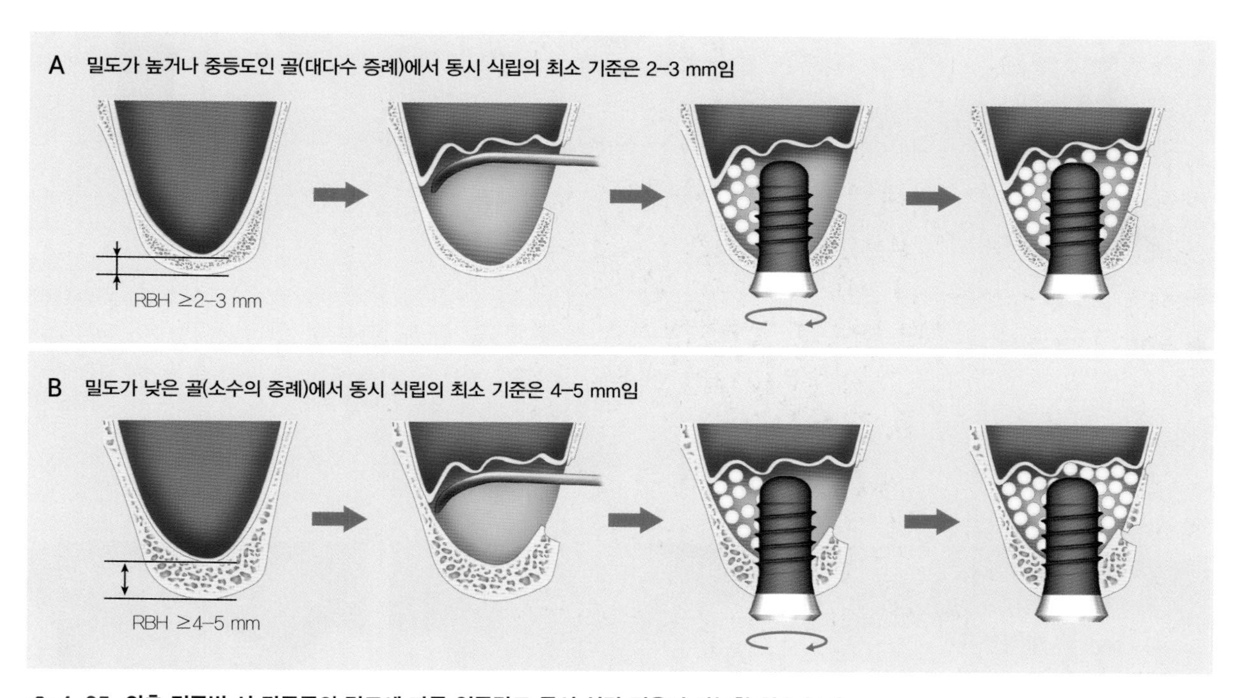

4–95 외측 접근법 시 잔존골의 밀도에 따른 임플란트 동시 식립 적용이 가능한 최소 높이
A. 골의 밀도가 중등도 이상일 때 임플란트 동시 식립의 최소 기준은 잔존골 높이 2–3 mm이다. **B.** 골의 밀도가 낮을 때 임플란트 동시 식립의 최소 기준은 4–5 mm이다.

기를 변경할 수 있기 때문에 치조정 접근법보다 조금 더 공격적인 접근이 가능하다. 잔존골 높이가 2–3 mm 이상이면 일단 동시법을 먼저 고려하고, 임플란트 식립부의 골삭제 과정 중 느껴지는 골의 밀도가 낮거나 임플란트 식립 시 일차 안정이 너무 낮다고 판단되면 지연법으로 전환하는 것이 가장 합리적인 접근법이 될 것이다(**4–96, 97**).

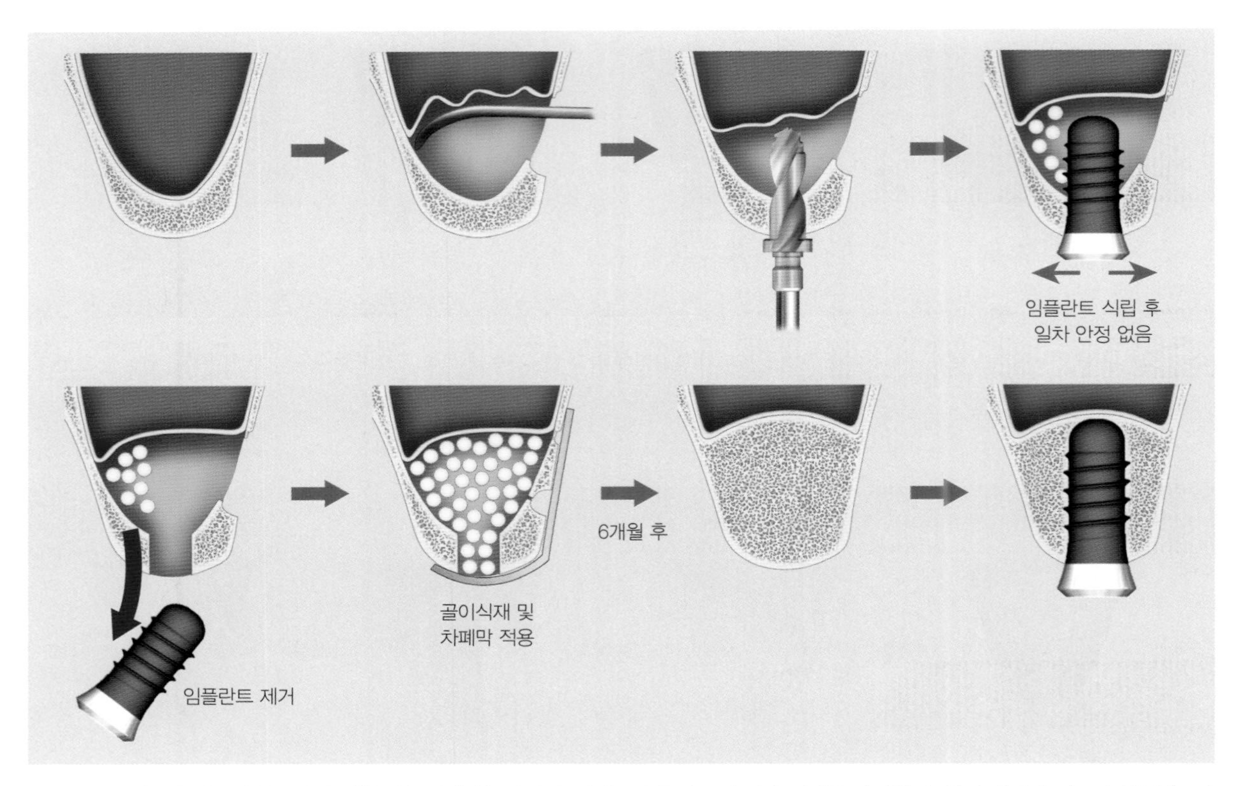

4-96 치조정 접근법과는 달리 외측 접근법에서는 수술 중간에도 임플란트의 식립 시기를 변경할 수 있기 때문에 치조정 접근법보다 조금 더 공격적인 접근이 가능하다. 잔존골 높이가 2–3 mm 이상이면 일단 동시법을 먼저 고려하고, 임플란트 식립부의 골삭제 과정 중 느껴지는 골의 밀도가 낮거나 임플란트 식립 시 일차 안정이 너무 낮다고 판단되면 지연법으로 전환할 수 있다. 이때 잔존한 골삭제부는 차폐막으로 피개해준다.

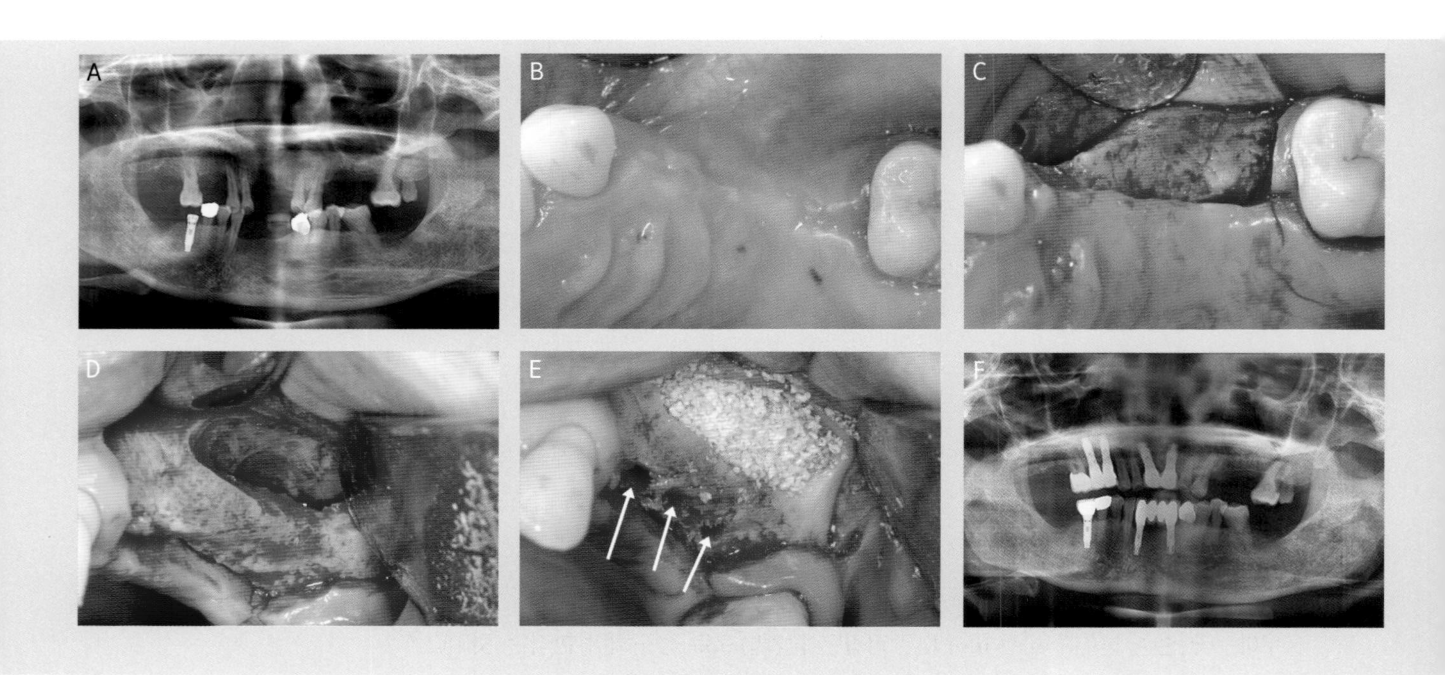

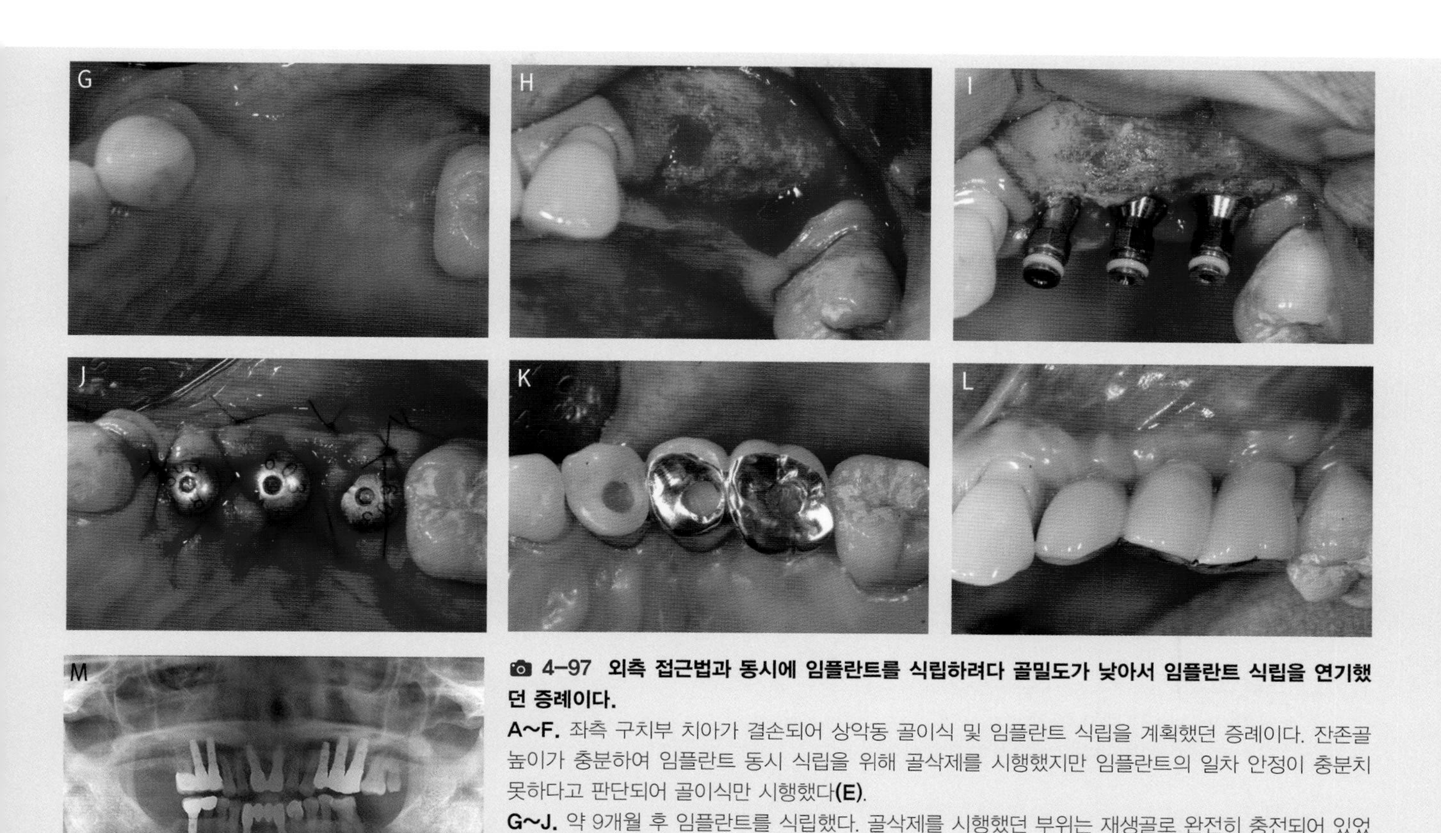

4-97 외측 접근법과 동시에 임플란트를 식립하려다 골밀도가 낮아서 임플란트 식립을 연기했던 증례이다.
A~F. 좌측 구치부 치아가 결손되어 상악동 골이식 및 임플란트 식립을 계획했던 증례이다. 잔존골 높이가 충분하여 임플란트 동시 식립을 위해 골삭제를 시행했지만 임플란트의 일차 안정이 충분치 못하다고 판단되어 골이식만 시행했다**(E)**.
G~J. 약 9개월 후 임플란트를 식립했다. 골삭제를 시행했던 부위는 재생골로 완전히 충전되어 있었다**(H)**.
K~M. 4개월 후 보철 치료를 완료했다.

상악 구치부는 분명 다른 부위에 비해 전반적으로 치조골 밀도가 낮은 부위이고, 따라서 임플란트의 일차 안정 또한 다른 부위에 비해 평균적으로 낮다.[261] 그러나 그럼에도 불구하고 대부분의 환자들에서 상악 구치부 치조골은 중등도의 골밀도(Lekholm & Zarb분류 2–3형)를 보인다.[236,320] 한편 상악 구치부는 낮은 빈도이기는 하지만 구강 내 다른 부위보다는 월등히 많은 4형골이 존재하는 부위이며, 한 메타분석에 의하면 4형골(밀도가 낮은 골)에서는 골량이 충분하다고 하더라도 임플란트의 실패가 현저히 증가한다.[248] 밀도가 아주 낮은 골에 식립한 임플란트의 실패 가능성은 현저히 증가하며, 심지어 재수술이나 재재수술에서도 굉장히 높은 실패율을 보인다.[321] 상악 구치부에서 잔존골 높이가 2–6 mm인 경우에는 잔존골 높이보다는 국소적인 골밀도가 임플란트의 일차 안정에 더 중요한 영향을 미친다는 근거가 있다.[319] 결론적으로 상악 구치부는 다른 부위에 비해 골밀도가 낮은 부위이긴 하지만 대부분의 경우 중등도의 골밀도를 보이며 따라서 잔존골 높이가 2–3 mm인 경우에도 동시법을 적용할 수 있지만, 골밀도가 극단적으로 낮은 부위 또한 다른 부위보다 훨씬 많으며 이러한 경우에는 잔존골 높이가 4–5 mm 미만이라면 단계법으로 접근해야 한다는 것이다.[322]

상악동저의 피질골화 정도도 중요하다(📷 4-98). 앞서 설명했지만 양측 피질골 고정은 잔존골 높이와 관계없이 임플란트의 일차 안정과 성공률을 모두 증진시킬 수 있다. 상악동저의 피질골화가 좋으면 골삭제 시 저항감이 확실히 느껴진다. 폴리우레탄 블록을 이용한 실험에서는 잔존골 천장과 바닥에 모두 피질골이 존재하면 한쪽만 피질골이 존재할 때보다 유의하게 높은 일차 안정을 얻을 수 있었고, 한쪽만 피질골이 존재하는 경우에는 잔존골 높이가 증가할수록 일차 안정이 증가하는 양상을 보였다.[323] 따라서 피질골화가 좋은 잔존골에서는 잔존골 높이가 2–3 mm 정도로 낮아도 높은 일차 안정을 얻을 수 있다.

잔존골 높이가 3 mm 미만일 때 동시법과 단계법의 결과를 비교한 연구는 별로 없었다. 한 후향적 연구에서는 외측 접근 상악동 골이식을 시행하며 임플란트를 동시 식립했을 때 잔존골 높이가 1–3 mm였던 경우에는 92%의 임플란트 성공률을, 4 mm 이상이었던 경우에는 98.7%의 성공률을 보였다고 했다($p=0.069$, 통계학적인 유의 수준에 근접한 유의 확률을 보였다).[39] 한 무작위 대조 연구에서는 잔존골 높이가 1–3 mm인 경우에 외측 접근 상악동 골이식을 시행하고, 동시에 임플란트를 식립한 경우와 4개월 후 임플란트를 식립한 경우의 결과를 보철 부하 1년 후까지 비교했다.[324,325] 양 군에서 모두 임플란트 식립 4개월 후에 부하를 가했다. 그 결과 임플란트의 생존율, 치조정 골소실량, 합병증 발생은 유의한 차이를 보이지는 않았다. 그러나 일단계 수술

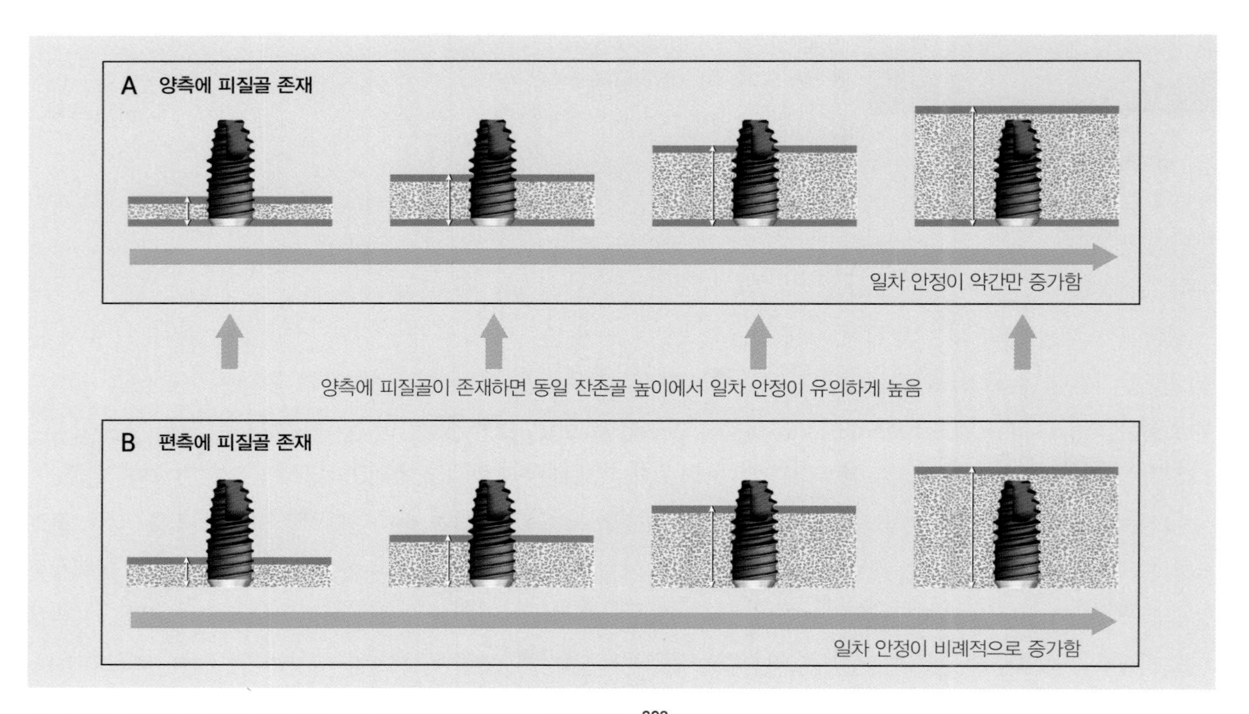

📷 4-98 치조골의 피질골화 정도도 일차 안정에 많은 영향을 미친다.[323]
A. 폴리우레탄 블록으로 시뮬레이션했을 때 양측에 피질골이 존재하면 잔존골 높이와 관계없이 높은 정도의 일차 안정을 얻을 수 있었고, 따라서 잔존골 높이가 높아지더라도 일차 안정의 정도가 크게 증가하지는 않았다. **B.** 상악동저 쪽에만 편측으로 피질골을 만들면 양측에 피질골이 존재할 때보다 일차 안정이 유의하게 낮았고, 잔존골 높이가 높아짐에 따라 일차 안정의 정도도 비례적으로 증가했다.

시 임플란트의 실패율은 5.5% (3/55)로, 단계법 시의 실패율 2.1% (1/47)보다는 분명 더 높았기 때문에 저자들은 잔존골 높이가 1–3 mm일 때 동시법 수술 시 임플란트 실패의 가능성이 약간 더 증가한다고 결론 내렸다.

(2) 외측 접근법과 동시에 임플란트를 식립할 때에는 적절한 일차 안정을 얻을 수 있도록 최선을 다한다

앞서 설명한 대로 잔존골 높이가 4–5 mm 이상인 모든 증례, 그리고 잔존골 높이가 2–3 mm이지만 CT에서 피질골화가 잘 이루어진 밀도가 높은 증례에서 동시법을 시행한다.[326] 동시법의 과정은 다음과 같다(**📷 4-6, 75, 99~102**).

① 일단 상악동 막을 완전히 거상한 후 임플란트 식립을 위한 골삭제를 진행한다.

② 골삭제 시에는 골의 밀도를 확실히 진단한다. 임플란트 식립을 위한 골삭제 시의 저항감은 골밀도와 유의한 상관관계를 보인다.[327] 약간의 경험만 쌓이면 골밀도는 비교적 쉽게 구분할 수 있다.

③ 골밀도가 중간이면 표준 골삭제법을, 골밀도가 낮으면 과소 골삭제법(표준 골삭제법보다 골삭제 폭을 3–4 mm 감소)을 시행한다. 오스테오톰을 이용한 골압축법은 약해진 치조골을 파절시킬 가능성이 있고 임상적으로 어떤 도움도 되지 않기 때문에 동시법에서는 사용하지 않는다.

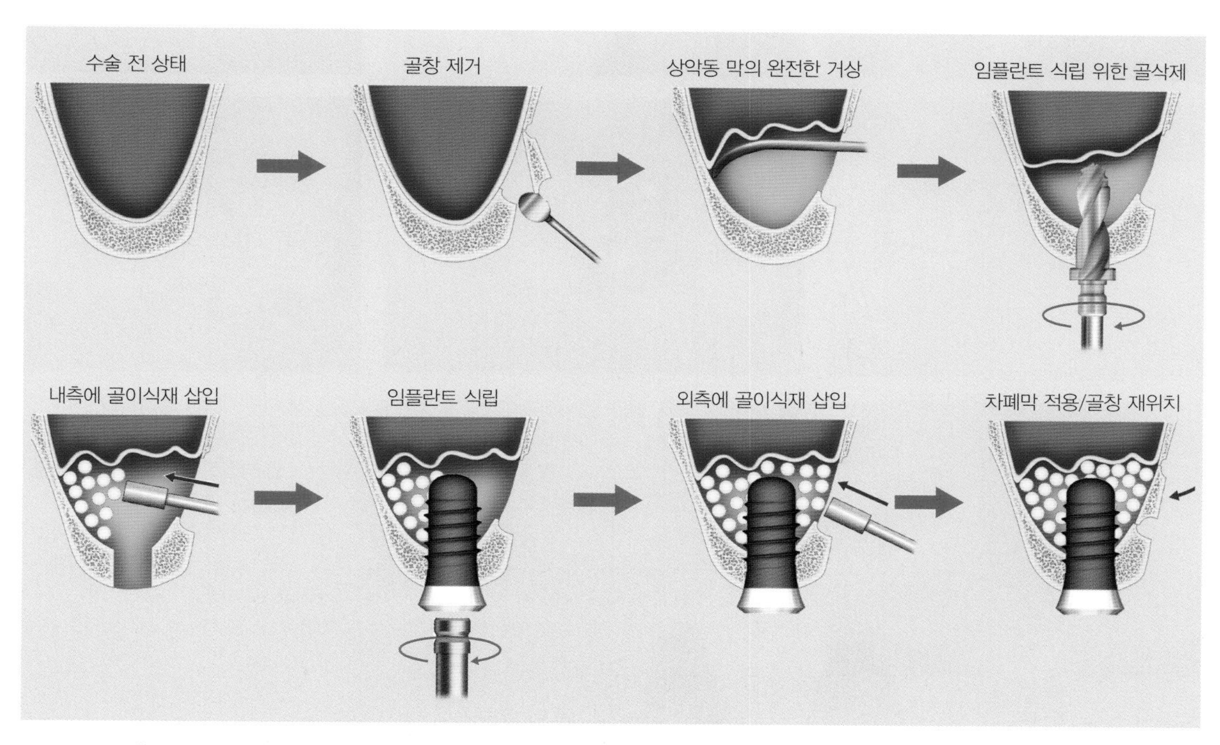

📷 4-99 외측 접근 상악동 골이식과 임플란트 식립을 동시에 시행할 때의 일반적인 과정

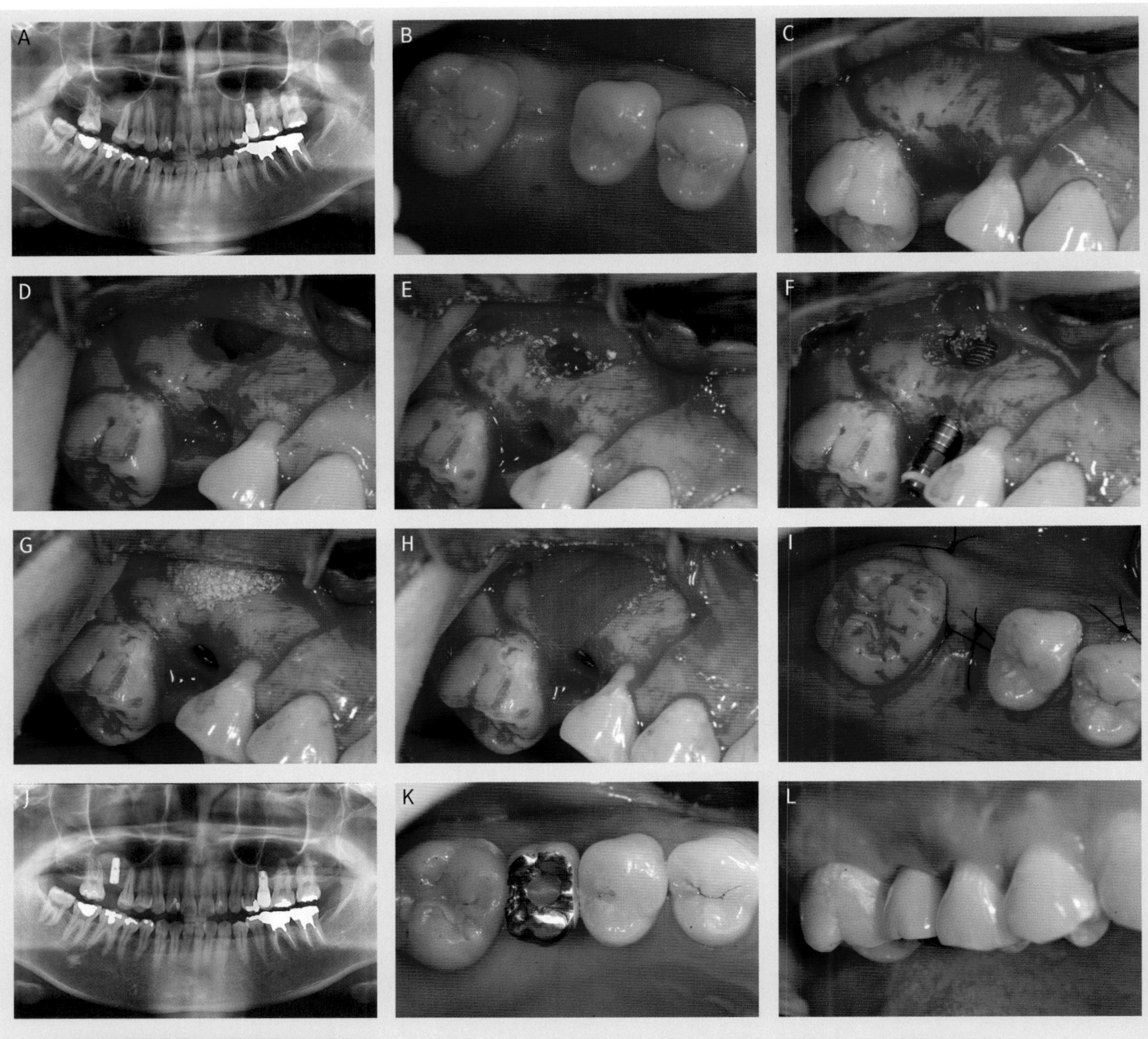

4-100 외측 접근 상악동 골이식과 임플란트 식립을 동시에 시행한 증례이다.
잔존골 높이가 4–5 mm 정도이므로 치조정 접근법도 적용 가능하다.
A~J. 외측 접근법으로 상악동 골이식을 시행하며 임플란트를 식립했다. 먼저 외측 골창을 형성하여 상악동 막을 거상한 후 임플란트 식립부에 골삭제를 시행했다**(D)**. 골이식부의 상악동 막은 수술 전에 심하게 비후되어 있었기 때문에**(A)**, 상악동 막을 수술부와 분리해주기 위해 차폐막을 상악동 내로 삽입한 후 상악동 내측에 이식재를 삽입했다**(E)**. 이후 임플란트를 식립하고**(F)**, 다시 외측에 골이식재를 삽입했다**(G)**. 골창부를 차폐막으로 피개하고 수술부를 폐쇄했다.
K~M. 약 6.5개월 후 2차 수술을 시행했으며 다시 1.5개월 후 보철 치료를 완성했다.

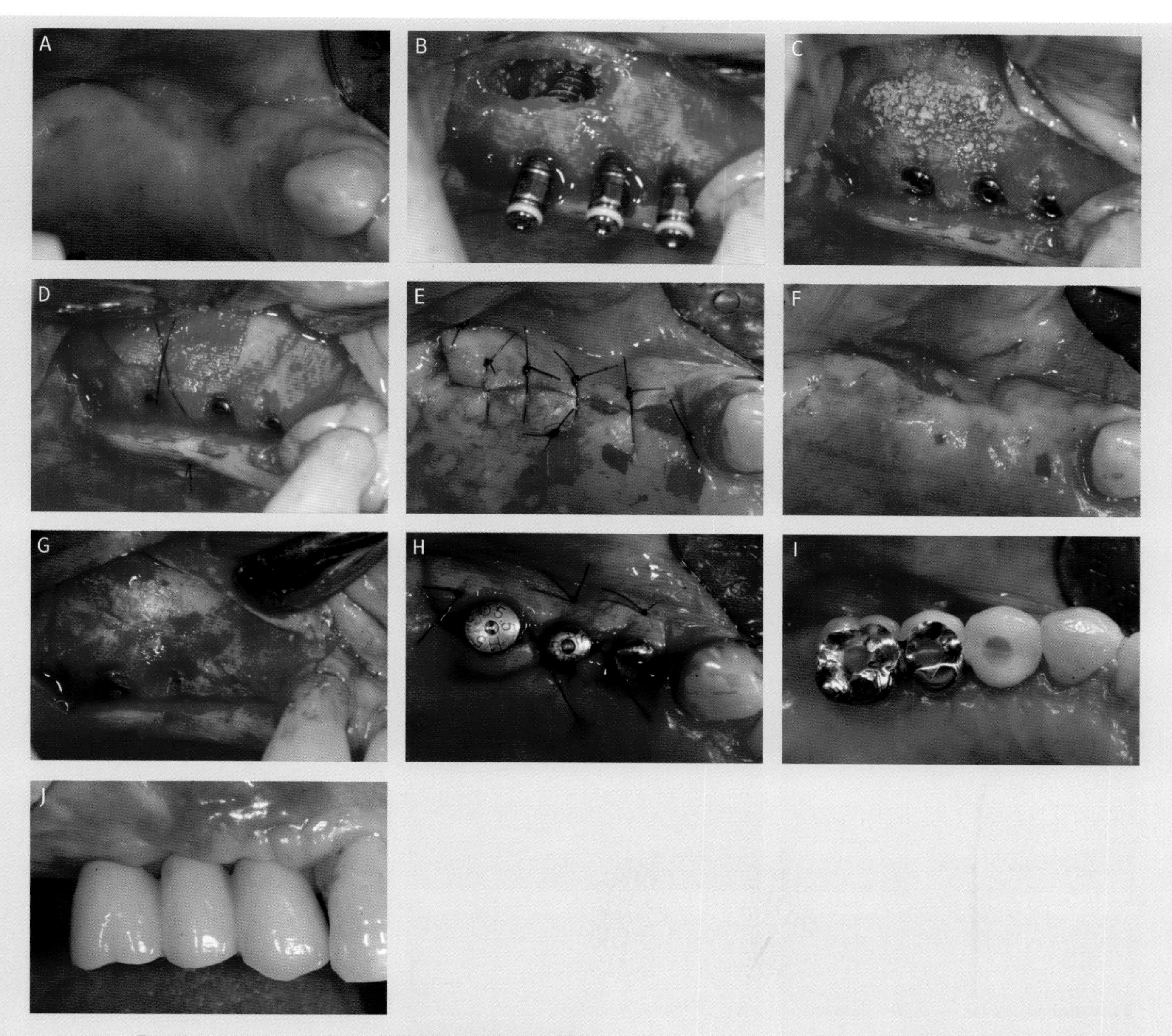

4-101 외측 접근 상악동 골이식과 동시에 임플란트를 식립한 증례이다.
방사선사진이 소실되어 임상 사진만 보여주도록 한다.
A~E. 제1소구치~제1대구치에 임플란트를 식립했고 제2소구치~제1대구치 부위에 상악동 골이식을 시행했다. 역시 골창 형성–상악동 막 거상–임플란트 식립을 위한 골삭제–상악동 내측에 골삽입 후 임플란트를 식립했다**(B)**. 이후 상악동 외측에 골이식재를 적용한 후 차폐막으로 골창부를 폐쇄했다.
F~H. 약 5.5개월 후 2차 수술을 시행했다. 상악동 골이식부의 골은 신생골로 잘 충전되어 있었다**(G)**.
I~J. 약 1개월 후 보철 치료를 완성했다.

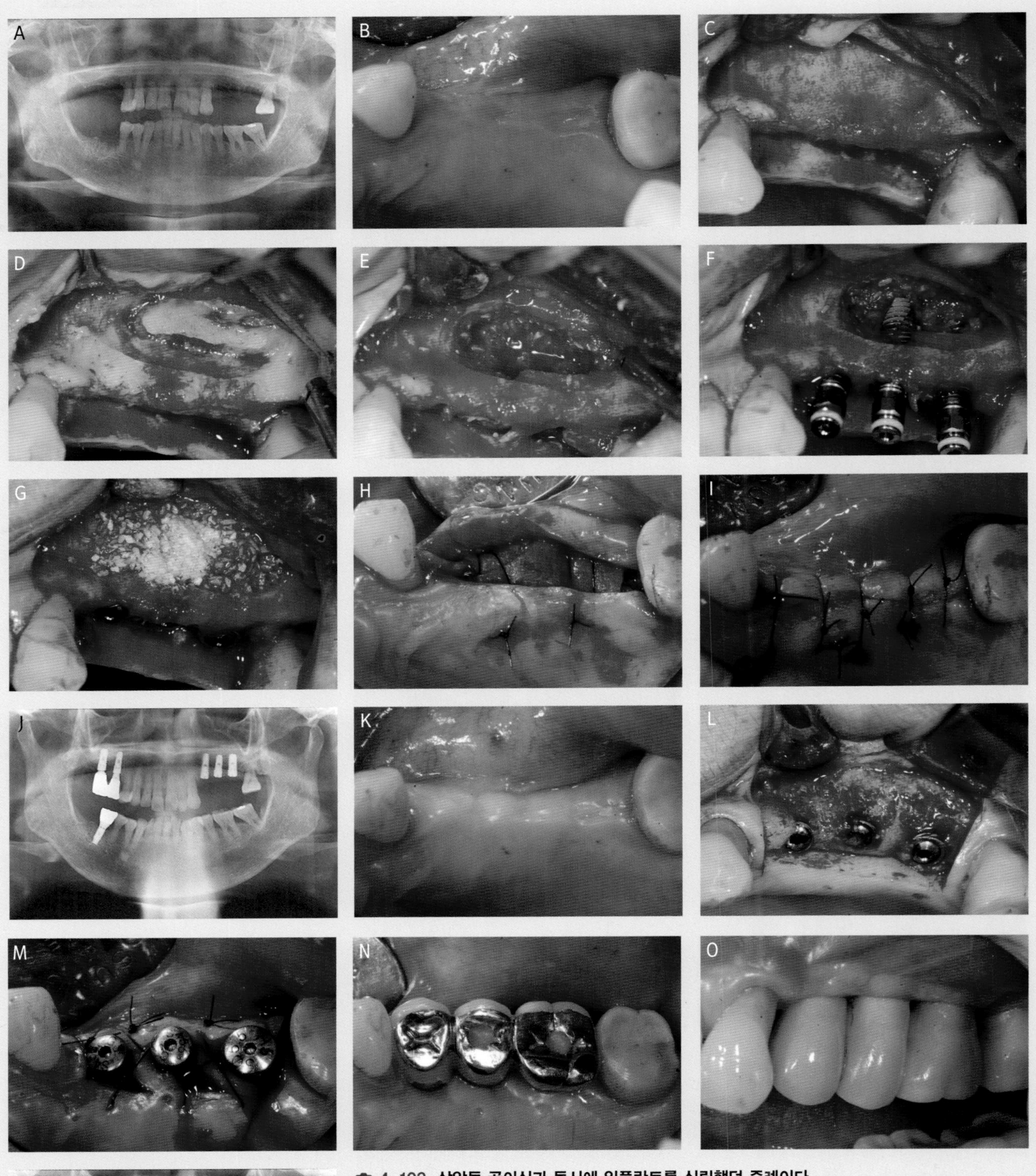

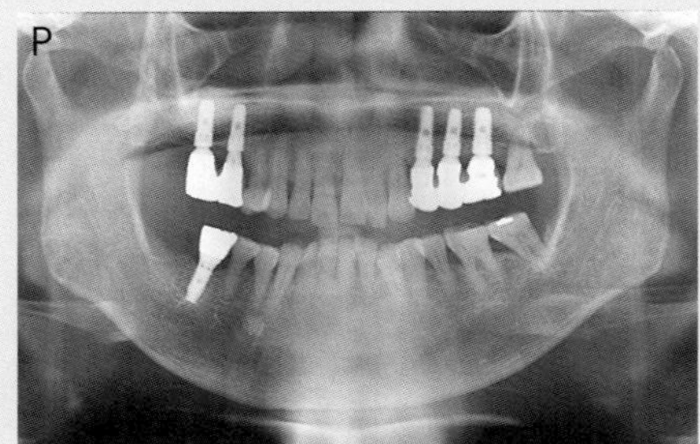

4-102 상악동 골이식과 동시에 임플란트를 식립했던 증례이다.

복수 치아 부위에 상악동 골이식이 필요하면 외측 접근법이 유리한 측면이 있다. 한꺼번에 골이식을 시행할 수 있기 때문이다.

A~J. 골창 형성 및 제거**(D)**, 상악동 막 거상 후 내측 상악동에 골이식**(E)**, 임플란트 식립**(F)**, 상악동 외측에 골이식재 삽입**(G)**, 차폐막 적용**(H)**의 과정을 통해 상악동 골이식 시 임플란트를 식립했다.

K~M. 약 5개월 후 2차 수술을 시행했다.

N~O. 1개월 후 최종 보철물을 연결했다.

④ 어떤 임상가들은 드릴이 상악동저를 뚫을 때 상악동 막을 천공할 가능성이 있으므로 상악동 내부에 교원질 스폰지 등을 임시로 삽입하기도 한다(**📷 4-103, 104**). 그러나 경험 상 이는 불필요한 과정이다. 상악동 막을 골로부터 거상하여 충분히 유리시키면 드릴에 의해서는 거의 절대로 천공되지 않는다.

⑤ 임플란트 식립을 위한 골삭제를 완료하고 임플란트를 식립하기 전에 상악동 내측에 골이식재를 적용한다. 임플란트 식립 후에는 이 부위에 골이식재를 적용하기 힘들기 때문이다.

⑥ 임플란트를 식립한다. 원통형과 테이퍼 임플란트는 서로 임상적 결과에 거의 차이가 없기 때문에 술자의 선호도에 따라 선택한다. 그러나 상악동 골이식 시에 테이퍼 임플란트나 점막 관통형 임플란트를 사용하면 일차 안정이 약한 경우 임플란트가 상악동 내부로 전위되는 것을 예방할 수 있고 약간이나마 부가적인 일차 안정을 부여할 수 있기 때문에 유리한 측면이 있다(**📷 4-105, 106**).

⑦ 임플란트를 식립할 때에는 토크 렌치로 일차 안정의 정도를 정확히 측정한다. 술자들이 느끼는 일차 안정의 정도와 실제 식립 토크 및 ISQ를 비교한 연구에 의하면 일차 안정이 중등도 이하일 때에는 술자들은 일차 안정의 정도를 실제보다 낮다고 느끼는 경향이 있기 때문에 반드시 렌치로 식립 토크를 확인하는 것이 좋다.[328] 만약 임플란트가 수평적, 수직적인 유동성을 보인다면 즉시 제거하고 단계법으로 전환한다. 회전 운동에만 저항성을 상실했다면 동시 식립이 가능하다. 만약 임플란트 식립 중 일차 안정이 낮아 임플란트를 제거했다면, 임플란트 식립을 위한 골삭제부는 차폐막으로 피개해 주면 아무런 문제없이 잘 치유된다(**📷 4-96, 97, 107**).

⑧ 임플란트 식립 후 상악동 외측에 골이식재를 적용하여 골이식을 완료한다.

동시법에서는 골삭제를 정확하게 시행하는 데 최선의 노력을 기울여야 한다. 상악동 골이식부와 같이 밀도가 낮은 부위에 골삭제를 시행할 때에는 정확한 골삭제가 필요하다. 여러 개의 일련의 드릴로 골삭제 직경을 확대할 때 골삭제부의 단면은 균일한 원을 이루지 못할 수 있으며 이는 일차 안정의 저하로 이어질 수 있다. 한 실험실 연구에서는 하나의 드릴을 사용하는 시스템과 세 개의 드릴을 사용하는 시스템을 비교한 결과, 하나

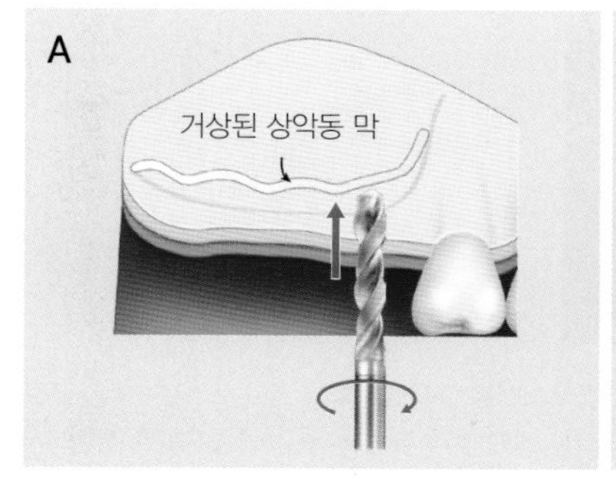

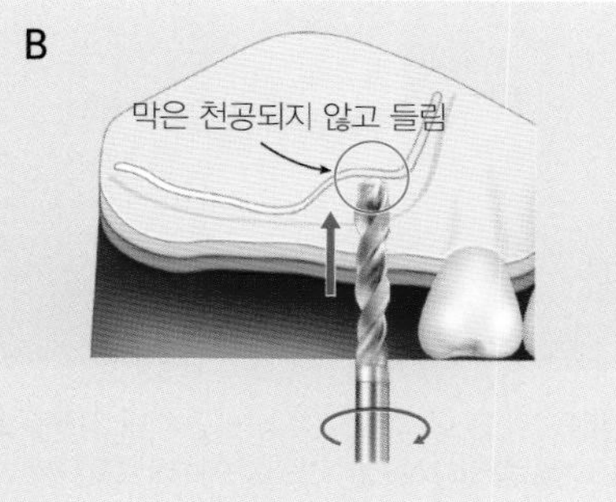

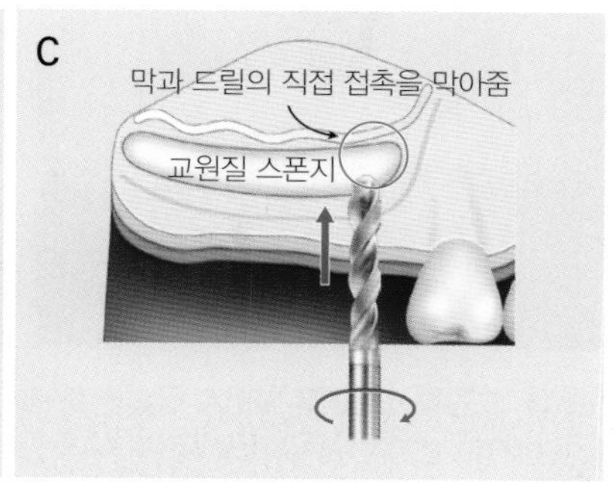

📷 4-103 어떤 임상가들은 드릴이 상악동저를 뚫을 때 상악동 막을 천공할 가능성이 있으므로 상악동 내부에 교원질 스폰지 등을 임시로 삽입하기도 한다.

A. 상악동 막 거상 후 골삭제를 시행하면 트위스트 드릴의 끝은 상악동 막과 직접 접촉한다. **B.** 상악동 막을 충분히 거상해 주었다면 트위스트 드릴 끝이 상악동 막과 접촉하더라도 이를 천공시키지 않는다. **C.** 교원질 스폰지를 거상된 상악동 막 하방에 삽입 후 골삭제를 시행하면 드릴과 상악동 막은 직접 접촉하지 않기 때문에 막은 천공될 가능성이 완전히 사라진다. 그러나 이는 거의 불필요한 과정이다.

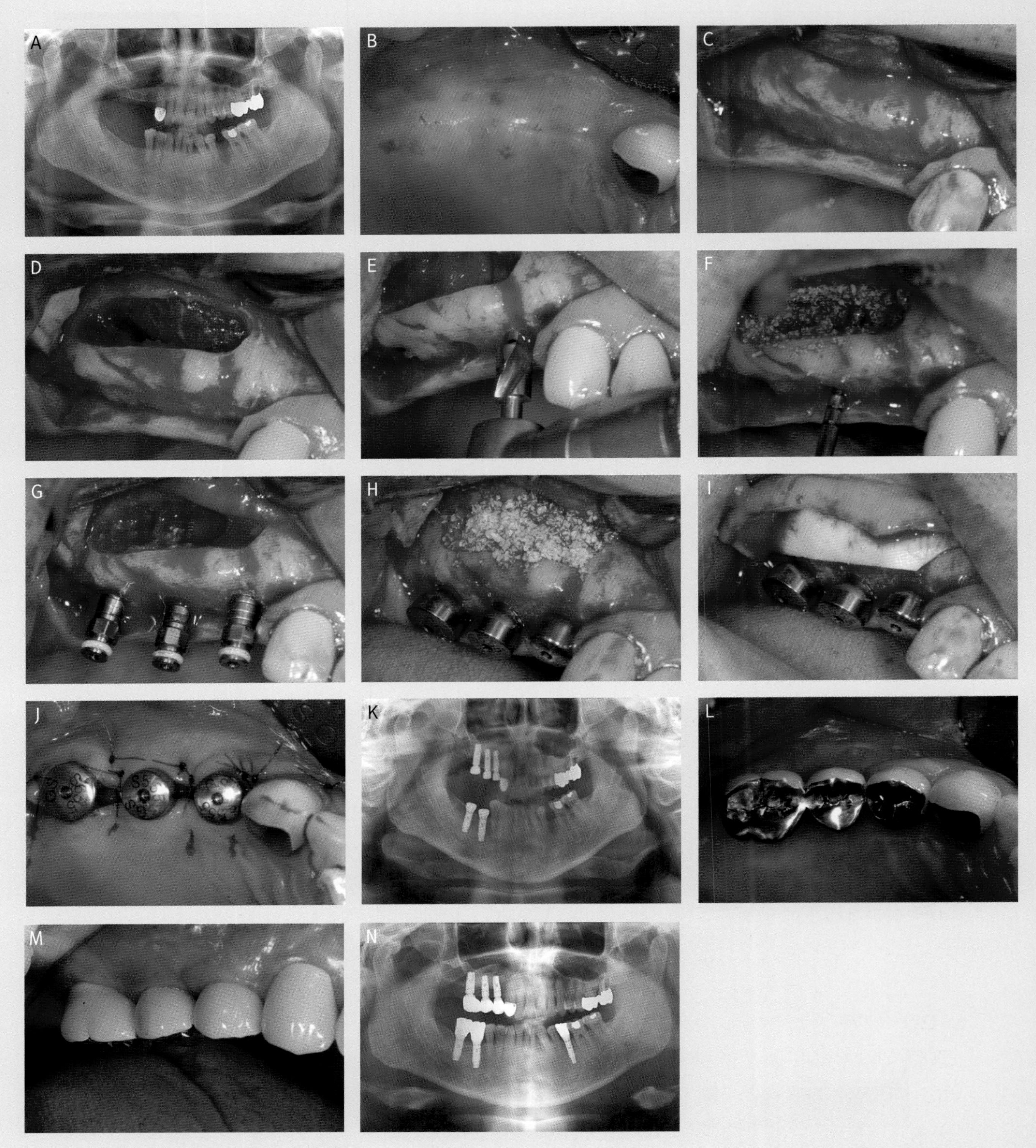

4-104 교원질 스폰지를 임시로 삽입한 증례이다.

A~K. 일반적인 상악동 골이식-임플란트 식립 동시 시행 증례이다. 상악동 막 거상 후**(D)** 상악동 막 하방에 교원질 스폰지를 삽입한 후 골삭제를 시행했다**(E)**. 상악동 내측에 이식재 삽입 후 골삭제부에 뎁스 게이지를 삽입하여 원하는 양의 거상이 이루어졌는지 확인한다**(F)**. 이후 임플란트 식립**(G)**, 외측에 이식재 삽입**(H)**, 차폐막 적용**(I)**, 봉합**(J)**의 순서로 수술을 진행했다.

L~N. 5개월 1주 후 보철 치료를 완성했다.

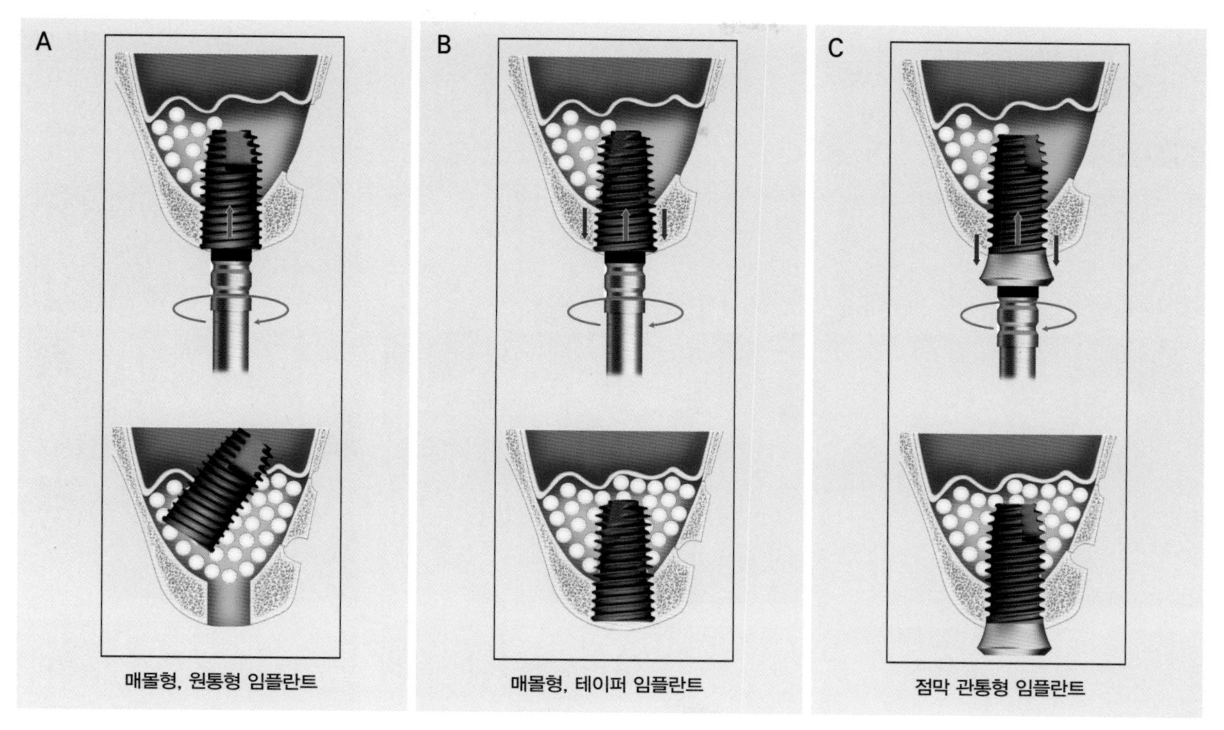

4-105 임플란트의 선택
A. 사실 원통형과 테이퍼 임플란트는 서로 임상적 결과에 거의 차이가 없다. 그러나 골밀도가 낮거나 일차 안정이 낮은 경우 매몰형, 원통형 임플란트를 식립하면 수술 중, 혹은 수술 후 치유 기간 중 임플란트가 상악동 내로 전위될 수 있다. **B.** 테이퍼 임플란트는 근단측보다 치관측의 직경이 더 크므로 밀도가 낮은 골에 식립 시 상악동 내로 전위될 가능성이 낮아진다. **C.** 점막 관통형 임플란트 또한 점막 관통부가 매식체보다 직경이 크기 때문에 상악동 내로 전위될 가능성을 줄여준다.

의 드릴을 사용할 때 임플란트 식립 토크가 유의하게 컸고, 이는 골삭제 형태가 더 균일했기 때문이었다고 했다.[329] 따라서 골삭제 시에는 각 단계의 트위스트 드릴 적용 시 적용 방향이 자꾸 틀어지는 일이 없도록 최대한의 주의를 기울이고 드릴 단계를 최소한으로 줄여준다(**4-108**).

오랜 기간동안 상악동 골이식과 동시에 식립한 임플란트는 6개월의 치유 기간을 두는 것이 표준이었다.[330] 골대체재로 상악동 골이식을 시행했을 때 대략 5–6개월 정도의 치유 기간이 소요된다는 사실을 감안했을 때 이는 합리적인 기간이라고 생각된다. 상악동 골이식 부위에 형성된 신생골은 임플란트의 안정도를 현저히 상승시키기 때문이다.[331] 최근 일부 임상가들이 상악동 골이식과 동시에 식립한 임플란트에 조기 부하를 가하여 성공적인 결과를 얻었다고 보고한 바 있다.[266,330,332–335] 그러나 이에 대해서는 아직까지 매우 제한적인 임상적 근거만이 존재하며, 생리학적으로도 매우 위험한 접근이라는 사실을 알고 있어야 할 것이다. 상악동 골이식과 동시에 식립한 임플란트에 빠르게 부하를 가하기 위해서는 복수 치아 식립 후 스플린팅, 구강 악습관의 부재, 환자의 낮은 교합압, 높은 일차 안정 등을 모두 만족해야만 한다. 이는 상악동 골이식부에서 쉽게 마주칠 수 있는 적응증은 되지 못한다.

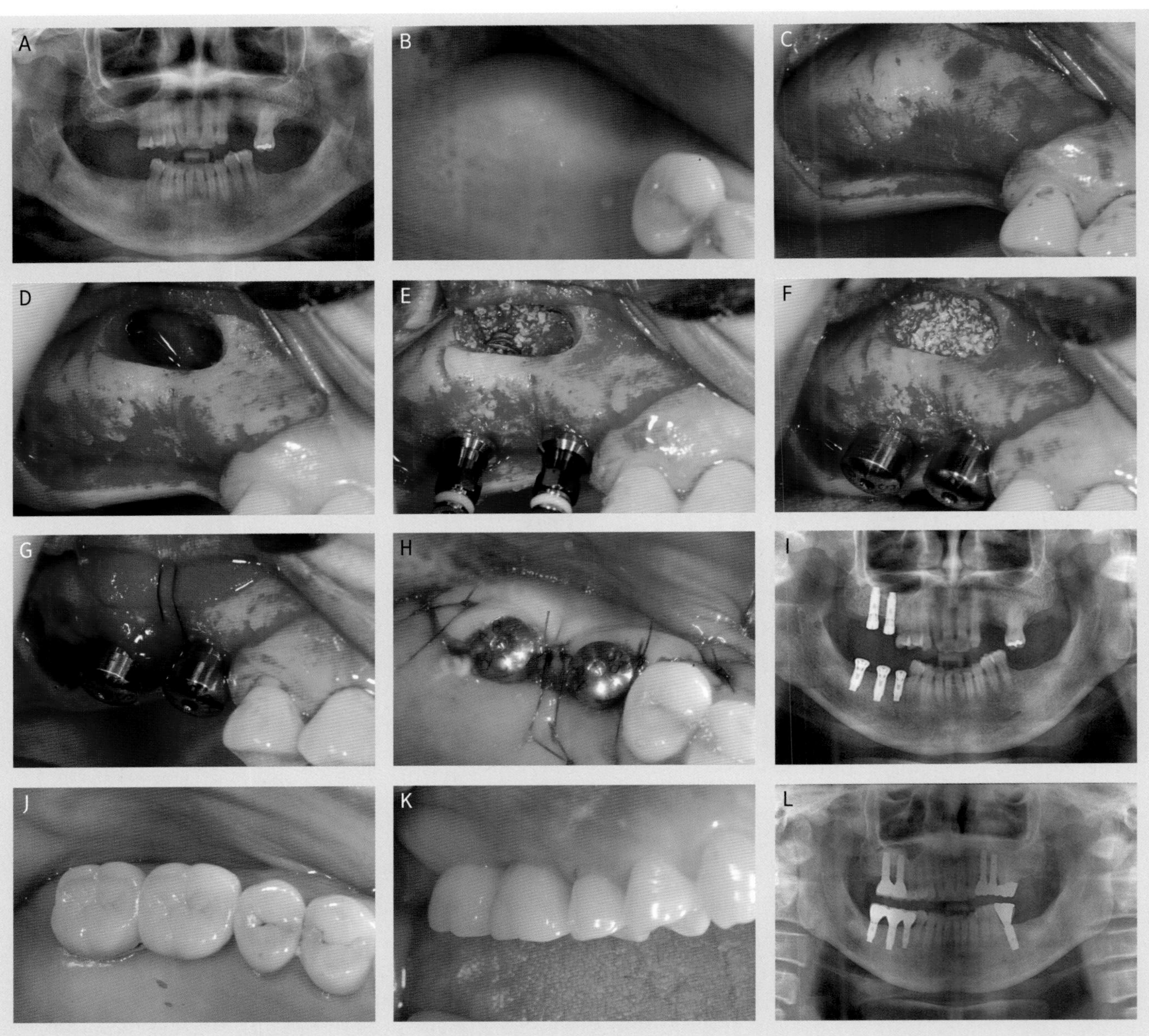

4-106 상악동 골이식 후 점막 관통형 임플란트를 식립하면 임플란트의 상악동 내 전위를 예방할 수 있다. 또한 치관측에 별다른 골증강 술식을 적용하지 않으면 치유 기간 중 특별한 문제를 발생시키지 않으며 2차 수술이 필요 없어진다는 장점을 지닌다.

A~I. 상악동 골이식과 동시에 임플란트를 식립했다. 임플란트는 점막 관통형을 사용했다.

J~L. 6개월 정도 후 보철 치료를 완성했다.

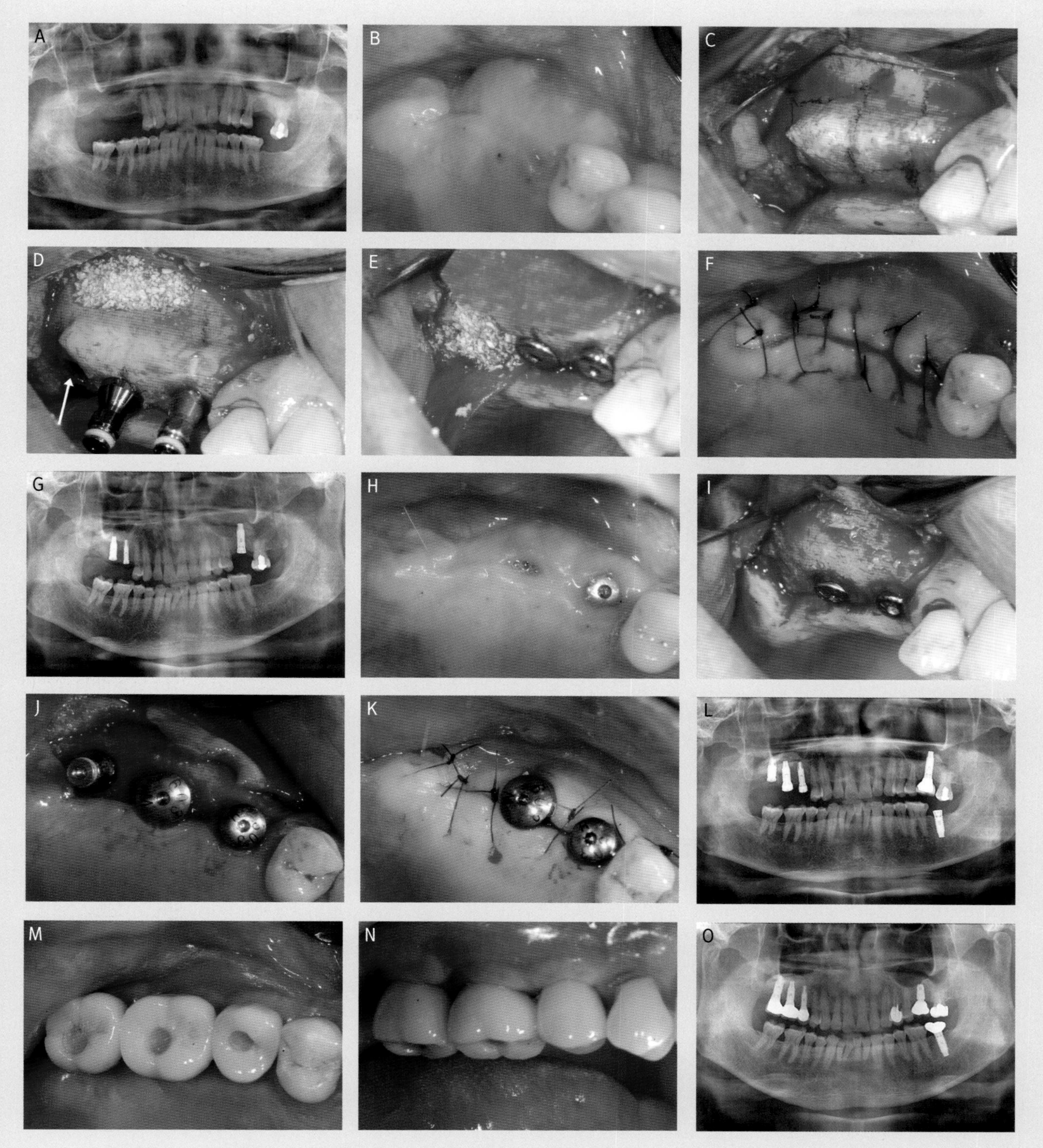

4-107 상악동 골이식 시 임플란트 동시 식립을 위해 골삭제를 시행한 후 일차 안정이 낮을 것으로 예상되어 임플란트를 식립하지 않을 수도 있다. 이때 잔존한 골삭제부는 차폐막으로 피개해주면 아무런 문제없이 잘 치유된다.

A~G. 상악 우측 제2소구치, 제1대구치, 제2대구치 부위에 상악동 골이식 및 임플란트 식립을 계획하고 수술을 진행했다. 제2소구치와 제1대구치 부위의 임플란트는 정상적으로 식립했지만 제2대구치 부위에서는 임플란트 식립 시 충분한 일차 안정을 얻을 수 없다고 판단되었기 때문에 골삭제부에 이식재를 삽입하고 차폐막으로 피개해 주었다.

H~L. 6개월 2주 후 2차 수술과 제2대구치 부위 임플란트 식립을 위해 수술부에 재진입했다. 제2대구치 부위에서는 특별한 문제없이 골이 정상적으로 형성되어 있었기 때문에 충분한 일차 안정 하에 임플란트 식립이 가능했다.

M~O. 제2소구치와 제1대구치 부위에서는 고정성 임시 보철물을 사용하다가 6.5개월 후 최종 보철물을 연결해 주었다.

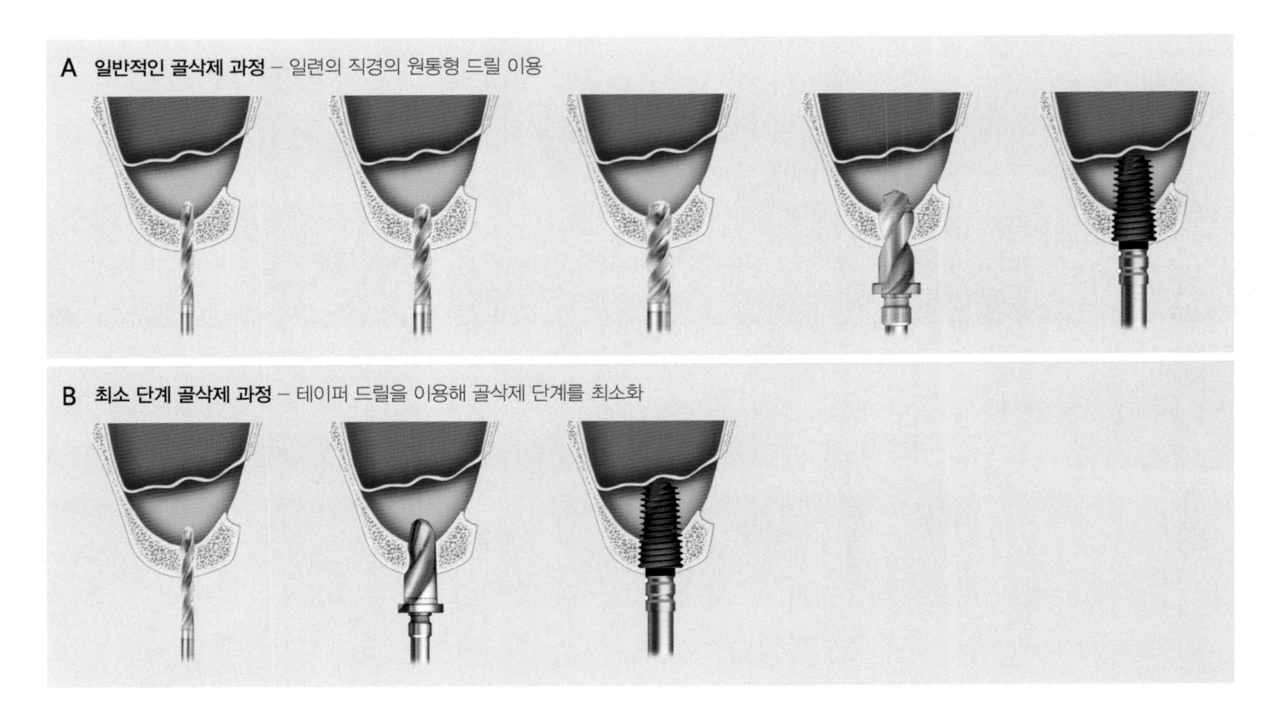
A 일반적인 골삭제 과정 – 일련의 직경의 원통형 드릴 이용
B 최소 단계 골삭제 과정 – 테이퍼 드릴을 이용해 골삭제 단계를 최소화

4-108 상악동 골이식과 동시에 임플란트를 식립할 때에는 골삭제 시의 오차를 최소한으로 줄여주어야 한다.
A. 일반적인 골삭제 과정에서는 일련의 원통형 드릴을 이용해 골삭제 직경을 점진적으로 확장시킨다. 트위스트 드릴을 반복적으로 사용함에 따라 골삭제 방향과 위치에 오차가 발생할 가능성이 높다. **B.** 골삭제 단계를 최소로 줄여주면 골삭제 중 오차를 최소한으로 줄여줄 수 있다. 테이퍼 형태의 트위스트 드릴을 이용하면 골삭제 단계를 줄여줄 수 있다.

(3) 단계법 시에는 일반적인 임플란트 식립의 원칙을 따른다

단계법 시에는 이식골의 치유 속도에 따라 임플란트 식립 시기를 결정한다. 위에서 살펴본 바와 같이 자가골 이식재를 사용하면 3–4개월, 골대체재를 사용하면 6개월 이상의 치유 기간을 부여하면 충분하다. 탈단백 우골로 이식한 상악동 내부의 골이식 부위는 6개월 후 조직학적으로 상악 구치부의 자연골과 비슷한 정도로 광화된다.[106–108] β 3인산칼슘을 이식해도 비슷한 결과를 보인다.[131,132] 골대체재를 이용했을 때 신생골 형성량이나 신생골의 성숙도는 골증강 4개월 후에 비해 6개월 후에 현저히 증가한다.[336]

방사선사진은 상악동 골이식부에 대해 우리가 얻을 수 있는 가장 최선의 정보를 제공한다. 상악동 골이식부의 범위, 높이, 불투과성의 정도에 따라 적절한 임플란트를 선택한다. 경험적으로 봤을 때 상악동 골이식부는 중등도에서 약간 낮은 정도의 골밀도를 보인다. 따라서 필요하다면 과소 골삭제와 테이퍼 임플란트의 사용을 고려한다. 상악동 골이식부에 식립한 임플란트는 대개 3개월 이상의 치유 기간을 부여하는 고전적 부하의 프로토콜을 따른다(**4-109, 110, 111**).

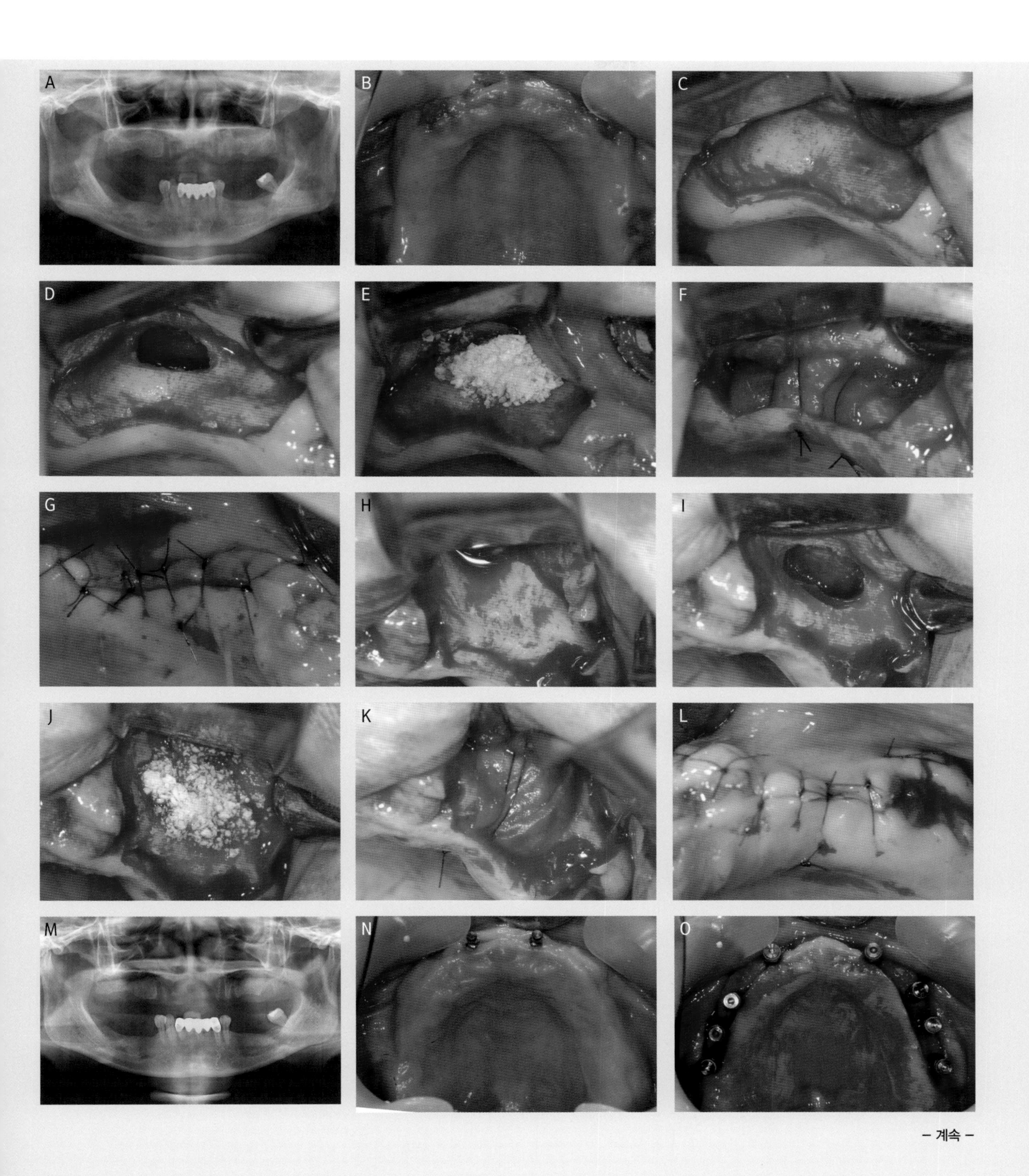

– 계속 –

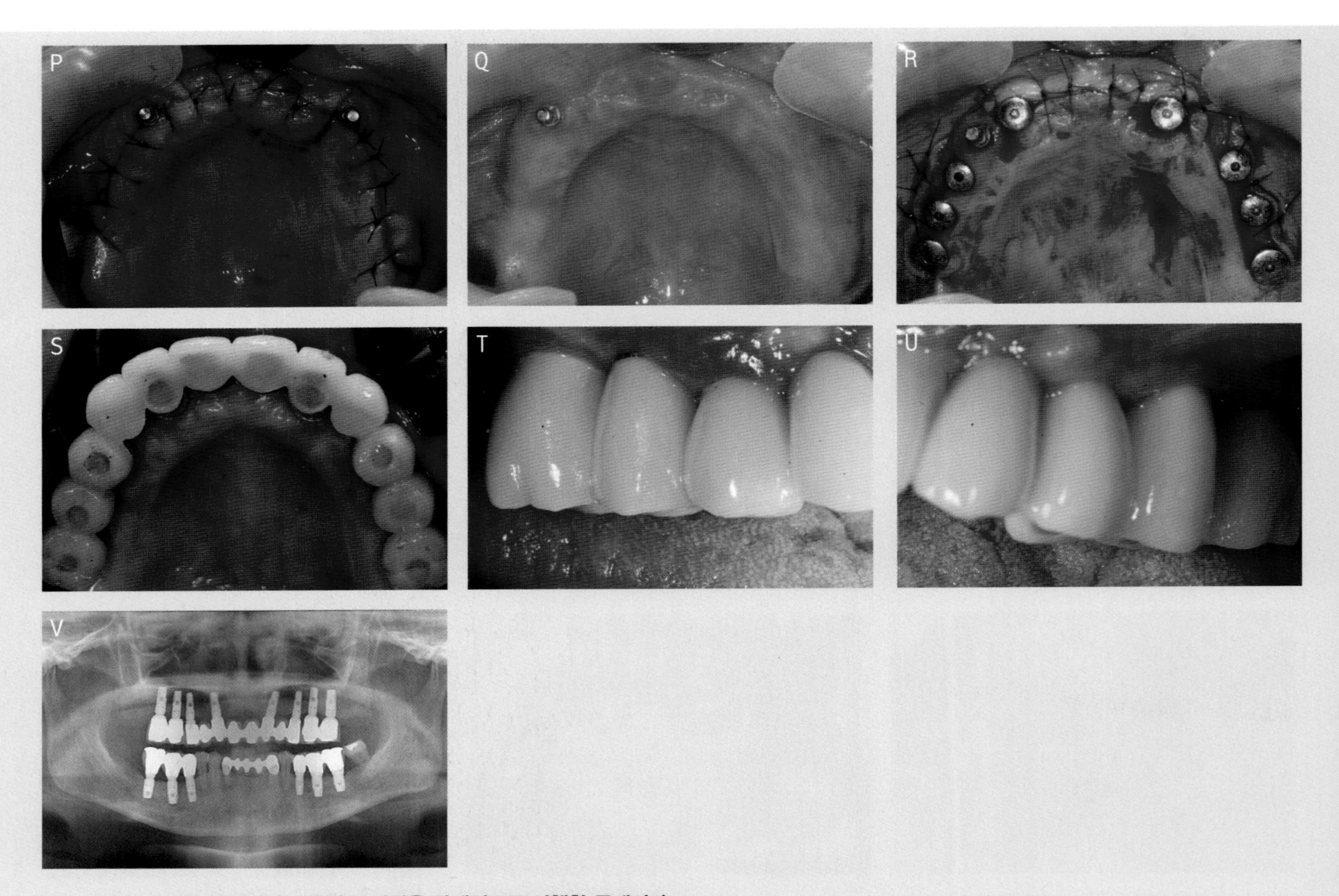

4-109 상악동 골이식과 임플란트 식립을 단계적으로 시행한 증례이다.

A~M. 양측 상악동 골이식을 동시에 시행했다. 우측 상악동 골이식을 완료한 후**(B~G)** 좌측 상악동 골이식을 완료했다**(H~L)**.

N~P. 6개월 2주 후 상악 전체에 임플란트를 식립해 주었다.

Q~R. 다시 4개월 후 2차 수술을 시행했다.

S~V. 2차 수술 1주 후 고정성 임시 보철물을 연결해 주었고, 다시 5개월 후 최종 보철물을 연결해 주었다.

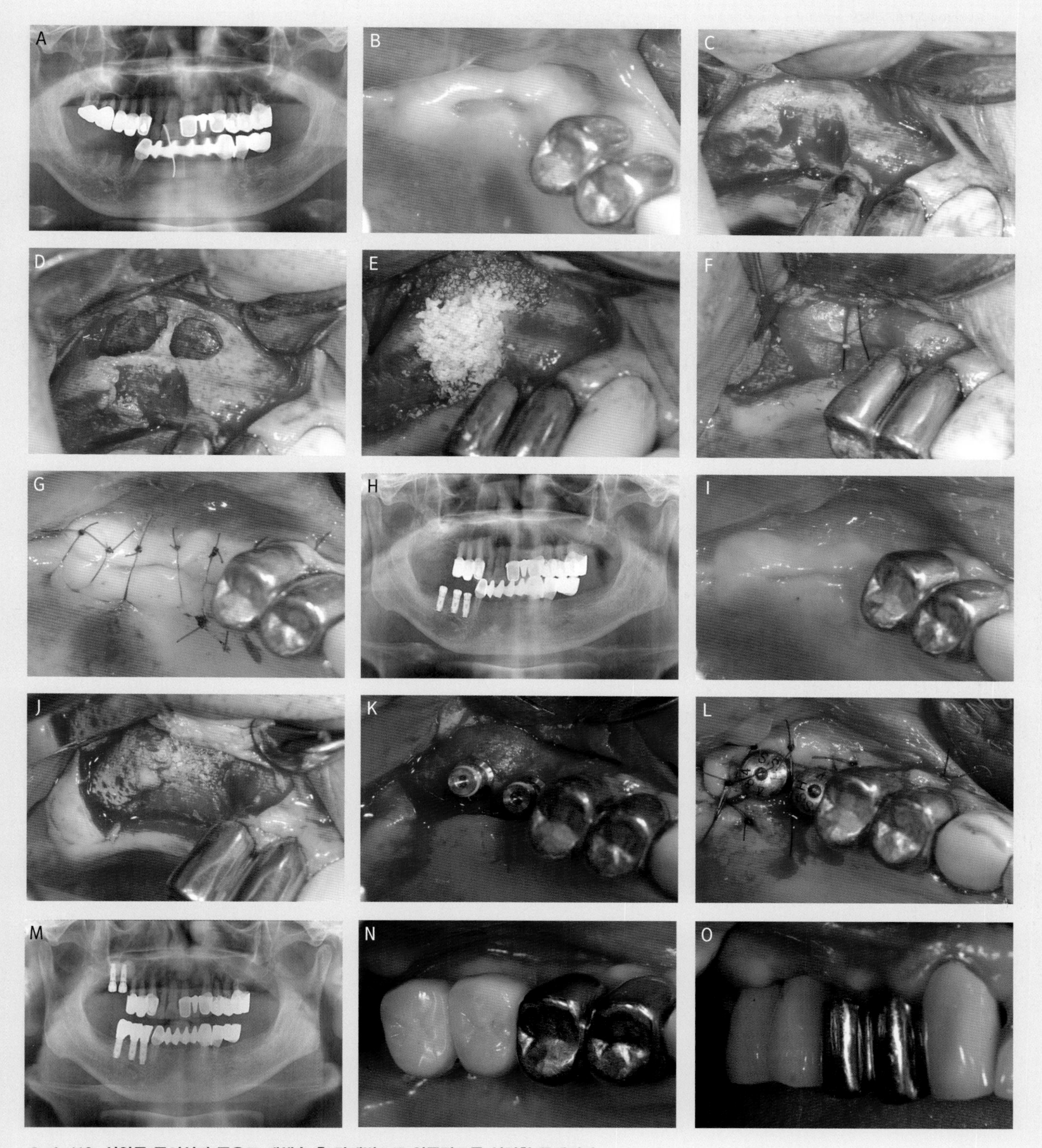

📷 4-110 상악동 골이식과 골유도 재생술 후 단계법으로 임플란트를 식립한 증례이다.

A. 상악 우측 제1대구치와 제2대구치는 심한 만성 치주염에 이환되어 있었다. 상악동 골이식과 함께 결손된 치조골의 수복도 필요했기 때문에 발치 후 치유 기간을 부여하고 골이식을 시행하기로 했다.

B~H. 일반적인 외측 접근법을 통해 상악동 골이식을 시행했다. 제1대구치 부위의 치조골 결손부 또한 골유도 재생술로 수복했다.

I~M. 6개월 후 임플란트를 식립했다. 골수복부는 정상적인 치유 상태를 보였다.

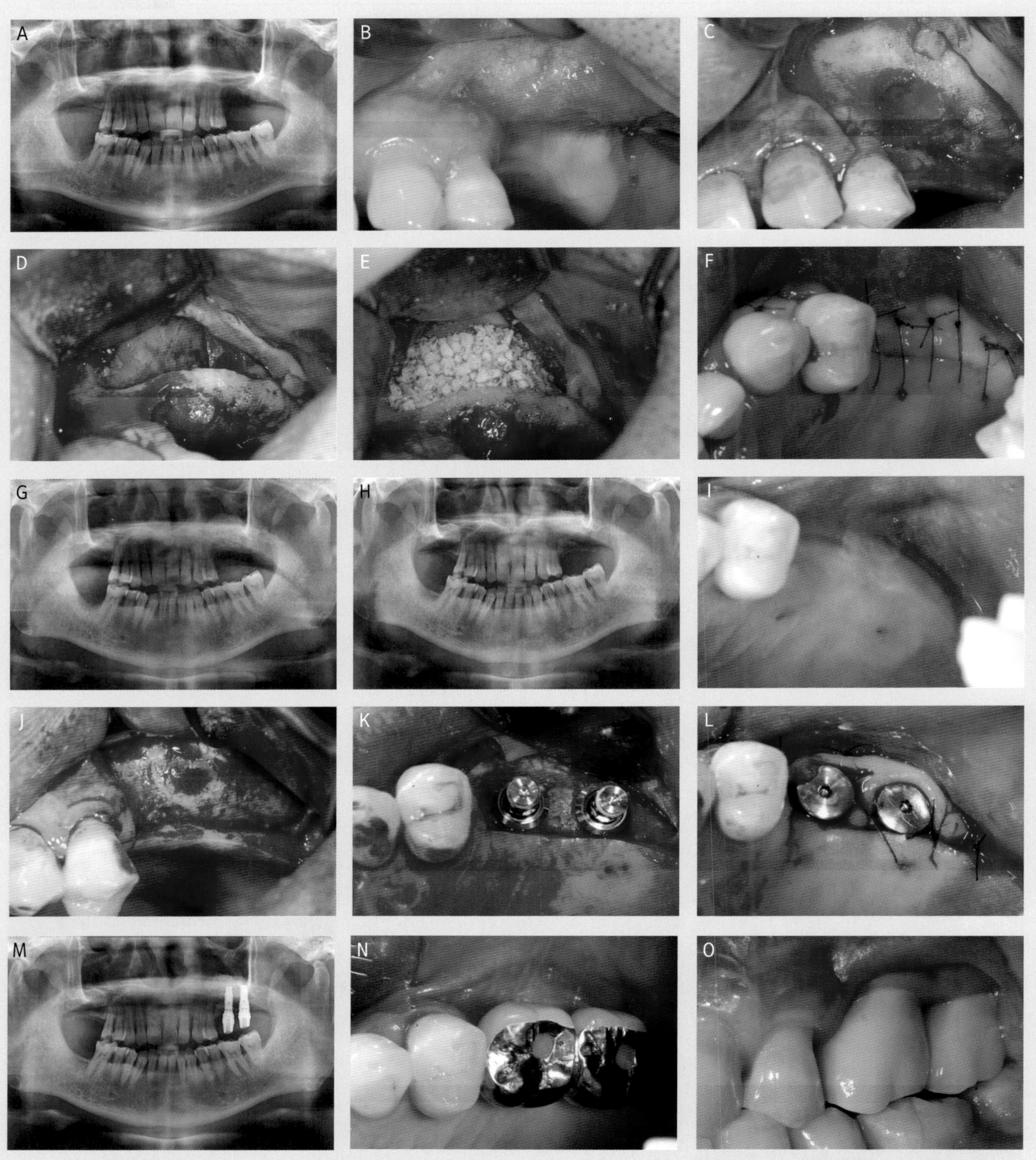

4-111 잔존골 높이가 낮았고 치조정 부위에 추가적인 골이식이 필요했기 때문에 상악동 골이식과 임플란트 식립을 단계법으로 시행했던 증례이다.

A~G. 제1대구치 부위에 함몰된 골결손부가 관찰된다(**C**). 상악동 골이식과 함께 이 부위를 골유도 재생술로 수복했다.

H~L. 8개월 후 임플란트를 식립했다. 골이식부에는 신생골이 별다른 문제없이 잘 형성되어 있었다.

M~O. 약 4개월 후 보철물을 연결해 주었다. 이 임상 사진은 보철 부하 3개월 후 소견이다.

5.
차폐막 적용과 수술부 폐쇄

1) 외측 골창 표면에 차폐막 적용

상악동 막을 거상하고 거상된 상악동 막과 상악동저의 골벽 사이에 골이식재를 위치시킨 후에는 외측 골창 부위에 차폐막을 적용한다. 이는 골유도 재생술의 개념을 상악동 골이식으로 확장시킨 것이다. 외측 골창 부위에 차폐막을 적용하는 가장 중요한 이유는 두 가지이다(**4-112**).

- 골재생부 내부로 협측 점막에서 유래한 연조직 세포가 침입하는 것을 차단한다.
- 상악동 막에 가해지는 압력에 의해 이식재가 골창 외부, 즉 협측 점막 하방으로 유출되는 것을 예방한다.

(1) 외측 골창에 차폐막을 적용하는 것은 재생골의 질을 향상시키는 데 크게 도움이 되지는 않는다

이론적으로 생각했을 때, 골이식재를 적용한 후 외측 골창 부위를 그대로 남겨 놓은 채 수술을 완료하면 외측 골창 부위로는 이를 피개하는 구강 점막으로부터 연조직 세포가 침입하여 골형성을 방해할 수 있다. 상악동

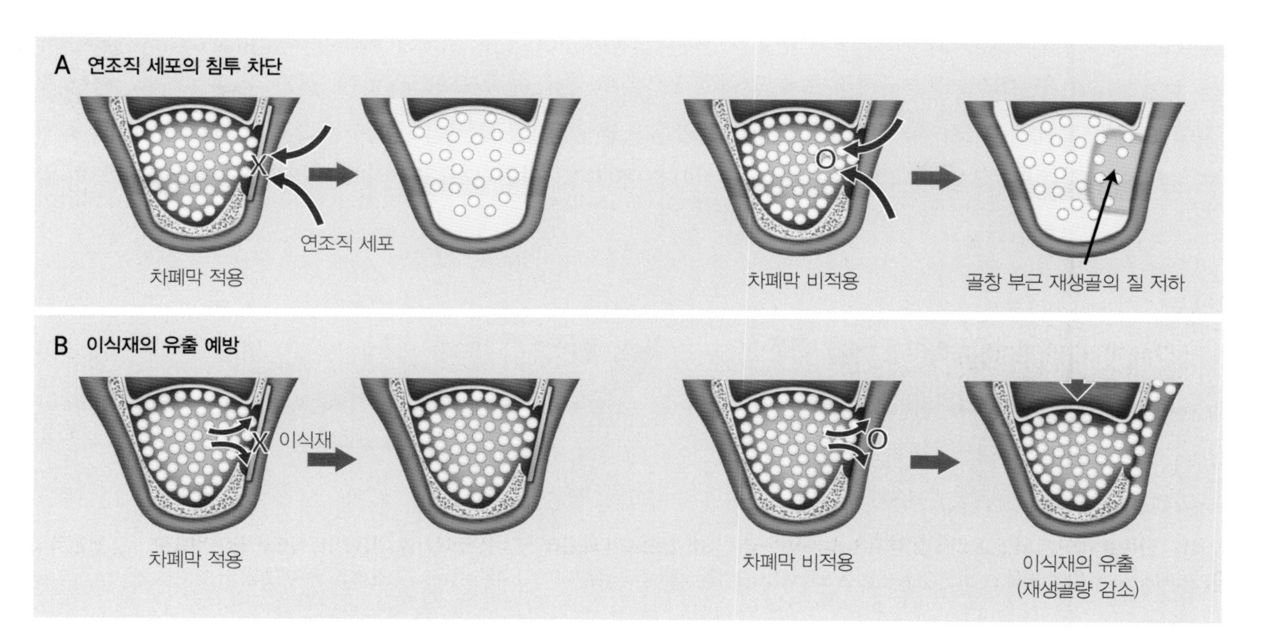

4-112 상악동 골이식을 완료한 후 외측 골벽에는 차폐막을 적용하는 것이 일반적이다.
차폐막 적용의 이론적 근거는 두 가지이다.
A. 골재생부 내부로 협측 점막에서 유래한 연조직 세포가 침입하는 것을 차단한다. **B.** 거상된 상악동 막 상부로부터 상악동 막에 가해지는 압력에 의해 이식재가 골창 외부, 즉 협측 점막 하방으로 유출되는 것을 예방한다.

골이식 후 신생골은 상악동의 하방과 내측 골벽으로부터 형성되기 시작하며, 따라서 외측 골창 부위는 신생골 형성에 도움이 되지 않거나 방해가 될 것이다. 한 인체 연구에 의하면, 상악동 골이식 후 재생골은 내측에서 외측으로 갈수록 석회화된 조직의 비율이 더 줄어들었다.[105] 따라서 많은 전문가들은 구강 점막으로부터의 연조직 세포 침투에 의한 골형성 저하 현상을 예방할 목적으로 차폐막을 외측 골창 부위에 적용한다(**4–113**).

① 2010년대 이전: 차폐막은 치료 결과 향상에 도움이 된다.

외측 골창 부위에 차폐막을 적용하는 것이 신생골의 질을 향상시킬 수 있는가에 대한 임상 연구들의 결과는 대략 2010년 전후로 상이한 결과를 보여주었다. 2010년 이전의 대조 연구들에서는 차폐막을 사용했을 때가 그렇지 않을 때에 비해 신생 조직 내 광화 조직의 함량이 많았다고 하였을 뿐만 아니라 임플란트 생존율도 상승했다고 보고하였다.[337–339] 2000년대 후반의 두 체계적 문헌 고찰에서는 외측 골창 부위에 차폐막을 사용했을 때가 사용하지 않았을 때에 비해 상악동 골이식 부위에 식립한 임플란트의 생존율이 더 높기 때문에 이를 추천한다고 결론 내렸다.[36,97] 따라서 외측 접근 상악동 골이식 후 골창 부위에 차폐막을 적용하는 것은 일반적인 치료 원칙의 하나로 자리잡게 되었다.

② 2010년대 이후: 차폐막은 치료 결과 향상에 도움이 되지 않는다.

그러나 2010년대 이후로, 이러한 차폐막의 필요성에 의문을 제기할만한 연구 결과가 지속적으로 발표되고 있다. 2013년의 한 전향적 대조 연구에서는 상악동 골이식 후 외측 골창을 천연 교원질 차폐막으로 피개하거나 피개하지 않고 8개월 후 재생 조직을 조직학적으로 관찰했다.[340] 그 결과 재생 조직 내 광화 조직의 비율은 별다른 차이를 보이지 못했다. 또한 2013년의 무작위 대조 연구에서는 상악동 골이식 후 외측 골창에 차폐막을 적용하거나 적용하지 않고 6개월 후 재생골의 조직학적 상태를 비교했다.[341] 그 결과 신생 조직 내 광화 조직의 비율은 차폐막 적용 군에서 30.7±15.5%이었던 반면, 차폐막 비적용 군에서는 28.1±19.4%로 거의 차이를 보이지 않았다. 다른 무작위 대조 연구에서도 재생 조직 내 광화 조직의 비율에는 유의한 차이를 보이지 않

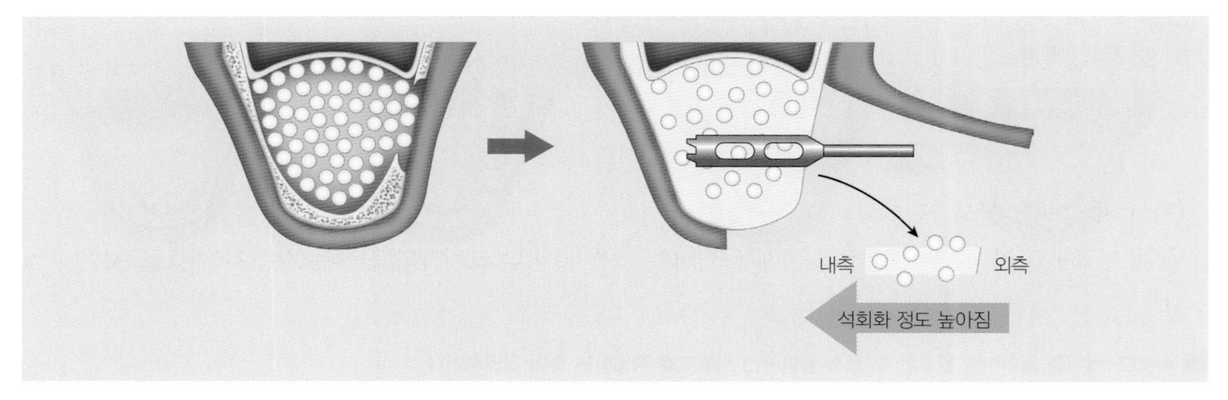

4–113 외측 접근 상악동 골이식 후 치유된 재생골을 채취해보면 골창에 가까운 외측으로 갈수록 재생골의 석회화 정도는 떨어진다. 이는 외측벽에 가까울수록 점막에서 유래한 연조직 세포의 영향을 많이 받는다는 사실을 보여주는 간접적인 근거가 된다.

았다(차폐막 적용 19±6% vs 비적용 15±5%).[342] 이들 연구 모두 차폐막을 외측 골창에 적용하는 것이 재생골의 질을 약간 향상시키기는 하지만 그것이 임상적으로나 통계학적으로 유의한 차이를 보이지는 않는다는 사실을 보인 것이다. 또다른 무작위 대조 연구에서도 상악동 골이식 시 외측 골창에 차폐막을 적용한 증례에서는 단기간의 임플란트 생존율이 96.1%, 적용하지 않은 증례에서는 94.2%로 별다른 차이를 보이지 않았기 때문에 외측 접근 상악동 골이식 시 차폐막 적용 유무는 그 부위에 식립한 임플란트의 예후에 현저한 영향을 미치지는 못한다고 결론 내렸다.[342]

③ 결론: 외측 골창에 적용한 차폐막은 재생골의 질을 거의 향상시키지 못한다.

결론적으로, 외측 골창에 차폐막을 적용하면 구강 점막으로부터의 연조직 침투를 줄여서 재생골의 질을 약간은 개선시킬 수 있지만, 이것이 실제 이 부위에 식립된 임플란트의 성공에 영향을 미칠 정도로 크지는 않다고 결론 내릴 수 있다. 외측 골창은 협점막의 골막층과 마주치며 절개선은 치조정 부위에 위치하기 때문에 상피 세포가 골창 부위로 침투할 가능성은 거의 없다. 앞서 설명했지만 골막은 골재생 술식에서 신생골의 형성을 유도하거나 방해하지 않는 중립적인 조직으로 작용하는 것으로 보인다. 그리고 상악동 내부의 골형성 능력은 뛰어나기 때문에 차폐막을 적용하는 것이 크게 도움이 되지 않을 것이다.

2000년 전후의 임상 연구와 2010년 이후의 임상 연구 결과가 명확히 구분되는 이유는 아마도 2010년대 이후로 편향을 더 잘 통제한 근거 수준이 높은 엄정한 연구가 시행되었기 때문일 것이다. 결국 일반적인 증례에서는 외측 골창에 차폐막을 적용하는 것은 근거 중심적으로 봤을 때 별다른 효용성이 없는 과정이라고 결론 내릴 수 있다.

(2) 차폐막은 이식재가 상악동 내부로부터 협점막과 골창 사이로 유출되는 것을 예방해준다

상악동 골이식부는 호흡에 의해 지속적으로 상방으로부터 압력을 받는다. 따라서 상악동 골이식부가 밀폐되지 못하면 이식재는 치유 기간 중 물리적으로 가장 취약한 쪽인 골창부를 통해 유출될 수 있다.[75] 특히 호흡압이 강한 환자에서 이식재를 무리하게 과한 압력으로 적용하면 상당히 많은 양의 이식재가 협점막 하방으로 유출되어 임상적으로 관찰되는 돌출부를 형성할 수도 있다.[343] 이로 인해 골증강부의 높이는 원래 계획했던 것보다 낮아질 뿐 아니라 돌출부로 인해 환자의 이물감이나 불편감이 증가할 수 있다. 차폐막은 이식재의 유출을 물리적으로 차단해주기 때문에 이러한 현상을 예방해줄 수 있다.[342,344]

(3) 차폐막의 임상적 적용

위의 정리에 따라, 몇몇 한정적인 증례에 한하여 외측 골창부에 차폐막을 적용하는 것이 좋을 것이다(**📷 4-114**).

- 3-4치아 부위를 포괄하는 큰 골창을 형성한 경우
- 골창 하방 변연부를 너무 하방에 형성하여 이식재가 상악동 내에서 쉽게 유출되는 경우

• 환자의 전신적, 국소적 상태로 보았을 때 골재생 능력이 저하되어 있을 것으로 판단되는 경우
• 잔존골 높이가 낮아서 상악동 막을 높게 거상해야 하는 경우(압력 증가)

상악동 골이식 부위는 골재생능이 뛰어나기 때문에 어떠한 종류의 차폐막을 사용하더라도 좋은 결과를 보인다. 또한 상악동 골이식 부위는 스스로 공간 유지가 잘 되는 부위이기 때문에 상악동 골이식 이외의 치조골

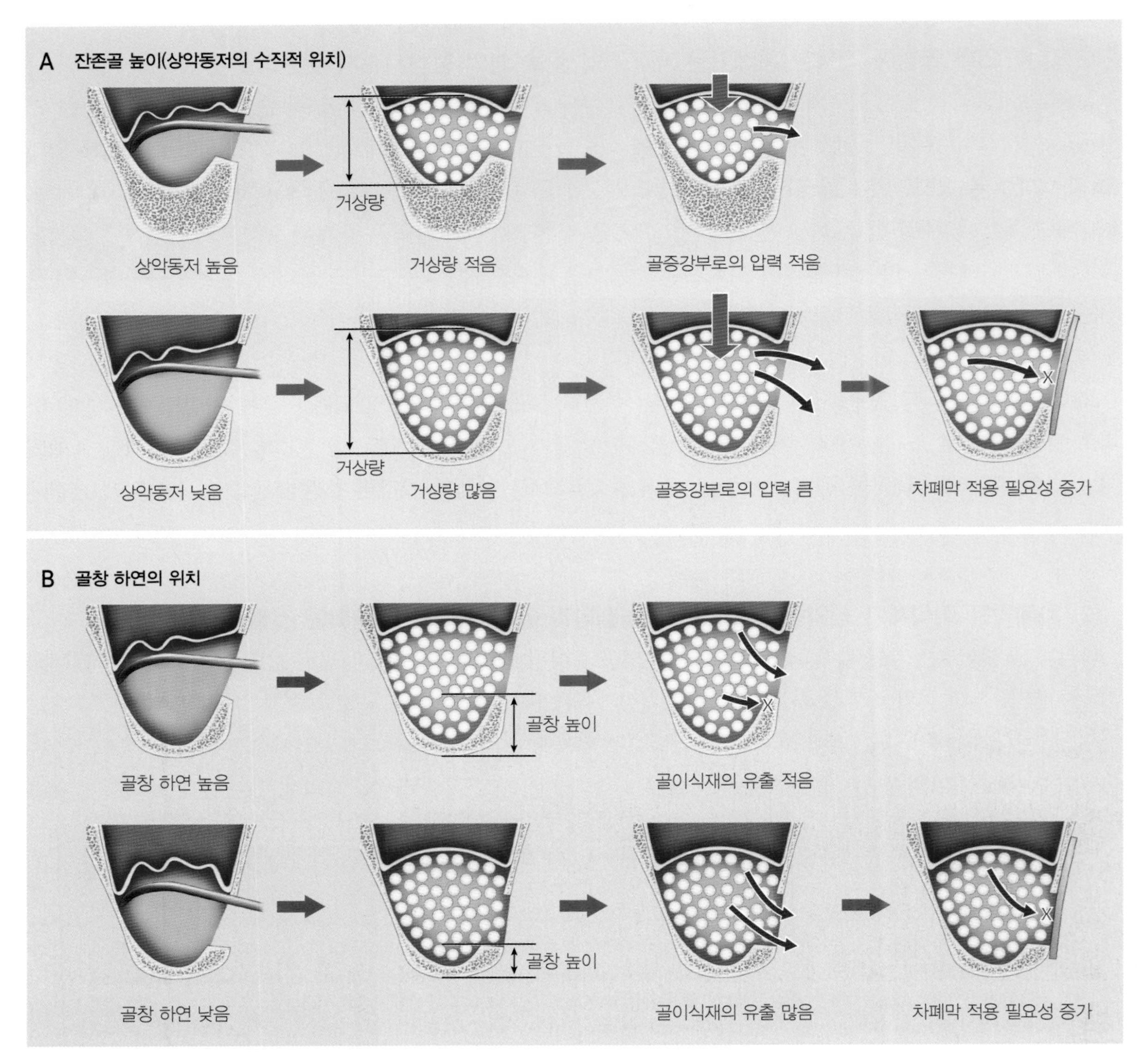

4-114 외측 접근 상악동 골이식 후 재생골의 질을 향상시키기 위한 용도로 차폐막을 적용할 필요는 없는 것 같다. 그러나 이식재의 유출을 최소화하기 위해 특정한 경우에는 차폐막을 적용하는 것이 유리할 것이다.

A. 상악동저가 낮아서 상악동 막을 높게 거상해야 하는 경우에는 수술 후 수술부로 가해지는 압력이 증가하기 때문에 차폐막을 적용하는 것이 유리하다. **B.** 골창 하방 변연부를 상악동저에 너무 가깝게 형성하면 이식재는 상악동 내에서 쉽게 유출된다. 이러한 경우 차폐막을 사용하면 이식재 유출을 줄여줄 수 있다.

결손이 동반되지 않은 경우에는 굳이 비흡수성 차폐막을 이용할 필요는 없다. 한 전향적 대조 연구에서는 대조군과 실험군 환자들에게 각각 ePTFE 차폐막과 합성 흡수성 차폐막(polylactic acid 계통)을 외측 골창 부위에 적용하고 경과를 관찰하였다.[345] 그 결과 합병증 발생 여부와 신생골 형성량에 있어 별다른 차이를 보이지 않았다. 또 다른 임상 연구에서는 Bio–Gide와 Gore–Tex를 사용했을 때의 결과를 비교하였으며, 그 결과 역시 비슷한 정도로 생활골이 형성되었고 임플란트의 생존율도 거의 같았다고 하였다.[346] 따라서 상악동 골이식과 광범위한 치조골 결손을 동시에 수복하는 증례가 아니라면 굳이 비흡수성 차폐막을 적용할 필요는 없다(📷 **4–115, 116**).

차폐막은 골창의 크기와 형태에 맞추어 잘라주며 골창 바깥쪽의 골을 최소 2–3 mm 정도 피개해 줄 수 있도록 해준다. 천연 교원질 차폐막(Bio–Gide)은 수화되면 수술부에 잘 붙어있기 때문에 고정이 필요 없다(📷 **4–117**). 조금 뻣뻣한 성질을 지닌 교차 결합 교원질계 차폐막들은 대개 봉합을 이용해 고정해준다(📷 **4–118, 119**). 비흡수성 차폐막의 경우에는 나사나 핀으로 고정하기도 한다.

뜯어낸 외측 골창을 이식재 적용 후 차폐막처럼 다시 외측 골창 부위에 적용하기도 한다(📷 **4–120, 121**). 이 술식은 차폐막을 사용하지 않기 때문에 비용이 절감될 수 있고, 자가 조직을 차폐막 대용물로 사용할 수 있다는 장점이 있다. 몇몇 임상 연구에 의하면 이 술식은 차폐막을 사용했을 때와 별다른 차이가 없는 성공적인 결과를 보였다.[347,348] 또한 재위치시킨 골창이 단순히 차폐막으로 기능할뿐만 아니라 신생골 형성에 능동적인 역할을 할 수도 있음을 보여주는 근거도 제시된 바 있다. 뜯어낸 외측 골창을 차폐막으로 이용한 임상 연구에서는 대략 6–9개월 후 조직학적으로 관찰했을 때 골창으로부터 골증강부 쪽으로 신생골이 형성되는 양상이 관찰됐다고 보고했다.[349]

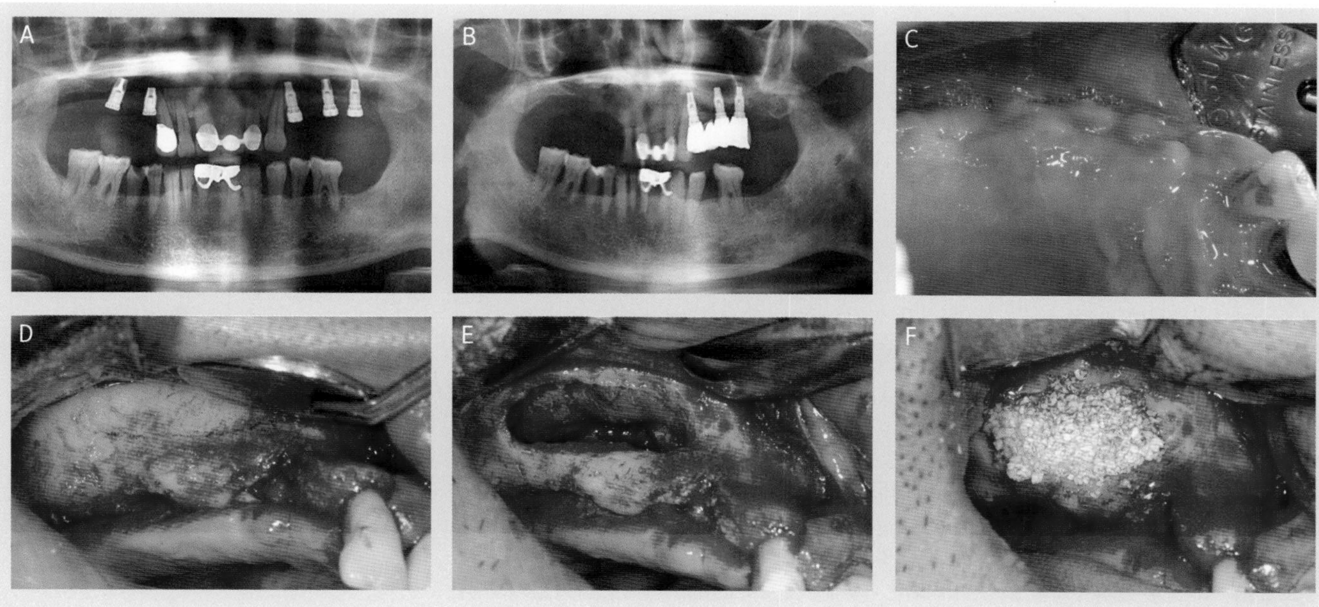

– 계속 –

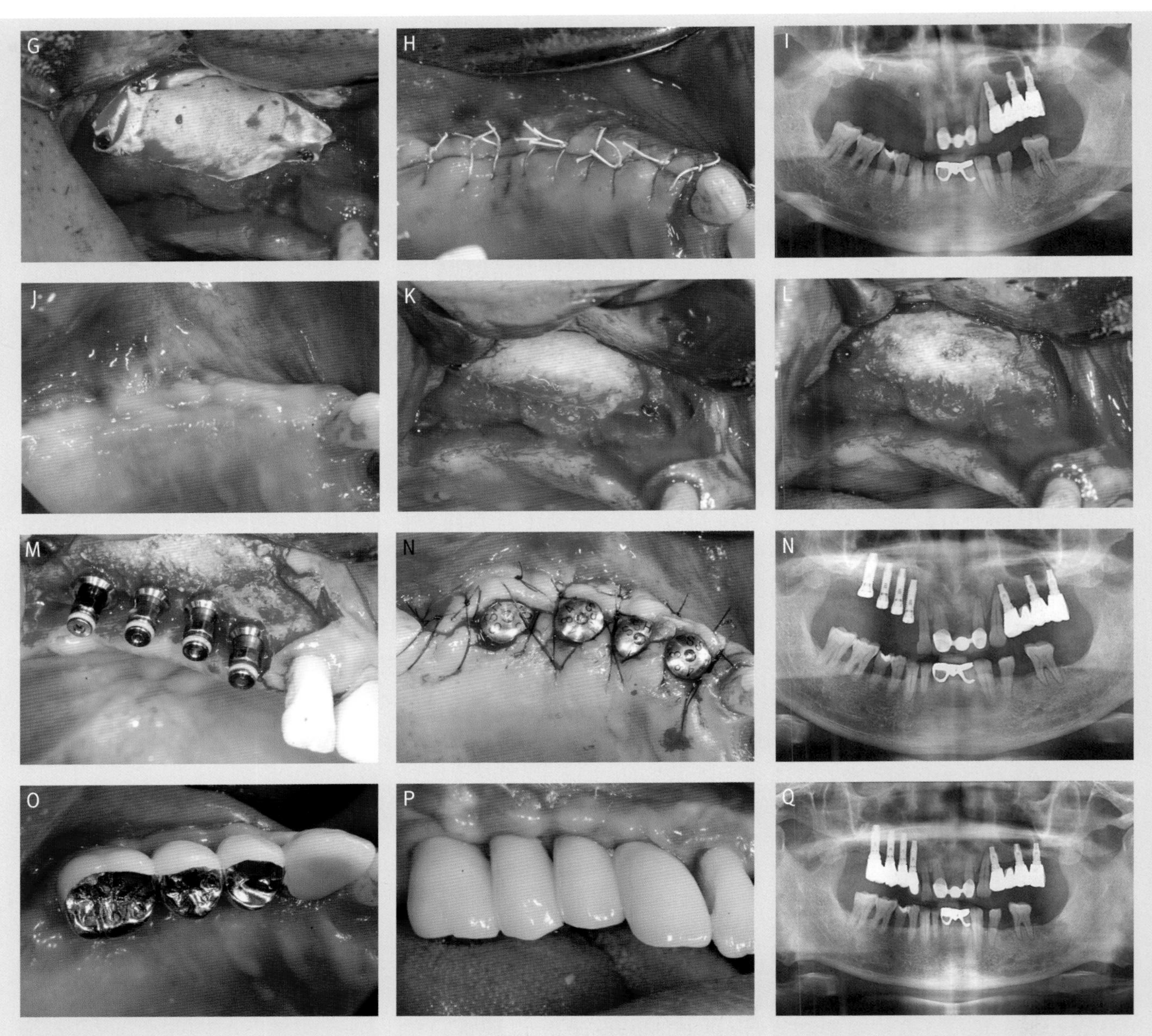

4-115 상악동 골이식 시 비흡수성 차폐막을 사용할 필요는 없다. 흡수성 차폐막만으로도 충분히 좋은 결과를 얻을 수 있기 때문이다. 이 증례는 재수술이었고 골이식의 완전한 성공이 필요했기 때문에 상악동 골이식 시 ePTFE 차폐막을 적용했다.

A. 상악 양측 구치부에 치조정 접근 상악동 골이식 후 임플란트를 식립했던 증례이다. 이 중 우측 임플란트들이 골유착을 상실하여 저자에게 의뢰되었다.

B~I. 임플란트를 제거하고 3개월 후 상악동 골이식을 시행했다. 상악동저 부위에 치조정 접근법으로 삽입했던 이식재 잔사가 존재했으며 상악동 막에 존재하는 반흔 때문에 거상이 어려웠지만 상악동 막을 성공적으로 거상할 수 있었다**(E)**. 이종골 이식재를 삽입한 후 ePTFE 차폐막을 적용했다**(G)**.

J~O. 약 7개월 후 차폐막을 제거하고 임플란트를 식립했다. 상악동 골이식은 성공적인 결과를 보였다.

P~R. 6개월 후 보철 치료를 완성했다.

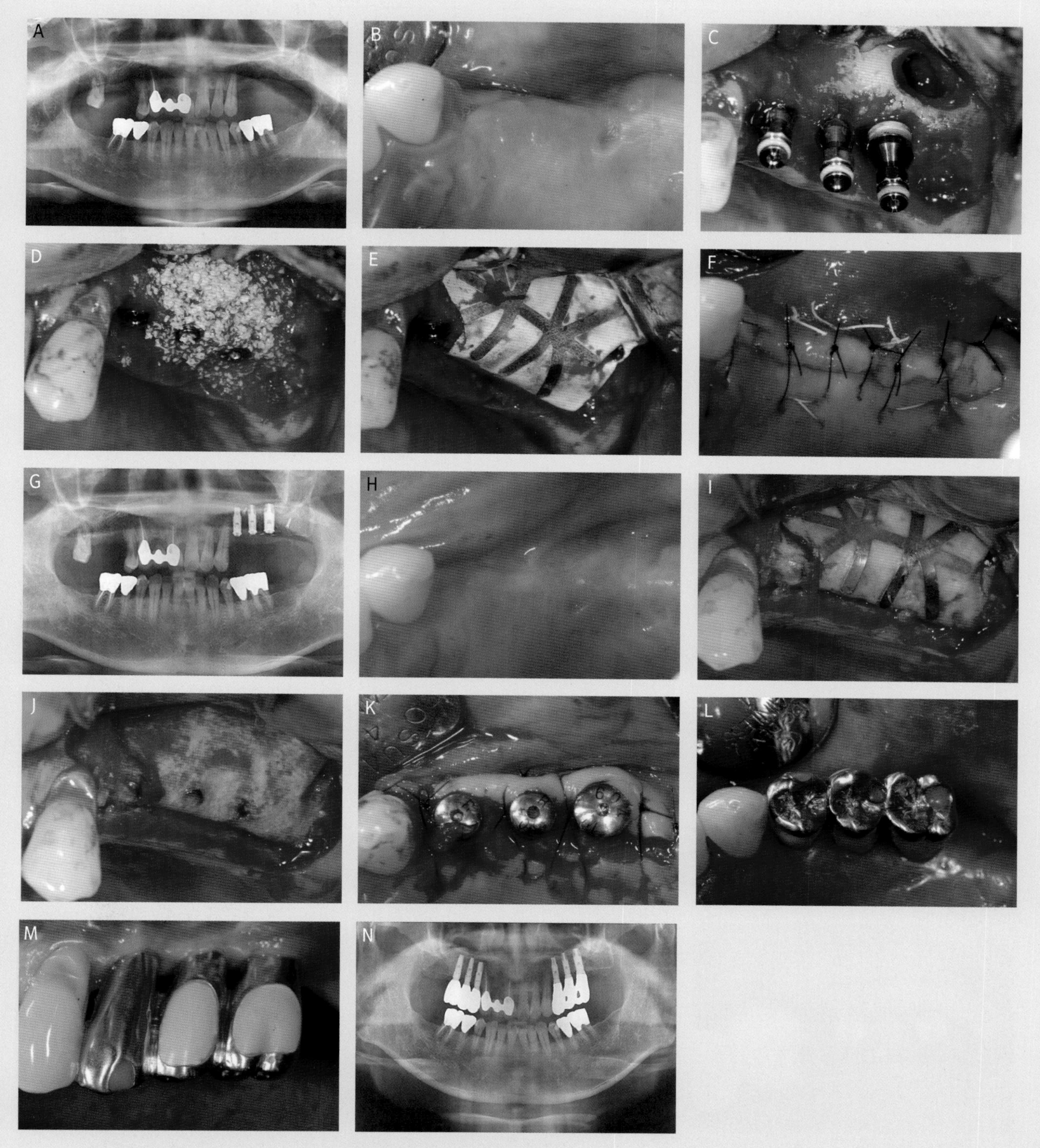

4-116 외측 접근 상악동 골이식과 수직적 골증강술을 동시에 시행한 증례이다.

A~G. 상악 좌측 구치부에 상악동 골이식과 임플란트 식립을 시행했다. 제1대구치 부위의 치조골이 수직적으로 결손되어 있었기 때문에 티타늄 강화 차폐막을 적용했다**(E)**.

H~K. 5개월 후 차폐막을 제거하고 2차 수술을 시행했다.

L~N. 2차 수술 4개월 후 보철 치료를 완성했다. 이 사진은 보철 완성 8개월 후의 소견이다. 보철물은 별다른 문제없이 잘 유지되고 있다.

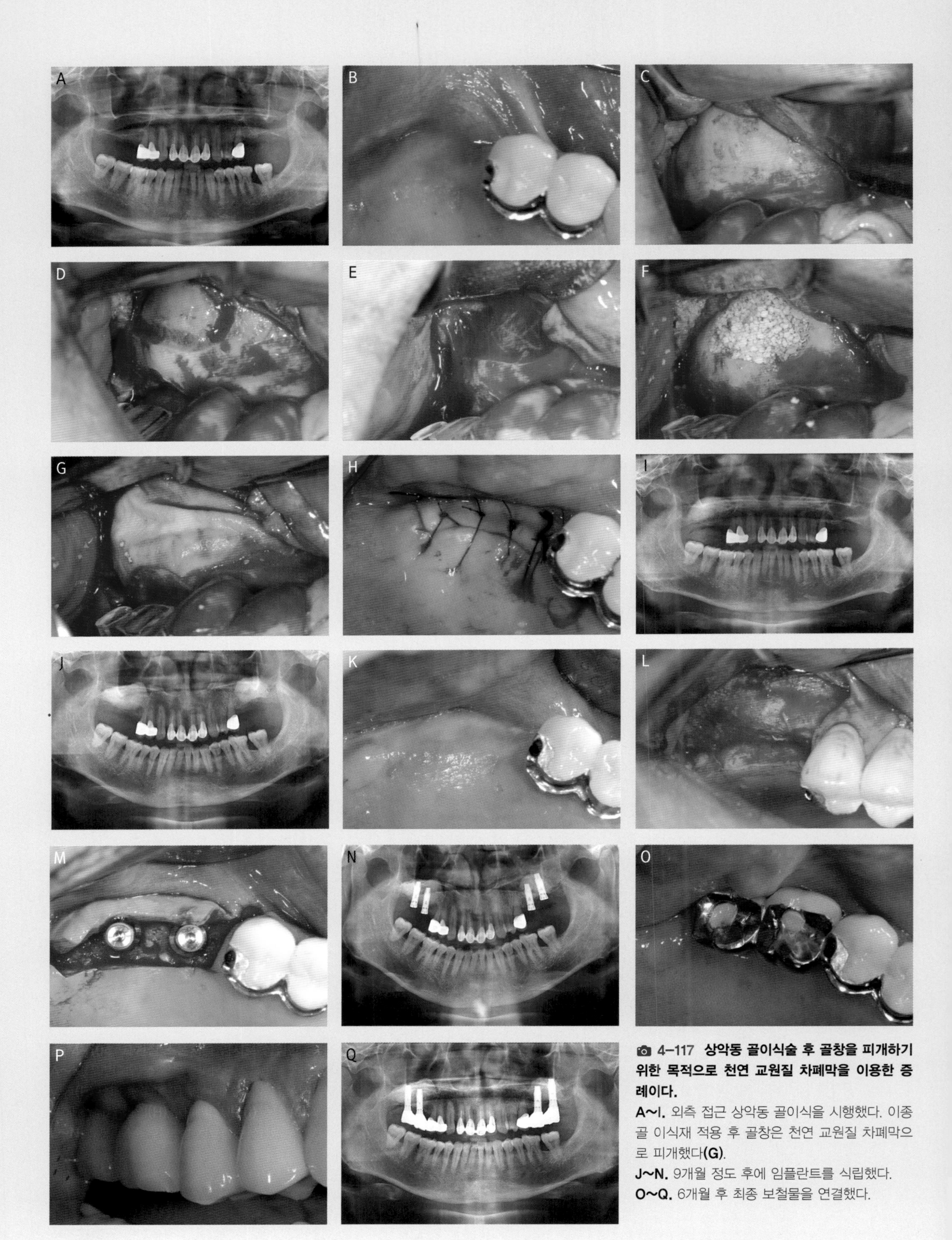

4-117 상악동 골이식술 후 골창을 피개하기 위한 목적으로 천연 교원질 차폐막을 이용한 증례이다.

A~I. 외측 접근 상악동 골이식을 시행했다. 이종골 이식재 적용 후 골창은 천연 교원질 차폐막으로 피개했다**(G)**.

J~N. 9개월 정도 후에 임플란트를 식립했다.

O~Q. 6개월 후 최종 보철물을 연결했다.

4-118 상악동 골이식을 시행하고 골창은 교차결합 교원질 차폐막으로 피개한 증례이다.

A~I. 상악동 골이식, 설측 치조정 부위의 골증강술, 임플란트 식립을 동시에 시행한 증례이다. 차폐막으로는 교차결합 교원질 차폐막을 이용하고 이를 봉합으로 고정했다.

J~L. 수술 5개월 후 2차 수술을 시행했고 다시 1개월 후 최종 보철물을 연결했다.

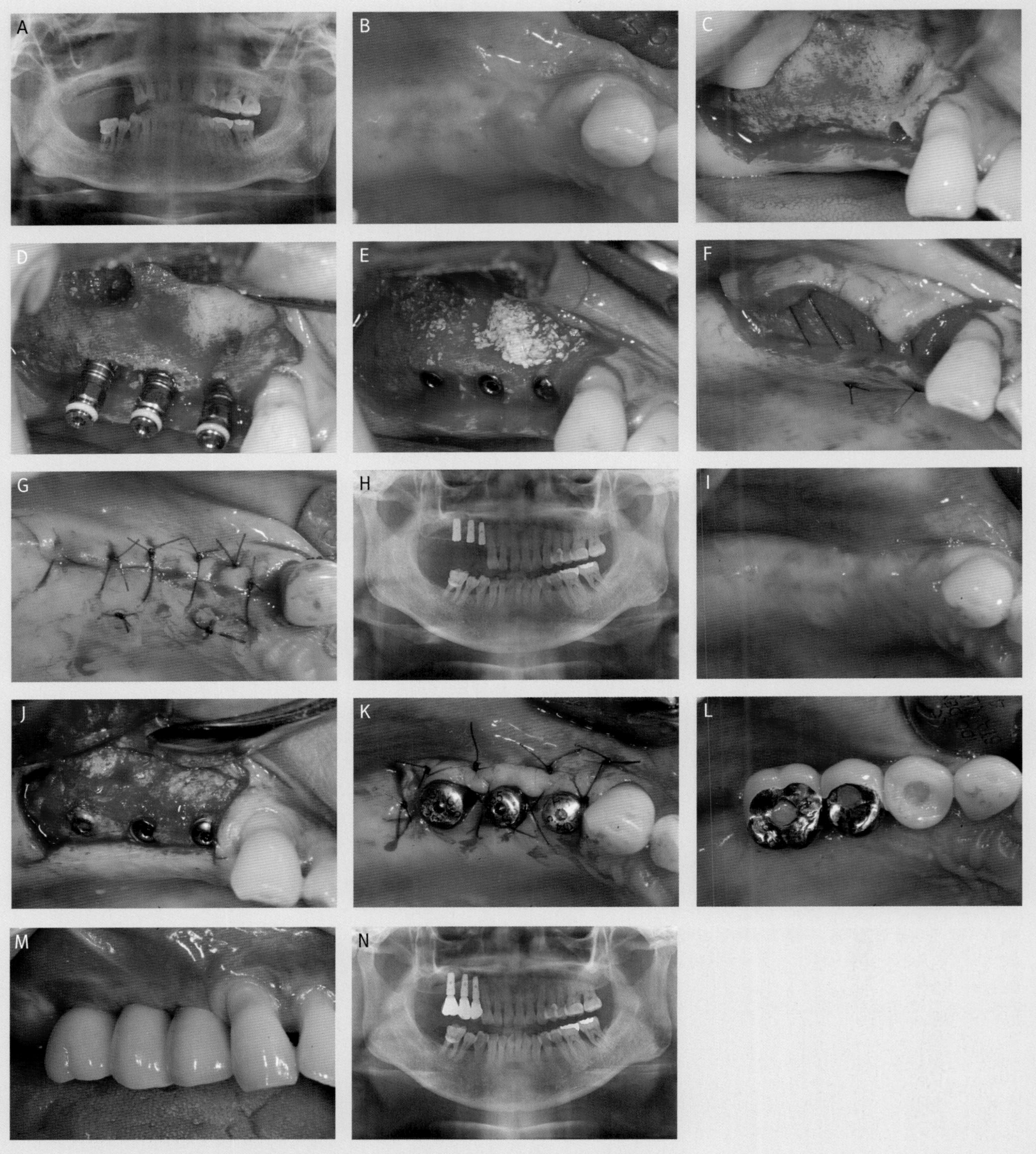

4-119 상악 우측 구치부에 상악동 골이식, 골유도 재생술, 임플란트 식립을 시행한 증례이다.
A~H. 외측 골창부와 치조골 증강부를 하나의 교원질 차폐막으로 피개했다**(F)**.
I~K. 5개월 정도 후에 2차 수술을 시행했다.
L~N. 1개월 3주 후 보철 치료를 완성했다.

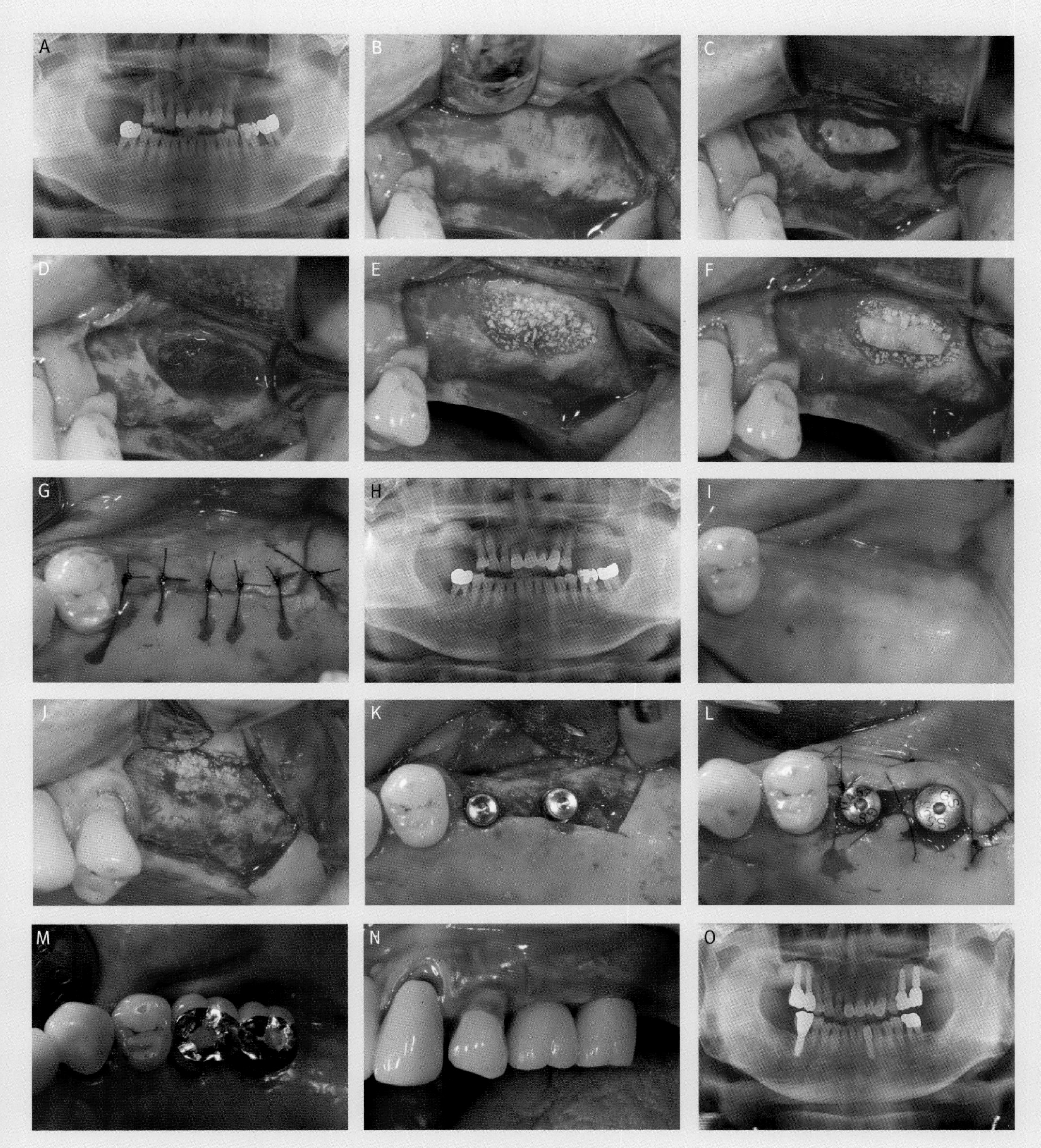

4-120 외측 골창 형성 시 뜯어낸 골은 골이식 후 다시 원위치하여 차폐막처럼 이용할 수 있다.
A~H. 상악동 골이식을 시행했다. 골이식 후 골창은 원위치시켰다**(F)**.
I~L. 7개월 후 임플란트를 식립했다.
M~O. 4개월 후 보철 치료를 완성했다. 이 사진은 보철 치료 완료 3개월 후 촬영한 것이다.

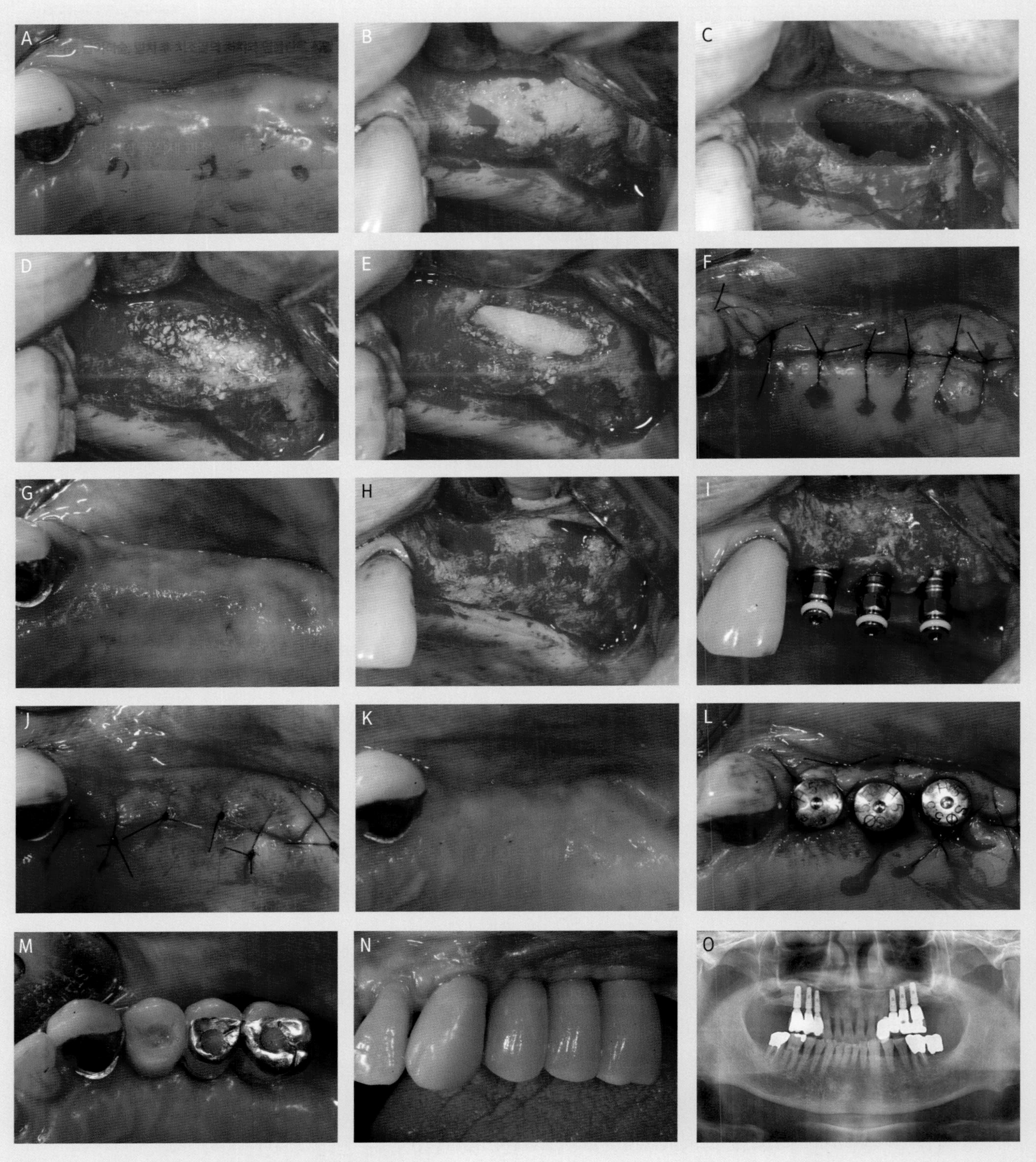

4-121 상악동 골이식 시 골창을 원위치시킨 증례이다.

A~F. 외측 접근 상악동 골이식 시 뜯어낸 골창은 골이식재를 위치시킨 후 원위치시켰다**(E)**.

G~J. 약 5.5개월 후 임플란트를 식립했다. 골이식부는 정상적인 치유 상태를 보였다**(H)**.

K~L. 약 4개월 후 2차 수술을 시행했다.

M~O. 1.5개월 후 보철 치료를 완성했다.

2) 봉합 및 폐쇄

차폐막을 적용한 후 봉합을 시작한다. 창상 봉합 및 폐쇄의 원리는 골유도 재생술에서와 동일하다. 상악동 골이식술은 골증강 부위와 봉합 부위가 떨어져 있는 술식이며 부가적인 골증강술을 시행하지 않았다면 수술 부위의 부피가 증가하지 않기 때문에 반드시 골막 이완 절개를 할 필요가 없다. 오히려 상악동 골이식 이외의 다른 골증강술을 추가적으로 시행하지 않았다면 골막 이완 절개는 불필요하기까지 하다.

상악동 골이식만 단독으로 시행하면 피판에 가해지는 장력이 최소이기 때문에 매트리스 봉합도 불필요하다. 단순 봉합만으로 수술부 폐쇄를 완료한다. 상악동 골이식과 동시에 치조골의 수직적, 수평적 골증강을 시행한 경우에만 한하여 매트리스 봉합과 단순 봉합을 함께 적용한다.

6. 수술 직후 관리

상악동 골이식술은 합병증 발생 빈도가 비교적 낮은 술식으로 알려져 있다.[350] 그렇다고 하더라도 일단 합병증이 발생하면 다른 골증강술에 비해 더 광범위할 뿐만 아니라 처치도 더 어렵기 때문에 이를 줄여주기 위해 술자는 최선의 노력을 기울여야 한다.

1) 수술 후 상악동 막의 정상적인 부종은 상악동 내부에 병적 변화를 일으키지 않는다

이론적인 견지에서는 상악동 골이식을 시행하면 상악동저가 상방으로 상승하고 상악동 막이 수술 후 일시적으로 부종되기 때문에 상악동 내부의 정상적인 배출 기능이 저하되거나 비구가 점막 부종에 의해 폐쇄되어 상악동염을 유발할 수 있다는 추측이 가능하다. 실제로 생체 연구에 의하면 상악동 막을 거상시키면 거상된 상악동 막은 정상적인 점액 섬모 기능(mucociliary function)을 일시적으로 잃게 된다.[351]

(1) 상악동 막은 수술 후 두 배 이상 두꺼워지지만 6개월 이내에 원래 두께를 회복한다

상악동 막은 상악동 골이식술 후 일시적으로 비후된다. CT에서 관찰되는 상악동 막의 일시적 비후의 원인에는 다음과 같은 것들이 있다.

- 가장 주요한 원인으로 수술의 외상에 대한 연조직의 일반 반응으로 상악동 막에 부종이 발생한다.
- 수술 후 외상에 대한 조직 반응으로 상악동 막 내의 술잔 세포 수가 증가함으로써 상악동 막이 두꺼워진다.[352]
- 상악동 내 고유층(결합조직)의 분비선(gland) 증식에 의해 비후된다.[75]

몇몇 임상 연구에서는 상악동 골이식 후 상악동 막이 얼마나 두꺼워지는지 평가했다. 한 증례 연구에서는 치조정 접근 상악동 골이식 1주 후 전체 상악동저의 상악동 막 두께는 5–10배 증가했지만, 수술 4주 후에는 다시 원래 두께를 되찾았다고 보고했다.[353] 또 다른 연구에서는 수술 전 평균 상악동 막 두께는 1.93 mm이었지만 외측 접근 상악동 골이식술 직후 4.07 mm로 두 배 이상 유의하게 증가했다가 다시 7.51개월 후 1.93 mm로 원래 두께를 회복했다고 보고했다.[354] 두 연구에서 차이를 보이는 이유는, 앞의 연구에서는 상악동저의 상악동 막 두께만을 평가했고 뒤의 연구에서는 전체 상악동 막 두께를 평가했기 때문인 것으로 보인다. 당연히 상악동저의 상악동 막이 다른 부위의 막보다 두께가 더 많이 증가할 것이기 때문이다. 앞의 연구에서 두꺼워진 상악동 막은 수술 4주 후에 원래 두께를 회복했다고 했지만, 대체로는 대략 6–9개월 후까지 원래 두께를 회복하는 것으로 보인다.[354,355]

외측 접근법과 치조정 접근법 후의 상악동 막 두께 증가를 비교해보면 외측 접근법 후에 막이 더 많이 두꺼워진다. 외측 접근법 시 수술 외상이 더 크기 때문이다. 한 무작위 대조 연구에 의하면 외측 접근 시 상악동 막의 부피는 수술 전에 비해 수술 1주 후 187.14%, 6주 후 54.57%가 증가(1주 후에 비해서는 46.1% 감소)했으며 치조정 접근 시에는 수술 1주 후 124.83%, 6주 후에는 100.15%가 증가(수술 1주 후에 비해서는 10.97% 감소)해 있었다(📷 4–122).[356] 상악동 막의 부피 증가량은 수술 1주 후에 외측 접근법 시가 치조정 접근법 시보다 유의하게 더 컸다. 또한 이 연구에서는 상악동 막의 부종량과 상악동 골이식부의 재함기화 정도는 상관관계를 보이지 않는다고 했다. 즉, 수술 후 상악동 막이 더 많이 부종된다고 하더라도 이식재의 부피 감소가 더 커지지는 않았던 것이다.

(2) 수술 후 발생하는 상악동 막의 두께 증가는 상악동 기능에 장해를 초래하지 않는다

앞서 언급한 바와 같이 이론적으로 생각했을 때 상악동 막의 일시적 부종은 상악동 자체의 고유한 배출 기능을 방해할 수 있다(📷 4–123).

- 상악동 막이 부종되면 그 자체의 점액 섬모 기능을 방해한다.
- 비구 주변 점막의 부종으로 인해 비구가 물리적으로 폐쇄될 수 있다.

그러나 수술 후 6개월 이상 장기간 경과 관찰을 한 연구들에 의하면 이러한 현상은 발생하지 않는다. 한 대조 연구에 의하면 수술 전에는 비구가 13%에서 폐쇄되어 있었지만, 수술 직후에는 상악동 막 부종에 의해 30%의 증례에서 비구가 일시적으로 폐쇄되어 있었다.[354] 그러나 이로 인해 상악동염은 발생하지 않았고 장기적으로 비구의 폐쇄 여부는 다시 수술 전과 비슷한 상태로 회복됐다. 한 증례 연구에서는 치조정 접근 상악동 골이식 직후 일부 환자의 CT에서 상악동 내부가 액체나 상악동 막으로 가득 차 있는 소견을 보였지만, 6.71개월 후에는 모두 정상적인 CT 소견으로 변화했다.[357]

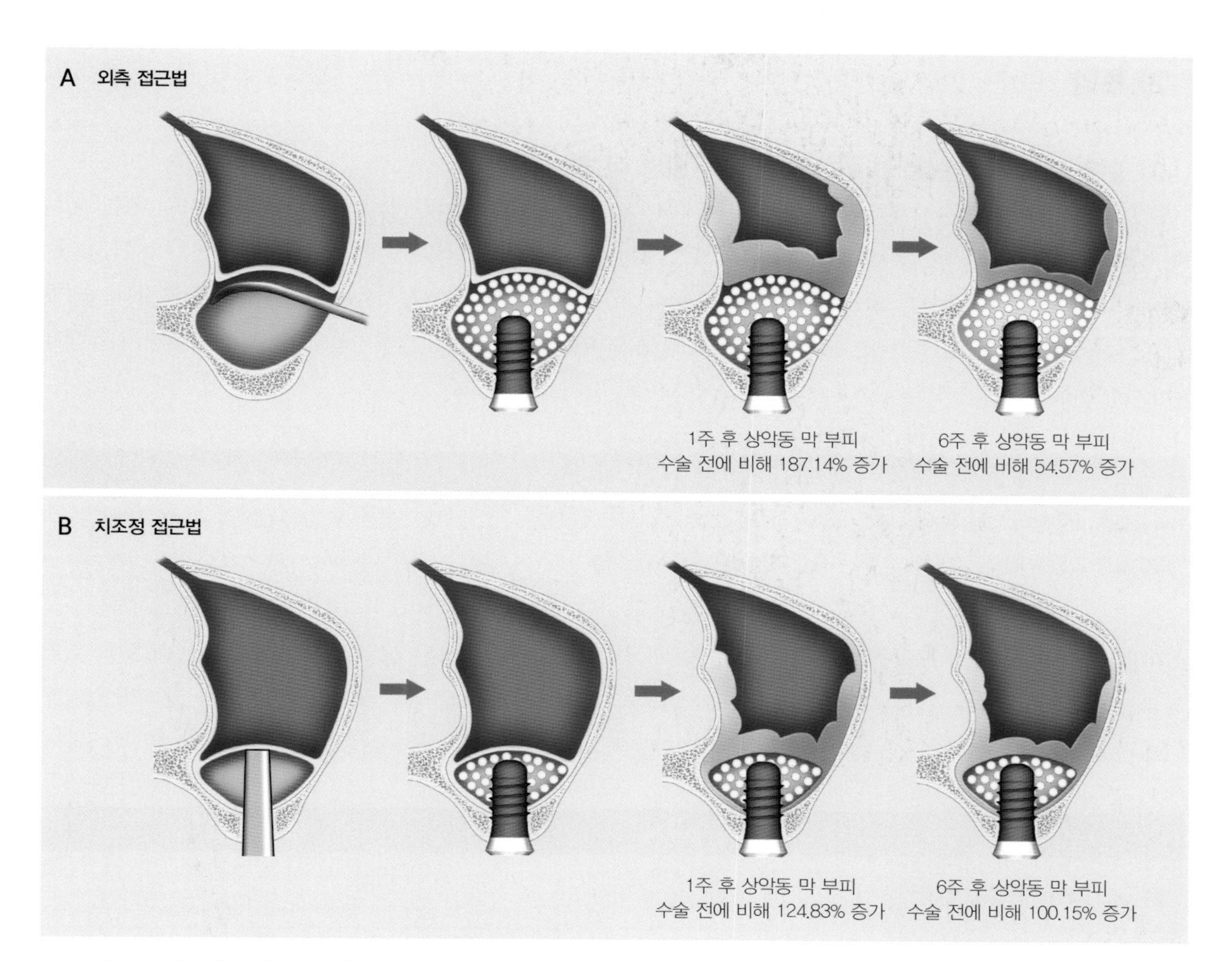

4-122 상악동 막은 외측 접근법 후 두 배 이상 두꺼워지지만 6개월 이내에 원래 두께를 회복한다. 치조정 접근법 후에도 상악동 막은 부종되지만 외측 접근법 후보다 그 정도가 약하다. 또한 일시적인 부종이 특별한 문제를 발생시키지는 않는다.[356]

A. 외측 접근 시 상악동 막의 부피는 수술 전에 비해 수술 1주 후 187.14%, 6주 후 54.57%가 증가(1주 후에 비해서는 46.1% 감소)했다.

B. 치조정 접근 시 상악동 막의 부피는 수술 1주 후 124.83%, 6주 후에는 100.15%가 증가(수술 1주 후에 비해서는 10.97% 감소)해 있었다.

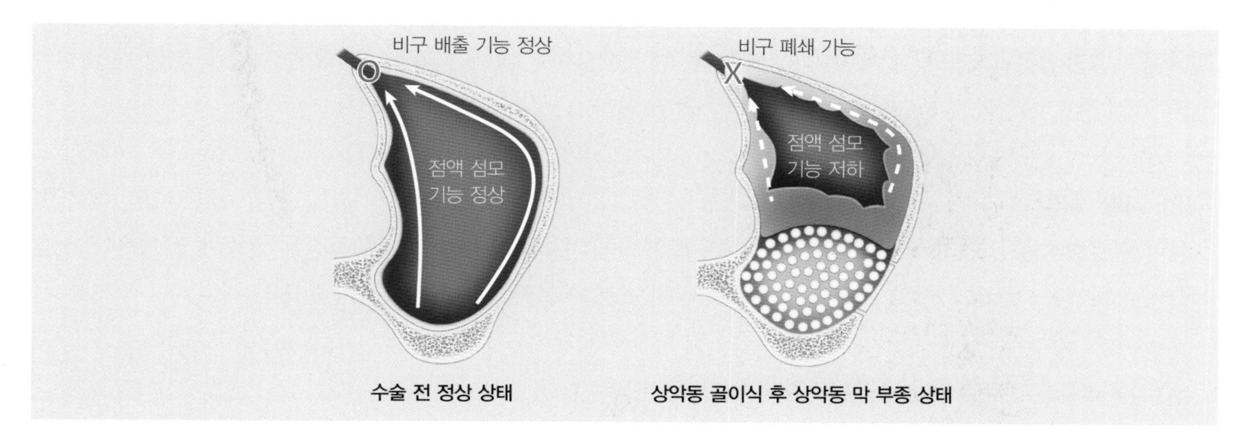

4-123 이론적으로 생각했을 때 상악동 막의 일시적 부종은 두 가지 기전을 통해 상악동 자체의 고유한 배출 기능을 방해할 수 있다. ① 상악동 막이 부종되면 그 자체의 점액 섬모 기능을 방해한다. ② 비구 주변 점막의 부종으로 인해 비구가 물리적으로 폐쇄될 수 있다. 그러나 임상 연구들에 의하면 이러한 현상은 발생하지 않는다.

2) 투약

(1) 수술 후보다는 수술 전 항생제 투약이 훨씬 더 중요하다

앞서 서술한 바와 같이 현재까지 시행된 무작위 대조 연구들에 의하면 술 후 감염을 예방하기 위한 항생제 처방은, 술 후보다 술 전이 훨씬 중요하다.[358–360] 따라서 상악동 골이식 한 시간 전에 2 g의 아목시실린(Amoxicillin)이나 600 mg의 클린다마이신(Clindamycin)을 예방적으로 처방하는 것이 반드시 필요하다. 술 후 항생제 처방은 술 전 처방보다는 중요치 않은 것으로 보이지만, 대부분의 임상가들이 술 후 5–7일까지 항생제를 처방한다.

	술 전 처방	술 후 처방
페니실린 과민증이 없는 환자	• 아목시실린 2 g 수술 1시간 전 처방	• 아목시실린 500 mg PO tid for 5days
페니실린 과민증 환자	• 클린다마이신 600 mg 수술 1시간 전 처방	• 클린다마이신 150 mg PO tid for 5days

한편 치주, 임플란트, 구강악안면외과, 이비인후과, 미생물학 전문가들은 상악동 골이식 후의 상악동염 치료에 대한 합의 및 권유 사항을 2012년에 발표한 바 있다.[361] 여기에서 상악동 골이식 시 추천한 항생제 처방은 다음과 같았다.

	술 전 처방	술 후 처방
페니실린 과민증이 없는 환자	• 오구멘틴(아목시실린 클라불란산) 1 g bid, 수술 24시간 전부터 처방	• 오구멘틴(아목시실린 클라불란산) 1 g을 하루 세 번에 나누어 7일간 처방
페니실린 과민증 환자	• 클라리트로마이신 250 mg bid + 메트로니다졸 500 mg tid, 수술 24시간 전부터 처방	• 클라리트로마이신 250 mg bid + 메트로니다졸 500 mg tid, 7일간 처방

그러나 이러한 전문가들의 추천은 근거 중심적이라기보다는 경험 중심적이기 때문에 확고한 근거에 기반한 것은 아니다. 아직까지 상악동 골이식에서 최선의 항생제 처방에 대한 결론이 내려진 바는 없다. 다만 가급적 페니실린 계통(세팔로스포린계 포함) 항생제를 술 전에 반드시 처방해야 하고, 술 후에는 1주일 이상 너무 장기간 투약할 필요가 없다는 사실은 알고 있어야만 할 것이다.

(2) 기타 처방

상악동 골이식을 시행하기 위해서는 넓은 부위를 박리해야 하기 때문에 술 후 부종은 흔하게 발생한다. 이를 예방키 위해 당뇨 등 금기증이 있는 환자가 아니라면 스테로이드를 처방하는 것이 도움이 된다.

- Prednisolone 10 mg (5 mg×2) PO bid for 2days
- Dexamethasone 5 mg IM

어떤 임상가들은 환자가 술 후 비충혈감 호소하는 경우에는 비 항울혈제(nasal decongestant)인 Sudafed를 처방할 것을 권유한다.[362] 그러나 이 약물은 당뇨, 심혈관 질환, 고혈압 등의 환자에게는 처방이 불가하고 이 약제를 처방하지 않더라도 비점막과 상악동 점막의 충혈에 의해 합병증이 발생하는 환자는 거의 없기 때문에 처방이 불필요하다고 생각된다.

(3) 비타민D는 상악동 골이식의 예후를 향상시키지는 않는 것 같다

항생제를 포함한 모든 약물은 앞에서 따로 자세히 설명했기 때문에 간략하게만 설명했다. 여기에서는 비타민D가 상악동 골이식의 예후에 어떤 영향을 미칠 수 있는지 지금까지 밝혀진 것만 설명하겠다.

비타민D는 칼슘 대사의 항상성을 유지하는 데 중요한 역할을 한다. 혈중 25-hydroxyvitamin D3 (25-OHD) 농도는 비타민D의 기능적 상태를 나타내는 지표로 사용되고 있다. 25-OHD의 혈중 농도가 80 nmol/L 미만이면 장내 칼슘 흡수가 저하되고, 골다공증이 호발하며, 골절 위험성이 증가한다. 따라서 노인들에게는 매일 비타민D를 1300 IU 가량 복용하는 것이 추천된다.[363] 세포 수준에서 비타민D는 골흡수보다는 골침착을 유도하기 때문에 골재형성에 매우 중요하다고 생각된다.[364]

2016년에는 비타민D의 혈중 농도가 낮은 환자(<20 μg/l) 두 명에서 임플란트가 식립 15일 이내에 실패했으며, 비타민D를 복용시킨 후 다시 임플란트를 식립하여 성공적으로 골유착시킬 수 있었다는 증례보고가 발표됐다.[365] 2018년의 한 후향적 연구에서는 임플란트의 조기 실패와 비타민D의 혈중 농도가 상관관계를 보이는지 평가했다.[366] 그 결과, 비타민D의 혈중 농도가 낮을수록 임플란트 조기 실패의 비율이 높아지는 경향을 보이긴 했지만 통계학적으로 유의하지는 않았다. 그러나 25-OHD 농도가 10 ng/mL 이하인 경우에는 임플란트 조기 실패의 비율이 11.1%로 상당히 높았기 때문에 추가적인 연구가 필요하다고 결론 내렸다. 그러나 이들 예비적 연구들의 결과는, 비타민D가 일반적인 임플란트 치료 환자에 있어 도움이 되는지 여부에 대해 별다른 정보를 제공하지 않는다.

2015년에는, 대상 수가 적긴 하지만 비타민D 처방이 상악동 골이식부 재생골의 질을 향상시킬 수 있는지 확인하기 위해 무작위 대조 연구가 시행되었다.[367] 이 연구에는 실험군 환자에게 비타민D3 (5000 IU)와 칼슘(600 mg)을, 대조군 환자에게 비타민 위약과 칼슘(600 mg)을 상악동 골이식을 시행한 수술 당일부터 임플란트 식립 시(6-8개월 후)까지 매일 복용시켰다. 그 결과, 비타민D와 칼슘을 복용한 경우와 칼슘만 복용한 경우에서 임플란트 식립 시 채취한 골이식부 내 재생골의 조성에는 거의 아무런 차이도 없었다. 이는 일반적인 환자에게 비타민D를 투약하는 것은 골재생의 결과에 거의 영향을 끼치지 못한다는 사실을 확연하게 보여주는 것이다.

결론적으로 비타민D와 임플란트 치료와의 관계에 대해서는 아직 거의 알려진 바가 없다고 할 수 있다. 낮은 비타민D 혈중 농도는 임플란트 골유착에 악영향을 미칠 수도 있을 것이라는 증례 보고와 후향적 연구가 있었지만, 사실 이 연구들은 근거로서의 가치가 거의 없다. 한 무작위 대조 연구에서는 상악동 골이식 후 비타민D와 칼슘을 복용시키는 것이 재생골의 질을 향상시키는 데 도움이 되지 못한다는 사실을 보여주었다. 그러나 이 연구는 대상 환자수가 너무 적었고 편향이 잘 통제되지는 못했다. 결국 이 주제에 대해서는 아직 밝혀진 것이 거의 없기 때문에 좀 더 많은 후속 연구가 필요하지만, 지금까지의 연구 결과로는 적어도 건강한 사람에게서는 비타민D가 상악동 골이식이나 임플란트 치료에 별다른 도움이 되지는 못하는 것 같다.

7. 외측 접근 상악동 골이식술의 급성 합병증

상악동 골이식술의 술 후 합병증은 드물다. 급성으로 발생할 수 있는 합병증에는 급성 감염, 출혈, 절개선 열개, 상악동 내로의 임플란트 전위, 그리고 이식재의 상악동 내로의 유출 등이 있다.[31] 그나마 그 중에서 가장 흔한 것은 감염이다.[36] 문헌에 따라 상악동 골이식 후에는 0–7.4%의 증례에서 감염이 발생한다고 하였고 한 메타분석에서는 2.9%의 발생 빈도를 보인다고 하였다.[36]

1) 절개선 열개

전술한 바와 같이 상악동 골이식술에서 골증강 부위는 절개선과 떨어져 있기 때문에 차폐막이나 이식재 노출은 골유도 재생술과 달리 그다지 흔하지 않다. 만약 절개선 부위에 열개가 발생하더라도 흡수성 차폐막을 이용하였고 적절한 항생제 처방과 창상 처치를 시행하였다면 별다른 문제를 일으키지 않고 2차 의도 치유를 이룰 수 있다. 창상 열개와 차폐막 및 이식재 노출에 대한 일반적인 처치는 골유도 재생술에서와 동일하다.

2) 골이식재의 감염

(1) 드물지만 상악동 골이식재는 감염될 수 있다

2012년에 발표된 전문가들의 임상 합의에서는 급성과 만성 합병증을 명확히 구분하기 위해 급성 합병증은 수술 후 21일 이내에 발생한 것으로 정의 내렸다.[361] 따라서 이 정의에 따르면 급성 감염은 상악동 골이식 후 3주 이내에 발생한 감염이다. 또한 상악동 골이식 후의 급성 감염은 엄밀하게 말해 골이식부의 감염과 급성 상악동염으로 나눌 수 있다. 또는 두 가지 감염 증세가 동시에 나타날 수도 있다(📷 4–124). 많은 문헌에서 이에 대한 구분을 엄격히 시행하지는 않았지만 급성 감염은 대부분 전체 상악동염을 동반하지는 않은 골이식재의 감염으로 생각된다.[54] 어쨌건 상악동 골이식 후 급성 감염의 빈도는 2–5.6%로, 비교적 낮은 것으로 생각된

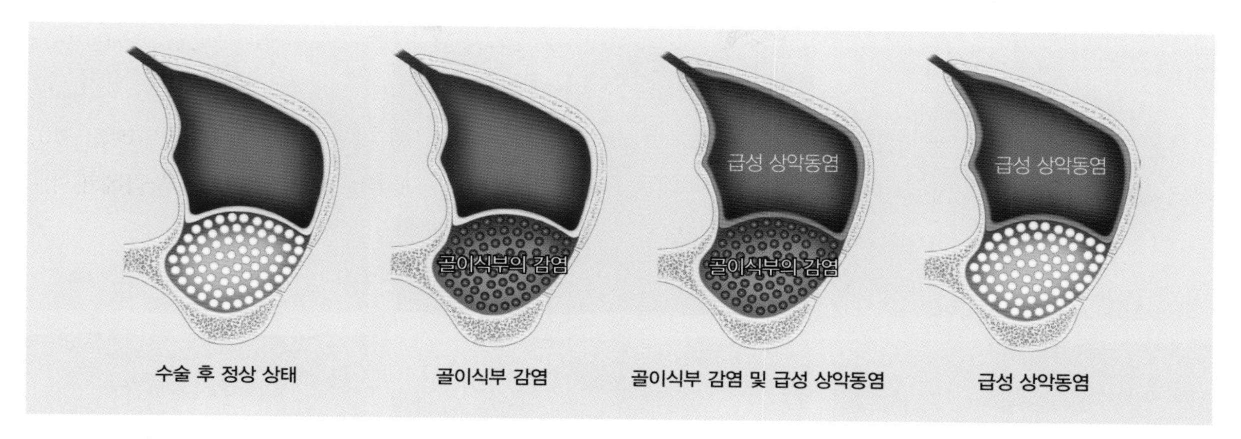

4-124 상악동 골이식 후의 급성 감염은 엄밀히 말해 그 위치에 따라 세 가지로 구분할 수 있다. 이는 거상된 상악동 막 하방의 골이식부 감염, 거상된 상악동 막 상방의 감염인 급성 상악동염, 그리고 두 부위 모두의 감염이다.

다.[361,368,369] 골이식재 감염의 증상으로는 비폐쇄, 동통, 부종, 수술부 점막에 누공 형성, 누공 부위나 절개선을 통한 농양 및 이식재 배출, 피판 열개, 국소적 통각 등이 있다.[368] 특히 상악동 골이식부의 협점막이 국소적으로 부종된 경우 골이식재의 감염을 의심해 볼 수 있다. 급성 감염이 발생한 경우 상악동염이 동반되었는지를 확인하기 위해 CT를 촬영하는 것이 좋다.

골이식재 감염의 원인은 크게 두 가지로, 원래 상악동 내부에 감염성 질환(만성 상악동염)이 존재하는 경우와, 골이식부가 세균에 오염된 경우이다.[54] 이중 세균에 의해 오염된 경우는 다음과 같은 원인으로 발생한다(4-125).[29,370]

- 수술 과정 중 골이식부, 차폐막, 이식재 등은 타액 등에 의해 세균에 오염될 수 있다.
- 주변 자연치의 치주 질환부나 치근단 질환부에서 세균이 파급될 수 있다.
- 상악동 막의 천공에 의해 상악동 내부의 상주 세균이나 병적 세균이 이식재를 오염시킬 수 있다.
- 수술 시간이 길어지면 수술부는 세균 오염의 가능성이 증가한다.
- 흡연 환자에서 세균에 대한 저항성이 저하되어 골이식부 감염 빈도가 늘어날 수 있다.
- 상악동 골이식과 동시에 골유도 재생술 등 다른 골증강술을 시행하면 수술 범위가 광범위해지고 수술 시간이 길어져 감염 위험이 증가한다.

(2) 이식재의 감염은 약물과 외과적 처치로 치료한다

급성 감염의 처치에 관해 확정된 프로토콜은 없지만, 골이식부 내의 모든 재료를 제거하고 세척해주는 외과적 처치와 항생제 처방의 두 가지 방법을 이용한다.[361,368,370,371] 2012년의 전문가 합의에서는 상악동 골이식 후 급성 감염의 증상에 따른 처치 방법을 제시했다(4-11).[361]

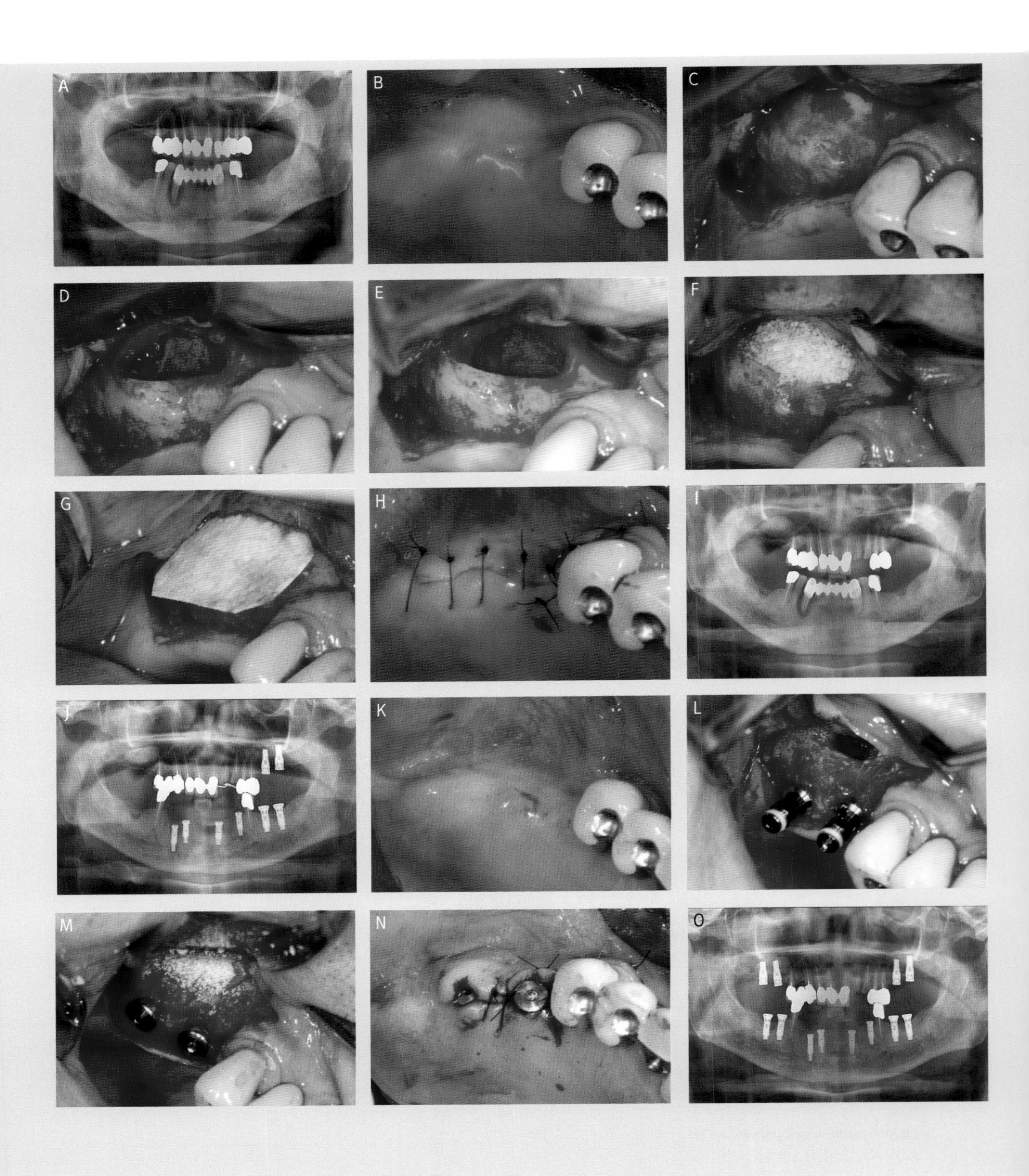
A
B
C
D
E
F
G
H
I
J
K
L
M
N
O

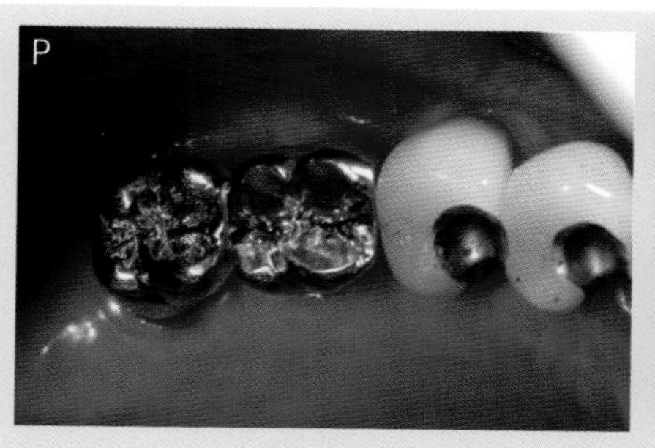

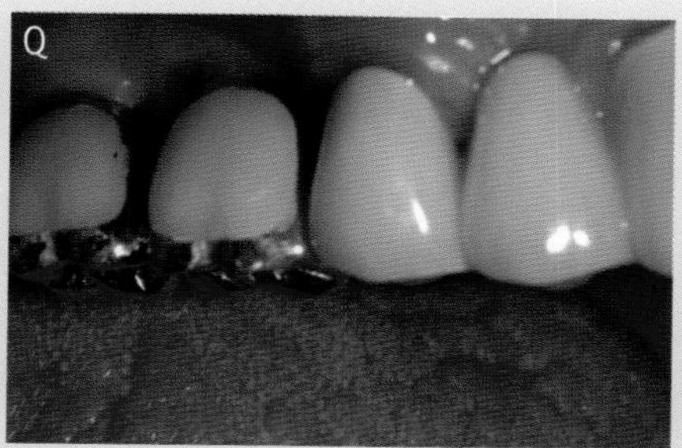

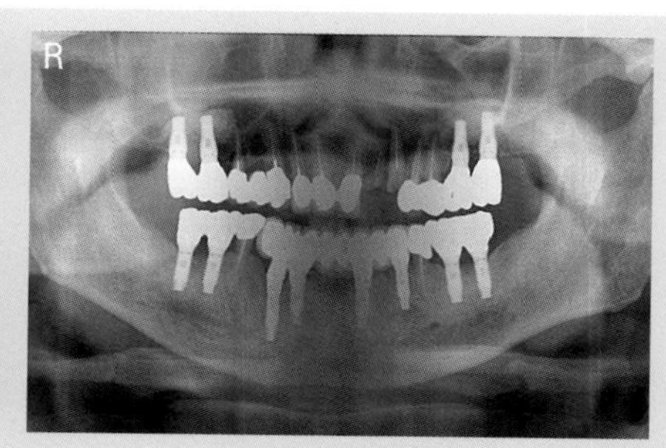

4-125 상악동 골이식 후 특별한 증상은 없었지만 임플란트 식립 시 골이식부의 부분적인 염증과 이식재의 골화 실패를 보였던 증례이다. 원인을 특정할 수는 없지만 수술부에 인접한 제2소구치 치근단에서 감염이 파급되었을 것으로 추정할 수도 있다.

A~I. 외측 접근법으로 상악동 골이식을 시행했다. 수술 중 특별한 이상 소견은 보이지 않았다.

J~O. 약 6.5개월 후 임플란트를 식립하기 위해 수술부에 재진입했다. 수술 직전 촬영한 방사선사진에서는 특별한 문제가 없었다**(J)**. 그러나 골이식재 일부는 감염되어 있었고 골이식재의 상당히 많은 부분이 골화에 실패되어 있었다. 이러한 부분들을 모두 소파한 후 임플란트를 식립했다**(L)**. 골이식재를 재차 적용하고 차폐막을 적용한 후 수술을 완료했다.

P~R. 5.5개월 후 보철 부하를 가했다. 이후 임플란트와 주위 치조골에 특별한 이상 소견은 없었다.

4-11 상악동 골이식 후 급성 감염의 증상에 따른 처치 방법

약물 투약만으로 치료
• CT에서 이식재는 상악동 막 하방에서 잘 유지되고 있다. • 절개선을 통해 맑은 장액성 삼출액만이 유출된다.
약물 투약과 외과적 처치 병행
• CT에서 이식재는 상악동 막 하방에서 잘 유지되고 있다. • 비폐쇄, 통증, 누공, 농양 배출, 피판 열개, 압통 중 하나 이상을 포함하여 감염의 증상이 3주 이상 지속된다.
이비인후과와의 협진이 필요한 수술적 접근
만약 이식재가 상악동 막 상부로 유출되고 급성 상악동염 증상을 보이면 기능성 내시경 상악동 수술로 유출된 이식재를 제거하고 상악동 내부를 세척해야 할 수 있다. 구강 내로는 골이식부의 이식재와 임플란트 등을 제거한다.

① 약물 처방

상악동 내로의 감염이 확인되었고, 농양이 형성되었으면 혐기성 세균에 효과를 보이는 메트로니다졸을 처방하는 것이 효과적이다.[372,373] 메트로니다졸은 혐기성 세균에만 항균 작용을 보이므로, 통기성(facultative) 세균이나 호기성 세균에 효과를 보이는 다른 항생제와 중복 처방해야 한다.[54] 일반적으로 페니실린계(주로 오구멘틴)나 세팔로스포린 계열의 항생제와 함께 메트로니다졸을 7–10일간 중복 투여한다. 2012년의 전문가 합의에서는 다음의 투약을 권고했다.[361]

페니실린 과민증이 없는 환자	아목시실린 클라불란산 1 g tid + 메트로니다졸 500 mg tid
페니실린 과민증 환자	증상이 사라지고 72시간 후까지 레보플록사신 400 mg bid
보통 위의 약물을 7–10일간 투약 유지	

② 외과적 처치

외과적 처치는 가능한 빨리, 그리고 가능한 광범위하게 시행하는 것이 원칙이다. 일단 수술부에서 농양이 배출되기 시작하면 삽입된 이식재, 차폐막, 그리고 임플란트 등 모든 재료는 감염원으로 작용할 수 있기 때문에 가능한 모두 제거해 주어야 한다. 만약 이들 재료를 남겨둔 상태에서 외과적 처치를 완료하면 감염은 재발될 가능성이 높다(**4-126**).[31,368] 이렇게 수술부의 재료를 제거한 후 생리식염수로 철저히 세척한다. 필요하다고 판단되면 봉합 전에 드레인을 삽입하여 배농을 돕는다. 이후 수술부를 철저히 폐쇄한다.

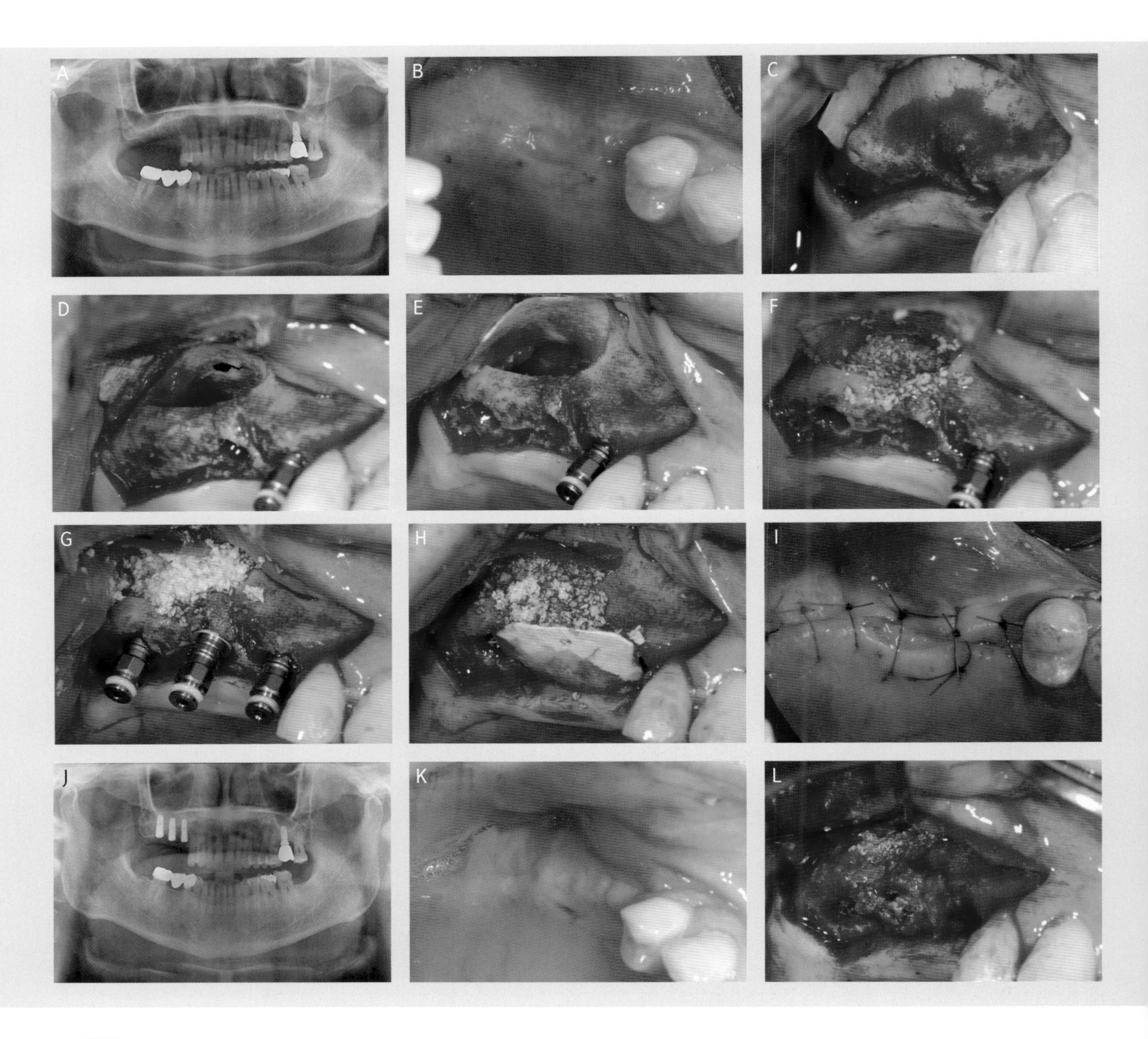

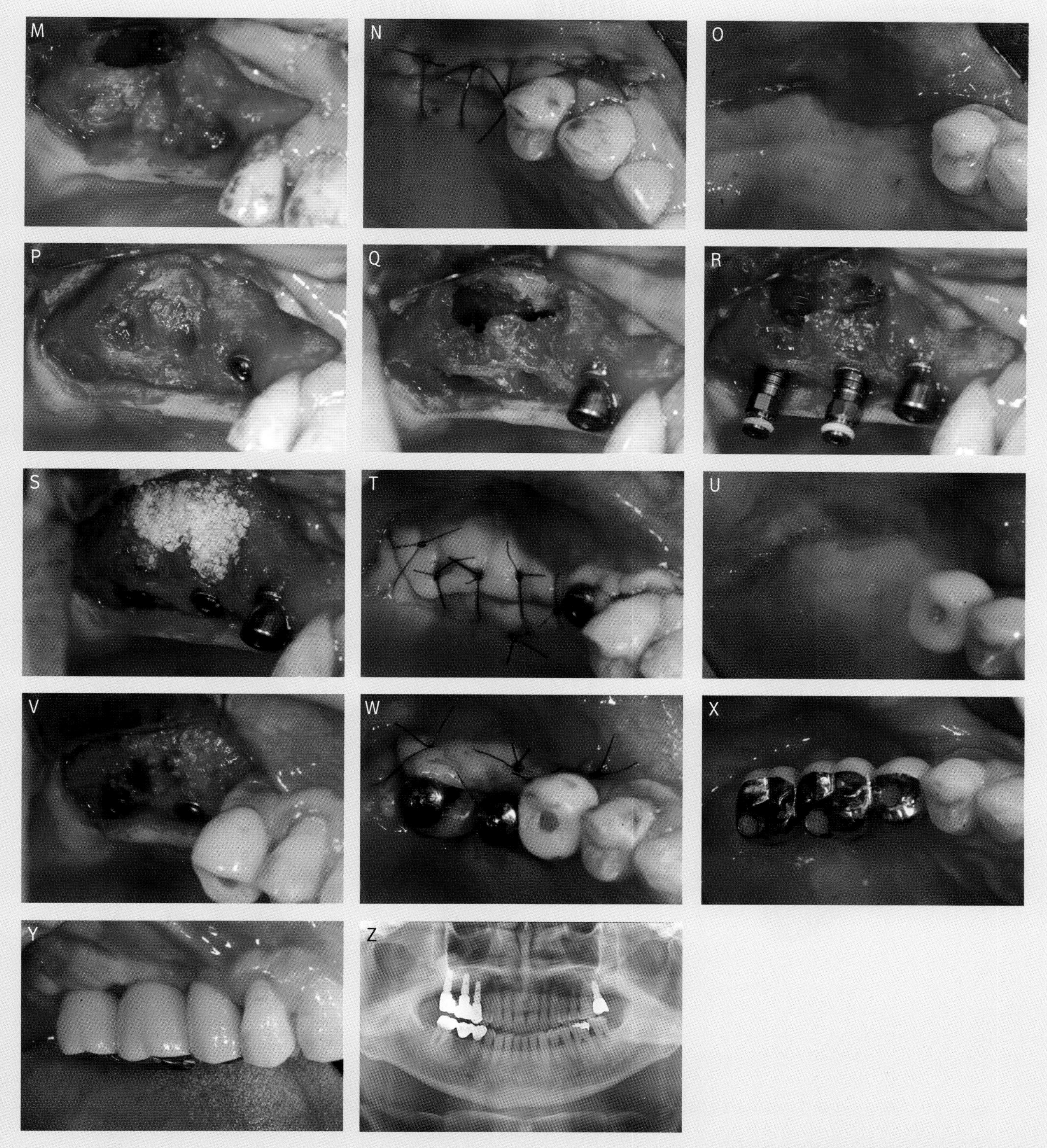

4-126 상악동 골이식 후 감염은 드물게 발생한다. 그러나 농양이 배출되는 급성 감염 양상을 보이면 이식재를 포함해 사용된 모든 재료를 확실하게 제거하고 차후에 재수술을 시행해야 한다.

A~J. 상악동 골이식을 시행하고 임플란트를 식립했다. 상악동 막이 천공되었기 때문에**(D)** 교원질 차폐막으로 이를 수복했다**(E)**. 이후 이종골 이식재를 이용해 정상적으로 골이식을 완료했다.

K~N. 수술 2주 후에 수술부 부종과 절개 부위를 통한 자발적 배농이 발생되었다. 환자는 심한 흡연자이기도 했지만 상악동 막 천공이 감염 발생에 영향을 미쳤을 것이다. 급성 감염으로 진단하고 수술 3주 후에 재진입하여 이식재와 최전방 임플란트를 제외한 후방의 임플란트를 모두 제거하고 식염수로 수술부를 철저히 세척한 후 배농을 시행했다.

O~T. 배농 후 2.5개월이 경과했을 때 수술부에 재진입하여 상악동 골이식을 시행하고 임플란트를 식립했다. 반흔 때문에 수술의 난이도가 높았지만 감염은 완전히 소실되어 있었다.

U~W. 5개월 후 2차 수술을 시행했다. 임플란트 골유착과 이식골의 골화는 정상적이었다.

X~Z. 대략 1개월 2주 후 보철 치료를 완성했다.

외과적 처치를 위해 피판을 거상해보면, 골증강부의 외측 이식재는 회색–흑색으로 변색되고 있고 염증성 육아조직으로 둘러싸여 성긴 상태로 존재한다. 이를 큐렛으로 소파하여 제거하면 내측의 이식재는 출혈이 이루어지면서 감염되지 않은 것으로 보이는 경우도 많은데, 이러한 경우 술자의 판단에 따라 이를 남겨 놓기도 한다(**📷 4–127**). 5–6개월 이상의 시간이 경과하면 남겨진 이식재가 상악동 막을 거상해주기 때문에 거상된 상악동 막 하부에 신생골이 형성되는 경우가 많다.[368] 한 증례 연구에서는 이러한 술식을 시행한 후 재생된 부위를 조직학적으로 확인하여 양질의 신생골이 형성된 것을 직접 확인했다.[374]

재수술은 언제 시행해야 하는가에 대한 광범위한 합의는 없지만, 대개는 6–10개월에 이르는 장기간의 치유기간을 부여할 것을 추천한다.[361,368] 그러나 개인적인 경험으로는 3–4개월 후면 재수술이 가능한 상태가 된다. 만약 이식재 일부를 남겨놓았다면 이 이식재의 골화를 유도하기 위해 5–6개월 이상 경과한 후 재수술을 시행한다.

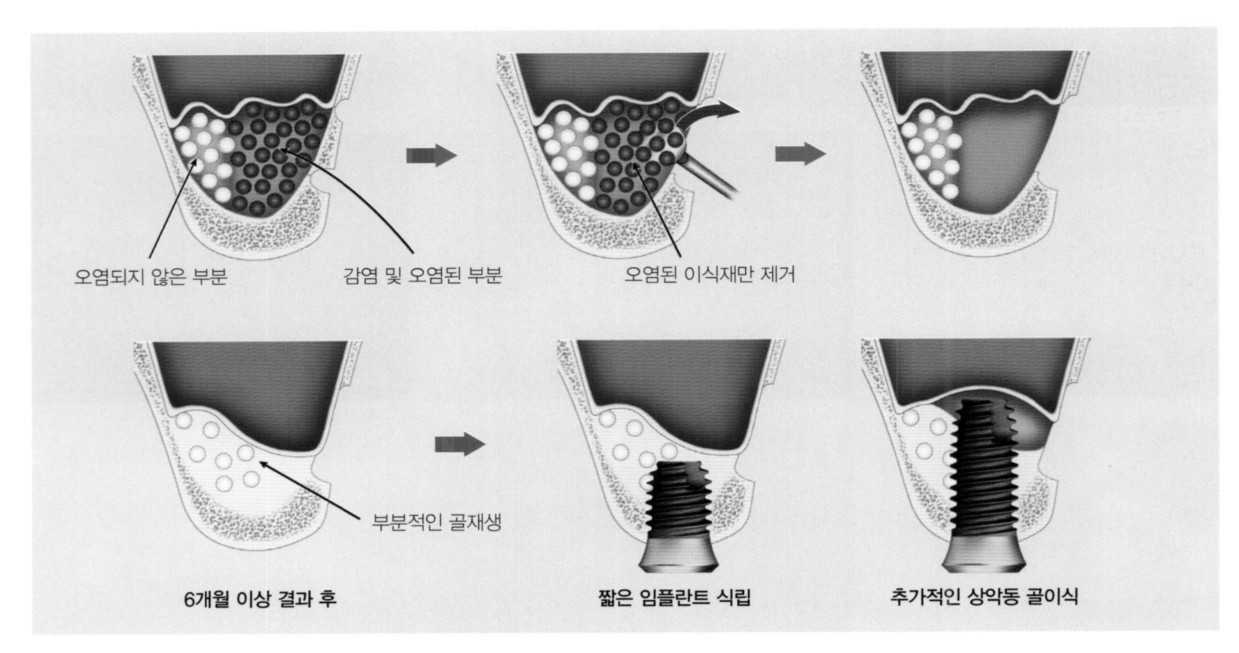

📷 4–127 감염된 상악동 골이식부에 접근하여 오염된 이식재를 제거한다.
외측의 오염된 이식재를 제거하면 내측에 변색되지 않고 생활 조직으로 둘러싸여 출혈이 이루어지는 이식재가 남아있는 경우도 있다. 이러한 경우 내측의 이식재를 남겨놓을 수 있다. 이렇게 남겨진 이식재는 상악동 막을 부분적으로 거상시킨다. 5–6개월 이상 경과하여 골이식부에 다시 접근하면 상악동저가 부분적으로 거상된 부위 하방에 신생골이 형성되는 경우가 많다. 이러한 경우 짧은 임플란트만 식립하거나 추가적인 상악동 골이식 후 표준 길이 임플란트를 식립할 수도 있다.

3) 급성 상악동염

사실 수술부의 급성 감염과 급성 상악동염은 서로 밀접하게 관련되어 있기 때문에 명확하게 구분하기는 힘들다. 한 증례 연구에서는 상악동 골이식을 시행한 245명의 일련의 환자 중 5명(4.3%)의 환자에서 급성 상악동염이 발생했다고 보고했다.[373] 급성 상악동염의 증상으로는 두통, 국소적 통증, 악취, 편측 비루, 수술부 구강 점막의 염증, 구강-비강 누공 등이 있다. 이식재의 단순 감염에 비해 증상이 더 심한 편이다.

급성 상악동염은 몇 가지 원인에 의해 발생 가능하며, 따라서 이를 미리 인지하고 예방해주는 것이 중요하다 (■ 4-12).[54]

그러나 이러한 예방적 조치에도 불구하고 술 후에 급성 상악동염이 발생한다면 침습적인 치료가 필요하다. 처치 방법으로는 이식재 및 임플란트 제거, 상악동 내 세척, 항생제 처방이 추천된다. 보통 처치를 가하고 5–7일 후 수술부는 정상적인 소견으로 회복된다.[373]

■ 4-12 상악동 골이식 후 상악동염 발생의 원인과 예방 방법

원인	예방 방법
이식재의 감염에 의해 2차적으로 발생	• 이식재가 감염되지 않도록 수술 전후에 철저하게 감염 관리를 시행한다. • 상악동 내부에 만성 상악동염 증상이 존재하는 경우 이를 완전히 치료한 이후 상악동 골이식을 시행한다.
상악동 내부로 유출된 이식재가 비구를 폐쇄	상악동 골이식 중 상악동 막이 천공되면 이를 최대한 잘 수복하여 이식재가 상악동 내부로 유출되지 않도록 한다. 천공된 상악동 막을 수복하기 힘들면 수술을 연기한다.
인접 자연치에서 감염이 파급됨	치아 결손부 인접 자연치에 치주 질환이나 치근단 질환이 존재한다면 상악동 골이식 전에 이를 미리 처치해야만 한다.

4) 상악동 내로 임플란트 전위

간혹 상악동 골이식과 동시에 임플란트를 식립하면 이 임플란트가 상악동 내로 전위될 수 있다. 임플란트가 상악동으로 이동하는 시기는 주로 임플란트를 식립할 때, 혹은 임플란트 식립 후 2개월 이내이다.[375] 상악동 내로의 임플란트 전위는 대부분 기능적 부하를 가하기 이전에 발생한다.[376] 따라서 이는 급성 합병증이라고 할 수 있다.

(1) 상악동 내부로 전위된 임플란트를 장기간 방치하면 감염성 질환이 발생할 수 있다

상악동 내로의 임플란트 전위는 흔하게 발생하는 합병증은 아니다.[377,378] 또한 임플란트가 상악동 내부로 전위됐다고 해서 반드시 병적 증상을 유발하지는 않는다. 티타늄 재질의 임플란트는 상악동 내에서 그 자체로 상악동염을 발생시키지는 않는다.[379]

그러나 상악동 내에서 자유롭게 움직이는 임플란트를 장기간 계속 방치시키면, 수년이 경과한 후라도 상악동염이 발생할 수 있다.[380,381] 이는 임플란트가 비공을 폐쇄시키거나 상악동 막에 염증성부종을 유발함으로써 발생하는 것으로 생각된다.[382,383] 한 연구에 의하면 상악동 내로 전위된 임플란트는 상악동염(67%), 구강-상악동 누공(83%), 후비루(postnasal drip, 49%), 비폐색(nasal obstruction, 23%), 두통(16%) 등을 유발했다.[375] 따라서 상악동 내부로 전위된 임플란트는 향후의 법적인 문제를 피하고 잠재적인 감염성 질환의 발생을 예방하기 위해 반드시 제거해 주어야 한다.

(2) 임플란트의 전위를 예방하기 위해서는 임플란트 식립 시 충분한 일차 안정을 확보해야 한다

임플란트의 상악동 내로의 전위는 주로 일차 안정이 확보되지 못한 상태에서 임플란트를 식립했을 때 발생한다. 임플란트 전위의 위험 요소에는 다음과 같은 것들이 있다.[375,376]

- 상악동 골이식과 동시에 임플란트 식립
- 잔존골 높이가 낮은 상태에서 임플란트 식립(잔존골 높이에 비해 너무 긴 임플란트 식립)
- 밀도가 낮은 골에 임플란트 식립
- 고연령군(60세 이상) 환자, 전신적으로 건강하지 못한 환자

임플란트의 전위를 예방하기 위해서는 결국 적절한 증례에서 적절한 방법으로 임플란트를 식립해야만 한다. 이는 결국 충분한 일차 안정을 확보하는 것으로 귀결될 것이다(표 4-13).[376]

상악동 골이식과 동시에 임플란트를 식립할 때에는 반드시 일차 안정을 얻을 수 있는지 여부부터 확인해야 한다. 임플란트를 위한 골삭제 시에, 혹은 임플란트 식립 중에 충분한 일차 안정을 얻을 수 없다고 판단되면 임플란트 식립을 중단하고 골이식만 시행하여 수술을 완료한다.

표 4-13 임플란트의 전위를 예방하기 위한 조치

과정	임플란트의 전위를 예방하기 위한 조치
진단 과정	• 잔존골 높이가 4-5 mm 이상 충분히 확보된 증례에 한해 상악동 골이식과 동시에 임플란트를 식립 • 수술 전 CT, 혹은 임플란트 식립을 위한 골삭제 시 골밀도가 낮다고 판단되면 임플란트는 단계법으로 식립 • 연령이 높거나 전신적인 상태가 좋지 못한 환자는 가급적 단계법으로 임플란트 식립
임플란트 식립 과정	• 상악동 막 거상 시 이를 천공시키지 않음 • 과소 골삭제(일반적인 최종 직경보다 0.3-0.4 mm 좁은 직경의 골삭제) • 테이퍼 임플란트 사용(임플란트는 테이퍼 형태보다는 원통형이 더 잘 전위된다) • 임플란트 식립 시 상악동 쪽으로 수직압을 가하지 않음 • 임플란트 식립 시 식립 토크가 불충분하면(<15 Ncm?) 제거, 단계법으로 전환함

(3) 상악동 내부로 전위된 임플란트는 외측 접근법으로 제거한다

전위된 임플란트는 임상적인 증상이 없더라도 향후 발생할 수 있는 상악동염 등의 합병증을 예방하기 위해 발견 후 즉시 제거하는 것이 일반적인 원칙이다.[384,385] 상악동 내로 전위된 임플란트는 외측 골창을 통해, 혹은 내시경 수술을 통해 제거 가능하다.[377,381,384] 비구의 기능이 정상이면 외측 접근법으로 제거해 준다. 대부분의 경우에 상악동 외측벽에 충분한 크기의 골창을 형성하면 임플란트 위치를 쉽게 확인 가능하고, 따라서 석션으로 수월하게 제거할 수 있다(📷 4-128).[376] 비구 기능이 저하되었거나 비구가 폐쇄되어 있으면 이비인후과로 의뢰 후 기능적 내시경 수술을 통해 임플란트를 제거하고 비구의 배출 능력을 향상시킨다.

만약 치조정 접근법으로 골이식을 시행하고 임플란트를 식립 중이었다면 외측 골창을 형성하고 제거해야 한다. 임플란트를 제거하기 직전에 환자를 앉혀주면 중력 때문에 임플란트가 상악동저 쪽으로 이동하여 제거가 더 용이할 것이다.

임플란트가 상악동 내로 전위된 경우에는 임플란트 골삭제부를 통해 구강-상악동 누공이 발생했을 가능성이 높다. 따라서 임플란트가 탈락된 부위로 누공이 존재하는지 반드시 철저히 확인한 후에 필요하다면 반드시 누공을 폐쇄해 주어야 한다.[361,375]

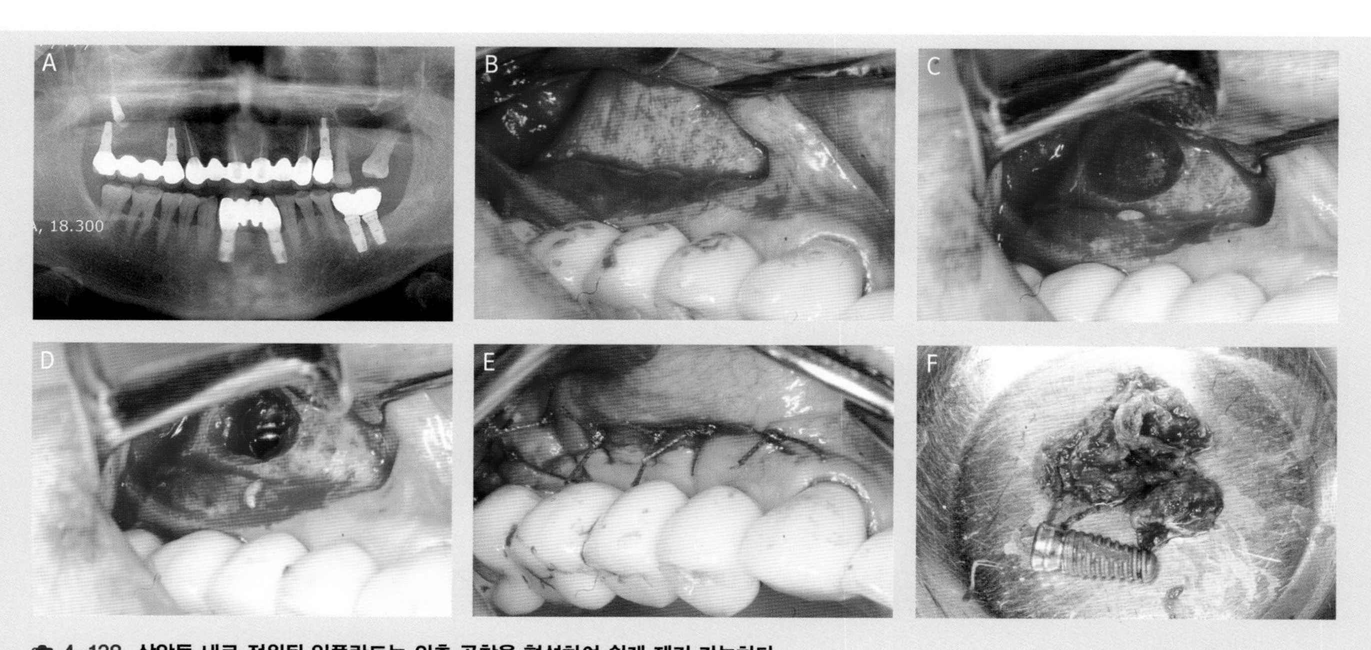

📷 4-128 상악동 내로 전위된 임플란트는 외측 골창을 형성하여 쉽게 제거 가능하다.
이 증례는 저자에게 의뢰된 증례로, 치조정 접근 상악동 골이식 후 식립한 임플란트가 상악동 내로 전위되어 있었다. 외측 골창을 형성하고 임플란트와 상악동 내로 잘못된 이식재를 제거해 주었다.

5) 상악동 내로의 이식재 유출

상악동 막이 천공되고 이를 적절히 처치하지 못한 채 골이식재를 위치시켰거나 너무 과도한 압력으로 골이식재를 위치시키면 상악동 막이 파열되면서 이식재가 상악동 내로 유출될 수 있다. 이는 문헌 상에서는 자주 소개되는 합병증은 아니지만 실제로는 상당히 빈번하게 발생할 것이다.

상악동 막의 천공에 의해 이식재가 상악동 내부로 유출되면 낮은 가능성이지만 상악동염은 발생 가능하다.[386,387] 그러나 저자의 경험에 의하면 비구-비도 복합체가 정상적으로 기능하고 구강-상악동 누공만 없다면 상악동 내로 입자형 이식재가 유출되더라도 상악동 내부의 감염을 유발하는 경우는 거의 없다. 그래도 만약 이식재가 유출된 환자가 급성 감염의 증상을 보이면 즉시 이식재를 제거하고 이식부를 철저히 세척한 후 봉합한다. 만약 급성 감염의 증상이 없다면 환자를 2-4주 간격으로 내원시켜서 정기적으로 추적 관찰한다. 대부분의 증례에서 수술 1-2개월 후 상악동 내부로 유출되었던 이식재가 사라진 것을 확인할 수 있다(**4-36**). 어떤 환자들은 코로 이식재가 나왔다고 말하는 경우도 있다. 이는 상악동 막이 천공된 경우 정상적인 비구-비도 복합체의 기능에 의해 이식재가 비강으로 빠져나온 것이기 때문에 환자를 안심시키고 수술부를 계속 추적 관찰한다. 수술 2-3개월 후까지 상악동 내부의 감염 증상이 없다면 반드시 CT 등을 통해 상악동 내부를 관찰하고 향후의 치료를 결정한다.

- 충분한 양의 이식재가 남아있으며 방사선 불투과성이 증가하면서 골화의 증거를 보이면 성공적인 상악동 골이식으로 간주하고 정상적인 과정을 통해 임플란트를 식립한다.
- 상악동저에 접한 일부 이식재가 골화되었다면 이를 상악동저로 간주하고 상악동 막을 거상한 후 다시 골이식을 시행한다(**4-129**).
- 약간의 이식재가 남아 있으며 이것이 골화되지 않고 상악동 막에 함입되어 있으면 이를 상악동 막의 일부로 간주하고 상악동 막과 함께 거상한 후 골이식을 시행한다(**4-130**).
- 많은 양의 이식재가 골화되지 않고 상악동 막에 함입되어 있으며 이로 인해 상악동 막이 과도하게 비후되었거나 상악동 내부에 공기-액체층(air-fluid level)이 보이면 이식재를 완전히 제거하고 2-3개월 후 상악동 내부의 염증이 소실되었음을 확인한 후 다시 골이식을 시행한다(**4-131**).

8.
외측 접근 상악동 골이식술의 장기적 합병증

상악동 골이식술의 장기적 합병증은 매우 드물게 발생한다. 이식재의 골화 실패, 임플란트의 골유착 실패, 만성 상악동염 발생 등은 상악동 골이식의 장기적 합병증이다.

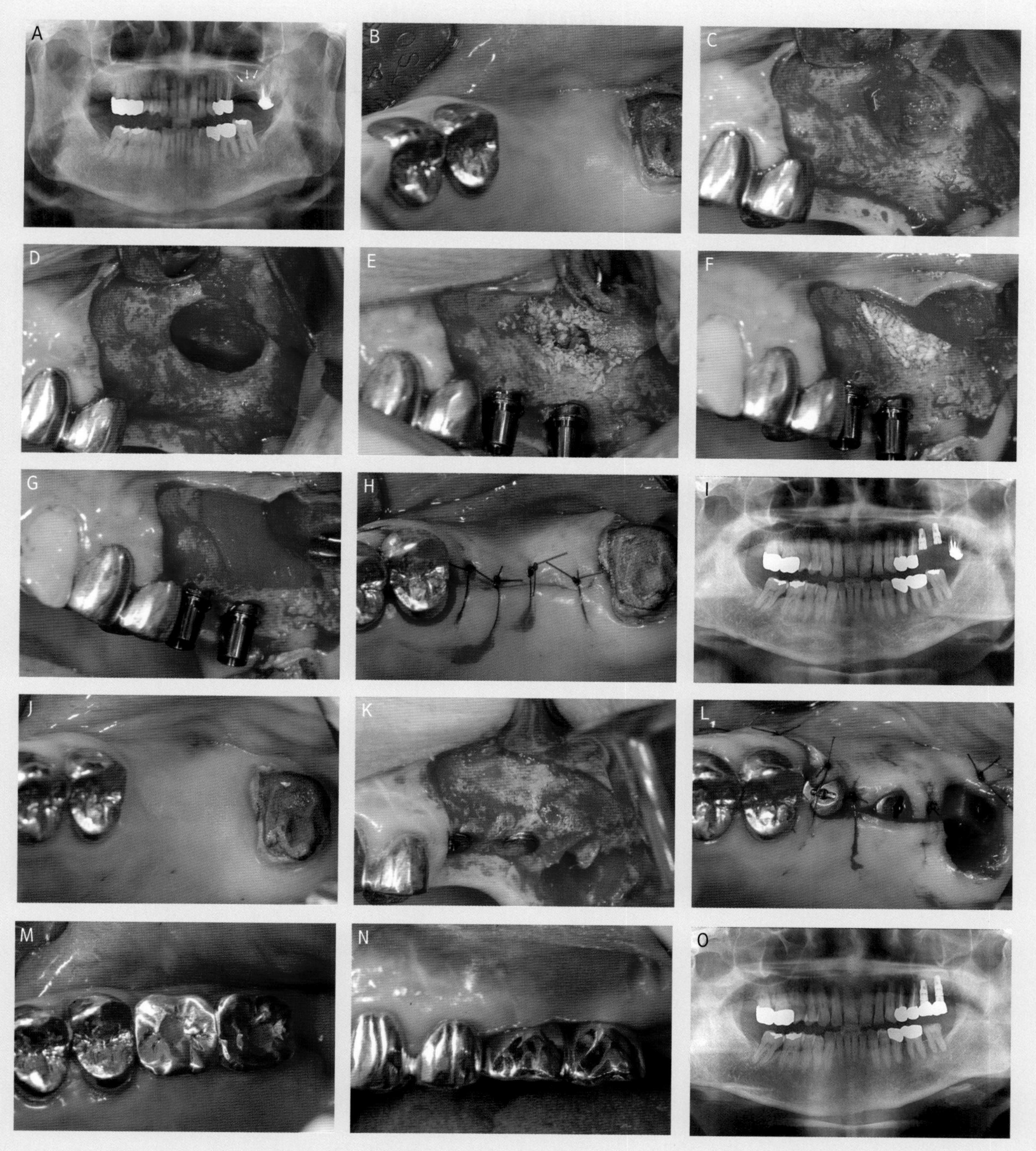

4-129 기존에 다른 치과에서 상악동 골이식을 시행하였으나 상악동 막 천공에 의해 거의 실패했던 증례로, 저자에게 재수술을 위해 의뢰되었다.

A~I. 외측 접근 상악동 골이식과 임플란트 식립을 시행했다. 방사선사진에서는 상악동저에 부분적으로 골화된 것으로 보이는 이식재가 잔존해 있었다**(A)**. 일단 골이식재 잔존부에 직접 접근해봐야 이식재의 상태를 확실히 알 수 있지만, 방사선 불투과도가 높았기 때문에 상악동저 골과 유합되어 골이 재생된 것으로 판단했다. 보통 외측 접근법을 시행했던 부위에 재수술을 위해 접근하면 골창부를 통해 상악동 막과 구강 점막이 유합되어 분리가 힘들지만 이 증례에서는 비교적 손쉽게 분리를 할 수 있었다**(C)**. 상악동 막을 거상했으며 잔존한 이식재는 예상대로 상악동저 골과 유합되어 있었다**(D)**. 섬유화된 상악동 막을 골이식부와 분리하기 위해 차폐막을 상악동 내에 삽입한 후 임플란트 식립과 상악동 골이식을 시행했다**(E, F, G)**. 수술 후 방사선사진을 통해 골이식이 성공적으로 이루어졌음을 확인할 수 있었다**(I)**.

J~L. 5개월 후 2차 수술을 시행했다. 골이식부의 골재생은 성공적이었다.

M~O. 1개월 후 고정성 보철물을 연결하여 치료를 완료했다.

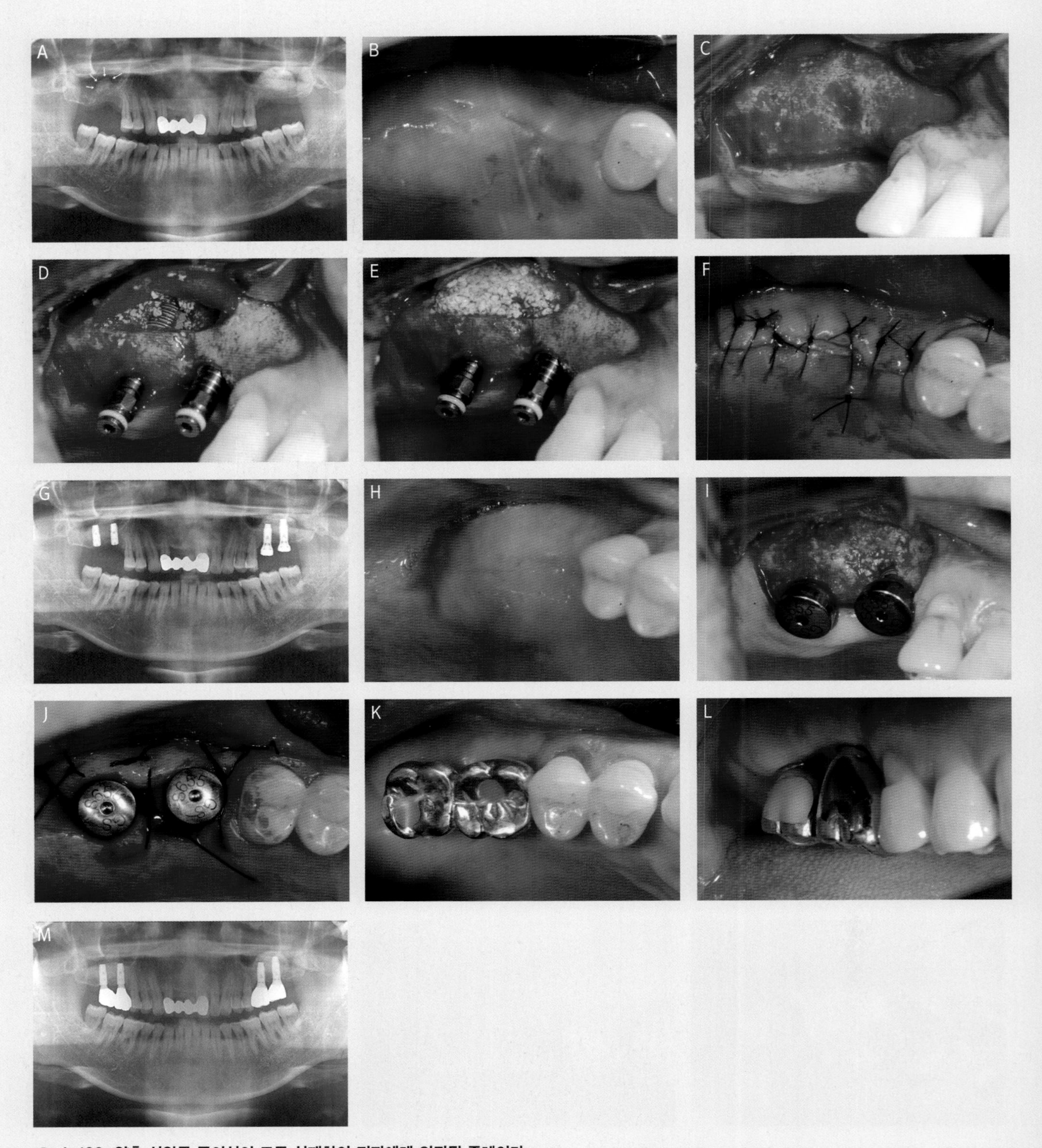

4-130 양측 상악동 골이식이 모두 실패하여 저자에게 의뢰된 증례이다.

좌측은 아예 골이식재를 위치시키지 않은 상태에서 커다란 상악동 막 천공이 발생했던 증례이기에 쉽게 재수술을 시행했지만 우측은 상악동 막 천공이 이식재를 삽입했던 증례이기 때문에 난이도가 좀 더 높을 것으로 예상되었다.

A~G. 방사선사진에서는 상악동저에 이식재 잔존물이 보였지만 상악동저 골과 연속성이 없었기 때문에 상악동저 골과 분리되어 상악동 막에 유합된 것으로 판단했다**(A)**. 이전 수술 시 골창을 아주 작게 형성했던 것으로 보인다. 따라서 이전 수술로 인한 골창부의 결손은 없었다**(C)**. 정상적으로 골창을 형성하고 이전 이식재는 상악동 막의 일부로 간주하여 상악동 막과 함께 거상했다. 역시 반흔화한 상악동 막을 이식재와 분리하기 위해 차폐막을 상악동 내에 삽입한 후 임플란트를 식립하고 골이식을 완료했다. 수술 후 방사선사진에서 상악동 막과 함께 거상된 이식재를 확인할 수 있다**(G)**.

H~J. 5개월 후 2차 수술을 시행했다. 임플란트의 골유착과 골이식재의 골화는 정상적이었다.

K~M. 다시 1개월 후 보철 치료를 완성했다.

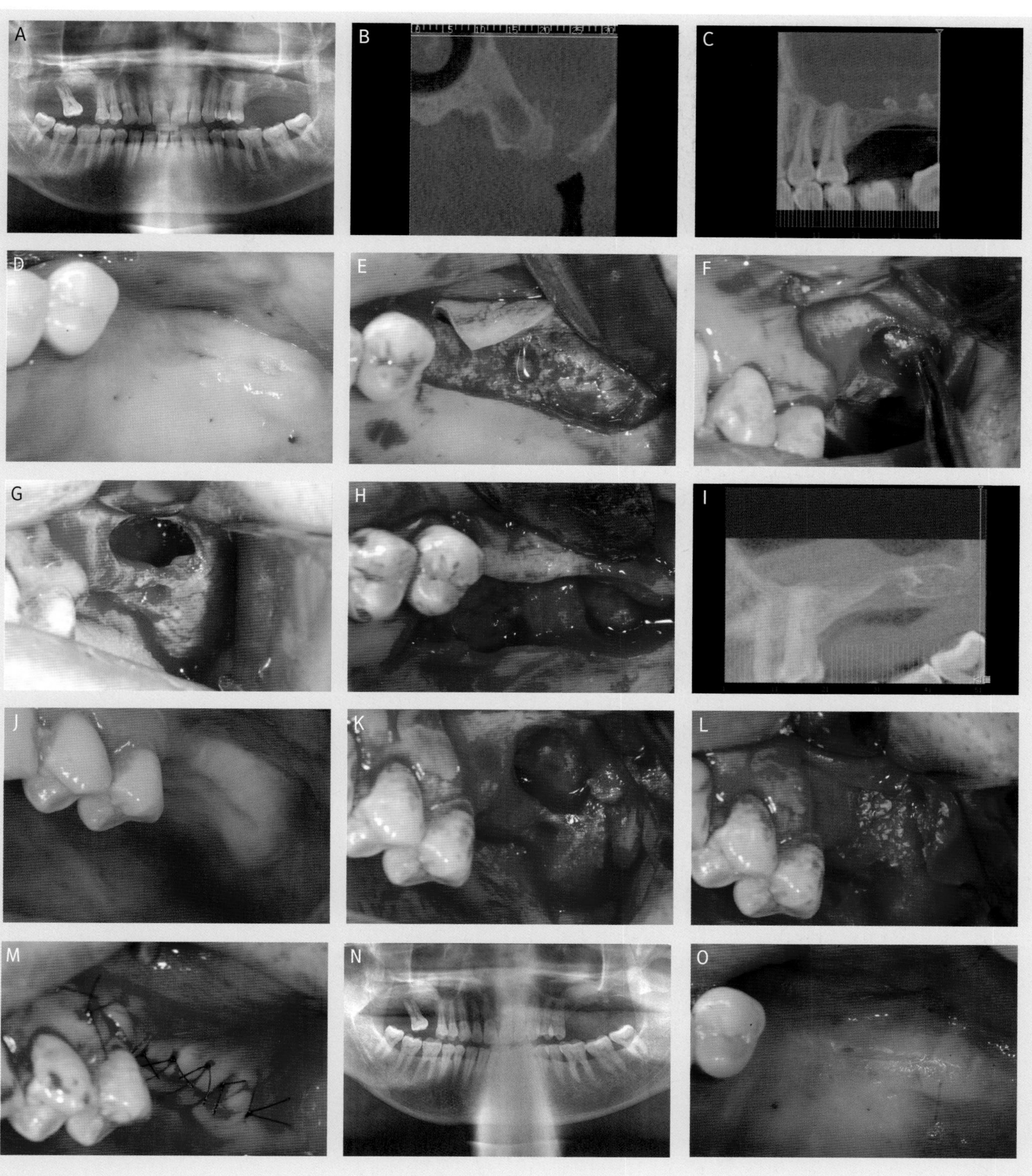

– 계속 –

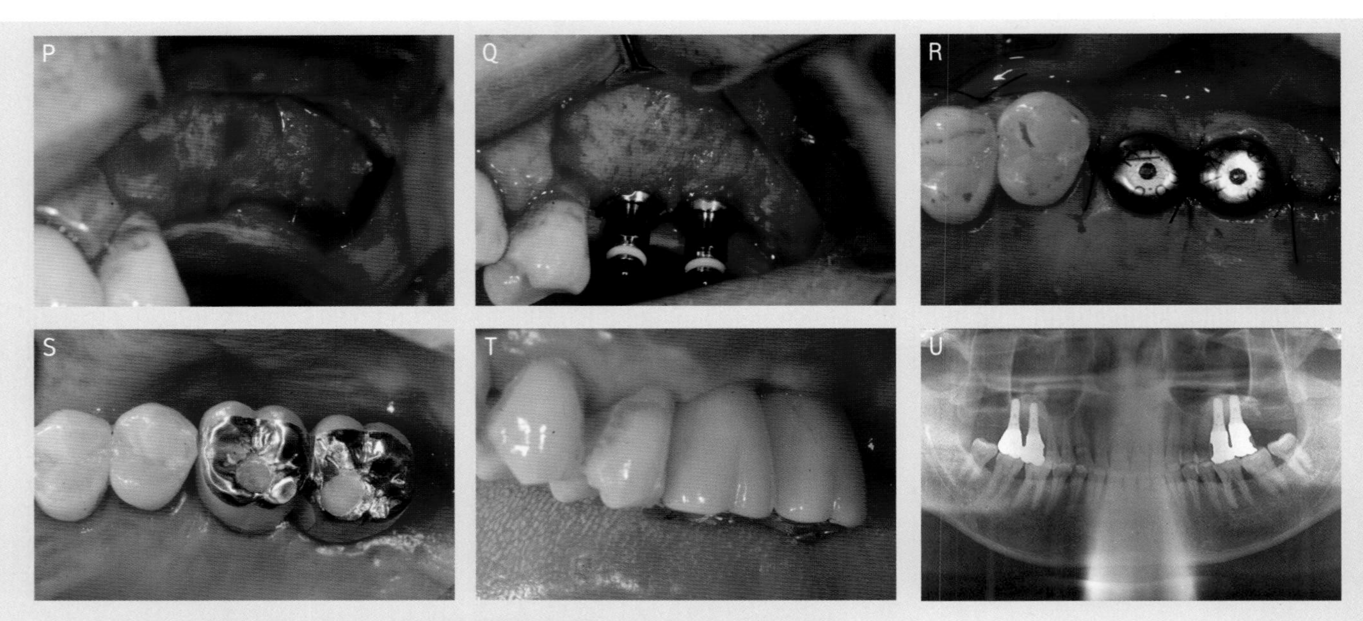

4-131 이 증례 또한 양측 상악동 골이식이 모두 실패하여 저자에게 의뢰되었던 증례이다.
우측은 비교적 쉽게 재수술이 가능했지만 좌측은 처치가 쉽지 않다고 판단되었다. 좌측은 이전에 치조정 접근 상악동 골이식 및 임플란트 식립을 시행했었지만 임플란트는 골유착을 상실하여 탈락했었다.
A~H. 방사선사진에서는 이전 수술 시 삽입된 골이식재로 인해 상악동저가 불규칙해 보였고 임플란트가 탈락된 부위는 골이 상실되어 있었다**(B)**. 이 부위로 구강-상악동 누공이 존재할 수도 있을 것으로 추측됐으며 상악동 내부는 방사선 불투과도가 증가했기 때문에 상악동염 상태로 진단할 수 있었다**(C)**. 수술 전 검사에서 이전에 임플란트를 식립했던 부위(B 부위) 점막에 작은 누공이 존재할 수도 있을 것으로 판단되었다**(D)**. 일단 피판을 거상하고 골결손부를 통해 농양의 존재를 확인할 수 있었다**(E)**. 외측 골창을 형성해 잔존한 이식재를 제거하고 상악동 내부를 소파한 후 충분히 세척해 주었다. 이후 구개 회전 피판을 형성해 누공이 존재할 것으로 의심되는 부위를 폐쇄했다**(H)**.
I~N. 약 3.5개월 후 CT를 통해 상악동 내의 염증이 현저히 감소한 것을 확인할 수 있었다**(I)**. 수술부에 재접근하여 상악동 골이식을 시행했다.
O~R. 4개월 후 임플란트를 식립했다. 골이식부는 정상적으로 치유되어 있었다.
S~U. 대략 5개월 후 보철물을 연결하여 치료를 완료했다.

1) 이식재의 골화 실패

상악동 내부는 골형성 능력이 매우 좋다. 따라서 이식재가 골화되지 않는 경우는 매우 드물다. 비자가 골이식재, 즉 골대체재만으로 골이식을 시행했더라도 자가골 이식재로 골이식을 시행했을 때와 거의 동일한 성공을 보인 것은 상악동 내부의 골형성 능력이 좋음을 보여주는 간접적인 증거이다. 또한 골이식재를 위치시키지 않더라도 상악동 막을 상악동저로부터 떨어뜨려 충분한 공간만 유지시키면 신생골이 형성될 수 있음을 이미 설명한 바 있다.

치유 과정 중 특별한 염증이나 감염 발생의 증거 없이 이식재의 골화에 실패한 증례를 아주 드물게 마주칠 수 있다(**4-132**). 골화 실패의 정확한 이유를 알기는 힘들지만 임상적 증상을 보이지 않는 약한 감염(특히 무치악 환자에서), 수술부에 부하를 가할 수 있는 가철성 임시 보철물 사용, 환자의 낮은 치유 능력 등이 그 원인으로

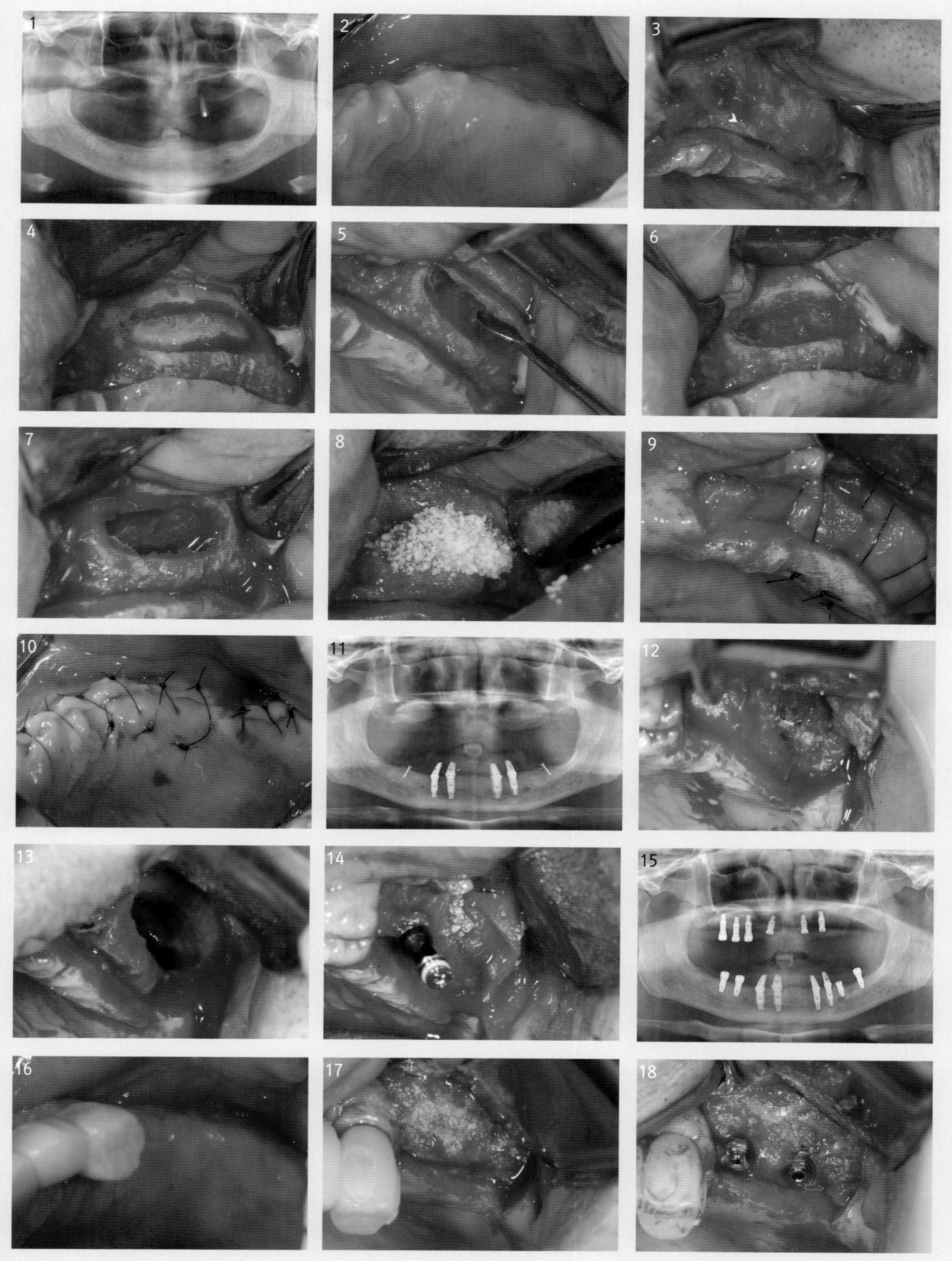

– 계속 –

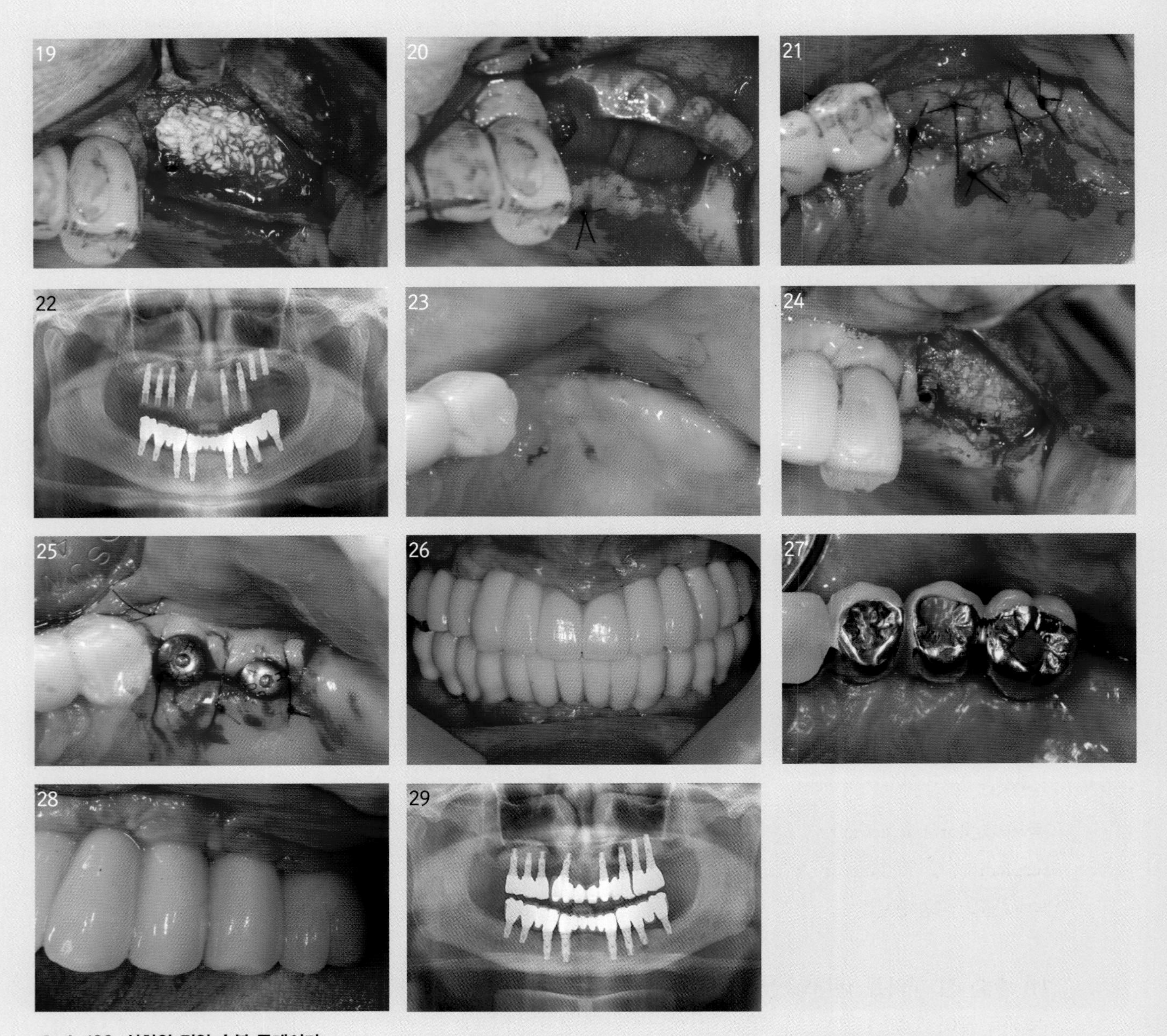

4-132 상하악 전악 수복 증례이다.
잔존골 높이가 낮고 수술 결과도 불량하여 여러 번 재수술을 시행했었다. 양측 상악동 골이식부는 모두 특별한 임상적 증상을 보이지 않았지만 골화에 실패했다.

1~10. 양측 상악동 골이식을 시행했다. 사진은 좌측 상악동 골이식 과정이다. 수술 중 별다른 이상 소견은 없었고 정상적으로 골이식이 이루어졌다.

11~15. 6개월 후 촬영한 방사선사진에서는 별다른 이상 소견을 보이지 않았다. 그러나 좌측 수술부에 접근해보니 골이식재는 골화에 실패하여 괴사된 소견을 보였다**(12)**. 골화되지 못한 이식재를 모두 소파해내고 재차 상악동 골이식을 시행했다. 우측 또한 불량한 결과를 보였으나 부분적으로 골화에 성공하여 임플란트 식립이 가능했다. 골화의 실패 이유는 가철성 임시 보철물의 압박에 의한 것으로 추측되었다. 그러나 치유 기간 중 임상 증상이 전혀 없었기 때문에 정확한 이유는 알 수 없었다.

16~22. 약 7.5개월 후 좌측 구치부에 임플란트를 식립했고 열개 결손부를 골유도 재생술로 수복했다.

23~25. 약 4개월 1주 후 2차 수술을 시행했다.

26~29. 2개월 후 고정성의 최종 보철물을 연결하여 치료를 종료했다. 수직적 골증강을 시행했던 하악 좌측 최후방 임플란트 주위에서 현저한 골흡수가 발생하여 임플란트 재식립이 필요한 상태로 보인다. 일단 환자의 요구로 추가적인 처치는 차후에 시행하기로 했다.

추정된다. 이식재의 골화 실패는 상악동 골이식 후 수개월이 경과하여 임플란트를 식립하기 위해 수술부를 재접근할 때 마주치게 된다. 이때에는 수술부의 골화되지 않은 이식재를 완전히 제거하고 그 내부를 철저히 관찰한다. 저자가 경험한 증례들에서는 어떠한 활성 감염의 증거도 관찰할 수 없었기 때문에 즉시 재수술을 시행하였다. 만약 감염의 증거가 보인다면 감염원이 될 수 있는 모든 이식재 잔존물과 상악동 막을 제거하고 수술부를 폐쇄한 후 수 개월 뒤 다시 골이식을 시행해야 할 것이다.

2) 만성 상악동염

상악동 골이식의 만성적인 합병증은 대부분 만성 상악동염이다. 상악동 골이식은 상악동의 생리적 기능에 별다른 영향을 미치지 않기 때문에 이로 인해 만성 상악동염이 발생할 확률은 드물다.[35,352,388] 그러나 상악동 골이식술 자체의 시행 횟수가 급속히 증가함에 따라 상악동 골이식에 의한 만성 상악동염의 발생 건수 자체는 증가 추세에 있다.

임플란트와 관련된 상악동염의 증상으로는 악취(84.2%), 후비루(postnasal drip, 68.4%), 점액성 비루(mucoid rhinorrhea, 52.6%), 비폐색(nasal obstruction, 47.3%), 안면 통증(42.1%), 두통(26.3%), 구강 점막 부종(26.3%) 등이 있다.[386] 그리고 만성 상악동염을 방치하면 임플란트 탈락을 유발할 수 있을 뿐만 아니라 심하면 안와봉와직염(orbital cellulitis), 시신경염(optic neuritis), 경막외/경막하 농양(extradural/subdural abscess), 뇌염(encephalitis), 골수염(osteomyelitis), 뇌농양(brain abscess) 등의 치명적인 합병증을 유발할 수도 있다.[389] 따라서 상악동 골이식과 관련된 만성 상악동염은 반드시 치료해 주어야 한다.

(1) 수술 전 상악동 내부의 상태는 상악동 골이식 후 상악동염의 발생에 지대한 영향을 미친다

상악동 골이식 후의 만성 상악동염은 사실 수술 전의 상악동 내 상태와 밀접한 관련이 있다. 한 단면 연구에 의하면, 상악동 골이식 후 상악동염의 발생 여부는 수술 전 상악동염 병력과 점막의 두께에 유의한 상관성을 보였다.[388] 즉 상악동염 병력이 존재했던 증례와 상악동 막이 더 두꺼웠던 증례에서 상악동염 발생 빈도가 더 높았던 것이다. 몇몇 증례 연구에서는, 상악동 골이식 후에 상악동염이 발생한 환자들은 수술 전에 상악동염 병력이 존재한 경우가 많았다고 보고했다.[35,390] 따라서 상악동 골이식 전에 철저한 환자의 병력 청취, CT를 이용한 상악동 내부에 대한 진단, 골이식부 주변 자연치의 상태에 대한 진단은 매우 중요하다. 치과적 원인이 존재하지 않는 상악동 내부의 병소가 의심되면 이비인후과에 의뢰하여 치료를 도모한다.[391]

(2) 상악동염이 발생하면 일차적으로 외측 접근을 통한 외과적 접근이 필요하다

임상 증상과 CT 영상을 통해 만성 상악동염이 확진되면 구강 내로 접근하여 외측 골창 부위를 통해 골화에 실패하고 오염된 이식재를 완전히 제거한다. 이후 상악동 내부를 철저히 세척한 후 수술부를 폐쇄한다. 수술 후에는 오구멘틴 등의 항생제를 2주간 투약한다(📷 4-133). 만약 식립된 임플란트가 치조골과 완전히 골유착되

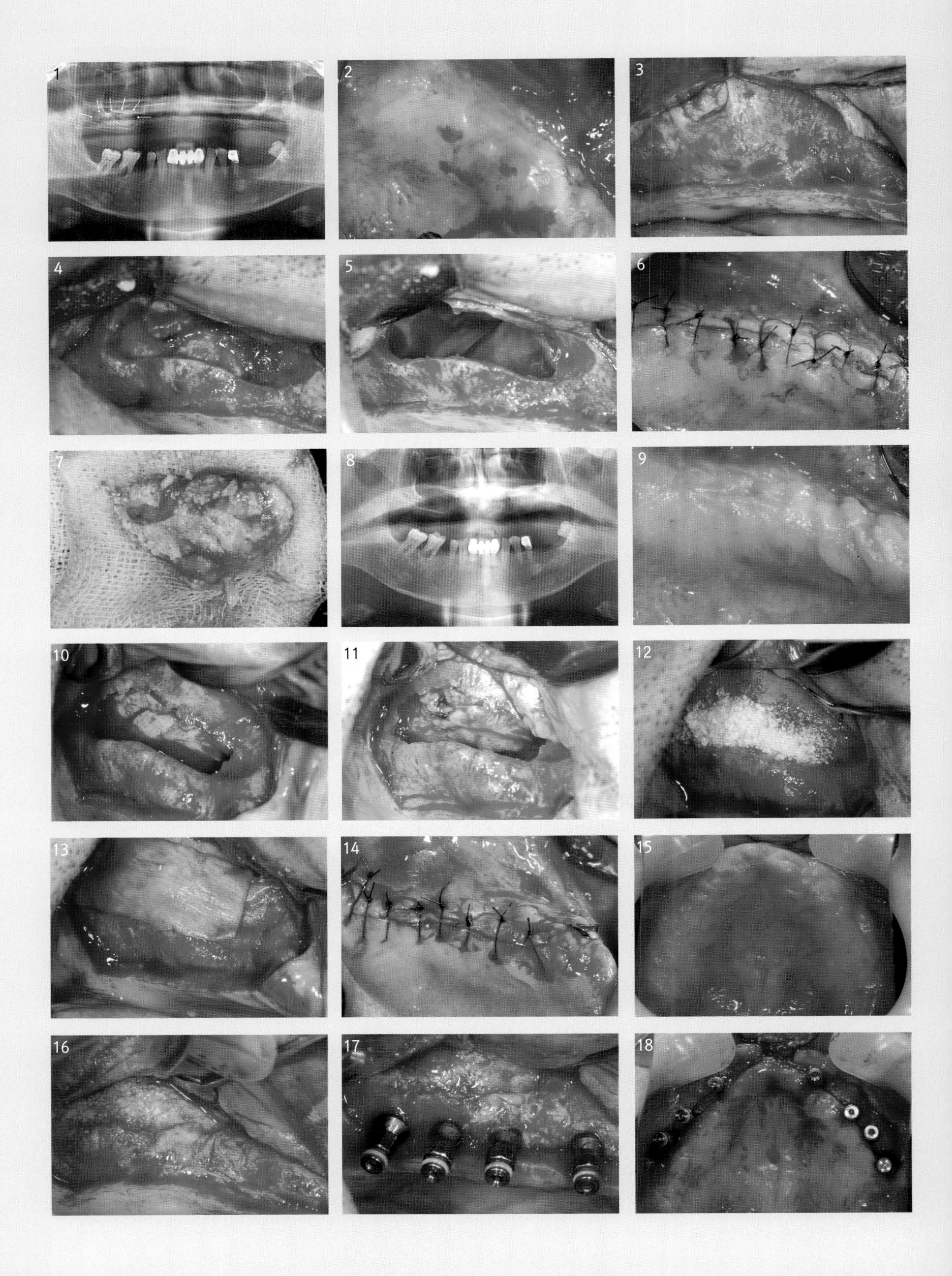
1
2
3
4
5
6
7
8
9
10
11
12
13
14
15
16
17
18

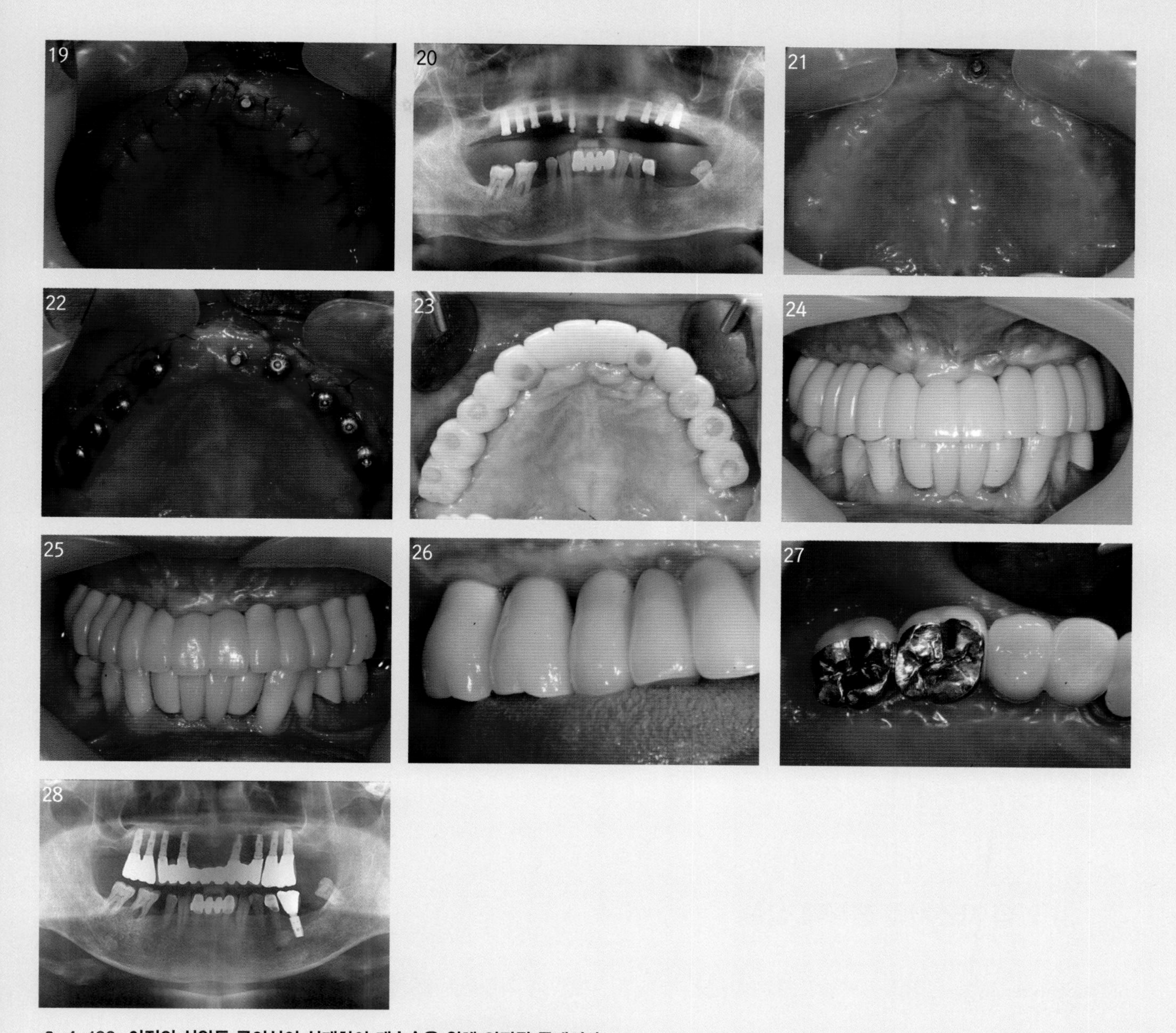

4-133 이전의 상악동 골이식이 실패하여 재수술을 위해 의뢰된 증례이다.
특히 우측은 상당히 많은 양의 이식재가 상악동저와 연속성이 상실된 채 존재한다. 아마도 상악동 막 상방으로 이식재를 위치시킨 것으로 판단되었다.
1~8. 수술 전 파노라마 방사선사진에서는 좌우측 상악동 골이식이 실패한 소견을 보여준다**(1)**. 특히 우측 상악동 내에는 상당히 많은 양의 이식재가 상악동저 골과 분리된 채 존재한다. 좌측 또한 비슷한 양상이지만 잔존한 이식재의 양은 훨씬 적었다. CT에서 양측 상악동 내에 상악동염으로 의심되는 소견은 보이지 않았다. 좌측은 이식재 잔존물을 유지한 채 상악동 막과 함께 거상하여 상악동 골이식을 시행하기로 했지만 우측은 잔존 이식재가 워낙 많아서 이를 제거하고 상악동 골이식은 단계법으로 시행하기로 했다. 피판 거상 후 작은 골창 형성부를 확인했고**(3)** 골창을 확대하여 이식재 잔존물 덩어리를 제거했다**(4~7)**.
9~14. 약 2개월 2주 후 상악동 골이식을 시행했다. 골창부의 상악동 막과 구강 점막은 심하게 반흔화된 채 유착되어 있었다. 이를 분리하면서 천공이 발생하여 봉합으로 수복해주었다**(10, 11)**. 이종골 이식재를 삽입하고 천연 교원질 차폐막으로 골창부를 피개했다.
15~20. 6개월 후 상악 전악에 임플란트를 성공적으로 식립했다.
21~24. 4개월 후 2차 수술을 시행하고 고정성 임시 보철물을 연결했다.
25~28. 2개월 3주 후 최종 보철 치료를 완성했다.

었다면 제거하지 않고 남겨둘 수도 있다. 골유착에 성공한 임플란트 매식체의 치근단측이 부분적으로 상악동 내부로 돌출된 경우 이 자체로는 상악동염을 유발하지 않는다.[386] 다만 돌출된 임플란트 매식체 주위의 유출된 이식재나 점막 병소는 만성 감염을 유발할 수 있으므로 철저히 소파해 준다.

(3) 비구의 기능 장애가 의심되면 기능적 내시경 수술이 필요할 수도 있다

상악동의 정상적인 기능을 유지하기 위해서는 비구의 배출 기능과 상악동 막의 점액 섬모 청소 기능이 가장 중요하다. 따라서 두 기능이 수술에 의해 손상받으면 만성적인 상악동염이 발생할 수 있다.[392] 한 후향적 분석에서는 임플란트와 연관된 만성 상악동염의 경우 58%의 증례에서 비구의 완전한 폐쇄가 발견되었다.[386] 또한 상악동 막에 염증이 존재하면 상악동 막 상피층 내의 섬모 세포는 줄어드는 반면, 술잔 세포는 크기가 커지거나 수가 늘어나며, 이는 상악동 막의 정상적인 유출 기능을 저하시킬 수 있다.[393] 이러한 경우 상악동 막의 부종과 비구의 폐쇄는 비가역적 상태에 있으므로 보존적 치료에는 잘 반응하지 않고 기능적 내시경 부비동 수술(functional endoscopic sinus surgery, FESS)로 반드시 처치를 해 주어야 상악동이 정상적인 상태로 회복될 수 있다.[386,394]

따라서 구강 내 접근을 통해 상악동 내의 모든 재료를 제거하고 세척했음에도 상악동염이 재발되고, CT에서 구강 내 접근이 불가능한 부위에 이식재가 잔존해 있거나 비구가 폐쇄된 확실한 소견을 보인다면 기능적 내시경 수술을 통해 이를 해결해 주어야 한다.

3) 인접 자연치의 생활력 상실

Shahbazian 등은 상악동저와 자연치 치근단 사이의 관계를 네 가지로 구분했다(📷 4-134).[395]

1형 치근단이 상악동저 와 떨어져 있음(거리 0.5 mm 이상)
2형 치근단이 상악동저와 근접해서 위치함(거리 0.5 mm 미만)
3형 치근이 상악동에 측면으로 돌출됨
4형 치근단이 상악동저보다 상방에 위치함

상악동 골이식부에 인접한 자연치 치근단이 상악동저에 근접해 있거나 상악동저 상방에 존재할 경우, 상악동 막을 거상하면 자연치 치근단으로 향하는 혈관이 손상되거나 단절될 수 있다. 한 증례 연구에서 이러한 합병증 세 건을 보고했으며, 상악동 골이식 인접 자연치가 다른 원인 없이 상악동저 거상술에 의해 치근단으로 공급되는 혈류가 차단되어 생활력을 상실했다고 보고했다.[396] 이에 한 후향적 연구에서는 상악동 골이식 부위 전후방 인접 자연치가 Shahbazian 분류 상 어떤 형태로 존재하는지 빈도를 측정하고, 이것이 상악동 골이식부 인접 자연치의 생활력 상실에 영향을 미치는지 평가했다.[397] 그 결과 상악동 골이식부 전방 인접 치아는

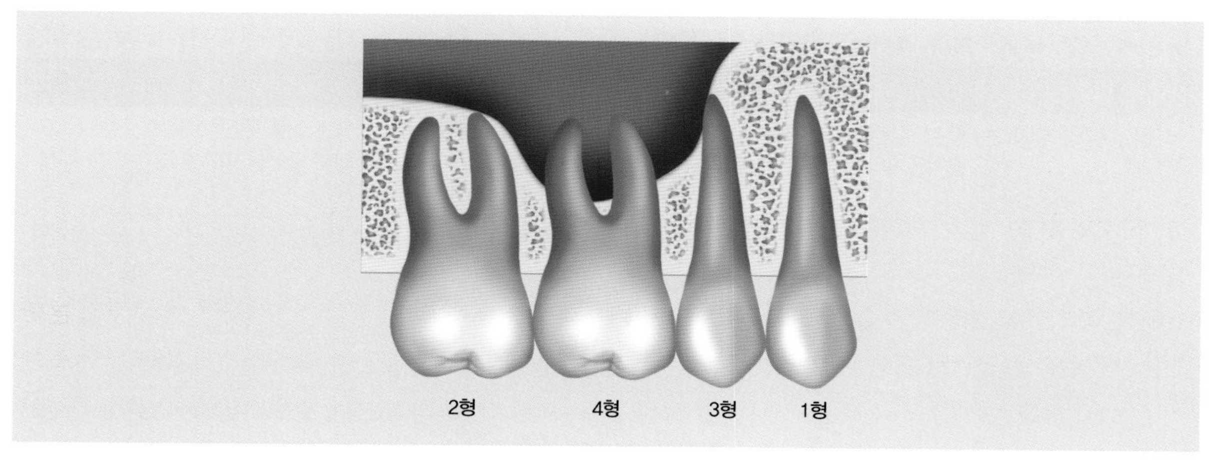

4-134 상악동저와 자연치 치근단 사이의 관계(Shahbazian 등)[395]
1형 치근단이 상악동저와 떨어져 있음(거리 0.5 mm 이상)
2형 치근단이 상악동저와 근접해서 위치함(거리 0.5 mm 미만)
3형 치근이 상악동에 측면으로 돌출됨
4형 치근단이 상악동저보다 상방에 위치함

1형이 가장 많았고, 후방 인접 치아는 4형이 가장 많았으며, 특히 제1대구치는 대부분 4형이었다. 치근단이 4형인 140개의 인접 자연치 중 한 치아에서 상악동저 거상술이 원인으로 추정되는 생활력 상실이 발생했고, 이는 4형 중 0.71%의 비율이었다. 따라서 저자들은 상악동 인접 자연치의 치근단이 상악동저와 아주 가깝거나 상악동저 상방에 위치해도 상악동저 거상에 의해 생활력이 상실될 가능성은 거의 없다고 결론 내렸다. 이는 상악 치조골에 극도로 발달된 혈액 순환에 의해, 치근단에 공급되는 혈관이 손상되더라도 쉽게 측부 순환(collateral circulation)에 의해 다시 혈류 공급을 받을 수 있기 때문인 것으로 생각된다. 한 전향적 단일 환자군 연구에서는 골창을 확대하여 인접 자연치 치근단 상부까지 상악동 막을 거상하고 골이식을 시행했다.[398] 그 결과, 수술 1년 후까지 65명의 환자에서 인접 자연치의 합병증은 전혀 발생하지 않았다.

결론적으로, 상악동 골이식에 의해 인접 자연치의 혈류 순환이 방해되고, 이로 인해 이 치아의 생활력이 상실되는 경우는 거의 없다고 생각해도 될 것이다. 따라서 상악동 골이식 후 인접 자연치의 생활력이 상실된 경우에는 상악동 골이식보다는 치아 자체의 문제로 인해 발생한 것으로 판단하는 것이 좋을 것이다.

4) 실패하거나 합병증이 발생한 부위의 재수술

상악동 골이식 후 **4-14**와 같은 원인에 의해 재수술이 필요할 수 있다.

표 4-14 상악동 골이식 후 재수술의 원인과 처치 방법

원인이 발견된 시기	재수술이 필요한 원인	원인이 발생했을 때의 처치
수술 중	상악동 막 거상 중 수복 불가능한 천공	• 격벽이 존재하면 버나 치즐로 이를 완전히 제거 • 교원질 테이프나 막으로 외측 골창을 피개한 후 수술부 폐쇄 • 2-3개월 후 재수술 시행
수술 후 4주 이내	상악동 골이식술 후 급성 감염	• 항생제에 반응하지 않거나 농양이 배출되면 이식재와 차폐막을 완전히 제거 • 2-3개월 후 재수술 시행. 이식재가 잔존해 있는 경우(특히 내측) 부분적인 골화가 진행되었을 수 있으며, 이로 인해 재수술 중 상악동 막이 다시 천공될 가능성이 높음[399]
수술 후 1주-6개월	상악동 내 이식재 유출에 의한 골재생 실패와 상악동 내 만성 감염	• 상악동 내 이식재 잔존물을 완전히 제거하고 상악동 내부를 철저히 소파 • 이후에도 상악동 내 염증이 지속되면 상악동 내시경 수술을 위해 이비인후과 의뢰 • 상악동 내부의 염증이 치유된 것을 CBCT로 확인 후 재수술 시행
수술 후 6-9개월 (2차 수술, 혹은 임플란트 식립 시)	상악동 막의 낭종성 병소에서 낭액이 유출, 치유 기간 중 임상적으로 확인 불가능한 약한 염증 존재, 이식재의 불완전한 치유	소파가 불가능한 단단한 이식골만 남을 때까지 골화에 실패한 이식재를 큐렛으로 완전히 소파함. 활성 감염의 징후가 없다면 곧바로 다시 골이식재를 적용

(1) 상악동 내부의 병적 상태만 해결하면 어떠한 증례에서도 재수술은 가능하다

상악동 재수술 시에는 고려해야 할 사항이 많고, 수술의 난이도가 상승하기 때문에 각별한 주의를 요한다. 일부 임상가들은 상악동 골이식에 한번 실패한 부위는 재수술이 불가하다고 했지만,[42,400] 다음 두 가지 요소를 만족한다면 재수술이 가능하다(**4-135**).

- 상악동 막을 천공 없이 거상할 수 있도록 상악동 내측의 골 표면이 매끄러워야 한다.
- 상악동 내부에 병적 소견을 보이지 않아야 한다.

이 두 가지 문제 중 하나 이상이 존재한다면 이를 해소하기 위해 외측 골창을 통한 외과적 접근을 먼저 시도한 이후 상악동 골이식을 시행한다.

① 상악동 내의 부분적으로 돌출된 골성 조직이나 이식재 잔존물 제거

이전에 실패한 골이식재 잔존물이나 부분적으로 재생된 골조직(특히 치조정 접근 상악동 골이식 후)이 불규칙하게 상악동 내부로 돌출되어 있다면 천공 없이 상악동 막을 거상하는 것은 대부분의 경우 불가능하다(부분적으로 재생된 골이 상악동저에서 불규칙하게 돌출된 증례는 **4-1** 참조, 상악동 골이식 실패 후에도 상악동저가 매끈한 증례는 **4-129**, **4-136** 참조). 이러한 경우에는 우선 버나 치즐 등으로 제거하여 상악동저의 골 표면을 매끄럽게 만들어준 후 다시 2-3개월 후 상악동 골이식을 시행한다.

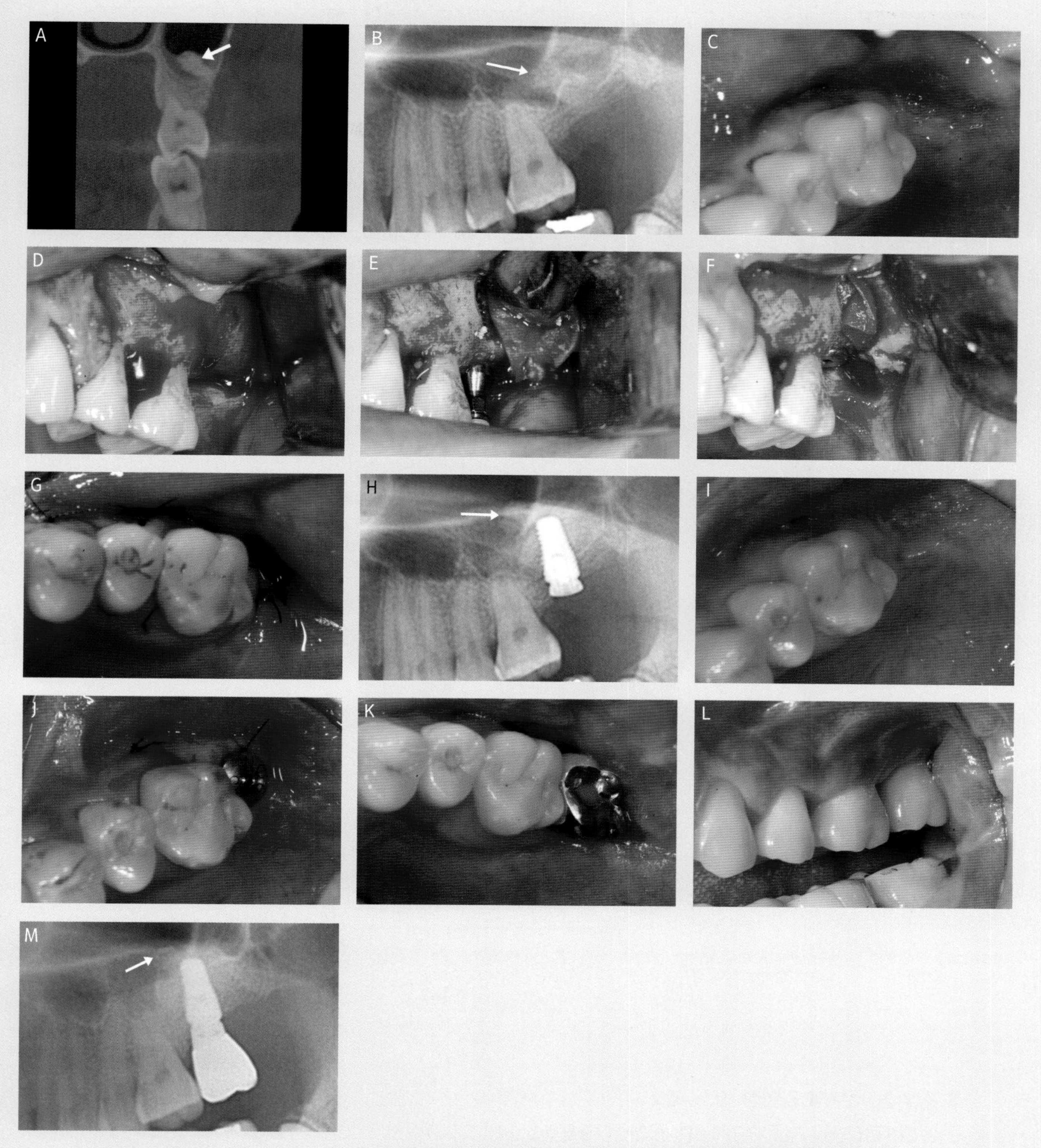

4-135 원칙적으로 상악동 내에 조절되지 않는 염증성 병소가 존재하지만 않는다면 상악동 골이식의 재수술은 항상 가능하다.

A~H. 이전에 치조정 접근 상악동 골이식이 실패하여 상악동 골이식의 재수술을 위해 저자에게 의뢰된 증례이다. 잔존한 이식재가 골화된 채 곤봉 모양으로 상악동 내측벽에 부착되어 있었다**(A, B)**. 이 부위는 일단 상악동 막과 함께 거상하기로 계획했다. 만약 계획대로 되지 않으면 상악동 막을 천공시키면서 이 부위를 제거한 후 재수술을 시행할 수도 있다. 다행히 이 부위는 상악동 막과 함께 거상 가능했고 골이식 후 임플란트 식립까지 완료했다. 수술 후 방사선사진에서 이 부위가 상악동 막과 함께 거상된 것을 확인할 수 있다**(H)**.

I~J. 약 9개월 후 2차 수술을 시행했다.

K~M. 2개월 3주 후 보철물을 연결했다. 거상된 이식재 잔사는 그대로 남아있다.

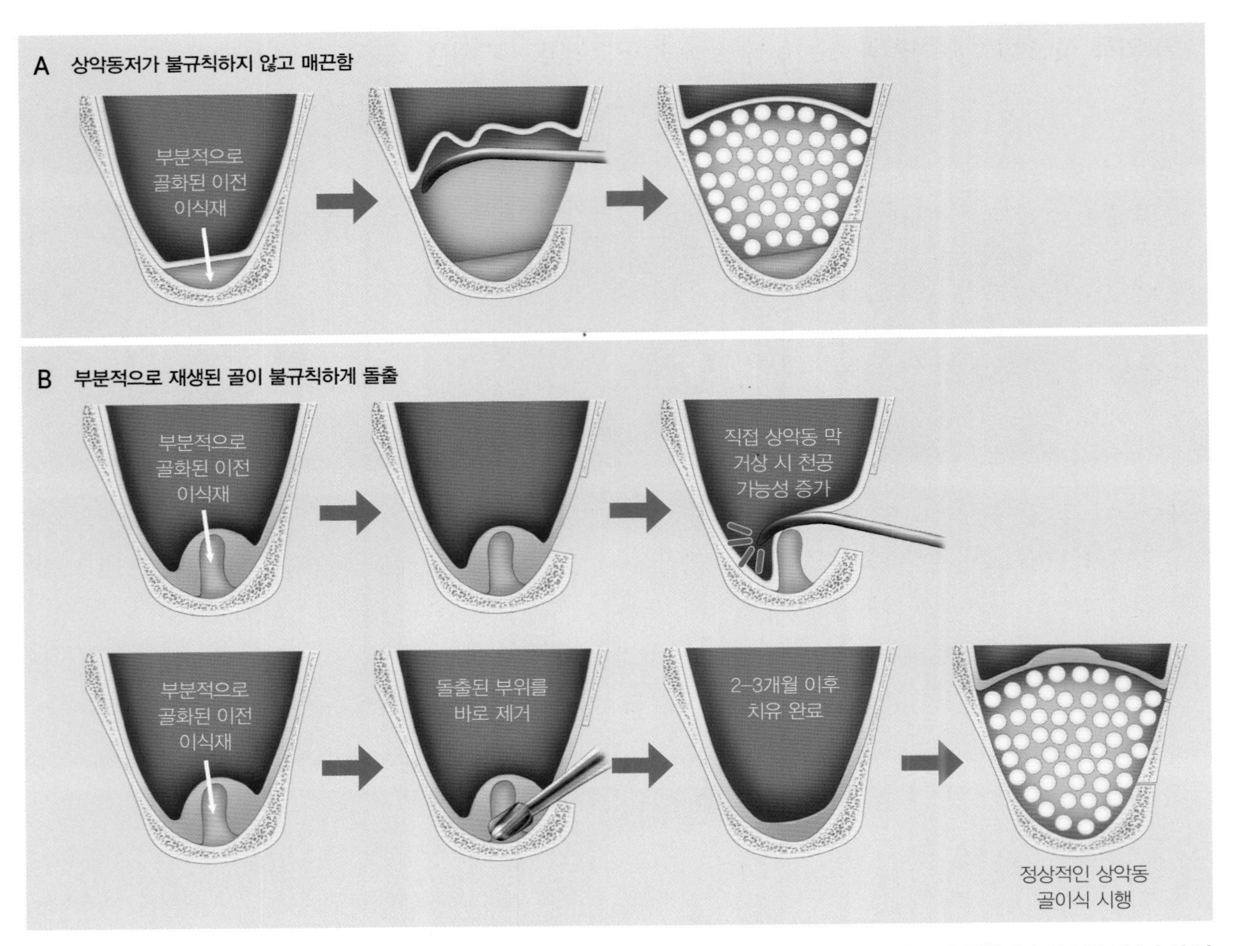

4-136 이전에 시행한 상악동 골이식이 실패했지만 이식재가 부분적으로 골화에 성공해 상악동저 골에 부착되어 있으면 재수술의 난이도가 상승한다. 이러한 경우 골화된 이식재의 형태에 따라 1단계/2단계 재수술 술식을 선택한다.
A. 부분적으로 골화된 이식재 형태가 비교적 매끄럽다면 상악동 막을 거상하는 데 크게 어려움이 없을 것이다. 이러한 경우에는 잔존한 이식재를 상악동저의 일부로 간주하고 상악동 막을 거상하여 1단계로 수술로 재수술을 완료할 수 있다. **B.** 이전에 실패한 골이식재 잔존물이나 부분적으로 재생된 골조직(특히 치조정 접근 상악동 골이식 후)이 불규칙하게 상악동 내부로 돌출되어 있다면 천공 없이 상악동 막을 거상하는 것은 대부분의 경우 불가능하다. 이러한 경우 돌출된 부위를 바로 제거하여 상악동저 형태를 평탄하게 만든 후 상악동 골이식은 2-3개월 후 단계법으로 시행하는 것이 좋다.

② 상악동 내부의 감염성 병소 해소

수술 전 CBCT에서 상악동 내부에 공기 액체층이나 심한 불투과상이 관찰되면 상악동염의 가능성이 높기 때문에 이를 위의 "만성 상악동염" 부분에서 설명한 방법으로 우선적으로 해결해준다. 상악동 내부에 이식재가 관찰되면 이를 외과적으로 제거해주고, 비구의 기능 장애가 의심되면 이비인후과로 의뢰, 기능적 내시경 수술을 시행한다. 2-3개월간의 치유 기간을 부여한 후 다시 촬영한 CBCT에서 병적 소견을 보이지 않으면 재수술을 시행한다.

(2) 외측 접근법의 재수술 시에는 상악동 막과 협점막을 분리하는 과정이 가장 어렵다

한 후향적 대조 연구에서는 상악동 골이식 재수술을 시행할 때 기술적으로 어려운 점의 발생 빈도를 정리했다.[401]

- 협측 피판과 상악동 막의 유착(62%)
- 외측 골창 형성부의 골결손(71%)
- 섬유화되어 가동성이 떨어지고, 따라서 거상이 힘든 상악동 막(71%)
- 상악동 막 천공 빈도 증가(47%)였다.

이로 인해 재수술 후 식립한 임플란트의 실패율은 첫 번째 상악동 골이식한 부위에 식립한 임플란트의 실패율보다 현저히 높았다.[401]

재수술의 과정은 다음과 같다(📷 4-137).

① 일반적인 방법으로 절개선을 형성하고 피판을 박리한다. 치조정 측으로부터 근단측으로 박리를 진행하면 이전 수술 시 제거하여 결손된 외측 골창부를 통해 점막과 상악동 막이 유착된 부위에 다다른다.

② 상악동 외측 접근법을 재수술할 때 가장 어려운 점은, 외측 골창 형성부를 관통하여 서로 유착되어 있는 협점막과 상악동 막을 분리하는 과정이다. 경우에 따라서는 프리어나 몰트 큐렛으로 조심스럽게 박리하

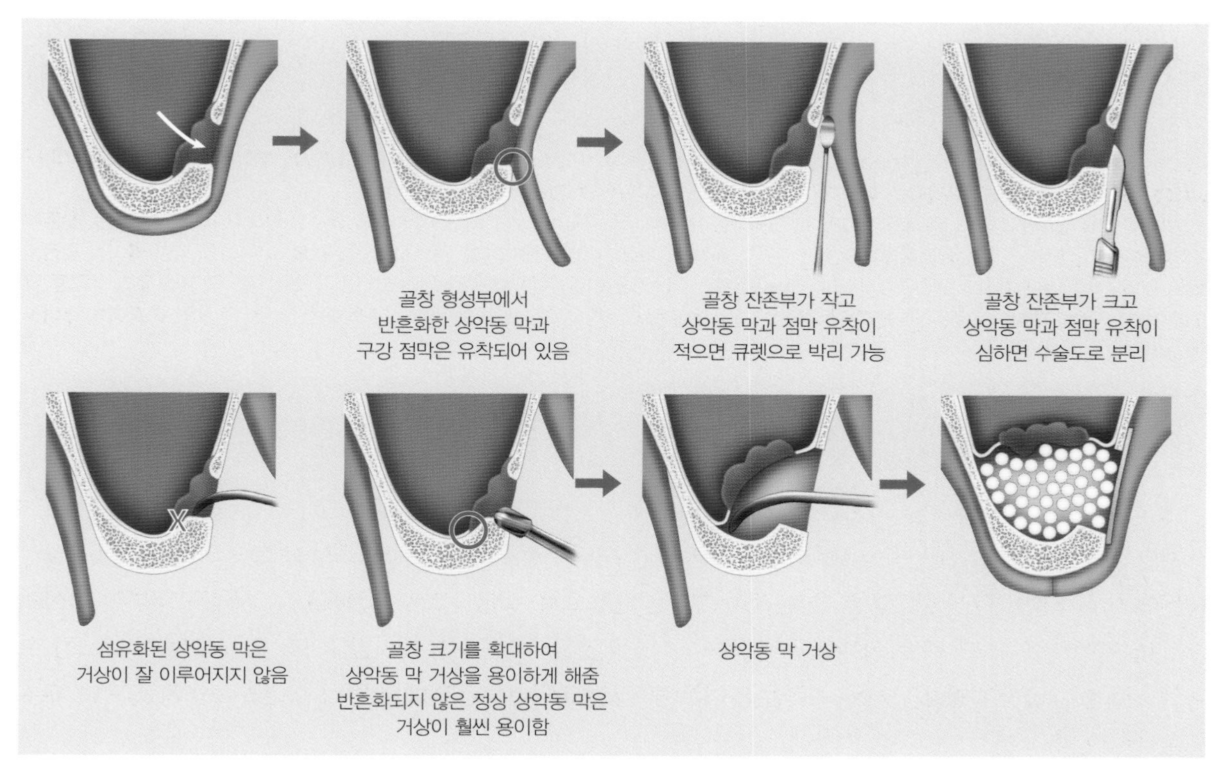

📷 **4-137 이전의 외측 접근 상악동 골이식이 실패했을 때 외측 접근법 재수술의 과정**

면 이 두 조직이 분리되는 경우도 있지만, 유착이 심한 경우에는 15번 수술도를 이용하여 최대한 주의하면서 분리한다.

③ 협점막과 상악동 막을 분리한 후 상악동 막을 거상하기 시작한다. 특히 외측 골창부 부근의 상악동 막은 섬유성 반흔 조직으로 변성되어 있기 때문에 두껍고 딱딱하다. 따라서 상악동 내측의 골벽과 분리하기가 쉽지 않다. 이러한 경우 다이아몬드 버로 기존의 골창 변연보다 2–3 mm 정도 골을 확장하여 제거한 후 상악동 막을 거상하면 더 쉽게 막을 거상할 수 있다.

④ 재수술 시에는 상악동 막을 좀 더 광범위하게 거상해 주는 것이 좋다. 상악동 막이 반흔화되어 있기 때문에 탄력성이 떨어지기 때문이다.

⑤ 상악동 막의 거상이 완료되면 그 이후로 이식재 삽입, 차폐막 적용, 수술부 폐쇄를 일반적인 과정에 준해서 시행한다.

참고문헌

1. Pommer B, Valkova V, Ubaidha Maheen C, Fürhauser L, Rausch-Fan X, Seeman R. Scientific Interests of 21st Century Clinical Oral Implant Research: Topical Trend Analysis. *Clin Implant Dent Relat Res.* 2016;18(4):850-856.
2. Solar P, Geyerhofer U, Traxler H, Windisch A, Ulm C, Watzek G. Blood supply to the maxillary sinus relevant to sinus floor elevation procedures. *Clin Oral Implants Res.* 1999;10(1):34-44.
3. Traxler H, Windisch A, Geyerhofer U, Surd R, Solar P, Firbas W. Arterial blood supply of the maxillary sinus. *Clin Anat.* 1999;12(6):417-421.
4. Kang SJ, Shin SI, Herr Y, Kwon YH, Kim GT, Chung JH. Anatomical structures in the maxillary sinus related to lateral sinus elevation: a cone beam computed tomographic analysis. *Clin Oral Implants Res.* 2013;24 Suppl A100:75-81.
5. Marin S, Kirnbauer B, Rugani P, Payer M, Jakse N. Potential risk factors for maxillary sinus membrane perforation and treatment outcome analysis. *Clin Implant Dent Relat Res.* 2019;21(1):66-72.
6. Monje A, Urban IA, Miron RJ, Caballe-Serrano J, Buser D, Wang HL. Morphologic Patterns of the Atrophic Posterior Maxilla and Clinical Implications for Bone Regenerative Therapy. *Int J Periodontics Restorative Dent.* 2017;37(5):e279-e289.
7. Monje A, Catena A, Monje F, et al. Maxillary sinus lateral wall thickness and morphologic patterns in the atrophic posterior maxilla. *J Periodontol.* 2014;85(5):676-682.
8. Kiakojori A, Nasab SPM, Abesi F, Gholinia H. Radiographic assessment of maxillary sinus lateral wall thickness in edentulous posterior maxilla. *Electron Physician.* 2017;9(12):5948-5953.
9. Avila-Ortiz G, Wang HL, Galindo-Moreno P, Misch CE, Rudek I, Neiva R. Influence of lateral window dimensions on vital bone formation following maxillary sinus augmentation. *Int J Oral Maxillofac Implants.* 2012;27(5):1230-1238.
10. Adawi H, Hengjeerajaras P, Froum SJ, Bagheri Z. A Less-Invasive Window Design for Lateral Wall Maxillary Sinus Augmentations. *Int J Periodontics Restorative Dent.* 2019;39(6):855-861.
11. Lu W, Xu J, Wang HM, He FM. Influence of Lateral Windows with Decreased Vertical Height Following Maxillary Sinus Floor Augmentation: A 1-year Clinical and Radiographic Study. *Int J Oral Maxillofac Implants.* 2018;33(3):661-670.
12. Hong JY, Baek WS, Cha JK, Lim HC, Lee JS, Jung UW. Long-term evaluation of sinus floor elevation using a modified lateral approach in the posterior maxilla. *Clin Oral Implants Res.* 2017;28(8):946-953.
13. Smiler DG. The sinus lift graft: basic technique and variations. *Pract Periodontics Aesthet Dent.*

1997;9(8):885-893; quiz 895.

14. Chen L, Cha J. An 8-year retrospective study: 1,100 patients receiving 1,557 implants using the minimally invasive hydraulic sinus condensing technique. *J Periodontol.* 2005;76(3):482-491.
15. Vercellotti T, De Paoli S, Nevins M. The piezoelectric bony window osteotomy and sinus membrane elevation: introduction of a new technique for simplification of the sinus augmentation procedure. *Int J Periodontics Restorative Dent.* 2001;21(6):561-567.
16. Wallace SS, Mazor Z, Froum SJ, Cho SC, Tarnow DP. Schneiderian membrane perforation rate during sinus elevation using piezosurgery: clinical results of 100 consecutive cases. *Int J Periodontics Restorative Dent.* 2007;27(5):413-419.
17. Rickert D, Vissink A, Slater JJ, Meijer HJ, Raghoebar GM. Comparison between conventional and piezoelectric surgical tools for maxillary sinus floor elevation. A randomized controlled clinical trial. *Clin Implant Dent Relat Res.* 2013;15(2):297-302.
18. Barone A, Santini S, Marconcini S, Giacomelli L, Gherlone E, Covani U. Osteotomy and membrane elevation during the maxillary sinus augmentation procedure. A comparative study: piezoelectric device vs. conventional rotative instruments. *Clin Oral Implants Res.* 2008;19(5):511-515.
19. Atieh MA, Alsabeeha NH, Tawse-Smith A, Faggion CM, Jr., Duncan WJ. Piezoelectric surgery vs rotary instruments for lateral maxillary sinus floor elevation: a systematic review and meta-analysis of intra- and postoperative complications. *Int J Oral Maxillofac Implants.* 2015;30(6):1262-1271.
20. Tatum H, Jr. Maxillary and sinus implant reconstructions. *Dent Clin North Am.* 1986;30(2):207-229.
21. Johansson B, Wannfors K, Ekenback J, Smedberg JI, Hirsch J. Implants and sinus-inlay bone grafts in a 1-stage procedure on severely atrophied maxillae: surgical aspects of a 3-year follow-up study. *Int J Oral Maxillofac Implants.* 1999;14(6):811-818.
22. Keller EE, Tolman DE, Eckert SE. Maxillary antral-nasal inlay autogenous bone graft reconstruction of compromised maxilla: a 12-year retrospective study. *Int J Oral Maxillofac Implants.* 1999;14(5):707-721.
23. Lundgren S, Cricchio G, Hallman M, Jungner M, Rasmusson L, Sennerby L. Sinus floor elevation procedures to enable implant placement and integration: techniques, biological aspects and clinical outcomes. *Periodontol 2000.* 2017;73(1):103-120.
24. Chan HL, Monje A, Suarez F, Benavides E, Wang HL. Palatonasal recess on medial wall of the maxillary sinus and clinical implications for sinus augmentation via lateral window approach. *J Periodontol.* 2013;84(8):1087-1093.
25. Wallace SS. Maxillary sinus augmentation: evidence-based decision making with a biological surgical approach. *Compend Contin Educ Dent.* 2006;27(12):662-668; quiz 669, 680.

26. Lombardi T, Stacchi C, Berton F, Traini T, Torelli L, Di Lenarda R. Influence of Maxillary Sinus Width on New Bone Formation After Transcrestal Sinus Floor Elevation: A Proof-of-Concept Prospective Cohort Study. *Implant Dent.* 2017;26(2):209-216.
27. Stacchi C, Lombardi T, Ottonelli R, Berton F, Perinetti G, Traini T. New bone formation after transcrestal sinus floor elevation was influenced by sinus cavity dimensions: A prospective histologic and histomorphometric study. *Clin Oral Implants Res.* 2018;29(5):465-479.
28. Becktor JP, Hallström H, Isaksson S, Sennerby L. The use of particulate bone grafts from the mandible for maxillary sinus floor augmentation before placement of surface-modified implants: results from bone grafting to delivery of the final fixed prosthesis. *J Oral Maxillofac Surg.* 2008;66(4):780-786.
29. Schwartz-Arad D, Herzberg R, Dolev E. The prevalence of surgical complications of the sinus graft procedure and their impact on implant survival. *J Periodontol.* 2004;75(4):511-516.
30. Li J, Wang HL. Common implant-related advanced bone grafting complications: classification, etiology, and management. *Implant Dent.* 2008;17(4):389-401.
31. Jensen OT. *The sinus bone graft.* 2nd ed. Chicago: Quintessence Pub. Co.; 2006.
32. Misch CE. *Contemporary implant dentistry.* 3rd ed. St. Louis: Mosby Elsevier; 2008.
33. Pikos MA. Maxillary sinus membrane repair: report of a technique for large perforations. *Implant Dent.* 1999;8(1):29-34.
34. Block MS, Kent JN. Sinus augmentation for dental implants: the use of autogenous bone. *J Oral Maxillofac Surg.* 1997;55(11):1281-1286.
35. Timmenga NM, Raghoebar GM, Boering G, van Weissenbruch R. Maxillary sinus function after sinus lifts for the insertion of dental implants. *J Oral Maxillofac Surg.* 1997;55(9):936-939;discussion 940.
36. Pjetursson BE, Tan WC, Zwahlen M, Lang NP. A systematic review of the success of sinus floor elevation and survival of implants inserted in combination with sinus floor elevation. *J Clin Periodontol.* 2008;35(8 Suppl):216-240.
37. Yilmaz HG, Tözüm TF. Are gingival phenotype, residual ridge height, and membrane thickness critical for the perforation of maxillary sinus? *J Periodontol.* 2012;83(4):420-425.
38. Ardekian L, Oved-Peleg E, Mactei EE, Peled M. The clinical significance of sinus membrane perforation during augmentation of the maxillary sinus. *J Oral Maxillofac Surg.* 2006;64(2):277-282.
39. Mardinger O, Nissan J, Chaushu G. Sinus floor augmentation with simultaneous implant placement in the severely atrophic maxilla: technical problems and complications. *J Periodontol.* 2007;78(10):1872-1877.
40. Cortes AR, Cortes DN, Arita ES. Effectiveness of piezoelectric surgery in preparing the lateral window for maxillary sinus augmentation in patients with sinus anatomical variations: a case series. *Int J Oral Maxillofac*

Implants. 2012;27(5):1211-1215.

41. Lana JP, Carneiro PM, Machado Vde C, de Souza PE, Manzi FR, Horta MC. Anatomic variations and lesions of the maxillary sinus detected in cone beam computed tomography for dental implants. *Clin Oral Implants Res*. 2012;23(12):1398-1403.
42. van den Bergh JP, ten Bruggenkate CM, Disch FJ, Tuinzing DB. Anatomical aspects of sinus floor elevations. *Clin Oral Implants Res*. 2000;11(3):256-265.
43. Zijderveld SA, van den Bergh JP, Schulten EA, ten Bruggenkate CM. Anatomical and surgical findings and complications in 100 consecutive maxillary sinus floor elevation procedures. *J Oral Maxillofac Surg*. 2008;66(7):1426-1438.
44. Cortes AR, Pinheiro LR, Cavalcanti MG, Arita ES, Tamimi F. Sinus floor bone failures in maxillary sinus floor augmentation: a case-control study. *Clin Implant Dent Relat Res*. 2015;17(2):335-342.
45. Aimetti M, Massei G, Morra M, Cardesi E, Romano F. Correlation between gingival phenotype and Schneiderian membrane thickness. *Int J Oral Maxillofac Implants*. 2008;23(6):1128-1132.
46. Schwarz L, Schiebel V, Hof M, Ulm C, Watzek G, Pommer B. Risk Factors of Membrane Perforation and Postoperative Complications in Sinus Floor Elevation Surgery: Review of 407 Augmentation Procedures. *J Oral Maxillofac Surg*. 2015;73(7):1275-1282.
47. Gurler G, Delilbasi C. Relationship between preoperative cone beam computed tomography and intraoperative findings in sinus augmentation. *Int J Oral Maxillofac Implants*. 2015;30(6):1244-1248.
48. von Arx T, Fodich I, Bornstein MM, Jensen SS. Perforation of the sinus membrane during sinus floor elevation: a retrospective study of frequency and possible risk factors. *Int J Oral Maxillofac Implants*. 2014;29(3):718-726.
49. Cho SC, Wallace SS, Froum SJ, Tarnow DP. Influence of anatomy on Schneiderian membrane perforations during sinus elevation surgery: three-dimensional analysis. *Pract Proced Aesthet Dent*. 2001;13(2):160-163.
50. Jang HY, Kim HC, Lee SC, Lee JY. Choice of graft material in relation to maxillary sinus width in internal sinus floor augmentation. *J Oral Maxillofac Surg*. 2010;68(8):1859-1868.
51. Chan HL, Suarez F, Monje A, Benavides E, Wang HL. Evaluation of maxillary sinus width on cone-beam computed tomography for sinus augmentation and new sinus classification based on sinus width. *Clin Oral Implants Res*. 2014;25(6):647-652.
52. Monje A, Diaz KT, Aranda L, Insua A, Garcia-Nogales A, Wang HL. Schneiderian Membrane Thickness and Clinical Implications for Sinus Augmentation: A Systematic Review and Meta-Regression Analyses. *J Periodontol*. 2016;87(8):888-899.
53. Vlassis JM, Fugazzotto PA. A classification system for sinus membrane perforations during augmentation

procedures with options for repair. *J Periodontol.* 1999;70(6):692-699.

54. Testori T, Weinstein T, Taschieri S, Wallace SS. Risk factors in lateral window sinus elevation surgery. *Periodontol 2000.* 2019;81(1):91-123.
55. Watzak G, Tepper G, Zechner W, Monov G, Busenlechner D, Watzek G. Bony press-fit closure of oro-antral fistulas: a technique for pre-sinus lift repair and secondary closure. *J Oral Maxillofac Surg.* 2005;63(9):1288-1294.
56. Berengo M, Sivolella S, Majzoub Z, Cordioli G. Endoscopic evaluation of the bone-added osteotome sinus floor elevation procedure. *Int J Oral Maxillofac Surg.* 2004;33(2):189-194.
57. Levin L, Herzberg R, Dolev E, Schwartz-Arad D. Smoking and complications of onlay bone grafts and sinus lift operations. *Int J Oral Maxillofac Implants.* 2004;19(3):369-373.
58. Nkenke E, Schlegel A, Schultze-Mosgau S, Neukam FW, Wiltfang J. The endoscopically controlled osteotome sinus floor elevation: a preliminary prospective study. *Int J Oral Maxillofac Implants.* 2002;17(4):557-566.
59. Proussaefs P, Lozada J, Kim J, Rohrer MD. Repair of the perforated sinus membrane with a resorbable collagen membrane: a human study. *Int J Oral Maxillofac Implants.* 2004;19(3):413-420.
60. Nolan PJ, Freeman K, Kraut RA. Correlation between Schneiderian membrane perforation and sinus lift graft outcome: a retrospective evaluation of 359 augmented sinus. *J Oral Maxillofac Surg.* 2014;72(1):47-52.
61. Choi BH, Kim BY, Huh JY, et al. Cyanoacrylate adhesive for closing sinus membrane perforations during sinus lifts. *J Craniomaxillofac Surg.* 2006;34(8):505-509.
62. Kim JS, Choi SM, Yoon JH, et al. What Affects Postoperative Sinusitis and Implant Failure after Dental Implant: A Meta-analysis. *Otolaryngol Head Neck Surg.* 2019;160(6):974-984.
63. Jensen OT, Shulman LB, Block MS, Iacono VJ. Report of the Sinus Consensus Conference of 1996. *Int J Oral Maxillofac Implants.* 1998;13 Suppl:11-45.
64. Hernandez-Alfaro F, Torradeflot MM, Marti C. Prevalence and management of Schneiderian membrane perforations during sinus-lift procedures. *Clin Oral Implants Res.* 2008;19(1):91-98.
65. Al-Moraissi E, Elsharkawy A, Abotaleb B, Alkebsi K, Al-Motwakel H. Does intraoperative perforation of Schneiderian membrane during sinus lift surgery causes an increased the risk of implants failure?: A systematic review and meta regression analysis. *Clin Implant Dent Relat Res.* 2018;20(5):882-889.
66. Shlomi B, Horowitz I, Kahn A, Dobriyan A, Chaushu G. The effect of sinus membrane perforation and repair with Lambone on the outcome of maxillary sinus floor augmentation: a radiographic assessment. *Int J Oral Maxillofac Implants.* 2004;19(4):559-562.

67. de Almeida Ferreira CE, Martinelli CB, Novaes AB, Jr., et al. Effect of Maxillary Sinus Membrane Perforation on Implant Survival Rate: A Retrospective Study. *Int J Oral Maxillofac Implants.* 2017;32(2):401-407.
68. Froum SJ, Khouly I, Favero G, Cho SC. Effect of maxillary sinus membrane perforation on vital bone formation and implant survival: a retrospective study. *J Periodontol.* 2013;84(8):1094-1099.
69. Fugazzotto PA, Vlassis J. A simplified classification and repair system for sinus membrane perforations. *J Periodontol.* 2003;74(10):1534-1541.
70. Hernández-Alfaro F, Torradeflot MM, Marti C. Prevalence and management of Schneiderian membrane perforations during sinus-lift procedures. *Clin Oral Implants Res.* 2008;19(1):91-98.
71. Proussaefs P, Lozada J, Kim J. Effects of sealing the perforated sinus membrane with a resorbable collagen membrane: a pilot study in humans. *J Oral Implantol.* 2003;29(5):235-241.
72. Reiser GM, Rabinovitz Z, Bruno J, Damoulis PD, Griffin TJ. Evaluation of maxillary sinus membrane response following elevation with the crestal osteotome technique in human cadavers. *Int J Oral Maxillofac Implants.* 2001;16(6):833-840.
73. Favero V, Lang NP, Canullo L, Urbizo Velez J, Bengazi F, Botticelli D. Sinus floor elevation outcomes following perforation of the Schneiderian membrane. An experimental study in sheep. *Clin Oral Implants Res.* 2016;27(2):233-240.
74. Scala A, Lang NP, Velez JU, Favero R, Bengazi F, Botticelli D. Effects of a collagen membrane positioned between augmentation material and the sinus mucosa in the elevation of the maxillary sinus floor. An experimental study in sheep. *Clin Oral Implants Res.* 2016;27(11):1454-1461.
75. Iida T, Carneiro Martins Neto E, Botticelli D, Apaza Alccayhuaman KA, Lang NP, Xavier SP. Influence of a collagen membrane positioned subjacent the sinus mucosa following the elevation of the maxillary sinus. A histomorphometric study in rabbits. *Clin Oral Implants Res.* 2017;28(12):1567-1576.
76. Khoury F. Augmentation of the sinus floor with mandibular bone block and simultaneous implantation: a 6-year clinical investigation. *Int J Oral Maxillofac Implants.* 1999;14(4):557-564.
77. Choi BH, Zhu SJ, Jung JH, Lee SH, Huh JY. The use of autologous fibrin glue for closing sinus membrane perforations during sinus lifts. *Oral Surg Oral Med Oral Pathol Oral Radiol Endod.* 2006;101(2):150-154.
78. Stricker A, Voss PJ, Gutwald R, Schramm A, Schmelzeisen R. Maxillary sinus floor augmention with autogenous bone grafts to enable placement of SLA-surfaced implants: preliminary results after 15-40 months. *Clin Oral Implants Res.* 2003;14(2):207-212.
79. ÖncüE, Kaymaz E. Assessment of the effectiveness of platelet rich fibrin in the treatment of Schneiderian membrane perforation. *Clin Implant Dent Relat Res.* 2017;19(6):1009-1014.

80. Karabuda C, Arisan V, Hakan O. Effects of sinus membrane perforations on the success of dental implants placed in the augmented sinus. *J Periodontol*. 2006;77(12):1991-1997.
81. Proussaefs P, Lozada J. The "Loma Linda pouch": a technique for repairing the perforated sinus membrane. *Int J Periodontics Restorative Dent*. 2003;23(6):593-597.
82. Testori T, Wallace SS, Del Fabbro M, et al. Repair of large sinus membrane perforations using stabilized collagen barrier membranes: surgical techniques with histologic and radiographic evidence of success. *Int J Periodontics Restorative Dent*. 2008;28(1):9-17.
83. Massei G, Romano F, Aimetti M. An innovative technique to manage sinus membrane perforations: report of two cases. *Int J Periodontics Restorative Dent*. 2015;35(3):373-379.
84. Kim YK, Hwang JW, Yun PY. Closure of large perforation of sinus membrane using pedicled buccal fat pad graft: a case report. *Int J Oral Maxillofac Implants*. 2008;23(6):1139-1142.
85. Haas R, Baron M, Donath K, Zechner W, Watzek G. Porous hydroxyapatite for grafting the maxillary sinus: a comparative histomorphometric study in sheep. *Int J Oral Maxillofac Implants*. 2002;17(3):337-346.
86. Hurzeler MB, Quinones CR, Kirsch A, et al. Maxillary sinus augmentation using different grafting materials and dental implants in monkeys. Part III. Evaluation of autogenous bone combined with porous hydroxyapatite. *Clin Oral Implants Res*. 1997;8(5):401-411.
87. Jung UW, Unursaikhan O, Park JY, Lee JS, Otgonbold J, Choi SH. Tenting effect of the elevated sinus membrane over an implant with adjunctive use of a hydroxyapatite-powdered collagen membrane in rabbits. *Clin Oral Implants Res*. 2015;26(6):663-670.
88. Lim HC, Son Y, Hong JY, Shin SI, Jung UW, Chung JH. Sinus floor elevation in sites with a perforated schneiderian membrane: What is the effect of placing a collagen membrane in a rabbit model? *Clin Oral Implants Res*. 2018;29(12):1202-1211.
89. Boyne PJ, James RA. Grafting of the maxillary sinus floor with autogenous marrow and bone. *J Oral Surg*. 1980;38(8):613-616.
90. Hurzeler MB, Kirsch A, Ackermann KL, Quinones CR. Reconstruction of the severely resorbed maxilla with dental implants in the augmented maxillary sinus: a 5-year clinical investigation. *Int J Oral Maxillofac Implants*. 1996;11(4):466-475.
91. Kirmeier R, Payer M, Wehrschuetz M, Jakse N, Platzer S, Lorenzoni M. Evaluation of three-dimensional changes after sinus floor augmentation with different grafting materials. *Clin Oral Implants Res*. 2008;19(4):366-372.
92. 김형욱, 이슬기, 정재안, et al. 상악동 골이식술을 위한 이식재의 부피 측정 – CT를 이용한 환자 대조군 연구. 대한구강악안면외과학회지. 2007;33:511–517.

93. Hallman M, Sennerby L, Lundgren S. A clinical and histologic evaluation of implant integration in the posterior maxilla after sinus floor augmentation with autogenous bone, bovine hydroxyapatite, or a 20:80 mixture. *Int J Oral Maxillofac Implants*. 2002;17(5):635-643.
94. John HD, Wenz B. Histomorphometric analysis of natural bone mineral for maxillary sinus augmentation. *Int J Oral Maxillofac Implants*. 2004;19(2):199-207.
95. 홍순민. 탈단백 우골을 이용한 상악동 골이식술: 측면 접근법의 문헌 고찰. 대한구강악안면외과학회지. 2006;32:482–487.
96. Del Fabbro M, Testori T, Francetti L, Weinstein R. Systematic review of survival rates for implants placed in the grafted maxillary sinus. *Int J Periodontics Restorative Dent*. 2004;24(6):565-577.
97. Wallace SS, Froum SJ. Effect of maxillary sinus augmentation on the survival of endosseous dental implants. A systematic review. *Ann Periodontol*. 2003;8(1):328-343.
98. Nkenke E, Stelzle F. Clinical outcomes of sinus floor augmentation for implant placement using autogenous bone or bone substitutes: a systematic review. *Clin Oral Implants Res*. 2009;20 Suppl 4:124-133.
99. Esposito M, Grusovin MG, Coulthard P, Worthington HV. The efficacy of various bone augmentation procedures for dental implants: a Cochrane systematic review of randomized controlled clinical trials. *Int J Oral Maxillofac Implants*. 2006;21(5):696-710.
100. Handschel J, Simonowska M, Naujoks C, et al. A histomorphometric meta-analysis of sinus elevation with various grafting materials. *Head Face Med*. 2009;5:12.
101. Turhani D, Weissenbock M, Watzinger E, et al. Invitro study of adherent mandibular osteoblast-like cells on carrier materials. *Int J Oral Maxillofac Surg*. 2005;34(5):543-550.
102. Moy PK, Lundgren S, Holmes RE. Maxillary sinus augmentation: histomorphometric analysis of graft materials for maxillary sinus floor augmentation. *J Oral Maxillofac Surg*. 1993;51(8):857-862.
103. Hanisch O, Lozada JL, Holmes RE, Calhoun CJ, Kan JY, Spiekermann H. Maxillary sinus augmentation prior to placement of endosseous implants: A histomorphometric analysis. *Int J Oral Maxillofac Implants*. 1999;14(3):329-336.
104. Reich KM, Huber CD, Heimel P, Ulm C, Redl H, Tangl S. A quantification of regenerated bone tissue in human sinus biopsies: influences of anatomical region, age and sex. *Clin Oral Implants Res*. 2016;27(5):583-590.
105. Artzi Z, Kozlovsky A, Nemcovsky CE, Weinreb M. The amount of newly formed bone in sinus grafting procedures depends on tissue depth as well as the type and residual amount of the grafted material. *J Clin Periodontol*. 2005;32(2):193-199.
106. Fugazzotto PA. GBR using bovine bone matrix and resorbable and nonresorbable membranes. Part 1:

histologic results. *Int J Periodontics Restorative Dent*. 2003;23(4):361-369.

107. Hallman M, Cederlund A, Lindskog S, Lundgren S, Sennerby L. A clinical histologic study of bovine hydroxyapatite in combination with autogenous bone and fibrin glue for maxillary sinus floor augmentation. Results after 6 to 8 months of healing. *Clin Oral Implants Res*. 2001;12(2):135-143.
108. Piattelli M, Favero GA, Scarano A, Orsini G, Piattelli A. Bone reactions to anorganic bovine bone (Bio-Oss) used in sinus augmentation procedures: a histologic long-term report of 20 cases in humans. *Int J Oral Maxillofac Implants*. 1999;14(6):835-840.
109. Sartori S, Silvestri M, Forni F, Icaro Cornaglia A, Tesei P, Cattaneo V. Ten-year follow-up in a maxillary sinus augmentation using anorganic bovine bone (Bio-Oss). A case report with histomorphometric evaluation. *Clin Oral Implants Res*. 2003;14(3):369-372.
110. Valentini P, Abensur D, Densari D, Graziani JN, Hammerle C. Histological evaluation of Bio-Oss in a 2-stage sinus floor elevation and implantation procedure. A human case report. *Clin Oral Implants Res*. 1998;9(1):59-64.
111. Yildirim M, Spiekermann H, Biesterfeld S, Edelhoff D. Maxillary sinus augmentation using xenogenic bone substitute material Bio-Oss in combination with venous blood. A histologic and histomorphometric study in humans. *Clin Oral Implants Res*. 2000;11(3):217-229.
112. Yildirim M, Spiekermann H, Handt S, Edelhoff D. Maxillary sinus augmentation with the xenograft Bio-Oss and autogenous intraoral bone for qualitative improvement of the implant site: a histologic and histomorphometric clinical study in humans. *Int J Oral Maxillofac Implants*. 2001;16(1):23-33.
113. Boyne PJ, Peetz M. *Osseous reconstruction of the maxilla and the mandible : surgical techniques using titanium mesh and bone mineral*. Chicago: Quintessence Pub. Co.; 1997.
114. Iezzi G, Degidi M, Scarano A, Petrone G, Piattelli A. Anorganic bone matrix retrieved 14 years after a sinus augmentation procedure: a histologic and histomorphometric evaluation. *J Periodontol*. 2007;78(10):2057-2061.
115. Schlegel KA, Fichtner G, Schultze-Mosgau S, Wiltfang J. Histologic findings in sinus augmentation with autogenous bone chips versus a bovine bone substitute. *Int J Oral Maxillofac Implants*. 2003;18(1):53-58.
116. Schlegel AK, Donath K. BIO-OSS--a resorbable bone substitute? *J Long Term Eff Med Implants*. 1998;8(3-4):201-209.
117. Haas R, Mailath G, Dortbudak O, Watzek G. Bovine hydroxyapatite for maxillary sinus augmentation: analysis of interfacial bond strength of dental implants using pull-out tests. *Clin Oral Implants Res*. 1998;9(2):117-122.
118. Froum SJ, Tarnow DP, Wallace SS, et al. The use of a mineralized allograft for sinus augmentation:

an interim histological case report from a prospective clinical study. *Compend Contin Educ Dent.* 2005;26(4):259-260, 262-254, 266-258; quiz 270-251.

119. Froum SJ, Wallace SS, Elian N, Cho SC, Tarnow DP. Comparison of mineralized cancellous bone allograft (Puros) and anorganic bovine bone matrix (Bio-Oss) for sinus augmentation: histomorphometry at 26 to 32 weeks after grafting. *Int J Periodontics Restorative Dent.* 2006;26(6):543-551.
120. Gapski R, Misch C, Stapleton D, et al. Histological, histomorphometric, and radiographic evaluation of a sinus augmentation with a new bone allograft: a clinical case report. *Implant Dent.* 2008;17(4):430-438.
121. Gapski R, Neiva R, Oh TJ, Wang HL. Histologic analyses of human mineralized bone grafting material in sinus elevation procedures: a case series. *Int J Periodontics Restorative Dent.* 2006;26(1):59-69.
122. Gomes KU, Carlini JL, Biron C, Rapoport A, Dedivitis RA. Use of allogeneic bone graft in maxillary reconstruction for installation of dental implants. *J Oral Maxillofac Surg.* 2008;66(11):2335-2338.
123. Kolerman R, Tal H, Moses O. Histomorphometric analysis of newly formed bone after maxillary sinus floor augmentation using ground cortical bone allograft and internal collagen membrane. *J Periodontol.* 2008;79(11):2104-2111.
124. Sohn DS, Lee JK, An KM, Shin HI. Histomorphometric evaluation of mineralized cancellous allograft in the maxillary sinus augmentation: a 4 case report. *Implant Dent.* 2009;18(2):172-181.
125. Minichetti JC, D'Amore JC, Hong AY. Three-year analysis of tapered screw vent implants placed into maxillary sinuses grafted with mineralized bone allograft. *J Oral Implantol.* 2008;34(3):135-141.
126. Haas R, Haidvogl D, Donath K, Watzek G. Freeze-dried homogeneous and heterogeneous bone for sinus augmentation in sheep. Part I: histological findings. *Clin Oral Implants Res.* 2002;13(4):396-404.
127. Haas R, Haidvogl D, Dortbudak O, Mailath G. Freeze-dried bone for maxillary sinus augmentation in sheep. Part II: biomechanical findings. *Clin Oral Implants Res.* 2002;13(6):581-586.
128. Groeneveld EH, van den Bergh JP, Holzmann P, ten Bruggenkate CM, Tuinzing DB, Burger EH. Mineralization processes in demineralized bone matrix grafts in human maxillary sinus floor elevations. *J Biomed Mater Res.* 1999;48(4):393-402.
129. Wiltfang J, Schlegel KA, Schultze-Mosgau S, Nkenke E, Zimmermann R, Kessler P. Sinus floor augmentation with beta-tricalciumphosphate (beta-TCP): does platelet-rich plasma promote its osseous integration and degradation? *Clin Oral Implants Res.* 2003;14(2):213-218.
130. Horch HH, Sader R, Pautke C, Neff A, Deppe H, Kolk A. Synthetic, pure-phase beta-tricalcium phosphate ceramic granules (Cerasorb) for bone regeneration in the reconstructive surgery of the jaws. *Int J Oral Maxillofac Surg.* 2006;35(8):708-713.
131. Ozyuvaci H, Bilgic B, Firatli E. Radiologic and histomorphometric evaluation of maxillary sinus grafting

with alloplastic graft materials. *J Periodontol.* 2003;74(6):909-915.

132. Szabo G, Huys L, Coulthard P, et al. A prospective multicenter randomized clinical trial of autogenous bone versus beta-tricalcium phosphate graft alone for bilateral sinus elevation: histologic and histomorphometric evaluation. *Int J Oral Maxillofac Implants.* 2005;20(3):371-381.
133. Zijderveld SA, Zerbo IR, van den Bergh JP, Schulten EA, ten Bruggenkate CM. Maxillary sinus floor augmentation using a beta-tricalcium phosphate (Cerasorb) alone compared to autogenous bone grafts. *Int J Oral Maxillofac Implants.* 2005;20(3):432-440.
134. Artzi Z, Weinreb M, Givol N, et al. Biomaterial resorption rate and healing site morphology of inorganic bovine bone and beta-tricalcium phosphate in the canine: a 24-month longitudinal histologic study and morphometric analysis. *Int J Oral Maxillofac Implants.* 2004;19(3):357-368.
135. Jensen SS, Broggini N, Hjorting-Hansen E, Schenk R, Buser D. Bone healing and graft resorption of autograft, anorganic bovine bone and beta-tricalcium phosphate. A histologic and histomorphometric study in the mandibles of minipigs. *Clin Oral Implants Res.* 2006;17(3):237-243.
136. Davison NL, ten Harkel B, Schoenmaker T, et al. Osteoclast resorption of beta-tricalcium phosphate controlled by surface architecture. *Biomaterials.* 2014;35(26):7441-7451.
137. Choy J, Albers CE, Siebenrock KA, Dolder S, Hofstetter W, Klenke FM. Incorporation of RANKL promotes osteoclast formation and osteoclast activity on ⊠-TCP ceramics. *Bone.* 2014;69:80-88.
138. Cavagna R, Daculsi G, Bouler JM. Macroporous calcium phosphate ceramic: a prospective study of 106 cases in lumbar spinal fusion. *J Long Term Eff Med Implants.* 1999;9(4):403-412.
139. Helder MN, van Esterik FAS, Kwehandjaja MD, Ten Bruggenkate CM, Klein-Nulend J, Schulten E. Evaluation of a new biphasic calcium phosphate for maxillary sinus floor elevation: Micro-CT and histomorphometrical analyses. *Clin Oral Implants Res.* 2018;29(5):488-498.
140. Mangano C, Sinjari B, Shibli JA, et al. A Human Clinical, Histological, Histomorphometrical, and Radiographical Study on Biphasic HA-Beta-TCP 30/70 in Maxillary Sinus Augmentation. *Clin Implant Dent Relat Res.* 2015;17(3):610-618.
141. Ohayon L. Maxillary sinus floor augmentation using biphasic calcium phosphate: a histologic and histomorphometric study. *Int J Oral Maxillofac Implants.* 2014;29(5):1143-1148.
142. Mangano C, Perrotti V, Shibli JA, et al. Maxillary sinus grafting with biphasic calcium phosphate ceramics: clinical and histologic evaluation in man. *Int J Oral Maxillofac Implants.* 2013;28(1):51-56.
143. Ohayon L, Taschieri S, Corbella S, Del Fabbro M. Maxillary Sinus Floor Augmentation Using Biphasic Calcium Phosphate and a Hydrogel Polyethylene Glycol Covering Membrane: An Histological and Histomorphometric Evaluation. *Implant Dent.* 2016;25(5):599-605.

144. Lee JS, Cha JK, Thoma DS, Jung UW. Report of a human autopsy case in maxillary sinuses augmented using a synthetic bone substitute: Micro-computed tomographic and histologic observations. *Clin Oral Implants Res.* 2018;29(3):339-345.
145. Oh JS, Seo YS, Lee GJ, You JS, Kim SG. A Comparative Study with Biphasic Calcium Phosphate to Deproteinized Bovine Bone in Maxillary Sinus Augmentation: A Prospective Randomized and Controlled Clinical Trial. *Int J Oral Maxillofac Implants.* 2019;34(1):233–242.
146. La Monaca G, Iezzi G, Cristalli MP, Pranno N, Sfasciotti GL, Vozza I. Comparative Histological and Histomorphometric Results of Six Biomaterials Used in Two-Stage Maxillary Sinus Augmentation Model after 6-Month Healing. *Biomed Res Int.* 2018;2018:9430989.
147. de Lange GL, Overman JR, Farré-Guasch E, et al. A histomorphometric and micro-computed tomography study of bone regeneration in the maxillary sinus comparing biphasic calcium phosphate and deproteinized cancellous bovine bone in a human split-mouth model. *Oral Surg Oral Med Oral Pathol Oral Radiol.* 2014;117(1):8-22.
148. Kolerman R, Nissan J, Rahmanov M, Vered H, Cohen O, Tal H. Comparison between mineralized cancellous bone allograft and an alloplast material for sinus augmentation: A split mouth histomorphometric study. *Clin Implant Dent Relat Res.* 2017;19(5):812-820.
149. Danesh-Sani SA, Wallace SS, Movahed A, et al. Maxillary Sinus Grafting With Biphasic Bone Ceramic or Autogenous Bone: Clinical, Histologic, and Histomorphometric Results From a Randomized Controlled Clinical Trial. *Implant Dent.* 2016;25(5):588-593.
150. Tosta M, Cortes AR, Corrêa L, Pinto Ddos S, Jr., Tumenas I, Katchburian E. Histologic and histomorphometric evaluation of a synthetic bone substitute for maxillary sinus grafting in humans. *Clin Oral Implants Res.* 2013;24(8):866-870.
151. Schmitt CM, Doering H, Schmidt T, Lutz R, Neukam FW, Schlegel KA. Histological results after maxillary sinus augmentation with Straumann®BoneCeramic, Bio-Oss®, Puros®, and autologous bone. A randomized controlled clinical trial. *Clin Oral Implants Res.* 2013;24(5):576-585.
152. Taschieri S, Corbella S, Weinstein R, Di Giancamillo A, Mortellaro C, Del Fabbro M. Maxillary Sinus Floor Elevation Using Platelet-Rich Plasma Combined With Either Biphasic Calcium Phosphate or Deproteinized Bovine Bone. *J Craniofac Surg.* 2016;27(3):702-707.
153. Cordaro L, Bosshardt DD, Palattella P, Rao W, Serino G, Chiapasco M. Maxillary sinus grafting with Bio-Oss or Straumann Bone Ceramic: histomorphometric results from a randomized controlled multicenter clinical trial. *Clin Oral Implants Res.* 2008;19(8):796-803.
154. Wu J, Li B, Lin X. Histological outcomes of sinus augmentation for dental implants with calcium

phosphate or deproteinized bovine bone: a systematic review and meta-analysis. *Int J Oral Maxillofac Surg.* 2016;45(11):1471-1477.

155. Lee JH, Jung UW, Kim CS, Choi SH, Cho KS. Histologic and clinical evaluation for maxillary sinus augmentation using macroporous biphasic calcium phosphate in human. *Clin Oral Implants Res.* 2008;19(8):767-771.
156. Ohe JY, Kim GT, Lee JW, Al Nawas B, Jung J, Kwon YD. Volume stability of hydroxyapatite and B-tricalcium phosphate biphasic bone graft material in maxillary sinus floor elevation: a radiographic study using 3D cone beam computed tomography. *Clin Oral Implants Res.* 2016;27(3):348-353.
157. Kühl S, Payer M, Kirmeier R, Wildburger A, Acham S, Jakse N. The influence of particulated autogenous bone on the early volume stability of maxillary sinus grafts with biphasic calcium phosphate: a randomized clinical trial. *Clin Implant Dent Relat Res.* 2015;17(1):173-178.
158. Lindgren C, Mordenfeld A, Hallman M. A prospective 1-year clinical and radiographic study of implants placed after maxillary sinus floor augmentation with synthetic biphasic calcium phosphate or deproteinized bovine bone. *Clin Implant Dent Relat Res.* 2012;14(1):41-50.
159. Al-Nawas B, Schiegnitz E. Augmentation procedures using bone substitute materials or autogenous bone - a systematic review and meta-analysis. *Eur J Oral Implantol.* 2014;7 Suppl 2:S219-234.
160. Rickert D, Slater JJ, Meijer HJ, Vissink A, Raghoebar GM. Maxillary sinus lift with solely autogenous bone compared to a combination of autogenous bone and growth factors or (solely) bone substitutes. A systematic review. *Int J Oral Maxillofac Surg.* 2012;41(2):160-167.
161. Corbella S, Taschieri S, Weinstein R, Del Fabbro M. Histomorphometric outcomes after lateral sinus floor elevation procedure: a systematic review of the literature and meta-analysis. *Clin Oral Implants Res.* 2016;27(9):1106-1122.
162. Klijn RJ, Meijer GJ, Bronkhorst EM, Jansen JA. A meta-analysis of histomorphometric results and graft healing time of various biomaterials compared to autologous bone used as sinus floor augmentation material in humans. *Tissue Eng Part B Rev.* 2010;16(5):493-507.
163. Danesh-Sani SA, Engebretson SP, Janal MN. Histomorphometric results of different grafting materials and effect of healing time on bone maturation after sinus floor augmentation: a systematic review and meta-analysis. *J Periodontal Res.* 2017;52(3):301-312.
164. Jensen T, Schou S, Gundersen HJ, Forman JL, Terheyden H, Holmstrup P. Bone-to-implant contact after maxillary sinus floor augmentation with Bio-Oss and autogenous bone in different ratios in mini pigs. *Clin Oral Implants Res.* 2013;24(6):635-644.
165. Del Fabbro M, Corbella S, Weinstein T, Ceresoli V, Taschieri S. Implant survival rates after osteotome-

mediated maxillary sinus augmentation: a systematic review. *Clin Implant Dent Relat Res.* 2012;14 Suppl 1:e159-168.

166. Starch-Jensen T, Aludden H, Hallman M, Dahlin C, Christensen AE, Mordenfeld A. A systematic review and meta-analysis of long-term studies (five or more years) assessing maxillary sinus floor augmentation. *Int J Oral Maxillofac Surg.* 2018;47(1):103-116.
167. Raghoebar GM, Onclin P, Boven GC, Vissink A, Meijer HJA. Long-term effectiveness of maxillary sinus floor augmentation: A systematic review and meta-analysis. *J Clin Periodontol.* 2019;46 Suppl 21:307-318.
168. Kohal RJ, Gubik S, Strohl C, et al. Effect of two different healing times on the mineralization of newly formed bone using a bovine bone substitute in sinus floor augmentation: a randomized, controlled, clinical and histological investigation. *J Clin Periodontol.* 2015;42(11):1052-1059.
169. Sohn DS, Kim WS, An KM, Song KJ, Lee JM, Mun YS. Comparative histomorphometric analysis of maxillary sinus augmentation with and without bone grafting in rabbit. *Implant Dent.* 2010;19(3):259-270.
170. Scala A, Lang NP, de Carvalho Cardoso L, Pantani F, Schweikert M, Botticelli D. Sequential healing of the elevated sinus floor after applying autologous bone grafting: an experimental study in minipigs. *Clin Oral Implants Res.* 2015;26(4):419-425.
171. Butz F, Bächle M, Ofer M, Marquardt K, Kohal RJ. Sinus augmentation with bovine hydroxyapatite/synthetic peptide in a sodium hyaluronate carrier (PepGen P-15 Putty): a clinical investigation of different healing times. *Int J Oral Maxillofac Implants.* 2011;26(6):1317-1323.
172. Wang F, Zhou W, Monje A, Huang W, Wang Y, Wu Y. Influence of Healing Period Upon Bone Turn Over on Maxillary Sinus Floor Augmentation Grafted Solely with Deproteinized Bovine Bone Mineral: A Prospective Human Histological and Clinical Trial. *Clin Implant Dent Relat Res.* 2017;19(2):341-350.
173. Asai S, Shimizu Y, Ooya K. Maxillary sinus augmentation model in rabbits: effect of occluded nasal ostium on new bone formation. *Clin Oral Implants Res.* 2002;13(4):405-409.
174. Xu H, Shimizu Y, Asai S, Ooya K. Grafting of deproteinized bone particles inhibits bone resorption after maxillary sinus floor elevation. *Clin Oral Implants Res.* 2004;15(1):126-133.
175. Caneva M, Lang NP, Garcia Rangel IJ, et al. Sinus mucosa elevation using Bio-Oss(®) or Gingistat(®) collagen sponge: an experimental study in rabbits. *Clin Oral Implants Res.* 2017;28(7):e21-e30.
176. Falah M, Sohn DS, Srouji S. Graftless sinus augmentation with simultaneous dental implant placement: clinical results and biological perspectives. *Int J Oral Maxillofac Surg.* 2016;45(9):1147-1153.
177. Si MS, Mo JJ, Zhuang LF, Gu YX, Qiao SC, Lai HC. Osteotome sinus floor elevation with and without grafting: an animal study in Labrador dogs. *Clin Oral Implants Res.* 2015;26(2):197-203.
178. Fouad W, Osman A, Atef M, Hakam M. Guided maxillary sinus floor elevation using deproteinized bovine

bone versus graftless Schneiderian membrane elevation with simultaneous implant placement: Randomized clinical trial. *Clin Implant Dent Relat Res*. 2018;20(3):424-433.

179. Johansson B, Grepe A, Wannfors K, Hirsch JM. A clinical study of changes in the volume of bone grafts in the atrophic maxilla. *Dentomaxillofac Radiol*. 2001;30(3):157-161.
180. Sbordone C, Toti P, Guidetti F, Califano L, Bufo P, Sbordone L. Volume changes of autogenous bone after sinus lifting and grafting procedures: a 6-year computerized tomographic follow-up. *J Craniomaxillofac Surg*. 2013;41(3):235-241.
181. Arasawa M, Oda Y, Kobayashi T, et al. Evaluation of bone volume changes after sinus floor augmentation with autogenous bone grafts. *Int J Oral Maxillofac Surg*. 2012;41(7):853-857.
182. 김종식, 박태일, 서현수, et al. 탈단백 우골과 제3인산칼슘을 이용한 상악동 골이식 후 이식재의 높이 변화 – 파노라마 방사선사진을 이용한 후향적 대조 연구. 대한구강악안면외과학회지. 2008;34:468–474.
183. Wanschitz F, Figl M, Wagner A, Rolf E. Measurement of volume changes after sinus floor augmentation with a phycogenic hydroxyapatite. *Int J Oral Maxillofac Implants*. 2006;21(3):433-438.
184. Hatano N, Shimizu Y, Ooya K. A clinical long-term radiographic evaluation of graft height changes after maxillary sinus floor augmentation with a 2:1 autogenous bone/xenograft mixture and simultaneous placement of dental implants. *Clin Oral Implants Res*. 2004;15(3):339-345.
185. Gultekin BA, Borahan O, Sirali A, Karabuda ZC, Mijiritsky E. Three-Dimensional Assessment of Volumetric Changes in Sinuses Augmented with Two Different Bone Substitutes. *Biomed Res Int*. 2016;2016:4085079.
186. Chiapasco M, Casentini P, Zaniboni M. Bone augmentation procedures in implant dentistry. *Int J Oral Maxillofac Implants*. 2009;24 Suppl:237-259.
187. Hallman M, Hedin M, Sennerby L, Lundgren S. A prospective 1-year clinical and radiographic study of implants placed after maxillary sinus floor augmentation with bovine hydroxyapatite and autogenous bone. *J Oral Maxillofac Surg*. 2002;60(3):277-284; discussion 285-276.
188. Hallman M, Nordin T. Sinus floor augmentation with bovine hydroxyapatite mixed with fibrin glue and later placement of nonsubmerged implants: a retrospective study in 50 patients. *Int J Oral Maxillofac Implants*. 2004;19(2):222-227.
189. Hallman M, Zetterqvist L. A 5-year prospective follow-up study of implant-supported fixed prostheses in patients subjected to maxillary sinus floor augmentation with an 80:20 mixture of bovine hydroxyapatite and autogenous bone. *Clin Implant Dent Relat Res*. 2004;6(2):82-89.
190. Mayfield LJ, Skoglund A, Hising P, Lang NP, Attstrom R. Evaluation following functional loading of

titanium fixtures placed in ridges augmented by deproteinized bone mineral. A human case study. *Clin Oral Implants Res.* 2001;12(5):508-514.

191. Shanbhag S, Shanbhag V, Stavropoulos A. Volume changes of maxillary sinus augmentations over time: a systematic review. *Int J Oral Maxillofac Implants.* 2014;29(4):881-892.
192. Raghoebar GM, Batenburg RH, Reintsema H. [Augmentation of the maxillary sinus floor and alveolar ridge for placement of endosseous implants in the edentulous maxilla]. *Ned Tijdschr Tandheelkd.* 1997;104(7):269-270.
193. Tidwell JK, Blijdorp PA, Stoelinga PJ, Brouns JB, Hinderks F. Composite grafting of the maxillary sinus for placement of endosteal implants. A preliminary report of 48 patients. *Int J Oral Maxillofac Surg.* 1992;21(4):204-209.
194. Doud Galli SK, Lebowitz RA, Giacchi RJ, Glickman R, Jacobs JB. Chronic sinusitis complicating sinus lift surgery. *Am J Rhinol.* 2001;15(3):181-186.
195. Cosso MG, de Brito RB, Jr., Piattelli A, Shibli JA, Zenóbio EG. Volumetric dimensional changes of autogenous bone and the mixture of hydroxyapatite and autogenous bone graft in humans maxillary sinus augmentation. A multislice tomographic study. *Clin Oral Implants Res.* 2014;25(11):1251-1256.
196. Lundgren S, Andersson S, Sennerby L. Spontaneous bone formation in the maxillary sinus after removal of a cyst: coincidence or consequence? *Clin Implant Dent Relat Res.* 2003;5(2):78-81.
197. Jensen OT. *The sinus bone graft.* Chicago: Quintessence Pub. Co.; 1999.
198. Boyne PJ. Analysis of performance of root-form endosseous implants placed in the maxillary sinus. *J Long Term Eff Med Implants.* 1993;3(2):143-159.
199. Lundgren S, Cricchio G, Palma VC, Salata LA, Sennerby L. Sinus membrane elevation and simultaneous insertion of dental implants: a new surgical technique in maxillary sinus floor augmentation. *Periodontol 2000.* 2008;47:193-205.
200. Lundgren S, Andersson S, Gualini F, Sennerby L. Bone reformation with sinus membrane elevation: a new surgical technique for maxillary sinus floor augmentation. *Clin Implant Dent Relat Res.* 2004;6(3):165-173.
201. Hatano N, Sennerby L, Lundgren S. Maxillary sinus augmentation using sinus membrane elevation and peripheral venous blood for implant-supported rehabilitation of the atrophic posterior maxilla: case series. *Clin Implant Dent Relat Res.* 2007;9(3):150-155.
202. Thor A, Sennerby L, Hirsch JM, Rasmusson L. Bone formation at the maxillary sinus floor following simultaneous elevation of the mucosal lining and implant installation without graft material: an evaluation of 20 patients treated with 44 Astra Tech implants. *J Oral Maxillofac Surg.* 2007;65(7 Suppl 1):64-72.
203. Altintas NY, Senel FC, Kayıpmaz S, Taskesen F, Pampu AA. Comparative radiologic analyses of newly

formed bone after maxillary sinus augmentation with and without bone grafting. *Journal of Oral and Maxillofacial Surgery.* 2013;71(9):1520-1530.

204. Borges FL, Dias RO, Piattelli A, et al. Simultaneous sinus membrane elevation and dental implant placement without bone graft: a 6-month follow-up study. *Journal of periodontology.* 2011;82(3):403-412.
205. Esposito M, Piattelli M, Pistilli R, Pellegrino G, Felice P. Sinus lift with guided bone regeneration or anorganic bovine bone: 1-year post-loading results of a pilot randomised clinical trial. *European journal of oral implantology.* 2010;3(4).
206. Nasr S, Slot DE, Bahaa S, Dörfer CE, El-Sayed KMF. Dental implants combined with sinus augmentation: What is the merit of bone grafting? A systematic review. *Journal of Cranio-Maxillofacial Surgery.* 2016;44(10):1607-1617.
207. Duan DH, Fu JH, Qi W, Du Y, Pan J, Wang HL. Graft-free maxillary sinus floor elevation: A systematic review and meta-analysis. *Journal of periodontology.* 2017;88(6):550-564.
208. Yang J, Xia T, Wang H, Cheng Z, Shi B. Outcomes of maxillary sinus floor augmentation without grafts in atrophic maxilla: A systematic review and meta-analysis based on randomised controlled trials. *J Oral Rehabil.* 2019;46(3):282-290.
209. Kim HR, Choi BH, Xuan F, Jeong SM. The use of autologous venous blood for maxillary sinus floor augmentation in conjunction with sinus membrane elevation: an experimental study. *Clinical oral implants research.* 2010;21(3):346-349.
210. Dongo V, von Krockow N, Martins-Filho PRS, Weigl P. Lateral sinus floor elevation without grafting materials. Individual- and aggregate-data meta-analysis. *J Craniomaxillofac Surg.* 2018;46(9):1616-1624.
211. Ranaan J, Bassir SH, Andrada L, et al. Clinical efficacy of the graft free slit-window sinus floor elevation procedure: A 2-year randomized controlled clinical trial. *Clinical oral implants research.* 2018;29(11):1107-1119.
212. Jensen OT, Shulman LB, Block MS, Iacono VJ. Report of the sinus consensus conference of 1996. *The International journal of oral & maxillofacial implants.* 1998;13:11-45.
213. Ioannidou E, Dean JW. Osteotome sinus floor elevation and simultaneous, non-submerged implant placement: case report and literature review. *J Periodontol.* 2000;71(10):1613-1619.
214. Zitzmann NU, Scharer P. Sinus elevation procedures in the resorbed posterior maxilla. Comparison of the crestal and lateral approaches. *Oral Surg Oral Med Oral Pathol Oral Radiol Endod.* 1998;85(1):8-17.
215. Chiapasco M, Zaniboni M, Boisco M. Augmentation procedures for the rehabilitation of deficient edentulous ridges with oral implants. *Clin Oral Implants Res.* 2006;17 Suppl 2:136-159.
216. Esposito M, Hirsch JM, Lekholm U, Thomsen P. Biological factors contributing to failures of

osseointegrated oral implants. (II). Etiopathogenesis. *Eur J Oral Sci.* 1998;106(3):721-764.

217. Lioubavina-Hack N, Lang NP, Karring T. Significance of primary stability for osseointegration of dental implants. *Clin Oral Implants Res.* 2006;17(3):244-250.
218. Meredith N, Alleyne D, Cawley P. Quantitative determination of the stability of the implant-tissue interface using resonance frequency analysis. *Clin Oral Implants Res.* 1996;7(3):261-267.
219. Sennerby L, Meredith N. Implant stability measurements using resonance frequency analysis: biological and biomechanical aspects and clinical implications. *Periodontol 2000.* 2008;47:51-66.
220. Atsumi M, Park SH, Wang HL. Methods used to assess implant stability: current status. *Int J Oral Maxillofac Implants.* 2007;22(5):743-754.
221. Lozano-Carrascal N, Salomó-Coll O, Gilabert-CerdàM, Farré-Pagés N, Gargallo-Albiol J, Hernández-Alfaro F. Effect of implant macro-design on primary stability: A prospective clinical study. *Med Oral Patol Oral Cir Bucal.* 2016;21(2):e214-221.
222. Freitas AC, Jr., Bonfante EA, Giro G, Janal MN, Coelho PG. The effect of implant design on insertion torque and immediate micromotion. *Clin Oral Implants Res.* 2012;23(1):113-118.
223. Pagliani L, Sennerby L, Petersson A, Verrocchi D, Volpe S, Andersson P. The relationship between resonance frequency analysis (RFA) and lateral displacement of dental implants: an in vitro study. *J Oral Rehabil.* 2013;40(3):221-227.
224. Sennerby L, Pagliani L, Petersson A, Verrocchi D, Volpe S, Andersson P. Two different implant designs and impact of related drilling protocols on primary stability in different bone densities: an in vitro comparison study. *Int J Oral Maxillofac Implants.* 2015;30(3):564-568.
225. Sarfaraz H, Johri S, Sucheta P, Rao S. Study to assess the relationship between insertion torque value and implant stability quotient and its influence on timing of functional implant loading. *J Indian Prosthodont Soc.* 2018;18(2):139-146.
226. Makary C, Menhall A, Zammarie C, et al. Primary Stability Optimization by Using Fixtures with Different Thread Depth According To Bone Density: A Clinical Prospective Study on Early Loaded Implants. *Materials (Basel).* 2019;12(15).
227. Lages FS, Douglas-de Oliveira DW, Costa FO. Relationship between implant stability measurements obtained by insertion torque and resonance frequency analysis: A systematic review. *Clin Implant Dent Relat Res.* 2018;20(1):26-33.
228. Lekholm U, & Zarb, G. . "*Patient selection and preparation*" *in Tissue-Integrated Prostheses. Osseointegration in Clinical Dentistry.* Chicago: Quintessence; 1985.
229. Jokstad A, Ganeles J. Systematic review of clinical and patient-reported outcomes following oral

rehabilitation on dental implants with a tapered compared to a non-tapered implant design. *Clin Oral Implants Res*. 2018;29 Suppl 16:41-54.

230. Molly L. Bone density and primary stability in implant therapy. *Clin Oral Implants Res*. 2006;17 Suppl 2:124-135.
231. Lindh C, Oliveira GH, Leles CR, do Carmo Matias Freire M, Ribeiro-Rotta RF. Bone quality assessment in routine dental implant treatment among Brazilian and Swedish specialists. *Clin Oral Implants Res*. 2014;25(9):1004-1009.
232. Esposito M, Grusovin MG, Willings M, Coulthard P, Worthington HV. The effectiveness of immediate, early, and conventional loading of dental implants: a Cochrane systematic review of randomized controlled clinical trials. *Int J Oral Maxillofac Implants*. 2007;22(6):893-904.
233. Degidi M, Daprile G, Piattelli A. Primary stability determination of implants inserted in sinus augmented sites: 1-step versus 2-step procedure. *Implant Dent*. 2013;22(5):530-533.
234. CapparéP, Vinci R, Di Stefano DA, et al. Correlation between Initial BIC and the Insertion Torque/Depth Integral Recorded with an Instantaneous Torque-Measuring Implant Motor: An in vivo Study. *Clin Implant Dent Relat Res*. 2015;17 Suppl 2:e613-620.
235. Wada M, Suganami T, Sogo M, Maeda Y. Can we predict the insertion torque using the bone density around the implant? *Int J Oral Maxillofac Surg*. 2016;45(2):221-225.
236. Ribeiro-Rotta RF, de Oliveira RC, Dias DR, Lindh C, Leles CR. Bone tissue microarchitectural characteristics at dental implant sites part 2: correlation with bone classification and primary stability. *Clin Oral Implants Res*. 2014;25(2):e47-53.
237. Barewal RM, Stanford C, Weesner TC. A randomized controlled clinical trial comparing the effects of three loading protocols on dental implant stability. *Int J Oral Maxillofac Implants*. 2012;27(4):945-956.
238. Waechter J, Madruga MM, Carmo Filho LCD, Leite FRM, Schinestsck AR, Faot F. Comparison between tapered and cylindrical implants in the posterior regions of the mandible: A prospective, randomized, split-mouth clinical trial focusing on implant stability changes during early healing. *Clin Implant Dent Relat Res*. 2017;19(4):733-741.
239. Degidi M, Daprile G, Piattelli A, Iezzi G. Development of a new implant primary stability parameter: insertion torque revisited. *Clin Implant Dent Relat Res*. 2013;15(5):637-644.
240. Merheb J, Vercruyssen M, Coucke W, Quirynen M. Relationship of implant stability and bone density derived from computerized tomography images. *Clin Implant Dent Relat Res*. 2018;20(1):50-57.
241. Rodrigo D, Aracil L, Martin C, Sanz M. Diagnosis of implant stability and its impact on implant survival: a prospective case series study. *Clin Oral Implants Res*. 2010;21(3):255-261.

242. Malchiodi L, Balzani L, Cucchi A, Ghensi P, Nocini PF. Primary and Secondary Stability of Implants in Postextraction and Healed Sites: A Randomized Controlled Clinical Trial. *Int J Oral Maxillofac Implants.* 2016;31(6):1435-1443.
243. Ottoni JM, Oliveira ZF, Mansini R, Cabral AM. Correlation between placement torque and survival of single-tooth implants. *Int J Oral Maxillofac Implants.* 2005;20(5):769-776.
244. Papaspyridakos P, Chen CJ, Chuang SK, Weber HP. Implant loading protocols for edentulous patients with fixed prostheses: a systematic review and meta-analysis. *Int J Oral Maxillofac Implants.* 2014;29 Suppl:256-270.
245. Jang HW, Kang JK, Lee K, Lee YS, Park PK. A retrospective study on related factors affecting the survival rate of dental implants. *J Adv Prosthodont.* 2011;3(4):204-215.
246. Park JH, Kim YS, Ryu JJ, Shin SW, Lee JY. Cumulative survival rate and associated risk factors of Implantium implants: A 10-year retrospective clinical study. *J Adv Prosthodont.* 2017;9(3):195-199.
247. Kim S, Jung UW, Cho KS, Lee JS. Retrospective radiographic observational study of 1692 Straumann tissue-level dental implants over 10 years: I. Implant survival and loss pattern. *Clin Implant Dent Relat Res.* 2018;20(5):860-866.
248. Chrcanovic BR, Albrektsson T, Wennerberg A. Bone Quality and Quantity and Dental Implant Failure: A Systematic Review and Meta-analysis. *Int J Prosthodont.* 2017;30(3):219–237.
249. Rea M, Lang NP, Ricci S, Mintrone F, González González G, Botticelli D. Healing of implants installed in over- or under-prepared sites--an experimental study in dogs. *Clin Oral Implants Res.* 2015;26(4):442-446.
250. Pantani F, Botticelli D, Garcia IR, Jr., Salata LA, Borges GJ, Lang NP. Influence of lateral pressure to the implant bed on osseointegration: an experimental study in dogs. *Clin Oral Implants Res.* 2010;21(11):1264-1270.
251. Trisi P, Todisco M, Consolo U, Travaglini D. High versus low implant insertion torque: a histologic, histomorphometric, and biomechanical study in the sheep mandible. *Int J Oral Maxillofac Implants.* 2011;26(4):837-849.
252. Ivanoff CJ, Sennerby L, Lekholm U. Influence of initial implant mobility on the integration of titanium implants. An experimental study in rabbits. *Clin Oral Implants Res.* 1996;7(2):120-127.
253. Faot F, Bielemann AM, Schuster AJ, et al. Influence of Insertion Torque on Clinical and Biological Outcomes before and after Loading of Mandibular Implant-Retained Overdentures in Atrophic Edentulous Mandibles. *Biomed Res Int.* 2019;2019:8132520.
254. Kim S, Lee JS, Hwang JW, Kim MS, Choi SH, Jung UW. Reosseointegration of mechanically disintegrated implants in dogs: mechanical and histometric analyses. *Clin Oral Implants Res.* 2014;25(6):729-734.

255. Lucente J, Galante J, Trisi P, Kenealy JN. Reintegration success of osseotite implants after intentional countertorque liberation in the endentulous human mandible. *Implant Dent.* 2006;15(2):178-185.
256. Roccuzzo M, Aglietta M, Bunino M, Bonino L. Early loading of sandblasted and acid-etched implants: a randomized-controlled double-blind split-mouth study. Five-year results. *Clin Oral Implants Res.* 2008;19(2):148-152.
257. Duyck J, Vandamme K, Geris L, et al. The influence of micro-motion on the tissue differentiation around immediately loaded cylindrical turned titanium implants. *Arch Oral Biol.* 2006;51(1):1-9.
258. Vandamme K, Naert I, Geris L, Vander Sloten J, Puers R, Duyck J. The effect of micro-motion on the tissue response around immediately loaded roughened titanium implants in the rabbit. *Eur J Oral Sci.* 2007;115(1):21-29.
259. Jung UW, Kim S, Lee IK, Kim MS, Lee JS, Kim HJ. Secondary stability of microthickness hydroxyapatite-coated dental implants installed without primary stability in dogs. *Clin Oral Implants Res.* 2014;25(10):1169-1174.
260. Balshi SF, Wolfinger GJ, Balshi TJ. A retrospective analysis of 44 implants with no rotational primary stability used for fixed prosthesis anchorage. *Int J Oral Maxillofac Implants.* 2007;22(3):467-471.
261. Cooper LF. Factors influencing primary dental implant stability remain unclear. *J Evid Based Dent Pract.* 2012;12(3 Suppl):185-186.
262. Sierra-Rebolledo A, Allais-Leon M, Maurette-O�Brien P, Gay-Escoda C. Primary Apical Stability of Tapered Implants Through Reduction of Final Drilling Dimensions in Different Bone Density Models: A Biomechanical Study. *Implant Dent.* 2016;25(6):775-782.
263. Atieh MA, Alsabeeha N, Duncan WJ. Stability of tapered and parallel-walled dental implants: A systematic review and meta-analysis. *Clin Implant Dent Relat Res.* 2018;20(4):634-645.
264. Turkyilmaz I, Aksoy U, McGlumphy EA. Two alternative surgical techniques for enhancing primary implant stability in the posterior maxilla: a clinical study including bone density, insertion torque, and resonance frequency analysis data. *Clin Implant Dent Relat Res.* 2008;10(4):231-237.
265. Martinez H, Davarpanah M, Missika P, Celletti R, Lazzara R. Optimal implant stabilization in low density bone. *Clin Oral Implants Res.* 2001;12(5):423-432.
266. Cricchio G, Imburgia M, Sennerby L, Lundgren S. Immediate loading of implants placed simultaneously with sinus membrane elevation in the posterior atrophic maxilla: a two-year follow-up study on 10 patients. *Clin Implant Dent Relat Res.* 2014;16(4):609-617.
267. Cricchio G, Sennerby L, Lundgren S. Sinus bone formation and implant survival after sinus membrane elevation and implant placement: a 1- to 6-year follow-up study. *Clin Oral Implants Res.* 2011;22(10):1200-

1212.

268. Campos FE, Jimbo R, Bonfante EA, et al. Are insertion torque and early osseointegration proportional? A histologic evaluation. *Clin Oral Implants Res.* 2015;26(11):1256-1260.

269. Simmons DE, Maney P, Teitelbaum AG, Billiot S, Popat LJ, Palaiologou AA. Comparative evaluation of the stability of two different dental implant designs and surgical protocols-a pilot study. *Int J Implant Dent.* 2017;3(1):16.

270. Ostman PO, Hellman M, Sennerby L. Direct implant loading in the edentulous maxilla using a bone density-adapted surgical protocol and primary implant stability criteria for inclusion. *Clin Implant Dent Relat Res.* 2005;7 Suppl 1:S60-69.

271. Marin C, Bonfante E, Granato R, et al. The Effect of Osteotomy Dimension on Implant Insertion Torque, Healing Mode, and Osseointegration Indicators: A Study in Dogs. *Implant Dent.* 2016;25(6):739-743.

272. Tabassum A, Walboomers XF, Wolke JG, Meijer GJ, Jansen JA. Bone particles and the undersized surgical technique. *J Dent Res.* 2010;89(6):581-586.

273. Huang HM, Chee TJ, Lew WZ, Feng SW. Modified surgical drilling protocols influence osseointegration performance and predict value of implant stability parameters during implant healing process. *Clin Oral Investig.* 2020.

274. !!! INVALID CITATION !!! 51,54-56.

275. Gil LF, Sarendranath A, Neiva R, et al. Bone Healing Around Dental Implants: Simplified vs Conventional Drilling Protocols at Speed of 400 rpm. *Int J Oral Maxillofac Implants.* 2017;32(2):329-336.

276. Tabassum A, Meijer GJ, Walboomers XF, Jansen JA. Evaluation of primary and secondary stability of titanium implants using different surgical techniques. *Clin Oral Implants Res.* 2014;25(4):487-492.

277. Stocchero M, Toia M, Cecchinato D, Becktor JP, Coelho PG, Jimbo R. Biomechanical, Biologic, and Clinical Outcomes of Undersized Implant Surgical Preparation: A Systematic Review. *Int J Oral Maxillofac Implants.* 2016;31(6):1247-1263.

278. Alghamdi H, Anand PS, Anil S. Undersized implant site preparation to enhance primary implant stability in poor bone density: a prospective clinical study. *J Oral Maxillofac Surg.* 2011;69(12):e506-512.

279. Yurttutan ME, Kestane R, Keskin A, Dereci O. Biomechanical evaluation of oversized drilling on implant stability - an experimental study in sheep. *J Pak Med Assoc.* 2016;66(2):147-150.

280. Arosio P, Greco GB, Zaniol T, Iezzi G, Perrotti V, Di Stefano DA. Sinus augmentation and concomitant implant placement in low bone-density sites. A retrospective study on an undersized drilling protocol and primary stability. *Clin Implant Dent Relat Res.* 2018;20(2):151-159.

281. Kan JY, Roe P, Rungcharassaeng K. Effects of implant morphology on rotational stability during immediate

implant placement in the esthetic zone. *Int J Oral Maxillofac Implants.* 2015;30(3):667-670.

282. Degidi M, Daprile G, Piattelli A. Influence of underpreparation on primary stability of implants inserted in poor quality bone sites: an in vitro study. *J Oral Maxillofac Surg.* 2015;73(6):1084-1088.
283. Bashutski JD, D'Silva NJ, Wang HL. Implant compression necrosis: current understanding and case report. *J Periodontol.* 2009;80(4):700-704.
284. Menicucci G, Pachie E, Lorenzetti M, Migliaretti G, Carossa S. Comparison of primary stability of straight-walled and tapered implants using an insertion torque device. *Int J Prosthodont.* 2012;25(5):465-471.
285. Cha JY, Pereira MD, Smith AA, et al. Multiscale analyses of the bone-implant interface. *J Dent Res.* 2015;94(3):482-490.
286. Wang L, Wu Y, Perez KC, et al. Effects of Condensation on Peri-implant Bone Density and Remodeling. *J Dent Res.* 2017;96(4):413-420.
287. Rea M, Botticelli D, Ricci S, Soldini C, González GG, Lang NP. Influence of immediate loading on healing of implants installed with different insertion torques--an experimental study in dogs. *Clin Oral Implants Res.* 2015;26(1):90-95.
288. Khayat PG, Arnal HM, Tourbah BI, Sennerby L. Clinical outcome of dental implants placed with high insertion torques (up to 176 Ncm). *Clin Implant Dent Relat Res.* 2013;15(2):227-233.
289. Barone A, Alfonsi F, Derchi G, et al. The Effect of Insertion Torque on the Clinical Outcome of Single Implants: A Randomized Clinical Trial. *Clin Implant Dent Relat Res.* 2016;18(3):588-600.
290. Marconcini S, Giammarinaro E, Toti P, Alfonsi F, Covani U, Barone A. Longitudinal analysis on the effect of insertion torque on delayed single implants: A 3-year randomized clinical study. *Clin Implant Dent Relat Res.* 2018;20(3):322-332.
291. Hof M, Pommer B, Strbac GD, Vasak C, Agis H, Zechner W. Impact of insertion torque and implant neck design on peri-implant bone level: a randomized split-mouth trial. *Clin Implant Dent Relat Res.* 2014;16(5):668-674.
292. Li H, Liang Y, Zheng Q. Meta-Analysis of Correlations Between Marginal Bone Resorption and High Insertion Torque of Dental Implants. *Int J Oral Maxillofac Implants.* 2015;30(4):767-772.
293. Fanuscu MI, Chang TL, Akça K. Effect of surgical techniques on primary implant stability and peri-implant bone. *J Oral Maxillofac Surg.* 2007;65(12):2487-2491.
294. Shayesteh YS, Khojasteh A, Siadat H, et al. A comparative study of crestal bone loss and implant stability between osteotome and conventional implant insertion techniques: a randomized controlled clinical trial study. *Clin Implant Dent Relat Res.* 2013;15(3):350-357.
295. Tsolaki IN, Tonsekar PP, Najafi B, Drew HJ, Sullivan AJ, Petrov SD. Comparison of Osteotome and

Conventional Drilling Techniques for Primary Implant Stability: An In Vitro Study. *J Oral Implantol.* 2016;42(4):321-325.

296. Nóbrega AR, Norton A, Silva JA, Silva JP, Branco FM, Anitua E. Osteotome versus conventional drilling technique for implant site preparation: a comparative study in the rabbit. *Int J Periodontics Restorative Dent.* 2012;32(3):e109-115.
297. Romanos GE, Lau J, Delgado-Ruiz R, Javed F. Primary stability of narrow-diameter dental implants with a multiple condensing thread design placed in bone with and without osteotomes: An in vitro study. *Clin Implant Dent Relat Res.* 2020.
298. Shalabi MM, Wolke JG, Jansen JA. The effects of implant surface roughness and surgical technique on implant fixation in an in vitro model. *Clin Oral Implants Res.* 2006;17(2):172-178.
299. Cehreli MC, Kökat AM, Comert A, Akkocaoğlu M, Tekdemir I, Akça K. Implant stability and bone density: assessment of correlation in fresh cadavers using conventional and osteotome implant sockets. *Clin Oral Implants Res.* 2009;20(10):1163-1169.
300. Ahn SJ, Leesungbok R, Lee SW, Heo YK, Kang KL. Differences in implant stability associated with various methods of preparation of the implant bed: an in vitro study. *J Prosthet Dent.* 2012;107(6):366-372.
301. Büchter A, Kleinheinz J, Joos U, Meyer U. [Primary implant stability with different bone surgery techniques. An in vitro study of the mandible of the minipig]. *Mund Kiefer Gesichtschir.* 2003;7(6):351-355.
302. Cano J, Campo J. Bone implant sockets made using three different procedures: a stability study in dogs. *J Clin Exp Dent.* 2012;4(4):e217-220.
303. Büchter A, Kleinheinz J, Wiesmann HP, et al. Biological and biomechanical evaluation of bone remodelling and implant stability after using an osteotome technique. *Clin Oral Implants Res.* 2005;16(1):1-8.
304. Sadeghi R, Rokn AR, Miremadi A. Comparison of Implant Stability Using Resonance Frequency Analysis: Osteotome Versus Conventional Drilling. *J Dent (Tehran).* 2015;12(9):647-654.
305. O'Sullivan D, Sennerby L, Meredith N. Measurements comparing the initial stability of five designs of dental implants: a human cadaver study. *Clin Implant Dent Relat Res.* 2000;2(2):85-92.
306. Adell R, Lekholm U, Rockler B, Branemark PI. A 15-year study of osseointegrated implants in the treatment of the edentulous jaw. *Int J Oral Surg.* 1981;10(6):387-416.
307. Mangano C, Shibli JA, Pires JT, Luongo G, Piattelli A, Iezzi G. Early Bone Formation around Immediately Loaded Transitional Implants Inserted in the Human Posterior Maxilla: The Effects of Fixture Design and Surface. *Biomed Res Int.* 2017;2017:4152506.
308. Markovic A, Calvo-Guirado JL, Lazic Z, et al. Evaluation of primary stability of self-tapping and non-self-

tapping dental implants. A 12-week clinical study. *Clin Implant Dent Relat Res.* 2013;15(3):341-349.

309. Friberg B, Jisander S, Widmark G, et al. One-year prospective three-center study comparing the outcome of a "soft bone implant" (prototype Mk IV) and the standard Branemark implant. *Clin Implant Dent Relat Res.* 2003;5(2):71-77.
310. Jung RE, Al-Nawas B, Araujo M, et al. Group 1 ITI Consensus Report: The influence of implant length and design and medications on clinical and patient-reported outcomes. *Clin Oral Implants Res.* 2018;29 Suppl 16:69-77.
311. Jokstad A, Braegger U, Brunski JB, Carr AB, Naert I, Wennerberg A. Quality of dental implants. *Int Dent J.* 2003;53(6 Suppl 2):409-443.
312. Abuhussein H, Pagni G, Rebaudi A, Wang HL. The effect of thread pattern upon implant osseointegration. *Clin Oral Implants Res.* 2010;21(2):129-136.
313. Ma P, Xiong W, Tan B, et al. Influence of thread pitch, helix angle, and compactness on micromotion of immediately loaded implants in three types of bone quality: a three-dimensional finite element analysis. *Biomed Res Int.* 2014;2014:983103.
314. Sciasci P, Casalle N, Vaz LG. Evaluation of primary stability in modified implants: Analysis by resonance frequency and insertion torque. *Clin Implant Dent Relat Res.* 2018;20(3):274-279.
315. Herrmann I, Lekholm U, Holm S, Kultje C. Evaluation of patient and implant characteristics as potential prognostic factors for oral implant failures. *Int J Oral Maxillofac Implants.* 2005;20(2):220-230.
316. Yamamichi N, Itose T, Neiva R, Wang HL. Long-term evaluation of implant survival in augmented sinuses: a case series. *Int J Periodontics Restorative Dent.* 2008;28(2):163-169.
317. Fenner M, Vairaktaris E, Stockmann P, Schlegel KA, Neukam FW, Nkenke E. Influence of residual alveolar bone height on implant stability in the maxilla: an experimental animal study. *Clin Oral Implants Res.* 2009;20(8):751-755.
318. Fenner M, Vairaktaris E, Fischer K, Schlegel KA, Neukam FW, Nkenke E. Influence of residual alveolar bone height on osseointegration of implants in the maxilla: a pilot study. *Clin Oral Implants Res.* 2009;20(6):555-559.
319. Pommer B, Hof M, Fädler A, Gahleitner A, Watzek G, Watzak G. Primary implant stability in the atrophic sinus floor of human cadaver maxillae: impact of residual ridge height, bone density, and implant diameter. *Clin Oral Implants Res.* 2014;25(2):e109-113.
320. Tawil G, Younan R. Clinical evaluation of short, machined-surface implants followed for 12 to 92 months. *Int J Oral Maxillofac Implants.* 2003;18(6):894-901.
321. Chrcanovic BR, Kisch J, Albrektsson T, Wennerberg A. Impact of Different Surgeons on Dental Implant

Failure. *Int J Prosthodont.* 2017;30(5):445-454.

322. Peleg M, Garg AK, Mazor Z. Predictability of simultaneous implant placement in the severely atrophic posterior maxilla: A 9-year longitudinal experience study of 2132 implants placed into 731 human sinus grafts. *Int J Oral Maxillofac Implants.* 2006;21(1):94-102.
323. Han HC, Lim HC, Hong JY, et al. Primary implant stability in a bone model simulating clinical situations for the posterior maxilla: an in vitro study. *J Periodontal Implant Sci.* 2016;46(4):254-265.
324. Felice P, Pistilli R, Piattelli M, Soardi E, Barausse C, Esposito M. 1-stage versus 2-stage lateral sinus lift procedures: 1-year post-loading results of a multicentre randomised controlled trial. *Eur J Oral Implantol.* 2014;7(1):65-75.
325. Felice P, Pistilli R, Piattelli M, et al. 1-stage versus 2-stage lateral maxillary sinus lift procedures: 4-month post-loading results of a multicenter randomised controlled trial. *Eur J Oral Implantol.* 2013;6(2):153-165.
326. González-García R, Monje F. The reliability of cone-beam computed tomography to assess bone density at dental implant recipient sites: a histomorphometric analysis by micro-CT. *Clin Oral Implants Res.* 2013;24(8):871-879.
327. Friberg B, Sennerby L, Roos J, Lekholm U. Identification of bone quality in conjunction with insertion of titanium implants. A pilot study in jaw autopsy specimens. *Clin Oral Implants Res.* 1995;6(4):213-219.
328. Degidi M, Daprile G, Piattelli A. Determination of primary stability: a comparison of the surgeon's perception and objective measurements. *Int J Oral Maxillofac Implants.* 2010;25(3):558-561.
329. Gehrke SA, Guirado JLC, Bettach R, Fabbro MD, Martínez CP, Shibli JA. Evaluation of the insertion torque, implant stability quotient and drilled hole quality for different drill design: an in vitro Investigation. *Clin Oral Implants Res.* 2018;29(6):656-662.
330. Kuchler U, Chappuis V, Bornstein MM, et al. Development of Implant Stability Quotient values of implants placed with simultaneous sinus floor elevation - results of a prospective study with 109 implants. *Clin Oral Implants Res.* 2017;28(1):109-115.
331. Degidi M, Daprile G, Piattelli A, Carinci F. Evaluation of factors influencing resonance frequency analysis values, at insertion surgery, of implants placed in sinus-augmented and nongrafted sites. *Clin Implant Dent Relat Res.* 2007;9(3):144-149.
332. Cannizzaro G, Felice P, Leone M, Viola P, Esposito M. Early loading of implants in the atrophic posterior maxilla: lateral sinus lift with autogenous bone and Bio-Oss versus crestal mini sinus lift and 8-mm hydroxyapatite-coated implants. A randomised controlled clinical trial. *Eur J Oral Implantol.* 2009;2(1):25-38.
333. Luongo G, Di Raimondo R, Filippini P, Gualini F, Paoleschi C. Early loading of sandblasted, acid-etched

implants in the posterior maxilla and mandible: a 1-year follow-up report from a multicenter 3-year prospective study. *Int J Oral Maxillofac Implants.* 2005;20(1):84-91.

334. Zöllner A, Ganeles J, Korostoff J, Guerra F, Krafft T, Brägger U. Immediate and early non-occlusal loading of Straumann implants with a chemically modified surface (SLActive) in the posterior mandible and maxilla: interim results from a prospective multicenter randomized-controlled study. *Clin Oral Implants Res.* 2008;19(5):442-450.
335. Ganeles J, Zöllner A, Jackowski J, ten Bruggenkate C, Beagle J, Guerra F. Immediate and early loading of Straumann implants with a chemically modified surface (SLActive) in the posterior mandible and maxilla: 1-year results from a prospective multicenter study. *Clin Oral Implants Res.* 2008;19(11):1119-1128.
336. Kim YK, Yun PY, Kim SG, Lim SC. Analysis of the healing process in sinus bone grafting using various grafting materials. *Oral Surg Oral Med Oral Pathol Oral Radiol Endod.* 2009;107(2):204-211.
337. Tarnow DP, Wallace SS, Froum SJ, Rohrer MD, Cho SC. Histologic and clinical comparison of bilateral sinus floor elevations with and without barrier membrane placement in 12 patients: Part 3 of an ongoing prospective study. *Int J Periodontics Restorative Dent.* 2000;20(2):117-125.
338. Tawil G, Mawla M. Sinus floor elevation using a bovine bone mineral (Bio-Oss) with or without the concomitant use of a bilayered collagen barrier (Bio-Gide): a clinical report of immediate and delayed implant placement. *Int J Oral Maxillofac Implants.* 2001;16(5):713-721.
339. Froum SJ, Tarnow DP, Wallace SS, Rohrer MD, Cho SC. Sinus floor elevation using anorganic bovine bone matrix (OsteoGraf/N) with and without autogenous bone: a clinical, histologic, radiographic, and histomorphometric analysis--Part 2 of an ongoing prospective study. *Int J Periodontics Restorative Dent.* 1998;18(6):528-543.
340. Choi KS, Kan JY, Boyne PJ, Goodacre CJ, Lozada JL, Rungcharassaeng K. The effects of resorbable membrane on human maxillary sinus graft: a pilot study. *Int J Oral Maxillofac Implants.* 2009;24(1):73-80.
341. Barone A, Ricci M, Grassi RF, Nannmark U, Quaranta A, Covani U. A 6-month histological analysis on maxillary sinus augmentation with and without use of collagen membranes over the osteotomy window: randomized clinical trial. *Clin Oral Implants Res.* 2013;24(1):1-6.
342. García-Denche JT, Wu X, Martinez PP, et al. Membranes over the lateral window in sinus augmentation procedures: a two-arm and split-mouth randomized clinical trials. *J Clin Periodontol.* 2013;40(11):1043-1051.
343. Nosaka Y. N, H., Arai, Y. Complications of postoperative swelling of the maxillary sinus membrane after sinus floor augmentation. *Journal of Oral Science & Rehabilitation.* 2015(1):26-33.
344. Starch-Jensen T, Deluiz D, Duch K, Tinoco EMB. Maxillary Sinus Floor Augmentation With or Without

Barrier Membrane Coverage of the Lateral Window: a Systematic Review and Meta-Analysis. *J Oral Maxillofac Res.* 2019;10(4):e1.

345. Avera SP, Stampley WA, McAllister BS. Histologic and clinical observations of resorbable and nonresorbable barrier membranes used in maxillary sinus graft containment. *Int J Oral Maxillofac Implants.* 1997;12(1):88-94.
346. Wallace SS, Froum SJ, Cho SC, et al. Sinus augmentation utilizing anorganic bovine bone (Bio-Oss) with absorbable and nonabsorbable membranes placed over the lateral window: histomorphometric and clinical analyses. *Int J Periodontics Restorative Dent.* 2005;25(6):551-559.
347. Cho YS, Park HK, Park CJ. Bony window repositioning without using a barrier membrane in the lateral approach for maxillary sinus bone grafts: clinical and radiologic results at 6 months. *Int J Oral Maxillofac Implants.* 2012;27(1):211-217.
348. Tawil G, Tawil P, Khairallah A. Sinus Floor Elevation Using the Lateral Approach and Bone Window Repositioning I: Clinical and Radiographic Results in 102 Consecutively Treated Patients Followed from 1 to 5 Years. *Int J Oral Maxillofac Implants.* 2016;31(4):827-834.
349. Tawil G, Barbeck M, Unger R, Tawil P, Witte F. Sinus Floor Elevation Using the Lateral Approach and Window Repositioning and a Xenogeneic Bone Substitute as a Grafting Material: A Histologic, Histomorphometric, and Radiographic Analysis. *Int J Oral Maxillofac Implants.* 2018;33(5):1089–1096.
350. Regev E, Smith RA, Perrott DH, Pogrel MA. Maxillary sinus complications related to endosseous implants. *Int J Oral Maxillofac Implants.* 1995;10(4):451-461.
351. Griffa A, Berrone M, Boffano P, Viterbo S, Berrone S. Mucociliary function during maxillary sinus floor elevation. *J Craniofac Surg.* 2010;21(5):1500-1502.
352. Timmenga NM, Raghoebar GM, Liem RS, van Weissenbruch R, Manson WL, Vissink A. Effects of maxillary sinus floor elevation surgery on maxillary sinus physiology. *Eur J Oral Sci.* 2003;111(3):189-197.
353. Quirynen M, Lefever D, Hellings P, Jacobs R. Transient swelling of the Schneiderian membrane after transversal sinus augmentation: a pilot study. *Clin Oral Implants Res.* 2014;25(1):36-41.
354. Guo ZZ, Liu Y, Qin L, Song YL, Xie C, Li DH. Longitudinal response of membrane thickness and ostium patency following sinus floor elevation: a prospective cohort study. *Clin Oral Implants Res.* 2016;27(6):724-729.
355. Anduze-Acher G, Brochery B, Felizardo R, Valentini P, Katsahian S, Bouchard P. Change in sinus membrane dimension following sinus floor elevation: a retrospective cohort study. *Clin Oral Implants Res.* 2013;24(10):1123-1129.
356. Temmerman A, Van Dessel J, Cortellini S, Jacobs R, Teughels W, Quirynen M. Volumetric changes

of grafted volumes and the Schneiderian membrane after transcrestal and lateral sinus floor elevation procedures: A clinical, pilot study. *J Clin Periodontol.* 2017;44(6):660-671.

357. Qin L, Lin SX, Guo ZZ, et al. Influences of Schneiderian membrane conditions on the early outcomes of osteotome sinus floor elevation technique: a prospective cohort study in the healing period. *Clin Oral Implants Res.* 2017;28(9):1074-1081.
358. Lindeboom JA, Frenken JW, Tuk JG, Kroon FH. A randomized prospective controlled trial of antibiotic prophylaxis in intraoral bone-grafting procedures: preoperative single-dose penicillin versus preoperative single-dose clindamycin. *Int J Oral Maxillofac Surg.* 2006;35(5):433-436.
359. Lindeboom JA, Tuk JG, Kroon FH, van den Akker HP. A randomized prospective controlled trial of antibiotic prophylaxis in intraoral bone grafting procedures: single-dose clindamycin versus 24-hour clindamycin prophylaxis. *Mund Kiefer Gesichtschir.* 2005;9(6):384-388.
360. Lindeboom JA, van den Akker HP. A prospective placebo-controlled double-blind trial of antibiotic prophylaxis in intraoral bone grafting procedures: a pilot study. *Oral Surg Oral Med Oral Pathol Oral Radiol Endod.* 2003;96(6):669-672.
361. Testori T, Drago L, Wallace SS, et al. Prevention and treatment of postoperative infections after sinus elevation surgery: clinical consensus and recommendations. *Int J Dent.* 2012;2012:365809.
362. Garg AK. *Bone biology, harvesting, grafting for dental implants : rationale and clinical applications.* Chicago: Quintessence Pub. Co.; 2004.
363. Heaney RP. Functional indices of vitamin D status and ramifications of vitamin D deficiency. *Am J Clin Nutr.* 2004;80(6 Suppl):1706s-1709s.
364. Kogawa M, Findlay DM, Anderson PH, et al. Osteoclastic metabolism of 25(OH)-vitamin D3: a potential mechanism for optimization of bone resorption. *Endocrinology.* 2010;151(10):4613-4625.
365. Fretwurst T, Grunert S, Woelber JP, Nelson K, Semper-Hogg W. Vitamin D deficiency in early implant failure: two case reports. *Int J Implant Dent.* 2016;2(1):24.
366. Guido Mangano F, Ghertasi Oskouei S, Paz A, Mangano N, Mangano C. Low serum vitamin D and early dental implant failure: Is there a connection? A retrospective clinical study on 1740 implants placed in 885 patients. *J Dent Res Dent Clin Dent Prospects.* 2018;12(3):174-182.
367. Schulze-Späte U, Dietrich T, Wu C, Wang K, Hasturk H, Dibart S. Systemic vitamin D supplementation and local bone formation after maxillary sinus augmentation - a randomized, double-blind, placebo-controlled clinical investigation. *Clin Oral Implants Res.* 2016;27(6):701-706.
368. Urban IA, Nagursky H, Church C, Lozada JL. Incidence, diagnosis, and treatment of sinus graft infection after sinus floor elevation: a clinical study. *Int J Oral Maxillofac Implants.* 2012;27(2):449-457.

369. Jensen SS, Terheyden H. Bone augmentation procedures in localized defects in the alveolar ridge: clinical results with different bone grafts and bone-substitute materials. *Int J Oral Maxillofac Implants.* 2009;24 Suppl:218-236.

370. Barone A, Santini S, Sbordone L, Crespi R, Covani U. A clinical study of the outcomes and complications associated with maxillary sinus augmentation. *Int J Oral Maxillofac Implants.* 2006;21(1):81-85.

371. Kahnberg KE, Vannas-Löfqvist L. Sinus lift procedure using a 2-stage surgical technique: I. Clinical and radiographic report up to 5 years. *Int J Oral Maxillofac Implants.* 2008;23(5):876-884.

372. Beltramini GA, LaganàFC, GiannìAB, Baj A. Maxillary sinusitis after sinus lift due to Gemella morbillorum: antibiotic and surgical treatment. *J Craniofac Surg.* 2013;24(3):e275-276.

373. Chirilă L, Rotaru C, Filipov I, Săndulescu M. Management of acute maxillary sinusitis after sinus bone grafting procedures with simultaneous dental implants placement - a retrospective study. *BMC Infect Dis.* 2016;16 Suppl 1(Suppl 1):94.

374. Khouly I, Phelan JA, Muñoz C, Froum SJ. Human Histologic and Radiographic Evidence of Bone Formation in a Previously Infected Maxillary Sinus Graft Following Debridement Without Regrafting: A Case Report. *International Journal of Periodontics & Restorative Dentistry.* 2016;36(5).

375. Manor Y, Anavi Y, Gershonovitch R, Lorean A, Mijiritsky E. Complications and Management of Implants Migrated into the Maxillary Sinus. *Int J Periodontics Restorative Dent.* 2018;38(6):e112–e118.

376. Sgaramella N, Tartaro G, D'Amato S, Santagata M, Colella G. Displacement of Dental Implants Into the Maxillary Sinus: A Retrospective Study of Twenty-One Patients. *Clin Implant Dent Relat Res.* 2016;18(1):62-72.

377. Chiapasco M, Felisati G, Maccari A, Borloni R, Gatti F, Di Leo F. The management of complications following displacement of oral implants in the paranasal sinuses: a multicenter clinical report and proposed treatment protocols. *Int J Oral Maxillofac Surg.* 2009;38(12):1273-1278.

378. Ridaura-Ruiz L, Figueiredo R, Guinot-Moya R, et al. Accidental displacement of dental implants into the maxillary sinus: a report of nine cases. *Clin Implant Dent Relat Res.* 2009;11 Suppl 1:e38-45.

379. Petruson B. Sinuscopy in patients with titanium implants in the nose and sinuses. *Scand J Plast Reconstr Surg Hand Surg.* 2004;38(2):86-93.

380. Killey H. Possible sequelae when a tooth or root dislodged into the maxillary sinus. *Br Dent J.* 1964;116:73-77.

381. Ding X, Wang Q, Guo X, Yu Y. Displacement of a dental implant into the maxillary sinus after internal sinus floor elevation: report of a case and review of literature. *Int J Clin Exp Med.* 2015;8(4):4826-4836.

382. Scorticati MC, Raina G, Federico M. Cluster-like headache associated to a foreign body in the maxillary

sinus. *Neurology*. 2002;59(4):643-644.

383. Sugiura N, Ochi K, Komatsuzaki Y. Endoscopic extraction of a foreign body from the maxillary sinus. *Otolaryngol Head Neck Surg*. 2004;130(2):279-280.
384. Chan HL, Wang HL. Sinus pathology and anatomy in relation to complications in lateral window sinus augmentation. *Implant Dent*. 2011;20(6):406-412.
385. Schaefer SD, Manning S, Close LG. Endoscopic paranasal sinus surgery: indications and considerations. *Laryngoscope*. 1989;99(1):1-5.
386. Kim SJ, Park JS, Kim HT, Lee CH, Park YH, Bae JH. Clinical features and treatment outcomes of dental implant-related paranasal sinusitis: A 2-year prospective observational study. *Clin Oral Implants Res*. 2016;27(11):e100-e104.
387. Alkan A, Celebi N, Baş B. Acute maxillary sinusitis associated with internal sinus lifting: report of a case. *Eur J Dent*. 2008;2(1):69-72.
388. Manor Y, Mardinger O, Bietlitum I, Nashef A, Nissan J, Chaushu G. Late signs and symptoms of maxillary sinusitis after sinus augmentation. *Oral Surg Oral Med Oral Pathol Oral Radiol Endod*. 2010;110(1):e1-4.
389. Longhini AB, Branstetter BF, Ferguson BJ. Unrecognized odontogenic maxillary sinusitis: a cause of endoscopic sinus surgery failure. *Am J Rhinol Allergy*. 2010;24(4):296-300.
390. Anavi Y, Allon DM, Avishai G, Calderon S. Complications of maxillary sinus augmentations in a selective series of patients. *Oral Surg Oral Med Oral Pathol Oral Radiol Endod*. 2008;106(1):34-38.
391. Torretta S, Mantovani M, Testori T, Cappadona M, Pignataro L. Importance of ENT assessment in stratifying candidates for sinus floor elevation: a prospective clinical study. *Clin Oral Implants Res*. 2013;24 Suppl A100:57-62.
392. Wagenmann M, Naclerio RM. Anatomic and physiologic considerations in sinusitis. *J Allergy Clin Immunol*. 1992;90(3 Pt 2):419-423.
393. Insua A, Monje A, Urban I, et al. The Sinus Membrane-Maxillary Lateral Wall Complex: Histologic Description and Clinical Implications for Maxillary Sinus Floor Elevation. *Int J Periodontics Restorative Dent*. 2017;37(6):e328-e336.
394. Felisati G, Chiapasco M, Lozza P, et al. Sinonasal complications resulting from dental treatment: outcome-oriented proposal of classification and surgical protocol. *Am J Rhinol Allergy*. 2013;27(4):e101-106.
395. Shahbazian M, Vandewoude C, Wyatt J, Jacobs R. Comparative assessment of panoramic radiography and CBCT imaging for radiodiagnostics in the posterior maxilla. *Clin Oral Investig*. 2014;18(1):293-300.
396. Romanos GE, Papadimitriou DE, Hoyo MJ, Caton JG. Loss of pulp vitality after maxillary sinus augmentation: a surgical and endodontic approach. *J Periodontol*. 2014;85(1):43-49.

397. Beck F, Lauterbrunner N, Lettner S, Stavropoulos A, Ulm C, Bertl K. Devitalization of adjacent teeth following maxillary sinus floor augmentation: A retrospective radiographic study. *Clin Implant Dent Relat Res.* 2018;20(5):763-769.
398. Beitlitum I, Habashi W, Tsesis I, Rosen E, Nemcovsky CE, Manor Y. Extended Maxillary Sinus Augmentation to the Apical Area of the Neighboring Teeth: Advantages and Limitations. *Int J Periodontics Restorative Dent.* 2018;38(3):451-456.
399. Khouly I, Phelan JA, Muñoz C, Froum SJ. Human Histologic and Radiographic Evidence of Bone Formation in a Previously Infected Maxillary Sinus Graft Following Debridement Without Regrafting: A Case Report. *Int J Periodontics Restorative Dent.* 2016;36(5):723-729.
400. Chanavaz M. Maxillary sinus: anatomy, physiology, surgery, and bone grafting related to implantology--eleven years of surgical experience (1979-1990). *J Oral Implantol.* 1990;16(3):199-209.
401. Mardinger O, Moses O, Chaushu G, Manor Y, Tulchinsky Z, Nissan J. Challenges associated with reentry maxillary sinus augmentation. *Oral Surg Oral Med Oral Pathol Oral Radiol Endod.* 2010;110(3):287-291.

치조정 접근법

치조정 접근법은 외측 접근법과 더불어 상악동 골이식의 주요한 방법이다. 많은 문헌에서 치조정 접근법을 통해 효과적으로 상악동저를 거상하고 골이식을 시행할 수 있었다고 하였다. 또한 잔존 치조골 높이가 대략 4–5 mm 이상인 경우에는 치조정 접근법으로 상악동 골이식을 시행한 부위에 식립한 임플란트는 매우 성공적인 예후를 보였다.[1–4]

최근에는 전통적인 오스테오톰법에서 벗어나 여러 가지 치조정 접근 술식들이 소개되고 있다. 이들 방법은 치조정을 통한 상악동저 거상 및 골이식이라는 점에서는 모두 동일하기 때문에 대략적인 수술의 한계와 결과가 오스테오톰법과 거의 유사할 것으로 생각된다. 그러나 현재까지 치조정 접근법을 통한 상악동 골이식의 방법으로 문헌에 소개된 것은 거의 Summers의 오스테오톰법과 그 변형법들이다.[3] 오스테오톰을 이용한 치조정 접근 상악동 골이식술은, Summer의 방법 이후 거의 변하지 않고 그대로 유지되고 있다.[5] 따라서 치조정 접근법의 특성과 임상적 결과에 대한 자료도 거의 전적으로 오스테오톰법에 대한 것임을 명심할 필요가 있다.

여기에서는 절개부터 봉합에 이르는 일련의 수술 과정에 대해서는 논하지 않기로 한다. 전반적인 수술 과정과 원리는 앞서 설명한 외측 접근법에서와 동일하기 때문이다. 또한 모든 논의는 Summers의 오스테오톰법과 그 변법들에 관한 것임을 밝힌다. 앞서 서술한 바와 같이 현재까지 치조정 접근법에 대해 밝혀진 거의 대부분의 것들이 이 방법에 의한 것이기 때문이다. 오스테오톰법 이외의 방법에 대해서는 이 장의 후반부에서 따로 설명하도록 한다.

1.
골첨가 오스테오톰 상악동저 거상술

1) 상악동저로의 접근은 임플란트 식립을 위한 골삭제로 이루어진다

치조정 접근을 통해 상악동저로 접근하는 과정은, 임플란트 식립을 위한 골삭제 과정을 겸한다. Summers는 일련의 오스테오톰을 이용하여 잔존골을 외측으로 압축하면서 치조정 부위에 접근할 것을 제안하였다. 이는 임플란트 식립부 주변골의 밀도를 높임으로써 임플란트의 일차 안정을 향상시키기 위한 목적이었다.[6–8] 그러나 이후의 연구들에서는 오스테오톰을 이용한 치조골 압축은 그다지 효과가 좋은 술식이 아님을 보여준 바 있다.[9–12] 따라서 최근에는 오스테오톰은 상악동저 골절과 상악동 막 거상에만 이용하고, 상악동저로의 접근은 트위스트 드릴만 이용하는 이들이 많아지고 있다.[13,14] 즉, Summers가 제안한 오스테오톰의 두 가지 주요한 기능인 외측 골압축과 상악동저 거상 중 외측 골압축은 점차 그 중요도가 줄어드는 추세인 것이다.

어쨌든 전통적으로 오스테오톰을 이용한 골압축은 잔존골의 밀도에 따라 적용 여부를 결정해왔다.[15]

- 골밀도가 중등도 이상이면 오스테오톰을 이용한 골압축은 시행하지 않고, 드릴로만 골삭제를 시행한다(**📷 5–1**). 이때 오스테오톰은 순수하게 상악동저 골절과 상악동 막의 거상을 위해서만 이용한다.
- 골밀도가 매우 무른 경우에는 2 mm 직경의 드릴로 첫 골삭제를 시행한 후 오스테오톰을 이용한 골압축을 시행한다(**📷 5–2**). 이때 오스테오톰에 생리식염수를 적시면 골표면과 오스테오톰 표면 사이의 마찰을 줄여서 좀 더 용이하게 골압축을 시행할 수 있다. 오스테오톰의 직경을 단계별로 증가시키면서 최종 직경의 오스테오톰까지 적용한다. 각 단계의 오스테오톰을 여러 번 적용함에 따라 골압축의 방향이 일정치 않으면 임플란트를 수용할 골 내 공간이 너무 커질 수 있기 때문에 항상 일정한 방향으로 오스테오톰을 적용할 수 있도록 주의한다. 저자는 말렛으로 두들기지 않고 손의 압축력만으로도 오스테오톰을 회전시키면서 전진시킬 수 있는 경우에만 한하여 골압축에 오스테오톰을 이용한다.

이러한 골삭제, 혹은 골압축을 이용한 상악동저로의 접근은 보통 상악동저에서 1 mm 하방까지 진행하고 멈춘다. 그리고 나서 오스테오톰을 이용하여 상악동저를 골절시킨다. 상악동저에 피질골이 존재하면 드릴이 상악동저 골과 만날 때 확실한 저항감이 느껴지기 때문에 골삭제 시 상악동 막을 천공할 가능성이 생각만큼 높지는 않다(**📷 5–3**).

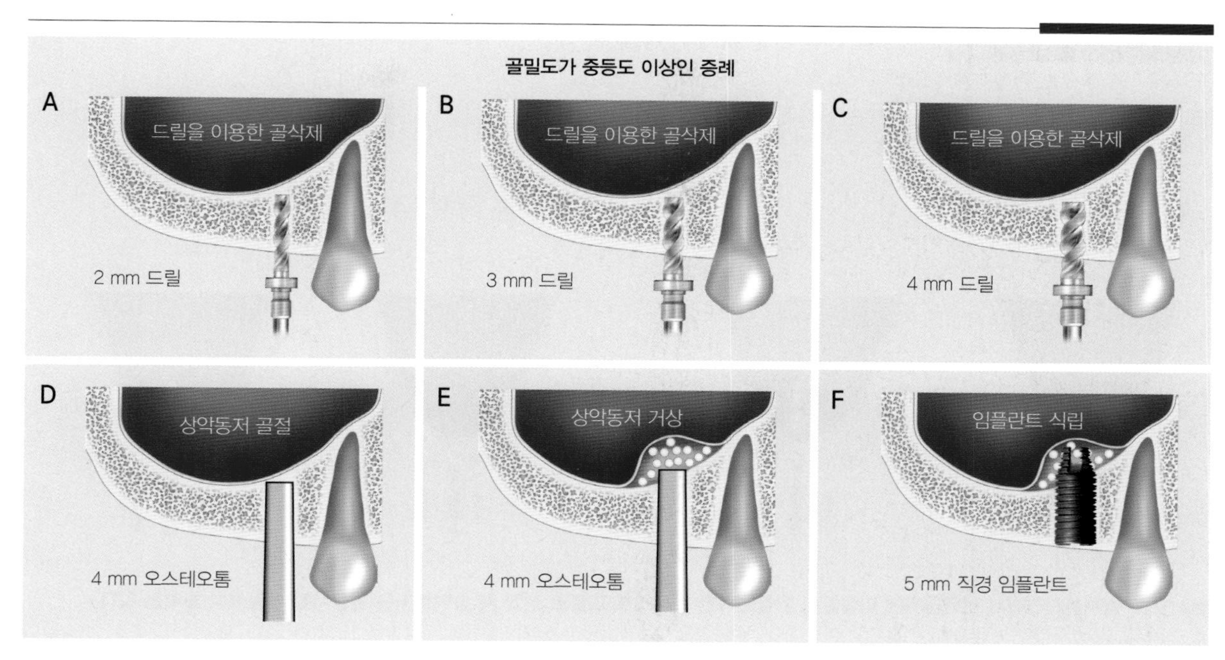

5-1 골첨가 오스테오톰 상악동저 거상술의 일반 과정
5 mm 직경 임플란트를 식립하고 제조사에서 추천하는 골삭제 직경이 4 mm라고 가정했을 때이다.
A~C. 골삭제는 일련의 트위스트 드릴로만 시행한다.
D. 오스테오톰을 이용하여 상악동저를 골절시킨다.
E. 이식재를 삽입한 후 오스테오톰으로 상악동 막을 거상한다.
F. **E**의 과정을 반복하여 원하는 만큼 상악동저를 거상한 후 임플란트를 식립한다.

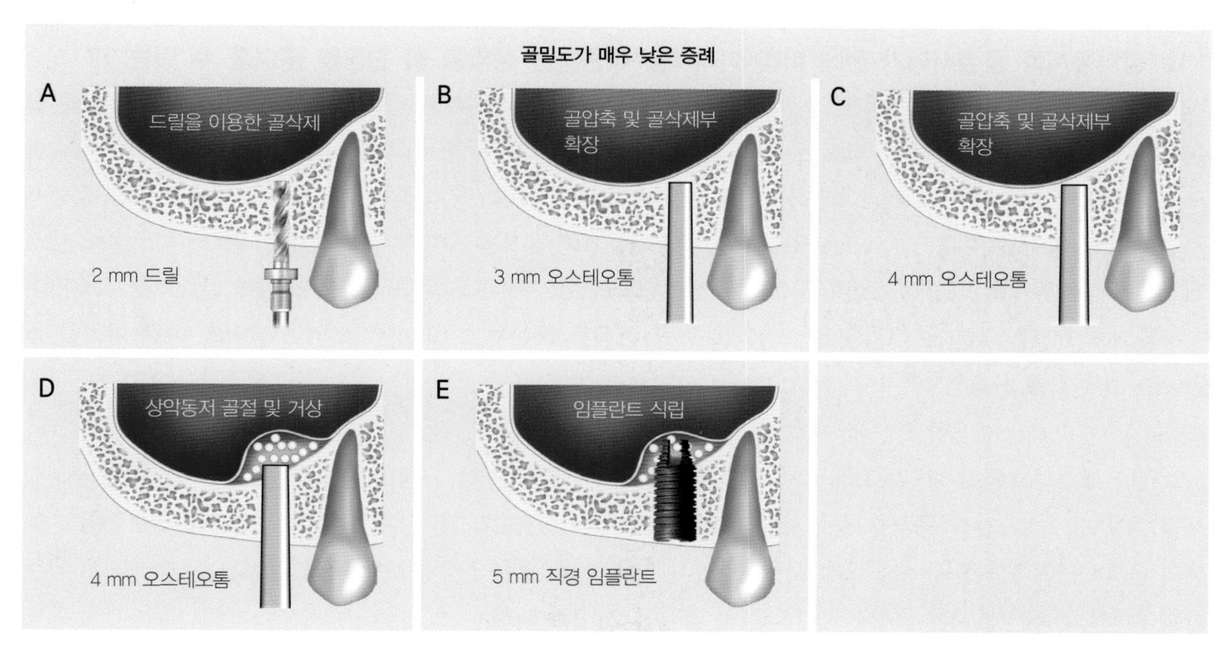

5-2 골밀도가 매우 낮은 증례에서 오스테오톰 상악동저 거상술의 과정
오스테오톰은 골삭제부의 직경 확대와 상악동저 골절 및 거상 시 사용한다. 최근에는 오스테오톰을 직경 확대의 목적으로는 잘 사용하지 않는다.
A. 2 mm 직경 트위스트 드릴을 이용해 골삭제를 시행한다.
B~C. 이후 최종 직경(4 mm)까지 오스테오톰으로 골삭제부를 확장한다.
D. 오스테오톰으로 상악동저를 골절시킨 후 이식재를 삽입하여 거상시킨다.
E. 임플란트를 식립한다.

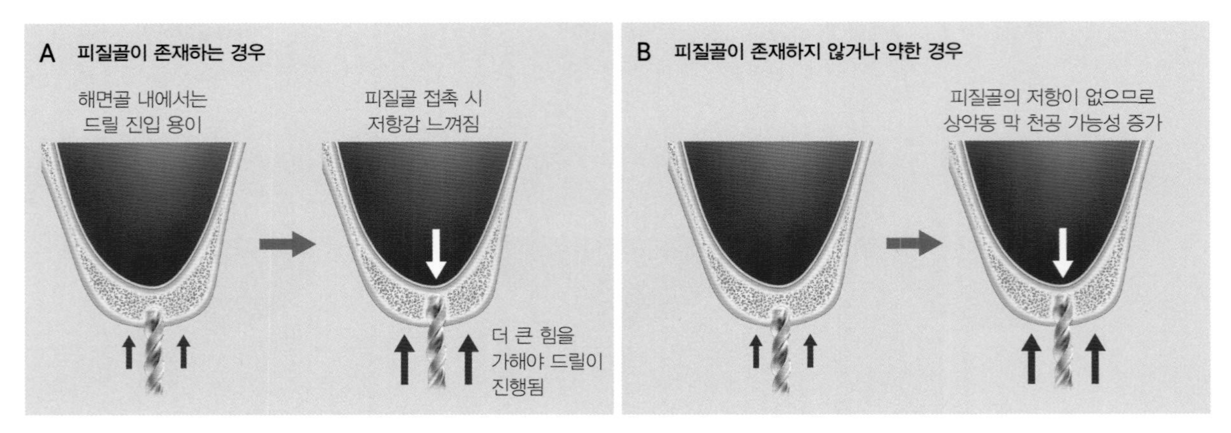
A 피질골이 존재하는 경우
해면골 내에서는
드릴 진입 용이
피질골 접촉 시
저항감 느껴짐
더 큰 힘을
가해야 드릴이
진행됨
B 피질골이 존재하지 않거나 약한 경우
피질골의 저항이 없으므로
상악동 막 천공 가능성 증가

5-3 방사선사진에서 상악동저에 피질골이 관찰된다면 트위스트 드릴로 진입 시 상악동저를 천공시킬 가능성이 높지는 않다.
A. 상악동저에 피질골이 존재하면 트위스트 드릴이 해면골을 지나 피질골에 닿았을 때 저항감을 느낄 수 있다. **B.** 상악동저에 피질골이 약하게 존재하거나 거의 존재하지 않으면 트위스트 드릴이 상악동저에 닿았을 때 어떠한 저항감도 느낄 수 없다. 따라서 방사선사진에서 결정한 드릴의 진입 깊이를 정확히 준수해야 천공의 가능성을 낮출 수 있다.

2) 상악동저의 골절

(1) 상악동저를 골절시키기 전에 미리 이식재를 적용하면 상악동 막 천공을 줄여줄 수 있는가?

드릴이나 오스테오톰으로 상악동저 하방 1 mm 정도까지 접근한 후에는 오스테오톰으로 상악동저 골을 골절시킨다. 상악동저를 골절시킬 때에는 미리 이식재나 교원질 스폰지를 골삭제부 내부에 적용하여 오스테오톰과 상악동저의 직접적인 접촉을 예방하는 방법을 사용할 수도 있고, 오스테오톰을 직접 상악동저 골에 접촉시키는 방법을 사용할 수도 있다. Summers는 상악동저와 오스테오톰 사이에 골이식재를 위치시킴으로써 오스테오톰과 상악동저의 직접적인 접촉을 예방하였고, 혈액으로 수화된 이식재가 일종의 충격 완화재로 작용하여 상악동저에 균일한 수압을 가함으로써 상악동 막의 천공을 예방하고 더 넓은 부위의 상악동 막을 거상할 수 있다고 하였다(**5-4**).[6-8,16]

그러나 오스테오톰이 상악동저에 직접 접촉한 상태에서 상악동저를 거상하는 술자들도 많다.[14,17-20] 골이식재를 적용하지 않고 상악동저를 골절시킬 때에는 골삭제부 직경보다 한 단계 작은 직경의 오스테오톰을 선택해야 좀 더 쉽게 상악동저 골을 골절시킬 수 있다.[19] 오스테오톰을 상악동저에 직접 맞닿게 한 상태에서 말렛팅을 시행하여 상악동저를 골절시키면 다음의 장점이 있다(**5-5**).

- 상악동저 골의 골밀도가 높아 상악동저가 잘 골절되지 않는 경우에 이식재를 삽입하지 않은 상태에서 이를 골절시키면 좀 더 확실히 골절시킬 수 있다.
- 만약 상악동저가 잘 골절되지 않으면 상악동저와 오스테오톰 사이의 이식재가 골삭제부 내부의 다른 부위로 이동하여 임플란트와 잔존골 사이에 위치하고, 따라서 골유착을 방해할 수도 있다.[21]

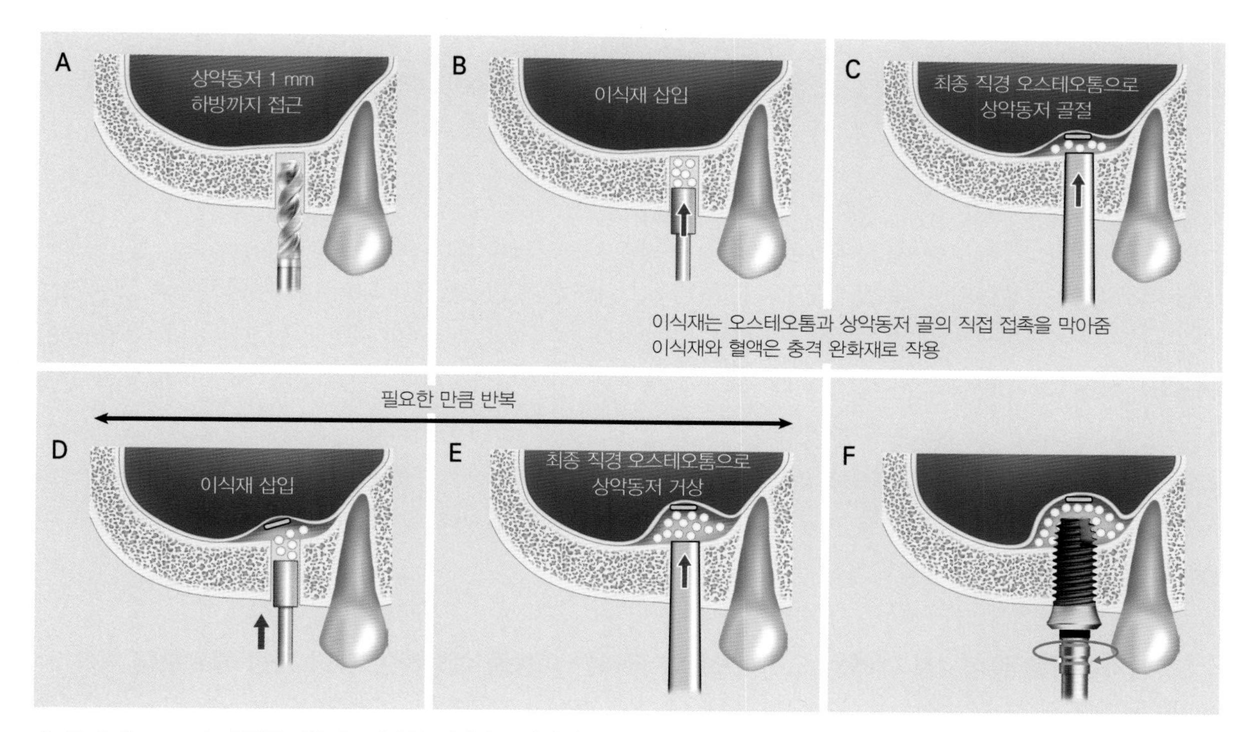

5-4 Summers는 상악동저와 오스테오톰 사이에 골이식재를 위치시킴으로써 오스테오톰과 상악동저의 직접적인 접촉을 예방하였고, 혈액으로 수화된 이식재가 일종의 충격 완화재로 작용하여 상악동저에 균일한 수압을 가함으로써 상악동 막의 천공을 예방하고 더 넓은 부위의 상악동 막을 거상할 수 있다고 하였다. 따라서 상악동저를 골절시킬 때 오스테오톰과 상악동저 골 사이에는 반드시 이식재를 위치시킬 것을 추천했다.

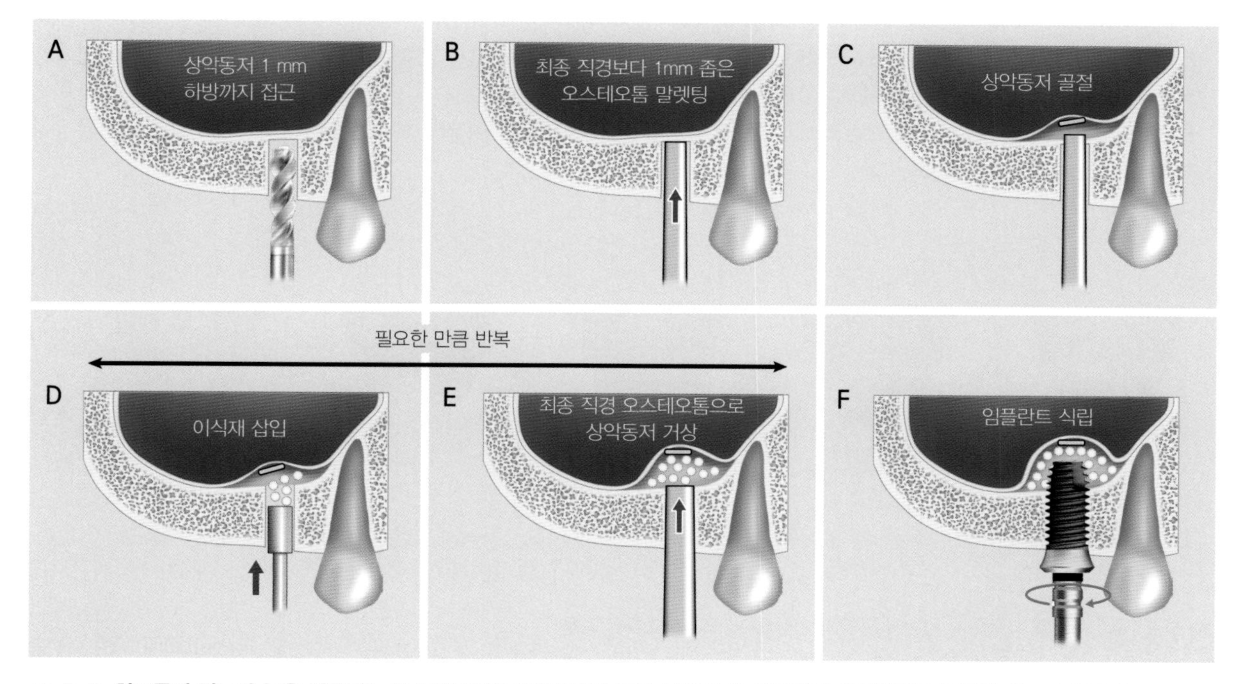

5-5 치조골의 밀도가 높은 경우에는 오스테오톰을 상악동저에 직접 맞닿게 한 상태에서 상악동저를 골절시키는 것이 좋다. 상악동저를 골절시킬 때에는 최종 직경의 오스테오톰보다는 한 단계(1 mm) 좁은 직경의 오스테오톰을 적용하는 것이 좋다.

- 상악동저와 오스테오톰 사이에 이식재가 위치하면 손의 감촉이 저하된다.
- 상악동 막을 단계적으로 1 mm씩 조심스럽게 거상시키면 골이식재를 적용하지 않더라도 상악동 막이 잘 천공되지 않는다.

상악동저 골절 전에 이식재를 위치시키는 것이 상악동 막의 천공 가능성을 줄여줄 수 있는지를 직접 비교한 임상 대조 연구는 없었지만, 일련의 근거에 의하면 오스테오톰과 상악동저 사이에 이식재를 위치시키지 않은 채로 상악동저를 골절시키더라도 상악동 막이 더 쉽게 천공되는 것 같지는 않다. 한 임상 연구에서는 내시경을 이용해 상악동 내부에서 직접 관찰했을 때 골이식재를 충전시키지 않은 채로 오스테오톰으로 상악동저를 골절시키면 5 mm 높이까지 상악동 막을 천공시키지 않은 채 안전하게 상악동 막을 거상시킬 수 있었다고 했다.[22] 최근 골이식재를 사용하지 않는 오스테오톰 술식은 광범위하게 이용되고 있다. 이 술식에서 이식재를 삽입하지 않고 오스테오톰만으로 상악동 막을 3–4 mm 거상시키더라도 상악동 막을 너무 급작스럽게 거상시키지만 않는다면 상악동 막은 잘 천공되지 않는다(📷 5–6).[23–29]

(2) 상악동저를 골절시킬 때에는 오스테오톰의 급격한 이동을 예방하는 것이 가장 중요하다

상악동저를 골절시킬 때에는 오스테오톰을 펜그립으로 파지하고, 파지한 손가락 이외의 손가락과 손으로 환자의 치아를 지지하여 오스테오톰이 예기치 못하게 과도하게 이동하는 것을 예방해야 한다. 오스테오톰의 이동을 조절하지 못해서 오스테오톰이 너무 빠르게 상악동 내로 이동하면 상악동 막의 탄성 한계를 넘어서 막이 천공될 수 있기 때문이다(📷 5–7). 이를 예방할 수 있는 방법은 다음과 같다(📷 5–8).

- 오스테오톰을 확고하게 지지하여 상악동 내부로의 급속한 이동을 예방한다.
- 오스테오톰에 스탑퍼를 끼워서 목표 깊이까지 진입시킨다.
- 오스테오톰 측면의 표시선(marking line)에 주목한다. 상악동저에 맞닿은 상태의 표시선에서 1 mm 정도 치근단 방향까지만 오스테오톰을 진입시킨다.

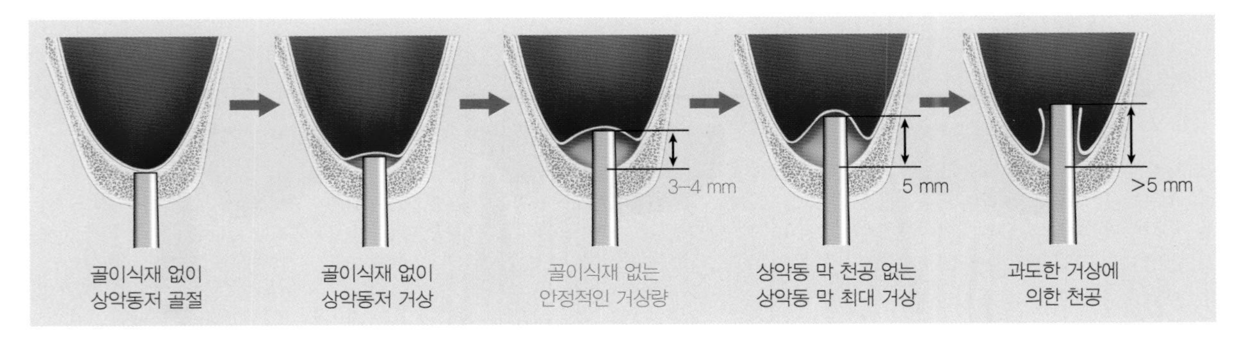

📷 5–6 골이식재를 사용하지 않는 상악동저 거상술 시 오스테오톰의 적용
오스테오톰만으로 상악동저 골절과 거상이 가능하다. 오스테오톰을 상악동 내로 너무 급작스럽게 진입시키지만 않는다면 상악동 막을 3–4 mm 정도는 안정적으로 거상할 수 있다. 또한 이식재 없이 오스테오톰만으로 거상시킬 수 있는 최대량은 5 mm 정도이다. 이를 초과하여 상악동 막을 거상하면 천공의 가능성이 급속히 증가한다.

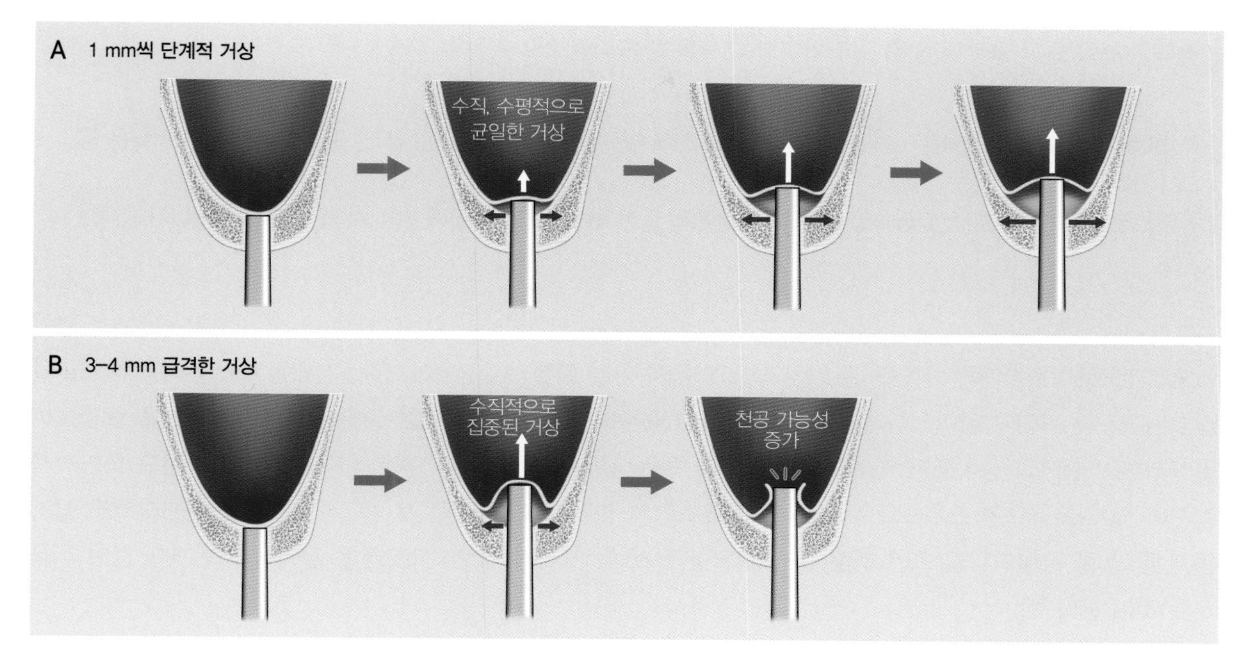

5–7 골이식재 없이 오스테오톰으로 상악동 막을 거상할 때에는 천천히 단계적으로 오스테오톰을 상악동 내로 진입시켜야 한다.
A. 1 mm씩 단계적으로 오스테오톰을 진입시켜면 상악동 막은 역시 1 mm씩 상방으로 거상된다. 상악동 막이 수직적으로 거상되면 거상된 상악동 막 변연은 장력을 받아 상악동저와 분리되고, 결국 수평적인 방향의 거상이 이루어진다. 따라서 오스테오톰으로부터 상악동 막에 가해지는 장력은 넓은 면적으로 분산되기 때문에 상악동 막의 천공 가능성은 저하된다. **B.** 오스테오톰을 상악동 내로 너무 급속히 진입시키면 상악동 막에 가해진 수직적 장력은 순간적으로 상악동 막의 탄성 한계를 넘기 때문에 장력이 수평적으로 전파되기 이전에 상악동 막이 이미 천공되어 버린다.

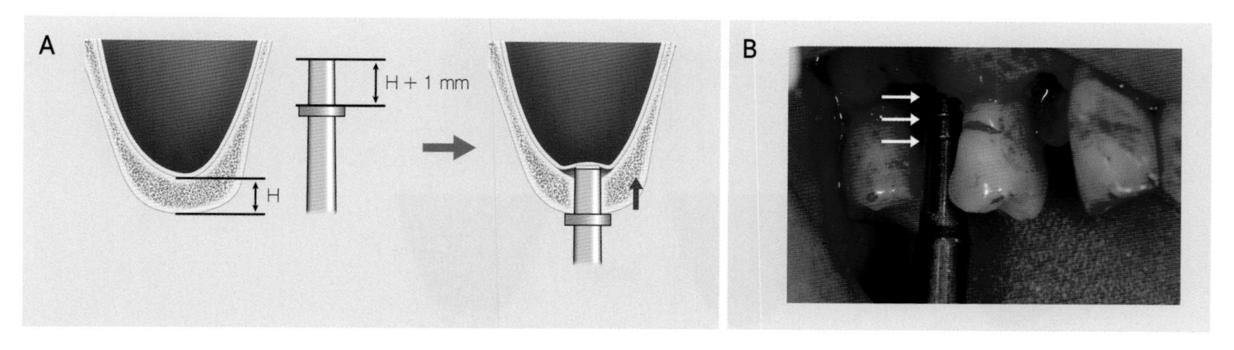

5–8 오스테오톰의 삽입 깊이는 두 가지 방법으로 확인 가능하다.
A. 가장 안전하게 오스테오톰을 삽입시킬 수 있는 방법은 스탑퍼를 이용하는 것이다. 예컨대 잔존골 높이보다 1 mm 더 긴 위치에 스탑퍼를 끼우면 상악동저 골절이나 이식재 삽입 후 상악동저 거상을 안전하게 진행할 수 있다. **B.** 오스테오톰 측면의 표시선으로 그 삽입 깊이를 알아낼 수도 있다.

상악동저의 골이 골절된 것은 소리와 오스테오톰의 움직임으로 확인할 수 있다.[19]

- 상악동저가 골절되기 전에는 상악동저의 피질골로 인해 말렛팅 시 맑은 고음이 나지만 골절 후에는 둔탁한 낮은 음이 난다.
- 오스테오톰 측면의 표시선(marking line)이 상악동저의 골절 후에는 치조정 골에 비해 치근단측으로 움직이기 시작한다.

오스테오톰법을 이용한 상악동 골이식 시 상악동저가 잘 골절되지 않는 이유는 상악동저와 골삭제부 치근단 끝부위까지의 거리가 멀어서이거나 골밀도가 높기 때문이다(**5-9**). 이러한 경우에는 방사선사진을 촬영하여 골삭제부의 첨단과 상악동저 사이의 거리를 측정하는 것이 도움이 된다. 상악동저에서 1 mm 정도 하방까지 접근이 되지 못했으면 트위스트 드릴 등을 조심스럽게 적용하여 상악동저로 좀 더 가까이 접근한다.[14,21] 상악동저 골이 잘 골절되지 않으면 최종 직경보다 한 단계 작은 직경의 오스테오톰을 골이식재의 개재 없이 적용하는 것이 좋다.[19]

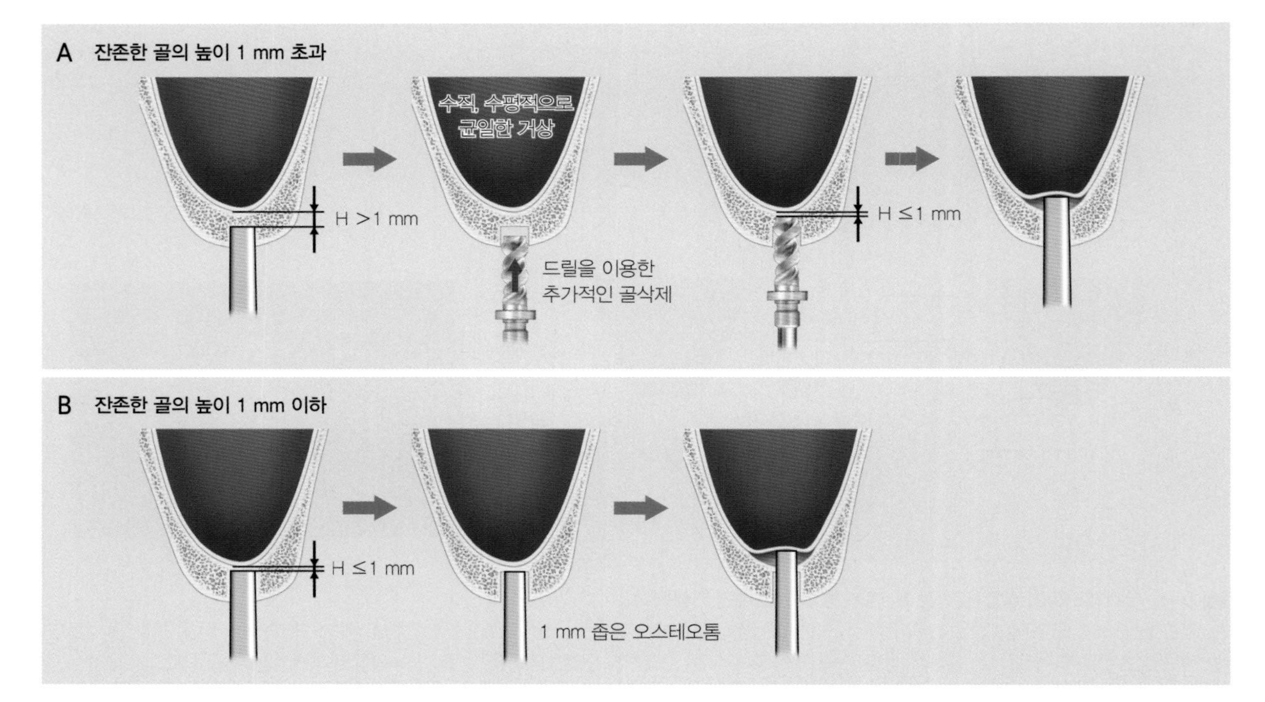

5-9 오스테오톰법을 이용한 상악동 골이식 시 상악동저가 잘 골절되지 않는 이유와 대처법 방사선사진을 이용해 골삭제 깊이를 진단해야 한다.
A. 골삭제 깊이가 충분하지 못해 잔존한 골의 높이가 1 mm를 초과하면 추가적인 골삭제가 필요하다. 이러한 경우 오스테오톰 사용을 멈추고 트위스트 드릴로 추가적인 골삭제를 시행하여 상악동저와 골삭제부 첨단의 거리가 1 mm 미만이 되도록 해준다. **B.** 골삭제부 첨단과 상악동저 사이의 거리가 1 mm 이하인 경우에는 잔존골의 밀도가 높기 때문에 상악동저 골절이 이루어지지 않는 것이다. 이러한 경우 최종 직경보다 1 mm 좁은 오스테오톰으로 상악동저를 골절해 주는 것이 좋다.

3) 상악동 막의 천공과 처치

상악동 막 천공은 외측 접근법뿐만 아니라 치조정 접근법에서도 가장 흔한 합병증이다. 그러나 치조정 접근법 시의 천공 발생률은 외측 접근법을 적용할 때에 비해서는 낮은 것으로 보고되고 있다. 한 메타분석에서는 3.8%의 증례에서 상악동 막 천공이 발생했다고 보고했다.[3] 하지만 이러한 결과를 해석할 때 한 가지 주의할 점은, 내시경으로만 관찰 가능한 작은 천공은 방사선사진이나 임상 검사를 통해 확인할 수 없음이 밝혀졌기 때문에 실제로는 이보다 더 많은 비율로 천공이 발생할 수도 있다는 점이다.[18,30]

(1) 상악동 막 천공을 적절히 대처하지 않으면 수술 후 합병증이 발생할 수 있다

치조정 접근법 시에는 상악동 막이 천공되지만 않으면 술 후 합병증은 거의 발생하지 않는다.[31,32] 그러나 상악동 막이 천공되면 외측 접근 시의 천공과 비슷하게 몇 가지 문제를 유발할 수 있다.

- 상악동 내로 전위된 이식재에 의해 수술부 감염, 상악동 막 비후, 상악동염 등의 합병증 유발
- 골증강 양 감소

① 합병증 유발

한 메타분석에서는 치조정 접근 상악동 골이식술 후의 평균 감염율은 0.8%로 매우 낮았다고 보고했다.[3] 상악동 막이 천공되고 상악동 내로 임플란트가 돌출되었다고 해서 그 자체로 상악동염이 유발되지는 않는다.[33] 그러나 상악동 막의 천공에 의해 이식재가 상악동 내부로 유출되면 상악동염은 발생 가능하다.[34,35] 상악동 막의 천공으로 인해 이식재가 상악동 내부로 유출되면 잠재적인 감염원으로 작용할 수도 있으며 이로 인해 추가적인 처치가 필요할 수도 있다.[36,37]

② 골재생량 감소

상악동 막이 천공되면 상악동 막은 식립된 임플란트의 치근단부에 의해 텐트처럼 지지되지 못하고 함몰된다. 이로 인해 골증강의 양은 감소한다.[37] 한 후향적 연구에 의하면 치조정 접근 상악동 골이식술 중 상악동 막이 천공된 경우에는 그렇지 않은 경우에 비해 수직적 골증강량이 평균 1.28 mm 적었고, 이는 유의한 차이를 보이는 것이었다(📷 5-10).[38]

따라서 상악동 막의 천공은 철저히 진단하고 처치해 주어야 할 것이다. 하지만 임상적으로, 혹은 방사선사진으로는 판별하기 어려운 작은 천공은 골이식의 결과에 별다른 영향을 미치지는 않는 것으로 보인다.[30]

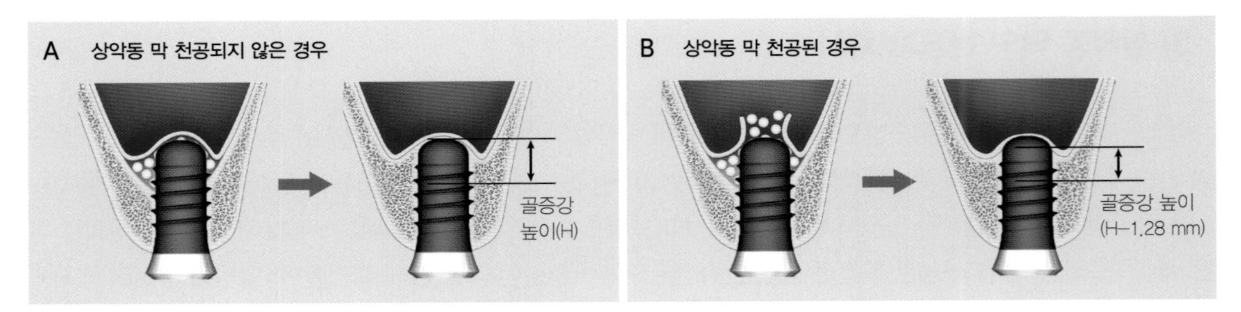

5-10 상악동 막이 천공된 채 치조접 접근법을 시행하면 최종적인 골증강량은 감소하게 된다.
한 후향적 연구에서는 상악동 막 천공이 골증강량에 미치는 영향을 평가했다.[38] 그 결과, 상악동 막이 천공되면 골증강 높이는 1.28 mm 감소했다.

(2) 술자의 경험 및 능력과 상악동 막의 거상량은 상악동 막 천공을 결정짓는 가장 중요한 요소이다

치조정 접근 시 상악동 막 천공은 몇 가지 요소에 의해 결정된다.[5]

- 술자 요소 술자의 경험, 술자의 능력, 사용된 술식
- 환자 요소 상악동 막의 두께, 잔존골 높이, 상악동 막 거상량(수직적 거상량) 및 이식재 삽입량

① 술자 요소

이에 관련된 임상 연구는 없었지만, 동일 술식을 사용하더라도 술자의 경험과 기술은 상악동 막 천공에 현저한 영향을 끼칠 것이다. 치조정 접근 상악동 골이식술은 기본적으로 수술 부위를 술자의 눈으로 확인하는 것이 불가능하기 때문에 술자의 축적된 경험과 기술이 특별히 더 중요한 역할을 한다.

상악동 막 천공을 예방하기 위한 주의 사항은 다음과 같다.[39]

- 상악동저에 최대한 가깝지만 상악동저는 천공시키지 않는 높이(상악동저 1 mm 하방)까지 골삭제
- 조절된 힘으로 상악동저 골절(오스테오톰이 상악동 내로 급속히 진입하여 상악동 막이 천공되는 것을 예방)
- 상악동 막은 단계적으로 거상(상악동 막을 1 mm씩 단계적으로 거상, 이식재 삽입 후 거상하여 오스테오톰에 가해지는 힘을 넓은 면적으로 분산, 1 mm씩 단계적으로 거상한 후 상악동 막 변연부와 상악동저 골이 분리될 수 있는 5–10초간의 시간 부여)

② 상악동 막 거상량

치조정 접근 시 상악동 막의 천공에 가장 큰 영향을 미치는 요소 중 하나는 잔존골 높이와 이에 따른 상악동 막의 거상량이다. 거상될 상악동 막 전체를 골로부터 분리하는 외측 접근법과 달리, 오스테오톰을 이용한 치조정 접근법에서는 오로지 치조정으로부터 형성된 접근부를 통해서만 상악동 막을 거상시킬 수 있기 때문이다(**5-11**). 이와 관련하여 한 연구에서는 사체에서 채취한 상악동 막의 물리적 성질을 평가했다(**5-12**).[40] 중요한 결과는 다음과 같았다.

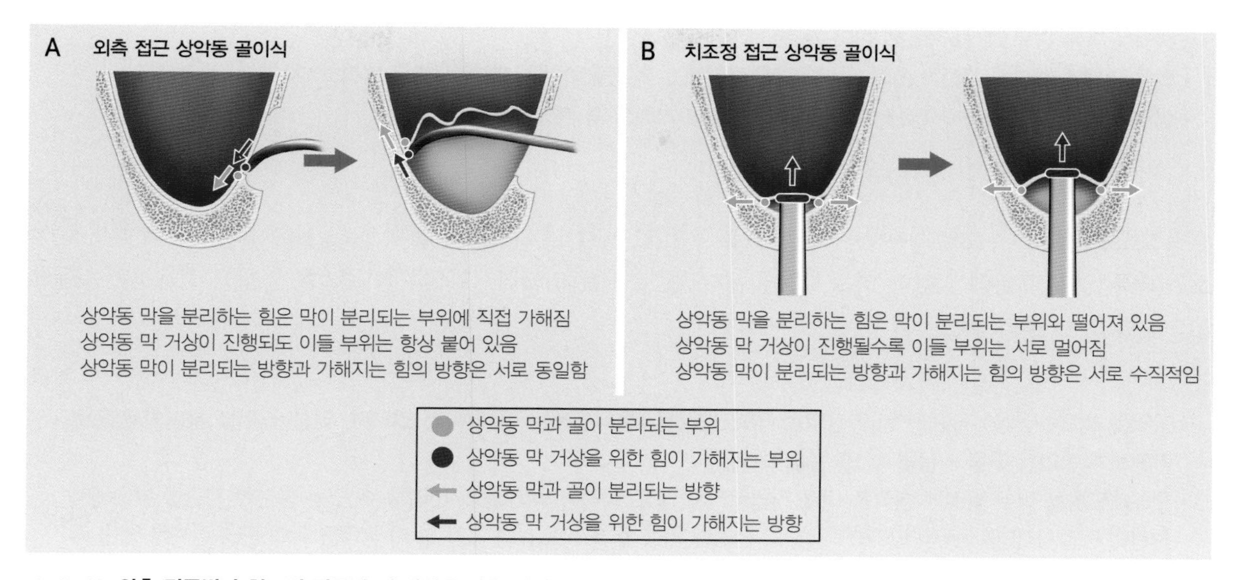

5-11 외측 접근법과 치조정 접근법 시 상악동 막을 거상시키는 힘이 가해지는 부위는 다르다.
이는 상악동 막의 최대 거상량에도 영향을 미친다.
A. 외측 접근법 시에는 큐렛의 첨단에서 상악동 막을 분리하는 힘이 가해진다. 또한 상악동 막은 큐렛의 첨단에 의해 분리되어 거상된다. 따라서 상악동 막을 분리시키는 힘이 가해지는 부위와 상악동 막이 거상되는 부위는 동일하다. 이에 따라 상악동 막은 술자가 원하는 대로 충분한 양으로 거상 가능하다. **B.** 치조정 접근법 시에는 상악동 막을 거상시키는 힘은 오스테오톰의 첨단을 통해 가해지며 그 방향은 항상 상방을 향한다. 반면 상악동 막과 골이 분리되는 부위는 상악동 막이 점점 거상되어 감에 따라 오스테오톰 부위로부터 멀어진다. 또한 상악동 막의 분리 방향은 오스테오톰과 달리 수직적이지 않고 수평적이다. 결국 상악동 막이 더 많이 거상될수록 추가적으로 거상시키기가 더 어려워진다. 따라서 치조정 접근법 시에는 거상량에 한계가 있을 수밖에 없다.

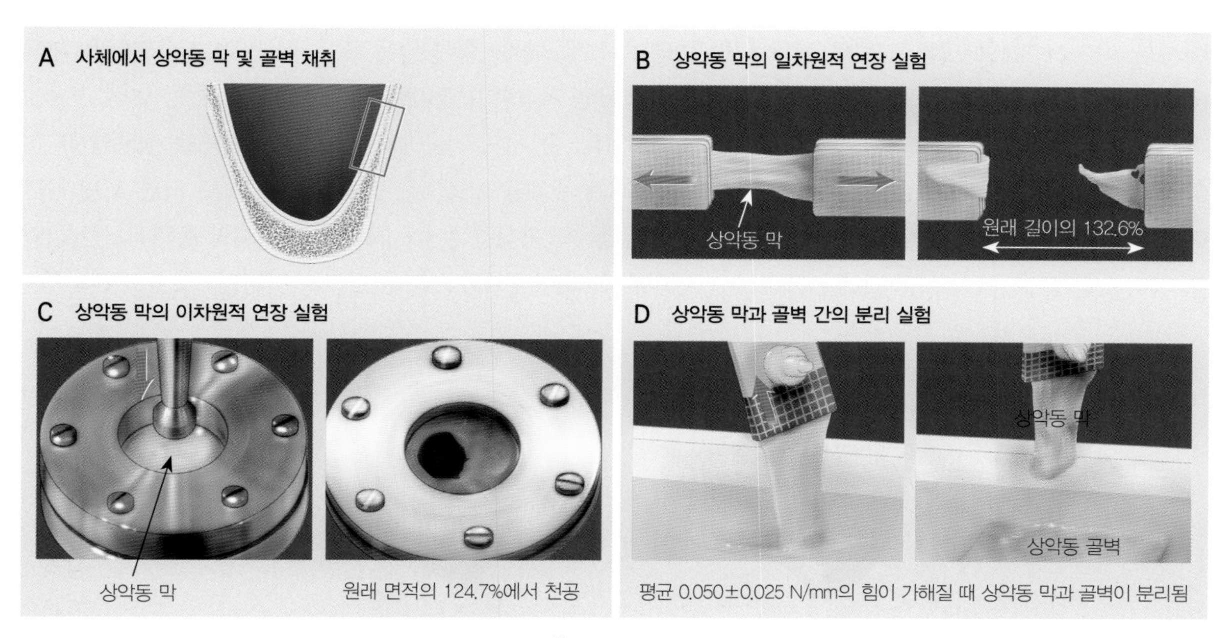

5-12 상악동 막 거상과 관련된 상악동 막의 물리적 성질[40]
A. 상악동 막의 물리적 성질을 측정하기 위해 사체에서 상악동 골벽과 상악동 막을 채취했다. **B.** 상악동 막을 일차원적으로 좌우로 연장시키면 원래 길이의 132.6%까지 연장되었다. 즉 원래 길이의 1/3 정도 길이까지는 찢어짐 없이 늘릴 수 있었다. **C.** 상악동 막의 2차원적 연장 실험에서는 원래 면적의 124.7%에서 상악동 막이 천공되었다. **D.** 상악동 막과 상악동 내측 골벽은 평균 0.050±0.025 N/mm의 힘이 가해질 때 분리되었다.

- 상악동 막은 평균 7.3 N/mm^{2}의 힘이 가해질 때 천공됐다.
- 막은 열개될 때까지 길이가 최대 132.6%까지 신장됐고, 천공될 때까지 2차원적으로 면적이 124.7%가 증가했다.
- 상악동 막은 골과 평균 0.050±0.025 N/mm의 힘이 가해질 때 분리되었다.

이 실험은 생체 내 실험이 아닌 사체 조직을 이용한 체외 실험이었고, 실제 임상 상황에서는 고려해야 할 요소가 아주 많기 때문에 임상에 바로 적용할 수 있는 수치는 아니다. 그러나 이 결과를 임상에 적용하면 다음과 같은 결론을 얻을 수 있다.

- 상악동 막의 거상에 필요한 힘과 상악동 막이 천공될 때의 힘에는 큰 차이가 있으며, 임상가는 그 사이의 힘으로 안전하게 상악동 막을 거상할 수 있다(📷 5-13).
- 오스테오톰을 너무 빠르게 상악동 내로 진입시키지 않고, 상악동 막이 골과 분리될 수 있는 충분한 시간을 부여해서 천천히 진입시키면(1 mm씩 단계적 거상, 각 단계별 거상 후 5–10초간의 시간 부여) 상악동 막의 탄성 한계를 넘을 가능성은 낮으며, 따라서 상악동 막은 잘 천공되지 않는다.

이는 오스테오톰을 이용한 치조정 접근 상악동 골이식 시의 낮은 천공 발생률을 이론적으로 설명해줄 수 있는 결과이다. 그러나 수직적 거상량이 증가함에 따라 상악동 막을 분리하는 데 필요한 힘은 증가하는 반면, 상악동 막을 분리하기 위해 가해지는 힘은 오스테오톰 직상방으로만 한정되어 작용된다. 또한 상악동 막이 수직적으로 더 거상됨에 따라 수평적으로도 오스테오톰에서 더 먼 부위에서 막과 상악동저 골의 분리가 이루어지고, 따라서 오스테오톰의 힘을 상악동 막 변연까지 전달해야 할 상악동 막은 더 많이 신장되어야 한다 (📷 5-14). 결국 오스테오톰을 이용한 치조정 접근법에서는 거상량이 많아질수록 상악동 막 천공 발생 가능성이 증가할 수밖에 없다. 이는 실험적 연구에서 증명되었다. 한 사체 연구에서는 오스테오톰법을 적용할 때 상악동 내로의 수직적 증강량은 천공의 빈도와 유의한 비례 관계를 보인다는 점을 보였다.[41] 또 다른 사체 연구에서도 치조정 접근법(SCA 키트)으로 상악동저를 거상할 때 거상량이 3 mm이면 23.07%의 증례에서만 상악동 막이 천공됐지만, 6 mm일 때에는 76.92%가 천공됐고 이는 유의한 차이를 보이는 것이었다고 보고했다.[42]

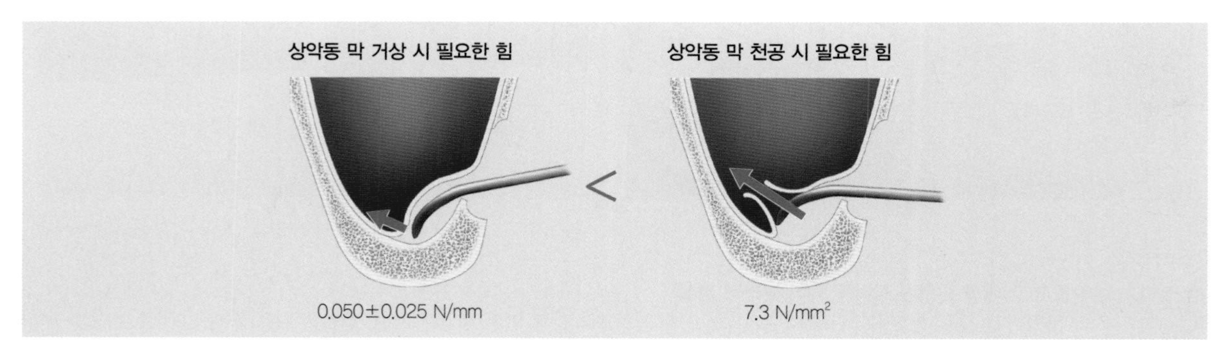

📷 5-13 상악동 막의 거상에 필요한 힘과 상악동 막이 천공될 때의 힘에는 큰 차이가 있으며, 임상가는 그 사이의 힘으로 안전하게 상악동 막을 천공없이 거상할 수 있다.

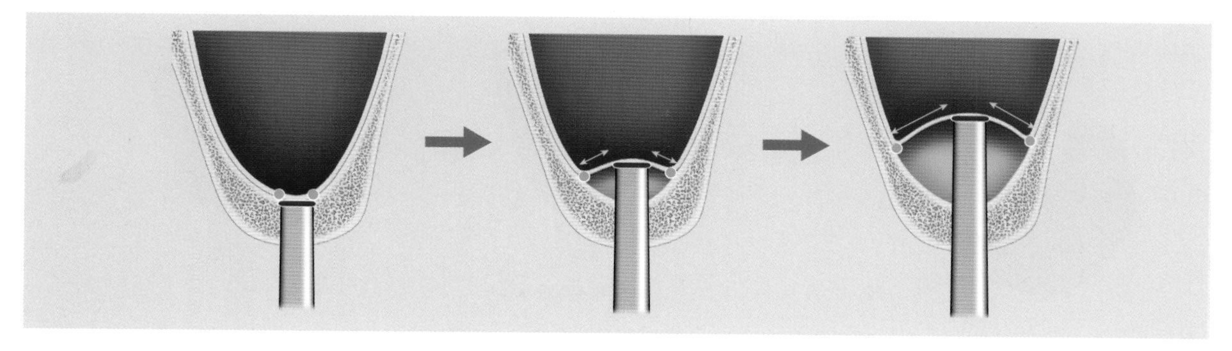

5-14 앞서 언급한 바 있지만 오스테오톰을 이용한 치조정 접근법에서는 오스테오톰이 상악동 내로 진입해 들어감에 따라 상악동 막 거상을 위해 힘이 가해지는 부위(파란색)와 실제 상악동 막이 거상되는 부위(오렌지색) 사이의 거리가 멀어진다. 이 두 부위는 거상되고 있는 상악동 막에 의해 연결된다. 상악동 막의 거상량이 증가할수록 필요한 거상력은 커지며, 이 힘이 결국 상악동 막을 천공시킬 수 있게 된다.

③ 상악동 막의 두께

외측 접근법에서도 상악동 막의 두께는 수술 중 막의 천공과 관련된다는 점에 대해서는 앞서 설명했다. 이는 치조정 접근법에서도 적용 가능하다. 한 후향적 연구에서는 치조정 접근 상악동 골이식 시 수술 전 CBCT로 측정한 상악동 막의 두께는 수술 중 막의 천공과 유의한 상관관계를 보였다고 했다.[38] 상악동 막의 두께가 3 mm 이상이거나 0.5 mm 이상일 때 막의 천공은 증가하고, 1–2 mm 사이일 때 가장 낮은 천공률을 보였다.

(3) 상악동 막의 천공은 보통 발살바법을 이용해 진단하지만 이는 정확한 진단 방법은 아니다

치조정 접근 상악동 골이식 시 천공을 진단한 수 있는 가장 정확하고 확실한 방법은 비구를 통해 내시경을 상악동 내에 진입시켜 확인하는 방법이다. 내시경은 CT나 치근단 방사선사진으로 판독 불가능한 상악동 막 천공까지도 정확하게 확인할 수 있다.[43] 그러나 치과에서 상악동 내부를 내시경으로 확인하면서 상악동 골이식을 시행하는 것은 현실적으로 불가능할 뿐만 아니라 불필요하다. 따라서 임상가들은 수술 중 간단하게 상악동 막 천공을 진단하기 위해 발살바법(Valsalva maneuver)을 이용한다.[5,15,44] 이는 환자의 코와 입을 막은 상태에서 환자에게 숨을 약하게 내쉬도록 하는 조작이다(5-15). 이 조작을 통해 비강 내압이 증가하고, 이는 다시 상악동 내의 압력을 증가시키게 된다. 따라서 상악동 막이 천공되었다면 상악동 내의 공기는 천공된 상악동저를 통해 구강 내로 빠져나오게 된다. 이때 골삭제 부위를 혈액이나 식염수 등으로 채워 놓았다면 여기서 기포가 발생하게 되고, 이를 통해 상악동 막의 천공을 진단할 수 있다.[4]

그러나 천공의 크기가 작을 때에는 발살바법으로 이를 진단할 수 없는 경우도 있다.[18] 이 방법은 민감도(sensitivity)는 떨어지지만 특이도(specificity)는 높다. 다시 말해서 상악동 막이 실제로 천공되었더라도 발살바법으로는 발견하지 못하는 경우가 많지만, 발살바법에서 천공이 발견되면 실제로 상악동 막이 천공되었을 가능성이 매우 높다.[18]

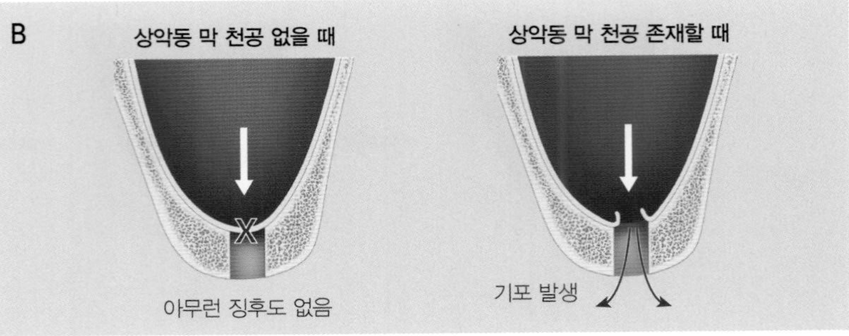

5-15 발살바법(Valsalva maneuver)으로 상악동 막 천공을 진단할 수 있다.
A. 발살바법을 환자의 코와 입을 막은 상태에서 환자에게 숨을 약하게 내쉬도록 하는 조작이다. **B.** 발살바법을 통해 비강 내압이 증가하고, 이는 다시 상악동 내의 압력을 증가시키게 된다. 따라서 상악동 막이 천공되었다면 상악동 내의 공기는 천공된 상악동저를 통해 구강 내로 빠져나오게 된다. 이때 골삭제 부위를 혈액이나 식염수 등으로 채워 놓았다면 여기서 기포가 발생하게 되고, 이를 통해 상악동 막의 천공을 진단할 수 있다.

어떤 이들은 depth gauge나 상악동 막의 천공을 진단하기 위한 기구를 이용한 촉감으로 상악동 막 천공을 진단하기도 하지만[45,46] 상악동 막은 인장 강도(tensile strength)가 매우 낮아 이러한 기구로도 천공될 수 있기 때문에 이를 사용할 때에는 매우 주의하여야 한다.[40]

(4) 치조정 접근법 시에는 천공 시기에 따라 상악동 막 천공을 구분한다

치조정 접근법은 치조정으로부터 상악동저에 이르는 좁은 폭의 골삭제부를 형성하고, 이 부위를 통해 상악동 막을 거상시키는 술식이다. 따라서 상악동 막이 천공되었더라도 이를 눈으로 확인하는 것은 거의 불가능하다. 그렇기 때문에 치조정 접근법 시에는 외측 접근법 시와 다르게 천공부의 위치나 천공된 막의 크기로 상악동 막 천공을 구분하기 힘들다. 이에 2020년 Tavelli 등은 치조정 접근법 중 어느 과정에서 상악동 막이 천공되었는지에 따라 막 천공을 분류했다.[44] 어느 시기에 상악동 막이 천공됐는지에 따라 처치 방법이 달라지기 때문에 이는 좋은 아이디어라고 생각한다. 이러한 아이디어만 차용하여 실용적으로 접근 가능한 상악동 막 분류법을 새로 제시해 보면 다음과 같다(**5-16**, **5-1**).

(5) 이식재 삽입 전에 상악동 막 천공이 발견되면 잔존골 높이와 일치하거나 약간 긴(~2 mm) 임플란트만 식립하는 것이 첫번째 치료 옵션이다

외측 접근법에 비해 치조정 접근법에서는 상악동 막 천공 시 처치가 쉽지 않다. ITI에서는 치조정 접근법의 가장 큰 단점으로 상악동 막이 천공됐을 때 이를 처치하기가 어렵다는 점을 들었다.[47] 좁은 접근부를 통해 천공된 상악동 막을 처치하기가 쉽지 않기 때문이다. 위에서 설명한 바와 같이 상악동 내로 이식재가 유출되면 상악동염의 발생 가능성이 있기 때문에 이식재 삽입 전과 후의 처치는 다르게 해줘야 한다. 이식재 삽입 전, 즉 1형 천공 시에 적용 가능한 치료 옵션은 다음과 같다(**5-17**).

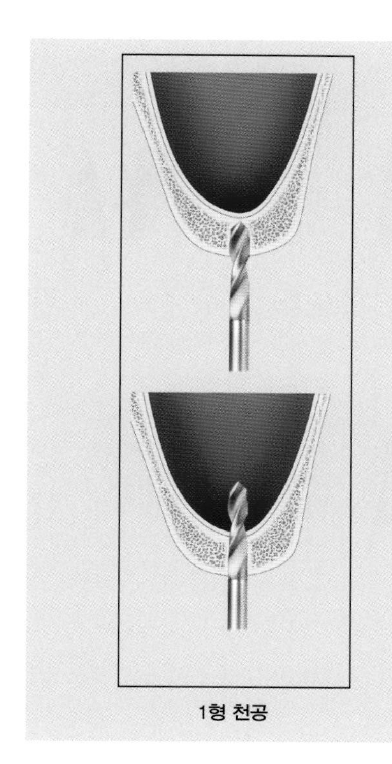

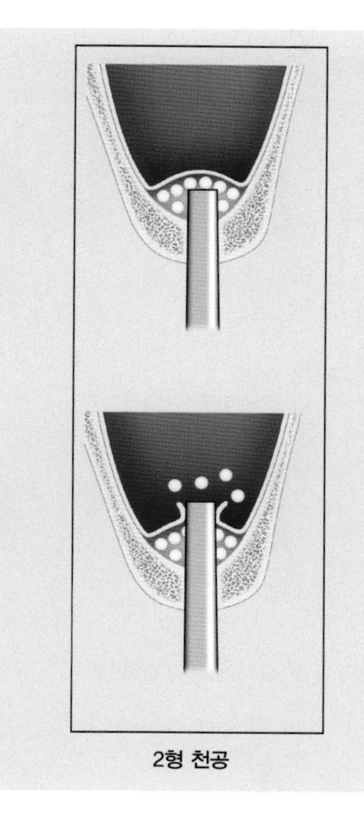

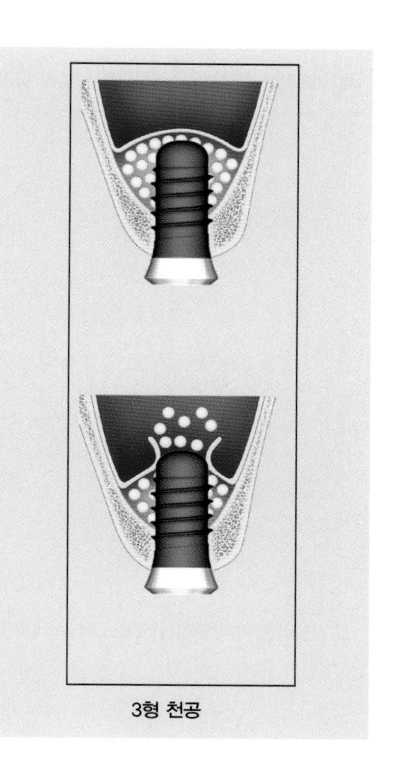

5-16 Tavelli 등에 의한 치조정 접근법 시 상악동 막 천공의 분류[44]
1형 이식재 삽입 전 천공
2형 이식재 삽입 후 임플란트 식립 전 천공
3형 임플란트 삽입 후 천공

5-1 치조정 접근법 시 상악동 막 천공의 분류와 대응 방법

	장점	단점
1형: 이식재 삽입 전 천공 • 수술 중 발살바법으로 발견 • 생리식염수를 골삭제부에 약하게 주입하여 발견	6 mm≤ 잔존골	골이식 없이 치조골 높이와 일치하는 길이의 임플란트 식립
	잔존골 <6 mm	① 수술 중단하고 3-4개월 후 재수술 ② 골이식 없이 잔존골 높이보다 2 mm 긴 임플란트 식립 ③ 외측 접근법으로 전환하여 상악동 막 수복 후 상악동 골이식 진행
2형: 이식재 삽입 후 임플란트 식립 전 천공 • 방사선사진으로 확인 • 임상적 느낌 (이식재가 골이식부에 충전되지 않고 상악동 내로 새는 느낌)	방사선사진 상 이식재의 상악동 내 유출 없음	이식재의 유출을 방지하기 위해 잔존골 높이보다 1-2 mm 이하로만 긴 임플란트 식립
	방사선사진 상 이식재의 상악동 내 유출 확인	석션으로 이식재 흡인 후 ① 방사선사진 상 이식재가 잘 제거되었거나 상악동저에 한정되어 약간만 잔존하는 경우 1형 천공(이식재 삽입 전 천공) 시와 동일한 처치 ② 방사선사진 상 이식재가 거의 제거되지 않았고 환자가 상악동염의 병력이 있다면 즉시 외측 접근법으로 전환하여 상악동 내 이식재 제거(상악동 막 수복이 가능하면 골이식 진행)
3형: 임플란트 삽입 후 천공 • 수술이 완료된 후 방사선사진으로 확인	상악동염 증상 없음	지속적 관찰
	상악동염 증상 있음	외과적 치료(이식재/임플란트 제거) 약물적 치료(항생제 처방)

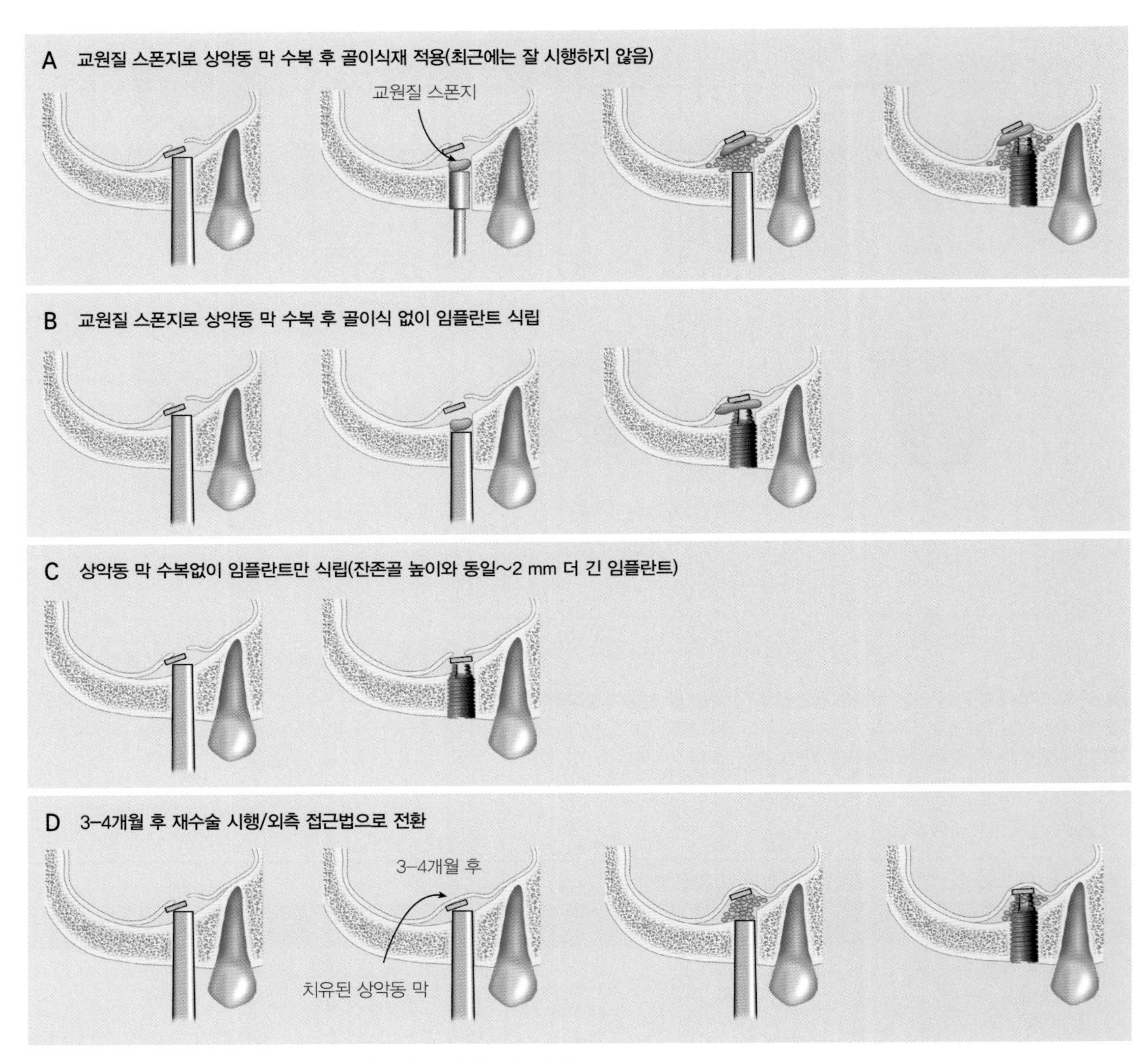

5-17 이식재 삽입 전에 천공이 발생되면 적용 가능한 치료 옵션들

① 상악동 막 수복 후 골이식재 적용

Summers는 이러한 경우에 교원질 스폰지를 밀어 넣고 통상적인 방법으로 상악동저를 거상하여 골이식을 시행한 후 임플란트를 식립할 것을 추천하였다.[6] 그러나 이식재 삽입 전에 상악동 막이 천공된 경우, 이를 수복하고 이식재를 삽입한 후 임플란트를 식립하는 것은 위험한 치료 옵션이 될 수 있다(**5-18**). 치조정 접근법으로 천공된 상악동 막을 수복하는 것은 기술적으로 굉장히 어려운 데다가 삽입된 이식재가 상악동 내부로 유출될 가능성이 높기 때문이다. 임플란트가 상악동 내부로 돌출되면 대부분 아무런 문제도 발생하지 않지만, 이식재가 상악동 내부로 유출되면 상악동 내부에 염증성 병소를 유발할 수 있다.

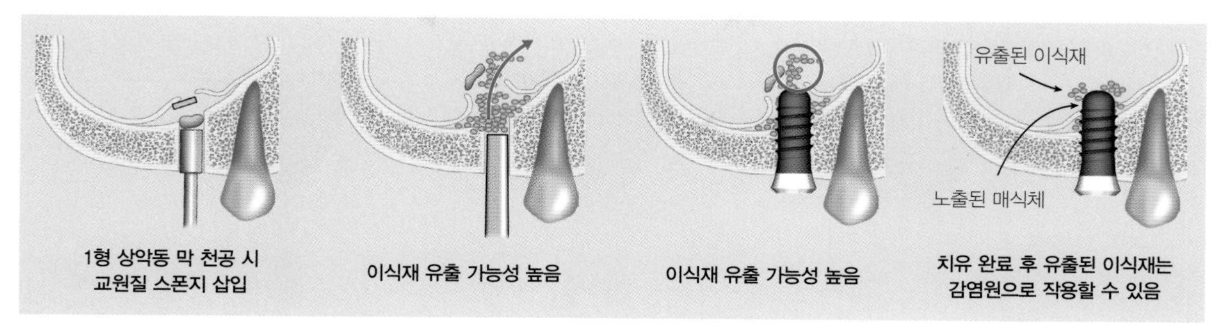

5-18 상악동 막 수복 후 골이식재 적용하는 방법은 여러 가지 문제를 야기할 수 있다.
일단 이식재를 위치시키고 오스테오톰으로 상악동 막을 거상시킬 때 이식재가 유출될 가능성이 높으며 상악동 막 거상을 완료하고 임플란트를 식립하는 동안에도 이식재가 유출될 수 있다. 이렇게 유출된 이식재는 별다른 문제를 일으키지 않고 치유될 가능성이 높긴 하지만 일부 증례에서는 염증성 병소를 유발하기도 한다.

② 치조골 높이와 동일하거나 약간 긴(~2 mm) 임플란트만 식립

최근 "짧은 임플란트"와 "골이식 없는 상악동저 거상술"의 개념이 임상에 널리 쓰이게 되면서, 치조정 접근 상악동 골이식 시 상악동 막이 천공되면 이 두 치료 개념을 적용하는 것이 일반화되었다.[44] "아주 짧은 임플란트"인 4–6 mm 길이의 임플란트는 무작위 대조 연구 및 이를 분석한 메타분석을 통해 긍정적인 결과를 보여주고 있다.[48,49] 특히 6 mm 길이의 임플란트는 많은 양질의 임상적 근거가 축적되었고, 10 mm 이상 길이의 표준 길이 임플란트에 필적하는 중장기적 성공률을 보여주고 있다(3–5년).[48,49] 따라서 잔존골 높이가 6 mm 이상이라면 다른 모든 합병증의 가능성을 배제하기 위해 치조골 높이에 일치하는 길이의 임플란트 식립만 시행하는 것이 좋다(5-19).

한편 동물 연구와 임상 연구들에 의하면, 골이식재를 적용하지 않은 상태라면 임플란트 매식체의 치근단부가 상악동 막을 천공한 채 상악동 내로 돌출되더라도 어떠한 병적인 변화도 초래하지 않는다.[33,34,50] 게다가 임플란트가 상악동 막을 천공한 채 2 mm 이내로만 돌출되면 임플란트 치근단부는 재생된 상악동 막으로 완전히 피개된다(5-20).[51,52] 또한 임플란트가 상악동 내로 돌출되면 상악동 막은 부분적으로 거상되기 때문에 약간의 골증강 효과를 얻을 수 있다.[53] 동물 연구에 의하면 임플란트가 상악동 막을 뚫고 상악동 내로 돌출되면 상악동 내에서 1–2 mm 정도 수직적으로 신생골을 형성할 수 있었고, 한 임상 연구에서는 평균 3 mm의 골이 수직적으로 형성됐다.[29,51,52] 최근 일련의 임상 연구들에서는 잔존골 높이가 4–6 mm 사이인 증례에서 치조정 접근법 시 상악동 막이 천공되더라도 골이식재 없이 치조골 높이보다 약간 긴 임플란트를 식립하여 상악동 막을 부분적으로 거상시키면 천공되지 않았을 때와 비슷하게 높은 임플란트 생존율을 보인다는 사실을 보여주었다.[29,54,55] 어떤 이들은 천공이 확인되면 교원질 스폰지(CollaTape), 차폐막, 혹은 혈소판 풍부 피브린 등을 적용한 후 골이식재 없이 잔존골 높이보다 2–3 mm 긴 임플란트 식립하기도 한다.[21,56] 이들 재료는 혹시 상악동 내로 전위되더라도 별다른 문제를 야기하지는 않는다. 그러나 이러한 재료들 없이도 긍정적인 임상적, 실험적 결과를 보이는 연구가 축적되었기 때문에 굳이 사용할 필요는 없다는 생각된다. 결론적으로 잔존골 높이가 4–6 mm 사이일 때에는 잔존골 높이보다 0–2 mm 긴 임플란트 식립만을 시행할 것을 추천한다(5-19).

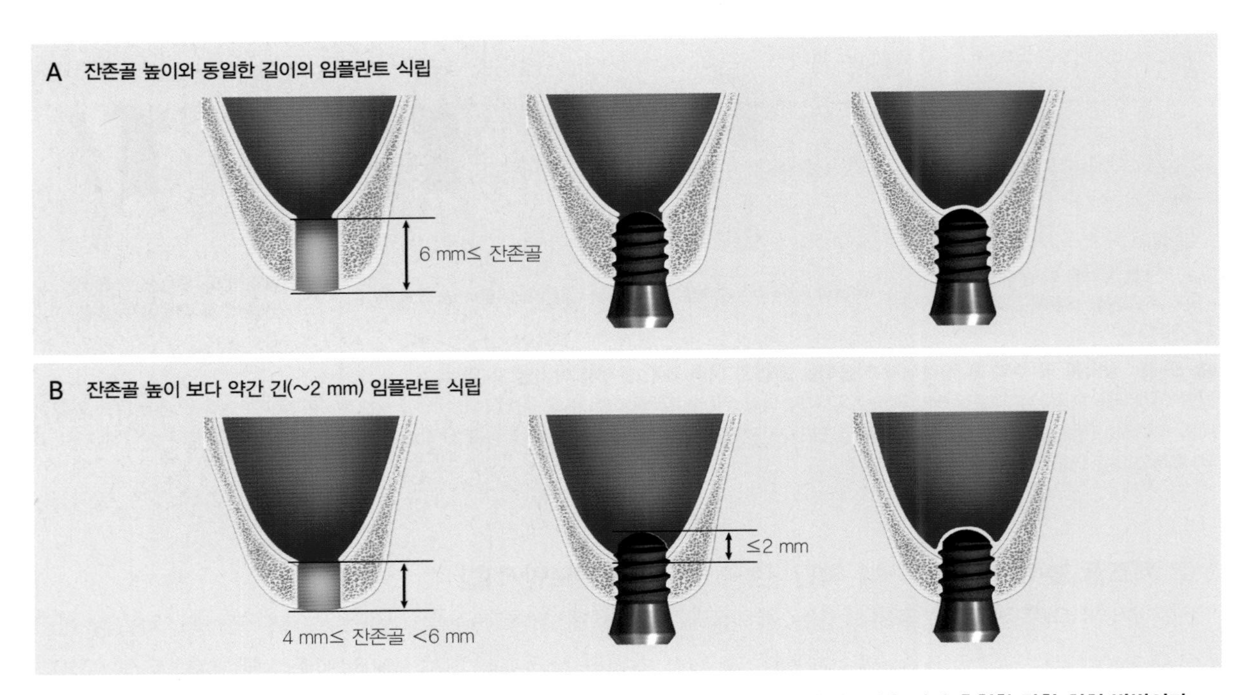

5-19 상악동 막 천공 시 치조골 높이와 동일하거나 약간 긴(-2 mm) 임플란트만 식립하는 것은 가장 추천할 만한 처치 방법이다.
A. 잔존골 높이가 6 mm 이상이면 잔존골 높이와 동일한 길이의 임플란트를 식립한다. **B.** 잔존골 높이가 4–6 mm 사이이면 6 mm 길이의 임플란트 식립을 목표로 하여 잔존골 높이보다 약간 긴 임플란트를 식립한다.

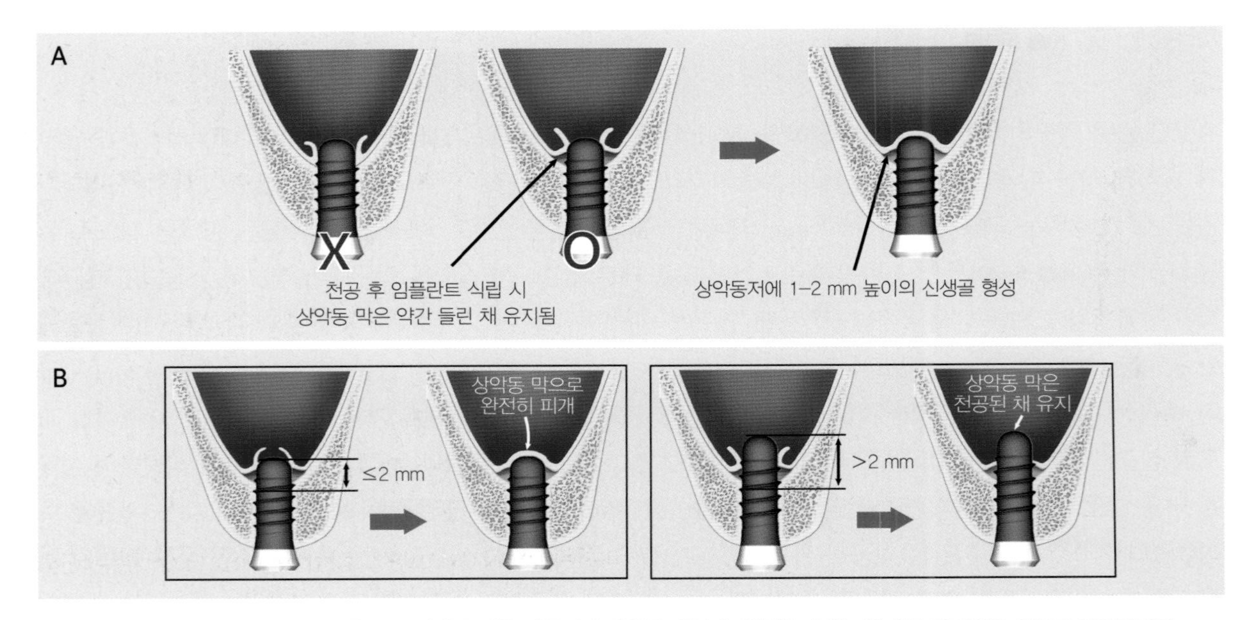

5-20 임플란트 치근단 부위가 천공된 상악동 막을 관통하여 상악동 내부에 위치할 때에는 별다른 문제없이 치유가 이루어진다.
A. 상악동 막이 천공된 채 임플란트를 식립하면 천공된 상악동 막은 부분적으로 거상되고, 이에 따라 거상된 막 하방에는 1–2 mm 높이의 신생골이 형성된다. **B.** 임플란트 치근단부가 상악동저 상방으로 2 mm 이하로 돌출되면 임플란트 치근단부는 상악동 막으로 완전히 피개되어 상악동 내부로 돌출되지 않는다. 반면 임플란트 치근단부가 2 mm를 초과하여 돌출되면 상악동 막은 천공된 채 유지된다. 따라서 임플란트 치근단부 일부는 영구적으로 상악동 내로 돌출된다.

③ 외측 접근법으로 전환/수술 연기

골이식 전에 상악동 막 천공이 확인됐을 때 마지막으로 시도할 수 있는 방법은 외측 접근법으로 전환하거나 수술을 연기하고 3–4개월 후 재수술을 시행하는 것이다.[45,57,58] 골이식 없이 임플란트만 식립하는 방법으로는 임플란트의 예후를 보장할 수 없다고 판단될 때(잔존골 높이 ≤4 mm, 또는 낮은 골밀도 등) 이러한 접근법을 시도한다. 외측 접근법으로 전환하면 상악동 막을 조심스레 거상한 후 차폐막 등으로 천공된 막 부위를 수복한 후 이식재를 충전한다.[44] 그러나 상악동저 부위의 상악동 막이 천공되어 있으면 외측 접근법으로 이를 거상할 때 천공부가 수복 불가능할 정도로 크게 확장될 수도 있기 때문에 이는 쉽지 않은 술식이다. 따라서 이러한 경우 수술을 중단하고 연기하는 것이 현실적으로 가장 간단하고 쉬운 방법이다.

(6) 이식재 삽입 후 임플란트 식립 전의 천공 시에는 이식재를 제거할지 여부가 중요하다

1형 천공에 대한 대처 방법과 관련해서는 많은 문헌이 존재하지만 2형 천공(이식재 삽입 후 임플란트 식립 전 천공) 및 3형 천공(수술이 완료된 후 방사선사진으로 확인)의 대처와 관련된 임상 문헌은 거의 존재하지 않는다. 보통 상악동 막 천공은 드릴로 골을 삭제할 때나 오스테오톰으로 상악동저를 골절하고 거상할 때 발생하기 때문이다. 2형 천공이 발생하면 이식재 삽입 시 저항감이 느껴지지 않는다. 이때 골이식재 적용을 즉시 중단하고 방사선사진을 촬영하여 확진한다. 2형 천공이 발생했을 때에는 이미 골증강부 내로 삽입된 이식재를 어떻게 처치할지가 중요하다.

방사선사진 상 이식재의 유출이 확인되지는 않았지만 상악동 막 천공이 의심되는 경우, 더 이상 이식재를 적용하지 않고 1형 천공 시의 처치와 동일하게 잔존 치조골 높이와 같거나 약간(1–2 mm) 긴 임플란트를 식립한다. 이는 우리가 확인할 수 없는 작은 천공이 발생했을 때에는 이식재가 상악동 막 하방에 잘 유지될 수 있고, 이러한 경우 상악동 막 천공부가 재생되면서 별다른 문제를 야기하지 않기 때문이다.[18,30] 이때 너무 긴 임플란트를 식립하면 상악동 막 천공부로 가해지는 압력이 증가하여 이식재의 유출을 초래할 수 있기 때문에 임플란트의 길이는 짧게 제한한다.

방사선사진 상 이식재가 상악동 내로 유출된 것이 확인되었다면 원칙적으로는 이를 제거하는 것이 좋다. 사실 이식재가 상악동 내로 유출되더라도 대부분의 경우 상악동 내부는 별다른 문제없이 잘 치유된다(📷 5-21). 그러나 상악동 골이식 후 상악동 내부의 염증성 병소가 발견되는 경우는 대부분 이식재가 유출된 경우이다.[34,35] 따라서 골삭제부를 통해 석션으로 이식재를 최대한 흡인해 준다. 다시 촬영한 방사선사진에서 이식재가 비교적 잘 제거되고, 일부 이식재만 상악동저에 한정되어 존재하면 잔존골 높이와 일치하는 임플란트를 식립하면 될 것이다. 그러나 이식재의 유출량이 많고 환자가 이전에 상악동염을 경험한 병력이 있다면 외측 접근법으로 이를 완전히 제거해야 한다.

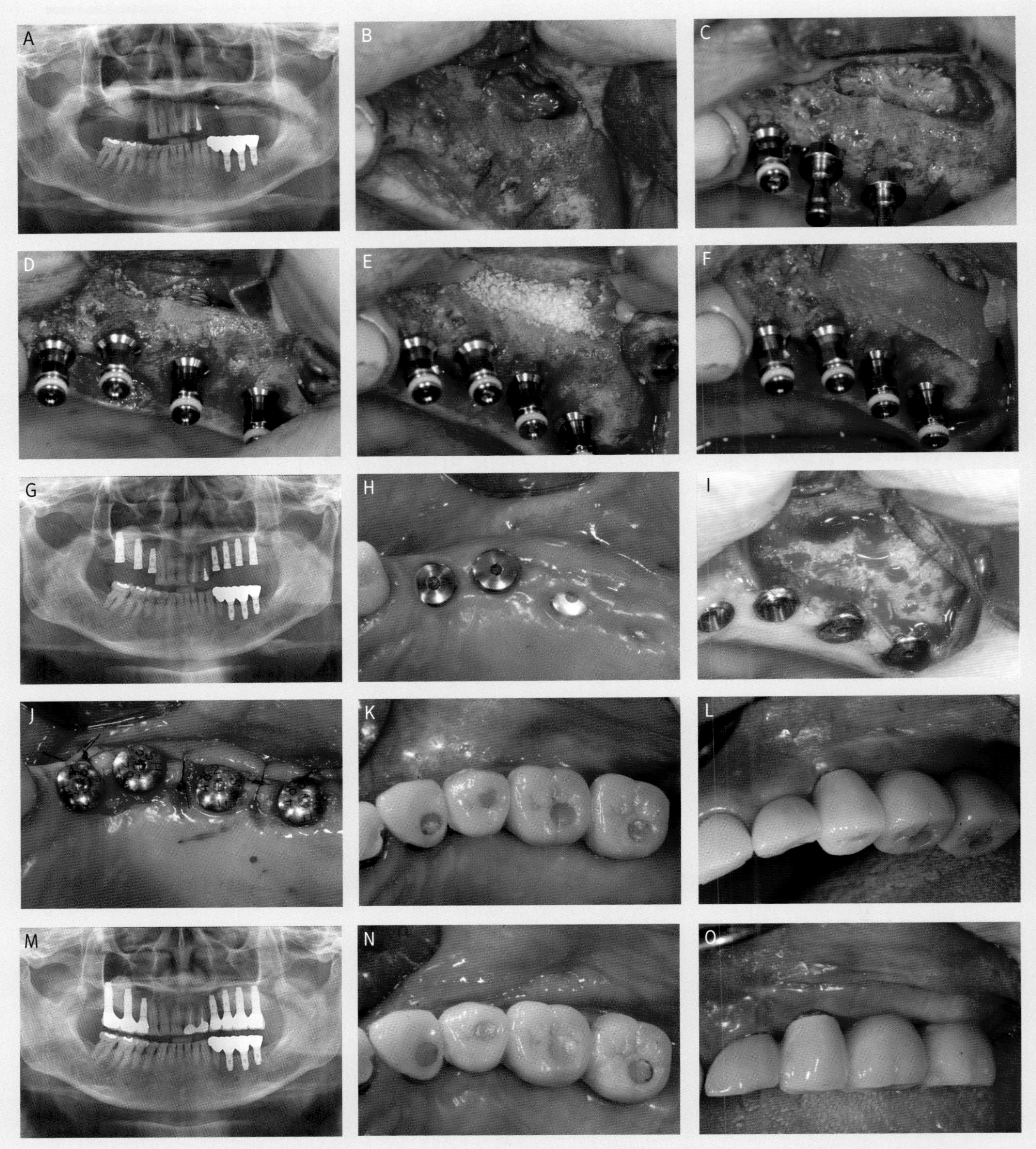

5-21 사실 이식재가 상악동 내로 유출되더라도 대부분의 경우 상악동 내부는 별다른 문제없이 잘 치유된다. 이 증례는 좌측 상악동 골이식 시 상악동 막의 천공되었으며 재수술을 위해 저자에게 의뢰되었다. 상악동 막 천공 후 흡수성 차폐막으로 이를 수복하고 이식재를 삽입한 것으로 보이지만 이식재는 대부분 유실되어 있었다. 이식재는 아마도 상악동 내로 이동했겠지만 재수술 시 상악동 내부는 어떠한 감염의 증상도 보이지 않았다.

A~G. 수술 전 방사선사진을 보면 좌측 상악동 골이식에는 골화에 부분적으로 성공한 이식재가 남아있었으며 차폐막을 고정했던 것으로 보이는 스크루가 위치했다. 부분적으로 남아있던 골창부는 확장한 후 상악동 막을 거상했다. 이후 임플란트를 식립하고 이식재를 삽입하여 수술을 완료했다.

H~J. 5개월 2주 후 2차 수술을 시행하고 골이식부를 노출하여 그 결과를 확인했다. 골이식부는 아무런 문제없이 정상적으로 치유되었다.

K~M. 2차 수술 2개월 후 보철 치료를 완성했다. 다시 6개월 후 임플란트 주위 점막의 부종과 발적을 주소로 환자가 내원했다. 치조골의 병적인 변화는 없었고, 보철적으로 특별한 문제는 없었기 때문에 일단 결여된 각화 점막을 이식하여 확보해 주었다.

N~O. 다시 2년 후의 상태이다. 각화 점막 이식 이후로 임플란트 주위 조직에 특별한 문제는 없었다.

(7) 수술을 완료한 후 방사선사진으로 상악동 막의 천공이 확인되면 철저한 추적 관찰이 필요하다

수술을 완료한 후 촬영한 방사선사진에서 이식재가 상악동 내로 유출된 소견을 보인다면 철저한 추적 관찰이 필요하다.[44] 추적 관찰 중 상악동 내 염증성 질환의 증상이나 징후가 없다면 별다른 처치를 요하지 않는다. 그러나 상악동염이 발생하면 약물적, 외과적 처치가 필요하다. 이에 대해서는 앞에서 자세히 설명했으므로 추가적인 설명은 하지 않도록 하겠다.

4) 골이식재의 적용

(1) 치조정 접근법 시에는 외측 접근법 시보다 이식재가 적게 필요하다

치조정 접근법 시에는 외측 접근법 시보다 상악동 막의 거상량이 적고, 따라서 필요한 이식재의 양은 더 적다.[18] 두 무작위 대조 연구에서 잔존골 높이가 4 mm 이상, 혹은 3–6 mm의 범위인 경우 치조정 접근법 시에는 각각 0.63 cc와 0.42 cc의 이식재가 필요했고, 이는 외측 접근법에 비해 4.5–4.71분의 1밖에 되지 않는 양이었다.[59,60] 술자에 따라 다르긴 하지만 치조정 접근법에서는 단일 임플란트 식립 시 거상 가능한 한계까지 상악동 막을 거상시키더라도 최대 0.5 cc 이상의 이식재가 필요한 경우는 거의 없다.[5,18]

2017년의 단일 환자군 연구에서는 치조정 접근 상악동 골이식 시 삽입된 이식재의 양에 따라 상악동저가 어느 정도 수직적으로 거상되는지를 CBCT로 평가했다.[61] 그 결과, 0.1 cc의 이식재 삽입 시 평균 3.7±1.08 mm, 0.2 cc 삽입 시 4.95±0.88 mm, 0.3 cc 삽입 시 5.84±0.81 mm의 수직적 골증강을 얻을 수 있었다(📷 5–22).

(2) 치조정 접근법 시에는 어떠한 이식재를 사용해도 좋은 결과를 얻을 수 있다

뒤의 "골이식재를 사용하지 않는 오스테오톰 상악동저 거상술"에서 설명하겠지만, 치조정 접근법으로 형성된 골이식부는 골재생에 이상적인 환경 하에 놓여있다. 게다가 삽입된 골이식재가 공간만 잘 유지할 수 있다면 양질의 신생골이 형성된다. 따라서 이 부위에는 어떠한 종류의 이식재를 사용하더라도 긍정적인 결과를 보였다.

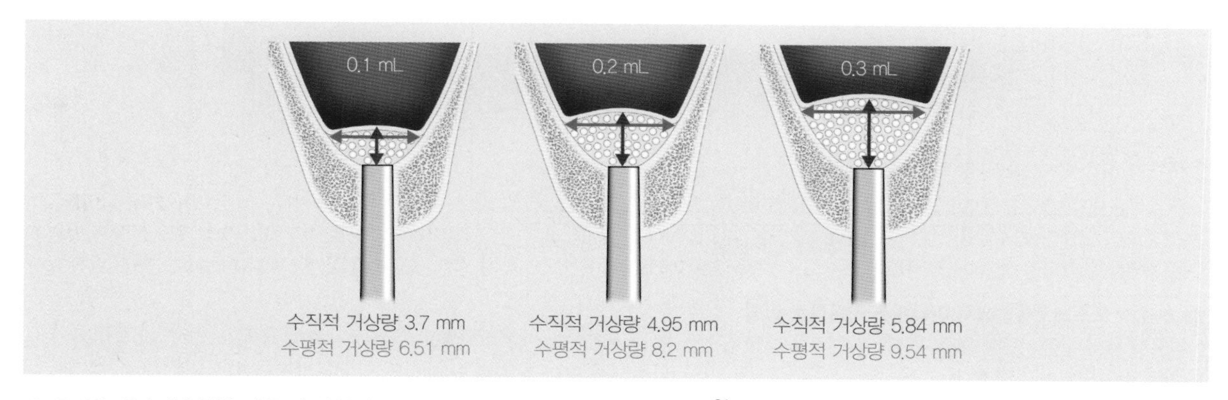

📷 5–22 오스테오톰법 적용 시 삽입된 이식재의 양에 따른 상악동저의 거상량[61]

치조정 접근법 시에는 다양한 골이식재가 적용되고 있다. 그러나 어떠한 이식재가 다른 이식재보다 더 뛰어난 결과를 보인다는 근거는 없으며, 모든 종류의 이식재가 좋은 임상적 결과를 보였다.[3] 2009년의 체계적 문헌 고찰에서는 치조정 접근법 시에는 사용된 이식재의 종류에 따라 골이식의 성공이나 임플란트의 생존은 별다른 차이를 보이지 않는다고 했다.[62]

(3) 골이식재는 단계적으로 조금씩 골재생 부위로 삽입한다

오스테오톰법에서 이식재를 적용하는 방법은 다음과 같다(5-23).

- 상악동저 골을 골절시키고 상악동 막의 천공을 확인한다.

이 두 가지가 확인되면 적은 양의 이식재를 골삭제부를 통해 삽입한다. 이식재는 한 번에 너무 많은 양을 넣지 말고 전체 이식재의 1/5–1/6 정도씩 나누어 적용한다. 보통 아말감 캐리어 형태의 기구로 이식재를 삽입한 후 푸셔(pusher)로 이식재를 치근단 쪽으로 밀어준다. 이후 오스테오톰을 적용한다.

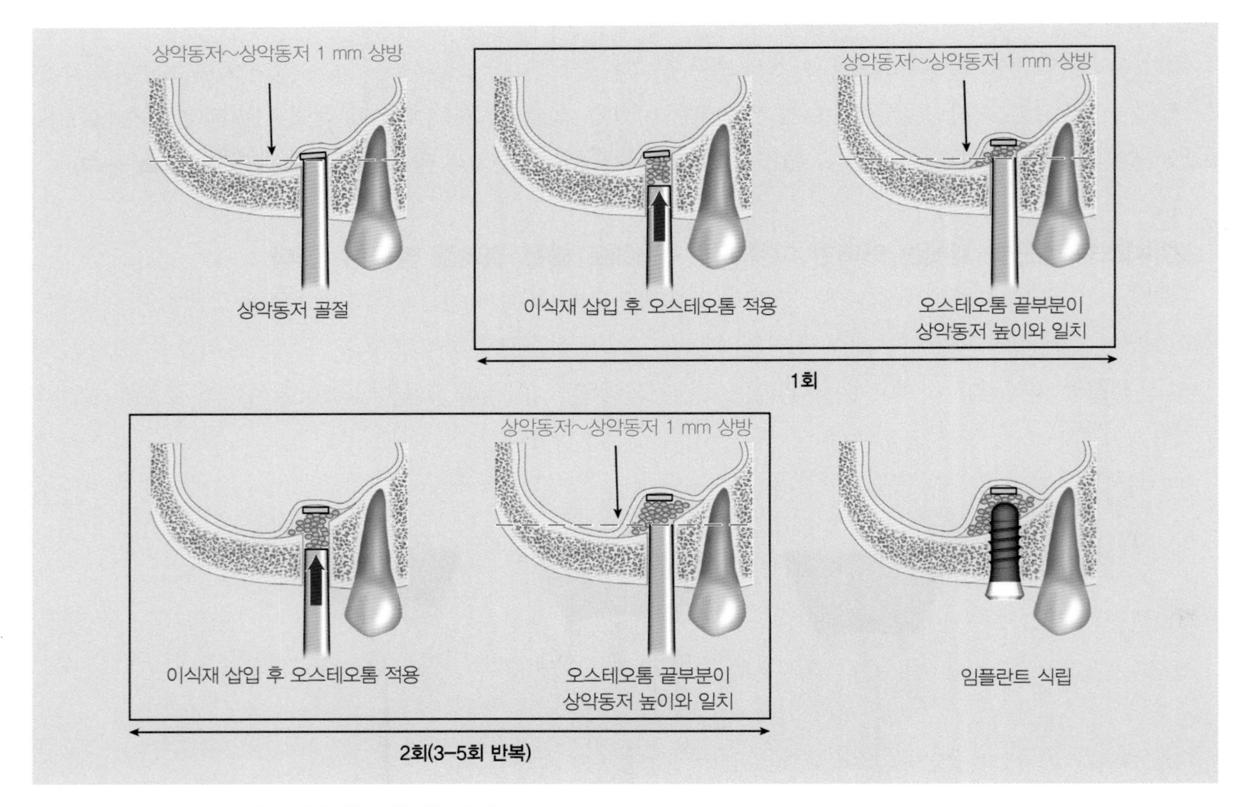

5-23 오스테오톰법에서 이식재를 적용하는 방법
상악동저 골을 골절시킨다. 골절이 확인되면 이식재를 삽입한 후 오스테오톰의 끝 부분(tip)의 높이가 상악동저 골절 시의 높이와 같아지도록 가볍게 말렛팅한다. 이를 통해 오스테오톰의 압력은 이식재와 혈액을 통해 상악동 막에 작은 힘으로 분산되면서 상악동저는 조금씩 거상된다. "이식재 삽입–오스테오톰 적용"의 과정을 필요한 이식재의 양에 따라 반복적으로 시행한다.

오스테오톰의 끝 부분(tip)의 높이가 상악동저 골절 시의 높이와 같아지도록 가볍게 말렛팅한다. 이를 통해 오스테오톰의 압력은 이식재와 혈액을 통해 상악동 막에 작은 힘으로 분산되면서 상악동저는 조금씩 거상된다. Summers는 상악동 막의 천공을 예방하기 위해 오스테오톰의 끝부분이 상악동저보다 1 mm 이상 상방을 넘어서게 위치시키지는 말아야 한다고 주장하였다.[6-8] 많은 이들이 이 생각에 동의하며, 따라서 수술 중 오스테오톰의 끝부분이 상악동저보다 더 상방에 위치하지 않거나 약간(1 mm 정도)만 상부에 위치하게 되도록 노력한다.[4]

위의 –의 과정을 반복한다. 필요한 이식재의 양에 따라 반복 횟수를 정한다. 보통 0.2 cc의 이식재를 삽입한다고 했을 때 5번 정도 반복하면 충분하다(📷 5–24, 25).

이식재 삽입이 완료되면 뎁스 게이지나 상악동 천공 진단 기구로 이식재가 상악동 내부로 유출됐는지를 판단한다.[5] 이들 기구를 아주 약한 힘으로 상방을 향해 적용했을 때 상악동 막이 천공되었으면 저항감이 잘 느껴지지 않는다. 반면 천공되지 않은 경우에는 약하지만 확실한 저항감이 느껴진다.

5) 임플란트 식립

골이식재 적용을 완료하고 임플란트를 식립한다. 치조정 접근 상악동 골이식 후에도 상악 구치부의 낮은 골밀도와 짧은 치조골 높이를 고려하여 최대한의 일차 안정을 얻을 수 있도록 임플란트를 식립한다.[5]

- 과소 골삭제(undersized drilling)
- 테이퍼 임플란트 사용

치조정 접근법 시 술자가 인지하지 못한 상악동 막 천공이 존재하고 일차 안정이 충분하지 못한 경우에는 임플란트가 치유 기간 중 상악동 내로 전위될 수 있으므로 "충분한 일차 안정을 얻는 것"은 매우 중요하다. 테이퍼 임플란트나 점막 관통부에 테이퍼를 부여한 점막 관통형(tissue level) 임플란트는 상악동 내로의 전위를 어느 정도 예방해 줄 수 있을 것이다(📷 5–26).

(1) "최소 침습 상악동 골이식"

최근에는 "최소 침습 상악동 골이식"의 개념이 대두된 바 있다. 이는 세 가지가 결합된 개념이다(📷 5–27).[63]

- 비교적 낮은 잔존골 높이에서도 치조정 접근 상악동저 거상
- 이식재를 적용하지 않거나 PRF막만을 적용
- 짧은 길이(<8 mm) 임플란트 식립

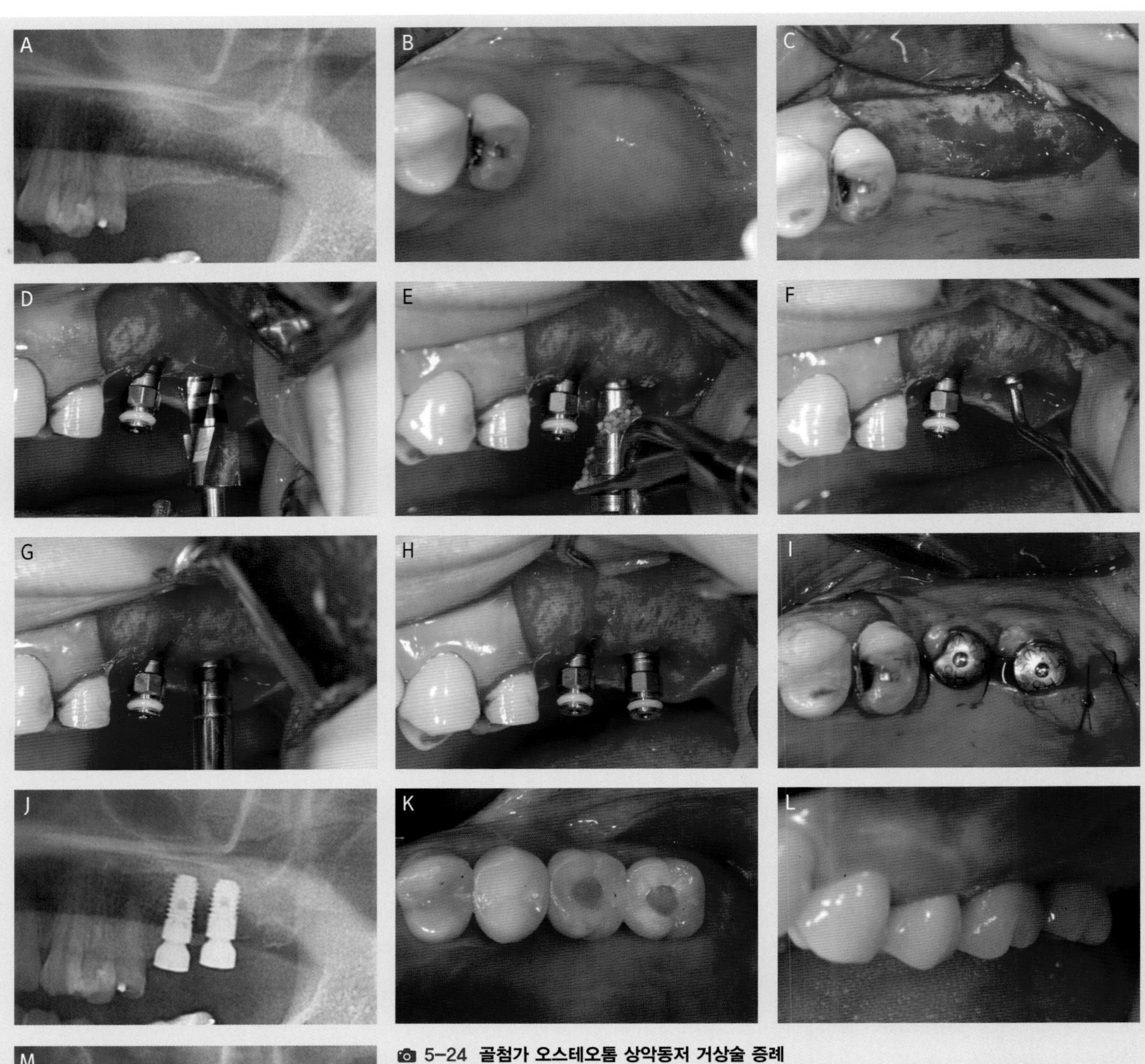

5-24 골첨가 오스테오톰 상악동저 거상술 증례

A~J. 상악제1, 2대구치 부위에 임플란트를 식립했다. 제2대구치 부위는 오스테오톰을 이용한 치조정 접근법으로 상악동 골이식을 시행했다. 골밀도가 높지 않았으므로 골이식재를 삽입한 후**(E, F)** 오스테오톰을 적용했다**(G)**. 이 과정을 수차례 반복**(E~G)**한 후 임플란트를 식립했다. 식립 직후 촬영한 방사선사진에서 임플란트 치근단 부위에 이식재가 돔 형태로 관찰된다.
K~M. 약 7개월 후 보철 치료를 완료했다.

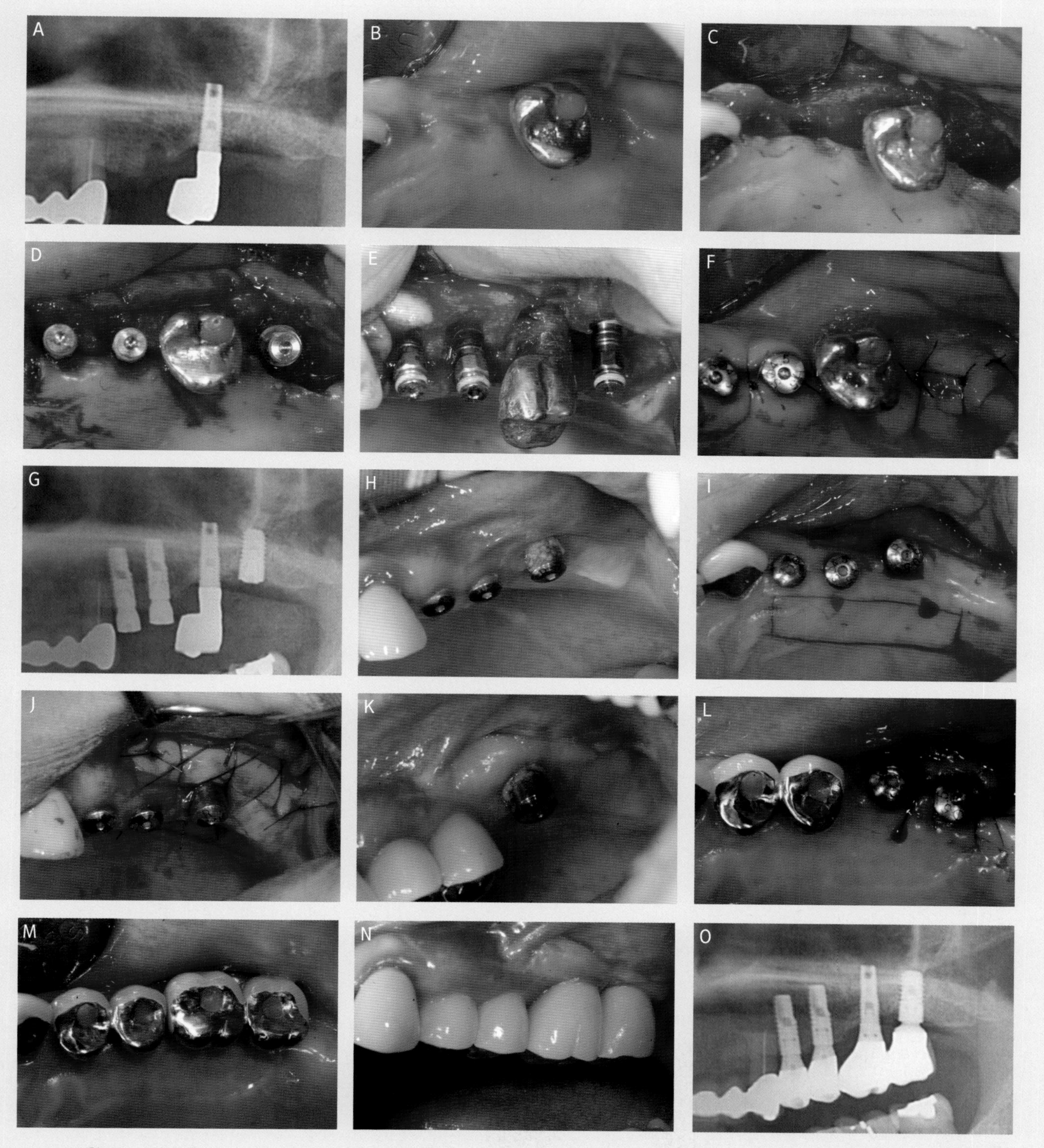

5-25 환자는 상악 좌측 제1, 2소구치와 제2대구치가 결손되고 제1대구치 부위만 임플란트로 수복된 채 내원했다. 기존 임플란트의 보철물은 교체하고 나머지 부위에는 임플란트를 식립하기로 했다.

A~G. 임플란트 식립부 치조골에는 별다른 결손이 존재하지 않았지만 제2대구치 부위는 수직적 골량이 부족했기에 치조정 접근법으로 상악동 골이식을 시행했다.

H~J. 약 2.5개월 후 협측의 각화 점막 결손이 심했기 때문에 각화 점막 증진술을 시행했다.

K~L. 2개월 1주 후 2차 수술을 시행했다.

M~O. 다시 1, 5개월 후 최종 보철물을 연결했다.

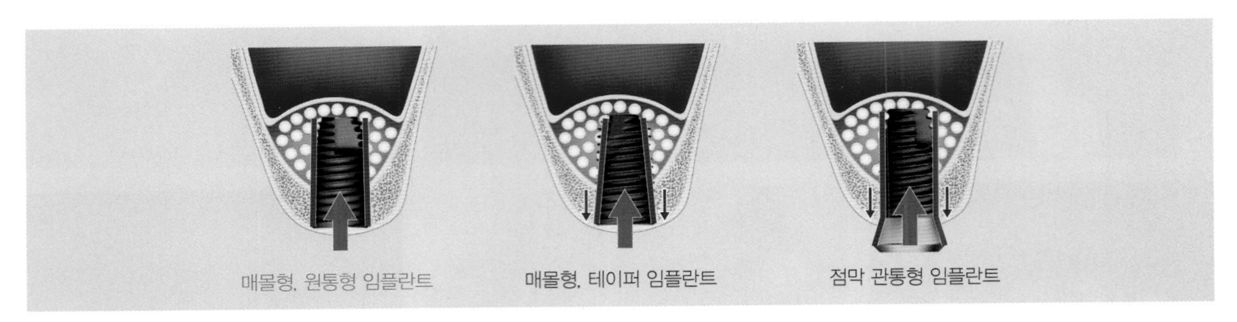

5-26 앞서 설명한 바와 같이 테이퍼 임플란트와 점막 관통형 임플란트는 임플란트의 근단측 이동, 나아가 임플란트의 상악동 내로의 전위를 예방해준다.

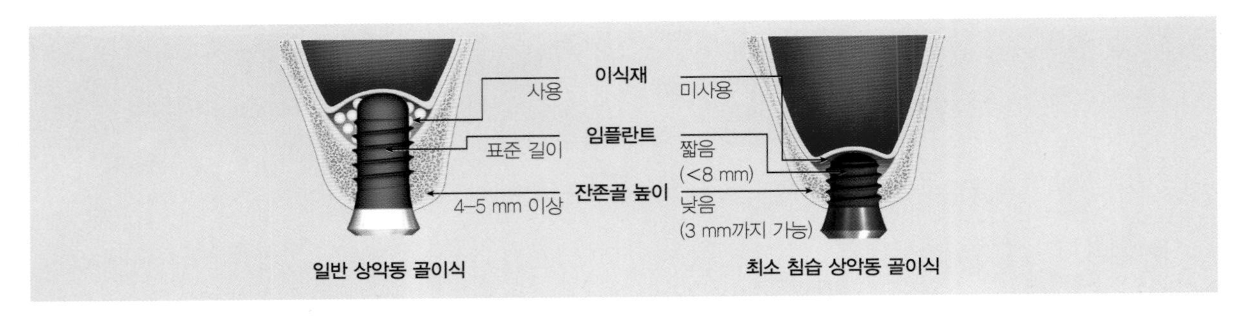

5-27 "최소 침습 상악동 골이식"의 개념과 일반 상악동 골이식과의 차이다.

치조정 접근법은 고전적으로 5 mm 이상의 잔존골이 존재하는 상태에서 골이식재를 삽입하여 상악동 내로 골을 증강시키고, 최소한 8 mm 이상의 임플란트를 식립하기 위한 목적으로 시행하던 술식이다.[4] 그러나 최근의 "짧은 임플란트"와 "골이식재를 사용하지 않는 치조정 접근법"에 대해 많은 성공적인 임상적 근거가 축적되어감에 따라 "최소 침습 상악동 골이식"을 적용하는 술자들도 늘고 있다. 특히 Nedir 등은 2013년 골이식 없는 치조정 접근 오스테오톰 상악동저 거상술을 매우 공격적으로 시행하고 그 결과를 보고했다.[23] 이들은 평균 잔존골 높이가 2.4±0.9 mm에 불과한 증례들에서 골이식재를 적용하지 않고 오스테오톰으로 상악동저를 거상한 후 8 mm길이의 임플란트를 식립했다. 그리고 그 결과로 평균 3.9±1.0 mm의 수직적 골증강을 얻을 수 있었고, 임플란트의 1년간 생존율은 90%였다고 보고했다. 임상에서 보편적으로 적용하기에는 낮은 임상적 성공률임에는 분명하지만, 이렇게 극단적인 증례에서도 "최소 침습 상악동 골이식"이 효과를 나타낼 수 있음을 보인 것이다. 2015년의 단일 환자군 연구에서는 잔존골 높이가 5 mm 이하인 증례에 한하여 치조정 접근 상악동저 거상술을 시행하고 PRF막 단독, 혹은 "PRF막 + 이식재(자가골±이종골)"를 삽입한 후 짧은 길이의 임플란트를 식립하고 단기간 추적 관찰(보철 부하 후 평균 10.81개월)했다.[64] 수술 전 잔존골 높이는 평균 4.15±0.53 mm 수술 후 8.86±1.60 mm로 향상됐고, PRP에 골이식재를 첨가하는 것은 골증강량에 별다른 영향을 미치지 못했다. 이때 식립한 임플란트는 5.5–8.5 mm 길이였고, 대부분은 6.5 mm와 7.5 mm 길이였다. 전체 임플란트의 생존율은 96.7%였다.

그러나 이러한 술식은 임플란트의 성공에 악영향을 줄 수 있는 세 가지 조건(낮은 잔존골 높이, 짧은 임플란트 식립, 이식재 미사용)을 결합하는 것이기 때문에 커다란 주의를 요한다. 특히 잔존골 높이는 임플란트의 궁극적인 성공률과 생존율을 결정하는 아주 중요한 요소이기 때문에 나머지 두 요소보다 더 중요할 것이다. 아직까지 이와 관련된 문헌은 거의 단일 환자군 연구이고 단기간의 결과만 보고되었다. 또한 술자의 경험과 수술능력에 그 예후가 크게 좌우될 수 있기 때문에 좀 더 많은 연구가 필요하다.

6) 상악동 막과 재생골의 장기적 반응

상악동 골이식을 포함한 모든 임플란트 골증강술의 궁극적 목표는 임플란트의 성공률을 높이는 것이다. 따라서 골첨가 오스테오톰 상악동저 거상술을 시행했을 때 임플란트의 장기적 생존율/성공률은 매우 중요한 고려 사항이다. 그리고 앞서 "위축된 상악 구치부에서 술식의 선택"에서 설명했듯이 이 술식은 매우 성공적인 결과를 보여주고 있다. 따라서 여기에서는 치조정 접근법 후 상악동 막과 재생골의 반응에 대해서만 간략하게 설명하도록 한다.

(1) 상악동 막은 수술 직후 현저히 두꺼워지지만 수술 1개월 후에는 원래 두께를 회복한다

외측 접근법처럼, 치조정 접근법 후에도 상악동 막에는 일시적인 부종이 발생한다. 또한 부종은 거상된 상악동 막 부위에서 가장 심하게 나타나지만 그 주변의 다른 막에서도 나타난다. 한 연구에 의하면, 상악동저의 상악동 막은 수술 전 평균 두께가 1.3–1.4 mm였지만 치조정 접근법 1주 후에는 평균 9.2mm로 비후됐고, 수술 4주 후에는 수술 전 두께로 회복됐다.[65]

(2) 골증강부는 재함기화에 의해 그 높이와 부피가 지속적으로 감소한다

외측 접근법으로 상악동 골이식을 시행하면 치유 기간동안 골증강부의 높이와 부피는 계속 감소한다. 이는 상악동 막으로 전달되는 공기에 의한 압력과 이식재 자체의 흡수에 기인한 것으로 생각된다(**📷 5-28**).

- 단기적으로는 공기압에 의해 이식재가 수평적 방향으로 퍼지면서 높이가 감소한다.
- 장기적으로는 공기압과 이식재 자체의 재형성 과정 중 흡수로 인해 이식골의 부피와 높이가 모두 감소한다.

이러한 현상은 치조정 접근법으로 상악동 골이식을 시행해도 역시 발생한다. 즉, 상악동 막과 임플란트의 치근단측 사이에 위치한 이식재는 시간 경과에 따라 흡수되는 것이다(**📷 5-29**). 그리고 단기간에 있어서는 외측 접근법이나 치조정 접근법 후 비슷한 정도의 감소량을 보인다. 한 무작위 대조 연구에서 탈단백 우골을 이식했을 때 이식부의 부피는 수술 6주 후 치조정 접근법에서는 23.13%, 외측 접근법에서는 24.55%가 감소하여 매우 비슷한 양상을 보였다(**📷 5-30**).[59] 이러한 부피 감소는 이후에도 지속된다. 한 전향적 단일 환자군 연구에서는 치조정 접근법 시 탈단백 우골을 이식했는데, 수술 직후의 수직적 골증강량은 4.81±0.75 mm였지만 7.82개월 후에는 3.25±0.83 mm로 줄어 있었고, 이는 초기 골증강 높이의 31.83%가 감소한 것이었다고 했다.[66] 이를 CT를 이용하여 3차원적으로 분석했을 때에는 이식된 전체 골부피의 40% 정도가 감소한 결과였다. 두 연구는 독립된 연구였기 때문에 직접적인 비교는 불가능하지만 수술 6주 후에는 23.13%, 8개월 정도 후에는 40%의 부피가 감소한 결과이다.

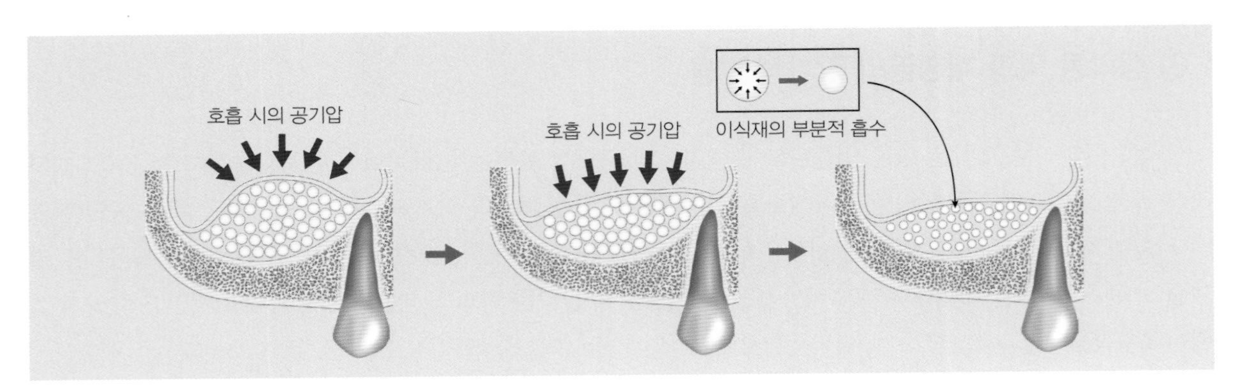

5-28 상악동 골이식 후 재함기화의 원인
호흡 시의 공기압에 의해 이식재는 상악동 내에서 수평적으로 퍼진다. 이로 인해 골증강부의 높이는 낮아진다. 또한 이식재 자체의 흡수에 의해 전체 골증강부의 부피가 줄고, 결국 골이식 높이가 낮아지게 된다.

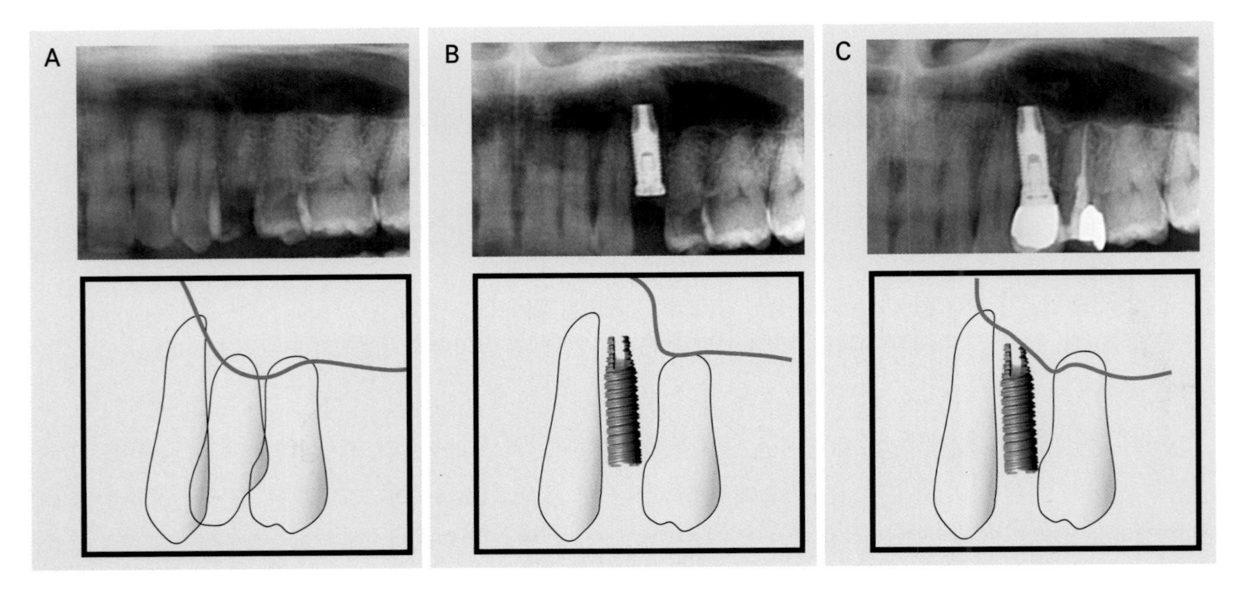

5-29 치조정 접근법 후 임플란트 상방의 이식재는 재형성되면서 점차 임플란트 치근단에 근접해간다.
A. 수술 전 상악동저 **B.** 수술 직후 상악동저 임플란트 치근단부 상방으로 이식재가 굉장히 두껍게 삽입되었다. **C.** 보철 부하 후의 상태. 임플란트 치근단 상부의 골이식부는 하방으로 이동하여 임플란트와 거의 접촉하고 있다.

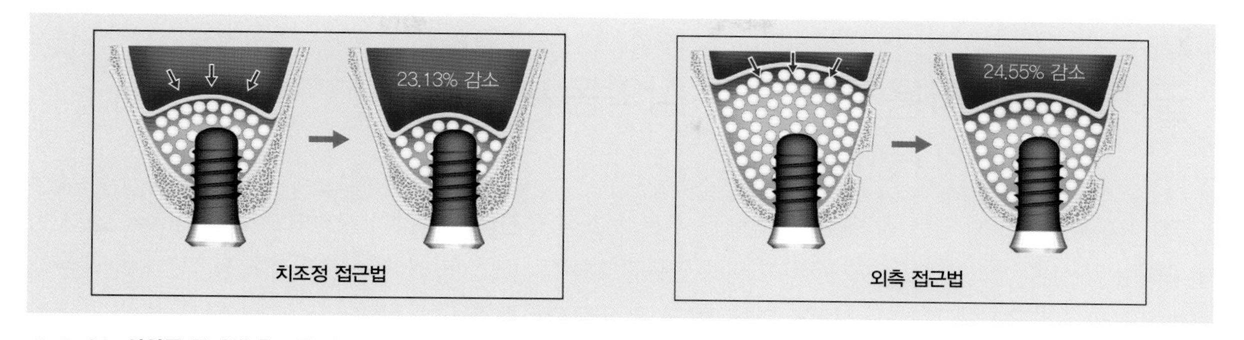

5-30 상악동 골이식 후 재함기화의 정도는 치조정 접근법이나 외측 접근법에서 비슷한 것으로 보인다.
한 무작위 대조 연구에서 탈단백 우골을 이식했을 때 이식부의 부피는 수술 6주 후 치조정 접근법에서는 23.13%, 외측 접근법에서는 24.55%가 감소했다고 보고했다.[59]

재함기화에 의해 임플란트 치근단 변연 상방의 이식재는 점점 그 길이가 감소한다. 따라서 상악동 막과 임플란트 치근단부 사이는 점점 접근하게 된다. 특히 자가골 이식재를 사용하면 그 정도는 더 커진다. 한 연구에서는 오스테오톰법으로 상악동 골이식을 시행하였으며 이식재로는 탈단백 우골과 자가골 이식재를 혼합하여 사용하였다.[67] 그 결과 수술 시 임플란트 치근단과 상악동 막 사이에 위치하였던 이식재의 높이는 1.52 mm였지만 3개월 후에는 1.24 mm로, 12개월 후에는 0.29 mm로 감소하였다. 다른 연구에서도 자가골과 탈단백 우골을 함께 적용했을 때 수술 직후에는 임플란트 치근단과 상악동 막 사이에 위치하였던 이식재의 높이가 2.85 mm였지만 6개월 후에는 1.38 mm로 감소했다.[68] 반면 탈단백 우골만을 이용하였던 또 다른 연구에서는, 수술 시 임플란트 치근단과 상악동 막 사이에 위치하였던 이식재의 높이가 2.7 mm였지만 1년 후 2.1 mm로 감소했으며, 3년 후에는 다시 1.9 mm로 감소했다고 하였다.[69] 자가골과 탈단백 우골을 혼합 이식했을 때 임플란트 치근단 변연 상방의 이식재는 1년간 1.23 mm 감소했지만, 탈단백 우골만 단독으로 이식했을 때에는 1년간 0.6 mm만 감소한 것이다(**5-31**).

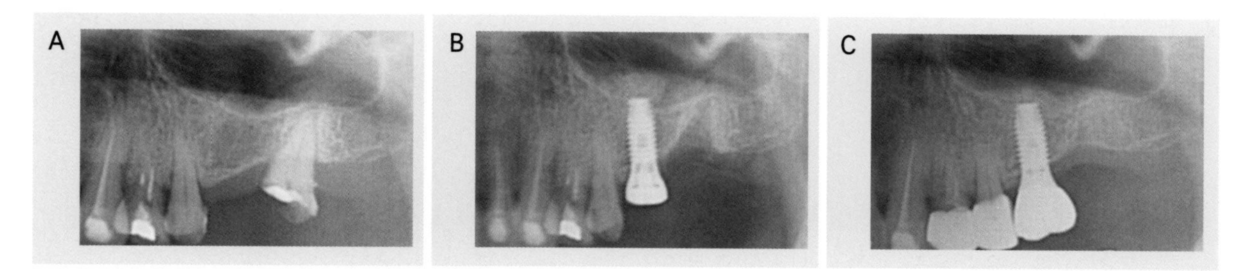

5-31 외측 접근법에서처럼 치조정 접근법에서도 천연 수산화인회석인 탈단백 우골은 재함기화에 잘 저항한다. 이 증례에서도 탈단백 우골로 상악동 골이식을 시행했고 수술 시(**B**)에 비해 보철물 연결 시 재함기화가 어느 정도 발생하긴 했지만(**C**) 임플란트 치근단부 상방에 신생골 형성부가 2–3 mm 정도 존재했다.

2.
골이식재를 사용하지 않는 상악동저 거상술

골이식재를 사용하지 않는 상악동저 거상술은 주로 치조정 접근법으로 많이 시행되고 있다. 이 술식을 시행할 때에는 거상된 상악동 막을 지지해주기 위해 임플란트를 동시에 식립해야 하는데, 치조정 접근법에서는 대부분 임플란트를 동시에 식립하는 반면, 외측 접근법은 임플란트를 동시에 식립하기보다는 단계적으로 식립하는 경우가 더 많기 때문이다.

1) 치조정 접근법은 신생골 형성을 위한 최적의 환경을 조성한다

골유도 재생술의 기본 원리는 잘 정립되어 있다. 2006년 Wang과 Boyapati는 성공적인 골유도 재생술을 위한 네 가지 주요 원리를 제시했고, 각 원리의 앞 자를 따서 이를 "PASS 원칙"이라고 했다(**5-32**).[70]

- **Primary closure (일차 폐쇄):** 골재생부는 치유 기간 동안 외부로 노출되지 않고 완전히 폐쇄되어 있어야 한다.
- **Angiogenesis (신생 혈관 형성):** 골재생부는 신속히 혈병으로 채워져야 하며 치유 기간 동안 충분한 양의 혈액이 공급되어야 한다.
- **Space creation/maintenance (공간 형성/유지):** 치유 기간 동안 신생골이 형성될 수 있는 공간이 유지되어야 하고 이 공간 내부로 연조직 세포나 상피세포가 이주할 수 없도록 막아주어야 한다.
- **Stability (안정):** 혈병, 이식재, 임플란트는 움직임 없이 안정적으로 유지되어야 한다.

엄밀히 말해서 공간 형성/유지에 포함된 "연조직 세포 차단(Occlusion)"은 매우 중요한 개념이기 때문에 하나의 독립된 항목으로 다루어야 하지만, 그러면 명쾌한 단축어를 만들기 힘들기 때문에 이렇게 네 가지 항목으로 정리한 것으로 추측된다.

치조정 접근법 시 거상된 상악동 막과 상악동저 골표면 사이의 공간은 골재생에 있어 최적의 장소라는 사실을 알 수 있다(**5-33, 5-2**).

따라서 치조정 접근 상악동 골이식은 골재생에 매우 유리한 환경을 조성할 수 있다고 결론 내릴 수 있다. 이러한 유리한 환경을 이용하는 한 가지 방법으로 이식재를 사용하지 않는 술식이 검증된 것이다.

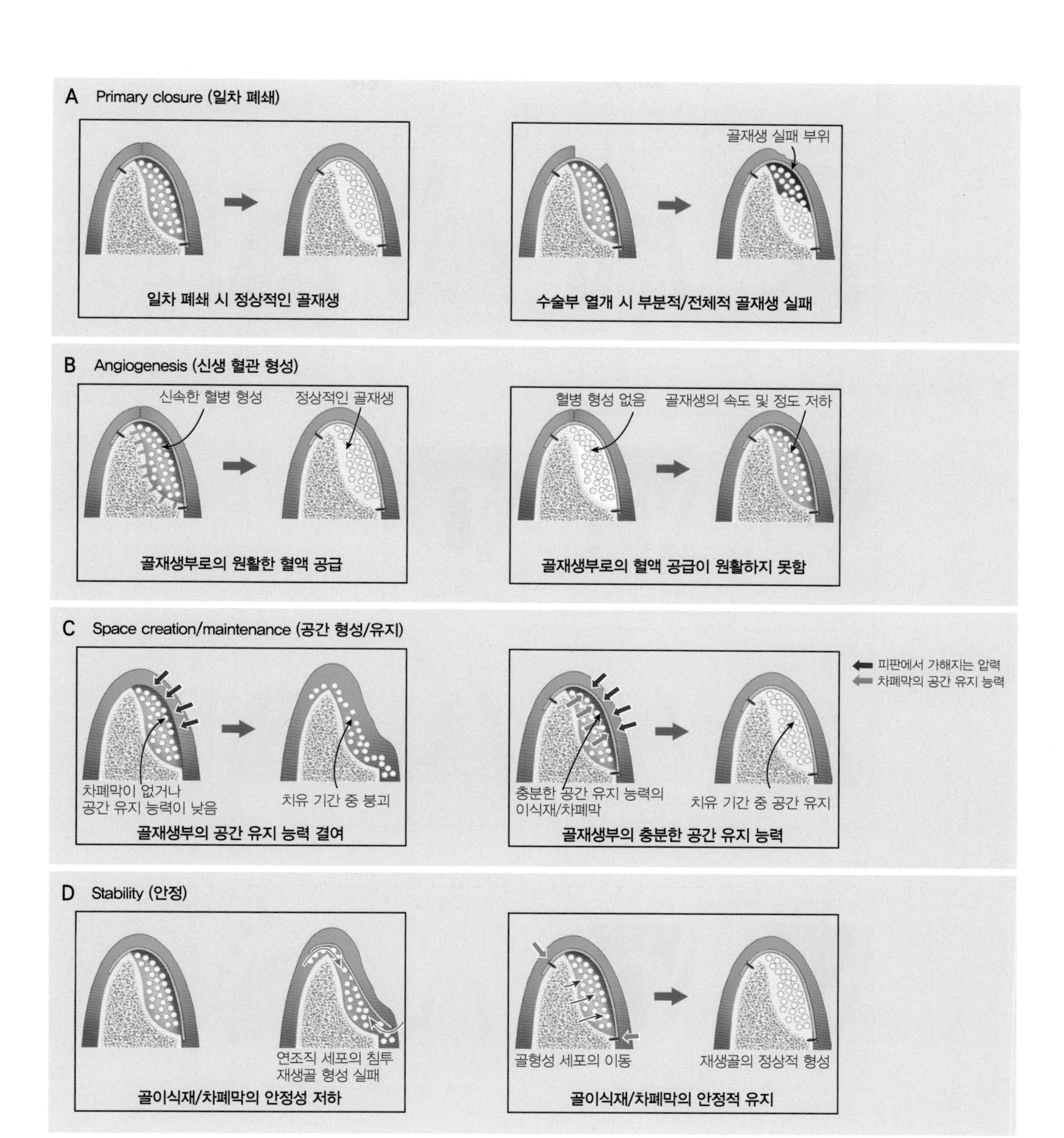

5-32 PASS 원칙(2006년 Wang과 Boyapati가 제시한 골재생의 성공을 위한 기본 원리[70])

A. Primary closure (일차 폐쇄): 골재생부는 치유 기간 동안 외부로 노출되지 않고 완전히 폐쇄되어 있어야 한다. 일차 폐쇄에 실패하여 치유 기간 중 골재생부가 외부로 노출되면 골재생은 부분적으로, 혹은 완전히 실패한다. **B. Angiogenesis (신생 혈관 형성):** 골재생부는 신속히 혈병으로 채워져야 하며 치유 기간 동안 충분한 양의 혈액이 공급되어야 한다. 골재생부가 신속히 혈병으로 충전되지 못하고 치유 기간 중 신생 혈관이 충분히 형성되지 못하면 골의 재생 속도나 골화의 정도가 저하된다. 심하면 골이식재는 골화에 실패하여 연조직으로 둘러싸이게 된다. **C. Space creation/maintenance (공간 형성/유지):** 치유 기간동안 신생골이 형성될 수 있는 공간이 유지되어야 하고 이 공간 내부로 연조직 세포나 상피세포가 이주할 수 없도록 막아주어야 한다. 만약 공간 유지에 실패하면 골증강부는 붕괴되어 골이 형성될 공간이 사라진다. 이는 골재생량의 감소로 이어진다. **D. Stability (안정):** 혈병, 이식재, 임플란트는 움직임 없이 안정적으로 유지되어야 한다. 치유 기간 중 골재생부가 안정적으로 유지되지 못하면 연조직 세포가 골재생부 내로 침투하여 골재생이 실패한다.

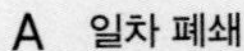

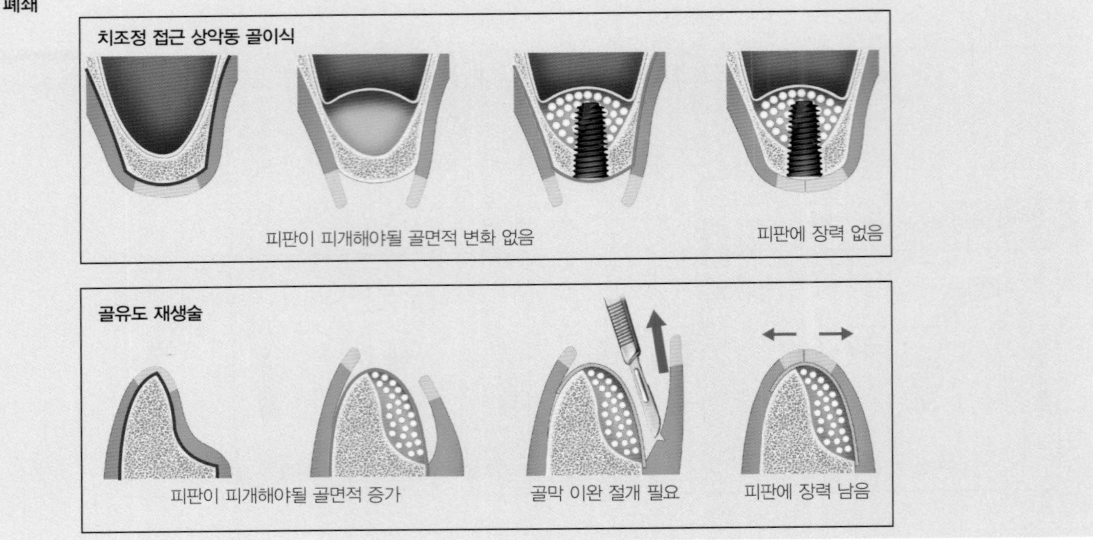

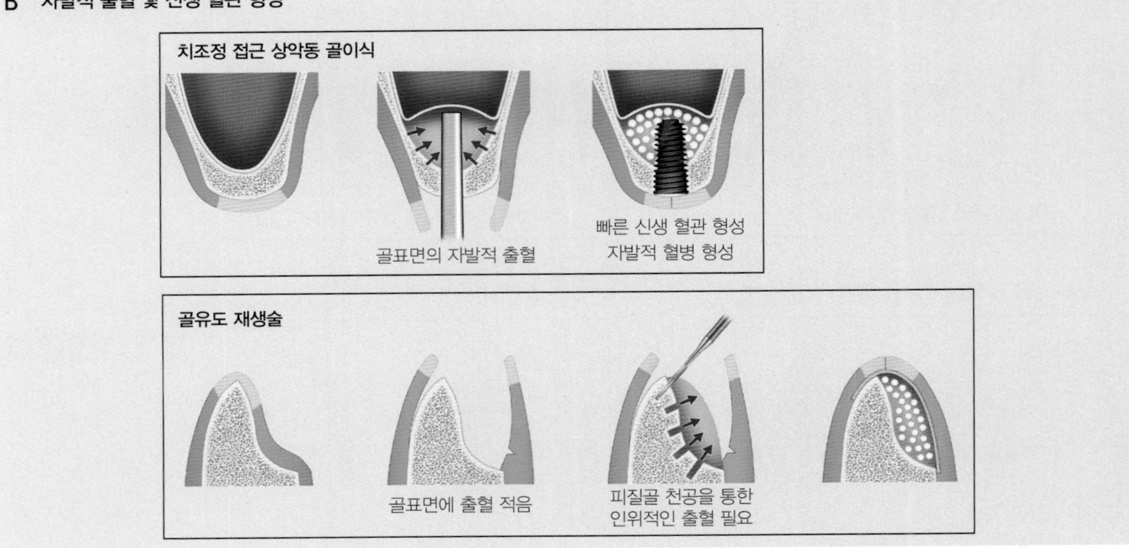

C 공간 형성/공간 유지

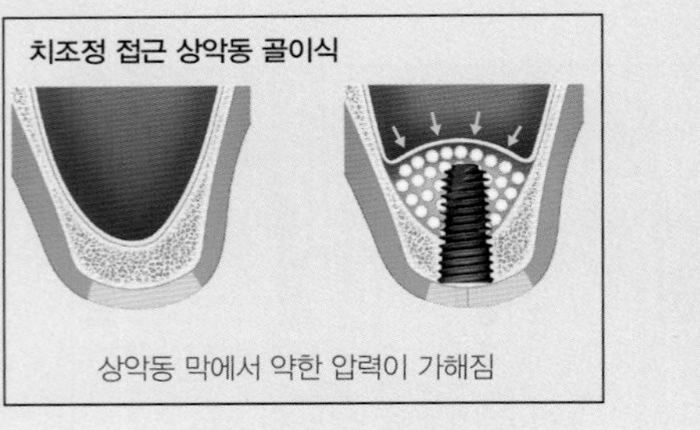

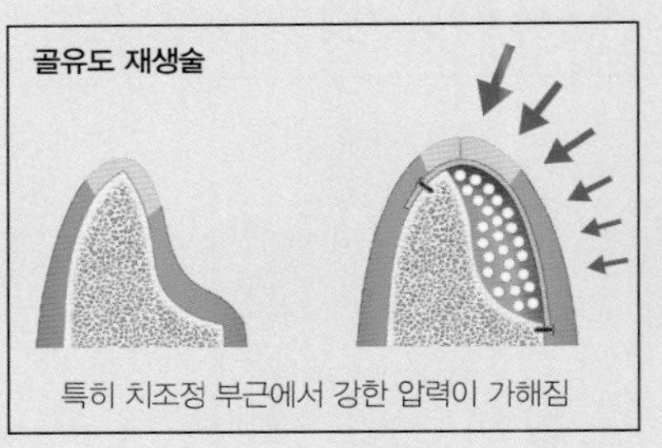

골유도 재생술
특히 치조정 부근에서 강한 압력이 가해짐

📷 5-33 PASS 원칙에 입각하여 생각했을 때 치조정 접근 상악동 골이식술은 골재생을 위한 최적의 술식이라는 사실을 알 수 있다.
A. 치조정 접근법에 의해 형성된 공간은, 상악동 막이 천공되지만 않는다면 완전히 폐쇄된 공간으로 남는다. 이는 이 술식의 최대의 장점 중 하나이다. 또한 골증강부는 골의 표면이 아닌 내부이기 때문에 수술부 폐쇄 시 피판에 장력이 가해지지 않는다. 반면 일반 골유도 재생술은 골의 표면에 시행하는 것이기 때문에 피판에 가해지는 장력은 증가한다. 또한 치유 기간 중 피판이 열개되면 골재생의 결과에 심대한 악영향을 미칠 수 있다. **B.** 골유도 재생술 시에는 골재생부로의 신생 혈관 형성을 최대화하기 위해 피질골을 천공시켜야 한다. 치조정 접근법 시에는 임플란트 식립부 상방의 상악동저 골이 골절된다. 따라서 골절 부위의 변연에서는 골수가 노출되고 이를 통해 충분한 양의 혈액이 공급될 수 있다. **C.** 치조정 접근법을 통해 형성된 골재생 부위에는 피판으로부터 가해지는 강한 압력이 존재하지 않는다. 호흡 시 비구를 통해 상악동 내로 흡입된 공기가 골재생부에 지속적이지만 약한 압력을 가한다. 반면 일반적인 치조골 증강술 후 골재생부 상부의 피판으로부터 가해지는 압력은 치유 기간 중 지속적으로 골재생 부위를 붕괴시키는 힘으로 작용한다. 특히 수직적 결손부나 광범위한 수평적 결손부는 이러한 압력이 강하게 작용한다.

■ 5-2 골재생 원리에 입각한 치조정 접근 상악동 골이식과 골유도 재생술의 비교

골재생 원리	골유도 재생술	치조정 접근 상악동 골이식
일차 폐쇄	• 골유도 재생술로 피판 하방의 공간이 확장되면 피판을 장력 없이 폐쇄하는 것은 매우 힘들다. • 골막 이완 절개 등으로 피판의 장력을 없애기 위한 최대한의 노력을 가해야 한다. • 그럼에도 불구하고 피판이 열개될 수 있으며, 이로 인해 차폐막 노출과 골재생 실패로 이어질 수 있다.	• 치조정 접근법에 의해 형성된 공간은, 상악동 막이 천공되지만 않는다면 완전히 폐쇄된 공간으로 남는다. 이는 이 술식의 최대의 장점 중 하나이다. 따라서 이 술식에서 피판의 일차 폐쇄 여부는 골재생의 성공에 아무런 영향도 미치지 않는다. • 그러나 상악동 막이 천공되면 골유도 재생술 시 피판이 열개된 것과 동일하게 골증강의 결과는 현저히 저하된다.
신생 혈관 형성	골유도 재생술 시에는 골재생부로의 신생 혈관 형성을 최대화하기 위해 피질골을 천공시켜야 한다. 수직적 결손이나 범위가 큰 결손에서는 신생 혈관 형성이 부족할 수 있기 때문에 골형성 능력이 좋은 자가골 이식재를 사용하는 것이 추천된다.	• 치조정 접근법 시에는 임플란트 식립부 상방의 상악동저 골이 골절된다. 따라서 골절 부위의 변연에서는 골수가 노출되고 이를 통해 충분한 양의 혈액이 공급될 수 있다. • 어떠한 골 대체재를 이용하더라도 골재생의 결과는 크게 차이가 나지 않는다.
공간 형성/유지	• 골재생부 상부의 피판으로부터 가해지는 압력은 치유 기간 중 지속적으로 골재생 부위를 붕괴시키는 힘으로 작용한다. 특히 수직적 결손부나 광범위한 수평적 결손부는 이러한 압력이 강하게 작용한다. • 피판으로부터의 압력에 저항하기 위해 강한 공간 유지 능력을 가진 차폐막이나 티타늄 메쉬를 사용해야 할 수도 있다. 그러나 이러한 차폐막은 합병증 발생 가능성이 높다.	• 치조정 접근법을 통해 형성된 골재생 부위에는 피판으로부터 가해지는 강한 압력이 존재하지 않는다. 그러나 호흡 시 비구를 통해 상악동 내로 흡입된 공기는 골재생부에 약하지만 지속적인 압력을 가한다. • 치조정 접근 후 식립한 임플란트의 치근단 부위는 텐트 폴처럼 작용하여 거상된 상악동 막이 공기압으로 인해 붕괴되는 것을 부분적으로 막아줄 수 있다. • 치조정 접근 후 골이식재를 적용하면 공기압에 대항하여 이식된 공간을 비교적 잘 유지할 수 있다.
혈병, 이식재, 임플란트 안정	저작이나 발음 등 구강 내 기능에 의해 골증강부는 지속적이거나 간헐적인 기능적 부하를 받거나 상부 연조직의 움직임에 직면할 수 있다. 이는 혈병, 이식재, 임플란트의 안정성을 저하시킨다.	거상된 상악동 막과 상악동저 사이의 골재생부는 상악동 막을 통해 전해지는 약한 공기압을 제외하고는 혈병, 이식재, 임플란트의 안정을 저해할 어떠한 외력도 가해지지 않는다.
상피/연조직 세포 차단	골재생부는 상피 조직과 결합 조직, 그리고 치조골 표면과 접한다. 따라서 골재생부로 연조직과 상피 세포가 침입하지 못하도록 차폐막을 사용해야 한다. 이는 수술부 열개나 감염 등의 합병증을 불러일으킬 수 있다.	치조정 접근법으로 형성된 공간은 상악동 막의 골막, 상악동저의 골표면, 그리고 식립된 임플란트 표면만을 접하게 된다. 따라서 결합 조직이나 상피 조직이 이 부위로 침입할 가능성은 전혀 없다. 그러므로 차폐막을 사용할 필요가 없다.

2) 골이식재 없는 상악동저 거상술은 성공적인 술식으로 검증되었다

(1) 상악동 막이 거상된 채로 유지되면 상악동 막 하방에는 신생골이 형성된다

상악동 막을 거상하고 그대로 두면 공기압에 의해 상악동 막은 다시 하방으로 이동한다. 결국 거상됐던 상악동 막은 상악동저와 접촉하게 되면서 신생골을 형성하지 않는다.[71–74] 그러나 상악동 막을 어떠한 방법으로든 거상된 채로 유지시키기만 한다면 상악동 막 하방과 상악동저 사이의 공간에는 신생골이 형성된다.

이미 1993년에 Boyne은 원숭이를 이용한 동물 실험에서 상악동 막을 거상하고 임플란트를 상악동 내부로 돌출되도록 식립하면 골이식재를 적용하지 않아도 거상된 상악동막 하방으로 골이 재생된다는 사실을 발견했다(📷 5–34).[75] 또한 이러한 골재생은 높이에 한계를 보여, 상악동 내로 임플란트가 2–3 mm 돌출되면 돌출된 임플란트는 완전히 재생골로 둘러싸이는데 반해, 5 mm가 돌출되면 절반 가량의 높이만 재생골로 둘러싸인다는 사실도 발견했다. 이후 일련의 동물 실험에서는 상악동 막을 거상하고 임플란트를 식립하여 이를 지지해주면 상악동 막 하방에는 양질의 신생골이 형성된다는 사실을 보여주었다.[76,77]

또한 임플란트 수술과 관계없이 다른 외과적 처치로 상악동 막이 거상되면 거상된 상악동 막 하방에 골이 형성된다는 사실이 몇몇 구강악안면외과의에 의해 알려졌다. Lundgren 등은 2003년의 증례 보고에서, 외과적으로 거상된 상악동 막 하방에서 신생골이 형성될 수 있음을 보여주었다.[78] 이들은 상악동 골이식을 시행하

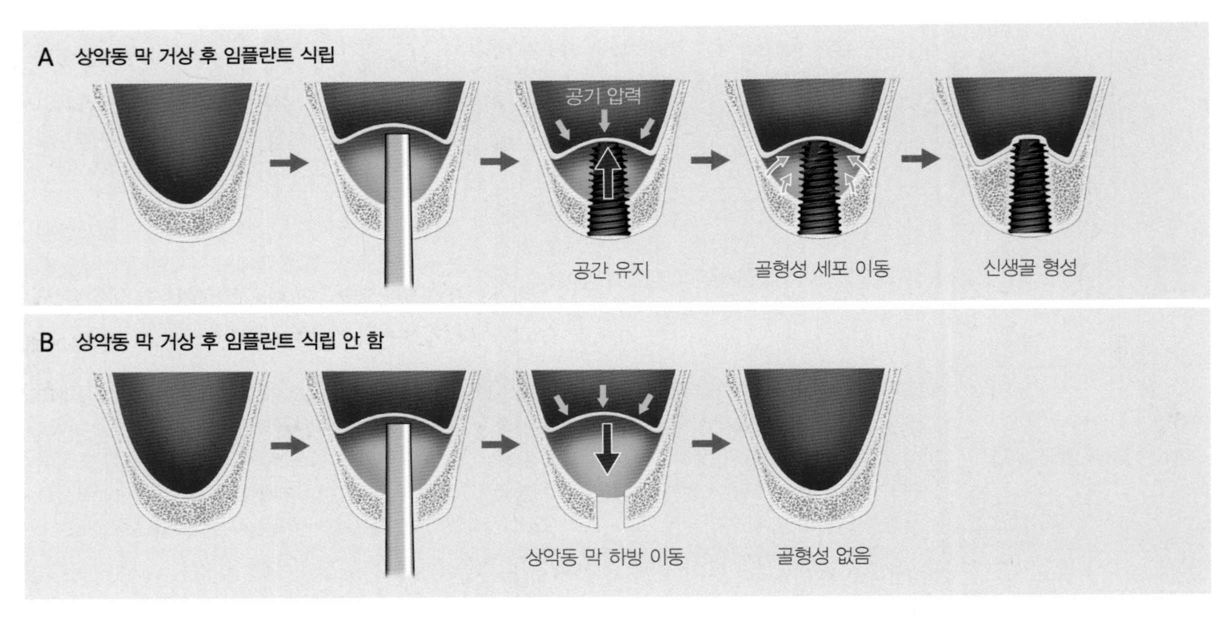

📷 5–34 골이식재를 적용하지 않는 상악동저 거상술은, 상악동저 거상 직후 식립된 임플란트의 공간 유지 기능을 이용하는 술식이다. **A.** 상악동 막을 거상한 후 임플란트를 식립하면 임플란트는 상악동 막을 지지하여 공기압에도 불구하고 원래 위치로 돌아가지 않도록 해준다. 이렇게 거상된 채 유지된 상악동 막과 상악동 내부의 골면 사이에 신생골이 형성된다. **B.** 상악동 막을 거상했다가 임플란트나 이식재를 위치시키지 않고 두면 공기압에 의해 다시 하방 이동하여 원위치로 돌아간다. 따라서 신생골은 전혀 형성되지 않는다.

기에 앞서 상악동 내의 낭종을 제거하기 위해 외측 골창을 형성했으며, 이 부위를 통해 병소를 제거하고 골창을 재위치시켰다. 3개월 후 수술부로 재진입했을 때 낭종 제거 시 거상됐던 상악동 막 하방에는 신생골이 형성되어 있었다. 이들은 이러한 현상을 검증하기 위해 단일 환자군 연구를 시행하여 2004년에 그 결과를 보고했다.[79] 이들은 10명의 환자에게 총 12건의 외측 접근법과 함께 임플란트를 식립했고, 골이식재를 적용하지 않은 채 임플란트만으로 거상된 상악동 막을 지지해 주었다. 그 결과로 수술 6개월 후에는 CT에서 거상된 상악동 막 하방으로 방사선 불투과성의 조직이 형성된 것을 확인했다.

1994년에 Summers는 오스테오톰 술식 중의 하나로 골이식재를 적용하지 않는 술식인 "오스테오톰 상악동저 거상술(OSFE)"을 제안한 바 있다.[6] 그러나 이 술식은 임상가들의 관심을 별로 얻지 못하다가 위의 Lundgren 등의 연구에 힘입어 다시 관심을 얻게 되었다. 치조정 접근법을 통한 골이식재 없는 상악동저 거상술의 임상적 결과는 2005년에 처음 보고됐다. Leblebicioglu 등은 오스테오톰으로 상악동저를 거상한 후 골이식재 없이 임플란트를 식립했다.[37] 이들은 전향적 단일 환자군 연구에서 40명의 환자에게 44건의 수술을 시행했고, 그 결과 초기 치조정 높이가 9 mm 미만이었던 경우에는 3.9±1.9 mm, 9 mm 이상이었던 경우에는 2.9±1.2 mm의 수직적 골증강을 얻을 수 있었다고 보고했다.

이후 골이식재 없는 상악동저 거상술 후 형성된 신생 조직은 건전한 골조직임이 조직학적으로 밝혀졌다. 동물 대조 연구에서 상악동 막 거상 후 임플란트를 식립하고 골이식재를 충전했을 때와 충전하지 않았을 때 6개월 후 골-임플란트간 결합이나 임플란트 안정에 차이가 없었고, 이식재 없이 상악동 막만 거상한 후에도 신생골이 상악동 내부에 충분히 형성된 것을 조직학적으로 관찰 가능했다고 보고했다.[77] 다른 동물 연구에서는 치조정 접근법 시 β-TCP (3인산칼슘)를 적용했을 때와 적용하지 않았을 때의 조직학적 결과를 비교했으며, 신생골과 임플란트 간의 결합도는 40.05% (이식재 미사용)와 23.30% (이식재 사용), 신생골 내 광화 조직의 비율은 35.90% (이식재 미사용)와 25.59% (이식재 사용)로 모두 이식재를 사용하지 않았을 때 더 우수한 결과를 보였다.[80]

임상 연구에서도 골이식재 없는 상악동저 거상술 후에는 양질의 신생골이 형성된다는 사실이 확인됐다. 2016년의 한 전향적 단일 환자군 연구에서는 외측 접근법으로 골이식재 없는 상악동 골이식술을 시행하고 6개월이 경과하면 신생골 내 광화 조직은 56.7-59.9%의 높은 비율을 차지한다고 했다.[81] 한 무작위 대조 연구에서는 외측 접근법에서 골이식재를 사용했을 때와 사용하지 않았을 때 수술 2년 후까지 임플란트의 공진 주파수값(ISQ)는 별다른 차이를 보이지 않았다고 했다.[82] 또한 한 증례 연구에서는 골이식재 없이 형성된 신생골은 티타늄 임플란트와 골유착이 이루어진다는 사실을 보여 주었다.[83] CT를 이용한 무작위 대조 연구들에서도 자가골 이식재를 이용했을 때보다 이식재를 적용하지 않았을 때 신생골의 방사선학적 불투과도는 더 높거나 비슷한 결과를 보였다.[84,85]

(2) 치조정 접근법에서 골이식재의 사용 유무는 임플란트의 임상적 성공에 영향을 미치지 않는다

2010년대 이후로 상악동 골이식술에 있어 가장 큰 관심을 받고 있는 주제는 단연 이식재를 사용하지 않는 술식이다. 따라서 이와 관련된 많은 임상 연구들이 이루어지고 있으며, 이제 "골이식재를 사용하지 않는 상악동 골이식술"은 확고한 근거에 기반한 임상 술식으로 자리잡았다.

골이식재를 사용하지 않는 상악동 골이식술과 관련된 알차 연구의 결과가 축적되어 감에 따라 2010년대 후반에는 이에 관한 많은 이차 문헌(체계적 문헌 고찰/메타분석)이 보고되고 있다(**5-3**).

결론적으로 지금까지 발표된 임상 연구들의 결과들을 통합하면, 다양한 잔존골 높이를 보이는 증례에서 치조정 접근 상악동 골이식 시 이식재의 사용 유무는 그 부위에 식립된 임플란트의 성공에 영향을 미치지 못했다. 2018년의 두 메타분석에서는 치조정 접근 상악동 골이식 시 이식재를 사용한 경우와 사용하지 않은 경우를 비교했을 때 임플란트 실패의 상대적 위험도는 각각 1.02 (95% CI 0.99–1.05)와[88] 1.010 (95% CI 0.910–1.120)이었다고 했다.[89] 이는 임플란트 실패의 위험도가 두 경우에서 거의 동일하다는 것을 의미한다. 또한 외측 접근법과 치조정 접근법을 함께 분석하더라도 골이식재의 사용 유무가 임플란트의 성공과 실패에 전혀 영향을 미치지 못했다(상대적 위험도=1, 95% CI 0.96–1.04).[90]

3) 임상적 고려 사항

(1) 골이식재를 사용하지 않는 치조정 접근법은 어떻게 시행하는가?

골이식재를 사용하지 않는 Summers의 OSFE (Osteotome Sinus Floor Elevation) 술식은 극히 간단하다. 골이식재를 적용하는 일반 술식인 BAOSFE (Bone–Added Osteotome Sinus Floor Elevation)와 거의 동일하게 오스테오톰으로 상악동저 골을 골절시키는 과정까지 진행한 이후 골이식재를 적용하는 과정만 시행하지 않는다. 정리하면 다음과 같다(**5-35**).[6,23–25,91]

① 상악동저보다 1 mm 하방까지 임플란트 식립을 위한 골삭제를 통상적인 방법으로 일련의 트위스트 드릴을 이용해 시행한다.

② 이때 골삭제의 직경은, 임플란트 식립부 골의 밀도가 낮은 경우에는 원래 직경보다 10% 작은 직경까지만 적용한다(과소 삭제). 예컨대 5 mm 직경의 임플란트 식립을 위해 4 mm 직경의 트위스트 드릴을 적용해야 하는 경우, 치조골 밀도가 저하되어 있으면 3.6 mm 직경에 가까운 드릴까지만 사용한다. 최근에는 오스테오톰을 이용한 치조골의 수평적 골압축은 과소 삭제법보다 조직학적으로나 임상적으로 임플란트의 골유착에 있어 그 효과가 더 떨어지며, 환자에게 가해지는 고통은 더 크기 때문에 잘 시행하지 않는다.[92,93]

■ 5-3 골이식재를 사용하지 않는 상악동 골이식술에 대한 체계적 문헌 고찰과 메타분석의 결과

저자, 연도	메타분석에 포함된 일차 연구의 포함 기준	메타분석에 포함된 연구/환자/임플란트/관찰 기간	잔존골 평균 높이 혹은 범위	임플란트 성공(생존)/실패	골획득량 (Bone gain)
Nasr, 2016[86]	• 전향적 대조 연구만 포함 • 잔존골 높이 ≤6 mm인 경우 • 치조정/외측 전부 포함 • BG/NBG 비교가 목적	• 6개 연구 • 외측 3, 치조정 3 • 485개 임플란트 • 6개월–5년	• 치조정 접근 – BG 2.2–4.7 mm – NBG 2.6–5.6 mm • 외측 접근 – BG 2.8–5.34mm – NBG 3.4–5.89mm	• 임플란트 실패 OR=0.55 (0.22–1.38) • BG/NBG 여부는 임플란트 생존에 통계학적으로 유의한 영향 없음	• 평균 차 0.58 mm (0.12–1.28 mm) • BG시 평균 0.58 mm 더 골 형성됨 (통계학적으로 유의)
Duan, 2017[87]	• 모든 종류의 임상 연구 • 환자수 10명 이상만 • 치조정/외측 전부 포함 • NBG만 메타분석에 포함	• 22개 연구 • 외측 7, 치조정 15 • 864개 임플란트 • 6개월–10년	• 전체 평균 5.7±1.7 mm • 치조정 2.4–9.1 mm • 외측 3.5–6.2 mm	• NBG 임플란트 생존율 97.9±0.02%	• 상악동저 상방으로의 임플란트 돌출량 – 연구 시작 3.9±1.1 mm – 연구 끝 1.26±0.33 – 골획득량 3.80±0.35 mm • 돌출량과 획득량은 비례(유의한 상관관계 존재)
Yan, 2018[88]	• 모든 형태의 연구 • 치조정만 포함	• 10개 비대조 연구 • 1484개 임플란트 • 8개 대조 연구 • NBG 451개 임플란트 • BG 366개 임플란트		1. 비대조 연구 – NBG시 임플란트 생존율 98% (96–100%) 2. 대조 연구 – 임플란트 생존율 RR=1.02 (0.99–1.05) • BG여부는 임플란트 생존에 유의한 영향 없음	• BG–NBG 차이 – 12개월 1.10 mm (1.67–0.53) – 36개월 0.74 mm (1.34–0.14) • BG시 골획득량은 유의하게 많지만 시간이 지나며 그 격차는 줄어듦
Chen, 2018[89]	• 대조 연구만 포함 • 치조정만 포함 • 최소 1년 추적 관찰 • 환자수 10명 이상	• 7개 연구 • 전향적 대조 4개 • 후향적 대조 3개 • NBG 463개 임플란트 • BG 415개 임플란트	• NBG 2.6–8.1 mm • BG 2.2–6.4 mm	• 임플란트 생존율 • RR=1.010 (0.910–1.120) • BG/NBG 여부는 임플란트 생존에 유의한 영향 없음	• Pjetursson (36개월) – 1.7 (NBG)/4.1 mm (BG) • Nedir (12개월) – 3.9 (NBG)/5.0 mm (BG) • Si (NBG/BG) – 6개월 2.06/5.66 mm – 12개월 2.45/3.56 mm – 36개월 3.07/3.17 mm
Yang J, 2019[90]	• 무작위 대조 연구만 포함 • 최소 6개월 추적 관찰 • 환자수 10명 이상 • 치조정/외측 전부 포함	• 5개의 연구 • 외측 2, 치조정 3 • NBG 122개 • BG 214개 • 6개월–5년	• 2.4–6.59 mm	• 임플란트 생존율 • RR=1.00 (0.96–1.04) • BG/NBG 여부는 임플란트 생존에 유의한 영향 없음	• 골획득량 평균 차이 0.69 mm (1.28–0.11) • BG시 평균 0.69 mm 더 골 형성됨(유의한 차이)

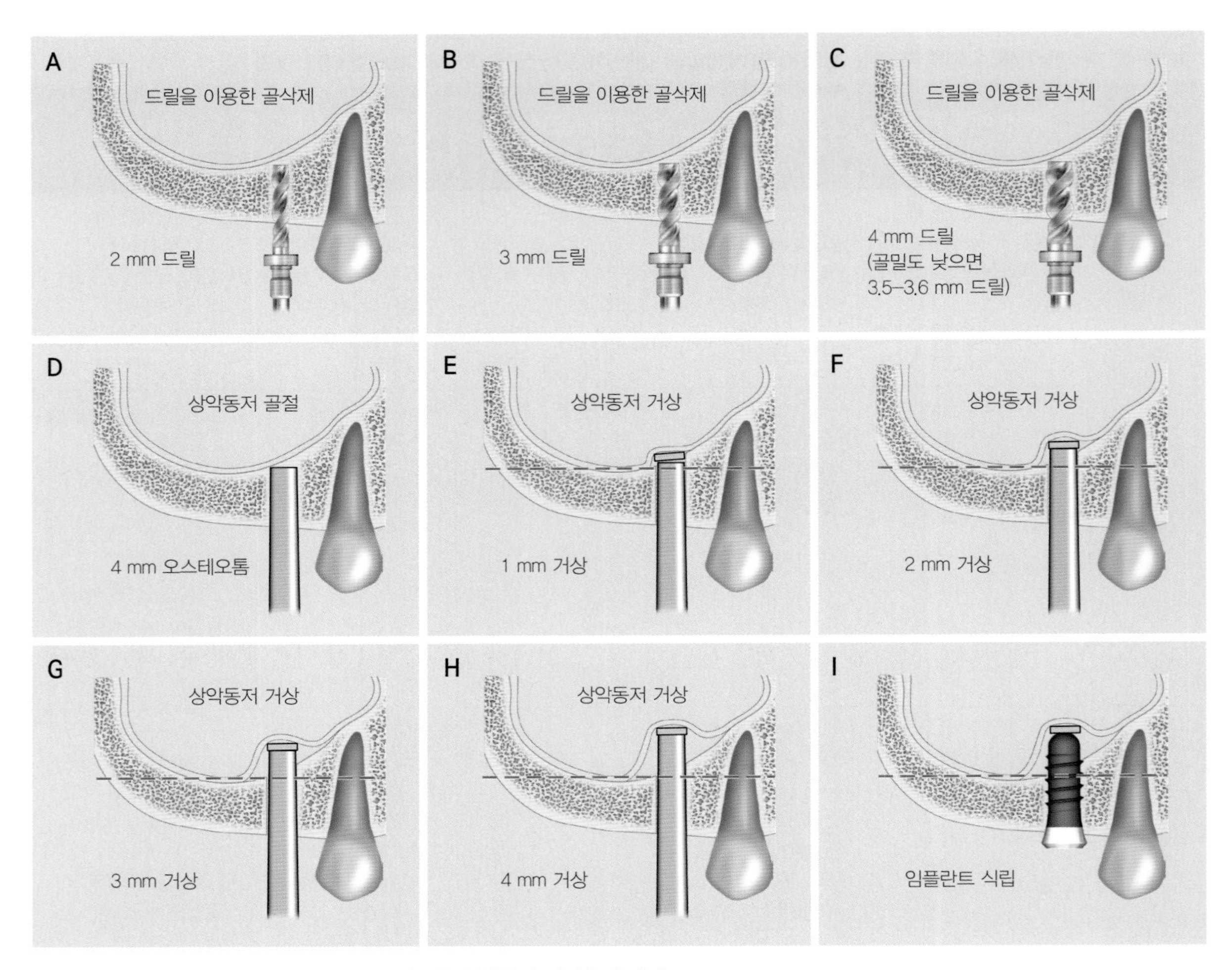

5-35 골이식재를 사용하지 않는 오스테오톰 상악동저 거상술의 과정

③ 드릴을 이용한 골삭제를 완료한 후, 끝이 오목한 Summers 오스테오톰으로 상악동저 골을 골절시킨다. 치조골 밀도가 높은 경우에는 최종 골삭제 직경보다 한 단계 작은 직경의 오스테오톰을 이용하고, 밀도가 낮은 경우에는 최종 골삭제 직경과 동일한 직경의 오스테오톰을 이용한다. 골밀도가 높을 때 골삭제 직경보다 조금 작은 직경의 오스테오톰을 이용하면 상악동저가 좀 더 쉽게 골절된다.

④ 상악동저가 골절되기 전에는 말렛팅 시 비교적 고음이 나지만, 상악동저가 골절된 후에는 둔탁한 소리가 난다. 과도한 힘으로 말렛팅을 시행하면 오스테오톰이 상악동 내부로 급격히 진입하여 상악동 막을 천공시킬 수 있기 때문에 조심해야 한다. 최근에는 오스테오톰에 스탑퍼(stopper)를 끼울 수 있으므로 천공의 가능성을 줄여줄 수 있다.

⑤ 일단 상악동저가 골절되면 오스테오톰은 적은 힘만으로도 쉽게 상악동 내로 삽입되기 때문에 말렛팅할 때 작은 힘만 가한다. 상악동 막의 천공을 예방하기 위해 오스테오톰은 한 번에 3 mm 이하로만 진입시킨다. 보통은 오스테오톰을 1 mm씩 단계적으로 진입시키면서 5–10초가량씩 상악동저가 거상될 수 있는

시간을 부여한다. 어떤 이들은 오스테오톰으로 상악동저만 골절시키고, 상악동 막은 임플란트를 천천히 식립하면서 거상시킨다.

⑥ 발살바 법으로 상악동 막의 천공을 확인한다. 상악동 막의 천공을 확인하기 위해 뎁스 게이지(depth gauge)나 특수한 탐침을 이용하는 술자들도 있지만, 이 기구들 자체가 상악동 막의 천공을 유발할 수도 있으므로 꼭 사용할 필요는 없다.

⑦ 임플란트를 식립한다. 임플란트 디자인은 골이식재를 사용하지 않는 술식에서 중요할 수 있다. 골이식재를 사용하면 임플란트와 거상된 상악동 막 사이에서 이식재가 쿠션 역할을 해줄 수 있지만, 골이식재를 사용하지 않으면 임플란트의 치근단 측은 상악동 막과 직접 접하기 때문이다. 한 동물 실험에서는 골이식재를 사용하지 않는 상악동저 거상술에서 임플란트 매식체의 치근단 변연이 둥근 형태이고 나사산 깊이가 얕은 경우 골재생이 더 원활하게 이루어졌다고 했다(📷 5-36).[75] 골이식 없는 상악동저 거상술에 관한 대부분의 임상 연구에서 매식체의 치근단첨 모양이 부드럽고 둥근 형태인 Straumann사의 Bone level 임플란트를 사용한 것은 이러한 관점을 반영한 결과일 것이다.

(2) 수직적 골형성량은 상악동 내로 돌출된 임플란트 길이에 비례하지만 일반적인 증례들에서는 3 mm 정도가 한계이다

골이식재를 사용하지 않는 상악동저 거상술에서는 상악동 내로 돌출된 임플란트 매식체가 거상된 상악동 막을 지지해준다. 따라서 골이식재를 사용하지 않는 술식에서는 상악동 내로 돌출된 임플란트의 길이가 상악동 내 신생골의 수직적 형성량을 결정하는 절대적인 요소라고 생각할 수 있다(📷 5-37). 한 후향적 연구에서는 이 술식을 시행했을 때 수술 4년 후에는 평균 2.95±1.25, 9년 후에는 평균 2.16±1.13의 수직적 골증강을 얻을 수 있었고, 오직 임플란트 식립 시 상악동 내로의 임플란트 치근단부 돌출량만이 수직적 골증강량과 유의한 상관관계를 보였다고 했다.[94] 다른 전향적 실험 연구들에서도 이 술식을 통해 상악동 내로 평균 2–3 mm 정도의 수직적 골증강을 얻을 수 있었고, 상악동 내로 돌출된 임플란트 매식체의 길이와 상악동 내부의 신생골 형성 높이가 이 범위(≤3 mm) 안에서는 비례 관계에 있다는 사실을 보여주었다.[95-99] 한 메타분석에서도 골이식재를 사용하지 않는 술식에서 상악동 내의 수직적 골형성량은 임플란트 식립 시 상악동 내로 돌출된 길이와 유의한 양의 상관관계를 보인다는 사실을 보여주었다.[87]

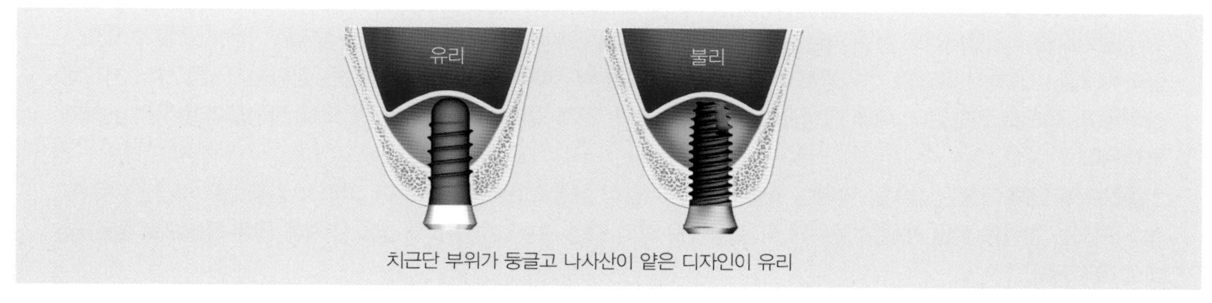

📷 5-36 골이식재를 사용하지 않는 술식에서는 상악동 막에 물리적 손상을 가할 가능성이 낮은 형태의 임플란트, 즉 치근단 변연이 둥근 형태이고 나사산 깊이가 얕은 형태의 임플란트가 유리하다.

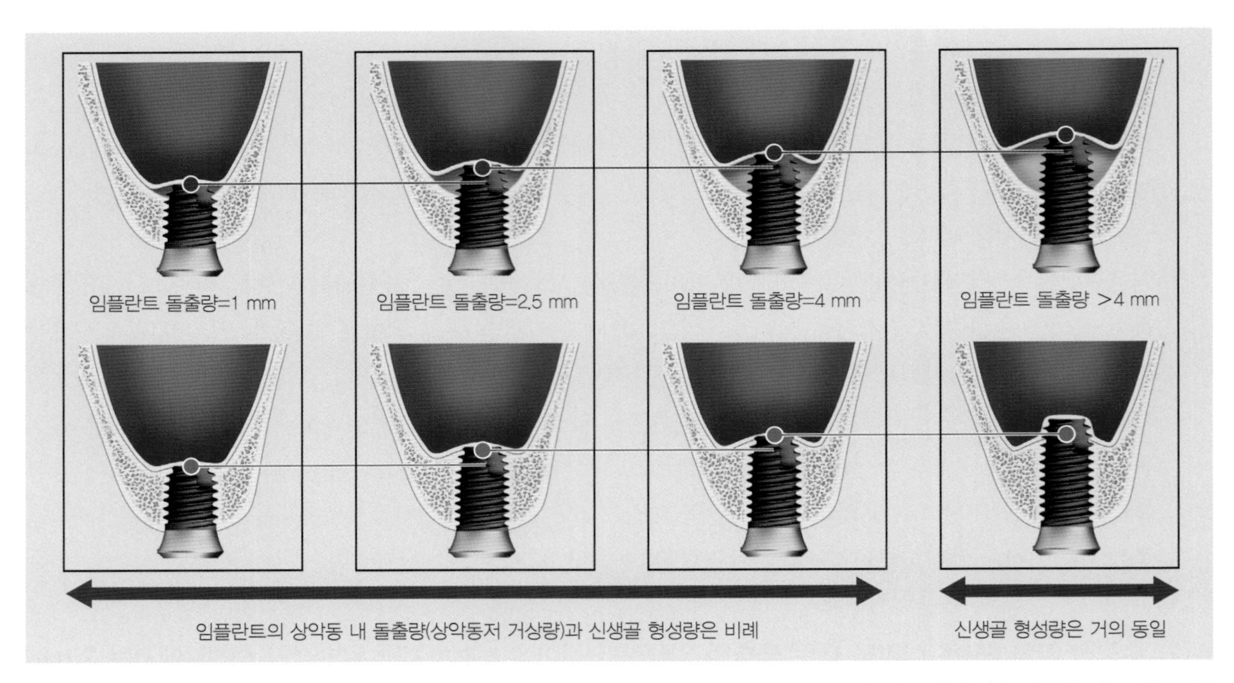

5-37 골이식재를 사용하지 않는 술식에서 골증강량을 결정짓는 가장 중요한 요소는 임플란트의 돌출량이다. 상악동 내로의 임플란트 치근단부 돌출량이 증가함에 따라 수직적 골재생량도 비례하여 증가한다. 하지만 임플란트의 돌출량이 4 mm를 초과하면 신생골 형성량은 더 이상 추가적으로 증가하지 않는다.

위에서 언급된 바와 같이 골이식재를 사용하지 않으면 평균적으로 3 mm 이상의 수직적 골증강은 얻기 힘든 것으로 보인다. 특히 한 동물 실험에서 골이식 없이 치조정 접근법을 시행하고 각각 4 mm와 8 mm를 거상했을 때 6개월 후 수직적 골획득량은 평균 3.3 mm와 3.2 mm로 거의 차이를 보이지 않았다(**5-38**).[100] 즉, 상악동 막의 거상량이 4 mm를 넘어가면 수직적 골증강량은 3 mm 정도에서 더 이상 증가하지 않음을 보여준 것이다. 골이식재를 사용하지 않는 수직적 접근법에서는 이론적으로 몇 가지 제한 요소에 의해 수직적 골량 증가가 제한된다(**5-39**).

- 상악동 막은 좁은 면적의 오스테오톰 밑면에 의해 거상된다. 따라서 오스테오톰으로 일정 높이 이상의 상악동 막을 거상하면 오스테오톰 밑면과 접한 상악동 막에 집중된 압력은 막의 천공을 유발할 수 있다. 또는 상악동 막 천공 없이 임플란트를 식립했더라도 치유 과정 중 좁은 임플란트 치근단부에 집중된 압력에 의해 상악동 막은 천공될 수 있다.
- 골이식재를 이용하지 않으면, 상악동저 골과 거상된 상악동 막 사이에서의 신생골 형성은 상악동저 골로부터 시작해 상악동 막 쪽으로 진행된다. 이때 신생골이 형성될 수 있는 임계 길이(critical length)에 의해 신생골의 수직적 높이가 결정된다.
- 임플란트에 의해 거상된 상악동 막에는 호흡 시의 공기압이 상방으로부터 가해진다. 따라서 임플란트 치근단부로 직접 지지되는 상악동 막을 제외한 주위의 막은 상악동 막의 탄성 계수와 공기압의 상호 관계에 의해 하방으로 눌린 상태로 유지된다.

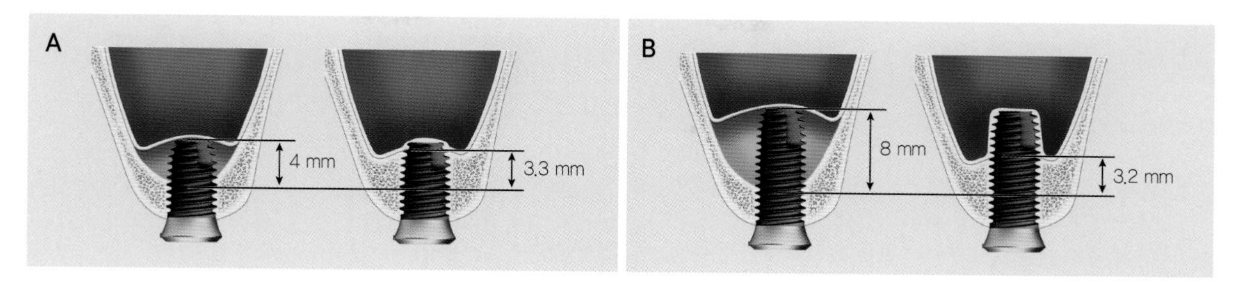

5-38 한 동물 실험에서는 이식재를 사용하지 않는 술식에서 임플란트의 돌출량이 4 mm이면 최종 신생골 형성 높이는 3.3 mm, 돌출량이 8 mm이면 최종 신생골 형성 높이는 3.2 mm였다고 보고했다.[100] 이는 골이식재를 사용하지 않는 치조정 접근법 시 상악동 내 신생골 높이의 최대량이 3 mm 정도이며 4 mm 이상의 상악동 막 거상은 불필요하다는 사실을 보여주는 결과이다.

이들 제한 요소들의 영향을 하나하나 분석해 보자.

① 상악동 막의 거상량에는 한계가 있다.

한 사체 연구에 의하면 골이식재 없이 오스테오톰만으로 상악동저를 거상했을 때 5 mm까지는 상악동 막이 천공되지 않았지만, 6 mm를 거상하면 16.7%의 증례에서 천공이 발생했다.[41] 한 임상 연구에서는 내시경을 이용해 상악동 내부에서 직접 관찰했을 때 5 mm 높이까지 상악동 막을 천공시키지 않은 채 안전하게 골이식재 없이 상악동 막을 거상시킬 수 있었다고 했다.[22] 따라서 상악동 막을 천공시키지 않고 오스테오톰으로 거상시킬 수 있는 한계 높이는 5 mm라고 결론지었다. 몇몇 임상 연구에서는 오스테오톰만으로 상악동 막을 최대 5-6.7 mm까지 거상시킬 수 있었다고 했다.[25,101] 그러나 우리의 임상 목표는 모든 환자에게 적용 가능한 안전한 기준을 정하는 것이지 극한의 한계를 정하는 것이 아니다. 게다가 치조정 접근을 통한 상악동저 거상술은 비관혈 술식이기 때문에 상악동 막이 천공되기 시작하는 범위에서 최소 1 mm의 안전 영역을 부여하는 것이 좋다. 이러한 견지에서 오스테오톰만으로 골이식재 없이 상악동 막을 거상시킬 수 있는 안전한 상악동 막의 거상 높이는 4 mm 정도라고 결론 내릴 수 있다.[102]

② 골형성 능력의 한계로 인해 신생골의 형성 높이가 제한되지는 않는다.

앞서 설명했지만 상악동 골이식 후 상악동 막은 신생골을 형성시킬 수 있는 능력이 거의 없다. 따라서 신생골은 전적으로 상악동 막과 분리된 상악동저의 골표면으로부터 상방으로 진행될 것이다. 이때 신생골이 형성될 수 있는 한계 길이가 존재할 수 있다고 생각할 수도 있다. 그러나 외측 접근법에서 골이식재를 사용하지 않았을 때 수직적 골증강량은 평균 5.5-7.9 mm[82,85,103-105]였다. 이는 치조정 접근법에서 골이식재 없이 거상시킬 수 있는 상악동 막의 한계 높이인 5 mm를 초과하는 것으로, 골재생의 임계 높이로 인해 신생골 높이가 제한되는 경우는 발생하지 않는다는 사실을 보여주는 것이다(**5-40**).

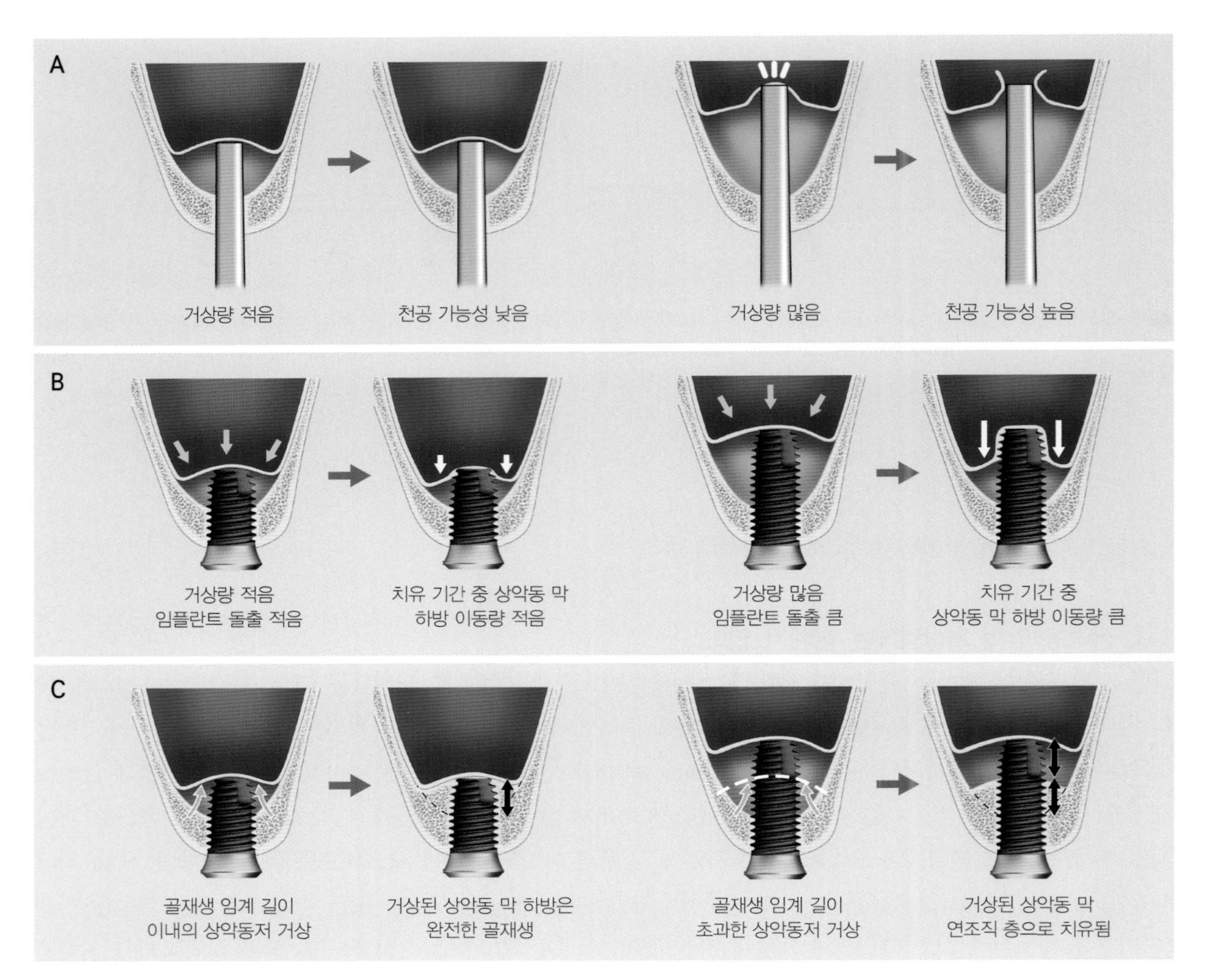

5-39 이식재를 사용하지 않는 치조정 접근 상악동저 거상술은 수직적 골량 증가를 제한하는 몇 가지 이론적 요소가 존재한다.
A. 따라서 오스테오톰으로 일정 높이 이상의 상악동 막을 거상하면 오스테오톰 밑면과 접한 상악동 막에 집중된 압력은 막의 천공을 유발할 수 있다. 또는 상악동 막 천공 없이 임플란트를 식립했더라도 치유 과정 중 좁은 임플란트 치근단부에 집중된 압력에 의해 상악동 막은 천공될 수 있다. 이식재를 사용하지 않는 술식에서는 온전한 상악동 막의 보존이 중요하다. 막이 천공되면 하방 이동하여 신생골 재생량이 현저히 저하되기 때문이다. **B.** 임플란트에 의해 거상된 상악동 막에는 호흡 시의 공기압이 상방으로부터 가해진다. 따라서 임플란트 치근단부로 직접 지지되는 상악동 막을 제외한 주위의 막은 호흡에 의해 가해지는 공기압에 의해 하방으로 눌린 상태로 유지된다. **C.** 골이식재를 이용하지 않으면 상악동저 골과 거상된 상악동 막 사이에서의 신생골 형성은, 상악동저 골로부터 시작해 상악동 막 쪽으로 진행된다. 이때 신생골이 형성될 수 있는 임계 길이를 넘어 상악동 막이 거상되면 임계 길이 상방 부위는 골이 아닌 연조직으로 치유된다.

③ 상악동 막은 공기압에 의해 하방으로 눌린다.

치조정 접근법 시 이식재를 사용하면 임플란트 치근단부는 완전히 이식재로 둘러싸이며 임플란트 치근단 변연과 상악동 막 사이는 이러한 이식재와 신생골로 분리된다.[106] 반면 이식재를 사용하지 않으면 임플란트 치근단 변연은 상악동 막과 직접 접하게 되고, 골재생이 완료된 이후에도 임플란트 치근단 변연 0.5–1 mm 이상은 재생골 상방으로 돌출된다(**5–41**).[106] 이는 공기에 의해 상악동 막이 하방으로 향하는 압력을 받기 때문일 것이다.

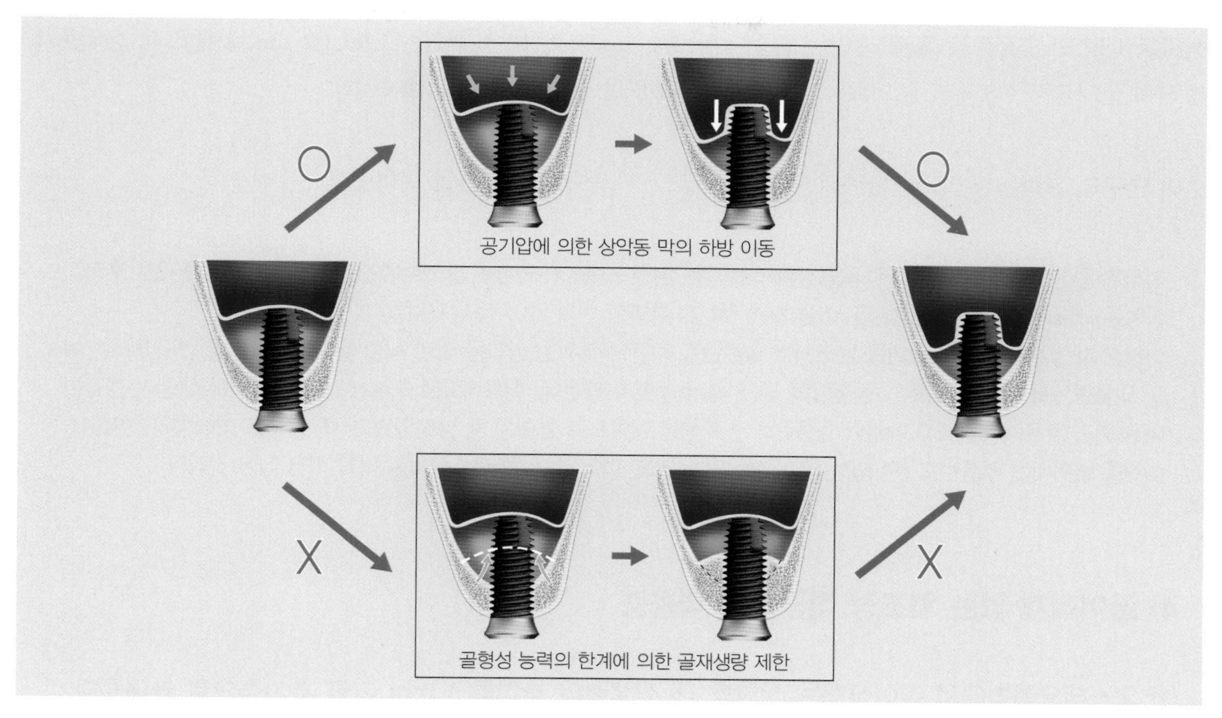

5-40 이식재를 사용하지 않는 치조정 접근법 시 일정 높이 이상의 재생골이 형성되지 않는 이유는 공기압에 의한 막의 하방 이동에 의한 것으로 보인다. 상악동 내 골은 재생골 높이의 한계인 3 mm 이상의 골을 형성시킬 능력이 존재하기 때문이다.

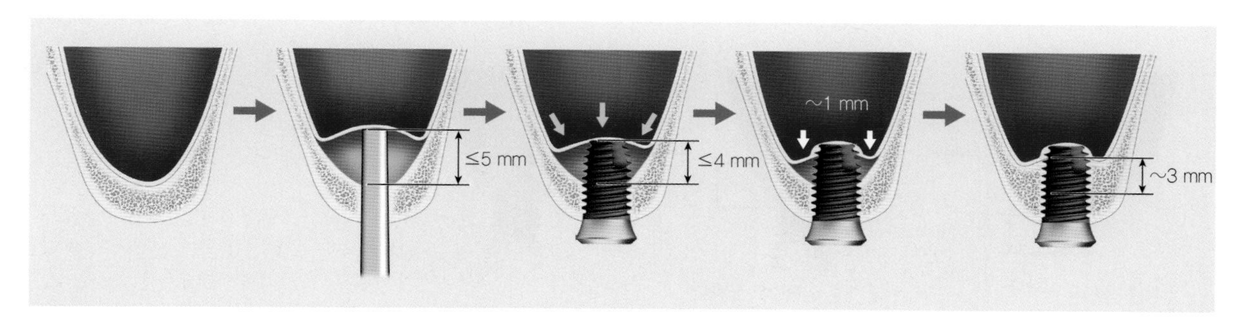

5-41 이식재를 사용하지 않는 술식에서는 재생골이 정상적으로 잘 형성되더라도 임플란트 치근단부 0.5–1 mm는 상악동 막과 직접 접촉하게 된다. 따라서 상악동 내로 임플란트 치근단부를 4 mm 정도 돌출시켜 최대한의 골재생을 도모한다고 했을 때 3 mm 정도의 골을 수직적으로 형성시킬 수 있다.

Nedir 등은 단일 환자군 연구이긴 하지만, 골이식재 없는 치조정 접근 상악동저 거상술의 결과를 전향적으로 10년간 평가한 임상 연구를 보고했다. 이 연구에서는 평균 잔존골 높이가 5.4±2.3 mm인 17명의 환자에게 25개의 임플란트를 골이식재 없이 치조정 접근법과 함께 식립했다.[26] 그리고 그 결과를 10년 후까지 관찰하여 발표했다.[26–29] 수술 중 네 부위에서 상악동 막이 천공되어 짧은 임플란트(6–8 mm)를 식립했고, 나머지 21 부위에는 10 mm 길이의 임플란트를 식립하여 10년 후까지 100%의 임플란트가 생존했다. 또한 임플란트 식립 시 상악동 내로의 임플란트 돌출 길이는 평균 4.9±2.1 mm였고, 10년 후에는 1.9±1.2 mm로 줄었다. 상악동 내 수직적 골재생량은 3 mm 정도에서 안정적으로 유지되는 경향을 보였다(**5-42**).

이 연구의 결과는 우리가 지금까지 정리했던 몇 가지 중요한 사실들을 보여준다.

- 이식재 없는 거상술에서 수직적 골증강량의 한계는 평균 3 mm 내외임을 잘 보여주고 있다. 그리고 수술 3년 후까지 상악동 내에서 증가하던 신생골은 수술 10년 후까지 특별한 변화 없이 잘 유지되었다.
- 이러한 재생골의 수직적 한계를 넘어서는 임플란트 치근단 부위는 상악동 막과 직접 접하게 된다. 이 연구에서는 처음 임플란트를 식립한 직후의 돌출량이 평균 4.9 mm였기 때문에, 최종적으로 3 mm 가량 높이의 신생골이 형성된 이후에도 1.9 mm (4.9–3.0 mm)의 임플란트가 재생골 상방으로 돌출된 채 남아있었다. 즉 신생골 형성량의 한계(≒3 mm)를 넘어서는 임플란트 부위에는 골이 형성되지 않고, 따라서 이 부위는 상악동 막과 직접 접한 것이다.

4) 골이식재 없는 치조정 접근법의 적응증

(1) 오스테오톰법에서 골이식재는 상악동 내 신생골의 높이를 1 mm 가량 추가적으로 높여준다

그렇다면 치조정 접근법에서 골이식재의 사용 유무는 상악동 골이식술의 결과에 어떤 영향을 미칠까? 이를 간단하게 정리해보면 **5-4**와 같다(**5-43**).

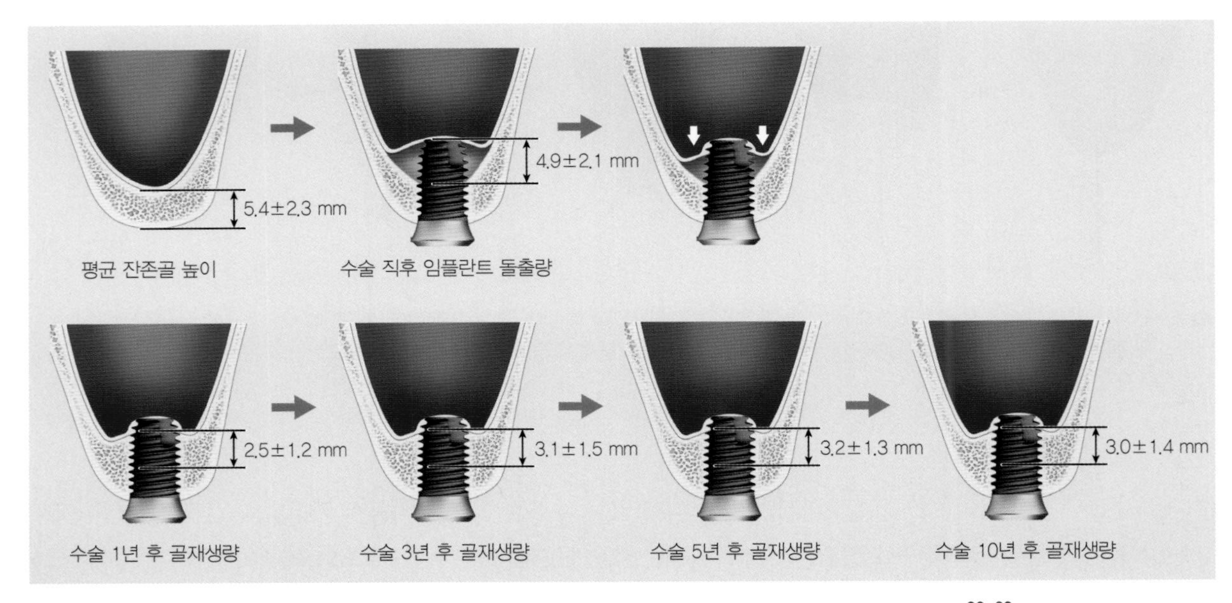

5-42 한 연구 대상 환자들에서 이식재를 사용하지 않는 술식을 적용했을 때 재생골 높이의 장기간 변화[26-29]
이식재 없는 거상술에서 수직적 골증강량의 한계는 평균 3 mm 내외임을 잘 보여주고 있다. 그리고 수술 3년 후까지 상악동 내에서 증가하던 신생골은 수술 10년 후까지 특별한 변화 없이 잘 유지되었다. 신생골 형성량의 한계(≒3 mm)를 넘어서는 임플란트 부위에는 골이 형성되지 않고, 따라서 이 부위는 상악동 막과 직접 접하게 되었다.

표 5-4 치조정 접근법 시 이식재를 사용하는 술식과 사용하지 않는 술식의 비교

	이식재 사용	이식재 사용하지 않음
임플란트 치근단과 상악동 막의 접촉	임플란트 치근단은 상악동 막과 접촉하지 않음	임플란트 치근단은 상악동 막과 직접 접촉
신생골과 임플란트 치근단의 높이 관계	신생골의 상방 변연은 임플란트 치근단보다 상방에 위치	신생골의 상방 변연은 임플란트 치근단부보다 하방에 위치
신생골의 수직적 형성 한계	3 mm≤ h ≤5 mm	h ≤3 mm
상악동 막 천공 시 합병증	이식재가 상악동 내부로 유출 시 상악동염 발생 가능	상악동염 발생하지 않음
적응증	• 잔존골 높이 4–5 mm 이상 • 8 mm 이상의 임플란트 식립이 목표	• 잔존골 높이 4–5 mm 이상 • 6–8 mm 이상의 임플란트 식립이 목표

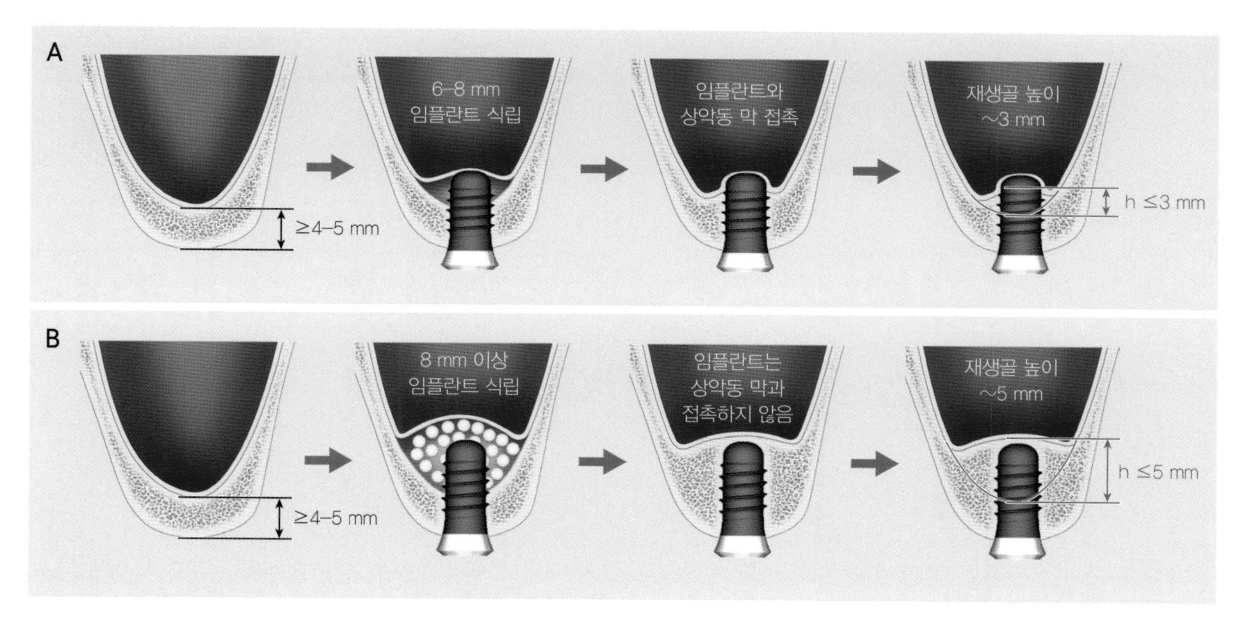

그림 5-43 치조정 접근법에서 이식재 사용 유무에 따른 골재생 결과의 차이

A. 골이식재를 사용하지 않으면 임플란트 치근단 부위 1 mm 가량은 상악동 막과 직접 접하게 된다. 또한 재생골의 높이 한계는 3 mm 정도이다. **B.** 골이식재를 사용하는 술식에서는 임플란트 치근단부가 상악동 막과 잘 접촉하지 않는다. 재생골은 대략 5 mm 높이까지 형성해줄 수 있다.

Pjetursson 등에 의하면, 치조정 접근법에서 골이식재를 사용하면 상악동 내에서 평균 4.1±2.4 mm의 최종적인 수직적 골증강을, 사용하지 않으면 1.7±2 mm의 수직적 골증강을 얻을 수 있었다고 했다.[107] 하지만 이 연구에서는 두 가지 방법을 적용하는 조건이 달랐다. 즉 골이식재를 사용한 경우엔 잔존골 높이가 평균 6.4 mm였던 반면, 골이식재를 사용하지 않은 경우엔 잔존골 높이가 평균 8.1 mm였다. 따라서 골이식재를 사용한 증례에서는 당연히 필요한 수직적 골증강량이 적을 수밖에 없었고, 이것이 이러한 결과로 이어진 것이다. 오스테오톰법에서 골이식재의 효과를 제대로 검증하려면 동일 조건에서 비교한 대조 연구가 필요하다.

최근 연이어 보고되고 있는 3–5년간의 무작위 대조 연구들의 결과를 보면 치조정 접근법에서 골이식재의 사용 유무가 재생골의 양에 미치는 영향을 좀 더 명확하게 이해할 수 있다. 이식재를 사용하지 않는 술식에 대해 많은 임상 연구들을 발표하고 있는 Nedir 등의 팀은 잔존골 높이가 비교적 낮은 경우에서 치조정 접근법을 다소 공격적으로 적용하고 그 결과를 보철 부하 5년 후까지 발표했다.[23–25] 이들은 잔존골 높이가 4 mm 이하인 경우에 한해(평균 높이 2.4±0.9 mm) 8 mm 길이의 임플란트를 식립하며 치조정 접근법을 적용했다. 그리고 그 결과는 **5–5**와 같았다.

5–5 잔존골 높이가 4 mm 이하인 경우 오스테오톰법 적용 시 이식재의 적용 유무에 따른 결과

시기	수술 직후		수술 1년 후		수술 3년 후		수술 5년 후	
이식재 사용 유무	이식재 미사용	이식재 사용	이식재 미사용	이식재 사용	이식재 미사용	이식재 사용	이식재 미사용	이식재 사용
수직적 골형성량			3.9	5.0	4.1	5.1	3.8	4.8
전체 치조골 높이			6.5	8.2	6.7	8.0	6.5	7.8
상악동 내 임플란트 돌출량	5.0		1.0		0.9		1.0	
임플란트 상방 이식재 높이		1.5		0.9		0.7		0.6

이 연구에서는 잔존골 높이가 낮은 증례를 대상으로 했기 때문에 임플란트의 5년 생존율은 골이식재를 사용한 군에서 90.0%, 사용하지 않은 군에서 94.1%로 낮은 수치를 보였다. 그러나 이 연구는 앞에서 **5–43**으로 정리한 몇 가지 중요한 사실을 보여준다.

- 이식재를 사용하면 사용하지 않을 때에 비해 수술 1년 후 대략 1 mm 정도 추가적인 수직적 골량을 얻을 수 있고, 이는 그 후에도 계속 지속된다.
- 이식재를 사용하지 않으면 임플란트의 치근단첨 1 mm 정도는 골재생이 완료된 후에도 골로 둘러싸이지 못하고 상악동 막과 직접 접한다.

- 이식재를 사용한 경우 임플란트 치근단첨 상방은 골로 둘러싸이고, 이를 통해 상악동 막과 분리된다. 그러나 치근단첨 상방의 골은 지속적인 재함기화로 점점 얇아진다.

이식재를 사용하지 않으면 수술 직후에는 방사선학적으로 상악동저 상방으로 어떠한 골재생도 관찰될 수 없다. 그러나 수술 1년 후까지 지속적으로 상방을 향해 골이 형성되는 것이 관찰되며, 1년 이후에는 더 이상의 골재생 없이 형성된 골 높이가 안정된 상태로 유지된다. 반대로 골이식재를 사용하면 골 높이는 재함기화에 의해 지속적으로 하방으로 이동한다. 메타분석에 의하면 두 술식의 이러한 반대되는 상악동 내 골 높이 변화는 결국 수술 1년 후 대략 0.6–1.1 mm 정도의 수직적 높이 차이(골이식재를 사용했을 때 상악동저 거상량이 0.6–1.1 mm 더 높음)를 보이는 상태에서 안정된다.[86,88–93]

(2) 골이식재의 사용 유무와는 관계없이 치조정 접근법은 잔존골 높이가 4–5 mm 이상인 경우 적용한다

골이식재를 적용하지 않으면 3 mm 정도의 안정적인 수직적 골량을 재생시킬 수 있고, 이는 이식재를 사용했을 때와 비교해 1 mm 이하의 차이만 보이는 것이다. 그렇다면 골이식재를 사용하지 않는 술식은 골이식재를 사용하는 술식과 다른 증례에 적용해야 할까? 답은 두 술식은 같은 적응증을 갖는다는 것이다. 잔존골 높이가 4 mm인 경우 8 mm 길이의 임플란트를 골이식재 없는 상악동저 거상술 후 식립하면(치조정 골소실량을 고려하지 않았을 때) 최종적인 치조골 높이는 7 mm 가량 될 것으로 예상할 수 있다(📷 5–44). 지금까지 계속 설명해 왔지만, 7–8 mm 길이의 임플란트는 10 mm 이상 길이의 임플란트와 골유착 성공에 있어 별다른 차이를 보이지 않는다. 잔존골 높이는 이식재를 사용하지 않는 술식에서도 가장 중요한 기준이다. 한 메타분석에서 이식재를 사용하지 않는 치조정 접근법에서 임플란트 실패의 71.4%는 조기에 발생했다고 했다.[87] 이는 충분한 잔존골 높이 확보를 통한 임플란트의 일차 안정이 이 술식의 성공에 있어 중요하다는 점을 시사하는 것이다. 한 후향적 연구는 골이식재를 사용하지 않는 치조정 접근법에서 잔존골 높이가 1 mm 증가할수록 임플란트 생존율은 1.6배씩 증가했다고 했다.[108] 다른 후향적 연구에서도 골이식재를 사용하지 않는 술식의 성공을 좌우하는 가장 중요한 기준은 잔존골 높이였다고 했다. 잔존골 높이가 5 mm 이상이었을 때는 93.5%의 임플란트가 생존했지만, 5 mm 미만이었을 때에는 78.9%의 임플란트만이 생존했으며 이는 통계학적으로 유의한 차이였다.[109]

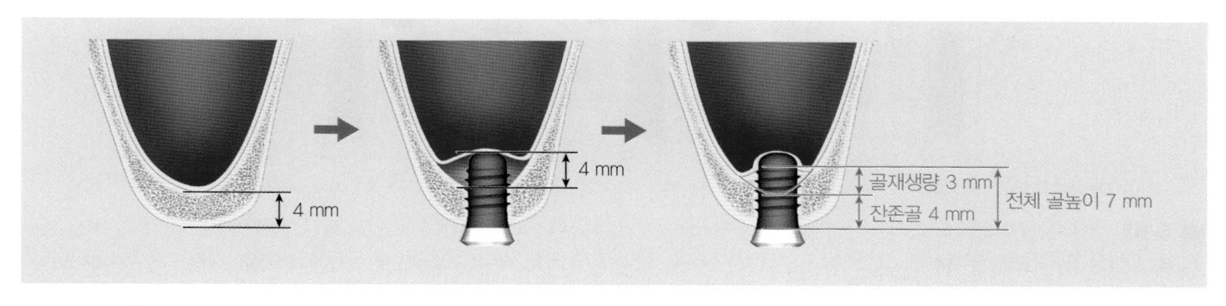

📷 5–44 잔존골 높이가 4 mm일 때 이식재를 사용하지 않는 술식을 적용하면 3 mm 높이의 신생골을 얻을 수 있으므로 최종적으로 예상할 수 있는 골높이는 7 mm 정도이다.

결론적으로 임플란트의 일차 안정이 확보되어 치조정 접근법을 적용할 수 있는 치조골 높이(4–5 mm 이상) 범위에서 골이식재의 사용 유무는 전적으로 술자의 선호도에 달려 있다고 할 수 있다. 한 무작위 대조 연구에서는 잔존골 높이가 4–5 mm일 때 두 가지 치료 전략을 적용하고 그 결과를 비교했다. 두 전략은 각각 "골이식재 없는 상악동저 거상술 + 6.5 mm 길이의 임플란트 식립"과 "외측 접근 상악동 골이식(골이식재 적용) + 표준 길이(11–12.5 mm) 임플란트 식립"이었다(**5–45**).[54] 그 결과, 2년 후 수직적 골재생량은 각각 이식재 없는 치조정 접근법과 외측 접근법 적용 환자군에서 2.94±0.81 mm와 10.19±0.95 mm로 엄청나게 많은 차이를 보였지만, 임플란트의 생존율은 각각 100%와 97.6%로 거의 차이를 보이지 않았다. 이는 이식재 없는 치조정 접근법의 수직적 골증강량 한계를 보여주기도 하지만, 그럼에도 불구하고 일정 정도 이상의 치조골 높이(> 6 mm)만 형성해주면 충분히 높은 임플란트의 성공을 보장할 수 있다는 사실을 보여주는 것이다.

그렇다면 치조정 접근법에서 이식재는 더 이상 사용할 필요가 없다고 결론 내릴 수 있을까? 아직 확실한 답을 내릴 수는 없지만 오스테오톰을 사용했을 때 잔존골 높이를 3 mm 정도까지 거상시키기 위한 목적으로는 더 이상 이식재를 사용하지 않아도 된다고 결론 내릴 수 있을 것이다. 물론 이식재를 사용하지 않는 술식은 최소한의 골증강 높이(2 mm 이하)를 확보하기 위한 목적으로만 제한적으로 적용할 것을 추천하는 전문가들도 있다.[110,111] 그러나 이미 이에 관한 많은 무작위 대조 연구와 메타분석의 결과가 축적되었다. 이제 골이식재를 적용하지 않는 오스테오톰 상악동저 거상술은 검증이 끝난 술식이라고 할 수 있다.

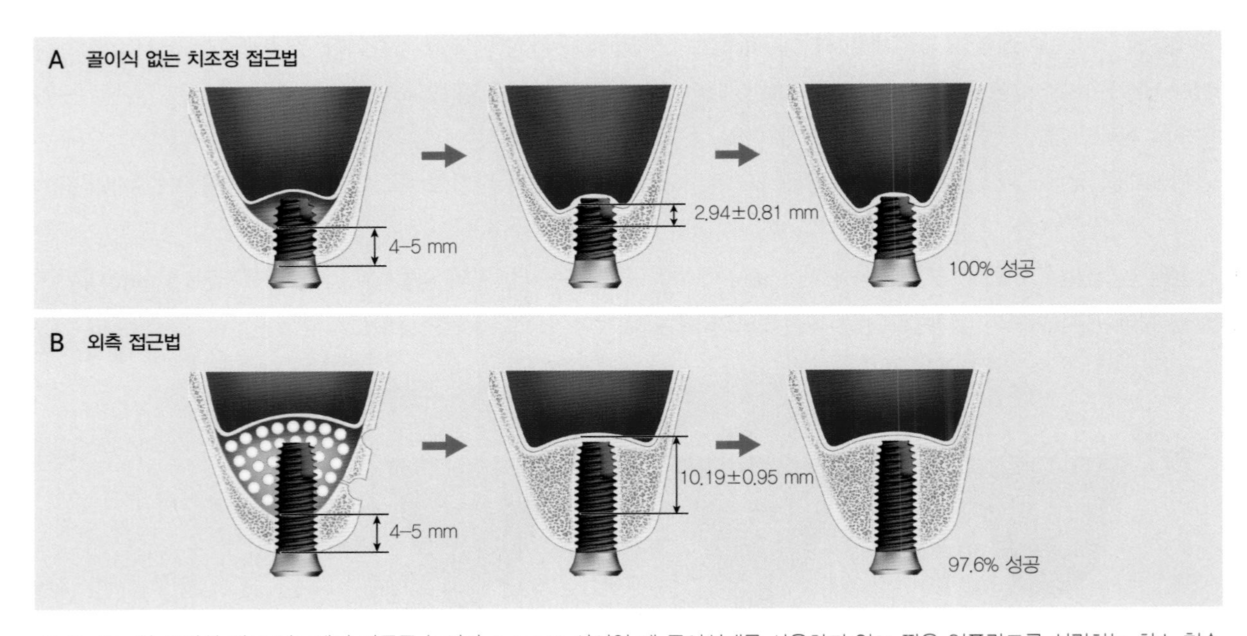

5–45 한 무작위 대조 연구에서 잔존골 높이가 4–5 mm 사이일 때 골이식재를 사용하지 않고 짧은 임플란트를 식립하는 최소 침습 상악동 골이식을 적용했을 때(**A**)와 고전적인 외측 접근 상악동 골이식 후 표준 길이 임플란트를 식립했을 때(**B**) 최종적인 치조골 높이와 임플란트 길이는 현저한 차이를 보였다.[54] 그러나 임플란트의 생존율은 별다른 차이를 보이지 않았다. 이는 결국 침습적이고 부담이 큰 고전적 술식보다는 최소 침습 술식이 더 유리할 수 있음을 보여주는 결과이다.

일찍이 13–14세기 영국의 철학자이자 수사였던 오컴 지방의 윌리엄은 "오컴의 면도날"이라는 구절로 잘 알려진 주장을 했다. 즉, 어떤 현상의 인과관계를 설정함에 있어 불필요한 가정이 많이 필요한 이론을 삼가야 한다고 주장한 것이다. 당시 철학의 핵심 주제는 존재론이었다. "보편적인 것"이 실재한다고 보는 실재론과 "보편적인 것"이 오직 이름뿐이라고 주장하는 유명론이 대립하고 있었다. 이때 영국에서는 이미 실용주의적 관점이 대세로 자리잡았고, 따라서 경험적 사실과 동떨어진 관념적이고 추상적인 실재론보다는 유명론이 주류를 이루게 되었다. 오컴의 윌리엄은 이러한 유명론의 핵심적인 철학자 중 하나였다. 오컴은 과학에 대한 엄격한 정의를 얻으려고 하였으며 고유하게 과학이라고 불릴 수 있는 지식은 보증된 전제로부터 필연적 귀결로 나오는 논증적 지식이라고 주장하였다. "오컴의 면도날"은 그의 이러한 시도에서 주장된 것이다. "오컴의 면도날"은 "불필요한 가정은 면도날로 잘라내라"라는 말로 간단하게 요약할 수 있다. 우리의 진료는 물론 논리학과 같지는 않지만, 진료의 기본 원칙에 오컴의 면도날을 적용하면 다음과 같이 표현할 수 있을 것이다. "같은 결과를 보장할 수 있다면 가장 간단한 술식이 최선의 술식이다." 임플란트 치과학의 지속적인 발전은, 기존의 복잡한 술식이 필요한 증례에서도 간단한 술식을 적용할 수 있게 해주고 있다. 이러한 면에서 최근 보고되고 있는 짧은 임플란트의 보편적 사용과 더불어 골이식재를 사용하지 않는 치조정 접근법의 성공은 치조골 높이가 제한된 상악 구치부를 치료하는 데 있어 최소 침습적 접근이 가능하도록 해주고 있다.[25]

(3) 치조정 접근법 시행 중 상악동 막이 천공되면 이식재 없이 잔존골 높이보다 2 mm 긴 임플란트를 식립할 것을 추천한다

오스테오톰 상악동저 거상술 시 상악동 막은 0–21.4%의 증례에서 천공된다.[112] 게다가 상악동 막의 작은 천공은 방사선사진 상 진단이 불가할 수도 있다.[113] 그리고 잔존골 높이가 4–5 mm인 증례에서 치조정 접근법에서 상악동 막의 천공이 확인되었거나 의심되면 잔존골 높이보다 2 mm 가량 긴 임플란트를 식립하는 것은 첫 번째 치료 옵션이 될 수 있다. 이는 천공된 상악동 막을 통해 약간의 임플란트 치근단첨이 상악동 내로 돌출되도록 하는 것이다(📷 5-46). 두 가지 사실이 이러한 결론을 내리도록 해준다.

- 임플란트 치근단이 상악동 막을 천공하더라도 상악동 내부로 2 mm 이하로만 돌출되면 부분적인 골재생이 이루어지고 임플란트 치근단부는 상악동 막으로 완전히 피개된다.
- 임플란트 매식체 자체는 상악동 내로 돌출되더라도 염증성 반응을 일으키지 않는다.

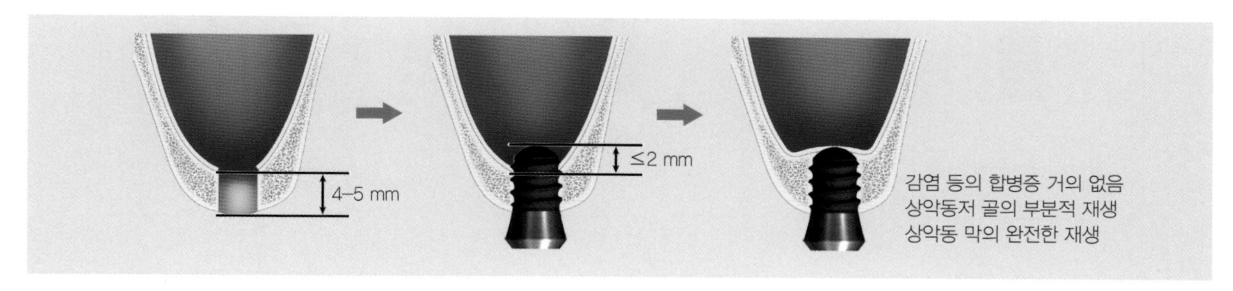

📷 5-46 잔존골 높이가 4–5 mm인 경우 치조정 접근법 중 상악동 막이 천공되면 잔존골보다 2 mm 이하로 긴 임플란트를 식립한다. 이는 거의 합병증을 유발하지 않으며 상악동저 골의 부분적 형성과 상악동 막의 완전한 재생을 유도하기 때문에 안전한 술식이다.

① 임플란트 치근단이 상악동 막을 천공하더라도 상악동 내부로 2 mm 이하로만 돌출되면 부분적인 골재생이 이루어지고 임플란트 치근단부는 상악동 막으로 완전히 피개된다.

비슷한 두 동물 실험에서는 임플란트가 상악동 막을 천공하여 상악동 내부로 돌출되도록 해주고 5개월 후의 조직의 반응을 관찰했다.[51,52] 그 결과는 다음과 같았다(📷 5-47).

- 상악동 내로 1 mm 돌출된 임플란트는 신생골로 완전히 둘러싸이고 상악동 막에 의해 완전히 피개된다.
- 2 mm 돌출된 임플란트는 신생골로 부분적으로 둘러싸이고 상악동 막에 의해 완전히 피개된다.
- 3 mm 돌출된 임플란트 주위에는 신생골이 형성되지 않고 임플란트는 상악동 막을 천공한 채 남아있다.

또 다른 동물 연구에서도 골이식 없이 치조정 접근 상악동저 거상술을 시행했을 때 상악동 막이 천공되었더라도 상악동 막은 약간 거상되었고, 거상된 막 하방으로는 정상적으로 신생골이 형성되는 양상을 보였다고 보고했다.[74] 사체를 이용한 연구에서도, 오스테오톰법으로 상악동 막을 거상했을 때 상악동 막이 천공되더라도 50%의 증례에서는 상악동 막이 상악동저 쪽으로 완전히 붕괴되지 않고 거상된 채로 유지되었다고 했다.[53] 임상적 연구에 의해 좀 더 검증이 필요하긴 하지만, 동물 연구에 의하면 상악동 막이 천공되고 임플란트가 2 mm까지 상악동 내로 돌출되더라도 골재생의 결과는 크게 저하되지 않으며 임플란트 치근단부는 상악동 막으로 잘 피개될 수 있음을 보여주는 결과이다.

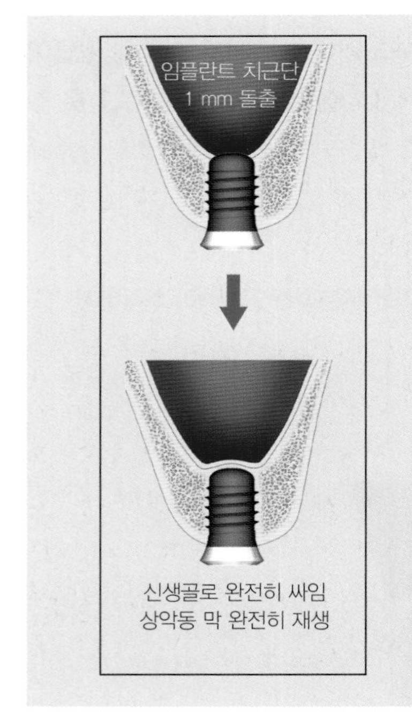

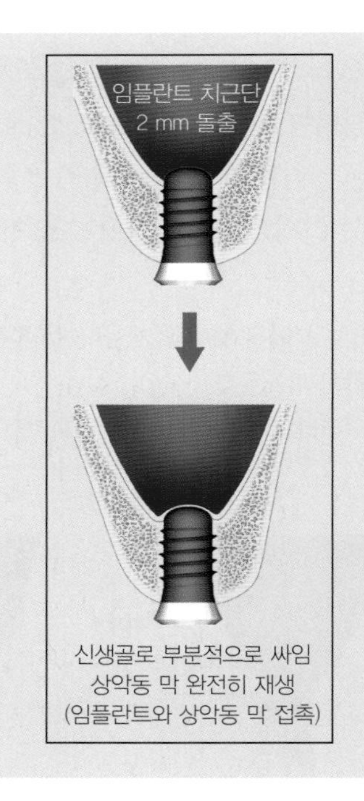

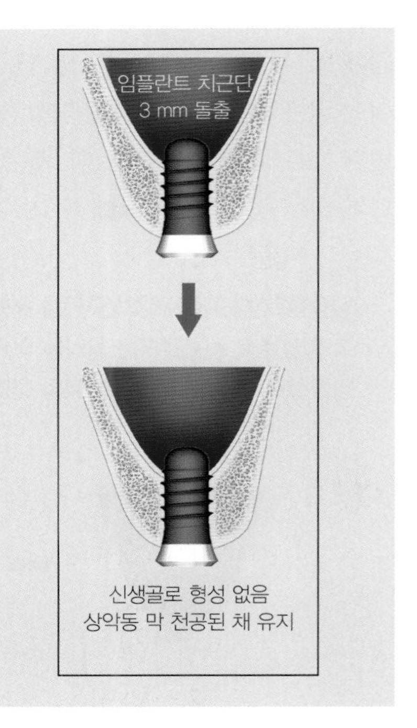

📷 **5-47** 동물 실험들에 의하면 천공된 상악동 막을 뚫고 임플란트가 2 mm 이하로 돌출되면 상악동 막은 완전히 연속성을 갖도록 재생되어 임플란트 돌출부를 피개한다. 또한 부분적인 상악동저 골재생을 이룰 수 있다. 반면 임플란트가 3 mm 이상 돌출되면 상악동 막은 완전히 재생되지 못해 임플란트는 상악동 막을 천공한 채 유지되고 신생골 또한 전혀 형성되지 않는다.

② 임플란트 매식체 자체는 상악동 내로 돌출되더라도 염증성 반응을 일으키지 않는다.

상악 구치부 임플란트를 식립할 때 가장 흔한 해부학적 합병증은 임플란트 치근단부가 상악동저를 천공하여 상악동 내부로 돌출되는 것이다.[114] 그러나 임플란트가 잔존골과 골유착에 성공하면 상악동 내부로 돌출된 임플란트 부위는 상악동에 어떠한 병적 변화도 초래하지 않는다. 한 동물 실험에서는 임플란트를 상악동 내로 2–8 mm 돌출되도록 하고 6개월 후 상악동 내의 상태를 방사선학적, 조직학적으로 관찰했다. 그 결과 임플란트가 상악동 내로 얼마나 많이 돌출되었는가에 관계없이 상악동 내부는 어떠한 병적 소견도 보이지 않았다.[50] 이는 임상적으로도 확인되었다. 임플란트가 상악동을 관통하여 상악동 내부로 돌출된 것이 확인된 70명 환자, 83개 임플란트에 대해 장기간의 후향적 관찰을 시행한 연구에 의하면, 식립 후 평균 10년 후까지 어떠한 환자에서도 임상적, 방사선학적 상악동염의 징후는 나타나지 않았다.[33] 한 후향적 연구에서는 상악 구치부에 임플란트를 식립한 후 발생한 상악동염을 치료할 때 상악동 내부로 돌출된 임플란트의 치근단부는 그대로 두고 상악동 내로 유출된 이식재만을 제거하고 폐쇄된 비구를 뚫어주었다. 그 결과, 임플란트 치근단부가 상악동 내부로 돌출되어 있음에도 불구하고 100%의 증례에서 완전한 치료 효과를 얻을 수 있었다고 했다.[34]

이러한 이론적 배경 하에서 치조정 접근법 시행 중 상악동 막이 천공되면 이식재 없이 잔존골 높이보다 2 mm 긴 임플란트를 식립할 것을 추천한다. 이는 임플란트 치근단부가 불필요하게 상악동 내부로 돌출되지 않으면서 부분적인 골재생을 기대할 수 있는 최대한의 길이이기 때문이다. 이때 치조골 높이를 최소 7 mm 이상 확보하는 것이 목표라면 잔존골 높이는 5–6 mm 이상이 되어야 할 것이다. 잔존골 높이가 4–5 mm인 경우에서는 상악동 막이 천공되면 최종적으로 기대할 수 있는 골높이는 5–6 mm이므로, 술자와 환자의 선호도와 잔존골 밀도 등의 기타 요소를 고려하여 잔존골 높이보다 2 mm 긴 "짧은 임플란트(6–7 mm)"를 식립하거나 상악동 막의 치유가 완료된 이후 재수술을 시행한다(📷 5–48).

지금까지의 임상 연구들의 결과는 많지 않지만, 골이식재를 사용하지 않는 상악동저 거상술 시 상악동 막의 천공은 임플란트의 성공에 별다른 영향을 미치지 못했다. 한 무작위 대조 연구에서 잔존골 높이가 4–5 mm 범위였을 때 상악동 막이 천공되더라도 골이식재를 사용하지 않는 상악동저 거상술 후 임플란트의 성공에는 별다른 영향을 없었다.[54] 또 다른 무작위 대조 연구에서도 이 술식을 적용할 때 상악동 막이 천공되더라도 잔존골보다 2–3 mm 더 긴 임플란트 식립하면 별다른 문제없이 치유되었다.[55] 한 전향적 연구에서는 평균 잔존골 높이가 5.4±2.3 mm인 증례에서 이 술식을 적용했을 때 16%의 증례에서 상악동 막이 천공되었지만 수술 10년 후까지 모든 임플란트가 골유착에 성공했다고 했다. 상악동 막이 천공된 경우에는 6–8 mm, 천공되지 않은 증례에서는 10 mm의 임플란트를 식립했고, 천공 여부와 관계없이 증강된 골높이는 대략 3 mm 정도로 비슷한 결과를 보였다.[29] 이는 동물 연구들에서 도출된, 상악동 막이 천공됐을 때의 수직적 골재생 한계 높이인 2 mm 보다도 더 많은 양의 골이 수직적으로 형성된 결과이다. 그러나 개별 연구들의 결과는 어느 정도의 차이를 보일 수 있기 때문에 이에 관해서는 좀 더 많은 임상적 결과가 축적되어야 한다.

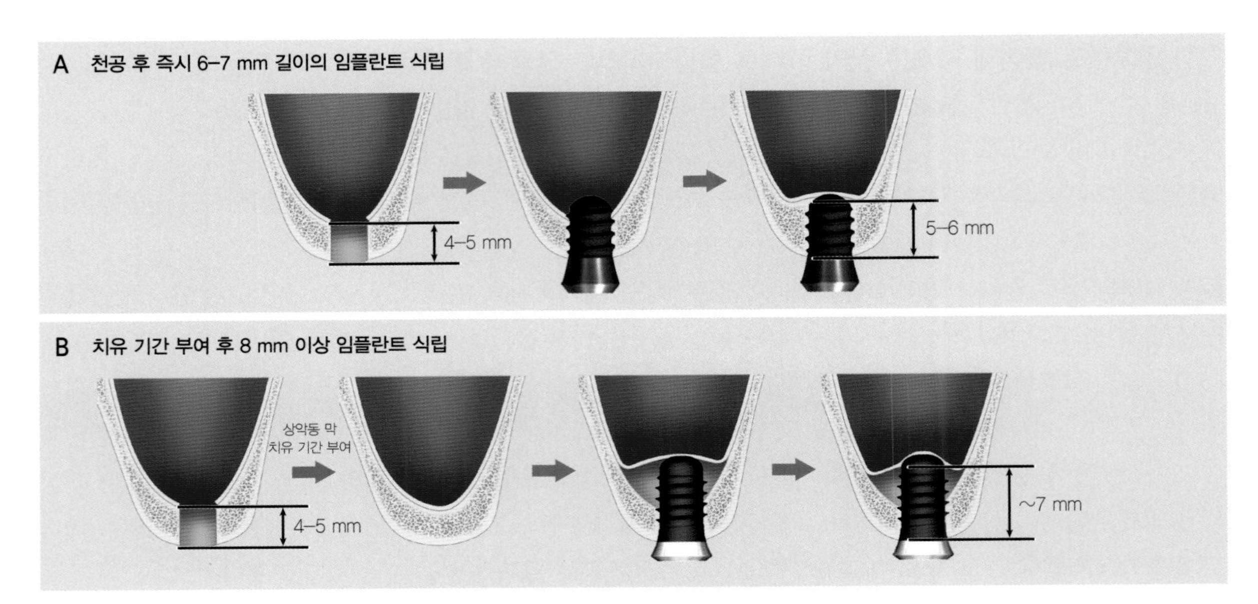

5–48 잔존골 높이가 4–5 mm인 경우 이식재 없는 치조정 접근법 시 상악동 막이 천공되면 두 가지 치료 옵션이 존재한다.
A. 상악동 막이 천공되면 바로 잔존골보다 2 mm 긴 임플란트(최대 6–7 mm)를 식립할 수 있다. 이때 최종적인 골높이는 5–6 mm가 된다. 이는 임플란트의 장기적인 성공률/생존율을 저하시킬 수도 있는 골높이이다. **B.** 만약 그 이상 높이의 잔존골을 얻고 싶다면 수술을 중단하고 상악동 막 수복을 위한 치유 기간을 부여한다. 이후 8 mm 임플란트를 식립한다면 최종적인 골높이는 7 mm 정도가 될 것이다.

3.
오스테오톰 상악동저 거상술 이외의 치조정 접근 술식

외측 접근 상악동 골이식술과 오스테오톰 상악동저 거상술은 처음 소개된 이후로 수십년이 지난 오래된 술식들이지만, 임상 문헌으로도 저자의 개인적인 경험으로도 매우 좋은 임상적인 결과를 보장할 수 있는 성공적인 술식들이다. 이 술식들은 그 세부적인 개념이나 임상 과정이 지속적으로 변화되고 있지만 원래의 개념과 술식의 기본적인 골격은 그대로 유지된 채 아직도 상악동 골이식에 있어 가장 널리 사용되는 황금 기준이다.

오스테오톰을 이용한 치조정 접근법은 4–5 mm 이상의 잔존골이 존재하여 임플란트 식립과 동시에 상악동 골이식을 시행하는 것이 가능한 증례에, 외측 접근법은 치조골 높이가 낮아진 모든 증례에 적용 가능하다. 또한 외측 접근법은 상악동에 대해 유일하게 완전한 시야를 확보한 채 접근할 수 있는 술식으로, 그 이외의 모든 술식이 실패했거나 불가능할 때 적용할 수 있는 최종적인 구제 수술법으로서의 가치를 지닌다.

여기에서는 오스테오톰법의 단점과 이를 극복하기 위해 소개된 여러 가지 대체 술식에 대해 간략히 설명할 것이다. 이들 대체 술식들이 처음 소개된 이후로 임상 연구의 결과가 축적될 수 있는 꽤 많은 시간이 흘렀지만 아직까지 이들 술식이 오스테오톰법보다 더 우수한 효과를 보인다는 사실을 확실히 보여줄 수 있는 양질의 근거는 아직까지 제시되지 못했다는 점은 언급하고 시작하겠다.

1) 오스테오톰 술식의 단점

최근 오스테오톰법의 여러 가지 대체 술식들이 소개되고 있으며 많은 임상가들의 관심을 받고 있다. 이는 오스테오톰법의 단점을 극복하려는 노력에서 비롯된 것이다. 오스테오톰의 단점은 크게 두 가지이다.

- 오스테오톰으로 상악동저를 골절시킬 때, 그리고 상악동 막을 거상시킬 때 가해지는 타격은 환자의 불안감, 통증, 그리고 어지럼증 등을 유발할 수 있다.
- 오스테오톰법은 상악동 막을 좁은 오스테오톰의 끝 부분(tip)으로만 거상시킬 수 있고, 따라서 막의 거상량이 증가함에 따라 상악동 막의 전체 거상 면적에 대해 힘이 가해지는 면적의 비율은 점점 작아질 수밖에 없다. 따라서 오스테오톰법은 상악동 막을 거상시키는 데 한계가 있을 수밖에 없다. 이에 대해서는 앞에서 많이 설명했기 때문에 여기에서는 더 이상 설명하지 않을 것이다.

(1) 오스테오톰법은 수술 중 환자의 불안감을 유발할 수 있고 수술 후 초기 통증을 증가시킨다

오스테오톰을 이용한 술식은 기본적으로 말렛을 이용해 환자의 악골에 직접적인 타격을 가하는 술식이다. 이는 환자에게 여러 가지 문제를 불러 일으킬 수 있다.

① 수술 중 불쾌감이 증가한다.

한 연구에서는 오스테오톰법으로 상악동 골이식을 시행받은 환자 중 23%는 수술 중 불쾌감을 느꼈다고 했다.[4] 심지어 오스테오톰법보다 더 침습적인 수술인 외측 접근법을 시행할 때보다 이러한 불편감은 더 크게 느껴진다. 한 무작위 대조 연구에서 오스테오톰법 적용 시에는 외측 접근법 시보다 수술 중 말렛팅에 의해 유의하게 더 큰 불편감을 느꼈다.[115]

② 수술 직후 환자는 더 큰 통증을 느낀다.

수술 직후의 통증은 수술 중 불쾌감과 비슷하게 오스테오톰법을 적용할 때가 외측 접근법을 적용할 때보다 더 크다. 무작위 대조 연구들에 의하면 환자의 통증은 수술 당일에는 치조정 접근법을 적용했을 때가 임상적으로나 통계학적으로 유의미하게 더 크며, 수술 2–3일 후까지도 그 정도의 차이는 줄어들지만 치조정 접근법을 시행했을 때가 더 크다. 그 이후에는 큰 차이는 없지만 외측 접근법을 시행했을 때의 통증이 더 크다.[59,60] 이는 오스테오톰법 자체가 물리적으로 수술 직후 더 큰 통증을 유발하기 때문일 수도 있고 수술 중 환자가 느낀 주관적 느낌이나 감정에 의해 술 후 통증을 더 과장되게 느끼기 때문일 수도 있다.

③ 수술의 후유증으로 정신과적 문제나 어지럼증이 발생할 수 있다.

아주 드물긴 하지만 오스테오톰법을 시행한 이후 불안 장애 등의 정신과적 문제를 보이는 환자들도 있다.[4] 또한 정신적이거나 신체적 변화에 기인한 어지럼증이 나타날 수 있다. 한 후향적 연구에서는 오스테오톰을 이용한 치조정 접근법 후 메스꺼움을 동반한 현기증이 2–4주간 나타나는 환자들이 있었으며, 이는 외측 접근 후에는 거의 나타나지 않는 증상이라고 보고했다.[116]

(2) 오스테오톰법은 치명적이진 않지만 처치가 까다로운 합병증인 양성 자세 현훈을 유발할 수 있다

내이는 달팽이관, 전정기관, 세반고리관으로 이루어져 있다(**5-49**). 이중 전정기관은 주로 머리의 기울어짐과 중력 및 선형가속을 감지하고 세반고리관은 머리를 좌우로 움직이거나 위아래로 움직이는 회전 운동을 감각한다. 이들 감각기관들은 모두 림프액으로 차 있으며 서로 연결되어 있다. 이석(otoconia, 혹은 otolith)은 탄산칼슘으로 이루어진 아주 작은 가루로, 원래 전정 기관 내에서 감각세포인 유모 세포(hairy cell)에 젤라틴 막(gel membrane)을 통해 붙어 있다(**5-50**). 그러나 여러 가지 원인으로 이석은 젤라틴 막에서 떨어져 림프액 내를 부유하게 될 수 있다. 이렇게 젤라틴 막에서 탈락한 이석이 반고리관 중 하나로 진입하면 반고리관 내의 림프액을 흔들게 된다. 반고리관 내의 림프액이 흔들리면 뇌에게 회전성 위치 변화 자극 신호를 지속적으로 보내기 때문에 회전 운동 후 느끼게 되는 어지러움을 유발한다. 이러한 질환을 양성 자세 현훈(benign paroxysmal positional vertigo), 즉 이석증이라고 한다.

오스테오톰을 말렛팅할 때의 충격은 일부 이석을 젤라틴 막에서 탈락시키고, 이로 인해 이석증을 유발할 수도 있다.[5,117–119] 말렛팅에 의한 충격으로 탈락된 이석은 수술 시 환자가 일반적으로 취하게 되는 자세, 즉 목을 과대 신전시킨 상태에서 술자의 반대측을 향할 때 세 개의 반고리관 중 후반고리관쪽으로 이동하여 이석증을 유발하는 것으로 생각된다(**5-51**).[120,121] 오스테오톰법을 시행한 후 이석증은 극히 드물게 발생한다고 알려져 있고,[119] 두 전향적 연구의 결과를 종합했을 때 오스테오톰법 후 이석증의 발병률은 3% 정도인 것으로 보인다.[120,122] 이석증의 증상은 보통 수술 1–2일 후부터 나타났다.

오스테오톰법을 적용할 때 이석증을 유발하지 않기 위해서는 몇 가지 주의 사항을 준수해야 한다.[117,118]

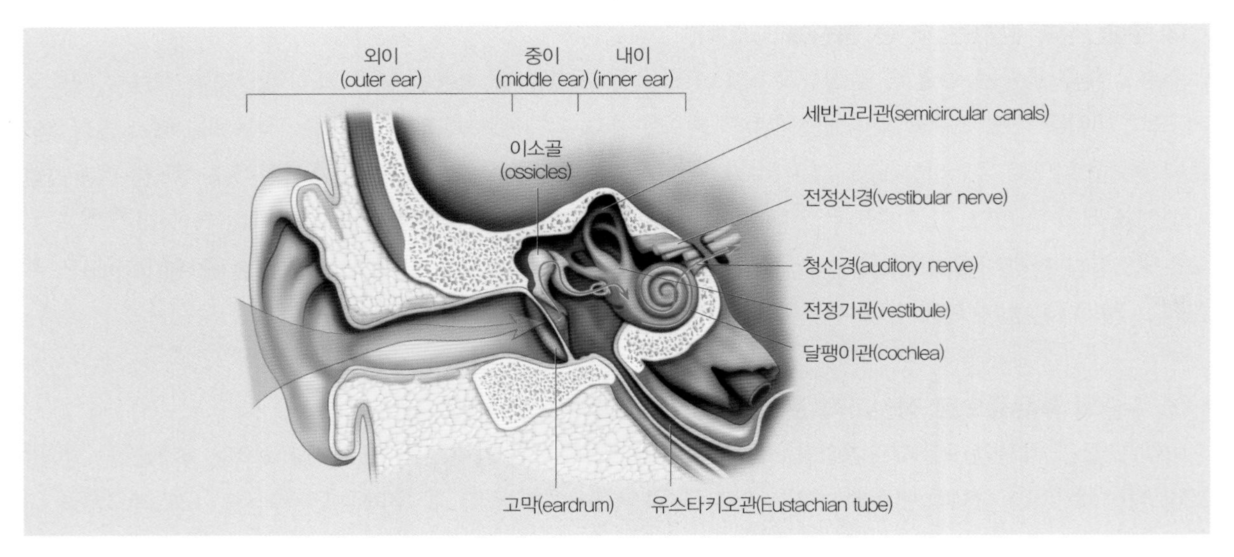

5-49 내이의 구조

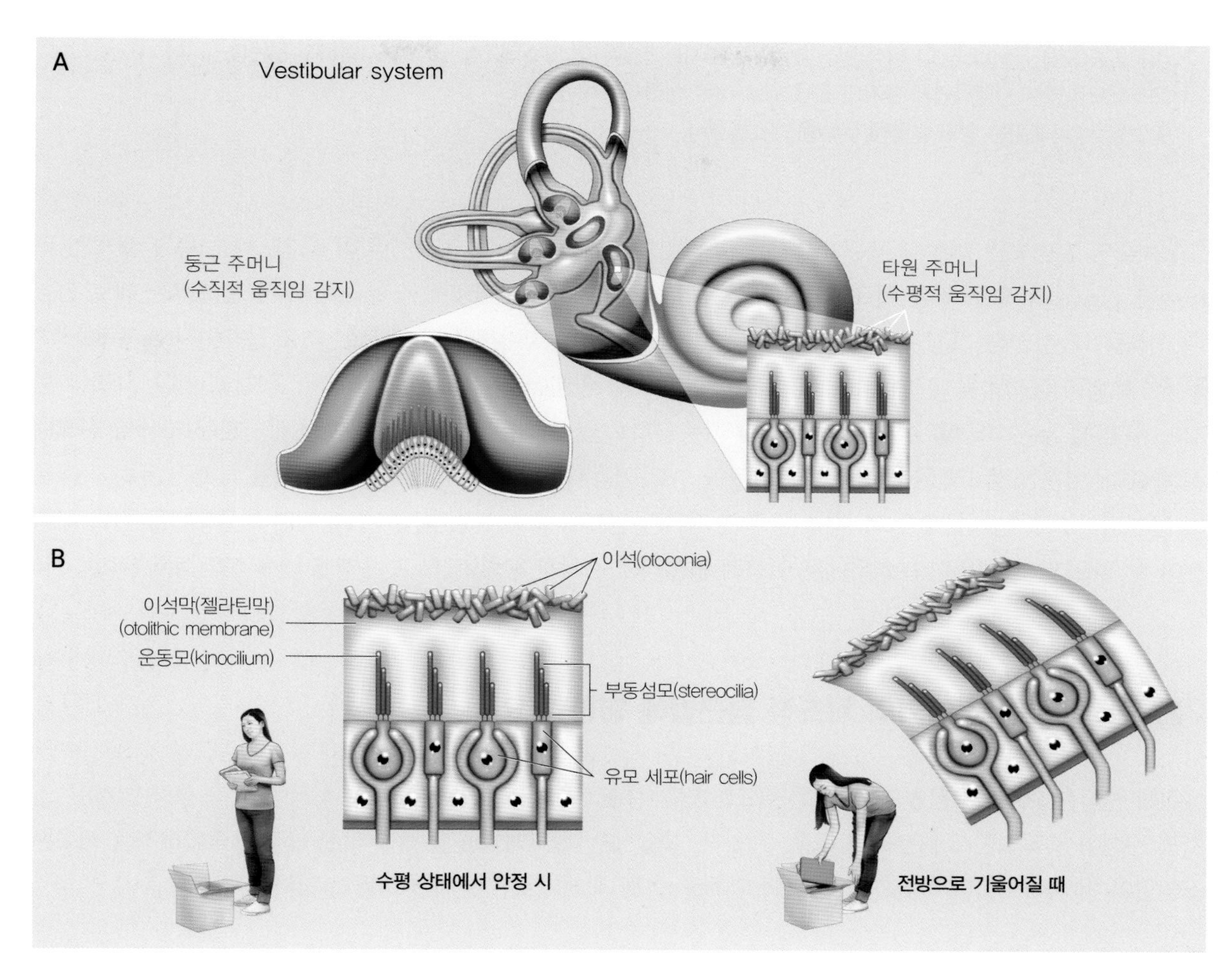

5-50 이석의 기능과 위치

A. 내이의 전정기관은 주로 머리의 기울어짐과 중력 및 선형가속을 감지하고 세반고리관은 머리를 좌우로 움직이거나 위아래로 움직이는 회전 운동을 감각한다. 전정 기관에는 두 가지 형태의 주머니가 있는데, 둥근 주머니는 수직적 움직임을 감지하는 역할을, 타원 주머니는 수평적 움직임을 감지하는 역할을 한다. 이석은 타원 주머니 내에 존재한다. **B.** 이석은 탄산칼슘으로 이루어진 아주 작은 가루로, 타원 주머니 내에서 유모 세포에 젤라틴 막을 통해 붙어 있다.

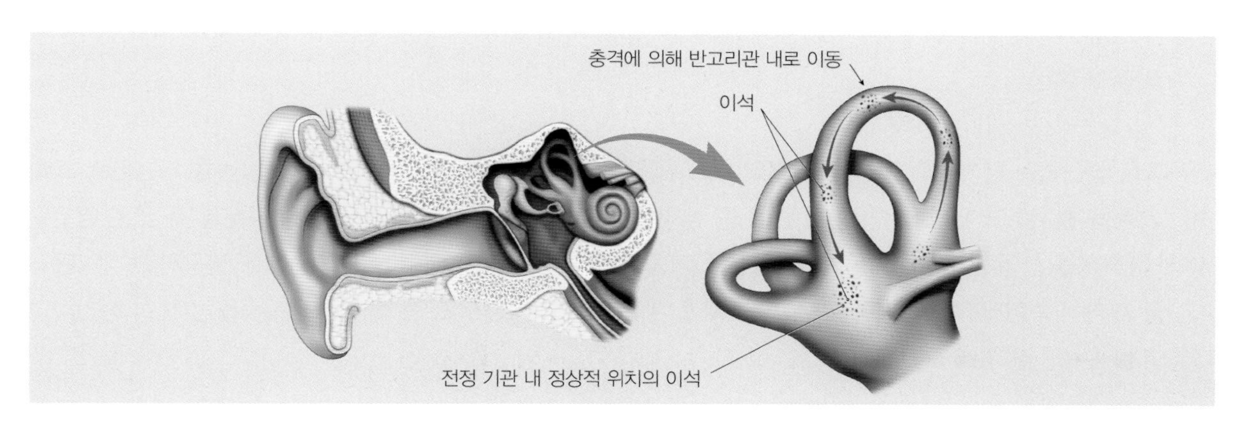

5-51 전정 기관 내에 존재하던 이석은 오스테오톰을 두드릴 때의 충격에 의해 젤라틴 막에서 탈락하여 후반고리관 내로 이동할 수 있다. 여기에서 이석은 림프액의 비정상적 흔들림을 유발하여 어지러움 증상이 발생하게 된다.

- 어지럼증(현훈, vertigo)이나 이석증의 병력있는 환자를 선별하여 오스테오톰 술식을 시행하지 않는다.
- 오스테오톰법을 시행하면서 환자의 목을 뒤로 너무 신전시키지 않는다.
- 말렛팅 시 가해지는 힘과 말렛팅 횟수를 최소화한다.

이석증이 발병되면 이석을 재위치시키는 술식(변형 에플리법)과 보조적인 약물 요법(인지능력 강화제인 피라세탐, piracetam)으로 이를 치료한다.[117–119] 변형 에플리법(modified Epley's maneuver)은 반고리관 내로 전위된 이석을 다시 전정 기관 쪽으로 이동시키는, 이석증에 대한 유일하지만 간단한 치료 옵션이다(📷 5–52).[117–120,122] 변형 에플리법을 두 번 정도 시행하면 80–90%의 환자에서는 즉시 증상이 해소된다고 한다. 그러나 환자가 수면 중 누운 자세를 취하면 다시 재발하는 경우도 많기 때문에 한동안 수면 중에도 앉은 자세를 취하는 것이 좋다. 변형 에플리법은 이석을 반고리관 외부로 이동시키기만 하지, 부유하는 이석을 없애진 못하기 때문에 근본적인 치료 방법은 아니다. 따라서 자연 치유가 완료될 때까지 이석증이 재발되면 에플리법을 반복 시행해야 할 수도 있다. 대부분의 경우에는 이석이 림프액에 서서히 용해되면서 2–3개월 내에 자연 치유된다.

2) 오스테오톰법 이외의 치조정 접근법에 대한 개요

위에 언급한 오스테오톰법의 두 가지 주요한 단점(수술 시 타격에 의한 합병증, 상악동 막 거상량 한계)은 술자의 경험이 축적되면서 충분히 줄여줄 수 있다. 그렇지만 다른 방법을 통해 이러한 단점을 극복하려는 시도는 끊임없이 이어지고 있다. 치조정 접근법의 단계를 크게 네 가지로 구분하면 다음과 같다.

(1) 치조정 접근법의 네 가지 단계

① 상악동저로의 접근과 임플란트 식립을 위한 골삭제
② 상악동저 피질골 제거(상악동저의 골절이나 삭제를 통한 상악동 막으로의 접근)
③ 상악동 막 거상
④ 이식재 삽입

치조정 접근법은 단계마다 여러 가지 방법으로 시행 가능하며, 각 제조사에서는 이들 방법을 다양하게 조합하여 제품을 출시하고 있다.[123] 이들 각 단계 중 상악동 막 거상과 이식재 삽입은 명확히 구분할 수 없는 경우도 많다. 이식재를 삽입하면서 상악동 막을 동시에 거상하는 술식도 많기 때문이다. 그럼에도 불구하고 상악동저 피질골 제거에서 이식재 삽입에 이르는 세 가지 단계에 적용 가능한 치조정 접근법의 종류를 간략히 정리하면 다음의 표 5–6과 같다(📷 5–53).

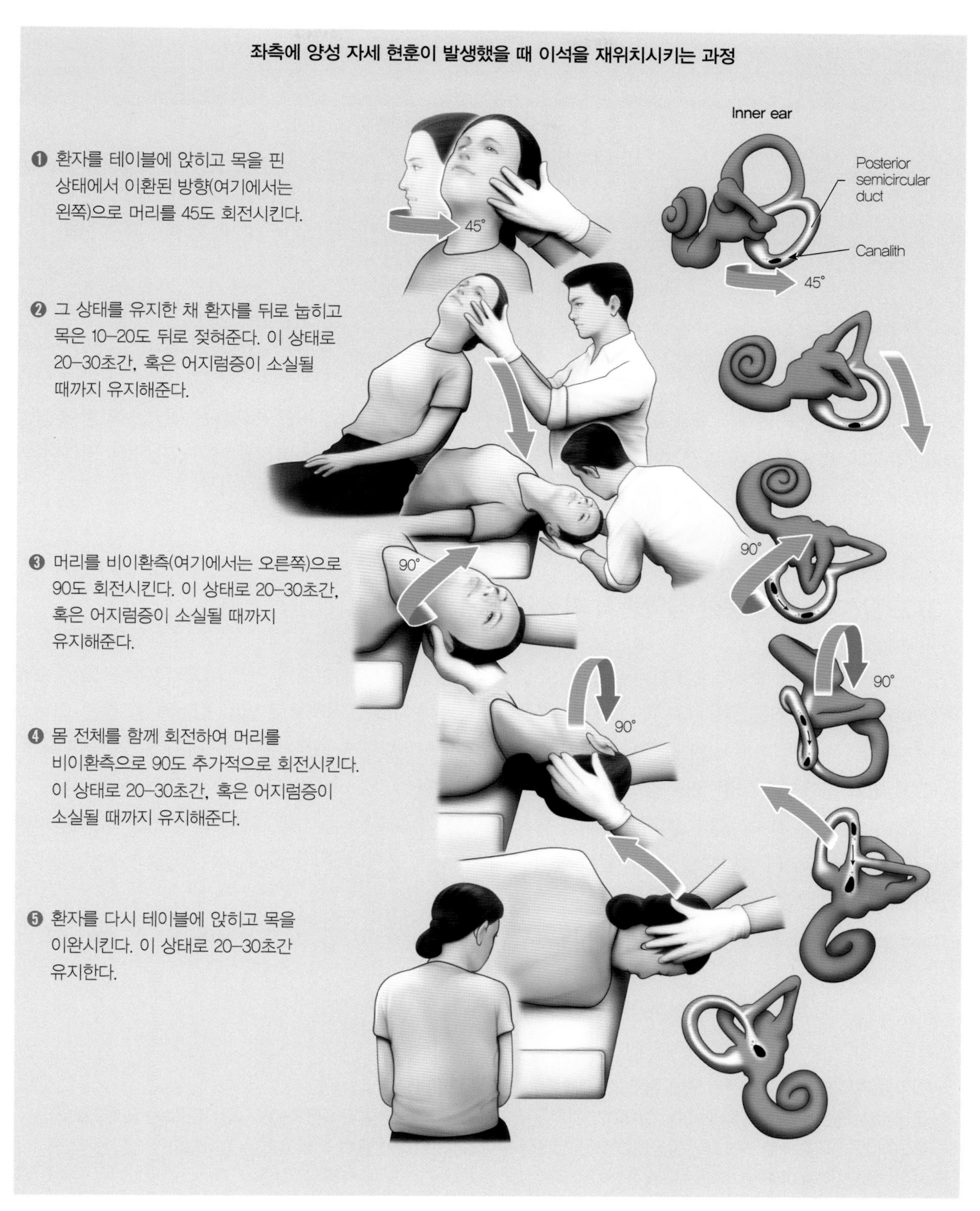

좌측에 양성 자세 현훈이 발생했을 때 이석을 재위치시키는 과정
Inner ear
Posterior semicircular duct
Canalith
45˚
45˚
❶ 환자를 테이블에 앉히고 목을 핀 상태에서 이환된 방향(여기에서는 왼쪽)으로 머리를 45도 회전시킨다.
❷ 그 상태를 유지한 채 환자를 뒤로 눕히고 목은 10–20도 뒤로 젖혀준다. 이 상태로 20–30초간, 혹은 어지럼증이 소실될 때까지 유지해준다.
90˚
90˚
❸ 머리를 비이환측(여기에서는 오른쪽)으로 90도 회전시킨다. 이 상태로 20–30초간, 혹은 어지럼증이 소실될 때까지 유지해준다.
90˚
90˚
❹ 몸 전체를 함께 회전하여 머리를 비이환측으로 90도 추가적으로 회전시킨다. 이 상태로 20–30초간, 혹은 어지럼증이 소실될 때까지 유지해준다.
❺ 환자를 다시 테이블에 앉히고 목을 이완시킨다. 이 상태로 20–30초간 유지한다.

5–52 변형 에플리법(modified Epley's maneuver)
이 방법은 반고리관 내로 전위된 이석을 다시 전정 기관쪽으로 이동시키는 효율적인 방법이다.

5-6 여러 가지 치조정 접근법

단계	상악동저 피질골 제거/골절	상악동저 피질골 제거/골절	이식재 삽입
적용 방법	• 오스테오톰을 타격하여 골절 • 버(리머)로 상악동저 피질골 삭제 • 압전 기구로 상악동저 피질골 삭제	• 오스테오톰을 타격하여 거상 • 풍선 확장술(ballooning, 상악동 막 하방에 풍선 삽입 후 확장) • 수압 거상법(상악동 막 하방에 액체 주입) • 압전 기구를 이용한 수력학적 거상(물 스프레이 분사) • 큐렛으로 막을 직접 거상	• 오스테오톰을 타격하여 적용 • 압전 기구 적용 • 콘덴서로 압력을 가하여 적용

각 제조사에는 이러한 술식들을 다양하게 조합한 기구를 출시하고 있다. 최근 술자들은 이러한 다양한 방법들을 각자의 선호도에 따라 혼용하여 사용하기도 한다. 여기에서는 상악동저 피질골 제거와 상악동 막 거상의 방법들을 간략히 설명하고 그에 관한 임상적 근거를 정리해 보겠다.

3) 드릴/리머를 이용한 상악동저 피질골 제거

앞서 살펴보았지만, 오스테오톰법은 오랜 기간 임상적으로 그 효용이 검증된 안전하고도 성공률 높은 술식이긴 하지만 상악동저를 골절시킬 때 말렛을 이용한 타격은 환자를 심리적으로 많이 힘들게 할 뿐만 아니라 어지럼증이나 수술 직후의 심한 통증을 유발할 수도 있다. 특히 상악동저 피질골이 단단하거나, 오스테오톰 적용 전에 버로 골삭제를 너무 얕은 깊이로만 시행하여 상악동저로부터 너무 먼 거리에서부터 오스테오톰을 적용하면 이러한 문제가 더 많이 발생한다. 버나 압전 기구를 이용해 상악동저를 삭제하면 이러한 타격을 피할 수 있기 때문에 환자의 불편감을 현저히 줄여줄 수 있다.

현재 상악동저 피질골을 삭제하기 위해 여러 가지 다양한 형태의 드릴이 시장에서 통용되고 있다(**5-7**).

이들 드릴은 크게 두 가지 특징을 갖는다(**5-57**).

- 상악동 막의 천공을 예방하기 위해 첨단(tip)은 뾰족하지 않고 편평하다.
- 골을 절삭하는 날은 드릴의 장축에 수직이기 때문에 상악동저 골과 평행하다. 또한 날은 드릴 첨단에서 외측으로 돌출되지 않고 내측으로 연장되어 골을 깎아내는 작용을 한다. 이는 따라서 골의 삭제 효율은 떨어지지만 상악동 막 천공의 가능성은 줄여준다.

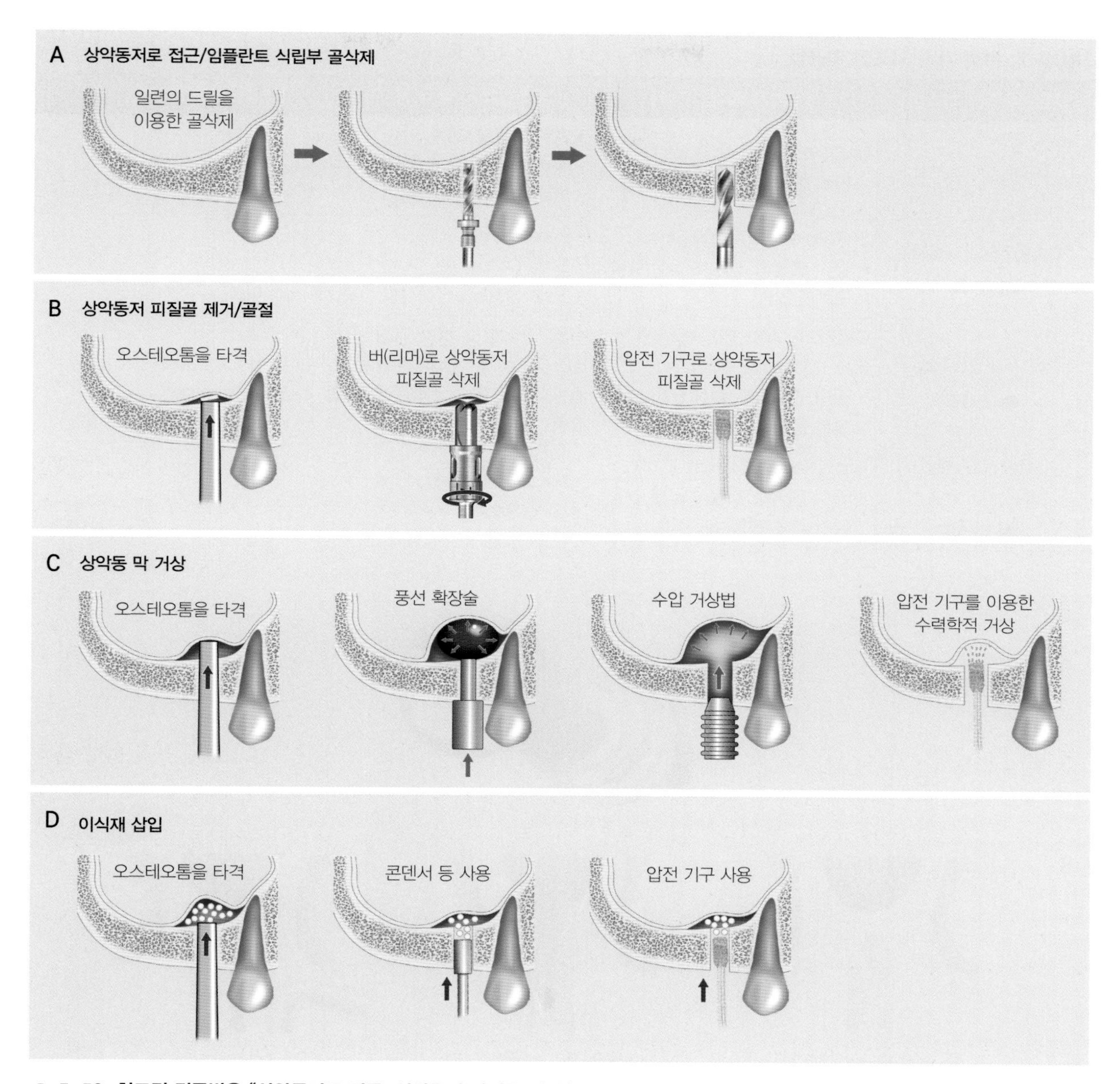

5-53 치조정 접근법은 "상악동저로 접근–상악동저 피질골 제거/골절–상악동 막 거상–이식재 삽입"의 과정을 거친다.
A. 일련의 드릴을 이용해 상악동저로 접근하며 임플란트 식립부 골삭제를 시행한다. **B.** 오스테오톰을 타격하여 골절, 버(리머)로 상악동저 피질골 삭제, 압전 기구로 상악동저 피질골 삭제 등의 방법으로 상악동저 골을 제거하거나 골절시켜 상악동 막으로 접근한다. **C.** 상악동 막 거상은 오스테오톰을 타격하여 거상, 풍선 확장술(ballooning, 상악동 막 하방에 풍선 삽입 후 확장), 수압 거상법(상악동 막 하방에 액체 주입), 압전 기구를 이용한 수력학적 거상(물 스프레이 분사), 큐렛으로 막을 직접 거상 등의 방법으로 시행한다. **D.** 이식재는 오스테오톰, 압전 기구, 콘덴서로 적용할 수 있다.

5-7 여러 가지 치조정 접근법

치조정 접근 시스템	상악동저 피질골 제거	상악동 막 거상	이식재 삽입
DASK (Dentium)	DASK 드릴(800–1200 rpm) – 끝이 편평한 다이아몬드 드릴	• 일련의 큐렛 이용 • 풍선 확장법(6–6.5 mm 거상 위해 0.5 cc 골기 주입)	
SCA KIT (Neobiotech) 5–54	S–Reamer (800–1200 rpm) – 끝이 편평하고 절삭 날이 내측으로 함입됨	• Bone carrier • Bone Condenser • Bone Spreader (회전형 기구, 30 rpm 이하)	
CAS–KIT (Hiossen) 5–55	CAS 드릴(400–600 rpm 추천, 600–800 rpm도 가능) – 끝이 편평하고 절삭 날이 내측으로 함입됨	수압 거상법(3 mm 거상 위해 0.2–0.3 cc의 생리식염수 주입, 일반적으로 총 1 cc의 주입이 필요함)	• Bone carrier • Bone Condenser • Bone Spreader (회전형 기구, 30 rpm 이하)
Hatch Reamer (Hatch Reamer) 5–56	Hatch Reamer (40 rpm 이하) – 끝이 편평하고 절삭 날은 상악동저 골에 평행하게 주행	• Bone Condenser • Lifting Reamer	

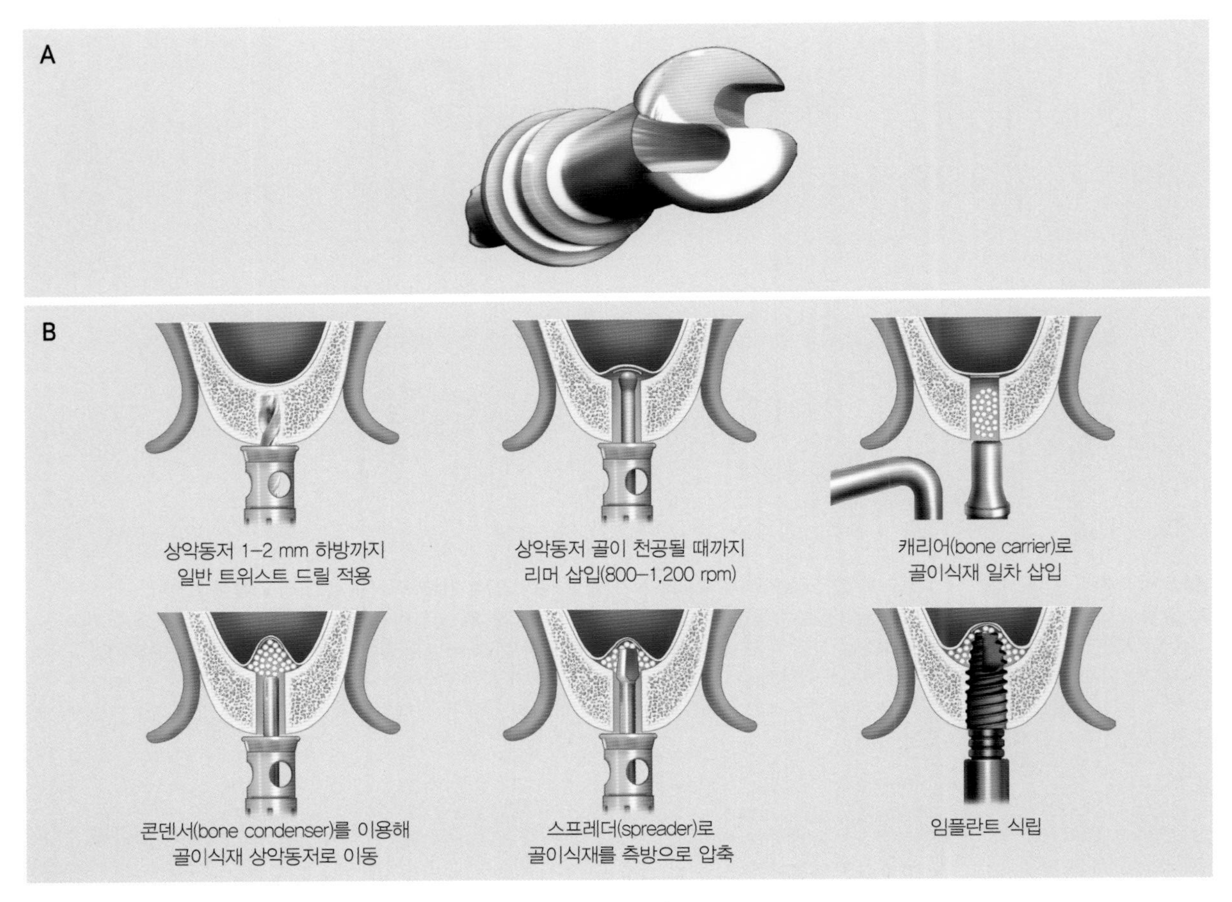
A
B
상악동저 1–2 mm 하방까지
일반 트위스트 드릴 적용
상악동저 골이 천공될 때까지
리머 삽입(800–1,200 rpm)
캐리어(bone carrier)로
골이식재 일차 삽입
콘덴서(bone condenser)를 이용해
골이식재 상악동저로 이동
스프레더(spreader)로
골이식재를 측방으로 압축
임플란트 식립

5–54 SCA KIT (Neobiotech)을 이용한 치조정 접근 상악동 골이식

A. S–Reamer는 끝이 편평하고 절삭 날이 내측으로 함입되어 상악동저 골 삭제 시 상악동 막 천공 가능성이 낮다. **B.** SCA KIT을 이용한 치조정 접근 상악동 골이식의 과정

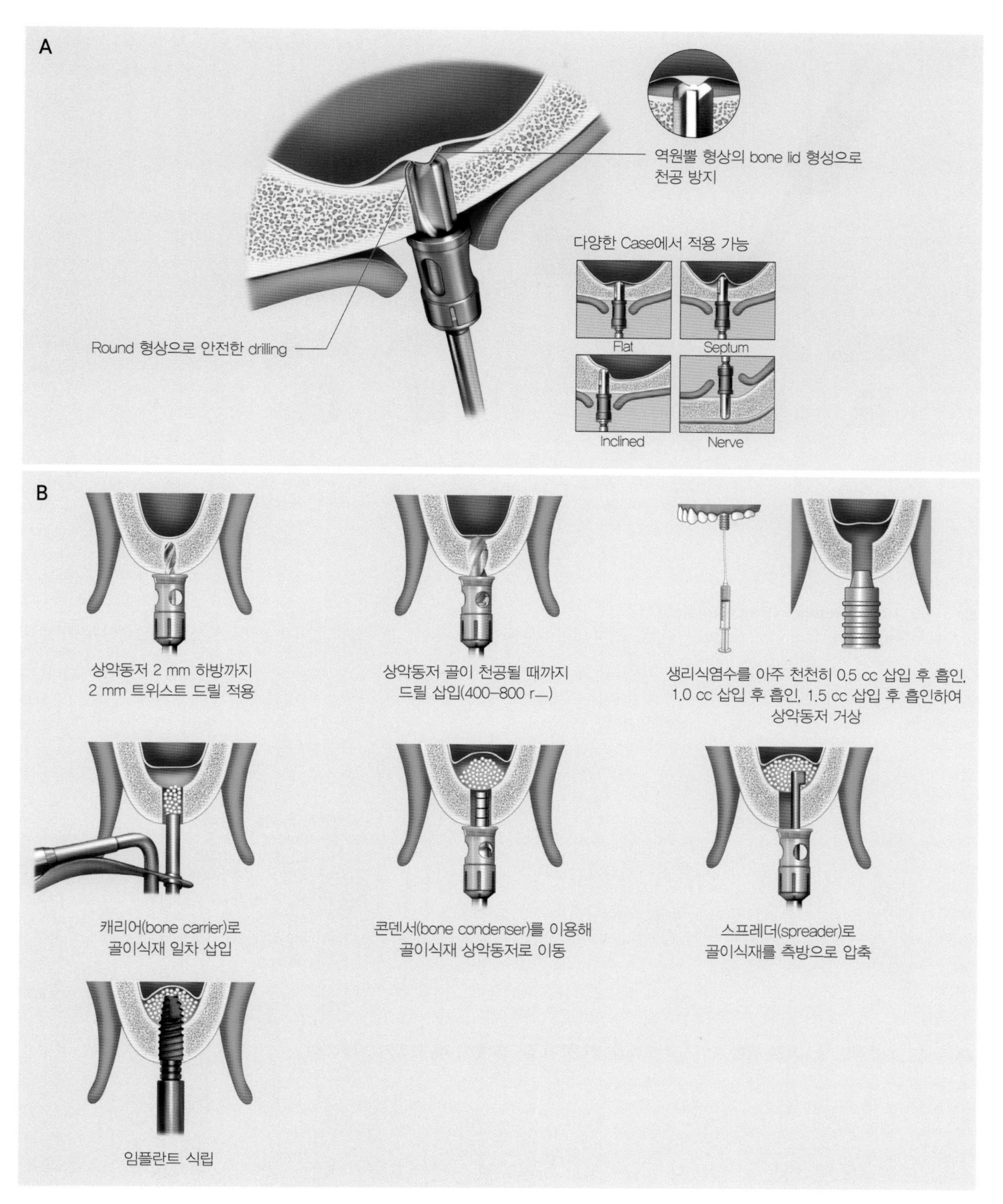
A
역원뿔 형상의 bone lid 형성으로
천공 방지
다양한 Case에서 적용 가능
Flat
Septum
Inclined
Nerve
Round 형상으로 안전한 drilling
B
상악동저 2 mm 하방까지
2 mm 트위스트 드릴 적용
상악동저 골이 천공될 때까지
드릴 삽입(400–800 r—)
생리식염수를 아주 천천히 0.5 cc 삽입 후 흡인,
1.0 cc 삽입 후 흡인, 1.5 cc 삽입 후 흡인하여
상악동저 거상
캐리어(bone carrier)로
골이식재 일차 삽입
콘덴서(bone condenser)를 이용해
골이식재 상악동저로 이동
스프레더(spreader)로
골이식재를 측방으로 압축
임플란트 식립

5–55 CAS–KIT (Hiossen)을 이용한 치조정 접근 상악동 골이식

A. CAS 드릴(400–600 rpm 추천, 600–800 rpm도 가능) 또한 끝이 편평하고 절삭 날이 내측으로 함입되어 상악동 막을 천공시킬 가능성이 낮다. **B.** CAS–KIT을 이용한 치조정 접근 상악동 골이식의 과정

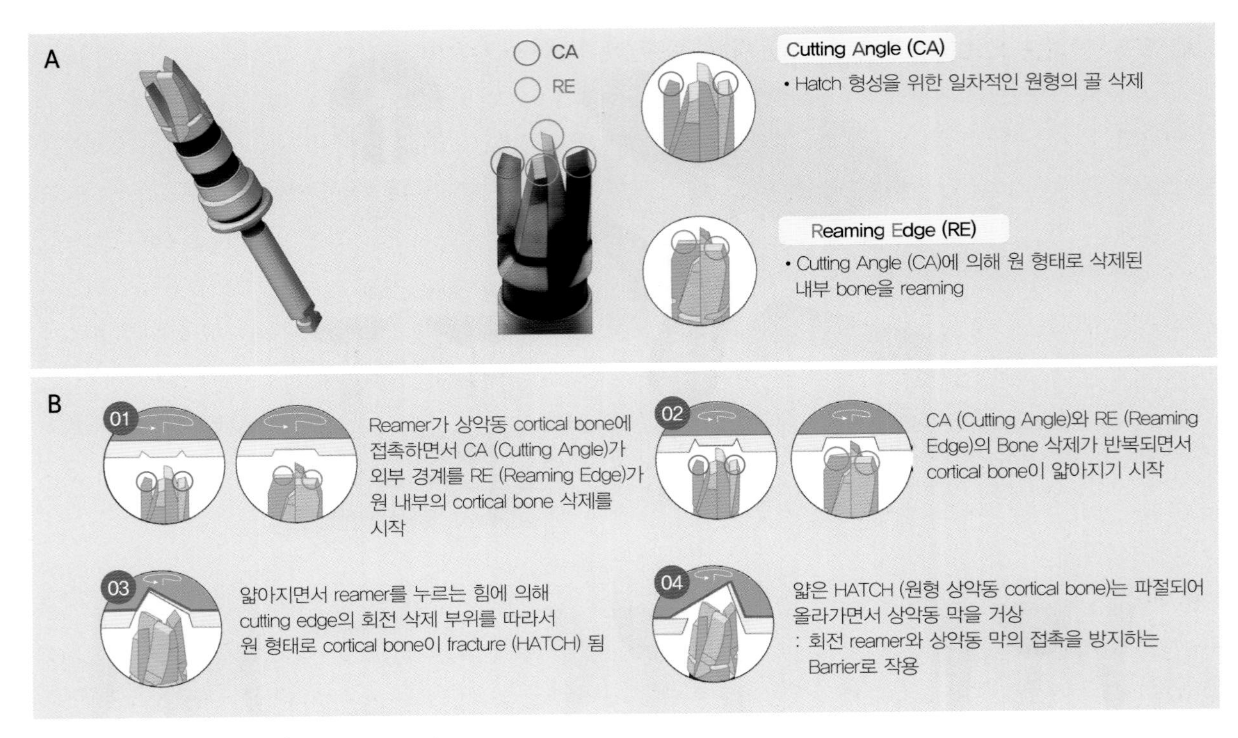

5-56 Hatch Reamer (Hatch Reamer)

A. Hatch Reamer (40 rpm 이하)는 끝이 편평하고 절삭 날은 상악동저 골에 평행하게 주행하여 역시 상악동 막 천공 가능성이 낮다.

B. Hatch Reamer의 작용 원리

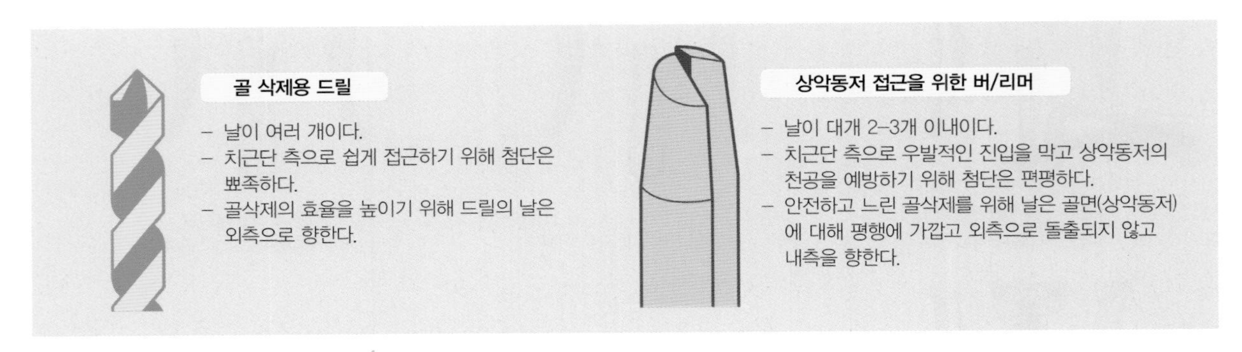

5-57 일반적인 골삭제를 위한 트위스트 드릴과 상악동저 접근을 위한 버/리머의 형태 차이

대부분의 시스템에서는 상악동저 1 mm 정도 하방까지는 절삭 효율이 좋은 일반적인 형태의 트위스트 드릴로 골삭제를 시행한 후에 상악동저를 삭제하기 위한 드릴/리머를 적용할 것을 추천한다. 또한 드릴에 스탑퍼를 적용하면 상악동 막의 천공을 효율적으로 예방해 줄 수 있다.

(1) 드릴/리머는 오스테오톰법 시 발생하는 불편감을 줄여줄 수 있다

드릴/리머 시스템은 2000년대 초반에 처음 소개되었지만, 공신력 있는 저널(peer review journal)에 게재된 임상 연구의 수는 아직 많이 부족하다. 그럼에도 불구하고 드릴과 리머를 활용한 상악동저 골삭제법은 오스테오톰법에 비해 환자의 불편감을 개선시킬 수 있다는 근거가 존재한다. 한 무작위 대조 연구에서는 오스테오톰법과 드릴을 이용한 방법(Cosci 테크닉)으로 치조정 접근 상악동 골이식을 시행하고 환자의 불편감과 선호도를 측정했다.[124] 총15명의 환자에서 양측에 각 방법을 적용(split mouth design)한 결과, 골증강술 중 오스테오톰법을 적용할 때에는 12명의 환자가 불편감을 호소한 반면, 버를 이용할 때에는 불편감을 호소한 환자가 없었고 이는 임상적으로나 통계학적으로 유의한 차이를 보이는 것이었다. 또한 오스테오톰법은 9명의 환자에서 두통과 3명의 환자에서 부종을 초래했다. 결국 환자들 대부분(14/15명)은 버를 이용한 방법을 더 선호했다. 그러나 같은 환자군을 3년간 추적 관찰한 후속 연구에 의하면, 양 방법으로 식립한 임플란트의 성공이나 치조정 골소실량에는 별다른 차이를 보이지는 않았다.[125]

한 후향적 단일 환자군 연구에서는 리머(Hatch Reamer)를 이용한 시스템으로 치조정 접근 상악동 골이식을 380명의 환자에게 시행하고 그 임상적 결과를 보고했다.[126] 그 결과, 평균 상악동저 거상량은 6.2±0.4 mm였고 4.6%의 환자에서 상악동 막이 천공되었다고 보고했다. 식립된 임플란트의 2년간 생존율은 96.4%였으며 치조골 높이가 4 mm 이하였던 경우에도 92.7%의 임플란트가 생존했다. 또한 이 술식은 말렛에 의한 타격이 필요 없었기 때문에 수술 중 불편감을 호소하는 환자도 없었다고 했다. 한 후향적 대조 연구에서는 오스테오톰법과 리머를 이용한 방법의 결과를 비교했고, 상악동 내의 골증강 양과 임플란트의 생존율에 있어 거의 동일한 결과를 보였다고 보고했다.[127] 그러나 상악동 막 천공(6.7 vs 0%)과 술 후 합병(15.6 vs 7.5%)에 있어서는 리머를 이용한 방법이 더 우수한 결과를 보였다고 했다. 두 연구 모두 후향적 연구였지만 리머를 이용한 방법은 환자의 불편감을 확실히 줄여주는 것으로 보인다. 그러나 골이식 부위에 식립한 임플란트의 성공은 오스테오톰법과 별다른 차이를 보이지는 않는다.

드릴/리머를 사용하면 환자의 불편감은 확실히 줄여주기는 하지만, 상악동 막의 천공 발생률에 어떠한 영향을 미치는지는 확실치 않다. 위의 한 후향적 연구에서는 리머를 이용한 방법을 적용할 때 천공이 더 적은 비율로 발생했다고는 했지만 단 하나의 후향적 연구만으로 결론을 이끌어내기에는 너무 성급하다. 또한 위 연구에서 오스테오톰법 후 발생한 상악동 막의 천공 발생률은 일반적으로 보고되는 정도에 비해 너무 높다. 이는 결과 측정 편향이나 회상 편향의 가능성이 높음을 시사하는 것이다. 한편 인간 사체를 이용한 실험에서는, 리머(SCA 키트, S–Reamer)를 이용한 방법 시 상악동 막을 천공 없이 더 많이 거상할 수 있었다고 보고했다.[41] 이 연구에서는 전체 실험 대상에서 상악동 막 천공은 오스테오톰 적용 군에서 66.7%, 드릴 적용 군에서 33%로 유의한 차이를 보였다. 그러나 상악동 막의 거상량이 3 mm일 때에는 상악동 막의 천공 발생률에 차이가 없었고, 거상량이 3–6 mm 사이일 때에만 오스테오톰법에서 더 많은 천공이 발생했다. 이는 상악동 막 거상량이 많아질수록 오스테오톰법보다는 SCA 키트를 이용한 방법이 더 유리하다는 점을 보여주는 결과였다. 또한 평균 상악동 막 거상량도 오스테오톰 군은 3.71 mm, SCA 키트 적용 군은 6.32 mm로 유의한 차이를 보였다. 그러나 사체를 이용한 단 하나의 실험 결과를 일반화시키는 것은 너무나 성급하다.

결론적으로 드릴/리머를 이용한 상악동저 삭제법에 대해서는 다음 결론을 얻을 수 있다.

- 드릴/리머를 이용한 방법은 임상적으로 광범위하게 사용되고 있음에도 불구하고 임상적 근거는 아직 많이 부족하다.
- 드릴/리머 삭제법은 오스테오톰법에 비해 환자의 불편감을 줄여준다.
- 드릴/리머 삭제법이 상악동 막 천공의 발생 가능성을 줄여주는지는 아직까지 확실히 알 수 없다. 임상적으로 많이 시행하는 상악동저 거상(3–4 mm 내외)의 범위에서는 오스테오톰법이나 드릴/리머법이나 상악동 막 천공을 비슷한 정도로 드물게 유발한다.
- 드릴/리머 삭제법과 오스테오톰법 적용 후 식립한 임플란트의 임상적 성공은 비슷하다.

4) 치조정 접근 상악동 막 거상법

상악동저 피질골 제거법으로 드릴/리머를 이용하는 방법이 개발된 것은 오스테오톰법 시의 충격에 의한 불편감을 줄여주기 위함이었다. 새로운 상악동 막 거상법들은 상악동 막 거상을 위해 힘을 받는 면적을 최대화하고 힘을 균등하게 분배함으로 크게 두 가지를 개선시키기 위해 개발된 것이다.

- 상악동 막 천공의 가능성을 줄여준다.
- 상악동 막을 거상할 수 있는 양을 최대화한다.

Sonoda 등은 경험에 근거하여 오스테오톰을 이용한 치조정 접근 상악동 골이식 시 상악동 막의 협설, 혹은 근원심 폭 거상량에 대한 수직적 거상량의 비율이 0.8 이하일 때 상악동 막 천공 가능성이 낮아진다고 언급했다(5–58).[61] 따라서 이론적으로 상악동 막을 수직 방향으로만 주로 거상시킬 수 있는 오스테오톰법보다는 수직적 수평적으로 동시에 거상시킬 수 있는 풍선 확장법, 수압 거상법, 압전 기구를 이용한 수력학적 거상법을 적용할 때 상악동 막을 수직적으로 천공 없이 더 많이 거상할 수 있을 것이다(5–59).[128]

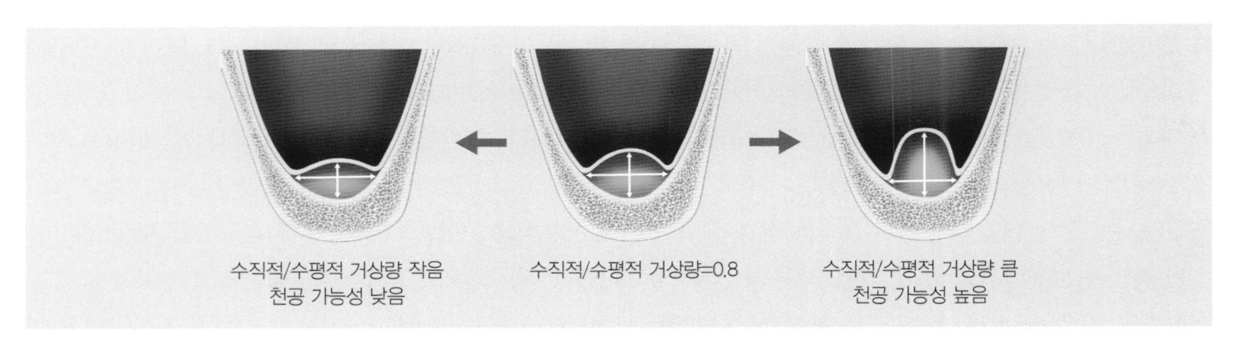

5–58 치조정 접근법 시 상악동 막의 수평적 거상량에 대한 수직적 거상량이 많아질수록 천공 가능성은 증가한다.
특히 Sonoda 등은 경험에 근거하여 오스테오톰을 이용한 치조정 접근 상악동 골이식 시 상악동 막의 수평적 거상량에 대한 수직적 거상량의 비율이 0.8 이하일 때 상악동 막 천공 가능성이 낮다고 언급했다.[61]

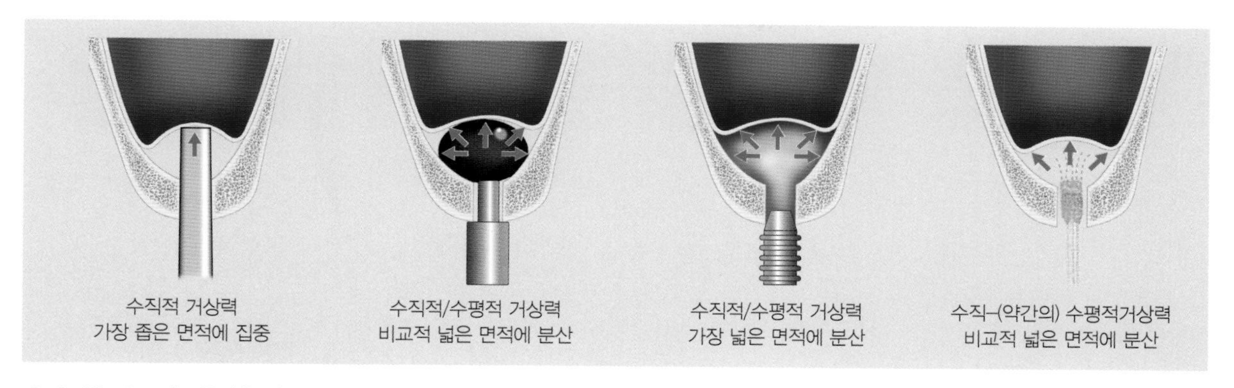

5-59 오스테오톰법은 상악동 막을 거상하는 힘이 오스테오톰 첨단으로 제한된다. 따라서 상악동 막 천공 가능성이 상대적으로 높다. 수압 거상법–풍선 확장법– 압전 기구를 이용한 수력학적 거상법은 상악동 막을 거상하는 힘이 더 넓은 면적으로 분산되기 때문에 상악동 막 천공 가능성을 낮춰준다.

(1) 수압 거상법

수압 거상법은 2005년에 처음 소개됐다.[129] 주로 치조정 접근법을 통해 상악동 막에 접근한 후 생리식염수를 자입하여 수압으로 상악동 막과 상악동저 골을 분리하는 술식이다. 가장 널리 쓰이는 수압 거상법은 주사기를 통해 술자가 직접 생리식염수를 자입하는 방법이지만 몇 가지 수압 거상 시스템이 소개된 바 있다(5-60).

- 오스테오톰/드릴/압전 기구로 상악동저 피질골을 삭제/골절시킨 후 주사기와 연결된 삽입부를 치조정 골삭제부에 삽입한다. 이후 주사기 내의 생리식염수를 반복적으로 주입/흡인하면서 상악동 막을 거상시킨다(Physiolift Pro, CAS 키트 등).
- 특수 형태의 임플란트를 상악동저 높이까지 삽입한 후 임플란트 내부를 통해 상악동 내로 액체를 자입한다(Maxillent iRaise).
- 수압 거상과 초음파 진동을 이용한 자동 거상 장치를 골삭제부로 삽입하여 상악동 막을 거상한다(Jedar system).

양의 신선 사체를 이용한 실험에서는 각각 오스테오톰법, 오스테오톰으로 상악동저 골절 후 풍선 확장법, 드릴로 상악동저 삭제 후 수압 거상법(CAS 키트)으로 상악동 막을 7 mm 거상했을 때 천공되는 비율을 비교했다.[130] 그 결과, 오스테오톰법을 적용했을 때에는 58.4%의 시료에서 천공이 발생한 반면, 풍선 확장법과 수압 거상법에서는 각각 8.3%에서만 천공이 발생했고 이는 유의한 차이를 보이는 것이었다(5-61). 또한 천공부의 크기도 오스테오톰법에서는 3.42 mm, 풍선 확장법에서는 0.5 mm, 수압 거상법에서는 0.5 mm로 차이를 보였다. 돼지 사체를 이용한 연구에서는 수압 거상법(CAS 키트)으로 상악동 막을 거상시켰을 때 3.3%에서만 상악동 막이 천공됐다고 보고했다.[131] 사체에서 압전 기구로 상악동저를 삭제하고 수압 거상법으로 상악동 막을 거상한 방법(실험군, MECTRON Physiolift Pro)과 오스테오톰법(대조군)의 골증강량을 비교한 연구에서는 통계학적으로 유의한 차이를 보이지는 않았지만 실험군에서 평균 0.39 cm^3, 대조군에서 0.29 cm^3 부피의 골증강량을 얻을 수 있었다고 했다.[132]

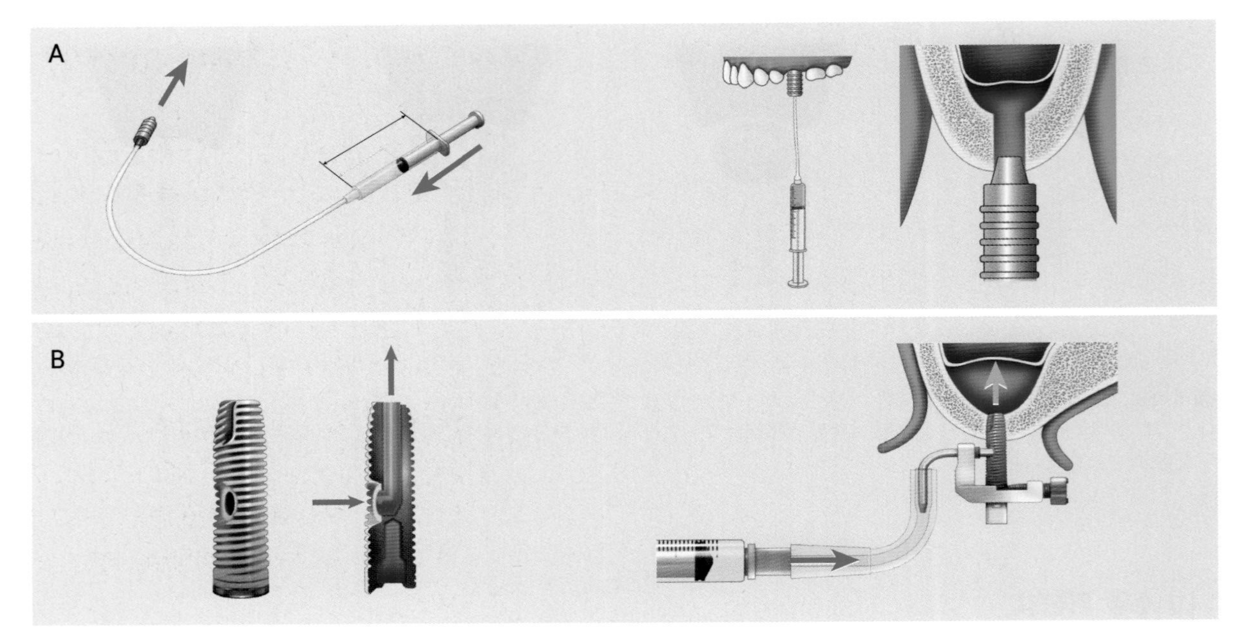

5-60 수압 거상법의 종류

A. 오스테오톰/드릴/압전 기구로 상악동저 피질골을 삭제/골절시킨 후 주사기와 연결된 삽입부를 치조정 골삭제부에 삽입한다. 이후 주사기 내의 생리식염수를 반복적으로 주입/흡인하면서 상악동 막을 거상시킨다(Physiolift Pro, CAS 키트 등). **B.** 특수 형태의 임플란트를 상악동저 높이까지 삽입한 후 임플란트 내부를 통해 상악동 내로 액체를 자입한다(Maxillent iRaise).

수압 거상법의 이러한 이점은 임상 연구를 통해서도 검증되었다. 가장 널리 사용되는 주사기를 이용한 술식은 일련의 연구들에서 좋은 임상적 결과를 보였다. 몇몇 단일 환자군 연구들에서는 치조정 접근법에서 수압 거상법을 적용했을 때 평균 11–12 mm 가량의 수직적 골증강을 얻을 수 있었다고 했으며, 수압 거상법 후 감염이나 상악동 막 천공(3% 미만)은 거의 발생하지 않았다고 했다.[133–136] 한 대규모의 후향적 연구에서는 오스테오톰법을 496명의 환자에게 적용하면서 653개의 임플란트를 식립했고, 수압 거상법(CAS 키트)을 380명의 환자에게 적용하면서 551개의 임플란트를 식립한 후 4년 후까지의 결과를 비교했다.[137] 오스테오톰법에서는 평균 4.08±3.45 mm, 수압 거상법에서는 평균 8.36±4.07의 골을 수직적으로 증강시킬 수 있었다. 상악동 막 천공은 각각 12.9%와 8.2%에서 발생했지만, 술 후 상악동염의 발생 빈도나 식립된 임플란트의 실패율에는 별다른 차이를 보이지 않았다. 치과의사에 대한 조사 연구에 따르면, CAS 키트 사용자 중 92.9%가 이 시스템에 만족했으며, 이들 치과의사들은 총 증례 중 4.1%에서만 상악동 막 천공을 경험했다고 했다.[138]

임플란트 매식체를 통한 수압 거상법도 긍정적인 임상적 결과를 보였다(Maxillent사의 iRaise). 다수의 단일 환자군 연구들에서는 이 술식을 통해 평균 10.9–12.78 mm의 상악동저를 수직적으로 증강시킬 수 있었다고 보고했다.[139–141] 또한 이 술식을 적용했을 때 상악동 막의 천공은 전혀 발생하지 않거나 아주 드물게 발생했으며, 환자의 불편감, 통증, 수술 중의 여타 합병증을 최소화할 수 있었다고 했다.

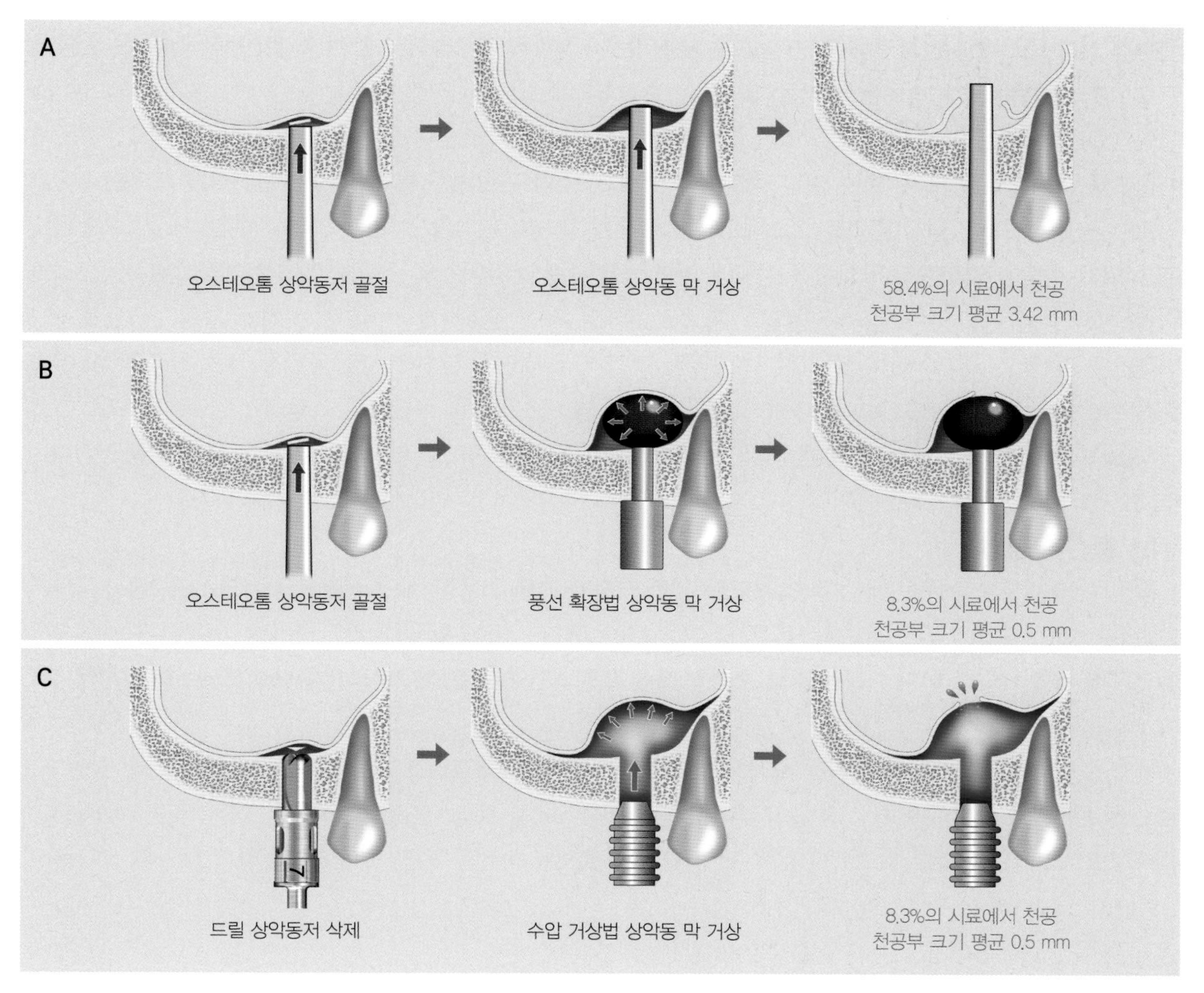

5-61 양의 신선 사체를 이용한 실험에서는 각각 오스테오톰법, 오스테오톰으로 상악동저 골절 후 풍선 확장법, 드릴로 상악동저 삭제 후 수압 거상법(CAS 키트)으로 상악동 막을 7 mm 거상했을 때 천공되는 비율을 비교했다.[130]

A. 오스테오톰으로 상악동저를 골절시키고 상악동 막을 거상했을 때에는 58.4%의 시료에서 천공이 발생했고 천공부의 크기는 평균 3.42 mm이었다. **B.** 오스테오톰으로 상악동저를 골절시키고 풍선 확장법으로 막을 거상했을 때에는 8.3%에서 천공이 발생했고 천공부의 크기는 평균 0.5 mm이었다. **C.** CAS 드릴로 상악동저를 삭제하고 풍선 확장법으로 막을 거상했을 때에는 8.3%에서 천공이 발생했고 천공부의 크기는 평균 0.5 mm이었다.

Jedar 시스템은, 수압 거상과 초음파 진동을 통해 상악동 막을 자동으로 거상시켜주는 시스템이다. 이 시스템에서는 단계적으로 0.2 mL씩의 생리식염수를 상악동저로 주입한다. 2013년의 파일럿 연구에서는 20건의 상악동 골이식을 이 시스템을 이용해 시행했고 평균 9.2±1.7 mm의 골을 수직적으로 증강시키면서 5%에서만 상악동 막이 천공됐다고 했다.[142] 2018년에는 156명의 환자에게 Jedar 시스템을 통해 상악동저 거상술을 시행하고 5년 후까지의 임상적 결과를 평가한 후향적 단일 환자군 연구가 발표됐다.[143] 총 191건의 상악동저 거상술이 시행됐고 이 중 17건에서 상악동 막이 천공되어 8.9%의 상악동 막 천공 발생률을 보였다. 또한 이 부위에 식립한 임플란트의 누적 생존율은 1년 후 94.4%, 3년 후 87.7%, 5년 후 87.7%였다.

수압 거상법을 이용한 상악동 막 거상술에 대해서는 수력학적 거상법이나 풍선 거상법보다 더 많은 임상 연구 결과가 보고됐다. 이 방법은 상악동저의 골을 수직적으로 10 mm 이상 현저히 증강시킬 수 있었고, 상악동 막의 천공 가능성은 매우 낮았다. 그러나 대부분의 임상 연구는 대조군이 없는 단일 환자군 연구였고, 적은 환자들만을 대상으로 했으며, 짧은 기간 동안만 수행됐다. 수압 거상법을 통해 상악동 골이식을 시행한 부위에 식립한 임플란트의 임상적 결과는 오스테오톰법에 의한 결과와 유사할 것이다. 그러나 수압 거상법으로 증강된 부위에 식립한 임플란트의 임상적 성공에 대한 높은 수준의 장기간의 연구는 아직까지 보고된 바 없다. 또한 한 전임상 연구에서는 수압 거상법의 단점으로, 상악동 막이 균일하게 거상되지 못하는 경우가 많음을 보였다. 이 연구에서는 돼지에서 수압 거상 시 상악동 막의 거상 패턴을 분석했는데, 상악동 막은 치조정 접근부를 중심으로 균등하게 거상되기보다는(35.0%), 접근부에서 벗어난 위치를 중심으로 거상되는 경우(51.7%)가 더 많았다(📷 5-62).[131] 이는 아마도 상악동 막이 상악동저 골과 균등한 힘으로 부착되어 있지 않기 때문일 것이다.

(2) 풍선 확장법

풍선 확장법 또한 2005년에 처음 소개되었다.[144] 돼지 머리를 이용한 체외 실험에서는 오스테오톰 상악동저 거상술(OSFE), 골첨가 오스테오톰 상악동저 거상술(BAOSFE), 풍선 확장법, 압전 기구를 이용한 방법을 이용해 상악동저를 10 mm까지 거상했을 때 오로지 풍선 확장법만 천공 없이 거상이 가능했다고 보고했다.[145]

몇몇 단일 환자군 연구에서 풍선 확장법으로 상악동저를 10 mm 정도까지도 충분히 거상해 줄 수 있었다고 보고했다.[146–149] 한 연구에서는 풍선의 부피를 평균 0.67 mL를 확장시켰을 때 상악동 막은 평균 10.9 mm가 수직적으로 거상되었다고 보고했으며,[147] 또 다른 연구에서는 풍선을 평균 1.96 mL 확장시켰을 때 상악동 막

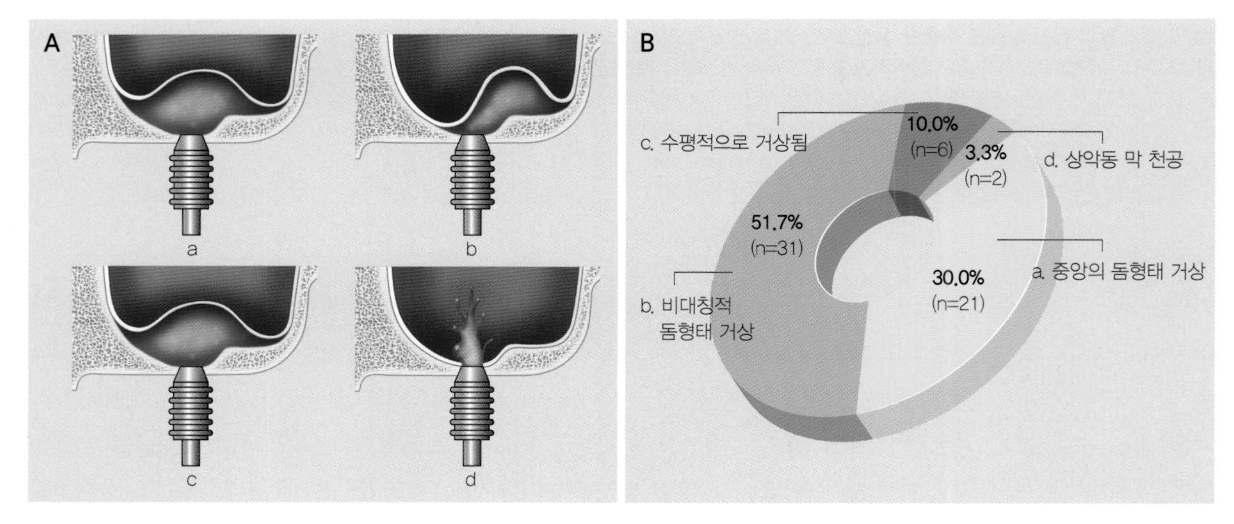

📷 **5-62** 수압 거상법을 적용했을 때에는 상악동저 골과 상악동 막의 유착된 정도가 부위마다 다르기 때문에 상악동 막이 균일하게 거상되지는 않는다. 그래도 상악동 막은 전반적으로 돔 형태로 거상되기는 하지만 임플란트 식립부 중앙보다는 편측으로 치우치게 거상되는 경우가 전체 증례의 51.7%였다.[131]

은 평균 11.6 mm가 수직적으로 거상되었다고 보고했다.[148] 또한 이들 연구에서 상악동 막의 천공 발생률은 각각 7.1%와 2.9%였다. 2018년의 한 체계적 문헌 고찰에서는 포함된 10개의 일차 문헌에서 풍선 확장법으로 상악동 막을 거상했을 때 상악동 막의 평균 거상량은 6.96 mm였고, 평균 상악동 막 천공 비율은 6.76%였다고 했다.[149] 또한 풍선 확장법을 통한 골이식술의 성공률은 평균 91.6% (71.4–100%)였다고 보고했다.

이 방법은 직관적으로 생각했을 때 수압 거상법에 비해 적용이 더 힘든 반면 상악동 막 거상 시 가해지는 힘은 더 좁은 면적의 막에 가해진다. 아직 메타분석이 가능할 정도로 근거가 축적되지는 못했지만 이 방법을 적용하면 수압 거상법을 적용할 때보다 확실히 상악동 막 천공이 더 자주 발생하는 것 같다.[146–149] 게다가 풍선 확장법은 수압 거상법과 비슷한 시기에 개발된 반면 임상적인 근거는 훨씬 적게 축적되었고, 이 방법을 적용할 수 있는 키트나 시스템도 훨씬 적게 개발되었다. 저자의 아주 성급한 판단이지만 이는 풍선 확장법의 임상적 결과가 수압 거상법이나 오스테오톰법에 미치지 못하기 때문일 수도 있을 것이라고 판단된다. 즉, 기대보다 좋지 못한 임상적 결과 때문에 결과 보고 편향이나 출판 편향이 개입되었을 여지도 있다.

(3) 압전 기구를 이용한 수력학적 거상법

압전 기구는 최소한의 외상으로 골삭제가 가능하기 때문에 처음에는 외측 접근 상악동 골이식 시 상악동 막의 천공을 최소화시킬 수 있는 방법으로 소개되었다.[150] 이후 치조정 접근법 시에도 압전 기구로 골삭제를 시행하여 상악동저 피질골을 제거하고, 상악동 막은 압전 기구에서 뿜어져 나오는 물 스프레이를 이용하여 수력학적으로 거상시키는 개념의 다양한 기구가 소개됐다(📷 5–63).[151] 양의 사체를 이용한 실험에서, 이 방법으로 치조정 접근 상악동저 거상술을 시행하면 상악동 막은 거의 무한한 정도로 거상이 가능했다.[151] 다른 사체 연구에서는 이 방법으로 상악동 골이식을 시행했을 때 15건의 수술 후 상악동 막 천공이 전혀 발생하지 않았다고 했다.[152] 다른 사체 연구에서는 오스테오톰법보다 압전 기구를 이용한 수력학적 압력으로 상악동 막을 거상하면 상악동 막은 수평적으로도(협-구개, 전후 방향) 유의하게 더 많이 거상됐다고 했다. 즉, 압전 기구를 이용한 상악동 골이식 시에는 상악동 막이 수평적으로 더 넓게 거상되기 때문에 상악동 막은 수직적으로 더 많이 거상 가능하고 상악동 막의 천공 가능성은 줄어든다는 사실을 보여준 것이다.[128]

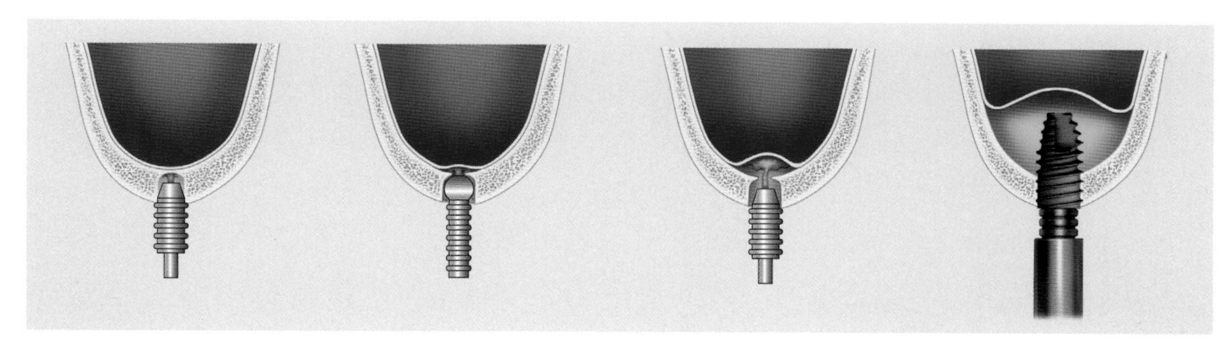

📷 5–63 **압전 기구를 이용한 수력학적 거상법**

몇몇 증례 연구와 단일 환자군 연구에서는 이 방법으로 성공적인 상악동 골이식이 가능했다고 보고했다.[153,154] 한 단일 환자군 연구에서는 이 방법으로 11건의 상악동 골이식을 시행하여 모든 증례에서 합병증은 없었으며, 수술 직후 상악동저는 13.95±6.61 mm 거상됐고 24주 후에도 거상된 높이는 8.23±2.88 mm로 잘 유지됐다고 보고했다.[155] 총 250건의 상악동 골이식을 압전 기구를 이용한 수력학적 거상으로 시행한 단일 환자군 연구에서는 총 353개의 임플란트를 식립했고, 이중 10 부위에서 상악동 막이 천공되어 2.83%의 천공 발생률을 보였다고 했다.[156] 수직적 골증강량은 평균 5.49 mm였고, 평균 69.3개월간 부하를 가했을 때 임플란트의 성공률은 97.2%였다. 그러나 이 방법에 대한 임상적 근거는 아직 매우 제한적인 상태이다.

참고문헌

1. Emmerich D, Att W, Stappert C. Sinus floor elevation using osteotomes: a systematic review and meta-analysis. *J Periodontol.* 2005;76(8):1237-1251.
2. Rosen PS, Summers R, Mellado JR, et al. The bone-added osteotome sinus floor elevation technique: multicenter retrospective report of consecutively treated patients. *Int J Oral Maxillofac Implants.* 1999;14(6):853-858.
3. Tan WC, Lang NP, Zwahlen M, Pjetursson BE. A systematic review of the success of sinus floor elevation and survival of implants inserted in combination with sinus floor elevation. Part II: transalveolar technique. *J Clin Periodontol.* 2008;35(8 Suppl):241-254.
4. Pjetursson BE, Rast C, Bragger U, Schmidlin K, Zwahlen M, Lang NP. Maxillary sinus floor elevation using the (transalveolar) osteotome technique with or without grafting material. Part I: Implant survival and patients' perception. *Clin Oral Implants Res.* 2009;20(7):667-676.
5. Pjetursson BE, Lang NP. Sinus floor elevation utilizing the transalveolar approach. *Periodontol 2000.* 2014;66(1):59-71.
6. Summers RB. The osteotome technique: Part 3--Less invasive methods of elevating the sinus floor. *Compendium.* 1994;15(6):698, 700, 702-694 passim; quiz 710.
7. Summers RB. The osteotome technique: Part 2--The ridge expansion osteotomy (REO) procedure. *Compendium.* 1994;15(4):422, 424, 426, passim; quiz 436.
8. Summers RB. A new concept in maxillary implant surgery: the osteotome technique. *Compendium.* 1994;15(2):152, 154-156, 158 passim; quiz 162.
9. Fanuscu MI, Chang TL, Akca K. Effect of surgical techniques on primary implant stability and peri-implant bone. *J Oral Maxillofac Surg.* 2007;65(12):2487-2491.
10. Blanco J, Suarez J, Novio S, Villaverde G, Ramos I, Segade LA. Histomorphometric assessment in human cadavers of the peri-implant bone density in maxillary tuberosity following implant placement using osteotome and conventional techniques. *Clin Oral Implants Res.* 2008;19(5):505-510.
11. Strietzel FP, Nowak M, Kuchler I, Friedmann A. Peri-implant alveolar bone loss with respect to bone quality after use of the osteotome technique: results of a retrospective study. *Clin Oral Implants Res.* 2002;13(5):508-513.
12. Stavropoulos A, Nyengaard JR, Lang NP, Karring T. Immediate loading of single SLA implants: drilling vs. osteotomes for the preparation of the implant site. *Clin Oral Implants Res.* 2008;19(1):55-65.
13. Davarpanah M, Martinez H, Tecucianu JF, Hage G, Lazzara R. The modified osteotome technique. *Int J*

Periodontics Restorative Dent. 2001;21(6):599-607.

14. Cavicchia F, Bravi F, Petrelli G. Localized augmentation of the maxillary sinus floor through a coronal approach for the placement of implants. *Int J Periodontics Restorative Dent.* 2001;21(5):475-485.
15. Sforza NM, Marzadori M, Zucchelli G. Simplified osteotome sinus augmentation technique with simultaneous implant placement: a clinical study. *Int J Periodontics Restorative Dent.* 2008;28(3):291-299.
16. Chen L, Cha J. An 8-year retrospective study: 1,100 patients receiving 1,557 implants using the minimally invasive hydraulic sinus condensing technique. *J Periodontol.* 2005;76(3):482-491.
17. Bruschi GB, Scipioni A, Calesini G, Bruschi E. Localized management of sinus floor with simultaneous implant placement: a clinical report. *Int J Oral Maxillofac Implants.* 1998;13(2):219-226.
18. Nkenke E, Schlegel A, Schultze-Mosgau S, Neukam FW, Wiltfang J. The endoscopically controlled osteotome sinus floor elevation: a preliminary prospective study. *Int J Oral Maxillofac Implants.* 2002;17(4):557-566.
19. Kang T. Sinus elevation using a staged osteotome technique for site development prior to implant placement in sites with less than 5 mm of native bone: a case report. *Int J Periodontics Restorative Dent.* 2008;28(1):73-81.
20. Diserens V, Mericske E, Mericske-Stern R. Radiographic analysis of the transcrestal sinus floor elevation: short-term observations. *Clin Implant Dent Relat Res.* 2005;7(2):70-78.
21. Toffler M. Osteotome-mediated sinus floor elevation: a clinical report. *Int J Oral Maxillofac Implants.* 2004;19(2):266-273.
22. Engelke W, Deckwer I. Endoscopically controlled sinus floor augmentation. A preliminary report. *Clin Oral Implants Res.* 1997;8(6):527-531.
23. Nedir R, Nurdin N, Khoury P, et al. Osteotome sinus floor elevation with and without grafting material in the severely atrophic maxilla. A 1-year prospective randomized controlled study. *Clinical oral implants research.* 2013;24(11):1257-1264.
24. Nedir R, Nurdin N, Khoury P, Bischof M. Short implants placed with or without grafting in atrophic sinuses: the 3-year results of a prospective randomized controlled study. *Clinical implant dentistry and related research.* 2016;18(1):10-18.
25. Nedir R, Nurdin N, Abi Najm S, El Hage M, Bischof M. Short implants placed with or without grafting into atrophic sinuses: the 5-year results of a prospective randomized controlled study. *Clinical oral implants research.* 2017;28(7):877-886.
26. Nedir R, Bischof M, Vazquez L, Szmukler-Moncler S, Bernard JP. Osteotome sinus floor elevation without grafting material: a 1-year prospective pilot study with ITI implants. *Clin Oral Implants Res.*

2006;17(6):679-686.

27. Nedir R, Bischof M, Vazquez L, Nurdin N, Szmukler-Moncler S, Bernard JP. Osteotome sinus floor elevation technique without grafting material: 3-year results of a prospective pilot study. *Clinical Oral Implants Research.* 2009;20(7):701-707.
28. Nedir R, Nurdin N, Vazquez L, Szmukler-Moncler S, Bischof M, Bernard JP. Osteotome sinus floor elevation technique without grafting: a 5-year prospective study. *Journal of clinical periodontology.* 2010;37(11):1023-1028.
29. Nedir R, Nurdin N, Vazquez L, Abi Najm S, Bischof M. Osteotome sinus floor elevation without grafting: A 10-year prospective study. *Clinical implant dentistry and related research.* 2016;18(3):609-617.
30. Berengo M, Sivolella S, Majzoub Z, Cordioli G. Endoscopic evaluation of the bone-added osteotome sinus floor elevation procedure. *Int J Oral Maxillofac Surg.* 2004;33(2):189-194.
31. Danesh-Sani SA, Loomer PM, Wallace SS. A comprehensive clinical review of maxillary sinus floor elevation: anatomy, techniques, biomaterials and complications. *Br J Oral Maxillofac Surg.* 2016;54(7):724-730.
32. Franceschetti G, Rizzi A, Minenna L, Pramstraller M, Trombelli L, Farina R. Patient-reported outcomes of implant placement performed concomitantly with transcrestal sinus floor elevation or entirely in native bone. *Clin Oral Implants Res.* 2017;28(2):156-162.
33. Abi Najm S, Malis D, El Hage M, Rahban S, Carrel JP, Bernard JP. Potential adverse events of endosseous dental implants penetrating the maxillary sinus: long-term clinical evaluation. *Laryngoscope.* 2013;123(12):2958-2961.
34. Kim SJ, Park JS, Kim HT, Lee CH, Park YH, Bae JH. Clinical features and treatment outcomes of dental implant-related paranasal sinusitis: A 2-year prospective observational study. *Clin Oral Implants Res.* 2016;27(11):e100-e104.
35. Alkan A, Celebi N, Baş B. Acute maxillary sinusitis associated with internal sinus lifting: report of a case. *Eur J Dent.* 2008;2(1):69-72.
36. Block MS, Kent JN. Sinus augmentation for dental implants: the use of autogenous bone. *J Oral Maxillofac Surg.* 1997;55(11):1281-1286.
37. Leblebicioglu B, Ersanli S, Karabuda C, Tosun T, Gokdeniz H. Radiographic evaluation of dental implants placed using an osteotome technique. *J Periodontol.* 2005;76(3):385-390.
38. Wen SC, Lin YH, Yang YC, Wang HL. The influence of sinus membrane thickness upon membrane perforation during transcrestal sinus lift procedure. *Clin Oral Implants Res.* 2015;26(10):1158-1164.

39. Lundgren S, Sjostrom M, Nystrom E, Sennerby L. Strategies in reconstruction of the atrophic maxilla with autogenous bone grafts and endosseous implants. *Periodontol 2000.* 2008;47:143-161.
40. Pommer B, Unger E, Suto D, Hack N, Watzek G. Mechanical properties of the Schneiderian membrane in vitro. *Clin Oral Implants Res.* 2009;20(6):633-637.
41. Gargallo-Albiol J, Tattan M, Sinjab KH, Chan HL, Wang HL. Schneiderian membrane perforation via transcrestal sinus floor elevation: A randomized ex vivo study with endoscopic validation. *Clin Oral Implants Res.* 2019;30(1):11-19.
42. Gargallo-Albiol J, Sinjab KH, Barootchi S, Chan HL, Wang HL. Microscope and micro-camera assessment of Schneiderian membrane perforation via transcrestal sinus floor elevation: A randomized ex vivo study. *Clin Oral Implants Res.* 2019;30(7):682-690.
43. Garbacea A, Lozada JL, Church CA, et al. The incidence of maxillary sinus membrane perforation during endoscopically assessed crestal sinus floor elevation: a pilot study. *J Oral Implantol.* 2012;38(4):345-359.
44. Tavelli L, Borgonovo AE, Saleh MH, RavidàA, Chan HL, Wang HL. Classification of Sinus Membrane Perforations Occurring During Transcrestal Sinus Floor Elevation and Related Treatment. *Int J Periodontics Restorative Dent.* 2020;40(1):111-118.
45. Ferrigno N, Laureti M, Fanali S. Dental implants placement in conjunction with osteotome sinus floor elevation: a 12-year life-table analysis from a prospective study on 588 ITI implants. *Clin Oral Implants Res.* 2006;17(2):194-205.
46. Schmidlin PR, Muller J, Bindl A, Imfeld H. Sinus floor elevation using an osteotome technique without grafting materials or membranes. *Int J Periodontics Restorative Dent.* 2008;28(4):401-409.
47. Chen ST, Beagle J, Jensen SS, Chiapasco M, Darby I. Consensus statements and recommended clinical procedures regarding surgical techniques. *Int J Oral Maxillofac Implants.* 2009;24 Suppl:272-278.
48. Yan Q, Wu X, Su M, Hua F, Shi B. Short implants (≤6 mm) versus longer implants with sinus floor elevation in atrophic posterior maxilla: a systematic review and meta-analysis. *BMJ Open.* 2019;9(10):e029826.
49. RavidàA, Wang IC, Sammartino G, et al. Prosthetic Rehabilitation of the Posterior Atrophic Maxilla, Short (≤6 mm) or Long (≥10 mm) Dental Implants? A Systematic Review, Meta-analysis, and Trial Sequential Analysis: Naples Consensus Report Working Group A. *Implant Dent.* 2019;28(6):590-602.
50. Jung J-H, Choi B-H, Zhu S-J, et al. The effects of exposing dental implants to the maxillary sinus cavity on sinus complications. *Oral Surgery, Oral Medicine, Oral Pathology, Oral Radiology, and Endodontology.* 2006;102(5):602-605.
51. Zhong W, Chen B, Liang X, Ma G. Experimental study on penetration of dental implants into the

maxillary sinus in different depths. *Journal of Applied Oral Science.* 2013;21(6):560-566.

52. Elhamruni LMM, Marzook HAM, Ahmed WMS, Abdul-Rahman M. Experimental study on penetration of dental implants into the maxillary sinus at different depths. *Oral and maxillofacial surgery.* 2016;20(3):281-287.
53. Reiser GM, Rabinovitz Z, Bruno J, Damoulis PD, Griffin TJ. Evaluation of maxillary sinus membrane response following elevation with the crestal osteotome technique in human cadavers. *International Journal of Oral & Maxillofacial Implants.* 2001;16(6).
54. Yu H, Wang X, Qiu L. Outcomes of 6.5-mm hydrophilic implants and long implants placed with lateral sinus floor elevation in the atrophic posterior maxilla: a prospective, randomized controlled clinical comparison. *Clinical implant dentistry and related research.* 2017;19(1):111-122.
55. Nedir R, Bischof M, Vazquez L, Szmukler-Moncler S, Bernard JP. Osteotome sinus floor elevation without grafting material: a 1-year prospective pilot study with ITI implants. *Clinical oral implants research.* 2006;17(6):679-686.
56. Phogat S, Madan R, Yadav H, Yadav A, Malhotra P. Clinical and Radiographic Examination of Endoscopically Controlled Indirect Sinus Lift: An In vivo Study. *N Y State Dent J.* 2016;82(4):25-29.
57. Tatum OH, Jr., Lebowitz MS, Tatum CA, Borgner RA. Sinus augmentation. Rationale, development, long-term results. *N Y State Dent J.* 1993;59(5):43-48.
58. van den Bergh JP, ten Bruggenkate CM, Disch FJ, Tuinzing DB. Anatomical aspects of sinus floor elevations. *Clin Oral Implants Res.* 2000;11(3):256-265.
59. Temmerman A, Van Dessel J, Cortellini S, Jacobs R, Teughels W, Quirynen M. Volumetric changes of grafted volumes and the Schneiderian membrane after transcrestal and lateral sinus floor elevation procedures: A clinical, pilot study. *J Clin Periodontol.* 2017;44(6):660-671.
60. Farina R, Franceschetti G, Travaglini D, et al. Morbidity following transcrestal and lateral sinus floor elevation: A randomized trial. *J Clin Periodontol.* 2018;45(9):1128-1139.
61. Sonoda T, Harada T, Yamamichi N, Monje A, Wang HL. Association Between Bone Graft Volume and Maxillary Sinus Membrane Elevation Height. *Int J Oral Maxillofac Implants.* 2017;32(4):735–740.
62. Nkenke E, Stelzle F. Clinical outcomes of sinus floor augmentation for implant placement using autogenous bone or bone substitutes: a systematic review. *Clin Oral Implants Res.* 2009;20 Suppl 4:124-133.
63. Taschieri S, Corbella S, Del Fabbro M. Mini-invasive osteotome sinus floor elevation in partially edentulous atrophic maxilla using reduced length dental implants: interim results of a prospective study. *Clin Implant Dent Relat Res.* 2014;16(2):185-193.
64. Anitua E, Alkhraist MH, Piñas L, Orive G. Association of transalveolar sinus floor elevation, platelet rich

plasma, and short implants for the treatment of atrophied posterior maxilla. *Clinical Oral Implants Research.* 2015;26(1):69-76.

65. Quirynen M, Lefever D, Hellings P, Jacobs R. Transient swelling of the Schneiderian membrane after transversal sinus augmentation: a pilot study. *Clin Oral Implants Res.* 2014;25(1):36-41.
66. Qin L, Lin SX, Guo ZZ, et al. Influences of Schneiderian membrane conditions on the early outcomes of osteotome sinus floor elevation technique: a prospective cohort study in the healing period. *Clin Oral Implants Res.* 2017;28(9):1074-1081.
67. Bragger U, Gerber C, Joss A, et al. Patterns of tissue remodeling after placement of ITI dental implants using an osteotome technique: a longitudinal radiographic case cohort study. *Clin Oral Implants Res.* 2004;15(2):158-166.
68. Zheng X, Teng M, Zhou F, Ye J, Li G, Mo A. Influence of Maxillary Sinus Width on Transcrestal Sinus Augmentation Outcomes: Radiographic Evaluation Based on Cone Beam CT. *Clin Implant Dent Relat Res.* 2016;18(2):292-300.
69. Pjetursson BE, Ignjatovic D, Matuliene G, Bragger U, Schmidlin K, Lang NP. Transalveolar maxillary sinus floor elevation using osteotomes with or without grafting material. Part II: Radiographic tissue remodeling. *Clin Oral Implants Res.* 2009;20(7):677-683.
70. Wang H-L, Boyapati L. "PASS"principles for predictable bone regeneration. *Implant Dentistry.* 2006;15(1):8-17.
71. Asai S, Shimizu Y, Ooya K. Maxillary sinus augmentation model in rabbits: effect of occluded nasal ostium on new bone formation. *Clin Oral Implants Res.* 2002;13(4):405-409.
72. Scala A, Botticelli D, Faeda RS, Garcia Rangel I, Jr., Américo de Oliveira J, Lang NP. Lack of influence of the Schneiderian membrane in forming new bone apical to implants simultaneously installed with sinus floor elevation: an experimental study in monkeys. *Clin Oral Implants Res.* 2012;23(2):175-181.
73. Scala A, Botticelli D, Rangel IG, Jr., de Oliveira JA, Okamoto R, Lang NP. Early healing after elevation of the maxillary sinus floor applying a lateral access: a histological study in monkeys. *Clin Oral Implants Res.* 2010;21(12):1320-1326.
74. Qian SJ, Mo JJ, Shi JY, Gu YX, Si MS, Lai HC. Endo-sinus bone formation after transalveolar sinus floor elevation without grafting with simultaneous implant placement: Histological and histomorphometric assessment in a dog model. *J Clin Periodontol.* 2018;45(9):1118-1127.
75. Boyne PJ. Analysis of performance of root-form endosseous implants placed in the maxillary sinus. *J Long Term Eff Med Implants.* 1993;3(2):143-159.
76. Cricchio G, Palma VC, Faria PE, et al. Histological findings following the use of a space-making device for

bone reformation and implant integration in the maxillary sinus of primates. *Clin Implant Dent Relat Res.* 2009;11 Suppl 1:e14-22.

77. Palma VC, Magro-Filho O, de Oliveria JA, Lundgren S, Salata LA, Sennerby L. Bone reformation and implant integration following maxillary sinus membrane elevation: an experimental study in primates. *Clin Implant Dent Relat Res.* 2006;8(1):11-24.
78. Lundgren S, Andersson S, Sennerby L. Spontaneous bone formation in the maxillary sinus after removal of a cyst: coincidence or consequence? *Clin Implant Dent Relat Res.* 2003;5(2):78-81.
79. Lundgren S, Andersson S, Gualini F, Sennerby L. Bone reformation with sinus membrane elevation: a new surgical technique for maxillary sinus floor augmentation. *Clin Implant Dent Relat Res.* 2004;6(3):165-173.
80. Si MS, Mo JJ, Zhuang LF, Gu YX, Qiao SC, Lai HC. Osteotome sinus floor elevation with and without grafting: an animal study in Labrador dogs. *Clinical oral implants research.* 2015;26(2):197-203.
81. Falah M, Sohn DS, Srouji S. Graftless sinus augmentation with simultaneous dental implant placement: clinical results and biological perspectives. *Int J Oral Maxillofac Surg.* 2016;45(9):1147-1153.
82. Ranaan J, Bassir SH, Andrada L, et al. Clinical efficacy of the graft free slit-window sinus floor elevation procedure: A 2-year randomized controlled clinical trial. *Clin Oral Implants Res.* 2018.
83. Biscaro L, Beccatelli A, Landi L. A human histologic report of an implant placed with simultaneous sinus floor elevation without bone graft. *Int J Periodontics Restorative Dent.* 2012;32(4):e122-130.
84. Altintas NY, Senel FC, Kayıpmaz S, Taskesen F, Pampu AA. Comparative radiologic analyses of newly formed bone after maxillary sinus augmentation with and without bone grafting. *J Oral Maxillofac Surg.* 2013;71(9):1520-1530.
85. Borges FL, Dias RO, Piattelli A, et al. Simultaneous sinus membrane elevation and dental implant placement without bone graft: a 6-month follow-up study. *J Periodontol.* 2011;82(3):403-412.
86. Nasr S, Slot DE, Bahaa S, Dörfer CE, El-Sayed KMF. Dental implants combined with sinus augmentation: What is the merit of bone grafting? A systematic review. *Journal of Cranio-Maxillofacial Surgery.* 2016;44(10):1607-1617.
87. Duan DH, Fu JH, Qi W, Du Y, Pan J, Wang HL. Graft-free maxillary sinus floor elevation: A systematic review and meta-analysis. *Journal of periodontology.* 2017;88(6):550-564.
88. Yan M, Liu R, Bai S, Wang M, Xia H, Chen J. Transalveolar sinus floor lift without bone grafting in atrophic maxilla: A meta-analysis. *Scientific reports.* 2018;8(1):1-9.
89. Chen MH, Shi JY. Clinical and Radiological Outcomes of Implants in Osteotome Sinus Floor Elevation with and without Grafting: A Systematic Review and a Meta-Analysis. *Journal of Prosthodontics.* 2018;27(5):394-401.

90. Yang J, Xia T, Wang H, Cheng Z, Shi B. Outcomes of maxillary sinus floor augmentation without grafts in atrophic maxilla: A systematic review and meta-analysis based on randomised controlled trials. *J Oral Rehabil.* 2019;46(3):282-290.
91. Lai HC, Zhang ZY, Wang F, Zhuang LF, Liu X. Resonance frequency analysis of stability on ITI implants with osteotome sinus floor elevation technique without grafting: a 5-month prospective study. *Clinical oral implants research.* 2008;19(5):469-475.
92. Shalabi MM, Wolke JG, De Ruijter AJ, Jansen JA. Histological evaluation of oral implants inserted with different surgical techniques into the trabecular bone of goats. *Clinical oral implants research.* 2007;18(4):489-495.
93. Fanuscu MI, Chang T-L, Akça K. Effect of surgical techniques on primary implant stability and peri-implant bone. *Journal of Oral and Maxillofacial Surgery.* 2007;65(12):2487-2491.
94. Si MS, Shou YW, Shi YT, Yang GL, Wang HM, He FM. Long-term outcomes of osteotome sinus floor elevation without bone grafts: a clinical retrospective study of⊠-9 years. *Clin Oral Implants Res.* 2016;27(11):1392-1400.
95. Lai HC, Zhuang LF, Lv XF, Zhang ZY, Zhang YX, Zhang ZY. Osteotome sinus floor elevation with or without grafting: a preliminary clinical trial. *Clin Oral Implants Res.* 2010;21(5):520-526.
96. Si MS, Zhuang LF, Gu YX, Mo JJ, Qiao SC, Lai HC. Osteotome sinus floor elevation with or without grafting: a 3-year randomized controlled clinical trial. *J Clin Periodontol.* 2013;40(4):396-403.
97. Si Ms, Zhuang Lf, Gu YX, Mo Jj, Qiao Sc, Lai HC. Osteotome sinus floor elevation with or without grafting: a 3-year randomized controlled clinical trial. *Journal of clinical periodontology.* 2013;40(4):396-403.
98. Nedir R, Nurdin N, Szmukler-Moncler S, Bischof M. Placement of tapered implants using an osteotome sinus floor elevation technique without bone grafting: 1 year results. *Int J Oral Maxillofacial Implants, 2009: 24: 727.* 2009;733.
99. Lai HC, Zhuang LF, Lv XF, Zhang ZY, Zhang YX, Zhang ZY. Osteotome sinus floor elevation with or without grafting: a preliminary clinical trial. *Clinical Oral Implants Research.* 2010;21(5):520-526.
100. Sul S-H, Choi B-H, Li J, Jeong S-M, Xuan F. Effects of sinus membrane elevation on bone formation around implants placed in the maxillary sinus cavity: an experimental study. *Oral Surgery, Oral Medicine, Oral Pathology, Oral Radiology, and Endodontology.* 2008;105(6):684-687.
101. Nedir R, Nurdin N, Szmukler-Moncler S, Bischof M. Osteotome sinus floor elevation technique without grafting material and immediate implant placement in atrophic posterior maxilla: report of 2 cases. *Journal of oral and maxillofacial surgery.* 2009;67(5):1098-1103.
102. Lundgren S, Cricchio G, Hallman M, Jungner M, Rasmusson L, Sennerby L. Sinus floor elevation

procedures to enable implant placement and integration: techniques, biological aspects and clinical outcomes. *Periodontology 2000.* 2017;73(1):103-120.

103. Balleri P, Veltri M, Nuti N, Ferrari M. Implant placement in combination with sinus membrane elevation without biomaterials: a 1-year study on 15 patients. *Clin Implant Dent Relat Res.* 2012;14(5):682-689.
104. Thor A, Sennerby L, Hirsch JM, Rasmusson L. Bone formation at the maxillary sinus floor following simultaneous elevation of the mucosal lining and implant installation without graft material: an evaluation of 20 patients treated with 44 Astra Tech implants. *J Oral Maxillofac Surg.* 2007;65(7 Suppl 1):64-72.
105. Lin IC, Gonzalez AM, Chang HJ, Kao SY, Chen TW. A 5-year follow-up of 80 implants in 44 patients placed immediately after the lateral trap-door window procedure to accomplish maxillary sinus elevation without bone grafting. *Int J Oral Maxillofac Implants.* 2011;26(5):1079-1086.
106. Abi Najm S, Nurdin N, El Hage M, Bischof M, Nedir R. Osteotome Sinus Floor Elevation Without Grafting: A 10-Year Clinical and Cone-Beam Sinus Assessment. *Implant Dent.* 2018;27(4):439-444.
107. Pjetursson BE, Rast C, Brägger U, Schmidlin K, Zwahlen M, Lang NP. Maxillary sinus floor elevation using the (transalveolar) osteotome technique with or without grafting material. Part I: Implant survival and patients' perception. *Clinical Oral Implants Research.* 2009;20(7):667-676.
108. Zill A, Precht C, Beck-Broichsitter B, et al. Implants inserted with graftless osteotome sinus floor elevation—a 5-year post-loading retrospective study. *Eur J Oral Implantol.* 2016;9(3):277-289.
109. Si Ms, Shou Yw, Shi Yt, Yang Gl, Wang Hm, He Fm. Long-term outcomes of osteotome sinus floor elevation without bone grafts: a clinical retrospective study of 4–9 years. *Clinical oral implants research.* 2016;27(11):1392-1400.
110. Pjetursson BE, Ignjatovic D, Matuliene G, Brägger U, Schmidlin K, Lang NP. Transalveolar maxillary sinus floor elevation using osteotomes with or without grafting material. Part II: Radiographic tissue remodeling. *Clinical oral implants research.* 2009;20(7):677-683.
111. Kim HR, Choi BH, Xuan F, Jeong SM. The use of autologous venous blood for maxillary sinus floor augmentation in conjunction with sinus membrane elevation: an experimental study. *Clinical oral implants research.* 2010;21(3):346-349.
112. Fermergård R, Åstrand P. Osteotome sinus floor elevation without bone grafts–a 3-year retrospective study with Astra Tech implants. *Clinical implant dentistry and related research.* 2012;14(2):198-205.
113. Berengo M, Sivolella S, Majzoub Z, Cordioli G. Endoscopic evaluation of the bone-added osteotome sinus floor elevation procedure. *International journal of oral and maxillofacial surgery.* 2004;33(2):189-194.
114. Clark D, Barbu H, Lorean A, Mijiritsky E, Levin L. Incidental findings of implant complications on postimplantation CBCTs: A cross-sectional study. *Clin Implant Dent Relat Res.* 2017;19(5):776-782.

115. Zhang XM, Shi JY, Gu YX, Qiao SC, Mo JJ, Lai HC. Clinical Investigation and Patient Satisfaction of Short Implants Versus Longer Implants with Osteotome Sinus Floor Elevation in Atrophic Posterior Maxillae: A Pilot Randomized Trial. *Clin Implant Dent Relat Res.* 2017;19(1):161-166.
116. Al-Almaie S, Kavarodi AM, Al Faidhi A. Maxillary sinus functions and complications with lateral window and osteotome sinus floor elevation procedures followed by dental implants placement: a retrospective study in 60 patients. *J Contemp Dent Pract.* 2013;14(3):405-413.
117. Su GN, Tai PW, Su PT, Chien HH. Protracted benign paroxysmal positional vertigo following osteotome sinus floor elevation: a case report. *Int J Oral Maxillofac Implants.* 2008;23(5):955-959.
118. Akcay H, Ulu M, Kelebek S, Aladag I. Benign Paroxysmal Positional Vertigo Following Sinus Floor Elevation in Patient with Antecedents of Vertigo. *J Maxillofac Oral Surg.* 2016;15(Suppl 2):351-354.
119. Giannini S, Signorini L, Bonanome L, Severino M, Corpaci F, Cielo A. Benign paroxysmal positional vertigo (BPPV): it may occur after dental implantology. A mini topical review. *Eur Rev Med Pharmacol Sci.* 2015;19(19):3543-3547.
120. Di Girolamo M, Napolitano B, Arullani CA, Bruno E, Di Girolamo S. Paroxysmal positional vertigo as a complication of osteotome sinus floor elevation. *Eur Arch Otorhinolaryngol.* 2005;262(8):631-633.
121. Reddy KS, Shivu ME, Billimaga A. Benign paroxysmal positional vertigo during lateral window sinus lift procedure: a case report and review. *Implant Dent.* 2015;24(1):106-109.
122. Sammartino G, Mariniello M, Scaravilli MS. Benign paroxysmal positional vertigo following closed sinus floor elevation procedure: mallet osteotomes vs. screwable osteotomes. A triple blind randomized controlled trial. *Clin Oral Implants Res.* 2011;22(6):669-672.
123. Al-Dajani M. Recent Trends in Sinus Lift Surgery and Their Clinical Implications. *Clin Implant Dent Relat Res.* 2016;18(1):204-212.
124. Checchi L, Felice P, Antonini ES, Cosci F, Pellegrino G, Esposito M. Crestal sinus lift for implant rehabilitation: a randomised clinical trial comparing the Cosci and the Summers techniques. A preliminary report on complications and patient preference. *Eur J Oral Implantol.* 2010;3(3):221-232.
125. Esposito M, Cannizzaro G, Barausse C, Cosci F, Soardi E, Felice P. Cosci versus Summers technique for crestal sinus lift: 3-year results from a randomised controlled trial. *Eur J Oral Implantol.* 2014;7(2):129-137.
126. Ahn SH, Park EJ, Kim ES. Reamer-mediated transalveolar sinus floor elevation without osteotome and simultaneous implant placement in the maxillary molar area: clinical outcomes of 391 implants in 380 patients. *Clin Oral Implants Res.* 2012;23(7):866-872.
127. Bae OY, Kim YS, Shin SY, Kim WK, Lee YK, Kim SH. Clinical Outcomes of Reamer- vs Osteotome-Mediated Sinus Floor Elevation with Simultaneous Implant Placement: A 2-Year Retrospective Study. *Int J*

Oral Maxillofac Implants. 2015;30(4):925-930.

128. Catros S, Montaudon M, Bou C, Da Costa Noble R, Fricain JC, Ella B. Comparison of Conventional Transcrestal Sinus Lift and Ultrasound-Enhanced Transcrestal Hydrodynamic Cavitational Sinus Lift for the Filling of Subantral Space: A Human Cadaver Study. *J Oral Implantol*. 2015;41(6):657-661.
129. Sotirakis EG, Gonshor A. Elevation of the maxillary sinus floor with hydraulic pressure. *J Oral Implantol*. 2005;31(4):197-204.
130. Yassin Alsabbagh A, Alsabbagh MM, Darjazini Nahas B, Rajih S. Comparison of three different methods of internal sinus lifting for elevation heights of 7 mm: an ex vivo study. *Int J Implant Dent*. 2017;3(1):40.
131. Cho YS, Chong D, Yang SM, Kang B. Hydraulic Transcrestal Sinus Lift: Different Patterns of Elevation in Pig Sinuses. *Implant Dent*. 2017;26(5):706-710.
132. Kühl S, Kirmeier R, Platzer S, Bianco N, Jakse N, Payer M. Transcrestal maxillary sinus augmentation: Summers' versus a piezoelectric technique--an experimental cadaver study. *Clin Oral Implants Res*. 2016;27(1):126-129.
133. Bensaha T. Outcomes of flapless crestal maxillary sinus elevation under hydraulic pressure. *Int J Oral Maxillofac Implants*. 2012;27(5):1223-1229.
134. Better H, Chaushu L, Nissan J, Xavier S, Tallarico M, Chaushu G. The Feasibility of Flapless Approach to Sinus Augmentation Using an Implant Device Designed According to Residual Alveolar Ridge Height. *Int J Periodontics Restorative Dent*. 2018;38(4):601–606.
135. Kim DY, Itoh Y, Kang TH. Evaluation of the effectiveness of a water lift system in the sinus membrane-lifting operation as a sinus surgical instrument. *Clin Implant Dent Relat Res*. 2012;14(4):585-594.
136. Gatti F, Gatti C, Tallarico M, Tommasato G, Meloni SM, Chiapasco M. Maxillary Sinus Membrane Elevation Using a Special Drilling System and Hydraulic Pressure: A 2-Year Prospective Cohort Study. *Int J Periodontics Restorative Dent*. 2018;38(4):593-599.
137. Wang RF, Zhao D, Lin HY, Liu M, Wang WQ. [Clinical evaluation of two transalveolar methods for sinus augmentation with placing 1 204 implants immediately]. *Zhonghua Kou Qiang Yi Xue Za Zhi*. 2018;53(12):821-825.
138. Kim YK, Cho YS, Yun PY. Assessment of dentists' subjective satisfaction with a newly developed device for maxillary sinus membrane elevation by the crestal approach. *J Periodontal Implant Sci*. 2013;43(6):308-314.
139. Tallarico M, Better H, De Riu G, Meloni SM. A novel implant system dedicate to hydraulic Schneiderian membrane elevation and simultaneously bone graft augmentation: An up-to 45 months retrospective clinical study. *J Craniomaxillofac Surg*. 2016;44(8):1089-1094.
140. Tallarico M, Meloni SM, Xhanari E, Pisano M, Cochran DL. Minimally Invasive Sinus Augmentation

Procedure Using a Dedicated Hydraulic Sinus Lift Implant Device: A Prospective Case Series Study on Clinical, Radiologic, and Patient-Centered Outcomes. *Int J Periodontics Restorative Dent.* 2017;37(1):125-135.

141. Better H, Slavescu D, Barbu H, Cochran DL, Chaushu G. Minimally invasive sinus lift implant device: a multicenter safety and efficacy trial preliminary results. *Clin Implant Dent Relat Res.* 2014;16(4):520-526.
142. Jesch P, Bruckmoser E, Bayerle A, Eder K, Bayerle-Eder M, Watzinger F. A pilot-study of a minimally invasive technique to elevate the sinus floor membrane and place graft for augmentation using high hydraulic pressure: 18-month follow-up of 20 cases. *Oral Surg Oral Med Oral Pathol Oral Radiol.* 2013;116(3):293-300.
143. Bruckmoser E, Gruber R, Steinmassl O, et al. Crestal Sinus Floor Augmentation Using Hydraulic Pressure and Vibrations: A Retrospective Single Cohort Study. *Int J Oral Maxillofac Implants.* 2018;33(5):1149-1154.
144. Soltan M, Smiler DG. Antral membrane balloon elevation. *Journal of Oral Implantology.* 2005;31(2):85-90.
145. Stelzle F, Benner KU. Evaluation of different methods of indirect sinus floor elevation for elevation heights of 10mm: an experimental ex vivo study. *Clin Implant Dent Relat Res.* 2011;13(2):124-133.
146. Kfir E, Kfir V, Eliav E, Kaluski E. Minimally invasive antral membrane balloon elevation: report of 36 procedures. *J Periodontol.* 2007;78(10):2032-2035.
147. Hu X, Lin Y, Metzmacher AR, Zhang Y. Sinus membrane lift using a water balloon followed by bone grafting and implant placement: a 28-case report. *Int J Prosthodont.* 2009;22(3):243-247.
148. Rao GS, Reddy SK. Antral balloon sinus elevation and grafting prior to dental implant placement: review of 34 cases. *Int J Oral Maxillofac Implants.* 2014;29(2):414-418.
149. Asmael HM. Is antral membrane balloon elevation truly minimally invasive technique in sinus floor elevation surgery? A systematic review. *Int J Implant Dent.* 2018;4(1):12.
150. Torrella F, Pitarch J, Cabanes G, Anitua E. Ultrasonic ostectomy for the surgical approach of the maxillary sinus: a technical note. *International Journal of oral & maxillofacial implants.* 1998;13(5).
151. Troedhan AC, Kurrek A, Wainwright M, Jank S. Hydrodynamic ultrasonic sinus floor elevation—an experimental study in sheep. *Journal of Oral and Maxillofacial Surgery.* 2010;68(5):1125-1130.
152. Troedhan A, Kurrek A, Wainwright M, Jank S. Schneiderian membrane detachment using transcrestal hydrodynamic ultrasonic cavitational sinus lift: a human cadaver head study and histologic analysis. *J Oral Maxillofac Surg.* 2014;72(8):1503.e1501-1510.
153. Troedhan A, Kurrek A, Wainwright M. Biological Principles and Physiology of Bone Regeneration under the Schneiderian Membrane after Sinus Lift Surgery: A Radiological Study in 14 Patients Treated with the

Transcrestal Hydrodynamic Ultrasonic Cavitational Sinus Lift (Intralift). *Int J Dent.* 2012;2012:576238.

154. Velázquez-Cayón R, Romero-Ruiz MM, Torres-Lagares D, et al. Hydrodynamic ultrasonic maxillary sinus lift: review of a new technique and presentation of a clinical case. *Med Oral Patol Oral Cir Bucal.* 2012;17(2):e271-275.
155. Kim JM, Sohn DS, Bae MS, Moon JW, Lee JH, Park IS. Flapless transcrestal sinus augmentation using hydrodynamic piezoelectric internal sinus elevation with autologous concentrated growth factors alone. *Implant Dent.* 2014;23(2):168-174.
156. Kim JM, Sohn DS, Heo JU, et al. Minimally invasive sinus augmentation using ultrasonic piezoelectric vibration and hydraulic pressure: a multicenter retrospective study. *Implant Dent.* 2012;21(6):536-542.

PART 5

발치 후 치조골의 변화와 임플란트 식립 시기

Remaking the Bone

치아 발거와 치조골의 변화

1. 치아 발거와 치조골의 변화

치아 발거 후 방치된 치조골은 지속적으로 흡수된다. 따라서 발치 후 치조골 골량은 점점 감소하면서 임플란트 식립 자체와 골증강술의 난이도는 점점 증가하게 된다. 또한 최근에는 치료 기간을 단축시키기 위해 발치 후 즉시, 혹은 조기에 임플란트를 식립하는 술자가 증가하고 있다. 발치 후 빠르게 임플란트를 식립하면 전체 치료 기간을 단축시킬 수 있으며 치료 횟수를 줄여줄 수 있다. 이때 치조골의 예상되는 변화를 인지하고 있어야 이에 대한 대처가 가능하고, 따라서 임플란트 주위의 치조골을 안정적으로 유지시켜줄 수 있다.

여기에서는 주로 단일 치아 발치 후 건전한 치조골이 1년 이내에 어떠한 과정으로 어떻게 변화되는지 알아보도록 하겠다. 논의에 앞서 현재 치아 발치 후의 치조골 변화에 대한 관심은 상악 전치부에 집중되어 있으며, 따라서 가용한 근거도 대부분 이 부위에 관한 것으로 한정된다는 점은 미리 언급하겠다. 상악 전치부 골은 수평적으로 더 얇기 때문에 치조골의 흡수에 취약한 데다가 심미적인 이유로 치조골의 변화에 더 민감한 부위이기 때문이다.

1) 치조골의 해부학

악골은 “치조 돌기(alveolar process)”와 “기저골(basal bone)”로 나눌 수 있다(📷 1-1).[1]

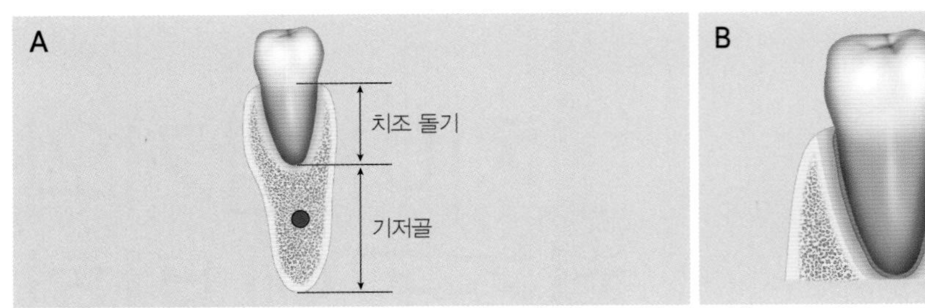

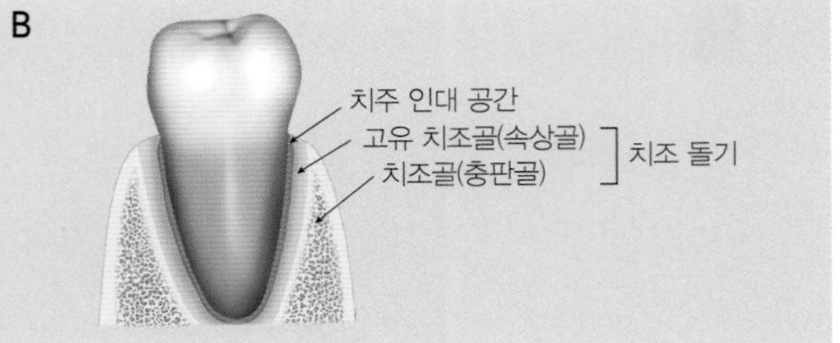

1-1 치조골의 해부학
A. 악골은 치아를 둘러싼 골인 치조 돌기와 치근 하방의 기저골로 나눌 수 있다. **B.** 치조 돌기는 다시 두 부분으로 나누어진다. 내측은 고유 치조골(alveolar bone proper), 혹은 조직학적 용어인 속상골(bundle bone)이라고 한다. 속상골은 치주인대의 샤피 섬유(Sharpey's fiber)가 삽입되는 부위이다. 외측은 단순히 치조골(alveolar bone)이라고 부른다. 조직학적으로는 동심원상 층판골(concentric lamellae)이나 개재 층판골(interstitial lamellae)과 골수로 이루어져 있다.

- 치조 돌기는 치아 주변을 둘러싼 골조직을 의미한다. 출생 시에는 존재하지 않지만 치아가 맹출되면서 형성되고, 치아가 상실되면 다시 소실된다.
- 기저골은 치근 하방의 악골 부위를 의미한다. 치아의 유무와 관계없이 비교적 안정적으로 존재한다.

치조 돌기는 다시 두 부분으로 나누어진다.

- 내측은 고유 치조골(alveolar bone proper), 혹은 조직학적 용어인 속상골(bundle bone)이라고 한다. 속상골은 치주인대의 샤피 섬유(Sharpey's fiber)가 삽입되는 부위이다.
- 외측은 단순히 치조골(alveolar bone)이라고 부른다. 조직학적으로는 동심원상 층판골(concentric lamellae)이나 개재 층판골(interstitial lamellae)과 골수로 이루어져 있다.

2) 발치 후 치조골의 변화

발치 후 치조골, 혹은 치조제의 변화는 크게 두 가지 측면에서 고려해야 한다.

- 발치 후 빈 공간으로 남게 되는 발치와 내부가 성숙골로 치유되는 과정
- 발치 후 발생하는 자연적인 치조골, 점막, 치조제의 크기 감소

(1) 발치와 내부는 3–6개월 정도 후 골로 충전되지만 골이 성숙될 때까지는 최대 1년가량이 소요된다

발치 후 발치와 내부는 다양한 과정을 거치며 골조직으로 충전된다. 특히 개를 이용한 일련의 연구를 통해 발치 후 발치와 내부의 치유 과정은 잘 규명되었다. 이 과정은 크게 3단계, 세분하면 5단계로 나눌 수 있다(1–2).[1,2]

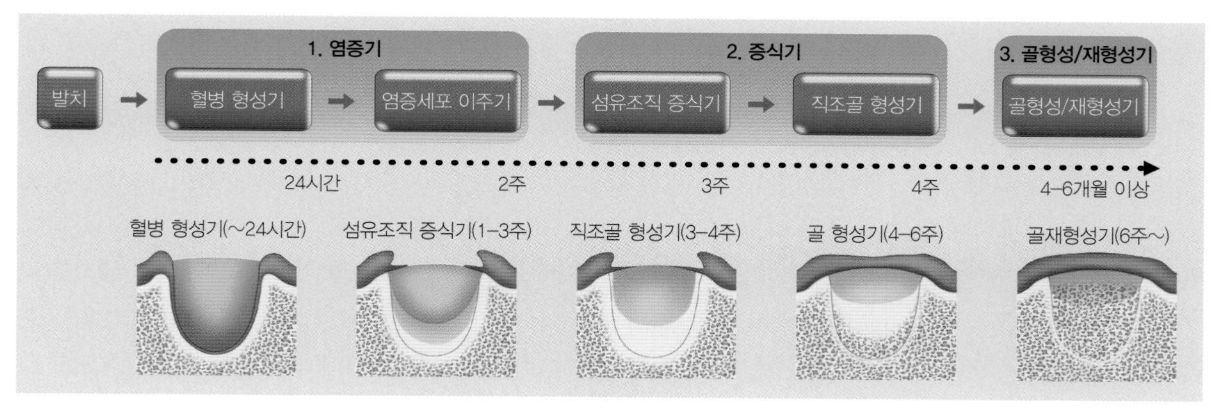

1-2 발치 후 발치와의 치유 과정
대개 3단계, 즉 염증기, 증식기, 골형성/재형성기로 나눌 수 있다.

① 염증기

이 시기는 혈병 형성기와 염증 세포 이주기로 나눌 수 있다. 발치 직후에는 발치와 전체가 혈액으로 가득 차고, 곧 혈병이 형성되면서 지혈이 완료된다. 2-3일 이내로 많은 수의 염증 세포가 발치와 내부로 이동한다. 이 염증 세포는 발치와 내부에 신생 조직이 형성되기 전에 이 부위를 깨끗이 청소해주는 역할을 한다. 이때 신생 혈관 및 미성숙 섬유아세포도 같이 발치와 내로 이동해서 염증세포와 함께 육아조직을 형성한다.

② 증식기

증식기 또한 섬유 조직 증식기(fibroplasia)와 직조골(woven bone) 형성기의 두 부분으로 나눌 수 있다. 염증기의 육아조직은 점차 섬유아세포와 교원질 세포가 늘어나면서 섬유 조직 증식기로 접어들며, 이 조직은 직조골 형성을 위한 임시 조직으로 작용한다. 이 임시 조직 내부로 혈관이 자라 들어가고, 혈관 주위에 골형성 세포가 직조골을 형성하기 시작한다. 직조골은 부하 지지 능력이 없는, 층판골 형성을 위한 임시 구조물로 작용한다.

③ 골형성 및 재형성기

"Bone modeling"은 "bone formation"과 동일한 번역어인 "골형성"이라는 단어를 사용하기 때문에 혼란이 있을 수 있는 용어로, 골재형성(bone remodeling)과 짝을 이루는 용어이다. 골형성은 골 표면의 형태가 성장하거나 변화되는 것을 의미하고, 골재형성은 골의 형태는 유지되지만 그 구조가 변화되는 것을 의미한다. 발치 후 치조골의 외측이 흡수되는 현상은 골의 형태 변화이기 때문에 역설적으로 들릴 수 있겠지만 골형성이라고 할 수 있고, 발치와 내부에서 직조골이 층판골로 대체되는 과정은 골재형성이라고 할 수 있다. 골재형성이 완료되는 시기는 개인에 따라, 또 상황에 따라 많은 차이를 보인다.

발치와 내부의 치유 속도는 개인에 따라 많은 차이를 보인다. 임상 연구에 의하면 발치 후 염증기와 증식기까지는 개인에 따른 차이가 없이 비슷한 속도로 급속히 진행된다.[3] 그러나 발치와 내부가 골로 완전히 충전되는 기간은 개인에 따라 많은 차이를 보인다. 발치와 내부 골조직의 형성은 3–6개월 이상 지나야 방사선학적으로 확인 가능하다.[4]

또한 발치와 내부에 골이 충전되더라도 이것이 성숙한 골로 재형성되기까지는 상당한 시간이 소요된다. 한 단면 연구에서는 하악 구치부(소구치–대구치)에서 발치 후 1.6–360개월이 경과한 환자의 발치와(n=44) 치조골을 채취하여 골의 형태를 마이크로 CT와 조직학적으로 관찰했다.[5] 그 결과 발치 후 7–12개월이 경과할 때까지 비성숙 직조골(woven bone)이 성숙한 층판골(lamellar bone)로 대체되는 골재형성 양상을 보였고, 일단 층판골이 안정되고 나면 그 이후에는 비슷한 상태로 유지된다고 했다(**1–3**). 발치와 내부의 골이 형성되고 이것이 성숙되는데 개인별로 차이가 심한 이유는 환자 개인에 따른 생물학적 치유 능력의 차이, 발치와의 형태와 크기의 차이, 발치 시 가해진 외상의 차이 등에 의한 것으로 생각된다.[1]

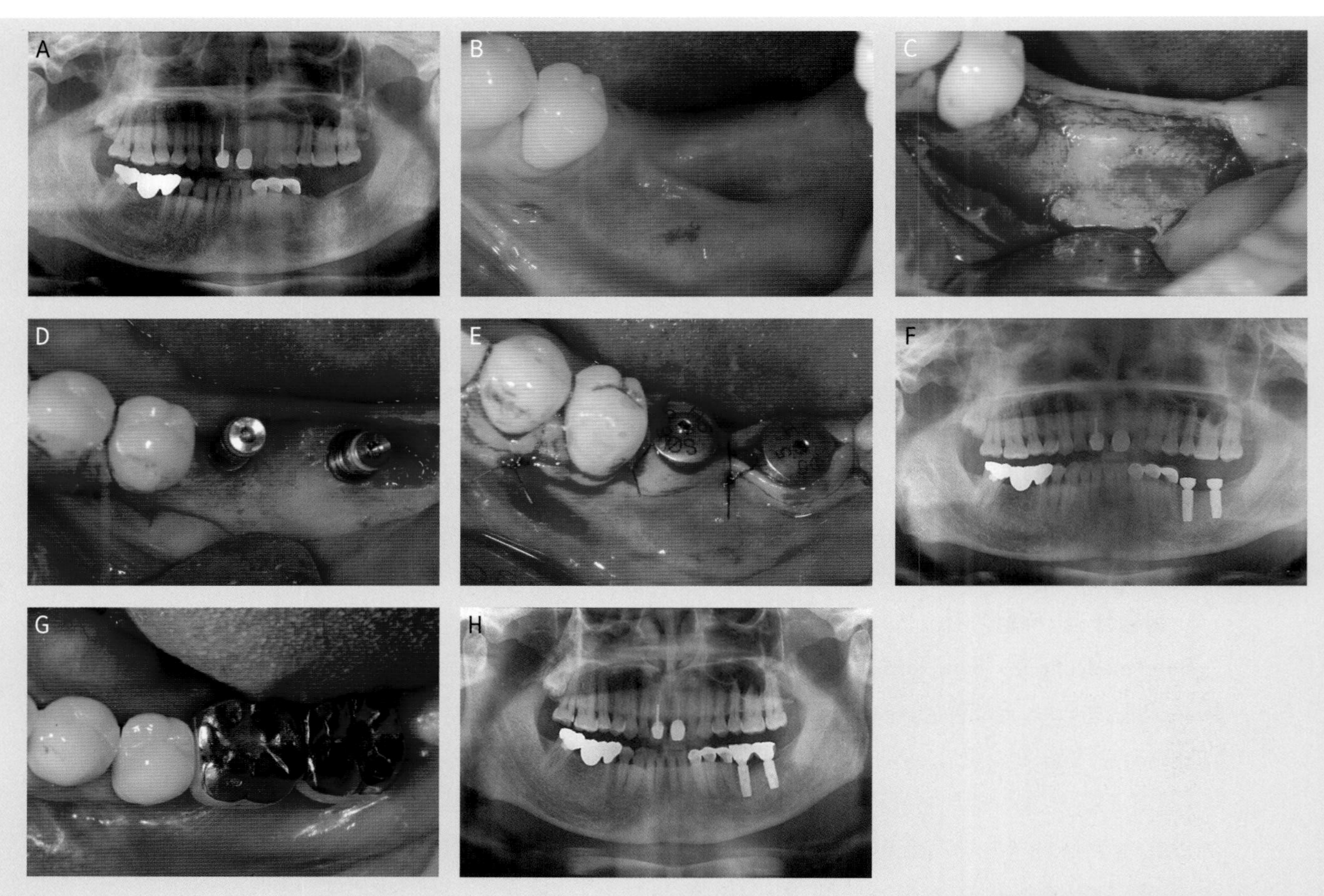

1–3 개인에 따라, 그리고 발치와 자체의 상태에 따라 발치와 치유 속도에는 차이가 있다. 그러나 발치 후 1년이 경과하면 대부분의 경우에서 골의 형성과 재형성이 완료된다.
A~F. 하악 좌측 대구치들은 발치 후 1년가량 경과했다. 방사선사진이나 임상 소견 상 발치와는 치유가 완료되어 균일한 피질골과 해면골 형태를 보였다**(A, C)**. 임플란트를 식립했다.
G~H. 3개월 후 최종 보철물을 연결하여 치료를 완료했다.

(2) 발치와 내부의 골충전이 완료되는 시기에는 이미 치조골은 수평적으로 현저히 흡수된다

발치 후 치조제 형태의 변화에 대한 고전적인 연구 중 가장 유명한 것은 2003년 Schropp 등의 연구이다.[4] 이 연구에서는 46명의 환자에서 단일 구치(소구치-대구치) 상실 후 12개월까지의 치조제 변화를 인상 채득으로 제작한 모델을 분석해서 관찰했다. 그 결과 발치 12개월 후 치조제의 수평적 폭은 대략 50%가 감소(평균 12 mm에서 5.9 mm로 감소)했고, 그 중 2/3는 발치 후 3개월 이내에 발생했다(**1-4**). 그러나 치조제의 수직적 흡수는 12개월 후까지 1 mm 미만이었다. 이 연구는 골 자체의 변화가 아닌, 골과 점막 두께가 합쳐진 치조제 전체의 형태 변화를 측정한 것이기 때문에 해석에 주의를 요한다. 최근에 연구에 의하면, 치조골 흡수가 진행되면 점막 두께가 증가하면서 골흡수를 상쇄하는 경향을 보였기 때문이다.[6,7]

2010년 즈음에 발치 후 치조골 흡수를 평가한 두 개의 체계적 문헌 고찰이 발표됐다. 그 결과는 **1-1**에 정리했다.

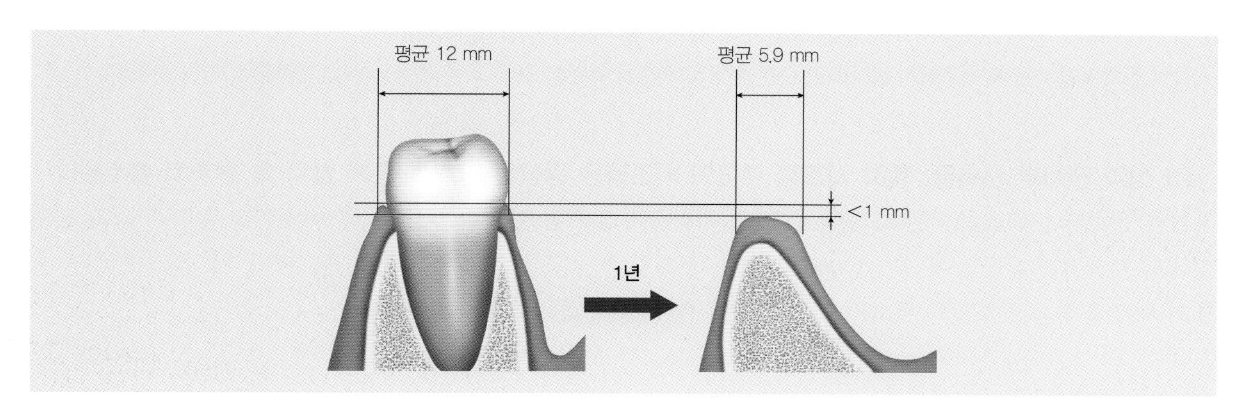

1-4 발치 후 치조제 형태의 변화에 관한, 가장 널리 인용된 2003년 Schropp 등의 연구 결과.[4] 발치 시부터 발치부를 포함한 편악의 인상을 채득하고 모델을 분석하여 치조제의 형태 변화를 측정했다. 그 결과 발치 1년 후까지 치조제의 협설 폭은 평균 12 mm에서 5.9 mm로 대략 50%가 감소했다. 수직적으로는 1 mm 미만의 흡수만 발생했다. 이 연구는 치조골이 아닌, 치조골과 점막 두께의 합인 전체 치조제를 측정한 것이기 때문에 결과 해석에 주의를 기울여야 하지만, 적어도 발치 후 치조골을 포함한 치조제는 수평적으로 심하게 흡수된다는 사실을 보여주는 결과였다.

1-1 발치 후 치조골의 평균 흡수량

연구	치조골	흡수량 측정 시기	수평적 평균 흡수량	협측 중앙부 수직적 평균 흡수량
Van der Weijden, 2009[8]	치조골	개별 연구의 최종 측정 시	3.87 mm (95% CI 3.673-4.059 mm)	1.67 mm (95% CI 1.428-1.910 mm)
Tan, 2012[9]	치조제 전체	발치 6개월 후	3.79±0.23 mm (3개월 후 32%, 6-7개월 후 29-63% 흡수)	1.24±0.11 mm (6개월 후 11-22%)
	연조직 + 골조직	발치 12개월 후	0.1-6.1 mm 감소	0.4 mm 증가-0.9 mm 감소

위의 표를 통해, 발치 후 6개월 이상이 경과하면 자연적인 골형성(bone modeling)의 과정을 통해 치조골의 수평적 폭은 평균적으로 4 mm 가까이 감소하는 반면, 수직적으로는 협측골이 평균적으로 대략 1.5 mm 정도의 범위에서 흡수된다는 사실을 알 수 있다. 결국 발치 후 발치와 내부의 골충전이 완료되고 임플란트를 식립할 때 가장 자주 마주치는 골결손은 수평적 골결손(그 중에서도 열개 결손)임을 알 수 있다.

3) 발치 후 협(순)측 중앙 치조골은 현저히 흡수된다

앞서 언급한 바와 같이 발치 후 치조골의 변화에 대한 연구는 상악 전치부에 집중되어 있다. 따라서 발치 후 치조골의 변화에 대한 깊은 이해는 우선 상악 전치부로 한정하여 알아봐야 할 필요가 있다. 게다가 이는 실용적인 면에서도 합리적인 판단이다.

- 상악 전치부는 순측 치조골이 가장 얇은 부위이고, 따라서 흡수에 가장 취약한 부위이다.
- 상악 전치부에서 순측 치조골이 흡수되면 순측 점막의 퇴축을 유발할 수 있고, 이는 심미적인 문제를 야기할 수 있다.

(1) 상악 전치부 순측골, 특히 치조정 부근의 치조골은 굉장히 얇기 때문에 발치 후 현저히 흡수된다

상악 전치부 순측골은 굉장히 얇다. 그리고 치조골이 얇으면 발치 후 치조골 흡수량은 더 많다.[10] 상악 전치부에서 순측 치조골판의 두께가 1 mm 미만일 때 발치 후 치조골 흡수는 현저히 증가한다.[11,12] 상악 전치부 순측의 치조정 부근 치조골의 두께는 다음과 같은 형태적 특성을 보인다(📷 1-5).

- 치조골의 두께는 평균 1 mm 미만이다. 임상 연구들에서는 상악 전치부 치조정 부근의 순측골 두께는 평균 0.8–0.9 mm라고 했다.[13,14]
- 대부분의 치조골은 1 mm 미만의 두께를 갖는다. 상악 전치부 순측 치조골정의 두께가 1 mm 미만인 경우는 85.3–87%이다.[13,15,16]

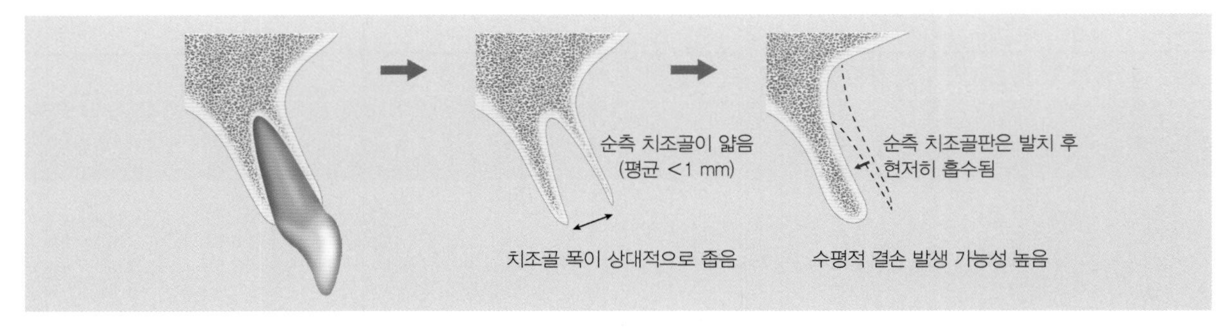
순측 치조골이 얇음
(평균 <1 mm)
치조골 폭이 상대적으로 좁음
순측 치조골판은 발치 후
현저히 흡수됨
수평적 결손 발생 가능성 높음

📷 **1-5** 상악 전치부 치조골은 발치 후 수평적으로 굉장히 심하게 흡수되어 임플란트 식립에 어려움을 겪을 확률이 높다. 특히 순측 치조골판은 대부분의 경우 1 mm 미만인데, 골판 두께가 1 mm 미만이면 이상일 때보다 발치 후 현저히 많이 흡수된다. 게다가 구치부에 비해 전치부 치조골 폭은 원래 좁기 때문에 발치 후 적절한 처치를 가하지 않으면 수평적 골결손이 발생할 가능성이 매우 높다.

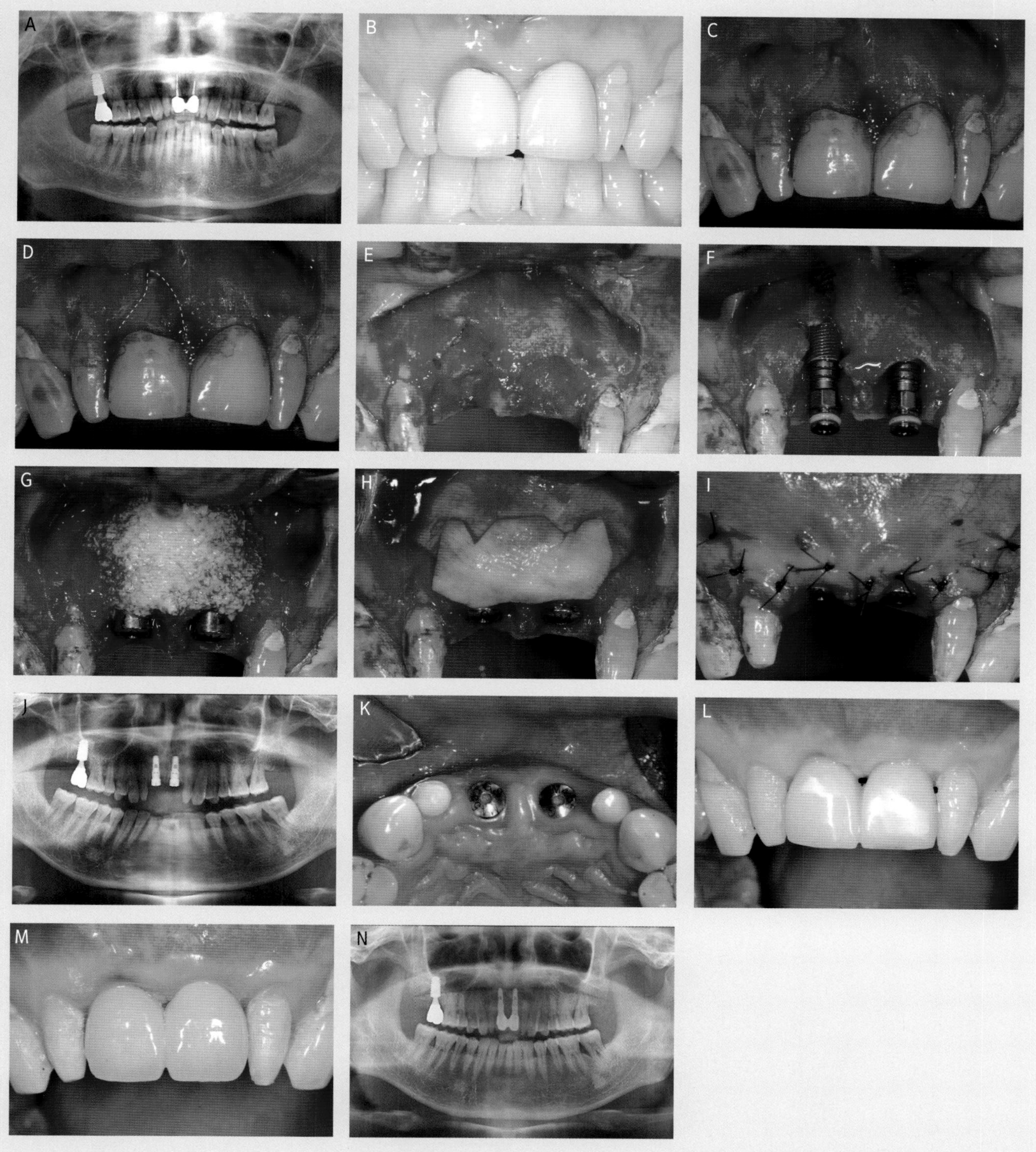

1-6 이 증례에서는 명백히 상악 우측 중절치에 대한 잘못된 근관 치료에 의해 치조골이 흡수되어 열개 결손이 존재했다. 그러나 치조골이 아주 얇은 경우에는 별다른 병적 요소가 없더라도 열개가 존재할 수 있다. 또한 이 증례에서는 점막이 얇았음에도 불구하고 이러한 골의 열개에 의해 점막 열개가 유발되지 않았다. 따라서 상악 전치부 발치와에는 항상 열개나 천공 결손이 존재할 수 있다는 점을 알고 있어야만 한다.

A~J. 발치 후 즉시 임플란트를 식립한 증례이다. 양측 상악 중절치는 치관이 파절되었고 수복이 불가한 것으로 판단되어 발치하기로 했다. 우측 중절치에는 열개 결손이 존재했다**(C, D)**. 발치 후 이상적인 위치에 임플란트를 식립하고**(F)** 탈단백 우골로 골결손부와 임플란트 주위 결손을 수복한 후 천연 교원질 차폐막을 적용했다. 수술부는 점막 관통 치유를 도모했다.

K~L. 3개월 후 고정성 임시 보철물을 연결해 주었다.

M~N. 다시 약 1.5개월 후 최종 보철물을 연결하여 치료를 완료했다.

• 상악 전치부 치아의 순측 치조골은 치주적으로 건전함에도 불구하고 순측 치조골이 너무 얇아서 원래부터 열개 결손이 존재하는 경우도 많다(📷 1-6). 상악 전치부 치아 중 9.9–51.6%에서는 순측골에 열개가 존재한다.[14-16] 한 전향적 단일 환자군 연구에서는 상악 전치부 치아를 발거한 직후 전체 증례의 1/4에서 열개 결손이, 1/4에서 천공 결손이 존재했으며, 절반 정도의 증례에서만 순측골의 결손이 존재하지 않았다고 보고했다.[16]

(2) 상악 전치부에서 순측 치조골은 역V자, 혹은 역U자 형태로 흡수된다

물론 발치 후 치조골은 모든 부위에서 흡수가 진행되긴 하지만, 순(협)측 중앙 치조정 부위가 가장 많이 흡수된다.[6,17] 그 이유는 다음과 같다(📷 1-7).

① 치조골판의 두께가 구개측보다는 순측이, 치근단 쪽보다는 치조정 쪽이 더 얇고, 따라서 동일한 양의 치조골이 흡수되더라도 순측 치조정 치조골이 상실될 가능성이 더 높다.[17]

② 순측과 구개측 치조골판은 각각 중앙부가 근원심부보다 더 얇다. 게다가 근원심부 골은 인접 자연치에 의해 지지되기 때문에 치아 상실 후의 골흡수가 예방된다.[18]

③ 특히 얇은 순측 치조골정은 전적으로 속상골로만 이루어진 경우가 많다. 속상골은 발치 후 급속하게 흡수되기 때문에 순측 치조골정 또한 현저히 흡수되게 된다.[19,20]

① 구개측보다는 순측 치조골이 더 얇고, 따라서 더 많이 흡수된다.

상악 절치–소구치에서 피판을 거상하고 발치를 시행한 환자들은 발치 4개월 후 치조정 높이에서 수평적으로 평균 3.37±1.55 mm (43.2%)의 골이 흡수됐다.[17] 이중 순측골은 평균 2.45±1.29 mm, 설측골은 평균 0.98±0.93 mm가 흡수됐다. 또한 수직적으로 순측골은 평균 0.83±1.14 mm가, 설측골은 평균 0.21±0.31 mm가 흡수됐다. 따라서 순측골이 설측골에 비해 훨씬 더 많이 수직적, 수평적으로 흡수됨을 알 수 있다(📷 1-8).

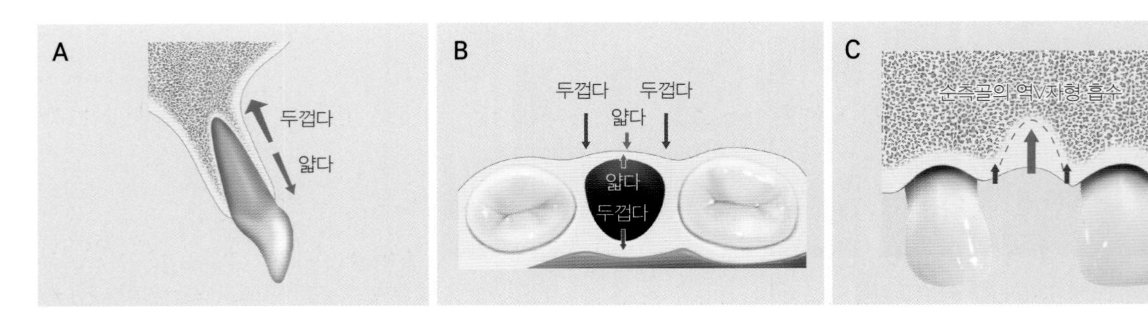

📷 1-7 상악 전치부 순측 치조골은 초기에 역V자 형태로 흡수된다.
A. 순측 치조골은 근단측보다 치관측이 훨씬 얇다. 따라서 치관측 치조골이 훨씬 더 많이 흡수된다. **B.** 순측 치조골은 구개측 치조골보다 훨씬 얇으며 특히 치관측 순측 치조골은 조직학적으로도 흡수에 취약한 속상골로 이루어져 있다. 또한 근원심으로 중앙부는 근심이나 원심부에 비해 치조골 두께가 훨씬 얇다. 이는 구개골보다는 순측골, 근원심보다는 중앙부 골이 더 많이 흡수되는 결과를 초래한다. **C.** 결국 발치 후 치조골은 얇은 부분부터 흡수된다. 이는 순측 치조골의 치관측 변연 중앙부에서 치조골 흡수가 집중됨을 의미한다. 따라서 치조골은 발치 후 초기에 역V자 형태로 흡수된다.

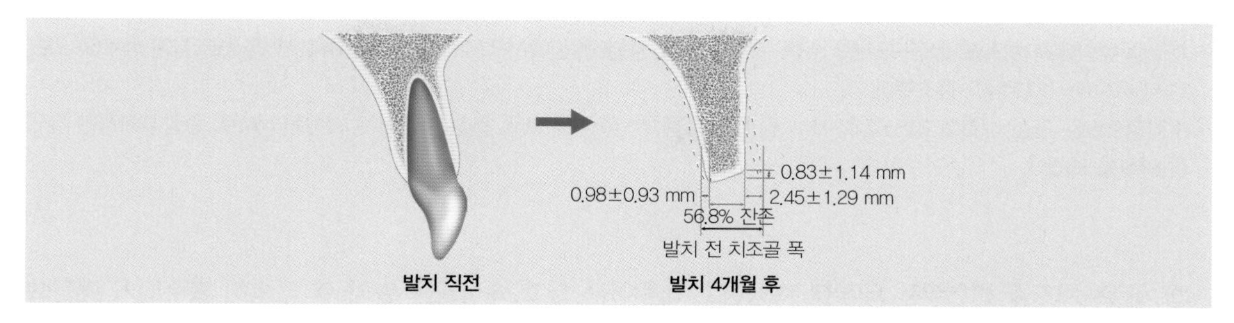

1-8 한 전향적 단일 환자군 연구에서는 발치 전과 발치 4개월 후 치조골의 변화를 측정했다. 그 결과 순측 치조골이 구개측 치조골보다 수직적, 수평적으로 현저히 더 많이 흡수되었다.

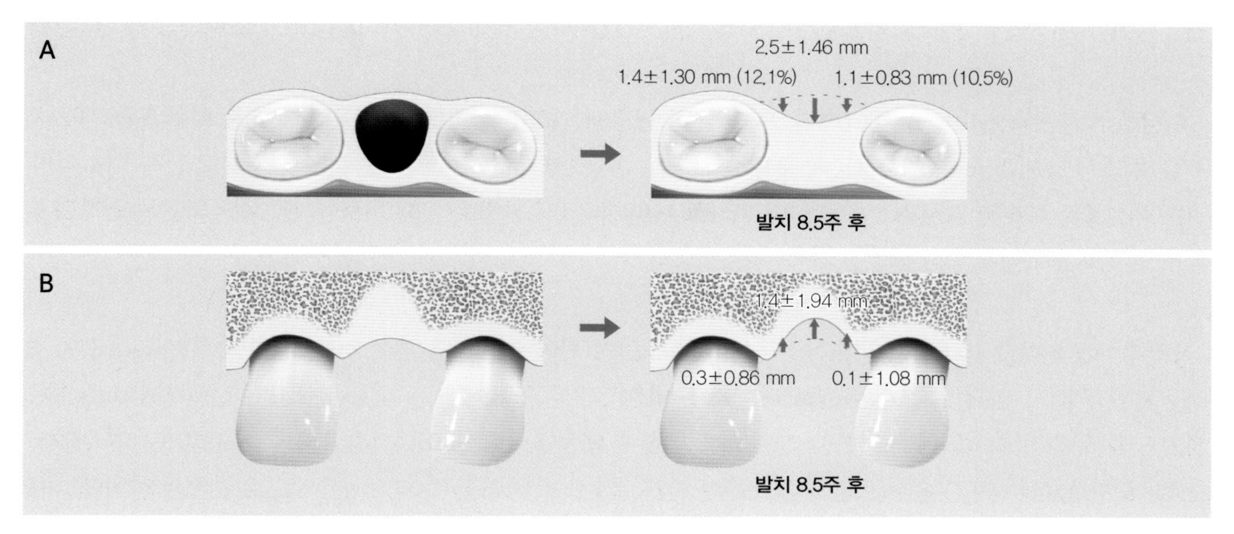

1-9 한 전향적 단일 환자군 연구에서는 발치 8.5주 후 순측 치조골의 변화량을 측정했다.
A. 근원심부보다는 중앙부 치조골의 수평적 흡수가 현저히 더 많았다. **B.** 역시 근원심부보다는 중앙부 치조골의 수직적 흡수가 현저히 더 많았다. 근원심부의 흡수는 거의 없었던 반면, 중앙부는 평균 1.4±1.94 mm 흡수되었다.

② 근원심부 치조골은 인접 자연치에 의해 지지되고 두께가 두껍기 때문에 중앙부 치조골보다 흡수량이 적다.

한 후향적 연구에 의하면 양측에 자연치가 존재하는 단일 구치부 상실 부위에서 발치 후 평균 1.3년이 경과했을 때 협측 치조제의 중심부는 근원심부보다 수평적 흡수량이 대략 2배 정도 됐다(근심 19.4%, 중심 39.1%, 원심 20.3%).[18] 전향적 코호트 연구에서도 발치 8주 후 순측 치조골의 수직적 흡수량은 근원심보다는 순측 중앙부에서 훨씬 많았다고 보고했다.[21] 전향적 단일 환자군 연구에서도 발치 8주 후 순측 치조골 변연부에서 근원심보다는 중앙부에서 수평적 흡수량이 더 많았다고 보고했다.[6] 한 전향적 단일 환자군 연구에서는 총 34명의 환자에서 상악 중절치와 측절치 발치 후 평균 8.5주에 치조골의 형태 변화에 이에 영향을 미치는 요소를 평가했다.[16] 그 결과는 다음과 같았다(**1-9**).

- 치조정 높이에서 치조골의 순–구개측 수평 두께는 근심, 중앙, 원심에서 각각 1.4±1.30 mm (12.1%), 2.5±1.46 mm (22.2%), 1.1±0.83 mm (10.5%)가 감소했다.
- 수직적으로는 근심 순측이 0.3±0.86 mm, 순측 중앙부가 1.4±1.94 mm, 원심 순측이 0.1±1.08 mm로, 중앙부에서만 유의한 변화를 보였다.

③ 순측 치조골 변연부는 대부분 속상골로 이루어져 있고 속상골은 발치 후 급속히 흡수되기 때문에 순측 치조골은 발치 후 현저히 흡수된다.

속상골은 치주인대의 교원 섬유가 삽입되는 골부위로, 치주인대로부터의 혈류 공급과 기능적 자극에 의해 유지되는 것으로 생각된다. 발치에 의해 치주인대로부터 공급되는 혈류를 차단하면 파골세포가 현저히 활성화되면서 흡수된다.[22,23] 동물 실험에서는 발치 후 2주만 경과해도 거의 대부분의 속상골이 흡수되어 사라졌다.[23]

속상골 두께는 0.2–0.4 mm이다.[24] 한편 한 단면 연구에 의하면 상악 중절치–견치에서 순측 치조골 상부(치조정–치조정 상방 5 mm) 치조골판의 수평적 두께는 평균 0.6 mm였다.[25] 이는 상악 전치부의 순측 치조정 부위는 속상골로 대부분 이루어졌음을 의미한다(📷 1–10). 따라서 발치로 인해 치주인대가 제거되면 순측 치조정 골은 현저히 흡수되게 된다.[19,20]

이러한 세 가지 효과가 결합되어 상악 전치부에서 단일 치아 결손부의 순측 치조골은 "역V자(inverted V) 형태", 혹은 "역U자 형태"로 흡수된다(📷 1–7, 📷 1–11).[6,16] 다른 치아 부위에 대해서는 상악 전치부에 비해 훨씬 적은 연구 결과가 축적되어 있지만 아마도 비슷한 흡수 패턴을 보일 것이다. 이는 임상적으로 어떤 의미일까? 순(협)측 치조골의 역V자 흡수는 결국 치조골의 열개 결손으로 이어질 것이다. 치주적으로 건전한 상악 전치부 치아 발거 후 8.5주가 경과했을 때 전체 증례의 1/4에서만 골결손을 보이지 않았고, 2/3의 증례에서는 역U, 혹은 역V자 형태의 열개 결손을 보였다.[16] 결론적으로 치주적으로 건전한 치아를 발거하고 너무 오랜 기간이 경과하지 않았을 때 우리가 임상에서 가장 자주 마주치는 골결손은 열개 결손이 된다는 사실을 알 수 있다.

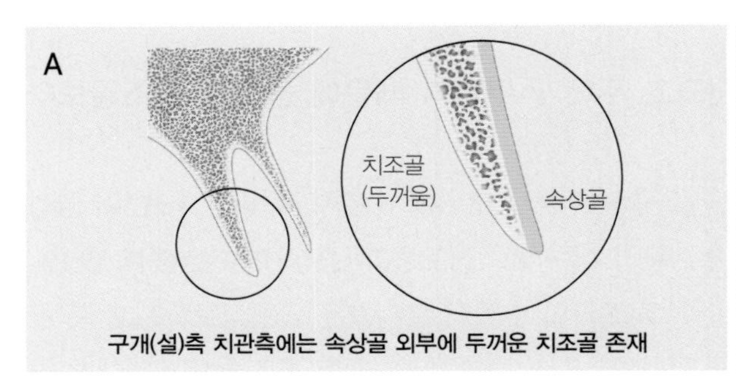

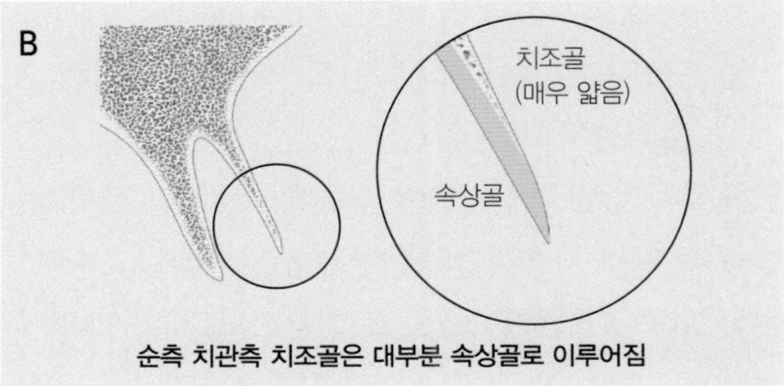

📷 **1–10** 상악 전치부에서 순측과 구개측 골판의 해부학적 차이 또한 흡수에 영향을 미친다. 치조골판은 치아를 둘러싼 내측은 속상골로, 그 외부는 치조골로 이루어진다. 속상골은 치아 의존성 구조물이기에 발치 후 급속히 흡수된다.
A. 구개측 골은 골판의 두께가 두껍기 때문에 속상골 외부로 충분한 두께의 치조골이 존재한다. 따라서 발치 후에도 흡수에 비교적 잘 저항한다. **B.** 순측 치조골판, 특히 치관측 골은 매우 얇기 때문에 대부분 속상골로 이루어져 있다. 따라서 발치 후 순측 치관측 골은 급속히 흡수된다.

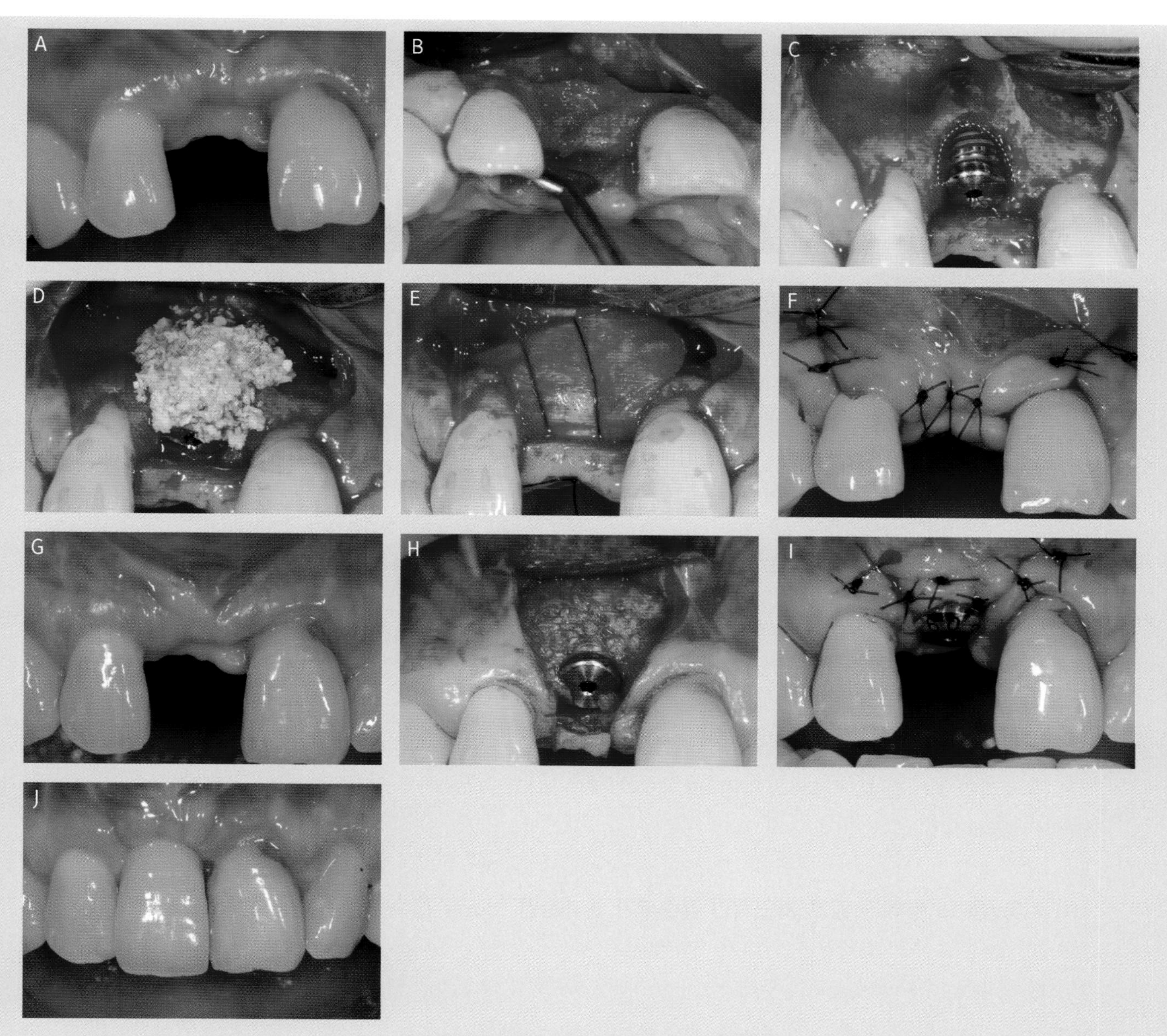

1-11 상악 전치부 치아를 발거하고 일정 정도 치유 기간을 부여한 후 임플란트를 식립하면 순측 치조골이 역V자 형으로 흡수되어 임플란트 식립 후 열개 결손이 발생하는 경우가 많다. 이 증례도 순측 골이 전형적인 역V자 흡수를 보이고 있었다.

A~F. 발치 후 5개월가량 경과한 증례이다. 순측 치관측 치조골이 다른 부위에 비해 많이 흡수되어 있었다**(B, C)**. 탈단백 우골과 교차 결합 교원질 차폐막으로 열개 결손 및 천공 결손부를 수복했다.

G~I. 약 6.5개월 후 2차 수술을 시행했다. 약간의 열개 결손이 잔존했지만 골결손부는 전반적으로 잘 복구되었다.

J. 다시 2개월 후 최종 보철물을 연결했다.

4) 발치 후 치조골의 흡수량에 영향을 미치는 요소

발치 후 치조골의 흡수는 여러 가지 환자 요소와 술자 요소에 의해 영향받는다(표 1-2).[16,24]

표 1-2 발치 후 치조골 흡수에 영향을 미치는 요소

환자 요소	
치조골판의 두께	치조골이 얇을수록 흡수가 많다.
발치 전에 존재하는 치조골 결손	발치 전에 열개나 천공이 존재하면 치조골 흡수가 많다.
점막의 두께	얇을수록 치조골 흡수가 많아진다는 보고가 있었다.
결손부의 악궁 내 위치	전치부보다는 구치부가, 상악보다는 하악이 치조골 흡수가 많다.
술자 요소	
발치 시 외상	발치 시 외상으로 인해 치조골 파절 등이 발생하면 치조골 흡수가 많다. 따라서 "비외상성 발치"는 중요하다. 또한 발치 시 피판을 거상하면 흡수가 약간 많아진다.
치조제 보존술(Ridge preservation)	치조제 보존술은 치조골 흡수를 완전히 막아줄 순 없지만 흡수량을 현저히 줄여줄 수는 있다.
발치 후 즉시 임플란트 식립	발치 후 임플란트를 즉시 식립하더라도 치조골의 흡수를 거의 막아줄 수 없지만 임플란트와 순측 골판 사이의 갭에 이식재를 충전하여 골흡수를 부분적으로 막아줄 수 있다.
발치와 보호술(Socket Shield)	발치와 보호술은 순측 치근을 부분적으로 남겨둔 채 임플란트를 식립하는 술식이다. 몇몇 동물 실험과 임상 보고에서 이 술식을 이용하면 순측 치조골의 흡수를 거의 완전히 막아줄 수 있었다.

이 중 술자 요소는 뒤에서 자세히 설명하도록 하고 여기에서는 주로 환자 요소와 발치 시 외상에 대해서만 간단히 설명해 볼 것이다.

(1) 치조골판의 두께가 얇고 자연적인 결손부가 존재하면 치조골 흡수량은 증가한다

당연한 말이 될 수도 있지만, 동일 치아 부위에서는 치조골 두께가 두꺼울수록 치조골의 흡수량은 더 적다. 상악 전치부에서 순측 치조골판의 두께가 1 mm 미만일 때 발치 후 치조골 흡수는 현저히 증가한다는 점은 이미 언급한 바 있다.[11,12] 한 전향적 코호트 연구에서는 심미 부위에서 순측골의 두께에 따른 발치 후 순측골판의 수직적 흡수량을 관찰했다. 그 결과 순측골판 두께가 1 mm 이하일 때에는 발치 8주 후 7.5 mm (62%)의 순측골이 수직적으로 흡수된 반면, 1 mm를 초과할 때에는 단지 1.1 mm (9%)의 순측골만이 수직적으로 흡수됐다(사진 1-12).[21] 따라서 상악 전치부에서 발치 시 확인한 순측 치조골이 1 mm 이상이면 발치 후 치조골의 형태가 비교적 잘 유지될 수 있음을 알 수 있다. 이는 골증강의 여부를 선택하는 기준이 될 수 있다. 비록 15% 내외의 증례에서만 마주칠 수 있겠지만 상악 전치부의 순측 치조골판 두께가 1 mm 이상이고 열개 결손이 존재하지 않는 증례에서는 치조제 보존술의 필요성이 떨어질 것이며 발치 후 즉시 식립 시에는 순측 치조골 외측에 추가적인 골증강술을 시행할 필요성이 감소한다(사진 1-13).

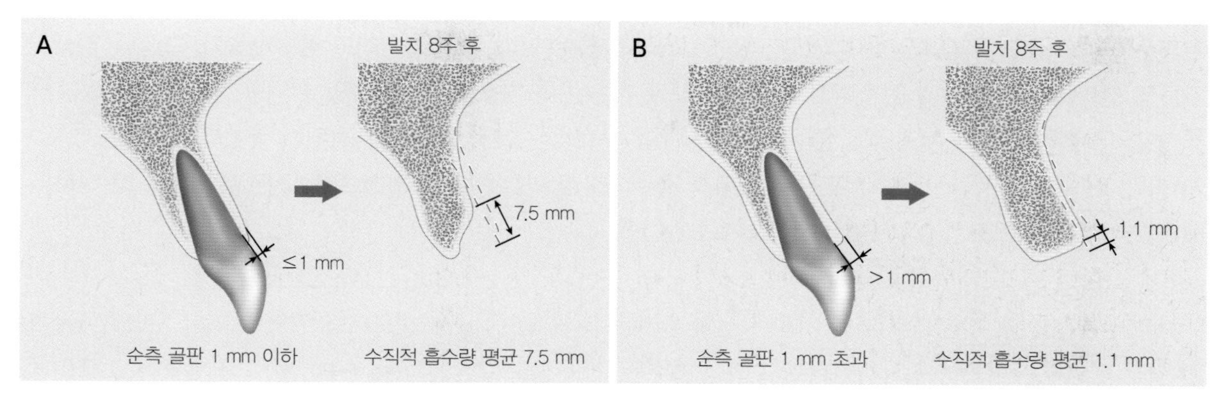

1-12 순측 치조골판의 두께는 그 자체의 흡수 정도에 가장 큰 영향을 미친다. 한 전향적 임상 연구의 결과는 이러한 점을 잘 보여주었다.[21]

A. 순측골판 두께가 1 mm 이하일 때에는 발치 8주 후 평균 0.5 mm (62%)의 순측골이 수직적으로 흡수되었다. **B.** 순측골판 두께가 1 mm를 초과할 때에는 단지 1.1 mm (9%)의 순측골만이 수직적으로 흡수됐다. 따라서 상악 전치부에서 발치 시 확인한 순측 치조골이 1 mm 이상이면 발치 후 치조골의 형태가 비교적 잘 유지될 수 있음을 알 수 있다.

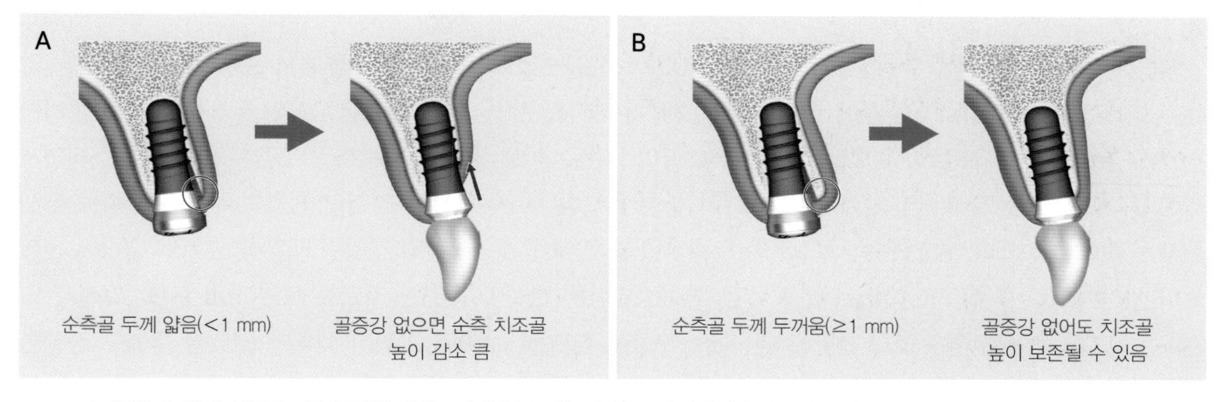

1-13 발치 후 즉시 임플란트를 식립할 때에도 순측골 두께는 순측골 자체의 흡수에 많은 영향을 미친다.

A. 발치 후 즉시 임플란트 식립 시 순측골 두께가 1 mm 미만으로 얇으면 골증강을 고려해야만 한다. 골이식 없이 임플란트만 식립하면 치조골의 높이, 나아가 점막 변연의 높이가 현저히 감소할 수 있다. **B.** 반면 순측골 두께가 1 mm 이상이면 골이식술 없이도 치조골 높이가 보존될 수 있다.

순측 치조골에 자연적인 열개 결손이 존재하면 그 자체로도 문제가 되지만 발치 후 치조골의 흡수량도 훨씬 더 많아진다. 한 전향적 연구에 의하면 발치 시 열개 결손이 존재하는 경우와 존재하지 않는 경우에서 8.5주 후 치조제 중앙부의 흡수량은 각각 3.3±1.80 mm와 1.9±1.03 mm로 유의한 차이를 보였다.[16]

(2) 점막 두께가 두꺼우면 치조골 흡수량이 적어질 수 있다

치조골을 피개하는 점막 두께가 두꺼워지면 세포외 기질 및 교원질 함량이 커지고 혈류 공급이 많아지기 때문에 국소적으로 발생하는 독성 물질을 제거하고 면역 반응을 활성화하는 데 도움이 되는 것으로 생각된다.[26] 따라서 임플란트 수술 부위의 점막이 두꺼우면 창상 치유에 도움이 된다.[27,28] 많은 전문가들이 점막 두께가 두꺼우면 치조골도 두꺼운 경향이 있고, 따라서 조직의 흡수에 더 잘 저항한다고 생각해왔다. 그러나 임상 연구들의 결과에 의하면 상악 전치부에서 순측 점막 두께는 순측 치조골판의 두께와 유의한 상관관계가 없다.[29–32] 점막 두께와 발치 후 치조골의 흡수량과의 관계에 대해서는 아직 명확히 밝혀지지 못했다. 다만 한 연구에서 점막 표현형은 상악 전치부 치조골의 수평적 흡수량에 유의한 영향을 미쳤으며, 얇은 표현형일 때 대략 두 배 정도 더 많은 양의 치조골이 흡수됐다고 보고했다.[16]

치아가 존재할 때 상악 전치부의 치관측 점막 두께는 대개 0.5–1 mm 정도이다.[29–32] 그러나 치아가 상실되면 점막의 두께는 현저히 증가하면서 치조골의 흡수를 어느 정도 보상한다(📷 1–14). 발치 후 순측 치조골이 흡수되면 순측 점막의 두께는 증가한다.[6,7,33,34]

- 발치 후 치조골은 주로 순측 중앙 치조정 부위가 집중적으로 흡수된다. 점막은 바로 이 부위에서 가장 두께가 많이 증가한다. 즉, 골의 흡수를 연조직이 두꺼워지면서 일부 보상한다.
- 점막 두께는 발치 후 급속히, 주로 2주 이내에 총 증가량의 50% 이상이 증가한다.

최근에 이 주제에 관한 주목할 만한 전향적 코호트 연구가 있었다. 상악 전치부에서 순측 치조골 두께가 얇은 치아를 발치하면 발치 8주 후에 점막 두께는 7배 두꺼워진 반면, 순측 치조골 두께가 두꺼운 치아를 발거하면 점막 두께는 거의 변화가 없었다.[31] 순측 치조골이 얇은 치아를 발거하면 순측 치조골이 급속히 흡수되면서 발치와 내부에 신생골이 형성되기 전에 증식이 빠른 연조직 세포들이 이주하면서 점막의 두께가 급속히 두꺼워지는 것으로 보인다. 반면 순측 치조골이 두꺼우면 발치 후 흡수가 잘 되지 않기 때문에 발치와 내부에 신생골이 안정적으로 형성되고, 따라서 연조직 두께에는 별다른 변화가 없었던 것으로 보인다(📷 1–15). 그러나 이 연구는 CT를 이용한 연구였기 때문에 영상에서 연조직 밀도를 보이던 조직이 치유가 완료된 후에도 진정한 연조직으로만 치유될 것인지는 확신할 수 없다. 즉, 아직까지 골화가 많이 진행되지 않은 신생골 형성 기질이 연조직 밀도의 방사선 불투과성을 보이고, 이로 인해 연조직 두께를 과도하게 측정했을 가능성이 있다.

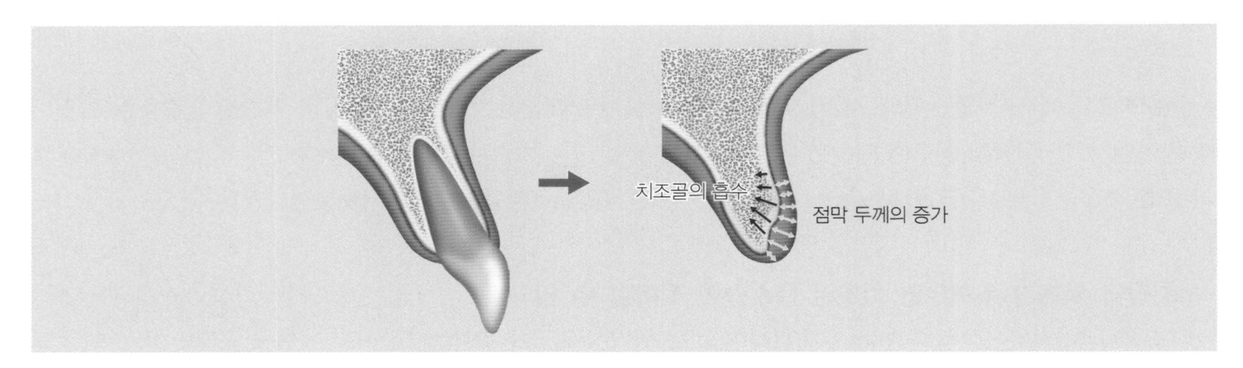

📷 1–14 발치 후 치조골의 흡수는 점막의 두께 증가로 약간 보상된다. 따라서 발치 후에 적으로 보이는 치조제의 크기 변화는 실제 치조골의 축소량보다 적을 가능성이 높다.

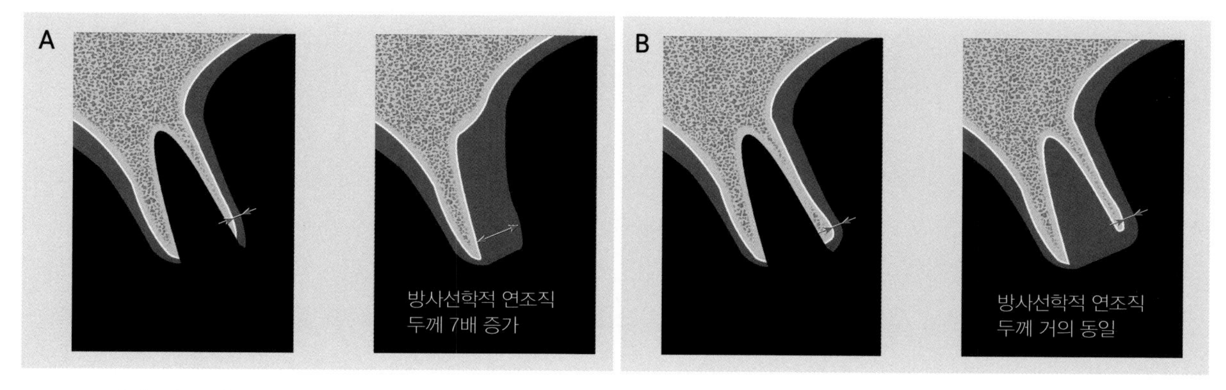

1-15 순측 치조골은 얇을수록 발치 후 더 빨리, 그리고 더 많이 흡수된다. 이는 반대로 순측 점막이 더 많이 두꺼워지는 결과를 초래한다. CT를 이용한 한 임상 연구에서 이러한 점을 잘 보여주었다.[31]

A. 순측 치조골 두께가 얇은 치아를 발거하면 순측 점막 두께는 8주 후 대략 7배 정도 두꺼워진다. **B.** 순측 치조골 두께가 두꺼운 치아를 발거하면 순측 점막은 그 두께가 거의 변화하지 않는다.

어쨌건 발치 후에는 연조직 두께가 두꺼워져서 골흡수를 보상하고, 따라서 치조골의 흡수보다는 치조제(골 + 점막)의 흡수가 적게 느껴지게 된다. 따라서 우리는 단순한 임상 검사와 2차원적 방사선사진만으로는 치조골의 협설폭을 정확히 진단하기가 매우 어렵고, 치조골 흡수량을 과소평가할 수 있다. 결국 발치와 내부에서 골이 어느 정도 형성된 후 촬영한 CT만이 진정한 치조골의 형태와 양을 진단할 수 있다.

(3) 전치부보다는 구치부에서 치조골의 절대적 흡수량이 더 많다

동일한 치아 상실부에서는 분명 치조골판의 두께가 두꺼울수록 치조골의 흡수량이 더 적다. 그러나 대구치부는 치조골판 두께가 전치부보다 두꺼움에도 불구하고 발치 후 치조골은 더 많이 위축된다. 많은 임상 연구에서 전치부보다는 소구치부에서, 그리고 소구치부보다는 대구치부에서 협(순)측 치조골 두께는 유의하게 더 두꺼웠다고 보고했다.[14,15] 그러나 발치 후 치조골의 절대적인 흡수량은 소구치부가 가장 적고, 전치부, 대구치부의 순서로 증가한다.[4,17,35–37]

단일 환자군 연구에서 발치 12개월 후 소구치 치조골은 수평적으로 평균 4.9 mm, 대구치 치조골은 평균 7.2 mm 감소했다. 한 무작위 대조 연구에서는, 발치 4개월 후 치조정 부위에서 치조골의 수평적 흡수량은 소구치 부위가 평균 3.9±3.2 mm, 대구치 부위가 6.5±4.2 mm로 대구치 부위가 훨씬 많았고, 협측에서의 수직적 흡수량 또한 소구치 부위가 평균 1.9±2.4 mm, 대구치 부위가 3.0±2.6 mm로 대구치 부위가 훨씬 많았다.[38] 이러한 현상은 치조제 보존술의 결과에도 영향을 미친다. 치조제 보존술을 시행했을 때 4개월 후, 치조정 높이에서 단근치부는 평균 1.6±1.2 mm, 대구치부는 평균 4.1±1.9 mm가 협설측으로 감소했다. 또한 협측골의 수평적 높이 또한 단근치부는 0.3±0.4 mm, 대구치부는 2.5±1.6 mm가 감소했다.[38]

대구치 부위의 치조골 수축량이 더 큰 이유는 치조골판의 두께 외에 또 다른 요소가 작용하기 때문이다. 대구치는 단근치인 전치–소구치보다 치경부의 협설, 근원심 폭이 훨씬 크다. 이는 발치와 내부에 골이 충전되는 기간을 연장시키는 결과를 초래한다. 이에 따라서 내측의 치조골로 지지되지 않는 치조골판은 더 많이 흡수되는 것이다(**1–16**).[39] 실제로 한 전향적 단일 환자군 연구에서는 대구치에서 치근의 협설측 폭이 크면 치조제 보존술 후 치조골의 협설측 감소량도 더 크다는 결과를 보여주었다.[40] 여기에서 우리는 치조골판의 두께에 이어 발치 후 치조골의 흡수량에 영향을 미치는 두 번째 주요 요소를 알게 되었다. 이는 바로 발치와 입구의 근원심, 협설 폭이다. 따라서 치근의 폭이 큰 환자에서는 발치 후 더 많은 치조골이 흡수될 것이라고 예상할 수 있으며, 치근이 더 큰 치아(대구치부)에서 더 많은 양의 치조골이 흡수될 것이라고 판단할 수 있다.

그러나 대구치부는 이렇게 발치 후 치조골 폭이 현저히 감소함에도 불구하고 이러한 변화가 임상적인 면에 미치는 영향은 전치부보다 적다. 그 이유는 두 가지이다(**1–17**).

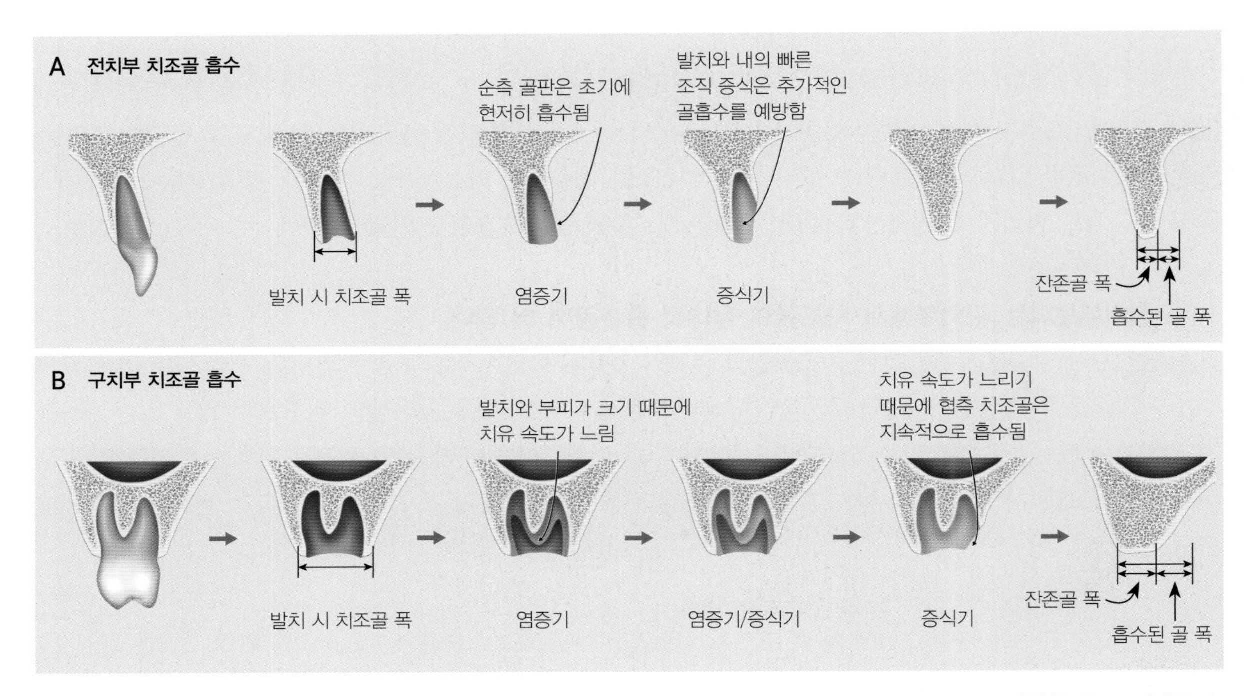

1–16 우리의 일반적인 예상과는 다르게, 발치 후 치조골 흡수는 전치부보다 대구치부에서 더 심하다. 이는 순(협)측 치조골의 흡수 속도와 발치와 내부에서 골이 형성되는 속도의 상대적 차이에 기인한 것으로 보인다. 발치와 내 치유 과정 중 염증기–증식기에는 광화된 조직이 존재하지 않기 때문에 골판으로 보호되지 못하면 그 크기가 심하게 수축된다. 반면 일단 골형성기에 진입하면 광화된 조직은 골판의 보호가 없더라도 수축에 비교적 잘 저항한다. 따라서 골판의 흡수 속도가 너무 빨라서 발치와 내 치유 단계가 골형성기 이전인 증식기에 사라지면 최종적으로 형성되는 치조골은 발치 전보다 심하게 축소된다. 반대로 발치와 내의 치유 단계가 골형성기일 때 골판이 흡수되면 발치와의 크기 감소는 적어진다.
A. 전치부에서는 순측 치조골이 얇기 때문에 순측 치조골판은 빠르게 흡수된다. 한편 발치와의 폭은 좁기 때문에 발치와 내부에서 골은 빠르게 형성된다. 이는 순측 치조골이 흡수되어 소실된 이후 발치와 내 조직의 추가적 수축을 막아준다. **B.** 대구치부에서 협측 치조골은 전치부의 순측 치조골보다 더 두껍기 때문에 흡수 속도는 더 느리다. 그러나 발치와의 폭은 전치부보다 훨씬 크기 때문에 발치와 내부가 골형성기에 이를 때까지 소요되는 기간 또한 더 길다. 따라서 협측골이 흡수된 이후에도 발치와 내부의 골화가 제대로 이루어지지 못하고, 이에 따라 수축에 저항이 약한 발치와 내 조직은 심하게 축소된다. 결국 대구치부에서 발치 후 치조골 두께는 심하게 감소한다.

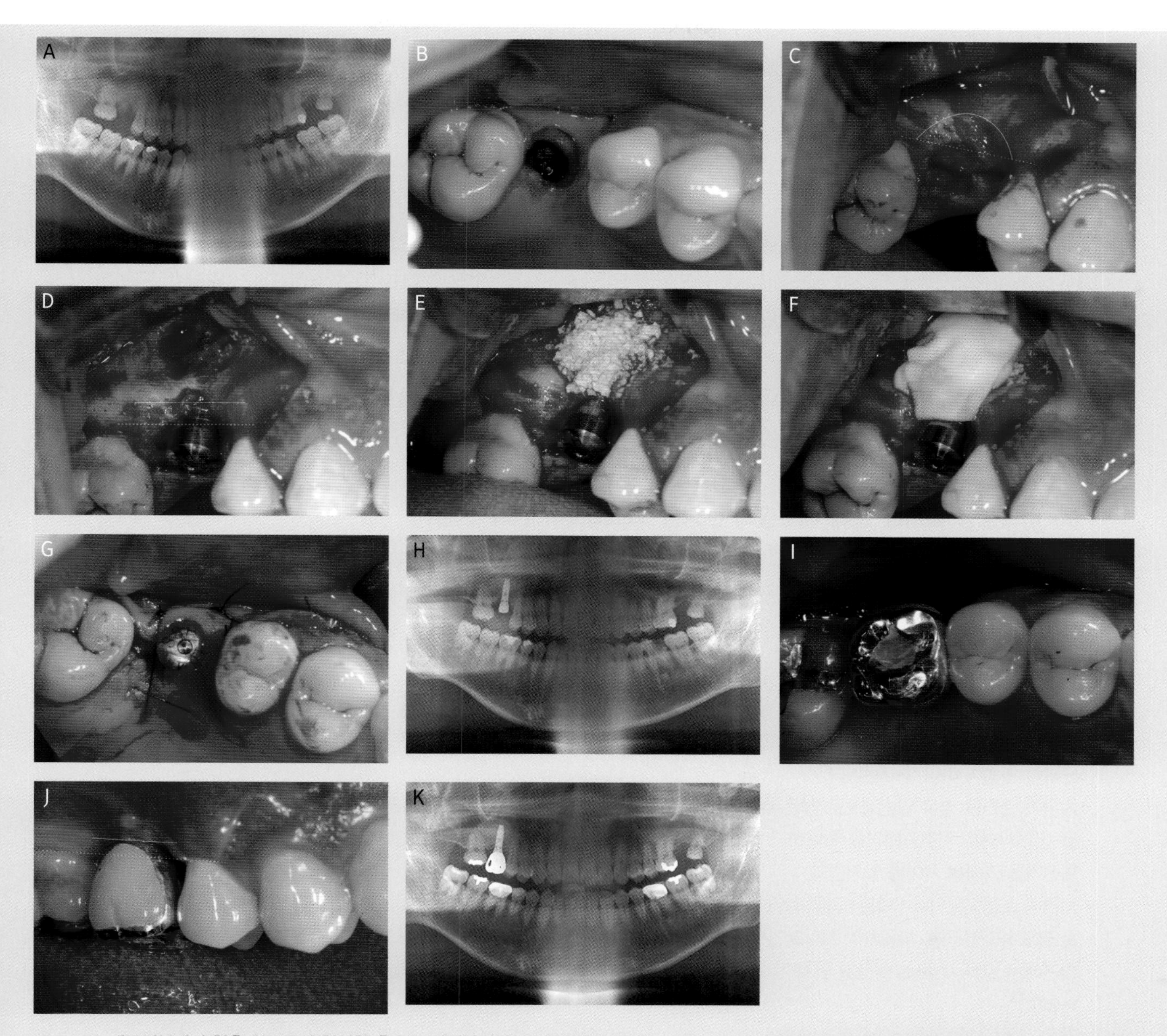

1-17 대구치부에서 협측 치조골의 현저한 흡수는 전치부처럼 크게 문제되지 않는 경우가 많다. 심미적인 관심도가 떨어지는 부위이기 때문에 반드시 원래 형태에 가깝게 수복할 필요가 없기 때문이다.

A~H. 상악 제1대구치 잔존 치근을 발거하고 상악동 골이식과 동시에 임플란트를 식립했다. 협측 치조골은 역U자 형태로 흡수되어 있었다**(C)**. 전치부에서는 이러한 결손부를 완전히 수복하고 임플란트를 보철적으로 이상적인 위치로 식립할 것을 추천한다. 그러나 구치부에서는 임플란트를 더 깊게 식립하고 골증강량을 최소화할 수도 있다. 심미성이 그렇게 중요하지는 않기 때문이다. 이 증례에서도 임플란트를 깊게 식립하고 골증강을 최소한으로 시행했다**(D, E)**.

I~K. 6개월 후 보철 수복을 완료했다. 보철물 협측 변연 높이는 인접 자연치에 비해 명백히 근단측에 위치하지만 크게 문제가 되지는 않는다.

- 대구치는 심미성이 그다지 중요한 고려 요소가 아니다. 따라서 협측 중앙 변연부의 흡수와, 이에 따른 점막 퇴축 및 함몰 현상은 대구치부에서 그렇게 중요하게 생각할 요소는 아니다.
- 대구치는 원래 치조골의 협설 폭이 넓기 때문에, 이렇게 많은 양의 치조골이 흡수되더라도 임플란트 식립 시 열개 결손 등의 수평적 결손이 발생할 가능성은 낮다.

치아가 존재할 때 대구치 부위의 치조정 높이에서 치조골의 협설측 폭은 10 mm를 넘는다. 최대 50%에 가까운 치조골 폭이 흡수된다고 하더라도 치조골의 폭은 5–6 mm를 넘게 남으며, 치조정에서 3–4 mm만 근단측으로 가더라도 거의 10 mm, 혹은 그 이상의 치조골 폭을 확보할 수 있다.[41,42] 따라서 대구치부에 4–5 mm 직경의 임플란트를 식립한다고 생각했을 때 수평적 결손을 수복하기 위해 골증강술을 요하는 증례는 그다지 많지 않으며, 혹시 약간의 결손이 존재한다고 하더라도 최소한의 골유도 재생술을 시행하거나 매식체를 약간 깊게 식립하면 별다른 문제없이 임플란트를 식립할 수 있게 된다(📷 1–18).

(4) 비외상성 발치를 통해 치조골의 손상을 최소화해야 한다

발치 중 치조골로 가해지는 압력은 치조골의 파절이나 손실을 유발할 수 있다. 따라서 특히 발치가 어려운, 치주적으로 건전한 치아를 발치할 때에는 최소한의 외상을 가해야 한다(📷 1–19).[1]

- 고전적인 발치법은 피하는 것이 좋다. 발치 겸자로 치아를 순구개측으로 흔드는 것은 가급적 피한다. 전치부에서는 회전력을 가해 치아를 발거하는 것이 좋다. 그러나 소구치 부위에서는 회전력을 가하는 것도 가급적 피해야 한다. 소구치는 치근 단면이 원형이 아니기 때문이다.
- 치관이 건전한 경우 일반적으로 작은 수술도(#15c)로 치은연상 인대를 절개하고 치주인대강 내부로는 페리오톰(periotome)을 진입시켜서 치주인대강을 확대하고 치관측 치주인대를 최대한 끊어준다. 이후 발치 겸자로 치관을 파지하고 최소한의 회전력을 가하며 치아를 발거한다.
- 치관이 소실되었거나 약화된 경우 일단 수술도와 페리오톰을 사용하여 치주 인대를 최대한 약화시킨다. 특히 대구치부에서는 필요하다면 버를 이용하여 치아를 분할한 후 발치를 시행한다.
- 최근에는 발치 시 최소 외상을 위해 "수직적 발치 시스템(vertical tooth–extraction system)"이 상품화되어 시판되고 있다(📷 1–20).[43]

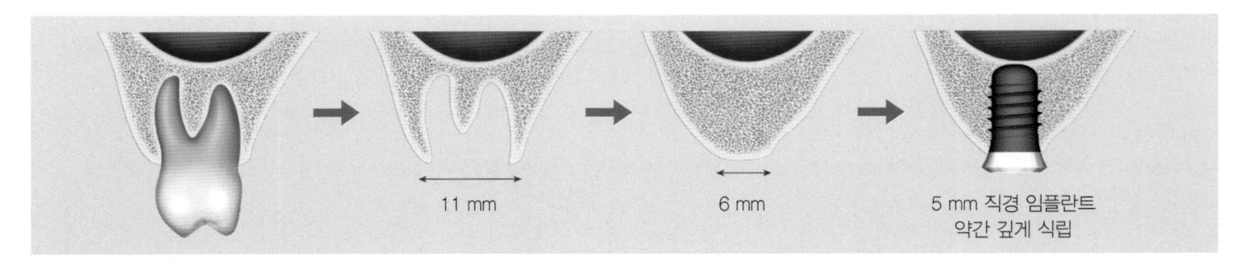

📷 **1–18** 대구치부는 발치 후 치조골의 수평적 폭이 현저히 흡수된다. 그러나 이 부위에서 발치와 치유를 완료하고 임플란트를 식립하더라도 수평적 골증강술이 필요한 경우가 그렇게 많지는 않다. 원래 치조골의 협설 폭이 크며 자연치 치근과 임플란트 직경의 차이가 크기 때문이다.

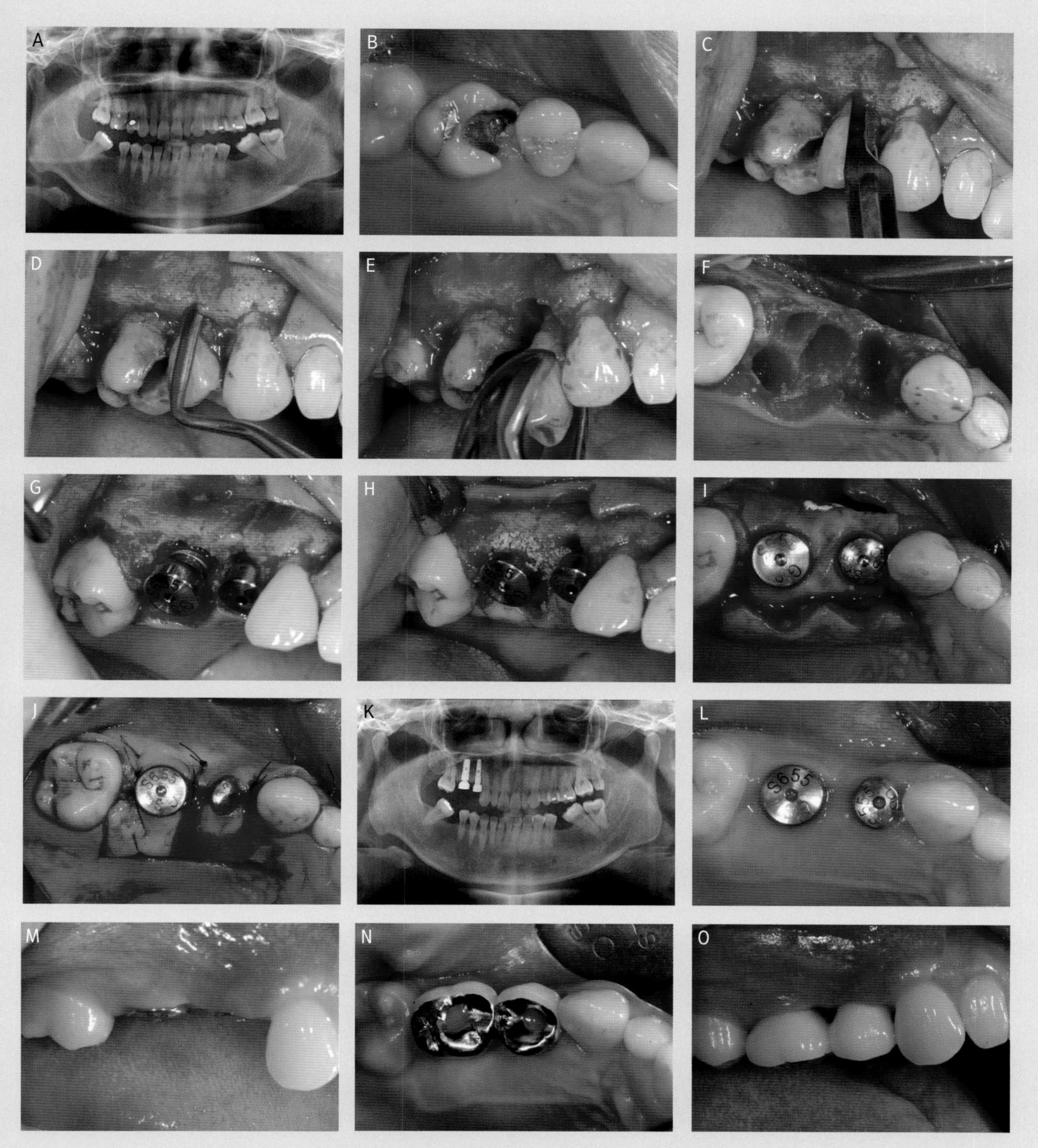

1-19 발치 시 치조골에 가해지는 외상에 의해 일부 치조골이 상실되거나 파절될 수 있다. 이는 치조골의 치유 능력을 저하시키고 최종적인 치조골의 크기를 감소시킬 수 있다. 따라서 발치 후 임플란트 식립 시기와 관계없이 비외상성 발치는 매우 중요한 과정이다.

A~K. 수복 불가능한 상악 우측 제2소구치와 제1대구치를 발거하고 즉시 임플란트를 식립했다. 최소한의 외상으로 발치를 시행하기 위해 수술도와 페리오톰으로 치주 인대를 최대한 절개하고 치주인대강을 확대해 주었다**(C, D)**. 발치 겸자로 치아를 제거할 때에는 협설 방향으로 흔들지 않고 최대한 수직 방향으로 힘을 가한다**(E)**. 어떠한 치조골의 파절이나 손상 없이 치아가 온전히 제거되었다**(F)**. 임플란트 식립 후 임플란트 주위 결손은 탈단백 우골로 충전하고 천연 교원질 차폐막을 적용했다**(G, H, I)**. 이러한 증례에서는 차폐막을 반드시 적용할 필요는 없다.

L~O. 4개월 1주 후 최종 보철물을 연결했다.

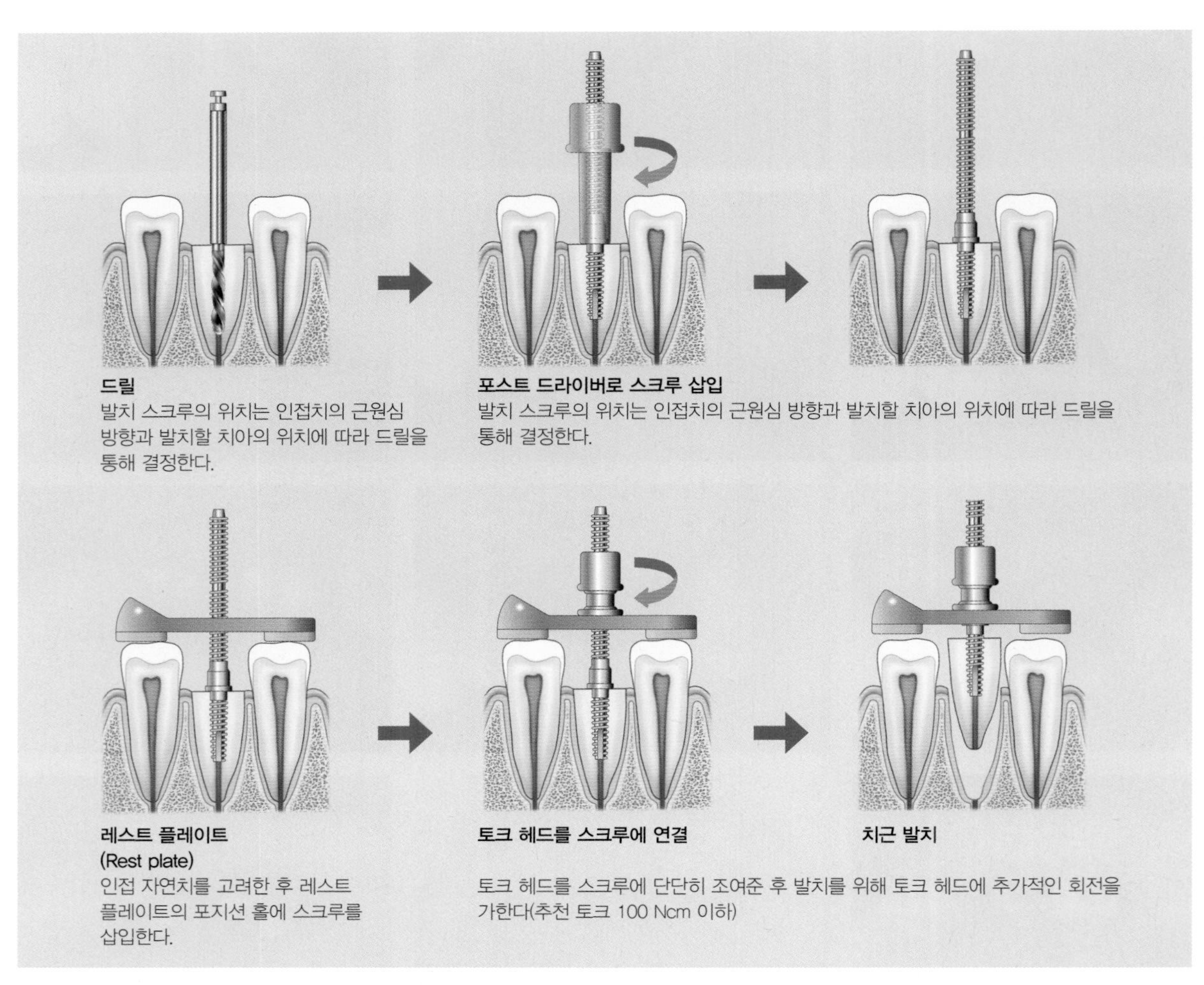

드릴
발치 스크루의 위치는 인접치의 근원심 방향과 발치할 치아의 위치에 따라 드릴을 통해 결정한다.
포스트 드라이버로 스크루 삽입
발치 스크루의 위치는 인접치의 근원심 방향과 발치할 치아의 위치에 따라 드릴을 통해 결정한다.
레스트 플레이트
(Rest plate)
인접 자연치를 고려한 후 레스트 플레이트의 포지션 홀에 스크루를 삽입한다.
토크 헤드를 스크루에 연결
치근 발치
토크 헤드를 스크루에 단단히 조여준 후 발치를 위해 토크 헤드에 추가적인 회전을 가한다(추천 토크 100 Ncm 이하)

1-20 최근에는 잔존 치근 등을, 치주 점막의 절개 없이 최소 외상으로 제거할 수 있도록 도와주는 수직적 발치 시스템들이 개발되었다. 그림은 그 중 한 예이다.

참고문헌

1. Araújo MG, Silva CO, Misawa M, Sukekava F. Alveolar socket healing: what can we learn? *Periodontol 2000*. 2015;68(1):122–134.
2. Sculean A, Stavropoulos A, Bosshardt DD. Self–regenerative capacity of intra–oral bone defects. *J Clin Periodontol*. 2019;46 Suppl 21:70–81.
3. Trombelli L, Farina R, Marzola A, Bozzi L, Liljenberg B, Lindhe J. Modeling and remodeling of human extraction sockets. *J Clin Periodontol*. 2008;35(7):630–639.
4. Schropp L, Wenzel A, Kostopoulos L, Karring T. Bone healing and soft tissue contour changes following single–tooth extraction: a clinical and radiographic 12–month prospective study. *Int J Periodontics Restorative Dent*. 2003;23(4):313–323.
5. Tanaka M, Yamashita–Mikami E, Akazawa K, Yoshizawa M, Arai Y, Ejiri S. Trabecular bone microstructure and mineral density in human residual ridge at various intervals over a long period after tooth extraction. *Clin Implant Dent Relat Res*. 2018;20(3):375–383.
6. Farmer M, Darby I. Ridge dimensional changes following single–tooth extraction in the aesthetic zone. *Clin Oral Implants Res*. 2014;25(2):272–277.
7. Iasella JM, Greenwell H, Miller RL, et al. Ridge preservation with freeze–dried bone allograft and a collagen membrane compared to extraction alone for implant site development: a clinical and histologic study in humans. *J Periodontol*. 2003;74(7):990–999.
8. Van der Weijden F, Dell'Acqua F, Slot DE. Alveolar bone dimensional changes of post–extraction sockets in humans: a systematic review. *J Clin Periodontol*. 2009;36(12):1048–1058.
9. Tan WL, Wong TL, Wong MC, Lang NP. A systematic review of post–extractional alveolar hard and soft tissue dimensional changes in humans. *Clin Oral Implants Res*. 2012;23 Suppl 5:1–21.
10. Tonetti MS, Jung RE, Avila–Ortiz G, et al. Management of the extraction socket and timing of implant placement: Consensus report and clinical recommendations of group 3 of the XV European Workshop in Periodontology. *J Clin Periodontol*. 2019;46 Suppl 21:183–194.
11. Ferrus J, Cecchinato D, Pjetursson EB, Lang NP, Sanz M, Lindhe J. Factors influencing ridge alterations following immediate implant placement into extraction sockets. *Clin Oral Implants Res*. 2010;21(1):22–29.
12. Tomasi C, Sanz M, Cecchinato D, et al. Bone dimensional variations at implants placed in fresh extraction sockets: a multilevel multivariate analysis. *Clin Oral Implants Res*. 2010;21(1):30–36.
13. Huynh–Ba G, Pjetursson BE, Sanz M, et al. Analysis of the socket bone wall dimensions in the upper

maxilla in relation to immediate implant placement. *Clin Oral Implants Res*. 2010;21(1):37–42.

14. Zekry A, Wang R, Chau AC, Lang NP. Facial alveolar bone wall width – a cone–beam computed tomography study in Asians. *Clin Oral Implants Res*. 2014;25(2):194–206.
15. Braut V, Bornstein MM, Belser U, Buser D. Thickness of the anterior maxillary facial bone wall–a retrospective radiographic study using cone beam computed tomography. *Int J Periodontics Restorative Dent*. 2011;31(2):125–131.
16. Chen ST, Darby I. The relationship between facial bone wall defects and dimensional alterations of the ridge following flapless tooth extraction in the anterior maxilla. *Clin Oral Implants Res*. 2017;28(8):931–937.
17. Clementini M, Agostinelli A, Castelluzzo W, Cugnata F, Vignoletti F, De Sanctis M. The effect of immediate implant placement on alveolar ridge preservation compared to spontaneous healing after tooth extraction: Radiographic results of a randomized controlled clinical trial. *J Clin Periodontol*. 2019;46(7):776–786.
18. Covani U, Ricci M, Bozzolo G, Mangano F, Zini A, Barone A. Analysis of the pattern of the alveolar ridge remodelling following single tooth extraction. *Clin Oral Implants Res*. 2011;22(8):820–825.
19. Araújo MG, Sukekava F, Wennström JL, Lindhe J. Ridge alterations following implant placement in fresh extraction sockets: an experimental study in the dog. *J Clin Periodontol*. 2005;32(6):645–652.
20. Discepoli N, Vignoletti F, Laino L, de Sanctis M, Muñoz F, Sanz M. Early healing of the alveolar process after tooth extraction: an experimental study in the beagle dog. *J Clin Periodontol*. 2013;40(6):638–644.
21. Chappuis V, Engel O, Reyes M, Shahim K, Nolte LP, Buser D. Ridge alterations post–extraction in the esthetic zone: a 3D analysis with CBCT. *J Dent Res*. 2013;92(12 Suppl):195s–201s.
22. Araújo MG, Lindhe J. Dimensional ridge alterations following tooth extraction. An experimental study in the dog. *J Clin Periodontol*. 2005;32(2):212–218.
23. Cardaropoli G, Araújo M, Lindhe J. Dynamics of bone tissue formation in tooth extraction sites. An experimental study in dogs. *J Clin Periodontol*. 2003;30(9):809–818.
24. Chappuis V, Araújo MG, Buser D. Clinical relevance of dimensional bone and soft tissue alterations post–extraction in esthetic sites. *Periodontol 2000*. 2017;73(1):73–83.
25. Januário AL, Duarte WR, Barriviera M, Mesti JC, Araújo MG, Lindhe J. Dimension of the facial bone wall in the anterior maxilla: a cone–beam computed tomography study. *Clin Oral Implants Res*. 2011;22(10):1168–1171.
26. Hwang D, Wang HL. Flap thickness as a predictor of root coverage: a systematic review. *J Periodontol*.

2006;77(10):1625–1634.

27. Evans CD, Chen ST. Esthetic outcomes of immediate implant placements. *Clin Oral Implants Res.* 2008;19(1):73–80.
28. Vervaeke S, Dierens M, Besseler J, De Bruyn H. The influence of initial soft tissue thickness on peri-implant bone remodeling. *Clin Implant Dent Relat Res.* 2014;16(2):238–247.
29. Fu JH, Yeh CY, Chan HL, Tatarakis N, Leong DJ, Wang HL. Tissue biotype and its relation to the underlying bone morphology. *J Periodontol.* 2010;81(4):569–574.
30. Müller HP, Heinecke A, Schaller N, Eger T. Masticatory mucosa in subjects with different periodontal phenotypes. *J Clin Periodontol.* 2000;27(9):621–626.
31. Chappuis V, Engel O, Shahim K, Reyes M, Katsaros C, Buser D. Soft Tissue Alterations in Esthetic Postextraction Sites: A 3-Dimensional Analysis. *J Dent Res.* 2015;94(9 Suppl):187s–193s.
32. Zweers J, Thomas RZ, Slot DE, Weisgold AS, Van der Weijden FG. Characteristics of periodontal biotype, its dimensions, associations and prevalence: a systematic review. *J Clin Periodontol.* 2014;41(10):958–971.
33. Jung RE, Fenner N, Hämmerle CH, Zitzmann NU. Long-term outcome of implants placed with guided bone regeneration (GBR) using resorbable and non-resorbable membranes after 12–14 years. *Clin Oral Implants Res.* 2013;24(10):1065–1073.
34. Schneider D, Weber FE, Grunder U, Andreoni C, Burkhardt R, Jung RE. A randomized controlled clinical multicenter trial comparing the clinical and histological performance of a new, modified polylactide-co-glycolide acid membrane to an expanded polytetrafluorethylene membrane in guided bone regeneration procedures. *Clin Oral Implants Res.* 2014;25(2):150–158.
35. Araújo MG, da Silva JCC, de Mendonça AF, Lindhe J. Ridge alterations following grafting of fresh extraction sockets in man. A randomized clinical trial. *Clin Oral Implants Res.* 2015;26(4):407–412.
36. Sanz M, Lindhe J, Alcaraz J, Sanz-Sanchez I, Cecchinato D. The effect of placing a bone replacement graft in the gap at immediately placed implants: a randomized clinical trial. *Clin Oral Implants Res.* 2017;28(8):902–910.
37. Barone A, Toti P, Quaranta A, et al. Clinical and Histological changes after ridge preservation with two xenografts: preliminary results from a multicentre randomized controlled clinical trial. *J Clin Periodontol.* 2017;44(2):204–214.
38. Sun DJ, Lim HC, Lee DW. Alveolar ridge preservation using an open membrane approach for sockets with bone deficiency: A randomized controlled clinical trial. *Clin Implant Dent Relat Res.* 2019;21(1):175–182.

39. Engler-Hamm D, Cheung WS, Yen A, Stark PC, Griffin T. Ridge preservation using a composite bone graft and a bioabsorbable membrane with and without primary wound closure: a comparative clinical trial. *J Periodontol.* 2011;82(3):377-387.
40. Leblebicioglu B, Salas M, Ort Y, et al. Determinants of alveolar ridge preservation differ by anatomic location. *J Clin Periodontol.* 2013;40(4):387-395.
41. Cha JK, Song YW, Park SH, Jung RE, Jung UW, Thoma DS. Alveolar ridge preservation in the posterior maxilla reduces vertical dimensional change: A randomized controlled clinical trial. *Clin Oral Implants Res.* 2019;30(6):515-523.
42. Sanz-Sánchez I, Ortiz-Vigón A, Sanz-Martín I, Figuero E, Sanz M. Effectiveness of Lateral Bone Augmentation on the Alveolar Crest Dimension: A Systematic Review and Meta-analysis. *J Dent Res.* 2015;94(9 Suppl):128s-142s.
43. Muska E, Walter C, Knight A, et al. Atraumatic vertical tooth extraction: a proof of principle clinical study of a novel system. *Oral Surg Oral Med Oral Pathol Oral Radiol.* 2013;116(5):e303-310.

발치 후 임플란트의 식립 시기

1. 발치 후 임플란트의 식립 시기

최근에는 임플란트 치료 시 전체 치료 기간을 단축시키는 것이 매우 중요한 고려 사항이 되었다. 따라서 임플란트 치료 또한 빠르게 완료하기 위해 치아 발거 후 최대한 빨리 임플란트를 식립하려는 노력이 계속되고 있다. 여기에서는 앞에서 살펴본 발치 후 치조골의 변화에 대한 이해를 바탕으로 발치 후 식립 시기의 구분과 적응증에 대해 간단하게 설명하도록 한다.

1) 임플란트의 식립 시기는 어떻게 구분하는가?

현대적 의미의 임플란트 치료는, 원래 발치 후 치유가 완료된 치조골(healed ridge)을 갖는 완전 무치악 환자에게만 선택적으로 시행되었다.[1] 1980년대가 되어서야 임플란트 치료는 부분 무치악 증례까지 조심스럽게 확장되기 시작했다.[2] 그리고 2000년대 이후로 들어서면서 발치 후 치유가 부분적으로만 이루어진 치조골, 혹은 발치 직후의 치조골에 대한 임플란트 치료가 일반화되었다. 여기서 한 가지 짚고 넘어가야 할 점은 즉시 식립-조기 식립, 즉 1-3형 임플란트 식립 프로토콜과 관련된 문헌은 대부분 심미 부위, 즉 상악 전치부 및 소구치부에 한정된 것들이라는 점이다.[3] 특히 1-2형 식립 프로토콜(즉시 식립-연조직이 치유된 조기 식립)을 대구치부에 적용한 임상 문헌은 극히 제한되어 있으며, 전문가들은 대체로 대구치의 발치 부위는 1-2형 식립 프로토콜의 적응증이 아닌 것으로 간주한다(대구치 부위에 즉시-조기 식립을 하면 안된다는 뜻은 아니다).[4]

(1) 임플란트의 식립 시기는 발치 후 경과 시간보다는 발치 후 치조골의 치유 상태에 따라 구분한다

임플란트 치의학계에 있어 세계적으로 공인된 기관인 ITI (International Team for Implantology)에서는, 몇 년에 한 번씩 Consensus Conference를 개최하고 이를 바탕으로 Consensus Report를 발표하고 있다. 이 모임에서는 임플란트 치의학계에서 합의가 필요한 주제에 대해 문헌 상의 근거를 분석하고, 이를 바탕으로 임상가들이 따를만한 임상적 권유 사항을 제시한다. 2003년의 3회부터 2018년의 6회까지 ITI Consensus Conference에서는 빠짐없이 임플란트 식립 시기와 관련된 체계적 문헌 고찰을 작성했으며, 이를 바탕으로 임상적 권유 사항을 포함한 합의 보고서(Consensus Report)를 제출해왔다.[4-6] 또한 유럽 치주과학회에서도 ITI와 비슷한 기준에 따라 발치 후 식립 시기에 대한 문헌 고찰과 합의 보고를 시행해 왔다.[3,6] 이들 두 기관의 임플란트 식립 시기에 대한 정의와 내용을 **표 2-1**에 정리해 보았다(**사진 2-1**).

표 2-1 발치 후 식립 시기의 구분

ITI의 구분법	1형	2형	3형	4형
ITI 용어	즉시 식립 (Immediate implant placement)	연조직이 치유된 조기 식립 (Early implant placement with soft tissue healing)	골조직이 부분 치유된 조기 식립 (Early implant placement with partial bone healing)	만기 식립 (Late implant placement)
유럽 치주과학회 용어	즉시 식립 (Immediate implant placement)	조기 식립 (Early implant placement)	지연 식립 (Delayed implant placement)	고전적 식립 (Conventional implant placement)
정의	발치 직후 임플란트 동시 식립	발치와 상부의 완전한 연조직 피개 및 치유	방사선학적/임상적인 발치와 내의 현저한 골충전	발치와 치유가 완료
평균 치유 기간	발치 즉시	보통 발치 4-8주 후	보통 발치 12-16주 후	보통 발치 16주 이상 후
적응증	- 순측 치조골이 온전하고 두께가 1 mm 이상 - 점막이 두꺼움 - 발치와 내에 급성 염증 없음 - 임플란트를 이상적인 위치에 식립할 때 일차 안정을 얻을 수 있음	- 순측 치조골이 얇거나 손상됨 - 점막이 얇은 표현형 - 임플란트를 이상적인 위치에 식립할 때 일차 안정을 얻을 수 있음	발치한 치아에 커다란 치근단 병소가 존재하여 1형이나 2형 식립이 불가	발치부의 국소적 상태나 환자의 상태/사정으로 인해 임플란트 식립 시기가 지연됨
수술 방법	- 가능하면 무피판 수술 - 발치와와 임플란트 사이의 결손에 골이식	- 피판 거상 - 골유도 재생술을 통한 골증강	- 피판 거상 - 골유도 재생술을 통한 골증강	- 임플란트 식립이 가능하면 피판 거상 후 임플란트 식립 및 골유도 재생술을 통한 골증강 - 임플란트 식립이 불가하면 골증강 후 단계적 임플란트 식립(임플란트 식립 시 필요하면 추가적인 골증강술)

장점	– 수술을 한 번만 시행 – 치료 기간 단축 – 임플란트 주위 결손은 골내 결손이기 때문에 골증강이 용이함	– 치료 기간 단축 – 수술 후 일차 폐쇄가 용이함 – 연조직 두께가 증가하여 치료 후 심미적 결과 개선됨 – 순측 치조골판 외측의 골증강이 용이해짐 – 임플란트 주위 결손은 골내 결손이기 때문에 골증강이 용이함 – 발치된 치아와 연관된 염증성 병소의 치유가 완료됨	– 임플란트 식립 후 일차 안정을 얻기가 용이해짐 – 수술 후 일차 폐쇄가 용이함 – 연조직 두께가 증가하여 치료 후 심미적 결과 개선됨 – 순측 치조골판 외측의 골증강이 용이해짐 – 임플란트 주위 결손은 골내 결손이기 때문에 골증강이 용이함 – 발치된 치아와 연관된 병소의 치유가 완료됨	– 발치와 내 골이 충전되어 임플란트 식립 후 일차 안정을 얻기가 용이해짐 – 수술 후 일차 폐쇄가 용이함 – 연조직 두께가 증가하여 치료 후 심미적 결과 개선됨 – 발치된 치아와 연관된 병소의 치유가 완료됨
단점	– 임플란트를 이상적인 위치에 식립하기 어려움 – 임플란트 식립 후 일차 안정을 얻기가 어려움 – 수술 후 일차 폐쇄가 어려움 – 점막 변연 퇴축의 위험성이 증가 – 향후의 골흡수 양상을 예측하기 어려움	– 두 번의 수술이 필요함 – 임플란트 식립 후 일차 안정을 얻기가 어려움	– 두 번의 수술이 필요함 – 1형/2형에 비해 치료 기간이 연장됨 – 발치와 골벽이 다양한 정도로 흡수됨 – 치조골의 수평적 흡수로 인해 임플란트 식립이 어려울 수 있음	– 두 번의 수술이 필요함 – 1형/2형/3형에 비해 치료 기간이 연장됨 – 발치와의 골벽이 심하게 흡수됨 – 치조골이 심하게 흡수되어 임플란트 식립이 어려울 수 있음

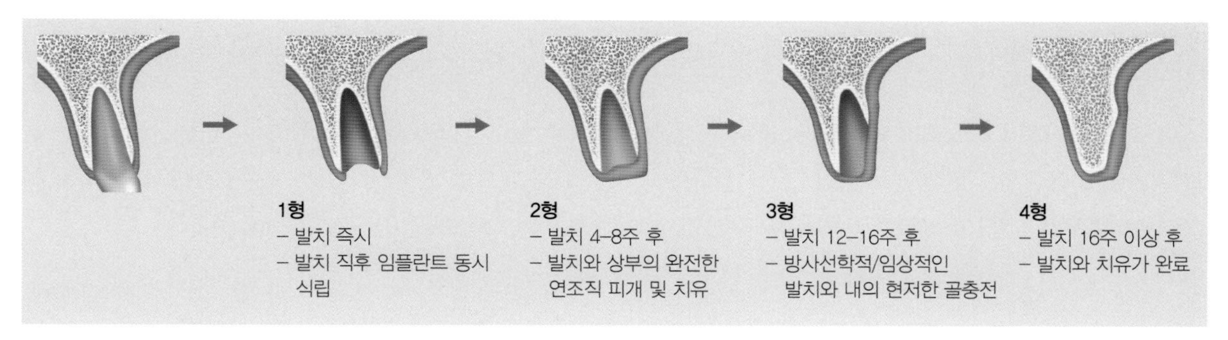
1형
– 발치 즉시
– 발치 직후 임플란트 동시 식립
2형
– 발치 4–8주 후
– 발치와 상부의 완전한 연조직 피개 및 치유
3형
– 발치 12–16주 후
– 방사선학적/임상적인 발치와 내의 현저한 골충전
4형
– 발치 16주 이상 후
– 발치와 치유가 완료

2–1 유럽 치주과학회와 ITI에 따른 발치 후 임플란트 식립 시기(2–1 참고).

2003년의 3rd ITI Consensus Conference에서는 발치 후 임플란트 식립 시기에 대한 혼란을 피하기 위해 표준화된 식립 시기의 구분법을 처음으로 제시했다.[5] 이 구분법은 물론 대체로 발치 후 경과한 시간에 따른 것이긴 하지만, 절대적인 경과 시간에 따른 것은 아니었다. 이 구분법은 오히려 발치 후 연조직 및 골조직의 특정한 조직학적, 형태학적 치유 상태에 기반한 것이었다. 이러한 연조직/골조직의 치유 상태는 시간에 따라 진행되기는 하지만, 환자나 부위에 따라 달라질 수 있기 때문이다. 따라서 구분법을 일반적인 용어인 즉시, 조기, 지연 식립 등으로 하지 않고 1–4형으로 했다.

2) 임플란트의 식립 시기는 임플란트의 성공과 생존에 어떤 영향을 미치는가?

고전적 식립 프로토콜, 즉 치유가 완료된 치조골에 임플란트를 식립하는 4형 식립 프로토콜은 임플란트 역사에서 가장 오래된 방법이고 장기간의 결과가 널리 알려져 있다. 따라서 4형 식립은 다른 여타 식립 프로토콜과 비교 대상이 되는 기준으로 간주된다(📷 2-2).[7] 또한 1형 식립은 최근 많은 관심을 받으며 이에 대한 문헌이 급격히 증가했지만, 2–3형 식립 프로토콜에 관해서는 임상 연구가 많이 시행되지 않아서 최근까지도 이에 대해서는 의미 있는 임상 결과가 거의 축적되지 못한 것이 사실이다.[3,8,9]

(1) 적응증을 철저히 준수하면 임플란트 식립 시기와 관계없이 임플란트의 생존율은 비슷하게 높은 결과를 보인다

체계적 문헌 고찰에 의하면 1형 식립은 그 수술적 난이도에도 불구하고 적응증을 엄격히 준수한 단근치 증례에서는 4형과 유사한 정도의 임플란트 생존율을 보인다. 단, 4형 식립과는 다르게 수술 전 항생제 처방은 1형 식립 임플란트의 생존을 유의하게 증가시킨다는 근거가 축적되고 있다. 즉, 1형 식립 시 항생제를 처방하지 않으면 4형 식립에 비해 생존율이 유의하게 감소하는 반면, 항생제를 처방하면 생존율은 4형과 유사한 정도를 보인다.[8,10] 이는 아마도 1형 프로토콜로 임플란트를 식립하면 일차 폐쇄를 이루기 힘들기 때문에 치유 기간 중 세균 침투가 용이해지기 때문인 것으로 보인다. 한 대규모의 후향적 연구에 의하면 발치 후 즉시 식립 시 항생제를 처방하지 않으면 처방한 경우에 비해 임플란트의 실패 확률이 3.34배 증가했다.[11] 앞서 2형과 3형 임플란트 식립 프로토콜에 관한 근거가 부족하다고는 했지만, 2018–2019년에 발표된 일련의 체계적 문헌 고찰과 메타분석에 의하면 상악 전방부 치아에서 2–3형 임플란트 식립 시 임플란트의 생존율과 성공률은 1형이나 4형에서와 비슷한 것으로 나타났다.[8,9,12]

2018년 6th ITI Consensus Conference에서는 임플란트의 식립 시기와 부하 시기에 따른 임플란트의 생존율과 성공률에 대한 메타분석을 시행했고, 그 결과로 합의 보고를 발표했다.[9,13] 식립 시기는 1형(발치 후 즉시 식립), 2–3형(조기 식립), 4형(만기 식립)으로 구분했고, 부하 시기는 다음과 같이 구분했다(📁 2-2).[13]

📁 2-2 임플란트의 부하 시기 구분

즉시 부하 (Immediate loading)	임플란트 식립 1주 이내에 대합 치열과 교합되는 보철물을 임플란트에 연결함
즉시 수복 (Immediate restoration)	임플란트 식립 1주 이내에 대합 치열과 교합되지 않는 보철물을 임플란트에 연결함
조기 부하 (Early loading)	임플란트 식립 1주–2개월 사이에 보철물을 임플란트에 연결함
고전적 부하 (Conventional loading)	임플란트 식립 2개월 이상 경과 후 보철물을 연결함

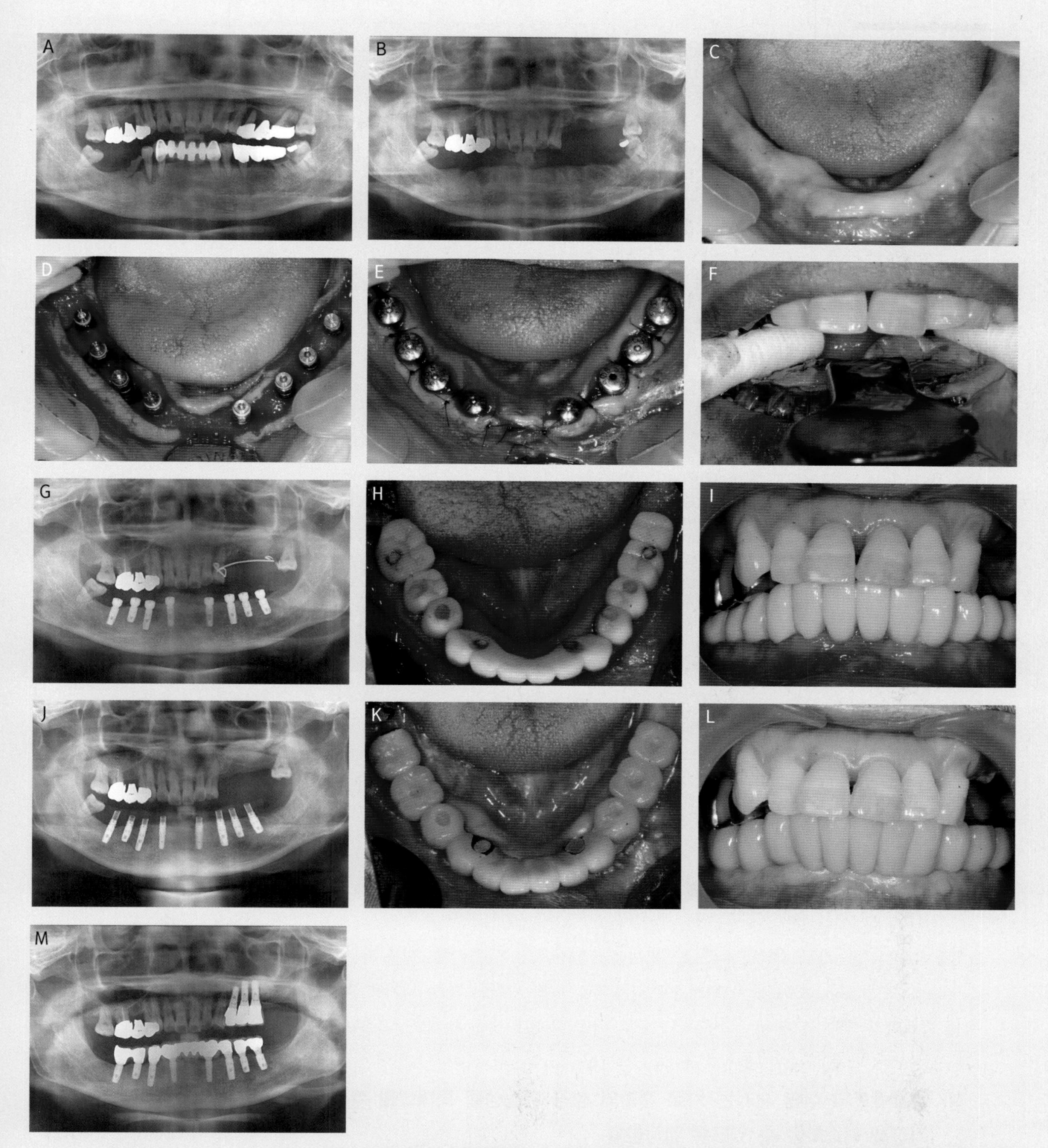

2-2 4형 식립의 예이다. 4형 식립은 발치와 치유가 완료된 이후 식립하는 것으로, 임플란트 식립 시기의 기준이 된다. 앞서 설명했듯이 식립 시기는 발치 후 절대적으로 얼마만큼의 시간이 경과했는가보다는 발치와의 치유 상태에 따라 구분하는 것이며, 따라서 발치와 내부에 신생골이 형성되어 완전히 충전된 상태일 때 임플란트를 식립하면 4형 식립이 된다.

A~B. 하악의 전체 잔존 치아를 발거하고 임플란트를 식립하기로 계획했다. 치조골의 파괴가 아주 심하지는 않았지만 전체적으로 만성 치주염에 이환되어 있었으며 치근의 위치가 임플란트 식립에 적절하지 않았기 때문에 4형 식립을 시행하기로 결정했다. 발치 2개월 후에도 발치와의 방사선 불투과성은 그대로 잔존해 있었다**(B)**.

C~G. 발치 약 5개월 후 임플란트를 식립했다. 발치와의 치료는 완료되어 있었고 골증강술을 시행하지 않았으며 임플란트의 일차 안정이 적절했기 때문에 발치 직후 인상을 채득하여 고정성 임시 보철물을 연결하기로 했다**(F)**.

H~J. 1주 후 수술부를 발사(stitch out)하면서 고정성 임시 보철물을 연결했다**(H~I)**.

K~M. 임플란트 식립으로부터 5개월 정도 후에 최종 보철물을 장착해 주었다.

이 메타분석에서는 부분 무치악 부위를 고정성 임플란트 보철물로 수복한 환자를 최소 10명 이상 포함한 임상 연구 중 1년 이상 추적 관찰을 시행한 연구들을 대상으로 부하 시기/식립 시기에 따른 성공률과 생존율을 평가했고, 포함된 일차 연구의 근거 수준에 기초하여 각 식립-부하 프로토콜의 근거 수준을 정립했다.

- 과학적, 임상적으로 입증됨(Scientifically and clinically validated)
- 임상적으로 잘 기록됨(Clinically well documented)
- 임상적으로 기록됨(Clinically documented)
- 임상적으로 불충분하게 기록됨(Clinically insufficiently documented)

그리고 그 결과는 다음 **표 2-3**과 같았다(노란색 임상적으로 기록됨, 빨간색 임상적으로 불충분하게 기록됨, 초록색 과학적, 임상적으로 입증됨).[9]

표 2-3 임플란트의 식립 시기 및 부하 시기에 따른 임플란트의 생존율과 이에 대한 문헌의 근거 수준

		부하 시기		
		즉시 부하/수복	조기 부하	고전적 부하
식립 시기	즉시 식립(1형)	즉시 식립-즉시 부하/수복 누적 생존율 98.4%	즉시 식립-조기 부하 누적 생존율 98.2%	즉시 식립 고전적 부하 누적 생존율 96.0%
	조기 식립(2-3형)	조기 식립 즉시 부하/수복 누적 생존율 구할 수 없음	조기 식립 조기 부하 누적 생존율 100%	조기 식립 고전적 부하 누적 생존율 96.3%
	만기 식립(4형)	만기 식립 즉시 부하/수복 누적 생존율 97.9%	만기 식립 조기 부하 누적 생존율 98.3%	만기 식립 고전적 부하 누적 생존율 97.7%

3) 각 임플란트 식립 시기의 적응증은 어떻게 되는가[3]

"제15회 유럽 치주과학회 워크샵"에서는 2019년에 임플란트 식립 시기에 관해, 그리고 "제6회 ITI Consensus Conference"에서는 2018년에 임플란트 식립 시기와 부하 시기에 관해 근거 중심적인 임상 권고 사항을 발표했다.[3,13] 여기에서는 이를 바탕으로 각 임플란트 식립 시기의 적응증을 요약할 것이다.

(1) 임플란트의 식립 시기는 치료 결과의 성공 가능성을 최대화할 수 있는 한도 내에서 전체 치료 기간을 최소화할 수 있도록 결정한다

"제15회 유럽 치주과학회 워크샵"의 합의 보고서에서는 다음 세 가지 요소를 만족시키기 위해 발치 후 발치와의 처치 여부와 임플란트 식립 시기를 결정한다고 했다.[3]

- 전체 치료 기간을 최소화시킨다.
- 임플란트 치료의 예지성을 최대화한다.
- 치조골의 흡수를 최소화한다.

이 목표를 이루기 위해 심미 부위에서 임플란트 식립 및 발치와 처치 방법을 다섯 가지로 분류했다(📷 2-3). 그러나 이 워크샵에서는 이러한 치료 방법을 결정하는 과정에 있어 엄정한 임상 문헌보다는 술자들의 경험이 주로 작용해 왔다고 했다. 이 주제에 관한 문헌들이 양적으로는 많지만 근거 수준이 낮은 문헌이 대부분이고, 임상적으로 중요한 주제에 관한 해답을 줄 수 있는 것은 적으며, 따라서 매우 제한적인 결론만을 내릴 수 있다고 했다. 이 합의 보고를 위해 네 편의 체계적 문헌 고찰/메타분석에 기반하여 다음의 일반적 고려 사항/임상적 추천을 권고했다(▬ 2-4).

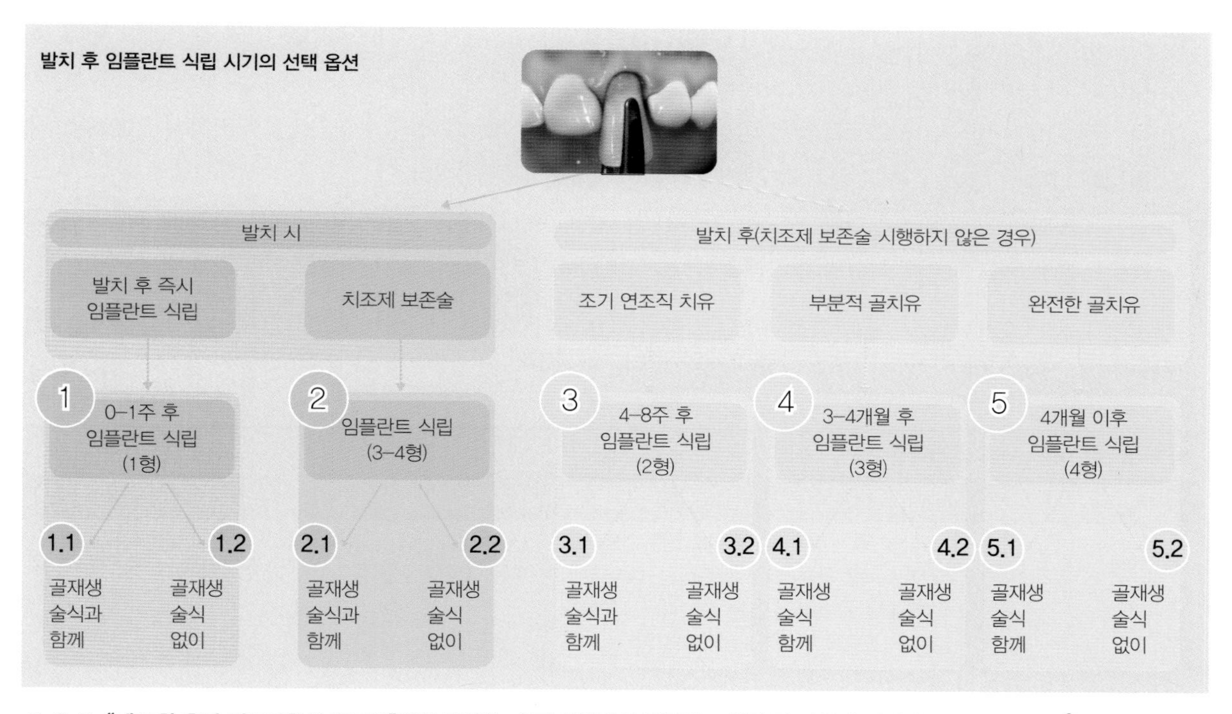

📷 2-3 "제15회 유럽 치주과학회 워크샵"에서 제시한, 심미 부위에서 임플란트 식립 및 발치와 처치의 다섯 가지 방법.[3]

▬ 2-4 임상적 상황에 따른 식립 시기의 결정

임상적 상황	식립 시기 및 발치와 처치 권고 사항
치조골이 온전하고 치주 표현형이 두꺼우면서 심미적 요구도가 낮음	즉시 임플란트 식립
발치할 치아 주변에 급성 염증이 존재	조기/지연/고전적 임플란트 식립(치조제 보존술 금지)
발치 후 순/협측 치조골에 광범위한 열개/천공 결손이 존재	조기 임플란트 식립 또는 발치 시 치조골을 재건하고 지연/고전적 임플란트 식립
얇은 치주 표현형을 보이며 미소선이 높은, 심미적 요구도가 높은 환자	치조제 보존술 후 지연/고전적 임플란트 식립
발치 직후 임플란트의 일차 안정을 얻을 수 없거나 보철적으로 적합한 위치에 임플란트 식립이 불가능	치조제 보존술 후 지연/고전적 임플란트 식립
발치와의 치유에 악영향을 미칠 수 있는 전신적/국소적 요소 (흡연, 조절되지 않는 당뇨, 심한 자가면역질환 등)가 있는 환자	– 치조제 보존술도 가급적 피함 – 지연/고전적 식립

이를 요약하자면 발치와 조직이 건전하고 심미적 예후가 좋을 것으로 예상되는 경우에 한하여 즉시 임플란트 식립을 시행하고 그 이외의 경우에는 조기-고전적 식립을 시행해야 한다는 것이다. 또한 지연-고전적 식립을 시행할 예정이라면, 즉 발치 후 3개월 이상이 경과한 이후 임플란트를 식립할 계획이면 치조골의 흡수를 최소화하기 위해 가급적 치조제 보존술을 시행할 것을 추천했다.

그리고 "제6회 ITI Consensus Conference"에서는 다음의 사항을 권고했다.[13]

① 자연치를 발치하기로 계획했다면 발치 전에 임플란트의 식립 시기와 부하 시기를 미리 결정해야 한다. 식립 시기와 부하 시기는 예지성 있는 결과를 얻을 수 있게 결정해야 한다.
② 각 임플란트 식립-부하 프로토콜은 임상적 난이도와 치료 위험도에서 차이가 난다. 따라서 치료 방법을 결정할 때에는 그에 맞는 임상가의 기술과 경험이 뒷받침되어야 한다.
③ 각 식립-부하 프로토콜은 그에 필요한 기준이 존재한다. 그 기준을 만족하지 못하는 증례에 적절치 않은 프로토콜로 임플란트를 식립하거나 부하를 가하면 임플란트의 생존과 성공에 악영향을 미칠 수 있다.

그리고 각 식립/부하 시기의 적응증을 **표 2-5**와 같이 제시했다.

표 2-5 각 식립 시기의 적응증

식립 시기	적응증 및 부하 시기에 대한 고려
즉시 식립	즉시 식립-즉시 부하/수복은 복잡한 수술-보철 과정이기 때문에, 임상적 경험과 기술이 뒷받침된 술자에 의해서만 시행 가능하다. 즉시 식립-즉시 부하/수복은 다음 기준을 충족시킬 때만 시행한다. • 발치와 내 골벽이 온전함 • 순측 치조골벽 두께가 1 mm 이상임 • 점막 두께가 두꺼움 • 임플란트 식립부에 급성 염증이 존재하지 않음 • 임플란트 식립 후 일차 안정을 얻을 수 있도록 발치와의 치근단측과 설측에 가용한 골이 존재 • 식립 토크는 25-40 Ncm 그리고/또는 ISQ >70 • 임시 보철물을 기능 중 보호할 수 있는 교합 상태 • 환자의 협조도가 좋음
조기 임플란트 식립	- 순측 치조골벽이 얇거나 골결손이 존재하는 경우 등 거의 모든 경우에 적응 가능하지만 임플란트 식립 시 골증강술이 필요할 수 있다. - 조기 임플란트 식립 시 즉시 부하나 조기 부하는 임상적 근거가 부족하기 때문에 일반적인 치료 방법으로 권장되는 술식은 아니다.
만기 임플란트 식립	- 치조골의 현저한 흡수와 이에 따른 골량 부족을 초래할 수 있기 때문에 추천할 만한 술식은 아니다. - 환자의 사정으로 인해, 혹은 국소적인 상태 때문에 만기 임플란트 식립을 시행한다면 치조제 보존술을 시행할 것을 추천한다. - 만기 임플란트 식립 시에 조기-고전적 부하는 근거가 풍부하기 때문에 일반적으로 적용할 수 있는 술식이다. 만기 임플란트 식립-즉시 부하는 환자의 측면에서 충분한 이점이 존재하기 때문에 적응증이 된다면 시행 가능하다.

두 기관에서의 임상적 권고 사항을 아주 간단하게 정리하자면 다음과 같다.

- 1형 식립(즉시 식립)은 난이도가 높고 심미적 예후가 불량할 수 있기 때문에 경험이 많은 술자가 치조골이 두껍고 건전하며 점막이 두꺼운 환자에서 임플란트를 보철적으로 이상적인 위치에 식립할 수 있는 경우에 한해 선별적으로 시행한다.
- 2형, 혹은 2–3형 식립(조기–지연) 식립은 1형 식립의 적응증이 아닌 거의 대부분의 증례에서 첫 번째 치료 옵션이 된다. 치조골의 흡수는 아직 많이 이루어지지 않은 상태에서 임플란트의 식립이 용이해지고 골증강술의 예후는 향상된다.
- 3–4형, 혹은 4형 식립(고전적, 혹은 만기 식립)은 환자의 요구나 사정, 혹은 국소적인 이유로 1–3형 식립이 불가능한 경우에만 시행한다. 3–4형 식립을 계획했다면 치조골의 흡수를 최소화하기 위해 가능한 경우 치조제 보존술을 시행한다.

4) 상악 전치부에서 식립 시기의 결정

치아를 발치하고 그 부위에 임플란트 치료를 시행하기로 했다면, 치료 계획은 발치 전에 이미 확정해 놓아야 한다. 치료 계획 시에는 임플란트 식립부의 국소적 해부학적 상태가 가장 중요한 고려 사항이며, 따라서 이를 가장 잘 진단할 수 있는 CBCT를 촬영할 것을 추천한다.

심미 부위, 즉 상악 전치부에서 치아 발거 전에 확인해야 할 해부학적 구조는 다음과 같다.[4]

- 순측 골벽의 두께, 높이, 손상 유무
- 구개측 골벽의 두께와 높이
- 치조제의 높이와 경사
- 발치 부위의 근원심 치조정의 순–구개 폭
- 인접 자연치 치조골의 높이
- 비구개관의 위치와 크기
- 임플란트에 일차 안정을 부여할, 발치할 치근의 치근단측 및 구개측 치조골량
- 발치 부위의 근원심 폭

(1) 1형 식립은 심미적 실패를 유발할 가능성이 큰, 난이도가 높은 술식이다

앞서 자세히 설명한 바와 같이 상악 전치부에서 일반적으로 제시되는 즉시 식립의 주요 적응증은 다음과 같다.

- 순측골판에 결손이 없고 그 두께는 두꺼워야 한다(≥1 mm).
- 점막 두께가 두꺼워야 한다.

부가적으로 필요한 적응증은 다음과 같다.

- 발치부에 급성 화농성 감염이 없어야 한다.
- 임플란트를 보철적으로 이상적인 위치에 식립할 수 있도록 발치된 치근의 구개측과 치근단측에 충분한 양의 치조골이 존재해야 한다.

그러나 상악 전치부에서 이러한 적응증을 충족시킬 수 있는 경우는 별로 없다. 한 단면 연구에 의하면 상악 중절치-소구치 부위의 순측 골벽은 거의 90% 정도에서 그 두께가 1 mm 미만이고, 특히 증절치에서는 4.6%에서만 순측 골벽 두께가 1 mm 이상이다.[14] 다른 연구에서도 상악 전치부 순측 골벽은 대부분의 인구에서 1 mm 이하이며, 심지어 50% 정도에서는 0.5 mm 이하임을 보였다.[15] 또한 상악 전치부에서 순측 골벽의 열개나 천공 결손은 매우 흔하다. 상악 전치부 치아를 발거했을 때, 단지 47% (16/34)의 부위에서만 순측 골결손이 존재하지 않았고, 26.5%에서는 천공 결손이(9/34), 26.5%에서는 열개 결손이(9/34) 존재했다.[16] 게다가 상악 전치부에서 점막 두께는 대부분 얇다. 한 연구에 의하면, 상악 전치부에서 얇은 점막 표현형은 75%, 두꺼운 표현형은 25%였다.[17] 이는 전문가들이 추천하는 즉시 식립의 적응증에 해당하는 상악 전치부 치아가 거의 없음을 의미한다. Buser 등은 상악 전치부에서 즉시 식립의 적응증이 될 수 있는 증례는 5-10%에 지나지 않는다고 했다.[4]

또한 임플란트의 순-구개측 식립 위치는 순측 점막 변연의 퇴축량을 결정짓는 매우 중요한 요소인데, 상악 전치부에서 발치 후 즉시 식립 시에는 이상적인 임플란트 식립 위치보다 발치와가 더 순측에 위치하기 때문에, 이상적인 위치로 임플란트를 식립하기가 매우 어려워진다(📷 2-4, 5).[18] 임플란트 식립 위치는 심미적 예후를 결정하는데 중요한 요소지만 경험이 적은 술자는 올바른 위치로 임플란트를 식립하는 데 어려움을 겪을 수 있다.

그러나, 뒤에서 자세히 설명하겠지만, 최근에는 치조골판의 두께가 얇거나 심지어 결손이 존재하는 증례에서도 발치 후 즉시 임플란트를 식립하고 심미적, 기능적으로 성공적인 결과를 얻었다는 보고가 증가하고 있다. 발치 후 즉시 임플란트 식립 증례에서 가장 문제가 될 수 있는 심미적 문제는 순측 점막 변연의 퇴축과 그로 인한 치관의 길이 증가이지만, 이러한 문제를 나타내는 증례의 비율은 꾸준히 줄어들고 있다.[19,20] 결국 결정은 우리가 내려야 하는 것이다. 전문가들의 권고에 따라 상악 전치부에서 심미적 결과를 좀 더 안전하게 보장할 수 있는 2형 식립(조기 식립)을 위주로 시행할지, 아니면 즉시 식립의 기준을 완화하여 좀 더 많은 증례에서 1형 식립(즉시 식립)을 시행할지 신중히 선택해야 할 것이다. 경험이 많지 않은 술자라면 ITI와 유럽 치주과학회의 권고에 따라 최대한 안전하게 제한된 증례에 한해 즉시 식립을 시행해본 후, 임플란트 식립 위치와 골증

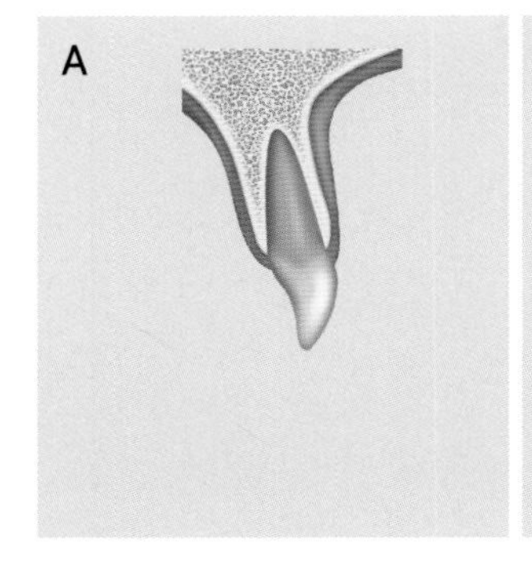

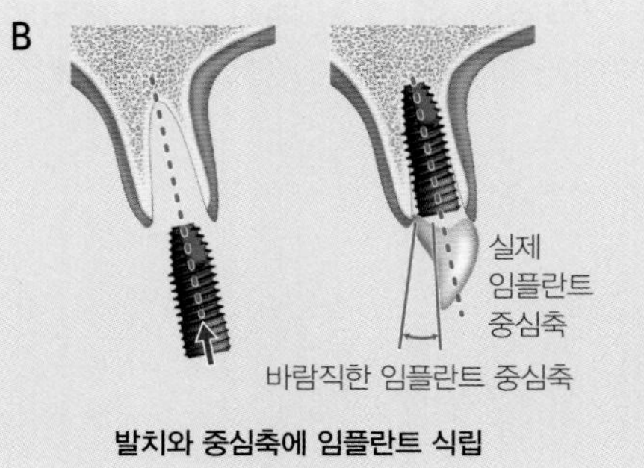

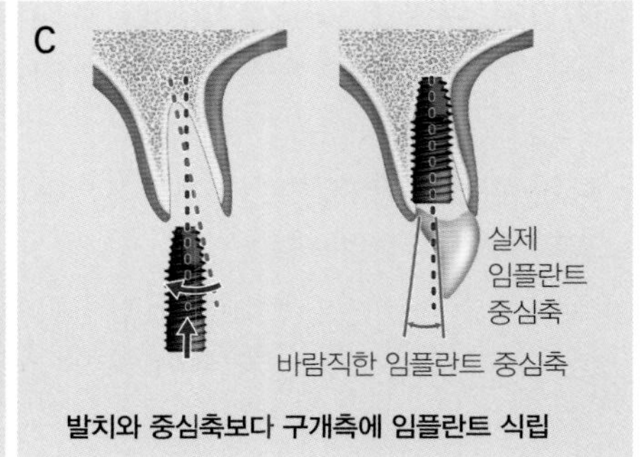

📷 **2-4** 상악 전치부에서 임플란트의 순-구개측 식립 위치의 중요성은 아무리 강조해도 지나치지 않다. 이러한 점은 발치 후 즉시 임플란트를 식립할 때 특히 중요하다. 치근의 중심축보다 이상적인 위치로 식립된 임플란트의 중심축이 대부분 더 구개측에 위치하기 때문이다. 따라서 발치와 중심축에 임플란트를 식립하면 임플란트는 대체적으로 이상적인 위치보다 순측으로 식립된다.

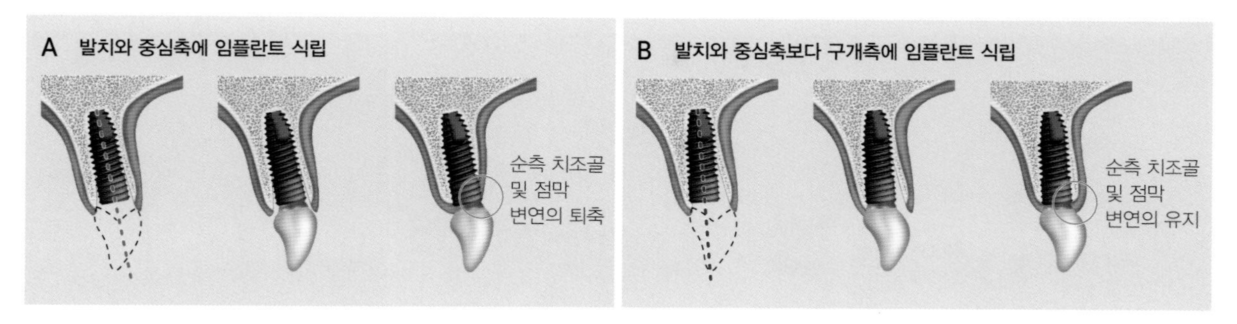

2-5 임플란트의 순-구개측 식립 위치에 따라 순측 치조골 변연과 점막 변연의 퇴축 정도가 결정된다. 점막 변연의 높이가 임플란트 수복물의 심미적 결과에 가장 중요한 영향을 미치는 요소 중 하나이다.
A. 발치 후 발치와 중심축에 임플란트를 식립하면 임플란트는 이상적인 위치보다 순측으로 식립되고, 결국 순측 치조골 및 점막 변연은 심하게 퇴축될 수 있다. **B.** 발치와 중심축보다 구개측에 임플란트를 식립하면 순측 치조골 및 점막 변연의 높이는 잘 보존될 가능성이 높아진다.

강술/골보존술에 대한 경험이 축적되면 적응증을 확대시켜 나가는 것이 가장 합리적인 선택이라고 생각한다. 즉시 식립은 결코 쉬운 술식은 아니며 충분한 경험이 없으면 생각보다 심미적인 실패를 많이 유발하는 난이도가 높은 술식이라는 점을 다시 한번 기억해야 한다(**2-6, 7**).

(2) 2형 식립은 심미적인 결과와 빠른 식립 시기를 절충한 합리적인 치료 방법이다

Buser 등은 2형 식립(조기 식립)은 수술 과정을 단순화시킬 수 있고 술 후 합병증을 최소화시킬 수 있기 때문에 상악 전치부에서 가장 광범위하게 적용 가능한 프로토콜이라고 했다. 구체적인 장점으로는 다음과 같은 점들이 있다.[4]

- 발치 후 임플란트 식립 때까지 발치와 상방의 연조직이 자연 치유되면서 3–5 mm의 추가적인 각화 점막이 형성된다.
- 순측 골벽이 얇거나 결손이 존재하는 경우에는 치유 기간 중 점막 두께가 증가한다(**2-8**).
- 급성/만성 감염이나 누공이 소실되기 때문에 수술 후 감염 가능성이 줄어든다.
- 발치와의 치근단부에서는 신생골이 형성되어 있다. 따라서 임플란트 식립 시 일차 안정을 얻기가 유리해진다.

수술 과정과 관련된 2형 식립의 최대 장점은 순측 골판의 초기 흡수를 어느 정도 확인한 상태에서 술자가 원하는 양과 형태로 골증강술을 시행하면서 임플란트를 자유로이 식립할 수 있다는 점이다. 또한 점막 두께가 두꺼워져 있기 때문에 골증강술 후의 치유 기간 중 피판의 열개를 줄여줄 수 있다는 장점도 있다. 게다가 치아 관통부 상방으로 연조직이 형성되어 있기 때문에 골증강술 후 수술부의 완전한 폐쇄가 가능하다.[21] 따라서 술자는 원하는 부위에 원하는 양만큼 골증강술을 시행할 수 있다.

2형 식립의 단점이라면 순측 치조골정 부위의 치조골 흡수가 어느 정도 진행된 상태에서 진행하는 술식이기 때문에 골증강술로 이를 수복해 주어야 한다는 점이지만, 1형 식립에서도 순측골의 흡수를 줄여주기 위해 임

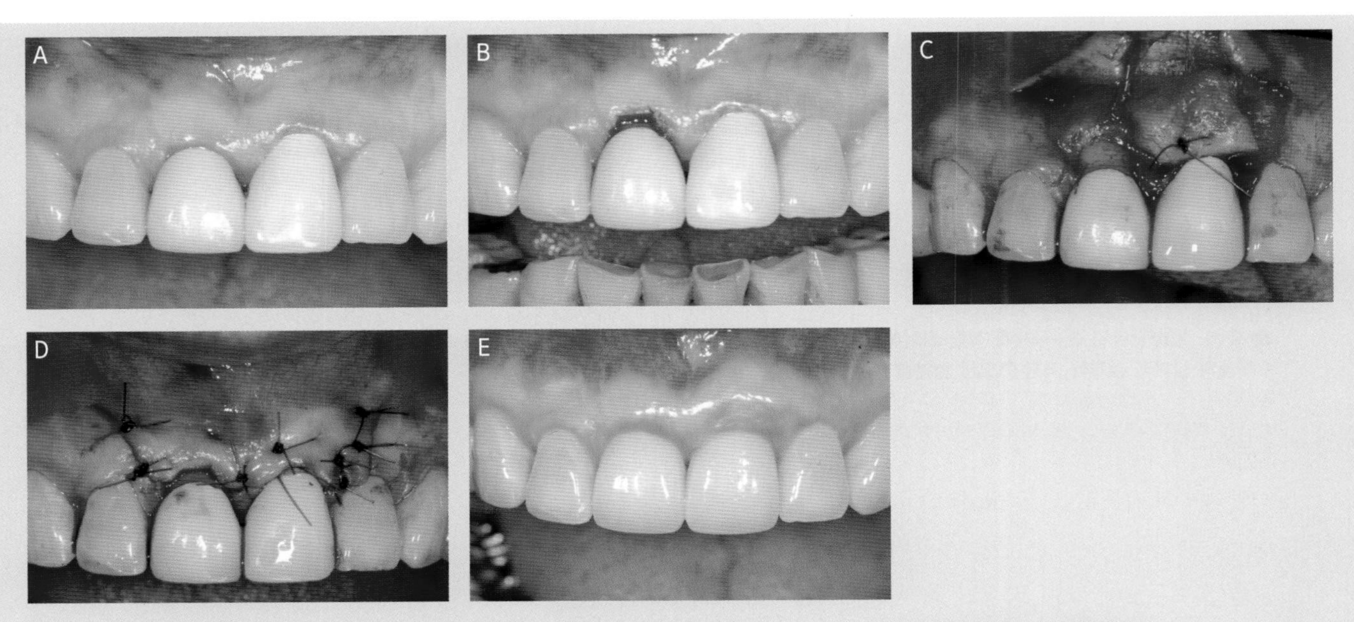

2-6 상악 좌측 중절치 발치 후 즉시 식립 시 임플란트가 순측을 향하도록 식립된 증례이다. 치료를 위해 저자에게 의뢰되었다.

A~D. 좌측 중절치 점막 변연은 반대측 중절치 치은 변연보다 2 mm 가량 더 근단측에 위치한다. 이는 심미적 실패에 해당된다**(A)**. 또한 점막 변연부는 그 하방 임플란트 구조물이 비쳐 보임에 따라 회색조를 보인다. 점막 변연 퇴축이 아주 심하지는 않았고 우측 중절치의 보철물을 재제작하기로 했으며 우측 중절치의 임상 치관이 짧다. 따라서 우측 중절치에는 임상 치관 연장술을, 좌측 중절치 부위 임플란트에는 결합 조직 이식술을 시행하기로 했다. 일단 우측 중절치에 임상 치관 연장술을 시행했다**(B, C)**. 또한 임플란트의 순측 점막은 부분층으로 거상한 후 순측 치관측 변연에 노출된 임플란트 매식체 부위를 성형하고(implantoplasty) 결합 조직을 이식했다**(C, D)**.

E. 약 6개월 후이다. 좌우측 중절치 부위의 점막 변연 높이는 비슷하다. 임상 치관 연장술을 시행한 부위의 점막 변연은 거의 원위치로 회복된 반면, 결합 조직 이식부는 점막 변연이 치관측으로 수복된 상태에서 잘 유지되고 있었다.

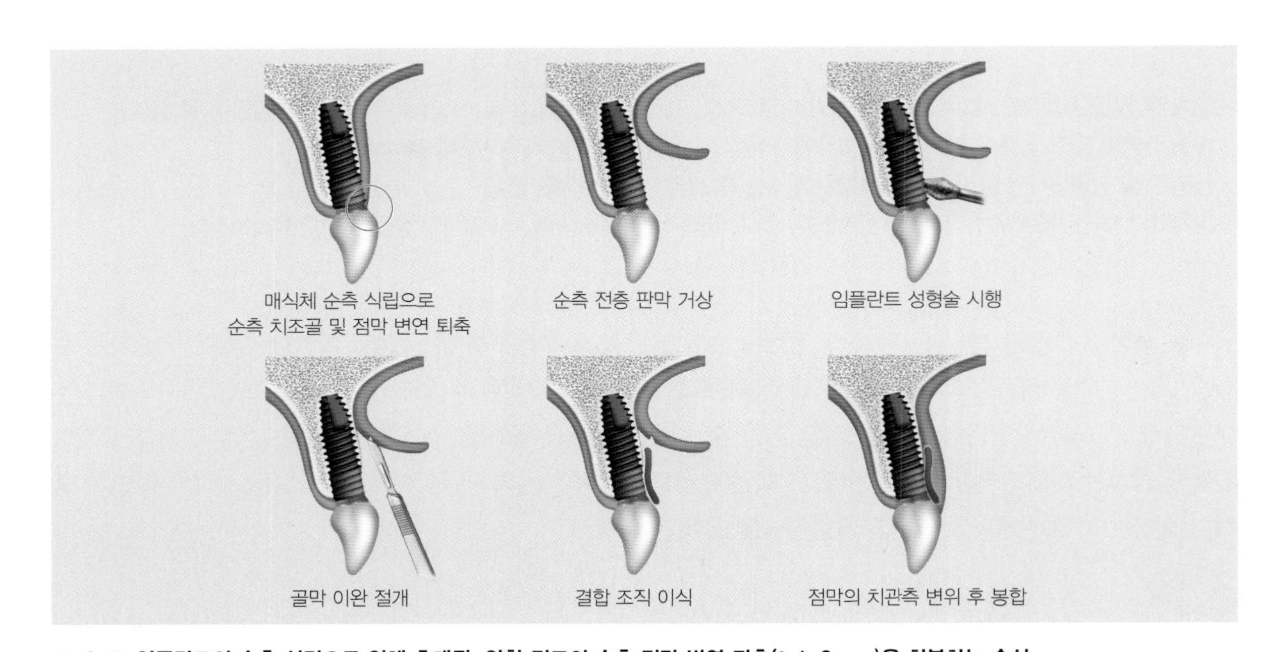

2-7 임플란트의 순측 식립으로 인해 초래된, 약한 정도의 순측 점막 변연 퇴축(≥1–2 mm)을 회복하는 술식

치근 노출 시 이를 결합 조직으로 피복하는 술식과 거의 동일하다. 피판은 부분층으로 거상하는 것이 좋지만 전층으로 거상할 수도 있다.

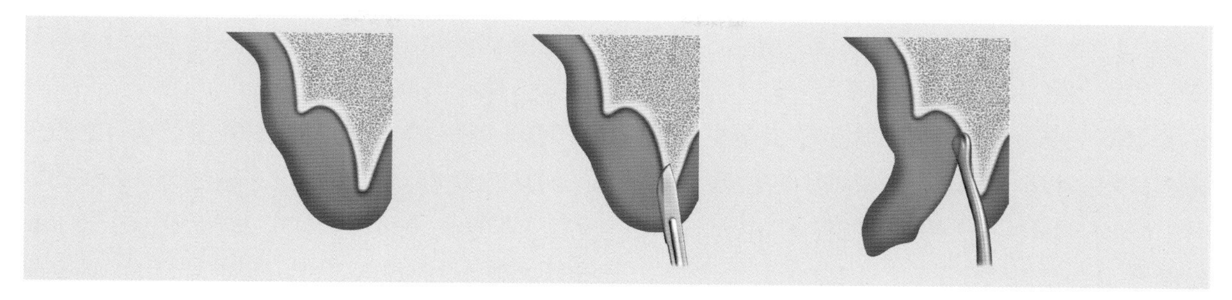

2–8 2형 식립 시 순측 점막은 두께가 증가해 있다. 점막 두께가 두꺼우면 치유 기간 중 피판은 열개에 더 잘 저항하고 피판 변연으로의 혈류 공급 또한 좋아진다. 따라서 골증강술을 시행하면 치유에 유리한 환경을 제공할 수 있다.

플란트와 순측 골벽 사이에 골이식재를 위치시켜야 하기 때문에 술식의 난이도에 있어 크게 차이가 나지는 않는다. 한 무작위 대조 연구에서는 1형 식립과 2형 식립 시 순측 조직의 수평적 감소량을 평가했다. 그 결과는 2–6과 같았다(2–9).[19]

2–6 1형 식립과 2형 식립 시 조직의 변화량 비교

	임플란트 식립 시 순측 조직 감소량	임플란트 식립 시 골에 대한 처치	3–4개월 후 최종 순측 조직 감소량	골유도 재생술에 의한 골증강량
1형 식립	0 mm	순측 골판과 임플란트 사이에 골이식재 충전	0.47±0.41 mm	
2형 식립	1.59±0.35 mm	골이식재와 차폐막으로 임플란트 순측에 골유도 재생술	0.55±0.39 mm	1.05±0.59 mm

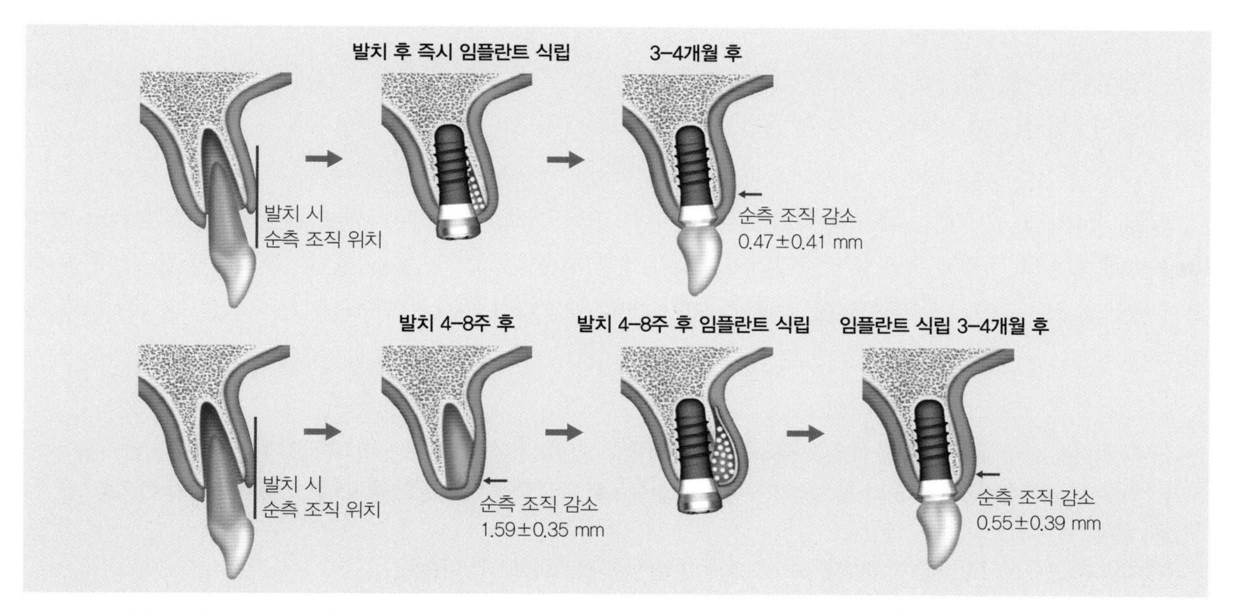

2–9 1형 식립 시 임플란트 주위 결손에 골이식재를 충전해야 치조골의 흡수를 어느 정도 보상해줄 수 있다. 2형 식립 시 골유도 재생술을 시행하면 1형 식립 및 골이식재 적용과 비슷한 정도로 순측 치조골과 조직의 두께를 확보할 수 있게 된다.

이는 2형 식립 시 골유도 재생술을 시행하면 1형 식립 시 얻을 수 있는 조직의 양과 비슷한 정도의 수평적 조직 양을 얻을 수 있음을 의미하는 것이다. 게다가 2형 식립은 1형 식립에 비해 순측 점막의 수직적 퇴축량도 줄여줄 수 있다. ITI의 체계적 문헌 고찰에 의하면 2형 식립 시에는 1형 식립 시에 비해 순측 점막 변연의 평균 퇴축량이 더 적은 경향을 보였을 뿐만 아니라 개별 증례에서 변이가 크지 않고 더 균일한 결과를 보였다. 즉 1 mm를 상회하는 순측 점막 변연 퇴축량을 보이는 경우는 1형에서는 9–41%였지만, 2형에서는 0%였다(**📷 2-10**).[22] 다수의 임상 연구들에서 2형 식립과 골유도 재생술을 시행하면 부하 후 2년 이상이 경과했을 때 순측 점막 변연의 퇴축량은 평균 0.09–0.30 mm정도였으며 1 mm 이상 퇴축된 증례는 존재하지 않았다고 보고했다.[23–25]

2형 식립 시 골유도 재생술을 통해 확보한 순측골은 장기간 안정적으로 잘 유지되었다. 2형 식립과 함께 골유도 재생술을 시행한 환자들은 수술 후 5년 이상 경과했을 때 CT로 측정한 순측골 두께가 평균 1.9–2.2 mm 정도로 안정적으로 유지되었을 뿐만 아니라 심미적으로도 만족스러운 결과를 보였다.[26,27]

결론적으로 상악 전치부에서 2형 식립은 거의 모든 증례에 적용 가능할 뿐만 아니라 가장 안정적인 결과를 보이는, 식립 시기에 있어 첫 번째 선택 옵션이라고 결론지을 수 있다. Buser 등은 상악 전치부 증례증 80% 이상의 증례가 2형 식립의 적응증이 된다고 결론 내린 바 있다(**📷 2-11**).[4]

(3) 3형 식립은 대구치 부위에서 첫 번째 선택 옵션이다

상악 전치부에서 3형 식립은 치근단 병소가 커서 치유가 늦어지고, 따라서 임플란트를 이상적인 위치에 식립하기가 어려운 경우에 한정하여 시행한다. 그러나 상악 전치부에서 이러한 경우는 흔하지 않다(1–3%).[4] 결국 상악 전치부에서 3형 식립은 이른바 단점은 많고 장점은 적은 술식으로 간주되기 때문에 그렇게 큰 관심의 대상은 아니었다. 다만 최근의 한 무작위 대조 연구에서는 상악 전치부에서 심미적 결과나 수술의 난이도에 있어 3형 식립이 1형 식립에 비해 더 우수한 결과를 보였다고 보고한 바 있다.[28]

그러나 Buser 등은 3형 임플란트 식립은 다근치, 즉 상하악 대구치부에서 가장 이상적인 방법이라고 했다(**📷 2-12**).[4] 발치와 내부에 완전하지는 않더라도 골이 현저히 충전되어 있는 상태이기 때문에 임플란트를 이상적인 위치로 식립하면서 일차 안정을 얻을 수 있기 때문이다. 사실 대구치부에 대해서는 식립 시기에 관해 크게 관심이 없으며, 따라서 가용한 근거도 매우 부족한 형편이다. 그 이유는 다음과 같을 것이다.

- 대구치 치아는 상실 후에 발치와 치유를 위해 충분히 긴 치유 기간을 부여하더라도 심미적인 문제를 거의 유발하지 않는다.
- 다근치 발치와에서는 충분히 골이 충전되기 전에는 보철적으로 이상적인 위치에 임플란트를 식립하여 일차 안정을 얻기가 쉽지 않다.
- 다근치의 치근은 상당한 형태적 변이를 보이기 때문에 술식을 표준화하기가 어렵다.
- 발치와가 완전히 치유될 때까지 기다리더라도 임플란트 식립 시 골증강이 필요할 정도로 치조골이 위축되는 경우는 흔하지 않다.

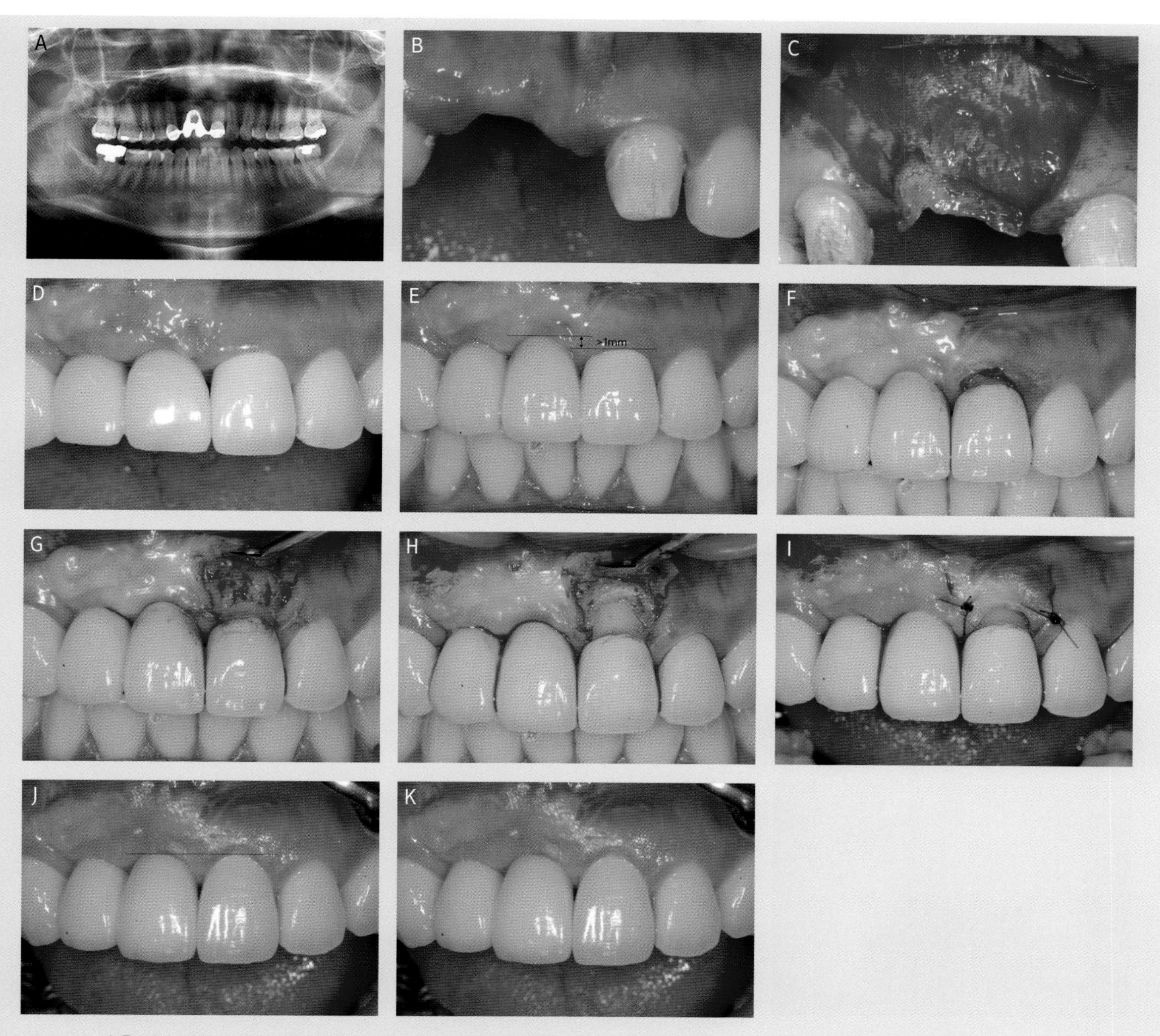

2-10 순측 점막 변연의 퇴축량은 임플란트 수복의 심미성을 결정짓는 가장 중요한 요소이다.

A~C. 상악 우측 중절치와 측절치 부위는 치조골이 심하게 퇴축되어 있었으며 치아와 치주 조직을 모두 수복하는 고정성 보철물이 장착되어 있었다.

D~E. 수차례의 골 및 연조직 수복으로 임플란트 수복부에서 반대측과 비슷한 정도의 점막 변연 높이를 확보할 수 있었으나**(D)** 최종 보철물 장착 후 특히 중절치 부위의 점막 변연이 1 mm 이상 퇴축되어 심미적 문제를 야기했다**(E)**.

F~I. 환자는 원래 상태보다는 현저히 개선되었기에 더 이상의 치료를 원하지 않았지만 좌측 중절치 부위에 임상 치관 연장술을 시행하여 우측과 점막 변연 높이를 맞춰 주었다.

J. 1개월 3주 후 좌우 중절치 부위의 점막 변연 높이는 동일하게 되었다.

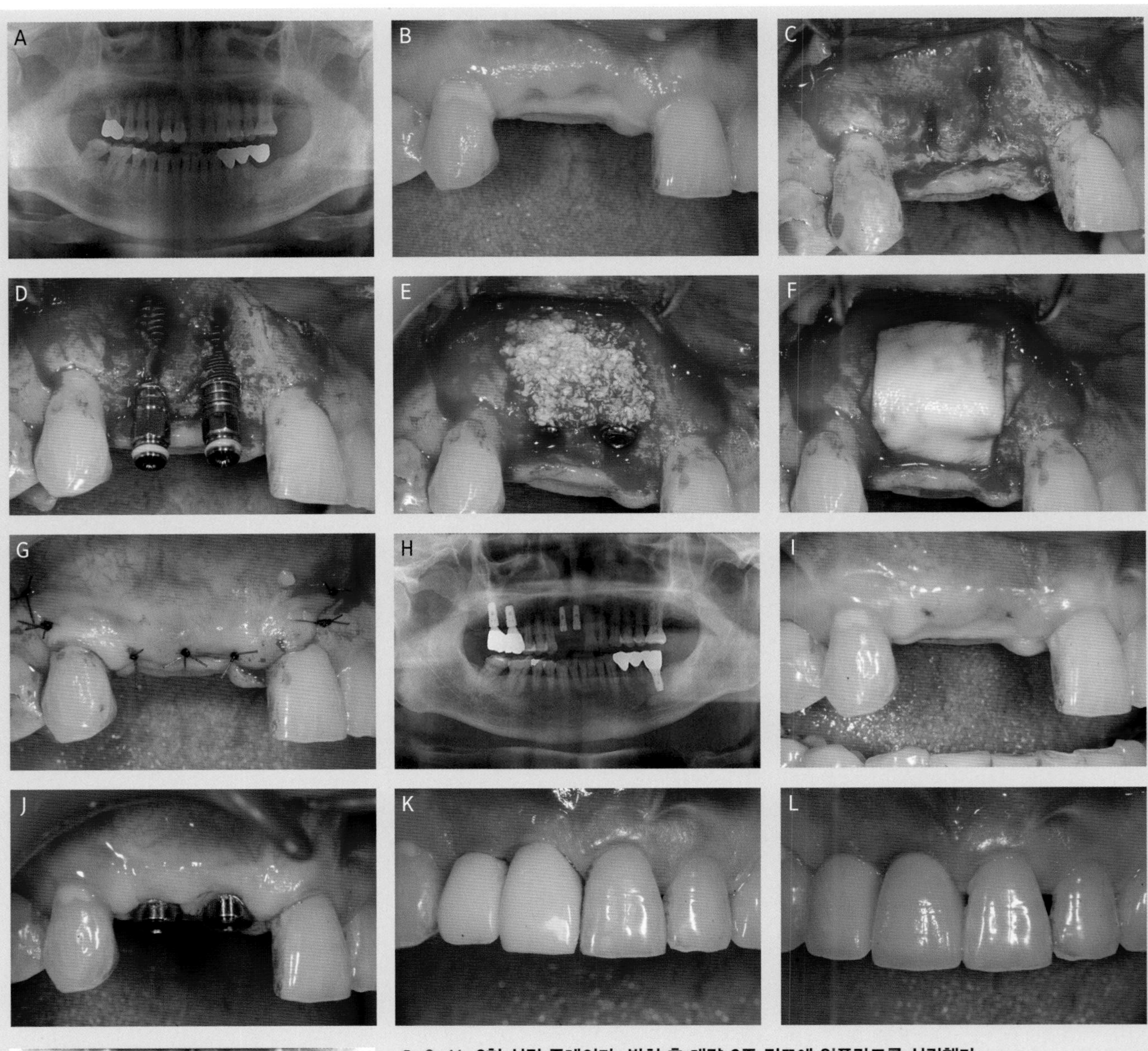

2-11 2형 식립 증례이다. 발치 후 대략 6주 정도에 임플란트를 식립했다.

A~H. 발치 6주 후 발치와가 점막으로 완전히 피개되고 나서 임플란트를 식립했다. 발치와의 염증성 병소는 소실되어 있었지만 그 내부는 아직 골로 충전되지 못했다**(C)**. 임플란트를 식립하고 이종골 이식재를 적용한 후 천연 교원질 차폐막을 피개했다.

I~K. 4개월 1주 후 점막을 다이아몬드 버로 삭제하고 인상을 채득한 후 치유 지대주를 임플란트에 연결했다. 1주 후 고정성 임시 보철물을 연결해 주었다.

L~M. 2개월 후 최종 보철물을 장착했다.

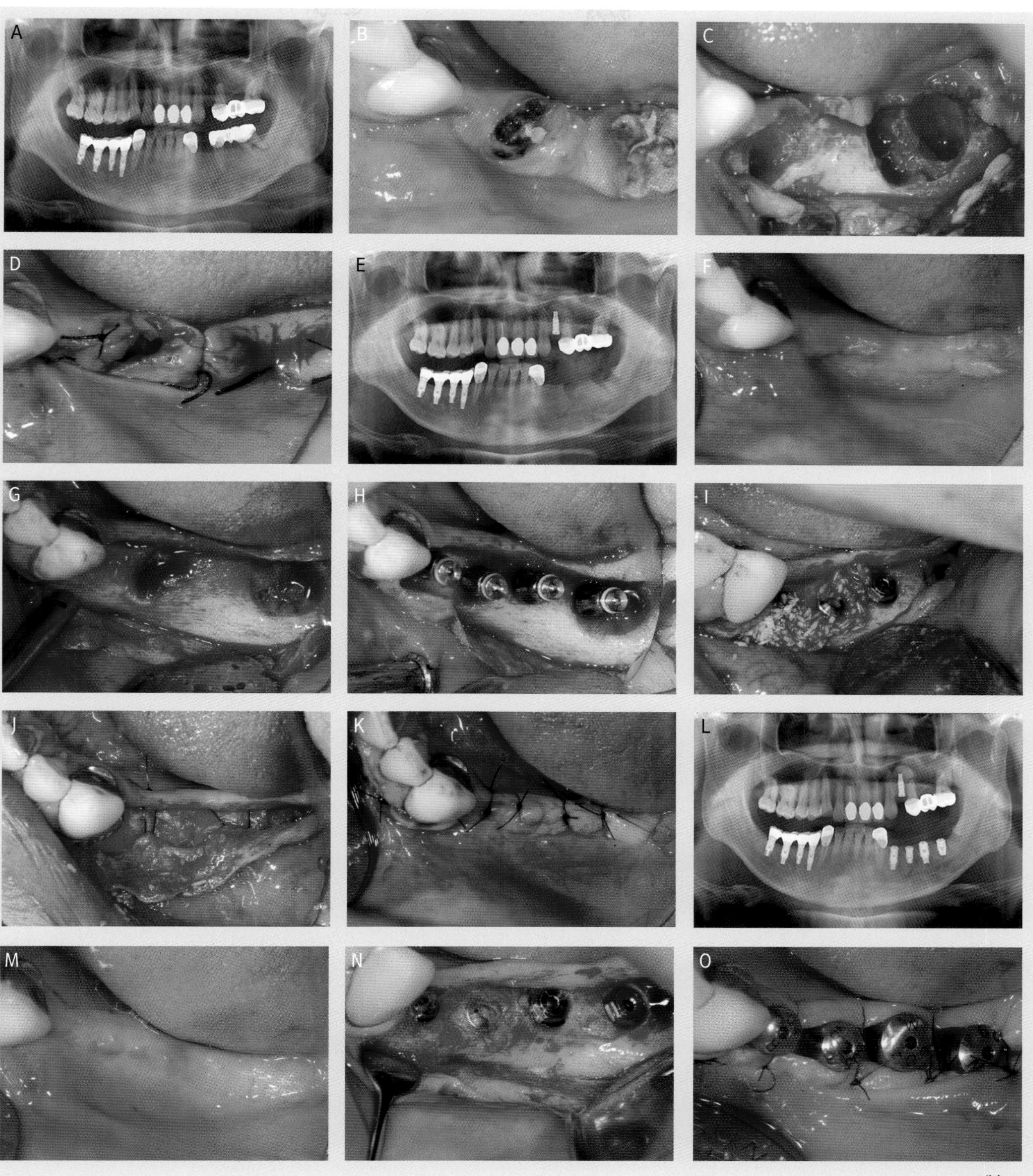

– 계속 –

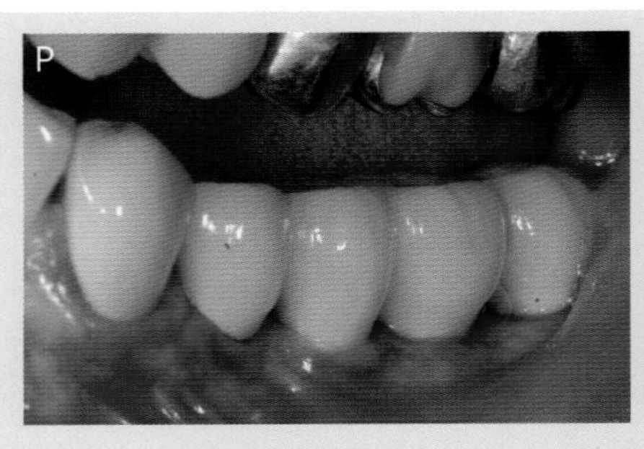
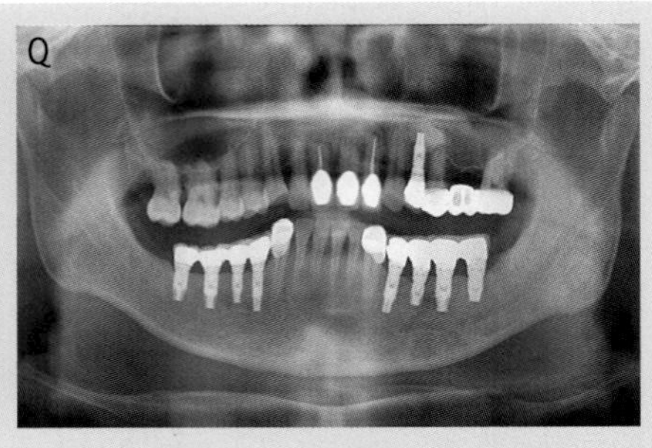

2-12 Buser 등은 대구치부에서 3형 식립을 가장 선호하였다. 발치와 내부에 완전하지는 않더라도 골이 현저히 충전되어 있는 상태이기 때문에 임플란트를 이상적인 위치로 식립하면서 일차 안정을 얻을 수 있으며 4형 식립 때처럼 치조골이 현저하게 흡수되지는 않기 때문이다. 이 증례는 하악 대구치 및 소구치 부위에 3형 식립을 시행한 것이다.
A~D. 하악 좌측에 잔존한 소구치 및 대구치를 발거했다. 특히 제2대구치의 치근단 병소는 철저히 소파했다.
E~L. 약 3.5개월 후 임플란트를 식립하고 골유도 재생술을 시행했다. 발치와의 치유는 완료되지 못했지만 발치와 내부에 형성된 직조골은 임플란트를 지지해주기에 충분했다**(G, H)**.
M~O. 4개월 후 2차 수술을 시행했다. 골결손부는 재생골로 잘 수복되어 있었다.
P~Q. 4개월 후 보철 치료가 완료되었다.

대구치 발거 후 즉시 임플란트 식립이 가능한가? 가능하다. 그러나 모든 증례에서 가능하지는 않다. 게다가 대구치부에서 발치 후 즉시 식립한 임플란트의 예후는 근거가 불충분하다. 게다가 술식의 난이도는 높다. 임플란트를 원하는 위치로 식립하기도 어려울뿐더러 치아 관통부가 크기 때문에 이를 처치하기도 어렵고, 결국 어느 정도 환자의 치유 능력에 기대야 하는 부분도 있다. 상악의 상악동, 하악의 하치조 신경은 대구치 부위의 임플란트 식립에 있어 해부학적 장해가 되지만, 발치 후 즉시 임플란트 식립 시에는 그 위치를 정확히 진단하기가 힘들다(**2-13**). 따라서 대구치 부위에서는 한정적인 증례에 한해 1–2형 식립을 시행해야 하며 3–4형 식립이 표준 식립이 된다고 결론 내릴 수 있다.

(4) 상악 전치부에서 4형 식립을 시행할 예정이라면 발치 시 치조제 보존술을 시행하는 것이 좋다

4형 식립 시에는 골이 현저히 흡수되어 있기 때문에 임플란트 식립에 불리하며, 환자의 관점에서도 치료 기간이 길어지기 때문에 좋지 않다. 따라서 전치와 소구치 부위에서 특별한 이유가 존재하지 않는다면 4형 식립을 시행할 이유는 없다. 4형 식립에는 크게 두 가지 적응증이 있다.[6]

- 환자 특이적 적응증(patient specific indication) 임플란트를 식립하기에는 너무 어린 성장기 환자, 임신 중인 환자, 개인적 이유로 임플란트 식립을 늦추길 원하는 환자
- 국소적 해부학적 적응증(site specific indication) 치근단 낭종 등 커다란 치근단 병소가 존재하는 치아나 강직증을 가진 치아 등을 제거하여 즉시–조기 식립 시에는 임플란트의 충분한 일차 안정을 얻을 수 없음

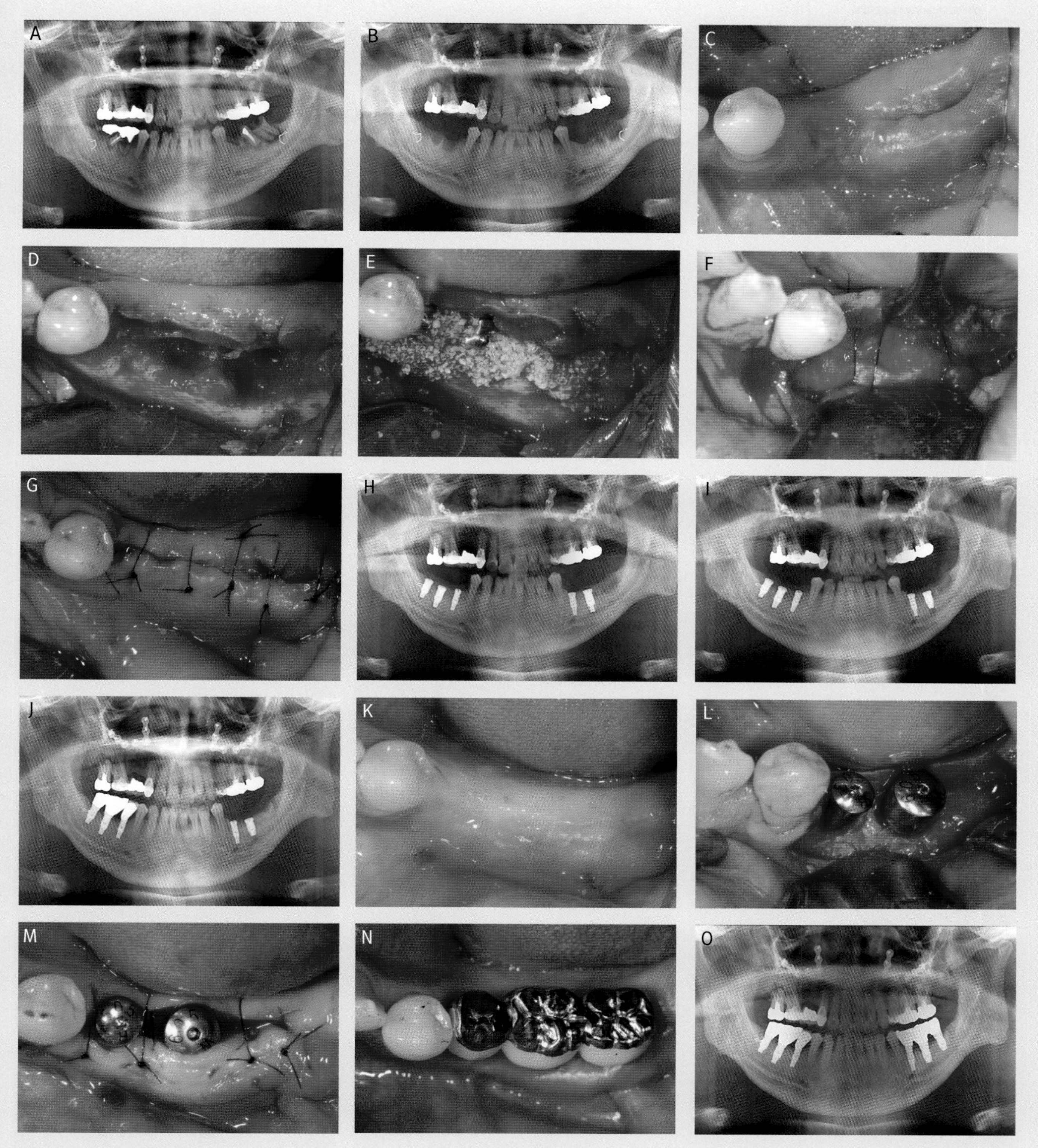

2–13 하악에서 특히 파괴가 심한 발치와의 치유가 완료되지 못한 상태로 임플란트를 식립할 때에는 하치조 신경관의 위치를 정확히 진단하기 힘들 수도 있다.

A~I. 하악 양측 구치부 치아는 심한 우식증과 만성 치근단 병소에 이환되어 치조골 파괴가 광범위했기 때문에 이를 발치해 주었다**(A)**. 8주 후 일단 제2소구치와 제1대구치 부위에 임플란트를 식립하고 골유도 재생술을 시행했다. 그러나 제1대구치 부위의 임플란트 매식체 치근단 부위가 하치조 신경관과 겹쳐 보였기 때문에**(H)** 확인 즉시 제거하고 짧은 임플란트로 교체해 주었다**(I)**.

J~M. 7개월 후 2차 수술을 시행하면서 제2대구치 부위에 임플란트를 식립했다. 환자는 다행히 특별한 신경 손상의 징후를 보이지 않았다.

N~O. 제2소구치와 제1대구치 부위에는 고정성 임시 보철물을 일단 연결해 주었고 제2대구치 부위에 임플란트를 식립하고 6개월이 경과했을 때 최종적인 보철물을 완성할 수 있었다.

ITI에서는 만기 임플란트 식립 시에는 예상되는 치조골의 흡수를 최소화하기 위해 치조제 보존술을 시행할 것을 강력히 권고하고 있다.[29] 치조제 보존술을 시행하더라도 치조골의 흡수를 완전히 막아줄 수는 없기 때문에, 치조제 보존술을 시행한 부위에 임플란트 식립 시 골증강술이 항상 불필요한 것은 아니다.[30] 치조제 보존술을 시행하는 주요한 목적은, 임플란트 식립을 위한 골증강술을 시행하더라도 이를 최소화하기 위함이다.

상악 전치부 치아를 발거하고 치조제 보존술을 시행하지 않은 채 오랜 시간이 경과하면 치조골은 현저히 흡수되고, 이에 따라 자가 블록골 이식이 필요하게 될 수 있다. 상악 전치부에서 현저한 수평적 골소실로 인해 자가 블록골 이식술이 필요한 증례는 생각보다 많다(📷 2-14).[31] 자가 블록골 이식은 예지성 높은 매우 성공적인 술식이다. 그러나 블록골 이식과 임플란트 식립은 동시에 시행하기 어렵기 때문에 수술 횟수가 증가하고 치료 기간이 연장된다는 단점이 있다. 또한 난이도가 높은 술식이기 때문에 술자에게도 많은 부담이 되고 합병증 발생 빈도가 높아져 환자에게도 부담이 된다.[4]

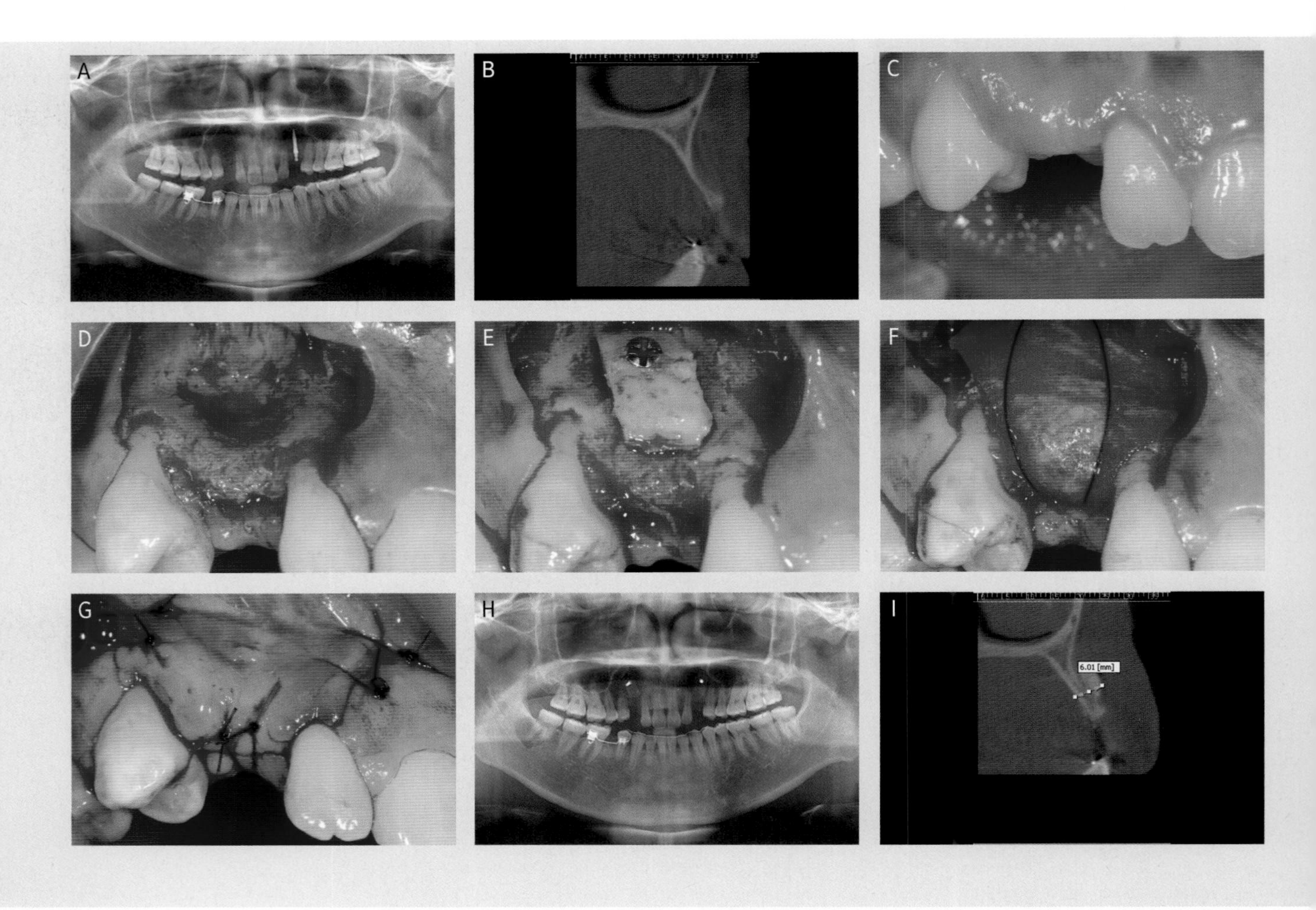

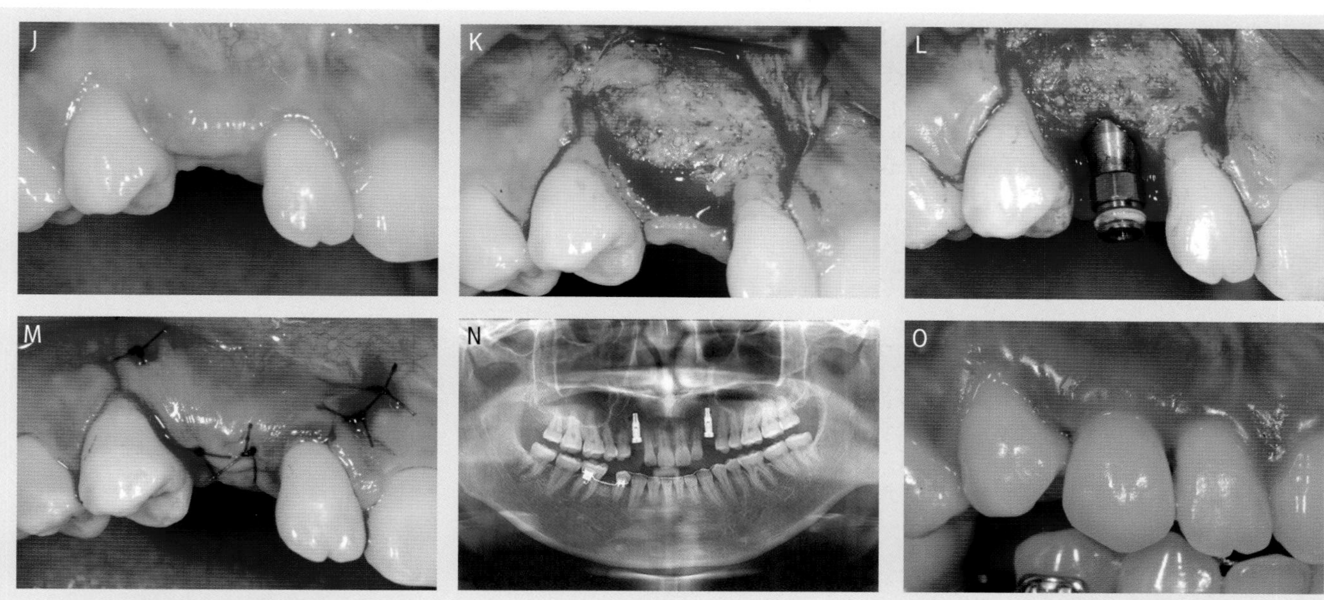

2-14 상악 전치부 치아를 발거하고 오랜 시간이 경과하면 심한 수평적 골결손이 발생할 수 있다. 이러한 경우 예지성 높은 치료 결과를 위해 침습성이 높은 자가 블록골 이식을 시행해야 할 수도 있다.
A~I. 상악 좌우 견치 부위에 임플란트 식립을 계획했지만 심한 수평적 결손 상태를 보였다**(B)**. 따라서 하악지에서 채취한 블록골로 수평적 골증강술을 시행했다.
J~N. 대략 5.5개월 후 임플란트를 식립했다.
O~P. 고정성 임시 보철물에 이어 최종 보철물을 장착해 주었다.

그리고 4형 임플란트 식립 시 임플란트가 완전히 치조골 내부에 위치하더라도 순측에 골유도 재생술을 시행해야 기능적-심미적으로 더 좋은 결과를 얻을 수 있는 경우도 많다. 한 전향적 연구에 의하면 4형 임플란트 식립 시 임플란트가 완전히 골 내부에 위치했더라도 8년 이상이 경과하면 47%의 증례에서 순측골의 치관측 변연이 상실되었다. 이로 인해 순측 점막 변연이 퇴축되지는 않았지만 순측의 풍륭도는 감소했으며, 이 현상이 심미적 결과를 저해하는 효과를 보였다.[32] 따라서 이 연구의 저자들은 4형 식립 시 향후의 순측 치조골 흡수를 예상하여 보상적으로 순측에 골증강술을 시행할 것을 추천했다(**2-15**).

결론적으로 상악 전치부를 포함한 단근치에서 4형 식립은 불필요할 뿐만 아니라 치료 과정을 어렵게 만들 수 있는 술식이기 때문에 그다지 권장하지 않는다. 또한 4형 식립을 시행해야 하는 경우에는 치조제 보존술을 시행하는 것이 좋다.

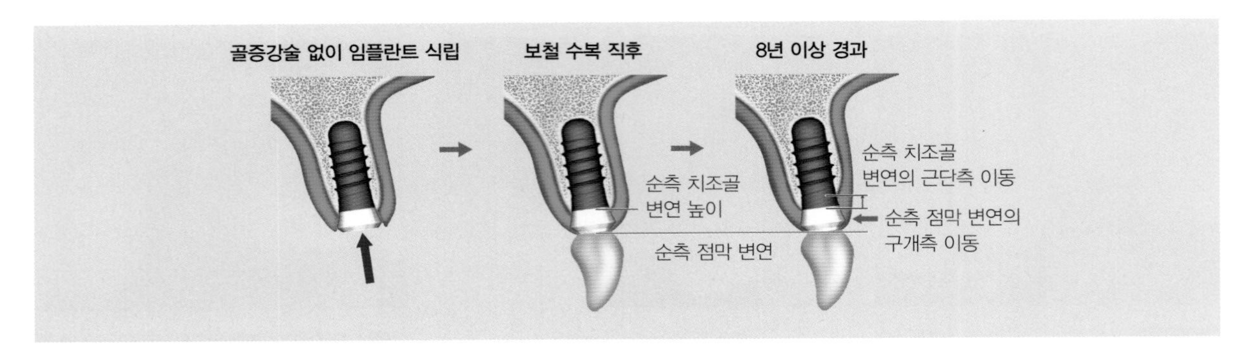

2-15 상악 전치부에서 4형 임플란트 식립 시 임플란트가 완전히 치조골 내부에 위치하더라도 순측에 골유도 재생술을 시행해야 기능적-심미적으로 더 좋은 결과를 얻을 수 있는 경우도 많다. 오랜 시간이 경과하면 순측골의 치관측 변연이 상실될 수 있기 때문이다. 이로 인해 기능적인 문제가 발생하지는 않지만 순측 점막의 형태가 변화되고 심미성이 저하될 수 있다.

참고문헌

1. Adell R, Lekholm U, Rockler B, Brånemark PI. A 15–year study of osseointegrated implants in the treatment of the edentulous jaw. *Int J Oral Surg*. 1981;10(6):387–416.
2. Buser D, Weber HP, Brägger U. The treatment of partially edentulous patients with ITI hollow–screw implants: presurgical evaluation and surgical procedures. *Int J Oral Maxillofac Implants*. 1990;5(2):165–175.
3. Tonetti MS, Jung RE, Avila–Ortiz G, et al. Management of the extraction socket and timing of implant placement: Consensus report and clinical recommendations of group 3 of the XV European Workshop in Periodontology. *J Clin Periodontol*. 2019;46 Suppl 21:183–194.
4. Buser D, Chappuis V, Belser UC, Chen S. Implant placement post extraction in esthetic single tooth sites: when immediate, when early, when late? *Periodontol 2000*. 2017;73(1):84–102.
5. Hämmerle CH, Chen ST, Wilson TG, Jr. Consensus statements and recommended clinical procedures regarding the placement of implants in extraction sockets. *Int J Oral Maxillofac Implants*. 2004;19 Su ppl:26–28.
6. Chen ST, Beagle J, Jensen SS, Chiapasco M, Darby I. Consensus statements and recommended clinical procedures regarding surgical techniques. *Int J Oral Maxillofac Implants*. 2009;24 Suppl:272–278.
7. Cosyn J, De Lat L, Seyssens L, Doornewaard R, Deschepper E, Vervaeke S. The effectiveness of immediate implant placement for single tooth replacement compared to delayed implant placement: A systematic review and meta–analysis. *J Clin Periodontol*. 2019;46 Suppl 21:224–241.
8. Graziani F, Chappuis V, Molina A, et al. Effectiveness and clinical performance of early implant placement for the replacement of single teeth in anterior areas: A systematic review. *J Clin Periodontol*. 2019;46 Suppl 21:242–256.
9. Gallucci GO, Hamilton A, Zhou W, Buser D, Chen S. Implant placement and loading protocols in partially edentulous patients: A systematic review. *Clin Oral Implants Res*. 2018;29 Suppl 16:106–134.
10. Lang NP, Pun L, Lau KY, Li KY, Wong MC. A systematic review on survival and success rates of implants placed immediately into fresh extraction sockets after at least 1 year. *Clin Oral Implants Res*. 2012;23 Suppl 5:39–66.
11. Wagenberg B, Froum SJ. A retrospective study of 1925 consecutively placed immediate implants from 1988 to 2004. *Int J Oral Maxillofac Implants*. 2006;21(1):71–80.
12. Bassir SH, El Kholy K, Chen CY, Lee KH, Intini G. Outcome of early dental implant placement versus other dental implant placement protocols: A systematic review and meta–analysis. *J Periodontol*.

2019;90(5):493–506.

13. Morton D, Gallucci G, Lin WS, et al. Group 2 ITI Consensus Report: Prosthodontics and implant dentistry. *Clin Oral Implants Res*. 2018;29 Suppl 16:215–223.
14. Braut V, Bornstein MM, Belser U, Buser D. Thickness of the anterior maxillary facial bone wall–a retrospective radiographic study using cone beam computed tomography. *Int J Periodontics Restorative Dent*. 2011;31(2):125–131.
15. Januário AL, Duarte WR, Barriviera M, Mesti JC, Araújo MG, Lindhe J. Dimension of the facial bone wall in the anterior maxilla: a cone–beam computed tomography study. *Clin Oral Implants Res*. 2011;22(10):1168–1171.
16. Chen ST, Darby I. The relationship between facial bone wall defects and dimensional alterations of the ridge following flapless tooth extraction in the anterior maxilla. *Clin Oral Implants Res*. 2017;28(8):931–937.
17. Muller HP, Heinecke A, Schaller N, Eger T. Masticatory mucosa in subjects with different periodontal phenotypes. *J Clin Periodontol*. 2000;27(9):621–626.
18. Fürhauser R, Mailath–Pokorny G, Haas R, Busenlechner D, Watzek G, Pommer B. Esthetics of Flapless Single–Tooth Implants in the Anterior Maxilla Using Guided Surgery: Association of Three–Dimensional Accuracy and Pink Esthetic Score. *Clin Implant Dent Relat Res*. 2015;17 Suppl 2:e427–433.
19. Arora H, Ivanovski S.
20. Rieder D, Eggert J, Krafft T, Weber HP, Wichmann MG, Heckmann SM. Impact of placement and restoration timing on single–implant esthetic outcome – a randomized clinical trial. *Clin Oral Implants Res*. 2016;27(2):e80–86.
21. Buser D, Chen ST, Weber HP, Belser UC. Early implant placement following single–tooth extraction in the esthetic zone: biologic rationale and surgical procedures. *Int J Periodontics Restorative Dent*. 2008;28(5):441–451.
22. Chen ST, Buser D. Esthetic outcomes following immediate and early implant placement in the anterior maxilla—a systematic review. *Int J Oral Maxillofac Implants*. 2014;29 Suppl:186–215.
23. Cosyn J, De Rouck T. Aesthetic outcome of single–tooth implant restorations following early implant placement and guided bone regeneration: crown and soft tissue dimensions compared with contralateral teeth. *Clin Oral Implants Res*. 2009;20(10):1063–1069.
24. Buser D, Bornstein MM, Weber HP, Grütter L, Schmid B, Belser UC. Early implant placement with simultaneous guided bone regeneration following single–tooth extraction in the esthetic zone: a cross–sectional, retrospective study in 45 subjects with a 2– to 4–year follow–up. *J Periodontol*.

2008;79(9):1773–1781.

25. Buser D, Wittneben J, Bornstein MM, Grütter L, Chappuis V, Belser UC. Stability of contour augmentation and esthetic outcomes of implant–supported single crowns in the esthetic zone: 3–year results of a prospective study with early implant placement postextraction. *J Periodontol.* 2011;82(3):342–349.
26. Buser D, Chappuis V, Bornstein MM, Wittneben JG, Frei M, Belser UC. Long–term stability of contour augmentation with early implant placement following single tooth extraction in the esthetic zone: a prospective, cross–sectional study in 41 patients with a 5– to 9–year follow–up. *J Periodontol.* 2013;84(11):1517–1527.
27. Buser D, Chappuis V, Kuchler U, et al. Long–term stability of early implant placement with contour augmentation. *J Dent Res.* 2013;92(12 Suppl):176s–182s.
28. Tonetti MS, Cortellini P, Graziani F, et al. Immediate versus delayed implant placement after anterior single tooth extraction: the timing randomized controlled clinical trial. *J Clin Periodontol.* 2017;44(2):215–224.
29. Morton D, Chen ST, Martin WC, Levine RA, Buser D. Consensus statements and recommended clinical procedures regarding optimizing esthetic outcomes in implant dentistry. *Int J Oral Maxillofac Implants.* 2014;29 Suppl:216–220.
30. Araújo MG, da Silva JCC, de Mendonça AF, Lindhe J. Ridge alterations following grafting of fresh extraction sockets in man. A randomized clinical trial. *Clin Oral Implants Res.* 2015;26(4):407–412.
31. Hof M, Pommer B, Ambros H, Jesch P, Vogl S, Zechner W. Does Timing of Implant Placement Affect Implant Therapy Outcome in the Aesthetic Zone? A Clinical, Radiological, Aesthetic, and Patient–Based Evaluation. *Clin Implant Dent Relat Res.* 2015;17(6):1188–1199.
32. Raes S, Eghbali A, Chappuis V, Raes F, De Bruyn H, Cosyn J. A long–term prospective cohort study on immediately restored single tooth implants inserted in extraction sockets and healed ridges: CBCT analyses, soft tissue alterations, aesthetic ratings, and patient–reported outcomes. *Clin Implant Dent Relat Res.* 2018;20(4):522–530.

치조제 보존술

최근 20여 년간 치조제 보존술에 대한 문헌은 엄청나게 늘고 있다. 그러나 학계의 이러한 관심에도 불구하고, 치조제 보존술은 상악동 골이식술이나 골유도 재생술처럼 어떤 확고한 표준 술식이 정립되지 못했고,[1] 심지어는 이것이 반드시 필요한 술식인가에 대해서도 논란의 여지가 남아 있다.[2] 왜 그럴까?

- 발치와는 신생골 형성 능력이 매우 뛰어난 결손부이다(**3-1**). 발치와는 치관측을 제외하고는 모든 결손부가 골로 둘러싸여 있기 때문에 골벽수가 많다. 게다가 이식재가 스스로 결손부 내부에 안정적으로 유지될 수 있는 완전한 골내 결손이다. 또한 결손부 내부의 골벽은 치주 인대가 연결되어 있던 속상골(bundle bone)로 이루어져 있기 때문에, 치주 인대가 연결됐던 부위가 일종의 골천공부로 작용해 골수로부터 직접 세포 및 혈액을 공급받을 수 있다. 비록 골량이 현저하게 감소하긴 하지만, 발치와는 아무런 처치를 가하지 않더라도 자발적으로 완전한 골재생을 이룰 수 있는 부위이다.[3]
- 위의 사실로 인해 발치와 결손부로의 골이식은 어떤 이식재를 이용하건, 또한 어떤 술식을 이용하건 성공적인 결과를 보일 가능성이 높다.[4] 이는 표준화된 술식이 아직까지 개발되지 못한 가장 중요한 이유일 것이다.
- 치조제 보존술은 필수 술식은 아니다. 전치부 치아를 발거한 경우 대부분의 증례에서 치조제 보존술이 필요 없는 1–3형 임플란트 식립이 가능할 뿐만 아니라, 4형 식립을 한다고 해서 반드시 치조제 보존술을 시행할 필요도 없다(**3-2**). 게다가 대구치 부위의 치조골은 원래 폭과 높이가 충분하여 4형 식립을 시행하더라도 치조제 보존술이 필요 없는 경우가 많다. 치조제 보존술은 치조골의 흡수를 줄여줌으로써 골증강술 자체의 필요성과 진전된 골증강술의 필요성을 감소시키기 위한 목적의 술식일 뿐이다.
- 발치와 결손부에서는 골재생 술식이 성공할 가능성이 높기 때문에, 새로운 이식재를 적용했을 때 성공적인 결과를 보일 가능성이 높다. 따라서 골이식재 제조사 및 이에 연관된 술자들은 상악동 골이식술과 더불어 치조제 보존술을 이식재의 효과를 검증하기 위한 테스트 베드로 많이 이용한다. 이에 따라 무작위 대조 연구를 포함한 많은 수의 연구가 이에 초점을 맞추어 이루어지고 있다. 이러한 문헌들은 물론 나름의 가치는 있지만, 임상적으로 중요한 질문에 대해 해답을 줄 수 있는 중요한 내용을 포함한 것은 아닌 경우가 많다.

이러한 사실들을 염두에 두고 치조제 보존술에 대한 여러 가지 근거들을 정리해 보도록 하자.

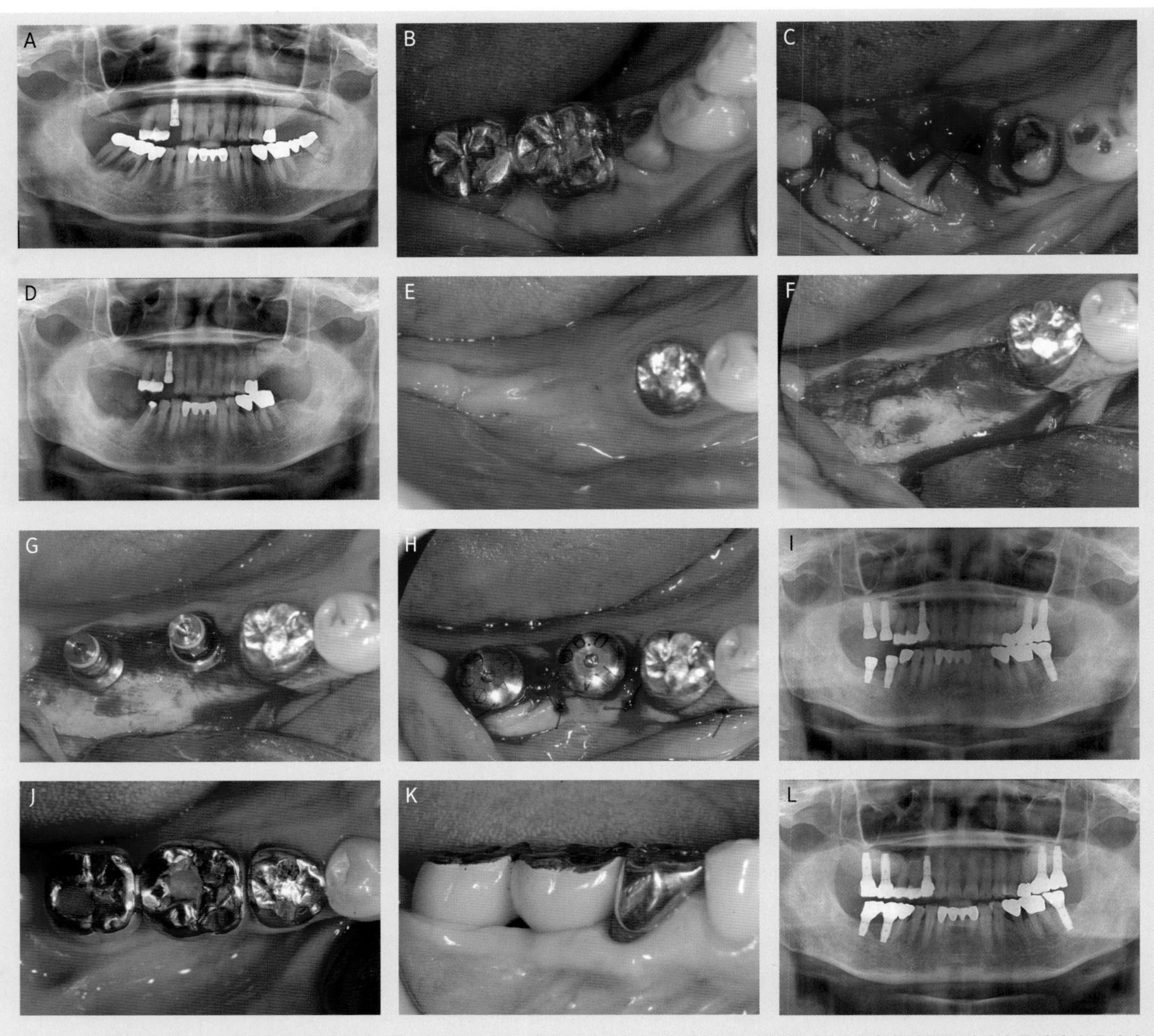

3-1 발치와 자체는 신생골 형성에 매우 유리한 골결손부이다. 골벽수가 많은 골내 결손부이기 때문이다. 따라서 치조골 파괴가 극심하여 골벽이 심하게 상실된 경우가 아니라면 충분한 치유 기간 후 임플란트 식립에 적합한 골이 재생되는 경우가 많다.

A~C. 하악 우측 대구치의 치조골 파괴가 심한 증례였다. 발치 후 발치와를 철저히 소파해 주었다. 발치와 내부에 염증성 연조직이 남지 않도록 소파하는 것은 발치와 내부의 신생골 충전을 위해 중요하다.

D~I. 7개월 3주 후에 임플란트를 식립했다. 상악에서 상악동 골이식 후 임플란트를 식립했기 때문에 이에 맞추어 천천히 치료를 진행한 것이다. 발치와 내부는 성숙된 치조골로 잘 치유되어 있었다**(A~F)**. 따라서 골증강술은 시행하지 않았다.

J~L. 약 4개월 1주 후 보철 치료를 완료했다.

3-2 특히 대구치 부위에서는 발치 후 치유 기간을 부여하여 치조골이 심하게 흡수되더라도 자연치 치근과 임플란트의 크기 차이로 인해 골증강술이 필요하지 않은 경우가 많다.

A~G. 대구치 부위에 4형 식립을 시행했다. 발치 후 오랜 기간이 경과했지만 골증강술은 필요치 않았다. 이러한 증례에서 치조제 보존술은 불필요한 것이다. 특히 전후방에 자연치가 존재하는 단일 치아 결손부는 치조골이 비교적 잘 유지된다.

H~J. 3개월 후 보철물을 연결해 주었다. 보철물 연결 3개월 후의 임상 및 방사선사진 소견이다.

1.
치조제 보존술의 개요

치조제 보존술은 "발치 후 치조제의 외측 흡수는 최소화하고 발치와 내의 골형성은 최대화하기 위해 발치 시, 혹은 발치 후에 시행하는 모든 술식"으로 정의할 수 있다(3-3).[5] 즉, 치조제 보존술의 목적은 크게 두 가지로 정리할 수 있다.

- 발치 후 자연적으로 발생하는 치조골 크기의 감소를 최소화한다.
- 발치와 내부에서 진행되는 신생골 형성의 속도와 신생골 자체의 질(골밀도)을 향상시킨다.

1) 지연 식립을 시행해야 하는 발치 부위에서 많은 양의 치조골 흡수가 예상되면 치조제 보존술을 시행한다

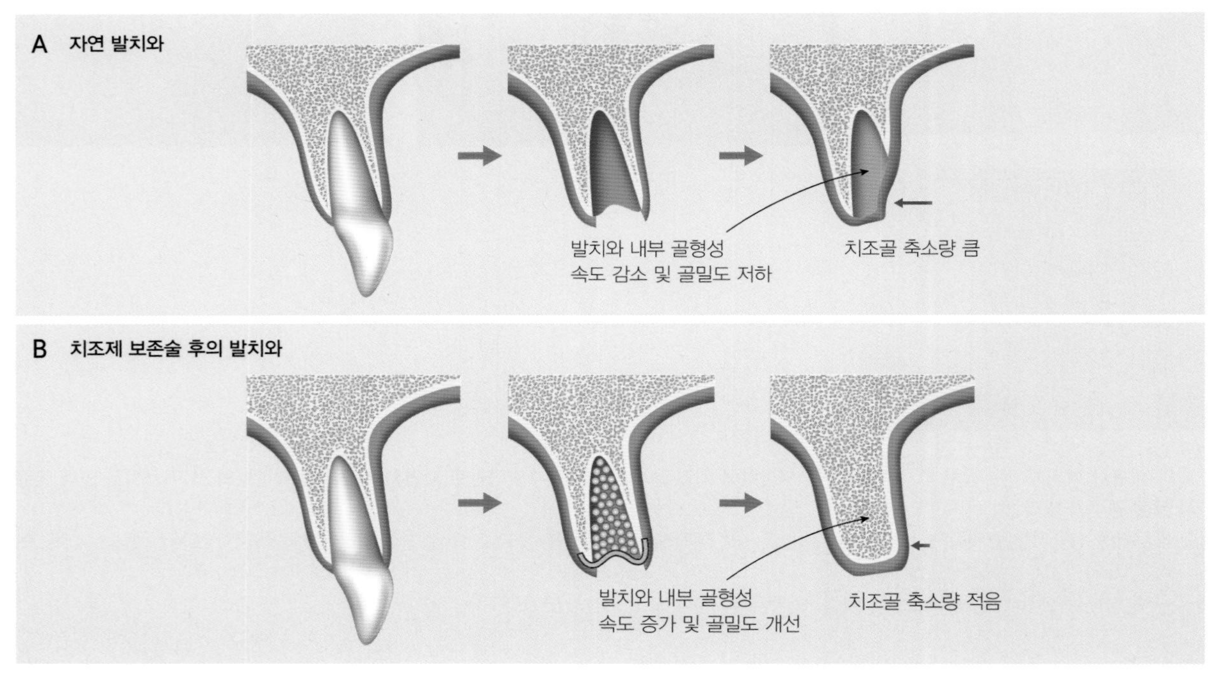

3-3 치조제 보존술의 개념
A. 자연 발치와에서는 발치와 내부에 골이 형성되기 이전에(순측) 치조골판이 흡수된다. 따라서 발치와 내부에 형성되는 조직은 이를 보호할 수 있는 조직을 잃고 현저히 흡수된다. **B.** 치조제 보존술을 시행하면 발치와 내부로 충전된 이식재는 발치와 내부의 골형성 속도를 향상시킨다. 이에 따라 순측 치조골판이 흡수되기 이전에 골이 형성될 수 있도록 해준다. 또한 이식재는 이를 보호하는 골판이 흡수된 후에도 발치와 조직에 가해지는 압력에 저항함으로써 조직의 흡수를 예방한다.

앞 장에서 우리는 치조제 보존술의 적응증은 4형 식립을 시행해야 하는 발치와 부위에 한정된다는 사실을 알아보았다. 15회 치주과학을 위한 유럽 워크샵의 합의 보고서에서 제시된 치조제 보존술의 적응증은 다음과 같다.[4]

- 심미성이 중요한 부위(임플란트 치료를 시행할 부위, 혹은 pontic과 같은 치아 지지 보철물을 위치시킬 부위)
- 발치 부위에서 현저한 치조골 흡수로 인해 임플란트 식립이 어려워질 것으로 판단되는 경우
- 협(순)측 치조골 두께가 얇거나 협측 골판에 커다란 결손부가 존재
- 발치와 첨단이 치근단 쪽으로 깊이 위치하여 향후 상악동저/하치조 신경에 임플란트 치근단부가 근접할 것으로 예상되는 구치부
- 여러 가지 이유로 발치 후 오랜 시간이 경과한 후에야 임플란트 식립이 가능한 경우(성장기 환자 등)

Buser 등은 상악 전치부에서 1형 식립의 적응증은 5–10%, 2형 식립 적응증은 80% 이상이며, 특별한 문제가 없는 한 4형 식립은 추천하지 않는다고 했다.[6] 또한 대구치부에서는 3–4형 식립이 표준 식립 방법이긴 하지만 대구치 발치와는 원래 치조골 폭이 임플란트에 비해 상대적으로 넓기 때문에 치조제 보존술은 일반적으로 필요하지 않다.[6–9] 결론적으로 치조제 보존술은 4형 식립이 예정된 발치 부위 중 향후 많은 양의 치조골이 흡수될 것으로 예상되고, 이로 인해 임플란트 식립에 문제가 발생할 것으로 예상되는 부위에 한해서 시행하는 것으로 생각할 수 있다. 결국 치조제 보존술은 치조골의 흡수를 효율적으로 줄여줄 수 있는 술식임에도 불구하고 그 적응증이 될 수 있는 증례는 별로 없다.

2) 치조제 보존술은 치조골판 자체의 흡수를 막아주지는 못한다

치조제 보존술의 주요한 목적은, 발치 후 자연적으로 발생하는 치조골 외형의 수축을 막는 것이다. 그러나 일련의 동물 실험 결과, 치조제 이식술 시 발치와 내부에 적용한 이식재는 치조골벽 자체의 흡수를 막아주지는 못하고 발치와 내부에 형성되는 신생골의 함몰을 줄여주기만 한다는 사실이 조직학적으로 확인됐다.[10,11] 이러한 사실은 무작위 대조 연구에 의해 인체에서도 확인됐다. 여기에서는 발치 후 치조제 보존술을 시행한 군과 아무런 처치도 가하지 않은 군에서 4개월 후 협측 치조골판의 높이 변화를 측정했다.[12] 그 결과 원래의 협측 치조골판은 치조제 보존술 군에서는 41%의 높이가 감소하고 자연 발치와 군에서는 36%의 높이가 감소했다고 보고했으며, 두 군간에 통계학적으로 유의한 차이는 없었다고 했다. 그러나 발치부 골 전체의 단면적은 치조제 보존술 군에서 유의하게 더 컸다고 했다(**📷 3–4**).

이 결과는 어떻게 해석해야 할까? 기본적으로 발치와의 치유는, 발치와 외측 골판의 흡수와 발치와 내부 빈 공간의 신생골 형성이 동시에 이루어지는 과정이다. 발치와 외벽, 특히 협측 골판은 발치와 내부의 신생골 형성보다 훨씬 빠르게 흡수가 진행되기 때문에 발치와 내에서 형성되는 신생골은 협측 골판으로 보호될 수 없으며, 따라서 치유 기간 중 수축된다. 반면 치조제 보존술을 시행하면 협측 골판이 흡수되더라도 발치와 내부의

이식재가 그 크기와 형태를 비교적 잘 유지하기 때문에 신생골은 수축되지 않고 원래 발치와 내부의 크기만큼 형성될 수 있다(**3-5**). 따라서 치조제 보존술을 시행하면 최종적인 발치 부위 치조골의 부피 감소를 줄여줄 수 있게 되는 것이다.

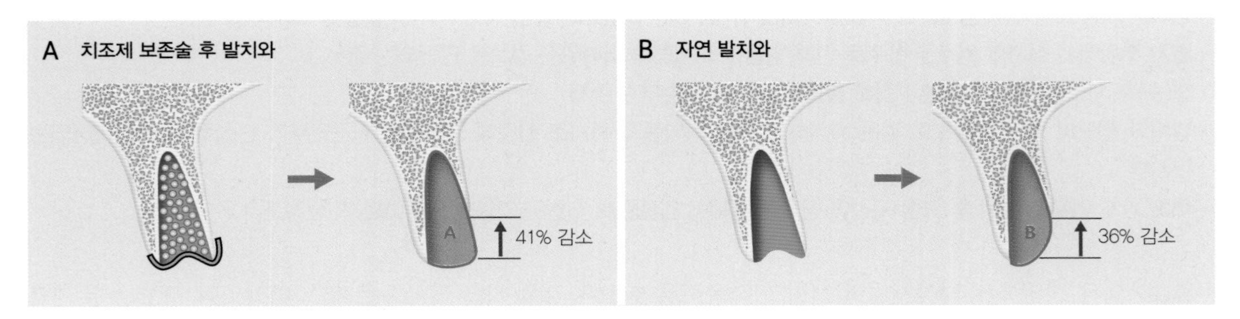

3-4 치조제 보존술 적용 여부는 순측 치조골판의 흡수 속도나 정도에 거의 아무런 영향도 미치지 않는다. 이는 치조제 보존술의 효과가 순측 치조골판의 유지에 있지 않음을 나타내는 결과이다.

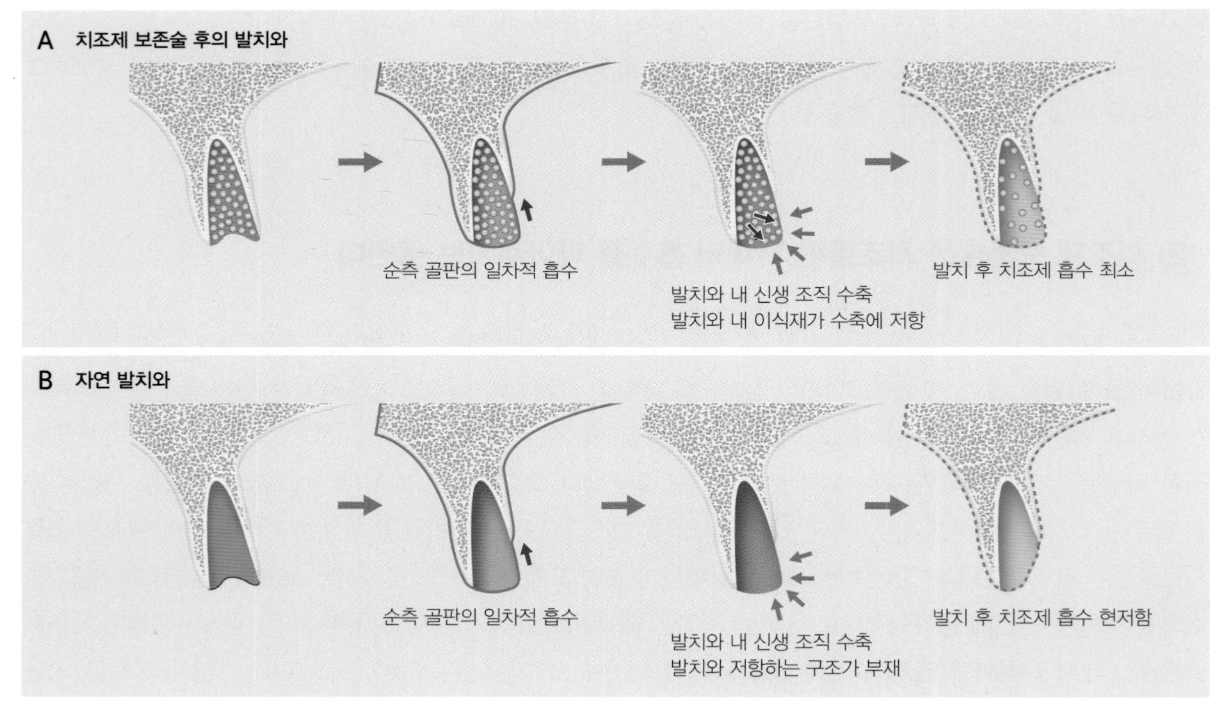

3-5 치조제 보존술의 작용 기전. 순측 골판의 흡수와 발치와 내 치유 조직 간의 관계가 발치 후 형성되는 치조골의 축소 정도를 결정한다.
A. 치조제 보존술을 적용하더라도 순측 치조정측 골판의 흡수를 줄여주지는 못한다. 순측 치조정측 골판은 발치와 내에 골조직이 형성되기 이전인 증식기에 흡수된다. 순측 골판이 흡수되어 순측의 점막과 직접 접하게 된 발치와 내 순측 신생 조직은 점막으로부터 가해지는 압력에 직면한다. 이때 신생 조직 내에 포함된 이식재는 점막의 압력에 의한 조직의 수축을 막아주는 역할을 한다. 따라서 최종적으로 형성되는 치조제는 최소한의 양으로만 흡수된다. **B.** 자연 발치와에서 순측 치조정측 치조골판의 흡수로 순측 점막과 직접 접하게된 발치와 내 신생 조직은 아직 골화가 이루어지지 않은 상태이다. 따라서 점막으로부터 가해지는 압력에 저항하지 못하고 심하게 수축된다. 따라서 최종적으로 형성되는 치조제는 현저하게 흡수된다.

3) 치조제 보존술은 치조골의 수평적 흡수량을 1.5–2 mm 정도, 협측 치조골의 수직적 흡수량을 1 mm 정도 줄여준다

2010년대 후반 이후로 치조제 보존술에 관한 많은 수의 체계적 문헌 고찰과 메타분석이 발표되었다. 그 중에서 자연 발치와와 치조제 보존술을 시행한 발치와의 크기 변화를 비교한 주요 메타분석의 결과는 다음과 같았다(표 3-1).

표 3-1 자연 발치와와 치조제 보존술을 시행한 발치와를 비교한 메타분석

연구	주요 결과	비고
Willenbacher, 2016[13]	• 치조골의 협설측 수평적 변화 치조제 보존술을 시행했을 때 자연 발치와에 비해 평균 1.33 mm (95% CI 0.69–1.97 mm) 적었다. • 협측 치조골의 수직적 변화 치조제 보존술을 시행했을 때 자연 발치와에 비해 평균 0.91 mm (95% CI 0.55–1.27 mm) 적었다.	조직계측학적으로 자연 발치와나 치조제 보존술을 시행한 부위 내의 신생골 조성에는 특별한 차이를 보이지 않음
Iocca, 2017[14]	• 치조정 골의 협설측 수평적 변화 치조제 보존술을 시행했을 때 자연 발치와에 비해 평균 1.52 mm (95% CI 1.18–1.86 mm) 적었다. • 협측 치조골의 수직적 변화 치조제 보존술을 시행했을 때 자연 발치와에 비해 평균 1.02 mm (95% CI 0.44–1.59 mm) 적었다.	• 네트워크 메타분석 상 "동결 건조 동종골 이식재 + 차폐막"이 치조골 높이 보존에 가장 효율적임 • 자가 골수 이식이 치조골 폭 보존에 가장 효율적임
Avila-Ortiz, 2019[15]	• 치조정 골의 협설측 수평적 변화 치조제 보존술을 시행했을 때 자연 발치와에 비해 평균 1.99 mm (95% CI 1.54–2.44 mm) 적었다. 포함된 연구들에 한정했을 때, 우골(bovine)/돈골(porcine) 이종 이식재와 동종골 이식재를 사용했을 때가 교원질 함유 우골이나 합성골 이식재를 사용했을 때보다 더 좋은 결과를 보였다. • 협측 중앙부 치조골의 수직적 변화 치조제 보존술을 시행했을 때 자연 발치와에 비해 평균 1.72 mm (95% CI 0.96–2.48 mm) 적었다. • 설측 중앙부 치조골의 수직적 변화 치조제 보존술을 시행했을 때 자연 발치와에 비해 평균 1.16 mm (95% CI 0.81–1.52 mm) 적었다.	• 근원심 골높이, 임플란트 생존/성공, 임플란트 기능 부하 후 치조정 골변화에는 발치와 보존술 시행 여부가 영향을 미치지 않았다. • 치조골 흡수를 예방하는 데 있어서는 이종골/동종골 이식재가 합성골 이식재에 비해 우수한 결과를 보였다.

치조제 보존술을 시행했을 때에도 치조골의 흡수는 발생하지만, 자연 발치와에 비해서는 현저하게 그 양을 줄여준다. 치조제 보존술을 시행하면 발치 후 치조골의 흡수량을 수평적으로 1.5–2 mm, 순측에서 수직적으로 1 mm 정도 줄여준다.[4,13–15]

4) 상악 구치부에서 치조제 보존술은 상악동 골이식의 필요성을 줄여준다

치조제 보존술은 주로 치조정 측의 치조골 흡수를 줄여주는 술식이지만 상악 구치부에서는 치근단 측, 즉 상악동저의 하방 이동(상악동 함기화) 또한 줄여준다. 상악 구치부 치아가 상실되면 상악동 함기화에 의해 상악동저는 하방 이동하여 잔존 치조골 높이를 감소시킨다.[16] 2010년대 후반의 두 임상 연구에서는 치조제 보존술 시 이러한 함기화의 정도를 줄여줄 수 있다는 사실을 보여주었다(**3-6, 3-2**).[7,17]

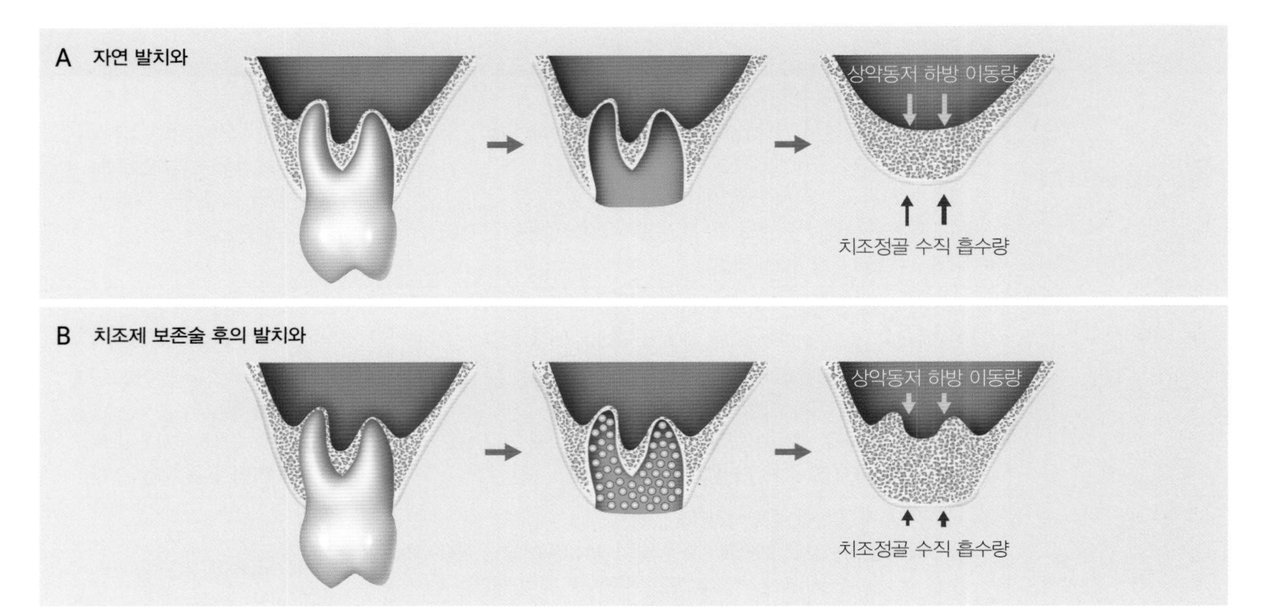

3-6 상악 구치부에서 치조제 보존술은 상악동저의 하방 이동을 최소화하여 치조골의 수직적 감소량을 최소화한다.
A. 상악 구치부에서 치아를 발거하면 상악동저는 하방으로 이동한다. 또한 치조정측 골은 수직적으로 흡수되어 근단측으로 이동한다. 이러한 두 가지 현상이 맞물려 치관측과 근단측 골은 모두 수직적으로 축소된다. **B.** 치조제 보존술을 시행하면 발치 후 상악동저의 하방 이동과 치조정 골의 수직적 흡수 모두를 최소화해준다.

3-2 상악 구치부에서 치조제 보존술의 수직적 치조골 높이 감소 예방 효과

	Levi 등, 2017[17]		Cha 등, 2019[7]	
연구 형태	후향적 연구, 1년 후 결과 관찰		무작위 대조 연구, 6개월 후 결과 관찰	
치조제 보존술 술식	• 발치와 충전: 이종골 이식재 • 치아 관통부 처리: 일차 폐쇄		• 발치와 충전: 교원질 함유 이종골 이식재 • 치아 관통부 처리: 교원질 차폐막 피개	
환자군	치조제 보존술	자연 발치와	치조제 보존술	자연 발치와
상악동저 하방 이동량	0.30 mm	1.30 mm	0.14 mm	1.16 mm
치조정골 수직 흡수량	0.15 mm	1.55 mm	0.16 mm 증가	3.14 mm

두 연구는 수술 방법, 환자 포함 기준, 결과 평가 시기, 연구의 종류에 있어 매우 이질적이었지만 상악동저의 하방 이동량은 자연 발치와에서 1 mm를 약간 넘으며, 치조제 보존술을 시행하면 이를 1 mm 가량 줄여준다는 비슷한 결과를 얻을 수 있었다. 또한 치조정골의 하방 이동도 치조제 보존술을 통해 대략 1.5–3 mm 정도 줄여 주었기 때문에, 이 두 양을 더하면 치조제 보존술은 상악 구치부에서 잔존골 높이의 감소를 대략 2.5–4 mm 정도 막아준다고 할 수 있다. 이는 상악동 골이식 시행 여부를 결정지을 수 있는 수직적 높이이다. 따라서 Cha 등은 치조제 보존술을 시행한 환자 중에는 42.9%가 임플란트 식립 시 추가적인 상악동 골이식을 필요로 하지 않았지만, 치조제 보존술을 시행하지 않은 환자는 전원이 상악동 골이식을 필요로 했다고 보고했다.[7] 즉 상악 구치부에서 치조제 보존술은 상악동 골이식의 필요성을 현저히 감소시킨 것이다.

5) 치조제 보존술은 향후의 골증강 필요성을 감소시키지만 임플란트의 성공 가능성을 높이진 않는다

앞에서 여러 번 언급했지만 치조제 보존술은 기본적으로 1–3형 식립이 불가능한 경우 예상되는 치조골의 흡수를 최소화하여 임플란트 식립 시 골증강술의 가능성을 줄이거나, 골증강술이 필요하더라도 그 양을 줄여주기 위한 것이다. 그리고 이에 관련된 연구들에서는 모두 치조제 보존술을 시행하면 자연 발치와에 비해 향후의 골증강 필요성이 유의하게 감소된다고 했다.[13,15,18,19] 한 메타분석에서는 치조제 보존술을 시행하면 9.9%의 부위에서 추가적인 골증강술이 필요했던 반면, 치조제 보존술을 시행하지 않으면 20.8%의 부위에서 골증강술이 필요했다고 했다.[13] 즉 치조제 보존술은 골증강술의 필요성을 절반 이상 낮춰준 것이다(📷 3–7).

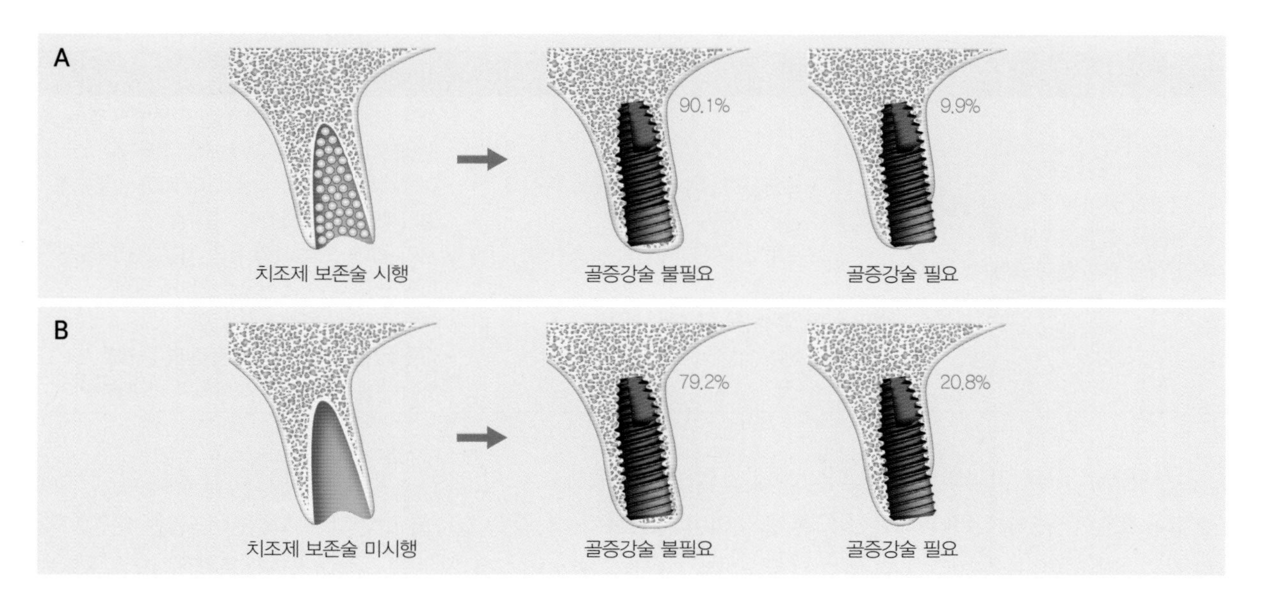

📷 3–7 치조제 보존술은 기본적으로 1–3형 식립이 불가능한 경우 예상되는 치조골의 흡수를 최소화하여 임플란트 식립 시 골증강술의 가능성을 줄이거나, 골증강술이 필요하더라도 그 양을 줄여주기 위한 것이다. 한 메타분석에서는 치조제 보존술을 시행하면 9.9%의 부위에서 추가적인 골증강술이 필요했던 반면, 치조제 보존술을 시행하지 않으면 20.8%의 부위에서 골증강술이 필요했다고 했다.[13]

치조제 보존술의 궁극적인 효과는, 그 부위에 식립한 임플란트의 장기적인 성공률과 생존율로 측정해야 한다. 그럼에도 불구하고 치조제 보존술에 대한 대부분의 임상 연구에서는 대리 결과(surrogate end point)에 불과한 치조골/치조제의 형태적 변화와 발치와 내 신생골에 대한 조직학적 연구에 관심을 집중시켜온 것이 사실이다. 근거 수준이나 대상 환자 수가 많지는 않았기 때문에 확정적인 결론을 내릴 수는 없지만, 지금까지 보고된 연구들의 결과에 의하면 치조제 보존술을 시행한 부위와 자연 치유 발치와 부위에 식립한 임플란트의 성공에는 별다른 차이가 없었다.[18–21]

상악 전치부에서 치조제 보존술은 4형 식립 시 최종적인 심미적 결과를 개선시킬 수도 있다. 한 무작위 대조 연구에서는 치료 4년 후 치조제 보존술을 시행한 부위는 그렇지 않은 부위에 비해 임플란트 치료의 심미적 결과가 유의하게 더 좋았다고 보고했다.[19] 그러나 치조제 보존술을 시행하지 않은 부위에서도 골유도 재생술을 통해 충분히 성공적인 심미적 결과를 얻을 수 있기 때문에 이에 대해서는 확실한 결론을 내리기 힘들다.

2. 치조제 보존술의 과정

치조제 보존술은 엄밀하게 말해서 "발치와 내 골이식술(socket grafting)", "차폐막 적용", "치아 관통부 처치"의 세 부분으로 이루어진다(3–3, 3–8).

3–3 치조제 보존술의 외과적 과정

발치와 내 골이식	차폐막 적용	치아 관통부 처치
• 다양한 골이식재 적용(자가골, 동종골, 이종골, 합성골 이식재) • 골재생 유도 물질 적용(혈소판 유래 혈장/피브린, BMP 등의 성장 인자들)	• 교원질계 흡수성 차폐막을 이식재 상부에 적용 • 주로 d-PTFE 계열의 비흡수성 차폐막 적용 • 차폐막을 사용하지 않음	• 아무 처치도 하지 않고 치아 관통부가 열린 상태로 치유 도모(주로 차폐막 적용 후) • 광범위하게 피판을 거상하여 치아 관통부를 일차 폐쇄(주로 차폐막 적용 후) • 자가 결합 조직, 자가 유리 치은, 구개 유경 피판 등의 자가 조직으로 치아 관통부 폐쇄(주로 차폐막 비적용 후) • 교원질 플러그, 이종/동종 진피 등으로 치아 관통부 피개(주로 차폐막 비적용 후)

임상가들은 이들 각각의 술식을 다양하게 조합하여 사용하고 있기 때문에 표준 술식이 아직 정립되지 못한 것이다. 또한 어떤 술식이나 재료가 다른 술식이나 재료보다 더 좋은 결과를 보인다는 확실한 근거는 아직까지 없다. 오히려 어떤 술식이나 재료를 이용하더라도 대체로 거의 비슷한 결과를 보인다.[4,13,15,18,22,23] 여기에서는 치아 발치를 시행하고 발치와 내부를 깨끗하게 소파한 후의 과정, 즉 피판 거상의 과정부터 순서대로 치조제 보존술 술식과 연관된 내용을 설명하도록 하겠다.

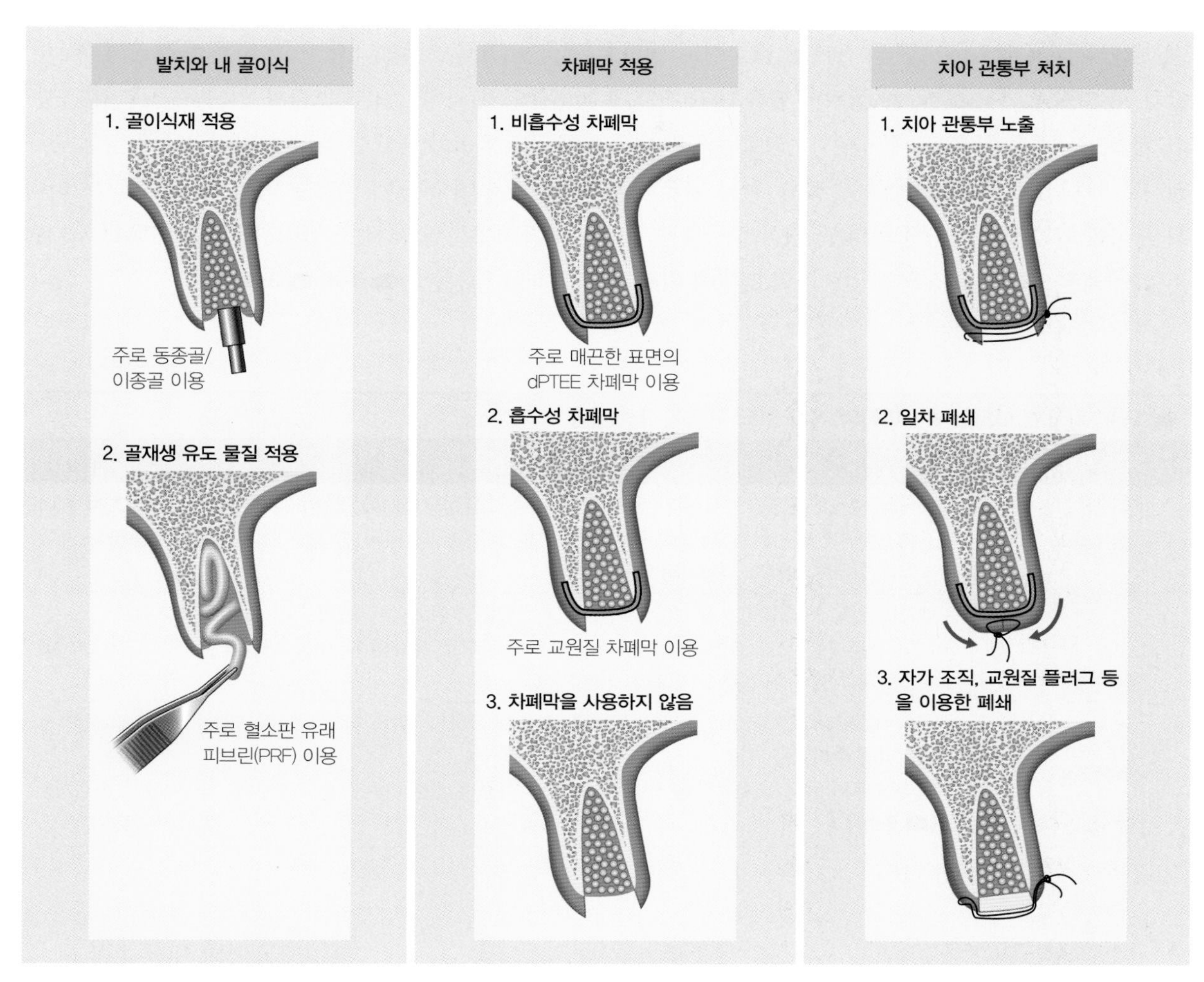

3-8 치조제 보존술 술식의 종류와 과정(3-3 참조)

1) 치조제 보존술 시에는 피판을 거상하지 않거나 최소한으로만 거상한다

치조제 보존술은 필수 술식은 아니다. 따라서 그 결과에 큰 차이가 없다면 술자나 환자에게 부담을 최소화할 수 있도록 술식을 보존적으로 시행하는 것이 좋다. 치조제 보존술을 최소 침습 수술의 원리에 따라 시행하면 환자들은 이 과정을 발치에 수반된 간단한 술식으로 생각하지만, 자가골 이식, 광범위한 피판 거상, 자가 연조직 채취 등의 과정을 수반한다면 독립된 하나의 주요한 수술로 생각할 것이다.

(1) 피판 거상의 유무는 차폐막 적용 여부와 치아 관통부 처치 방법에 따라 결정한다

치조제 보존술은 발치 후 치조골의 자연적인 흡수를 최소화하기 위한 술식이다. 따라서 치조골의 흡수를 예방하기 위해 가능한 한 피판 거상을 최소화하거나 하지 않는 것이 원칙이다.[24] 그러나 한 동물 연구에서는 피판 거상 유무가 발치 6개월 후 치조골 흡수량에 별다른 영향을 미치지 못했다.[25] 또한 다른 동물 연구에서는 발치 시 피판을 거상하면 치조골로의 혈류 공급 감소와 치조골의 일시적인 외부 노출로 인해 치조골 외측면은 추가적으로 더 흡수된다고 했지만 그 정도는 0.4–0.6 mm로 임상적으로 중요할 정도는 아니었다.[26] 임상 연구에서도 발치 및 치조제 보존술 시 피판 형성 유무가 치조골의 흡수에 유의한 영향을 미치지는 못했다.[27] 따라서 술식에 따라 필요한 만큼의 피판 거상은 허용된다. 결국 치조제 보존술에서는 치아 관통부를 어떻게 처치할 것인가, 혹은 차폐막을 적용할 것인가의 여부에 따라 피판 거상을 결정한다(**표 3-4, 사진 3-9, 10**).

표 3-4 치조제 보존술에서 피판의 거상 정도 구분과 그 적응증

피판 거상 정도	적응증
무피판 수술	차폐막을 사용하지 않으면서 자가 유리 치은, 이종 교원질 기질(Mucograft Seal), 교원질 플러그 등 치아 관통부 형태에 일치하는 재료로 치아 관통부를 피개할 때 퍼티 형태의 골이식재를 사용하고 치아 관통부에 아무런 처치도 시행하지 않을 때
최소 피판 거상	• 차폐막 적용 시 차폐막을 순설측 점막 하방에 삽입하기 위해 수직 절개 없이 최소 피판 거상 • 치아 관통부를 자가 결합 조직, 동종/이종 진피 등으로 폐쇄할 때 이들 재료를 순협측 점막 하방에 삽입하기 위해 수직 절개 없이 최소 피판 거상
광범위한 피판 거상	• 적용한 재료와 관계없이 치아 관통부를 일차 폐쇄하기 위해 수직 절개를 포함한 절개를 가한 후 광범위하게 피판을 거상 • 골이식재(와 필요시 차폐막)를 적용한 후 골막 이완 절개를 가하고 순측 피판을 치관측으로 변위시킴 (**사진 3-11**)

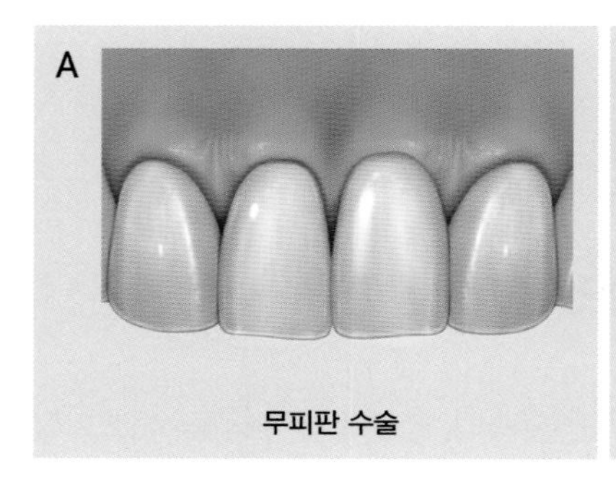

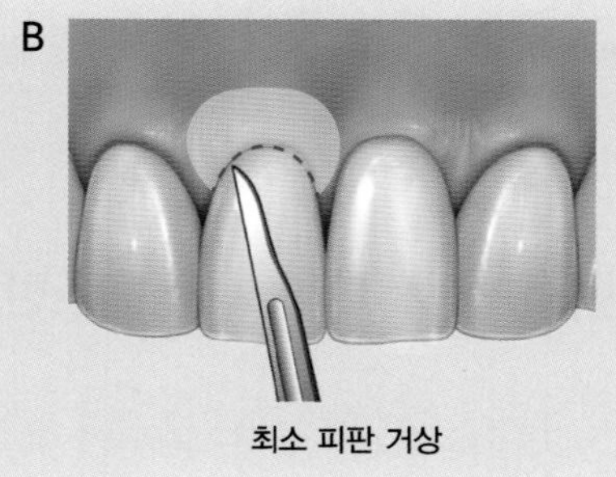

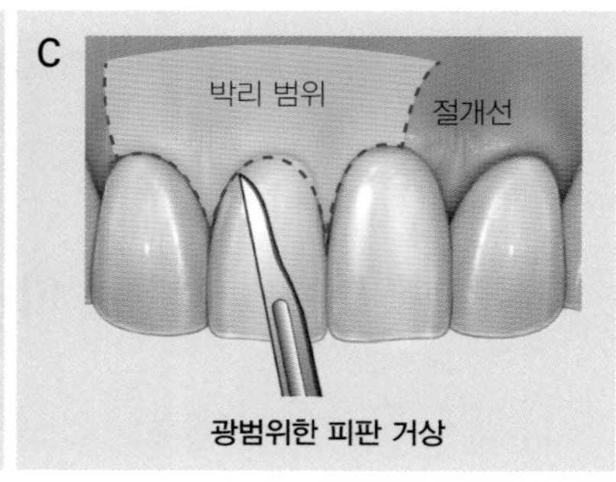

사진 3-9 치조제 보존술 시 적용하는 피판 거상의 방법들

A. 무피판 수술은 차폐막을 사용하지 않으면서 자가 유리 치은, 이종 교원질 기질(Mucograft Seal), 교원질 플러그 등 치아 관통부 형태에 일치하는 재료로 치아 관통부를 피개할 때나 퍼티 형태의 골이식재를 사용하고 치아 관통부에 아무런 처치도 시행하지 않을 때 적용한다. **B.** 최소 피판 거상은 수직적 절개 없이 치조제 보존술을 시행하는 부위의 협측과 설측 점막만 최소한으로 거상하는 방법이다. 대개 차폐막 적용 시 차폐막을 순설측 점막 하방에 삽입하기 위해 적용한다. 치간 유두는 대부분 거상하지 않지만 자가 결합 조직이나 동종/이종 진피 등 두꺼운 조직을 삽입할 때에는 치간 유두 또한 거상한다. **C.** 광범위한 피판 거상은 근원심 수직 절개부를 포함하여 피판을 거상하는 방법이다. 적용한 재료와 관계없이 치아 관통부를 일차 폐쇄하기 위해 수직 절개를 포함한 절개를 가한 후 광범위하게 피판을 거상한 후 골이식재(와 필요시 차폐막)를 적용한 후 골막 이완 절개를 가하고 순측 피판을 치관측으로 변위시킨다.

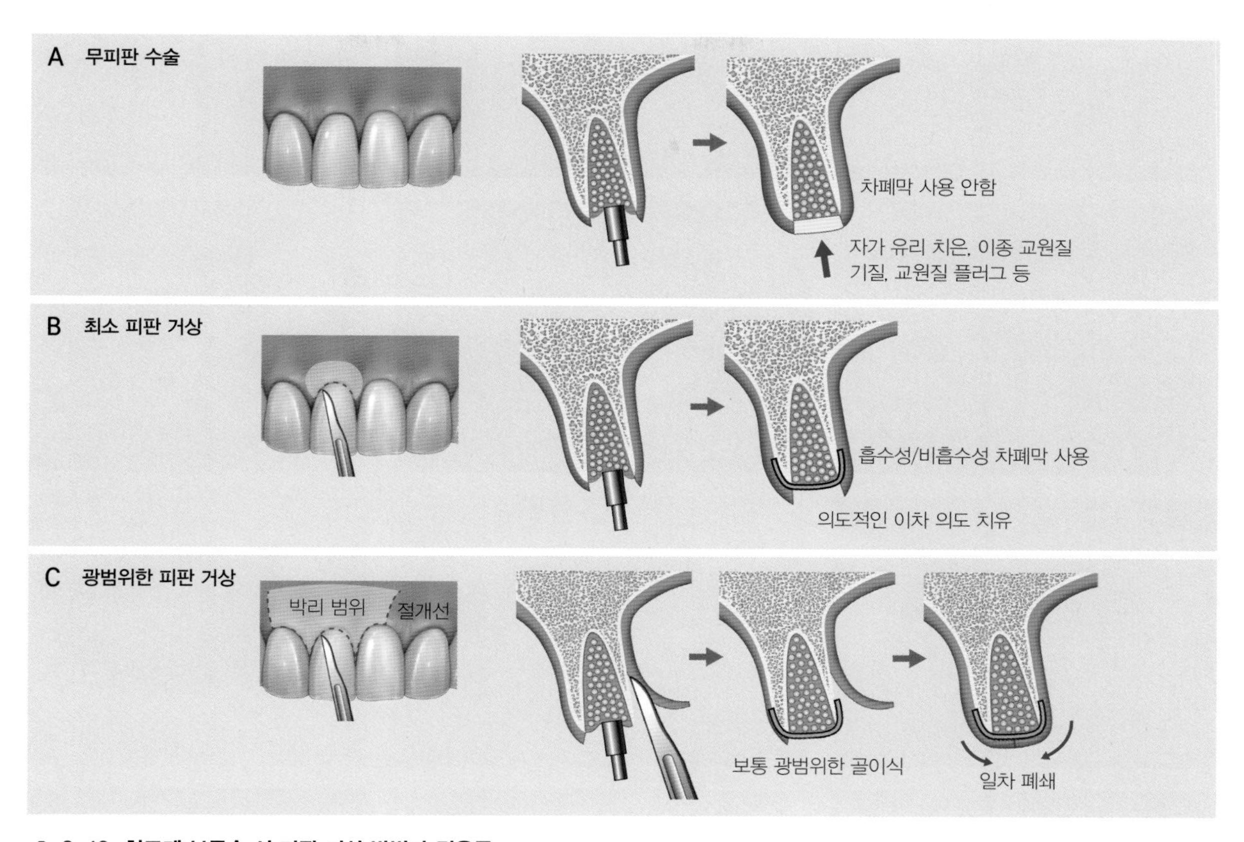

3-10 치조제 보존술 시 피판 거상 방법과 적응증

2) 치조제 보존술에서는 다양한 이식재가 사용 가능하며 대부분은 좋은 임상적 결과를 보인다

치조제 보존술에서는 발치와 내부에 여러 가지 이식재를 충전한다. 이렇듯 이식재를 사용하는 이유는 조직 유도 재생술 시 이식재를 사용하는 이유와 동일하다.[23]

- 공간 유지 치조골벽 내부의 발치와에 형성되는 신생골이 수축되는 양을 줄여준다.
- 골형성 촉진 이식재 자체의 골형성/골유도/골전도 효과를 이용해 발치와 내부의 신생골 형성을 촉진한다.

(1) 치조제의 흡수를 최소화할 수 있는 이식재는 천연 수산화인회석계 이식재(동종골, 이종골)이다

수차례 반복해서 언급했지만 치조제 보존술을 적용하더라도 치조골판의 흡수는 피할 수 없다. 다만 발치와 내의 신생골이 위축되는 양을 줄여줄 뿐이다. 치조제 보존술 후 치조골의 흡수 양상은 자연 발치와에서의 흡수 양상과 비슷하다.[27,28]

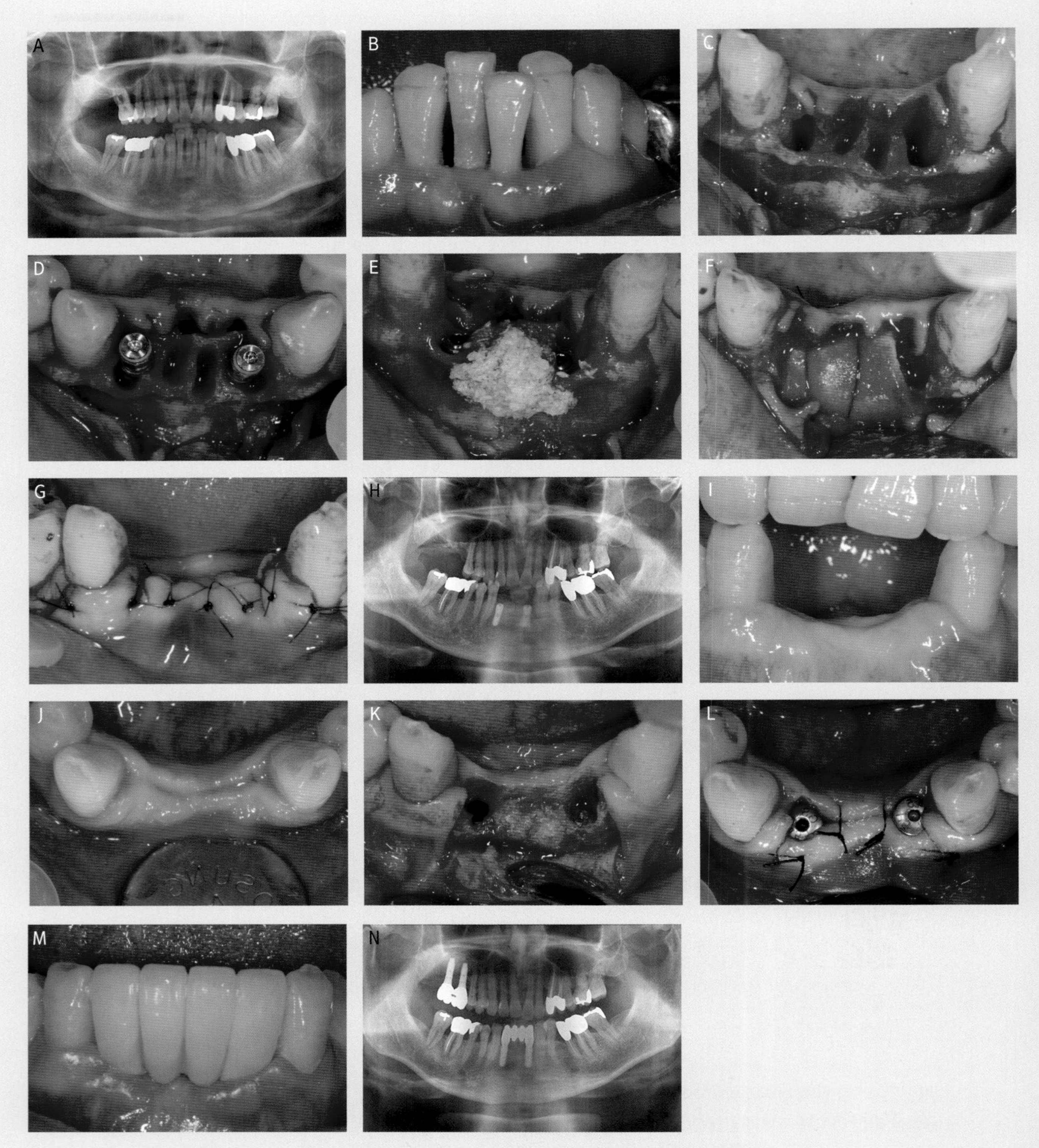

3-11 발치 후 즉시 임플란트를 식립하면서 골증강술을 시행하기 위해 광범위하게 피판을 거상한 증례이다.
발치 후 즉시 임플란트를 식립할 때에는 보통 임플란트에 치유 지대주나 고정성 임시 보철물을 연결하여 점막 관통 치유를 도모하지만 이 증례에서는 수평적 결손과 더불어 양측 중절치 부위에서 수직적 결손을 약간이라도 수복해주려고 노력했다. 따라서 광범위한 피판 거상과 치관측 이동이 필요했으며 수술부를 일차 폐쇄해야만 했다.

A~H. 하악의 4절치를 모두 발거하고 양측 측절치 부위에 임플란트를 식립한 후 동종골 이식재와 동종 진피를 이용하여 결손부를 수복했다. 이후 피판을 치관측으로 변위시켜 일차 폐쇄를 완료했다.

I~L. 수술부는 다행히 열개 없이 정상적으로 치유되었다. 1차 수술 4개월 후 2차 수술을 시행했다.

M~N. 약 1.5개월 후 최종 보철물을 연결했다.

- 수평적으로는 치조정에서 가장 많이 흡수되고 치근단측으로 갈수록 흡수되는 양이 감소한다.
- 협측골의 흡수량이 더 많긴 하지만 구개측(설측)골도 어느 정도는 흡수된다.
- 인접 자연치의 지지에 의해 근원심측 치조골은 중심부 치조골에 비해 흡수량이 적다.
- 수직적으로도 1 mm 미만의 치조골 흡수가 발생한다. 그러나 자연 발치와에서와는 다르게, 협측 중앙부에서 가장 현저하지 않고 모든 부위에서 비슷한 정도로 흡수가 발생한다.

한 임상 연구에서는 이종골(Bio–Oss)과 자가 결합 조직으로 치조제 보존술을 시행하고 3개월 후 CBCT를 이용하여 발치와 외측 골벽의 크기 변화를 관찰한 바 있다.[29,30] 이 연구 결과를 치조제 보존술 후 치조골 변화에 대한 하나의 예로써 제시해 보겠다(📷 3–12, 📁 3–5).

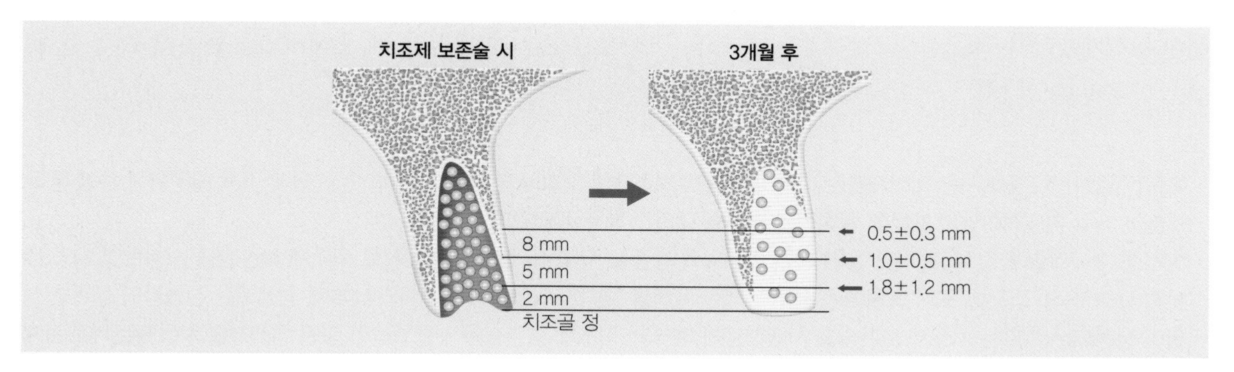

📷 **3–12** 치조제 보존술을 적용하더라도 치조골의 흡수는 피할 수 없으며 다만 그 양을 줄여줄 뿐이다. 한 임상 연구에서는 이종골(Bio–Oss)과 자가 결합 조직으로 치조제 보존술을 시행하고 3개월 후 CBCT를 이용하여 발치와 외측 골벽의 크기 변화를 관찰한 바 있다.[29,30] 이 연구의 결과를 분석해보면 치조제 보존술 후에도 치조골의 축소량은 역시 치조정 측에서 치근단 측으로 갈수록 줄어든다는 사실을 알 수 있다.

📁 3–5 치조제 보존술 후 발치와 내 위치에 따른 치조골의 흡수량

치조정에서 거리	수평적 흡수량	근심	중앙	원심	평균
2 mm	mm	1.5±0.8	1.8±1.2	1.5±1.1	1.6±1.0
	%	22.2±10.4	25.9±16.8	23.6±16.5	23.9±14.6
5 mm	mm	0.8±0.3	1.0±0.5	0.9±0.6	0.87±0.54
	%	8.8±6.3	11.4±6.51	10.3±7.35	10.5±6.6
8 mm	mm	0.4±0.3	0.5±0.3	0.5±0.4	0.47±0.32
	%	5.65±3.50	5.60±4.41	6.05±4.22	5.77±3.97

최근의 네트워크 메타분석에서는 어떤 이식재/술식이 치조골의 보존에 있어 가장 효율적인지 평가했다. 그 결과 치조골 높이의 보존에는 "동결 건조 동종골 이식재 + 차폐막"이 가장 효율적이고 치조골 폭의 보존에는 자가 골수 이식이 가장 효율적이라고 결론 내렸다. 그러나 포함된 일차 문헌의 수가 너무 적었고(n=6), 일차 문헌들 간에 이질성이 높았기 때문에 그 결론의 신빙성은 높다고 할 수 없다.[14] 따라서 그 이후의 다른 메타분석

에서는 이러한 네트워크 메타분석의 신빙성에 의문을 제시한 바 있다.[15] 일련의 메타분석에서는 치조골 흡수를 예방하는 데 있어서는 이종골/동종골(비탈회 동종골) 이식재가 합성골 이식재에 비해 우수한 결과를 보였다.[15,31] 아직 충분한 양의 근거가 축적되지는 못했지만, 합성골 이식재, 특히 3인산칼슘은 이종골/동종골 이식재에 비해 치조골 흡수를 예방하는 능력이 확실히 떨어지는 것으로 보인다.[32] 이는 천연 수산화인회석계 이식재가 흡수에 잘 저항하기 때문일 것이다.

(2) 치조제 보존술 시 적용되는 골이식재는 발치와 내부 신생골의 질이나 형성 속도에 영향을 미치지 않는다

한 메타분석에 의하면, 치조제 보존술을 시행하더라도 발치와 내부에 형성되는 신생골의 질은 자연 발치와에서의 질과 별다른 차이를 보이지 않았다.[13] 또 다른 메타분석에서는 치유 기간 중 발치와 내의 신생 조직에 대한 조직계측학적 척도(신생 조직 내 광화 조직, 연조직, 잔존 이식재 비율)에 관해서 분석을 시행했다. 그 결과는 다음과 같았다.[22]

- 포함된 일차 연구들에서는 이식재뿐만 아니라 치조제 보존술의 결과에 영향을 끼칠 수 있는 여러 가지 해부학적, 수술적 요소들이 매우 이질적이었기 때문에 확정적인 결론을 내리긴 힘든 상태였다.
- 발치 후 3–7개월에 걸쳐 각 기간 동안 자연 발치와와 동종골, 이종골, 합성골 이식재로 치조제 보존술을 시행한 발치와 내부의 광화 조직 및 결합 조직 비율에는 서로 유의한 차이를 보이지 않았다. 즉, 발치와 내부에 형성되는 신생골의 질과 신생골이 형성되는 속도는 치조제 보존술을 시행했는지 여부와, 치조제 보존술을 시행했다면 어떤 이식재를 사용했는지에 관계없이 유사한 결과를 보였다. 따라서 기존의 예상과는 다르게 치조제 보존술은 발치와 내부 신생골의 형성을 촉진하거나 방해하지 않는다고 결론내릴 수 있었다.
- 치조제 보존술을 시행하면 발치와 내부 신생골은 자연 발치와와 동일하게 3–4개월 정도면 성숙한다. 이는 전문가들의 의견과 일치하는 결과이다.[4] 따라서 이 시기에 임플란트를 식립하는 것이 적절하다(📷 3–13).

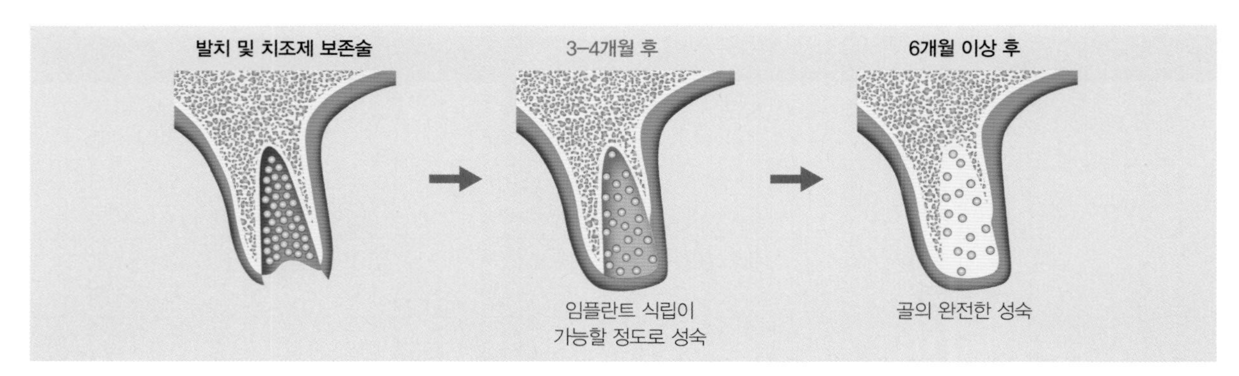

📷 **3–13** 치조제 보존술은 발치와 내 신생골의 형성 속도를 증진시키지는 않는다. 치조제 보존술 3–4개월 후 발치와 내의 신생골은 임플란트 식립이 가능할 정도로 성숙한다. 이는 아무런 처치도 가하지 않은 자연 발치와와 비슷한 것이다. 또한 치조제 보존술 6개월 후에는 발치와 내 골이 완전히 성숙된다.

결국 치조제 보존술의 두 번째 목표, 즉 발치와 내부의 신생골 형성 속도를 가속화한다는 목표는 치조제 보존술로 달성할 수 없는 목표임을 알 수 있다. 이를 통해서 우리가 재차 확인할 수 있는 것은, 치조제 보존술에서 이식골은 신생골 형성을 촉진하는 것보다는 자연적인 치조골벽의 흡수 후 발치와 내 신생 골조직의 붕괴를 줄여 줌으로써 신생골 형성을 위한 공간을 제공하는 것이 주요 작용 기전이라는 점이다.

3) 차폐막을 적용한 후 의도적으로 노출된 상태로 치유를 도모하는 술식이 가장 일반적으로 사용된다

(1) 차폐막을 적용하는 가장 큰 이유는 이식재의 탈락을 예방하고 이식재를 외부로부터 보호하는 것이다

발치와 내부에 골이식재를 적용한 후 차폐막을 적용할지 여부를 결정한다. 차폐막은 피판으로 완전히 피개되지 못하고 외부로 노출되면 골재생의 결과가 저하된다는 사실은 이미 자세히 설명한 바 있다. 그러나 치조제 보존술 시에는 치아 관통부가 원형의 커다란 연조직 결손부로 남기 때문에 차폐막을 적용했다면 이를 광범위한 피판 거상 및 피판의 치관측 변위로 완전히 폐쇄할지, 아니면 치아 관통부를 통해 차폐막을 노출시킨 채 수술을 마무리할지 결정해야 한다.

치아 관통부를 폐쇄하려면 순측 피판을 상당히 많이 치관측으로 전위시켜야 하며 따라서 단기적으로는 광범위한 피판 거상 및 골막 이완 절개로 인한 수술의 외상 증가, 장기적으로는 각화 점막의 폭 감소라는 문제를 유발할 수 있다.[33,34] 게다가 발치와 내부는 골형성 능력이 가장 좋은 결손부이기 때문에 의도적으로 차폐막을 노출시킨 채 치유를 도모하더라도 재생골의 질과 양이 저하되지는 않는다(📷 3-14).[34,35]

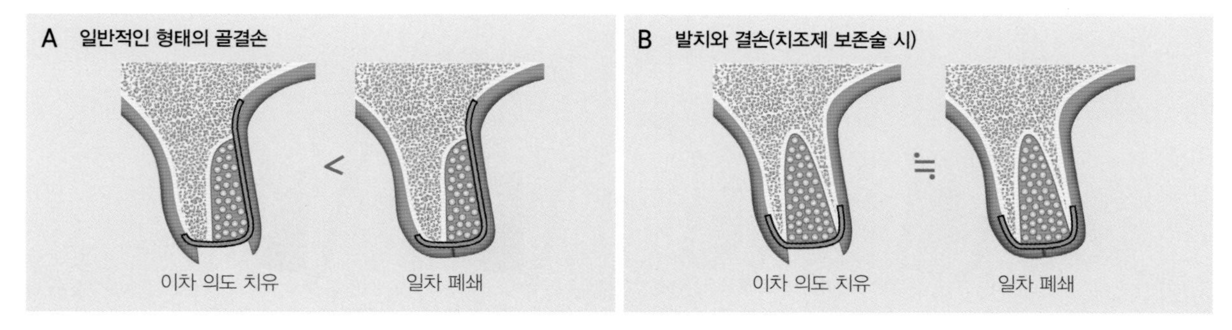

📷 3-14 치조제 보존술에서는 이차 의도 치유를 도모하더라도 골재생의 결과가 현저히 저하되지는 않는다.
A. 일반적인 치조골 결손부에서는 수술부를 일차 폐쇄하고 이를 유지시켜 차폐막을 노출시키지 말아야만 한다. 차폐막이 노출되어 이차 의도 치유 상태가 되면 치유 결과는 현저히 저하된다. **B.** 발치와 결손은 결손부의 형태가 골재생에 가장 적합하다. 따라서 치조제 보존술 시 이차 의도 치유를 시행했을 때나 일차 폐쇄를 시행했을 때 골재생의 결과에 차이가 크지 않다. 치관측 이동이 필요했으며 수술부를 일차 폐쇄해야만 했다.

사실은 치조제 보존술에서는 차폐막을 적용하는 것 자체가 골재생에 도움이 되는지도 명확하지 않다. 치조제 보존술 시 일차 폐쇄를 시행해주면 발치와 내 신생골 형성량이나 치조골 흡수량에 있어서는 이식재만 적용한 경우와 이식재 및 교원질 차폐막을 적용한 경우에 있어서 별다른 차이를 보이지 않았다.[36] 이는 치조제 보존술에서는 우리가 기대하는 차폐막의 생물학적 효과가 크게 나타나지 않는다는 사실을 보여주는 결과이다.

그렇다면 치조제 보존술에서 차폐막을 사용하는 이유는 무엇일까? 치조제 보존술에서 차폐막은 치아 관통부가 연조직으로 완전히 피개될 때까지 이식재의 탈락을 예방하고, 골재생부를 외부로부터 격리시키며, 연조직의 치유를 도모하기 위한 목적으로 적용하는 것이라고 생각해야 한다(📷 3-15). 치조제 보존술을 시행한 부위에서 치아 관통부의 이차 의도 치유를 유도했을 때에는, 입자형 이식재만을 적용한 경우에 비해 입자형 이식재를 교원질 차폐막으로 피개한 경우에서 재생골의 밀도가 더 높거나 치조골 흡수량이 더 적었다는 동물/임상 실험이 있었다.[9,37,38]

(2) 흡수성 교원질 차폐막은 치조제 보존술에서 가장 많이 이용된다

치조제 보존술에서는 치아 관통부를 처리하기 위해 흡수성 차폐막을 적용하고 이를 의도적으로 노출시켜 2차 치유를 도모하는 방법을 가장 많이 사용한다.[9] 원래는 치조제 보존술의 방법으로 교원질계 흡수성 차폐막만 적용하고 발치와 내에는 이식재를 적용하지 않는 방법들도 시도됐지만, 이 방법은 자연 발치와와 치조골 흡수에 있어 유의한 차이를 보이지 않았기 때문에 현재에는 시도되지 않는다.[2]

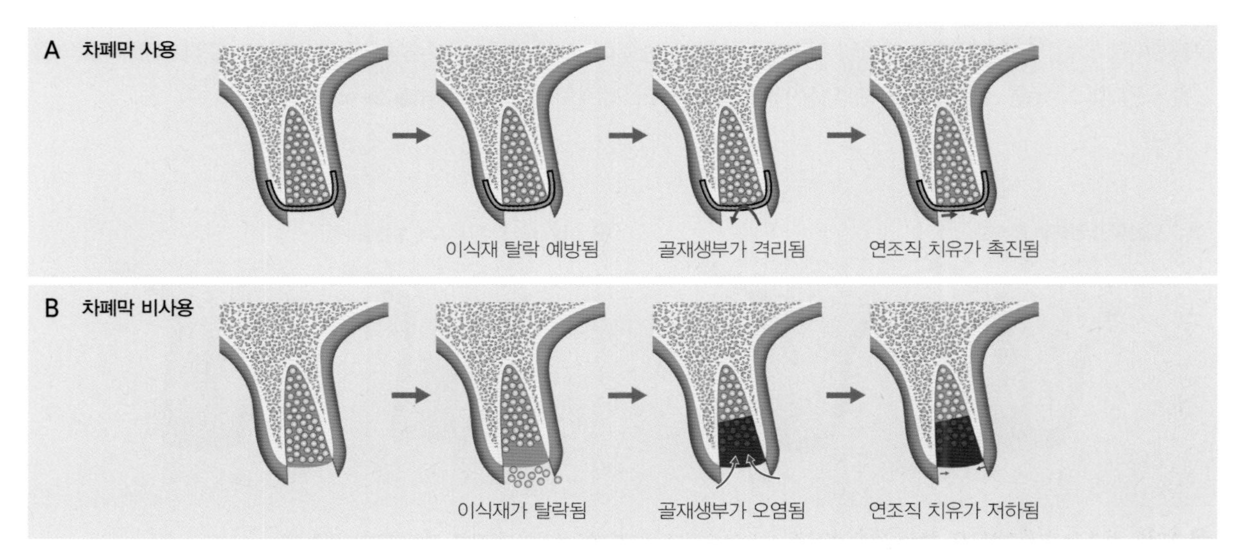

📷 3-15 치조제 보존술 시 차폐막을 적용하는 목적
A. 차폐막은 물리적 장벽으로 작용하여 이식재가 외부로 탈락하는 것을 예방하고 골재생부를 외부와 격리시켜준다. 또한 교원질 차폐막은 연조직 치유를 촉진시킨다. **B.** 치조제 보존술에 입자형 이식재를 삽입했을 때 차폐막을 적용하지 않으면 발치와와 외부를 차단해주는 물리적 구조가 존재하지 않게 된다. 따라서 이식재는 외부로 탈락되고 외부의 세균이나 음식물 등에 의해 발치와가 오염된다. 또한 연조직의 치유를 촉진할 수 있는 구조물이 없기 때문에 치아 관통부에서 연조직 치유가 저하된다.

비흡수성 차폐막(특히 ePTFE 차폐막)과는 다르게 흡수성 차폐막은 외부로 노출되더라도 골재생이 크게 악영향을 받지 않으며, 차폐막이 노출된 부위는 시간이 경과하면서 연조직으로 완전히 피개된다. 따라서 치조제 보존술에서 교원질 차폐막은 치아 관통부를 처치하기 위한 방법으로 가장 많이 이용된다.[19,34,35,39] 위의 메타 분석에 포함된 연구의 대다수가 골이식재와 흡수성 차폐막으로 치조제 보존술을 시행한 것들이었다.

치조제 보존술에 흡수성 교원질 차폐막을 적용할 때의 임상 과정은 다음과 같다(📷 3-16).

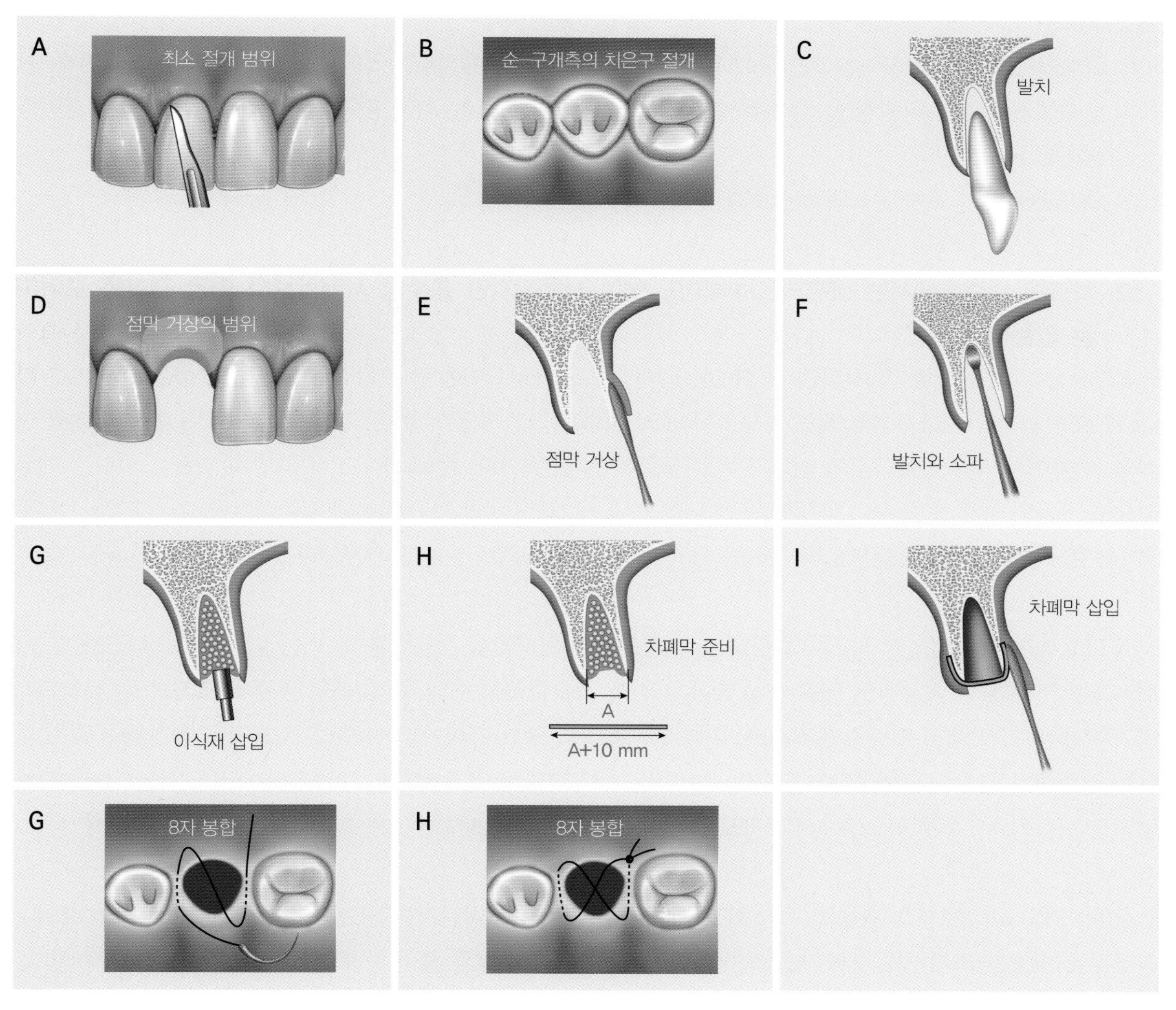

📷 3-16 치조제 보존술에 흡수성 교원질 차폐막을 적용할 때의 임상 과정
A, B. 발치할 치아의 순-구개(협설)측 치은 열구에 절개를 가한다. 보통 치간 유두는 포함하지 않지만 필요에 따라 포함시킬 수도 있다. **C.** 최소한의 외상으로 치아를 발거한다. **D, E.** 점막은 치근단측으로 5–10 mm 가량 거상하여 최소한의 피판을 형성한다. **F.** 발치와 내부의 염증성 육아조직을 완전히 소파한다. 건전한 치주 인대는 남겨 두어도 상관없다. **G.** 발치와 내에 입자형 이식재를 적용한다. **H.** 흡수성 차폐막을 치아 관통부의 근원심 폭보다 1 mm 가량 더 넓은 폭과 협설측 폭보다 10 mm 가량 더 긴 직사각형 형태로 준비한다. **I.** 차폐막을 거상한 협설측 피판 하방으로 삽입한다. **J, K.** 차폐막의 이동이나 탈락을 예방하기 위해 발치와 상부 치아 관통부에 8자 봉합을 시행한다. 이때 치아 관통부를 줄여주기 위해 봉합 시 장력을 가하는 것은 불필요하며, 치아 관통부는 그대로, 혹은 약간 줄어든 상태로 유지시킨다.

① 발치할 치아의 순-구개(협설)측 치은 열구에 절개를 가한다. 점막을 먼저 거상하고 발치를 시행하거나 발치 후 점막을 거상한다. 점막은 치근단측으로 5-10 mm 가량 거상하여 최소한의 피판을 형성한다. 치간 유두 부위는 보통 거상할 필요가 없다.
② 최소 외상으로 치아를 발거하고 발치와 내부의 염증성 육아조직을 완전히 소파한다.
③ 발치와 내에 입자형 이식재를 적용한다.
④ 흡수성 차폐막을 치아 관통부의 근원심 폭보다 1 mm 가량 더 넓은 폭과 협설측 폭보다 10 mm 가량 더 긴 직사각형 형태로 준비한다.
⑤ 준비한 차폐막을 거상한 협설측 피판 하방으로 삽입한다.
⑥ 차폐막의 이동이나 탈락을 예방하기 위해 발치와 상부 치아 관통부에 8자 봉합을 시행한다. 이때 치아 관통부를 줄여주기 위해 봉합 시 장력을 가하는 것은 불필요하며, 치아 관통부는 그대로, 혹은 약간 줄어든 상태로 유지시킨다.
⑦ 치아 관통부의 교원질 차폐막은 노출된 상태로 치유된다.

(3) 치조제 보존술에서는 dPTFE 차폐막도 많이 사용되지만 흡수성 차폐막보다 좋은 결과를 보이지는 않는다

비흡수성 차폐막 재료 중 하나인 dPTFE는 일반적으로 사용되어왔던 ePTFE와 물리적인 성질에 차이가 있다. ePTFE 차폐막은 다공성의 정도가 크고 소공의 직경이 크기 때문에 치유 기간 중 외부로 노출되면 세균 침착을 유발하며, 따라서 골증강의 결과가 매우 불량해진다.[9,40] 이에 반해 dPTFE 차폐막의 다공성 정도는 매우 낮으며 소공의 직경 또한 작기 때문에 구강 내에 노출되더라도 세균의 군집화에 저항성이 있으며, 따라서 치조제 보존술 등에서 치아 관통부를 피개하여 의도적으로 노출시키는 술식에 사용되어 왔다.[41,42]

dPTFE 차폐막을 적용한 치조제 보존술 술식은 흡수성 차폐막을 적용했을 때와 동일하다. 그러나 교원질 차폐막과는 다르게 이 차폐막은 대략 수술 4주 후에 제거해 주어야 한다. 이 차폐막은 주위 조직과 잘 유착되지 않기 때문에 쉽게 제거 가능하며, 따라서 마취를 시행하지 않고도 제거할 수 있다. 차폐막을 제거하면 그 하부에는 염증성의 연조직이 형성되어 있으며, 추가적인 치유 기간동안 정상적인 구강 점막으로 대체된다(📷 3-17). 염증성 연조직은 조직학적으로 섬유아세포와 염증세포가 풍부한 치밀한 결합조직으로 이루어져 있다.[43]

골이식재와 dPTFE 차폐막을 이용한 치조제 보존술은 향후의 골증강술 필요성으로 줄여줄 수 있다. 그러나 아무런 처치도 가하지 않은 자연 발치와에 비해 치조골의 흡수량을 얼마나 줄여줄 수 있는지는 확실치 않다. 2019년에는 설계가 잘 이루어진 근거 수준이 매우 높은 무작위 대조 연구가 발표됐다.[44] 이 연구에서는 적어도 한 개의 골벽에 3 mm 이상의 수직적 결손이 있는 발치와에 대해 아무런 처치도 가하지 않거나(대조군), 동종골 이식재와 dPTFE 차폐막으로 치조제 보존술을 시행(실험군)하고 4개월 후 치조골의 크기 변화를 비교했다. 그 결과 치조정 높이에서 치조골은 수평적으로 대조군에서 5.4±3.9 mm, 실험군에서 2.5±1.9 mm가 축소됐고, 협측 치조골은 수직적으로 대조군에서 2.6±2.5 mm, 실험군에서 1.1±1.5 mm가 감소했으며 모두 유의한

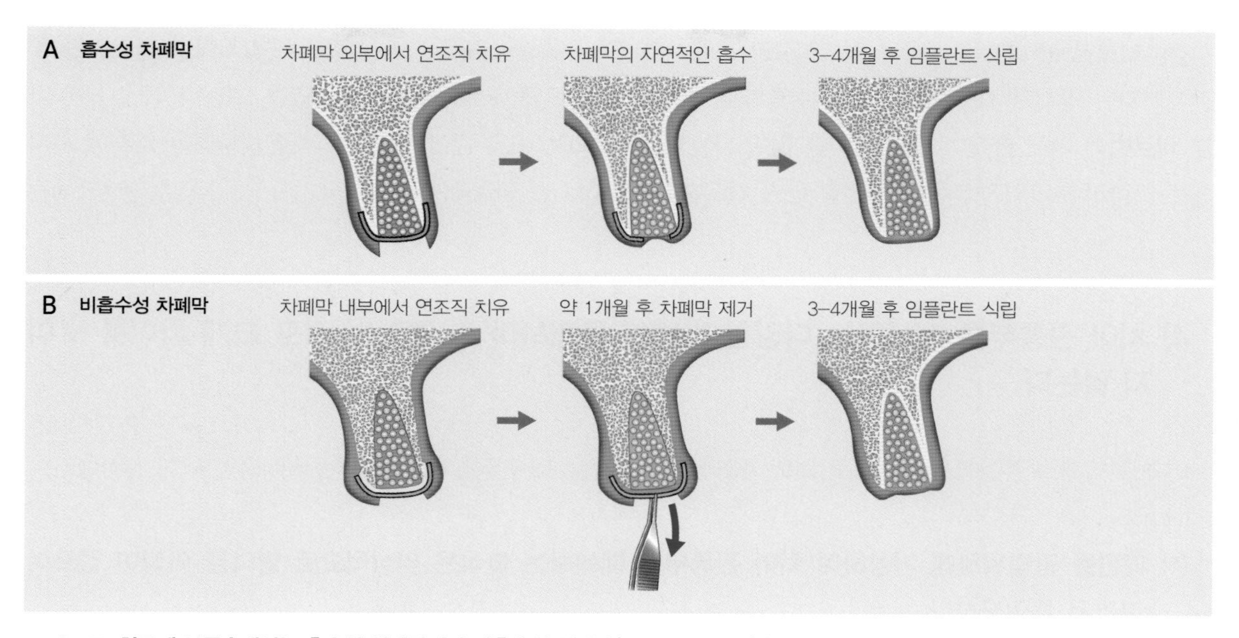

3-17 치조제 보존술에서는 흡수성 차폐막이나 비흡수성 차폐막(dPTFE 차폐막)을 모두 사용 가능하다.
A. 흡수성 차폐막을 적용하면 연조직은 차폐막 상방에서 증식하여 치아 관통부를 폐쇄하게 된다. 또한 치아 관통부 차폐막은 치유 과정 중 흡수된다. **B.** 비흡수성 차폐막을 적용하면 연조직은 차폐막 하방에서 증식하여 치아 관통부를 피개하게 된다. 비흡수성 차폐막은 연조직의 피개가 완료되는 1개월 정도 후에 제거한다.

차이를 보이는 것이었다. 또한 대조군에서 추가적인 골증강술을 시행할 가능성이 유의하게 더 높았다. 그러나 2017년의 무작위 대조 연구는 완전히 다른 결과를 보여주었다.[45] 이 연구에서는 대구치를 발치하고 아무런 처치도 가하지 않은 대조군과 동종골 이식재 및 dPTFE 차폐막으로 치조제 보존술을 시행한 실험군의 결과를 3개월 후 측정했다. 그 결과 협측골의 수직적 흡수량은 실험군에서 유의하게 적었지만 수평적 흡수량은 두 군에서 별다른 차이를 보이지 않았다. 그러나 대조군에서 수평적 흡수는 협측에 집중된 반면, 실험군에서는 협설측에서 흡수가 균등했기 때문에 실험군에서 추가적인 골증강 술식을 시행할 필요성이 더 적었다고 했다. 두 연구에서 참여 환자의 포함 기준이 상이했기 때문에 확실한 결론을 내리기는 힘들다. 따라서 이에 대해 추가적인 연구가 필요하다고 할 수 있다.

골이식재와 dPTFE 차폐막을 이용한 치조제 보존술에서 발치와 내 신생골의 광화 조직 함량은 수술 3–6개월 후 평균 19.52–47.36%로 다양한 수치를 보여주었다.[44,46,47] 그러나 치조제 보존술에서 dPTFE 차폐막과 흡수성 재료(흡수성 차폐막, 동종 진피, 교원질 플러그)를 사용했을 때를 비교한 몇몇 대조 연구에서는 특히 발치와 내 신생골의 질에 있어 두 방법의 결과가 비슷하거나 dPTFE 차폐막을 사용했을 때가 오히려 더 좋지 않다는 결과를 보여주었다.[47,48] 또한 dPTFE 차폐막을 사용하면 환자의 불편감은 더 증가하는 반면, 신생골의 질은 자연 발치와나 교원질 플러그를 이용했을 때보다 오히려 더 좋지 않았다고 보고한 전향적 대조 연구가 있었다.[49]

결론적으로 dPTFE 차폐막을 의도적으로 노출시키는 "open membrane technique"은 발치와의 골치유를 촉진시키지는 않지만 치조골 외형의 흡수를 다른 방법과 비슷한 정도로 줄여줄 수는 있다. 그러나 이 술식은 다른 치료법에 비해 환자의 불편감을 더 많이 유발할 수 있으며, 비록 간단하기는 하지만 차폐막을 차후에 제거하는 과정이 추가되기 때문에 추천할 만한 치료법이라고 하기는 힘들다.

4) 치아 관통부를 폐쇄하는 다양한 방법이 존재하며 그 결과는 서로 크게 차이를 보이지 않는다

이제 치조제 보존술에서 차폐막 이외의 재료나 방법으로 치아 관통부를 처치하는 술식들에 대해 알아보자.

(1) 피판을 광범위하게 거상하여 치아 관통부를 폐쇄하는 술식은 임상적으로 별다른 이점이 없으며 따라서 불필요하다

일반적인 치조골 결손부에서 골재생 부위가 노출되면 그 결과는 심하게 저하된다. 따라서 치조제 보존술 시 이상적인 골치유 환경을 조성하기 위해 수직 절개를 포함하는 광범위한 피판을 거상한 후 골막 이완 절개를 가하고 피판을 치관측으로 전위시켜 치아 관통부를 폐쇄하는 전문가들도 있다.[22,50] 또한 2012년 Osteology Consensus Report에서는 치조제 보존술 시 더 예지성 높은 결과를 얻기 위해 피판을 거상하여 치아 관통부를 일차 폐쇄시킬 것을 권유했다.[51]

그러나 일차 폐쇄를 위해 협측 피판을 거상하여 치관 측으로 변위시키면 전정 깊이 감소, 각화 점막 폭 감소, 치은 점막 경계부의 불일치와 수직 절개선에 발생하는 반흔으로 인한 심미성 저하 등의 문제가 발생할 수 있다(📷 3-18). 치조제 보존술 시 이식재로 발치와를 충전하고 흡수성 차폐막으로 피개한 후 일차 폐쇄 없이 이차 의도 치유를 도모하더라도, 일차 폐쇄를 시행한 경우와 차이가 없는 성공적인 결과를 보인다는 점에서 이는 불필요하다고 생각된다. 치조제 보존술에서 일차 폐쇄의 장단점은 표 3-6과 같다.[33,34]

표 3-6 치조제 보존술에서 일차 폐쇄의 장단점

	장점	단점
이론적 측면	치조제 보존술은 골재생 술식의 일종이다. 골재생술 시 재생 부위는 일차 폐쇄를 통해 외부와 격리되어야 예지성 있는 결과를 얻을 수 있다.	치아 관통부를 폐쇄해야 하기 때문에 순/협측 판막을 치관측으로 많이 이동시켜야 한다. 이로 인해 여러 문제가 발생할 수 있다.
임상적 결과	치조제 보존술에서는 피판 폐쇄 시와 비폐쇄 시 치조골 흡수량이나 신생골 형성 속도/신생골의 질적 상태에 별다른 차이를 보이지 않는다.	• 치은-점막 경계가 치관측으로 이동하기 때문에 각화 점막의 폭이 감소하며 심미적인 결과가 불량해질 수 있다. • 치유 기간 중 부종, 통증 등의 합병증과 불편감이 증가한다. • 피판 열개의 가능성이 존재한다.

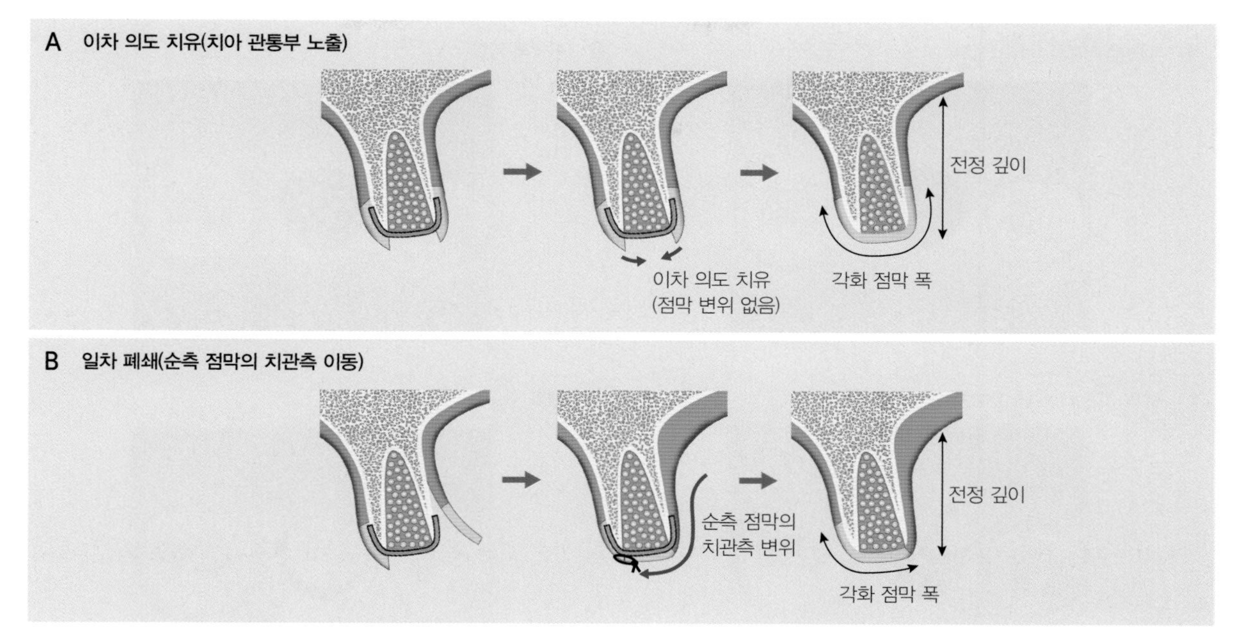

3-18 치조제 보존술에서는 치아 관통부를 일차 폐쇄할 필요가 없다.
A. 치조제 보존술에서는 치아 관통부를 구태여 일차 폐쇄하지 않더라도 골재생의 결과가 그다지 저하되지 않는다. 이차 의도 치유 개념을 적용하면 각화 점막의 폭과 전정 깊이는 잘 유지된다. **B.** 치조제 보존술에서 치아 관통부를 폐쇄하려면 순측 점막을 치관측으로 많이 전위시켜야 한다. 따라서 각화 점막의 폭과 전정의 깊이는 감소한다. 그러나 골재생의 결과는 이차 의도 치유를 적용할 때와 큰 차이를 보이지 않는다.

한 무작위 대조 연구에서는 치조제 보존술 시 흡수성 차폐막으로 치아 관통부를 피개하고 이차 의도 치유를 유도한 경우와 피판을 거상하여 일차 폐쇄를 이룬 경우에서 수술 3개월 후 조직학적으로 신생골 내 광화 조직의 비율이 22.5%로 동일했다.[35] 또 다른 무작위 대조 연구에서는 치아 관통부를 일차 폐쇄했을 때 각화 점막의 폭은 1.57 mm가 감소했던 반면, 이차 의도 치유를 도모했을 때에는 오히려 0.43 mm가 증가했다.[34] 게다가 치조골의 부피 감소는 일차 폐쇄군에서 두 배가량 더 많았으며 치조골의 협설측 폭 감소도 두 배 이상 많았다. 결국 일차 폐쇄의 이론적 장점은 실제 임상에서 나타나지 않고, 이론적 단점은 실제로 나타난다. 발치와 내부는 여러 가지로 골재생에 유리한 환경이다. 따라서 일차 폐쇄를 이루지 못함으로써 발생할 수 있는 골재생에 불리한 면은 발치와의 높은 골재생 능력에 의해 상쇄되는 것으로 보인다.

(2) 자가 유리 치은이나 결합 조직을 이식하면 치아 관통부 주위의 연조직 양을 증강시킬 수 있다

구개에서 채취한 원형의 유리 치은으로 치아 관통부를 폐쇄할 수 있다. 이때에는 피판을 거상할 필요는 없으며 골이식재 적용 후 차폐막을 사용하지 않은 채 유리 치은을 치아 관통부에 적용하고 봉합을 시행한다(3-19). 유리 치은은 구개에서 치아 관통부 크기에 부합하는 크기로 조직 펀치(tissue punch)를 이용해서 원형으로 채취한다. 문헌에 따라 조금씩 차이가 있지만 이식편은 대략 2–3 mm 두께로 채취한다.[12] 임상 연구에서 치아 관통부에 유리 치은을 이식하면 감염이나 탈락 등의 합병증은 거의 발생하지 않았다.[12,52]

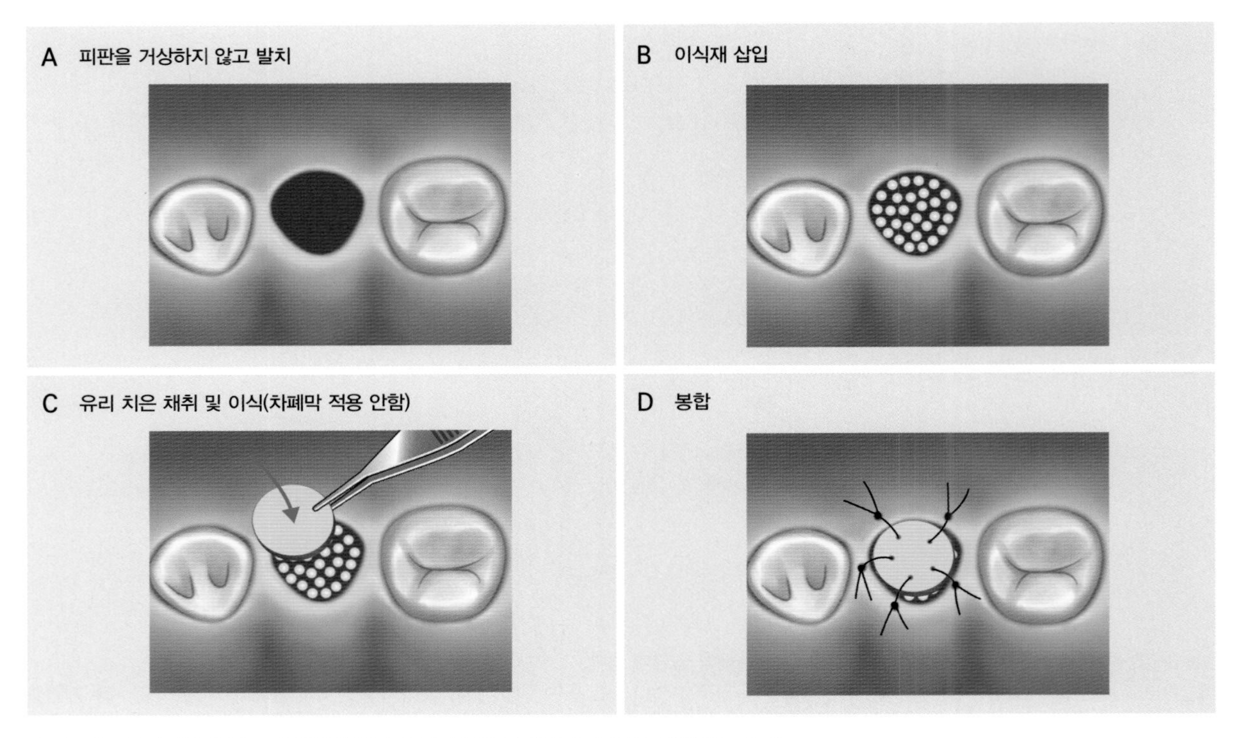

3-19 구개에서 펀치로 채취한 원형의 유리 치은으로 치아 관통부를 피개하는 술식
A. 이 술식에서는 피판을 거상할 필요가 없다. **B.** 발치 후 발치와를 철저히 소파한 후 이식재를 적용한다. **C.** 이 술식에서는 유리 치은으로 치아 관통부를 폐쇄하기 때문에 차폐막을 적용할 필요가 없다. 구개에서 채취한 유리 치은을 치아 관통부에 시적해본다. **D.** 이식편을 봉합하여 고정한다.

한 무작위 대조 연구에서는 이식재 적용 여부보다는 오히려 유리 치은 조직을 이용한 치아 관통부 폐쇄 여부가 발치 4개월 후 치조제(점막 + 치조골)의 감소량에 더 큰 영향을 미쳤다고 보고했다. 즉, 치아 관통부 폐쇄는 골이식재의 적용 유무와 관계없이 치조제 감소를 유의하게 줄여주었던 반면, 골이식재 적용 여부는 치조제 감소에 유의한 영향을 미치지 못했다. 그러나 이 연구는 대상 환자 수가 적었고(n=30) 치조골의 크기 변화가 아닌 점막과 치조골의 두께를 합친 치조제의 변화를 측정했기 때문에 일반화하기에는 어려운 면이 있다.[52] 이에 대해서는 좀 더 많은 연구가 필요하다고 하겠다. 그러나 치조제 보존술에서 골이식재를 적용하고 차폐막 없이 유리 치은으로 치아 관통부를 폐쇄하면 치조골 단면적은 3%만 감소하고[12] 전체 치조제의 폭은 평균 0.8±0.5 mm만 감소한다.[52] 이는 매우 현저한 효과이기 때문에 자가 유리 치은 이식술의 단점을 충분히 상쇄할 수 있는 결과라고 생각된다.

구개에서 채취한 결합 조직 이식편 또한 치조제 보존술에서 치아 관통부 폐쇄의 목적으로 사용 가능하다. 결합 조직은 차폐막과 비슷하게 직사각형 형태로 채취하여 골이식재를 발치와 내에 적용한 후 협설측에 부분적으로 거상한 피판 하방에 삽입해준다(3-20). 결합 조직은 치아 관통부 폐쇄의 목적뿐만 아니라 점막 열개가 존재하면 이를 동시에 수복해주기 위해 사용 가능하다. Cosyn 등은 발치 시 순측 점막 및 골에 열개가 있었던

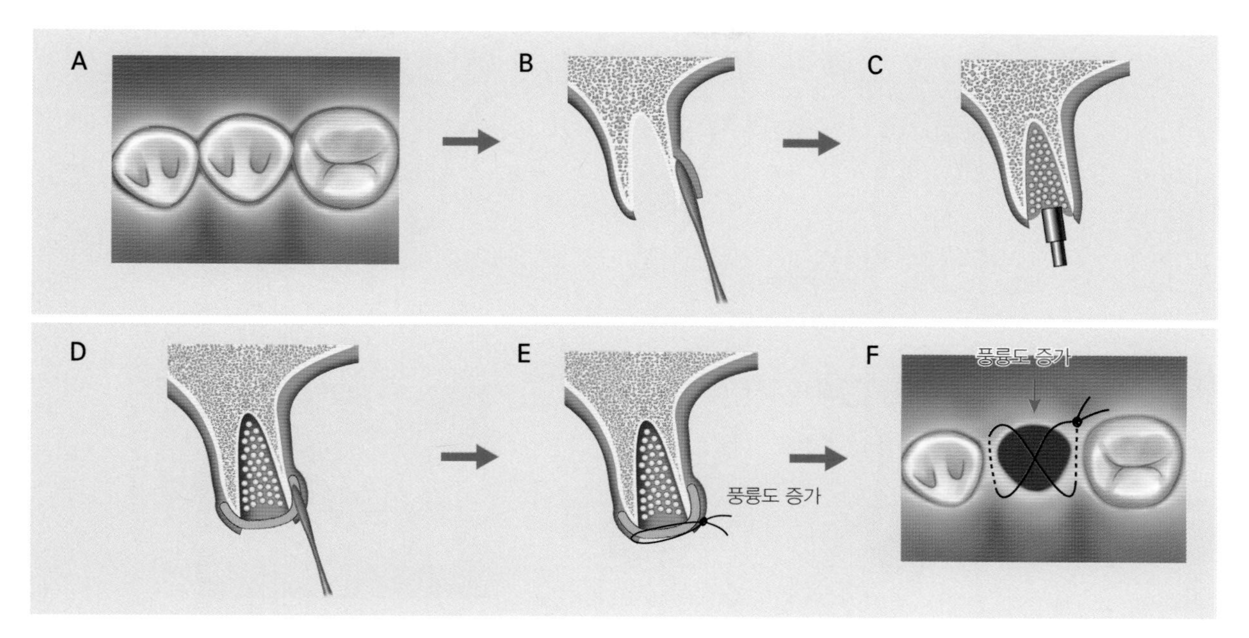

3-20 결합 조직을 이용한 치조제 보존술 술식
A. 발치할 치아의 순측과 구개측 치은구 및 치간 유두에 절개를 가한다. **B.** 결합 조직을 충분히 삽입할 수 있도록 피판을 거상한다. **C.** 발치 후 발치와를 철저히 소파하고 이식재를 삽입한다. **D.** 구개에서 채취한 결합 조직을 거상된 순측과 구개측 피판 하방에 각각 삽입한다. **E, F.** 8자형 봉합을 시행하여 결합 조직을 고정한다. 결합 조직 자체의 두께에 의해 치관측 조직의 풍륭도는 증가한다.

증례에서 이종골과 결합 조직으로 치조제 보존술을 시행했다.[53] 그 결과 치아 관통부와 점막 열개는 완전히 재생되었고 골열개도 원래 길이의 2/3가 수복되었다고 보고했다.

(3) 교원질 플러그를 치아 관통부에 적용하는 술식은 간단하고, 저렴하며, 효과가 좋은 술식이다

1990년대 말–2000년대 초에 Sclar는 치조제 보존술의 방법으로 "BioCol"이라는 술식을 보고했다.[54] 이 술식은 다음의 과정으로 이루어진다(3-21).

① 비외상성 치아 발치: 피판을 거상하지 않고 최소한의 외상으로 치아를 발거한 후 발치와 내 육아 조직을 완전히 제거한다.

② 발치와 내 이식재 삽입: 치조골의 흡수를 최소화하기 위해 흡수가 느린 이종골 이식재(Bio–Oss)로 발치와 내부를 충전한다.

③ 교원질 플러그 적용: 치아 관통부에 교원질 플러그를 적용한다. 이를 적용하는 이유는 이식재의 유출 예방, 혈병 형성 및 안정화, 섬유아세포의 이주 유도 등이다.

④ 창상 안정화: 8자 봉합을 적용해서 교원질 플러그의 탈락을 예방한다. 창상 상부에 시아노아크릴레이트(cyanoacrylate) 조직 접착제를 적용해서 창상을 보호한다.

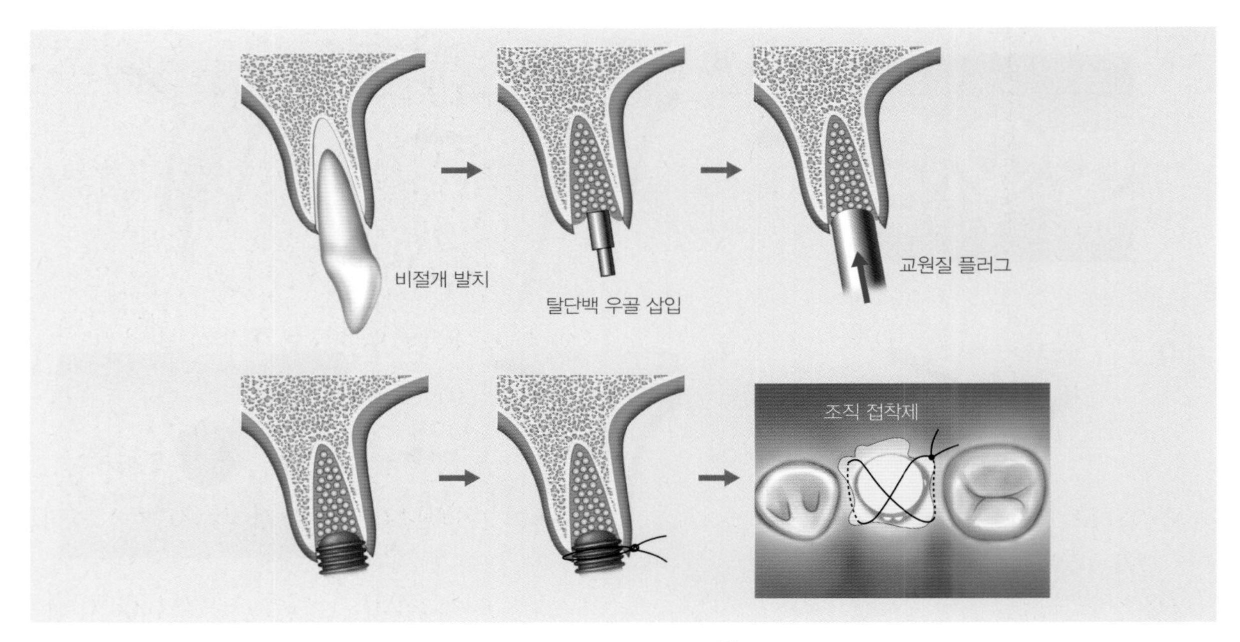

3-21 Sclar는 치조제 보존술의 방법으로 "BioCol"이라는 술식을 보고했다.[54] 이는 치아 관통부를 교원질 스폰지로 피개하는 술식이다. 또한 Sclar는 봉합을 완료한 후 조직 접착제를 적용해 수술부를 보호할 것을 추천했지만 조직 접착제의 적용은 필수적이지는 않다.

이후 일련의 술자들이 이 술식을 변형해서 사용해오고 있다. 교원질 플러그는 비용이 매우 저렴할 뿐만 아니라 창상의 치유에 있어서도 다른 비싼 차폐막/진피 대체재뿐만 아니라 자가 점막/치은 이식재에 비해 크게 뒤쳐지지 않는 결과를 보인다.[55,56] 한 무작위 대조 연구에서는 치조제 보존술 시 동종골을 적용한 후 치아 관통부 폐쇄의 목적으로 교원질 스폰지(CollaPlug®)와 교원질 망(collagen matrix seal; 상품명 Mucograft Seal®, Geistlich)을 적용하고 4개월 후의 결과를 비교했다(**3-22**).[57] 두 재료를 적용했을 때 치조골의 수평적, 수직적 흡수량은 별다른 차이를 보이지 않았다. Mucograft Seal은 돼지에서 채취한 교원질로 이루어진 재료이며 치조제 보존술에서 치아 관통부 폐쇄의 목적만을 위해 시판되고 있다. 또한 이 재료는 교원질 플러그에 비해 훨씬 고가이다. 물론 하나의 임상 연구만을 가지고 결론을 내리는 것은 성급하긴 하지만 교원질 플러그는 치조제 보존술에 사용 시 이렇게 고가의 재료와 비슷한 효과를 보이는 효율적인 재료임을 알 수 있다. 다른 무작위 대조 연구에서는 대구치 부위에서 동종골과 dPTFE 차폐막을 사용했을 때보다 동종골과 교원질 플러그를 사용했을 때 발치와 내 신생골의 조직학적인 질이 전반적으로 우수한 결과를 보였다.[49]

효과가 동일하다면 가장 간단하고 비용이 적게 소요되는 치료가 최선의 치료라는 점을 생각했을 때, 교원질 플러그는 치아 관통부 폐쇄의 목적으로 사용하기에 적절한 재료라고 결론내릴 수 있다.

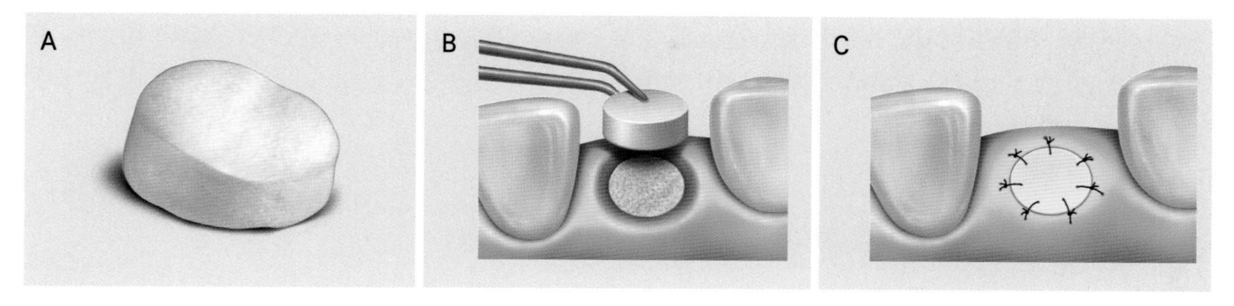

3-22 Mucograft는 돼지에서 채취한 이종 교원질이다. Mucograft Seal®은 치조제 보존술에서 치아 관통부를 폐쇄할 목적으로 개발되었다. 이 재료는 펀치로 채취한 자가 유리 치은과 거의 동일한 방법으로 적용한다.

(4) 스스로 형태를 유지할 수 있는 이식재를 사용한 경우에는 치아 관통부에 아무런 처치도 가하지 않는 이들도 있다

앞서 설명한 바와 같이 차폐막이나 자가 조직 등으로 치아 관통부를 처리하는 것은 이식재의 유출을 막고 발치와 내부를 폐쇄된 공간으로 만들어주기 위함이다. 그러나 일부 술자들은 발치와에 이식재를 적용한 후 치아 관통부에 아무런 처치도 가하지 않고, 단순히 8자 봉합만 시행한 후 이차 의도 치유를 도모하기도 한다. 이때 입자형 이식재를 사용하면 이식재의 유출과 오염을 피할 수 없기 때문에, 전문가들은 퍼티형 이식재와 같은 반고형성 이식재나 황산 칼슘과 같은 고형성 이식재를 사용해왔다. 주로 2010년대 초반까지 보고된 바에 의하면, 이러한 이식재를 사용하여 발치와를 충전하고 치아 관통부에 아무런 처치도 가하지 않았을 때 자연 발치와에 비해 향상된 치조골 보존량을 보였다.[58,59]

최근에는 치조제 보존술에 특화된 이식재인 Bio-Oss® Collagen (Geistlich)이라는 재료가 소개되었다(3-23). 이 이식재는 교원질 10%와 우골 90%의 혼합물로 블록형이긴 하지만 부드럽게 형태를 변화시킬 수 있다. 이 이식재로 치조제 보존술을 시행하면 치조골의 흡수를 효율적으로 줄여줄 수 있었다.[53,60,61] 그러나 아직까지 다른 술식과의 대조 연구가 거의 없었기 때문에 이 술식의 확실한 효용성에 대해 결론을 내리기는 힘들다.

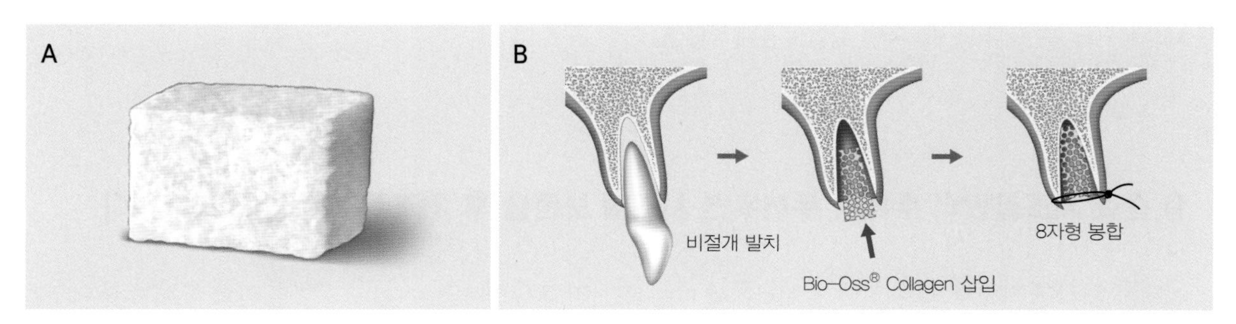

3-23 Bio-Oss® Collagen (Geistlich)은 치조제 보존술에 특화된 이식재이다. 이 이식재는 교원질 10%와 우골 90%의 혼합물로 블록형이긴 하지만 부드럽게 형태를 변화시킬 수 있다. 이 이식재를 적용한 후에는 차폐막이나 여타 이식재로 치아 관통부를 처치할 필요가 없다. 8자형 봉합만을 적용하여 이식재의 이동을 막아준다.

치아 관통부에 아무런 처치도 가하지 않는 술식은 가장 간단한 방법이기 때문에 최종적인 결과만 비슷하다면 가장 선호해야할 방법이다. 그러나 치관측 골이식재가 가장 많이 오염되는 술식이기 때문에 아직까지는 추천할 만하지는 못하다고 생각된다.

3.
치조제 보존술의 결과에 영향을 미치는 요소

임플란트의 골유착이나 골증강술의 치유 과정에 영향을 미치는 여러 가지 전신적/국소적 요소들은 또한 치조제 보존술의 결과에도 영향을 미칠 수 있을 것이다. 그러나 전신적 요소가 치조제 보존술의 예후에 끼치는 영향은 현재까지는 거의 알려진 바가 없다. 치조제 보존술에 관한 거의 모든 임상 연구에서, 그 연구에 참여시킨 환자들은 대부분 전신적 위험 요소가 없는 건강한 환자들이었기 때문이다.[15] 여러 번 반복해서 언급했지만, 치조제 보존술은 필수적인 치료 과정은 아니기 때문에 위험 요소가 존재하는 상태에서 이를 감수하고 시행할 필요는 없다.

일반적인 임플란트 치료의 위험 요소라고 할 수 있는 조절되지 않는 심한 당뇨, 심한 자가면역질환, 방사선 치료 병력, 비스포스포네이트 복용 병력, 흡연 등은 치조제 보존술에 대한 전신적 위험 요소라고 생각해야 할 것이다. 다만 한 메타분석에서는 직접적인 근거는 없지만 흡연은 치조제 보존술에 대한 결정적인 위험 요소는 아닌 것 같다고 했다.[15] 나머지 요소들에 대해서는 거의 알려진 바 없다.

치조제 보존술의 결과에 영향을 미칠 수 있는 국소적 요소들에는 다음과 같은 것들이 있다.

- 순(협)측 치조골판의 두께
- 순(협)측 치조골판의 파괴 정도
- 발치와의 크기 및 형태(단근치/다근치)
- 치아 발거의 원인(치주염/비치주염, 농양의 존재 유무 등)

1) 순측 치조골판의 두께가 두꺼우면 치조제 보존술 후 치조골 흡수량이 줄어든다

아무런 처치도 가하지 않은 자연 발치와에서 다른 조건이 동일하다면 순(협)측 치조골판의 두께가 두꺼우면 치조골의 흡수량이 더 적다는 사실은 앞서 설명한 바 있다. 따라서 협측 치조골 두께가 두꺼우면 치조제 보존술 후에도 흡수되는 치조골의 양은 더 적을 것으로 예상할 수 있다. 실제로 협측 치조골 두께가 치조제 보존술 후

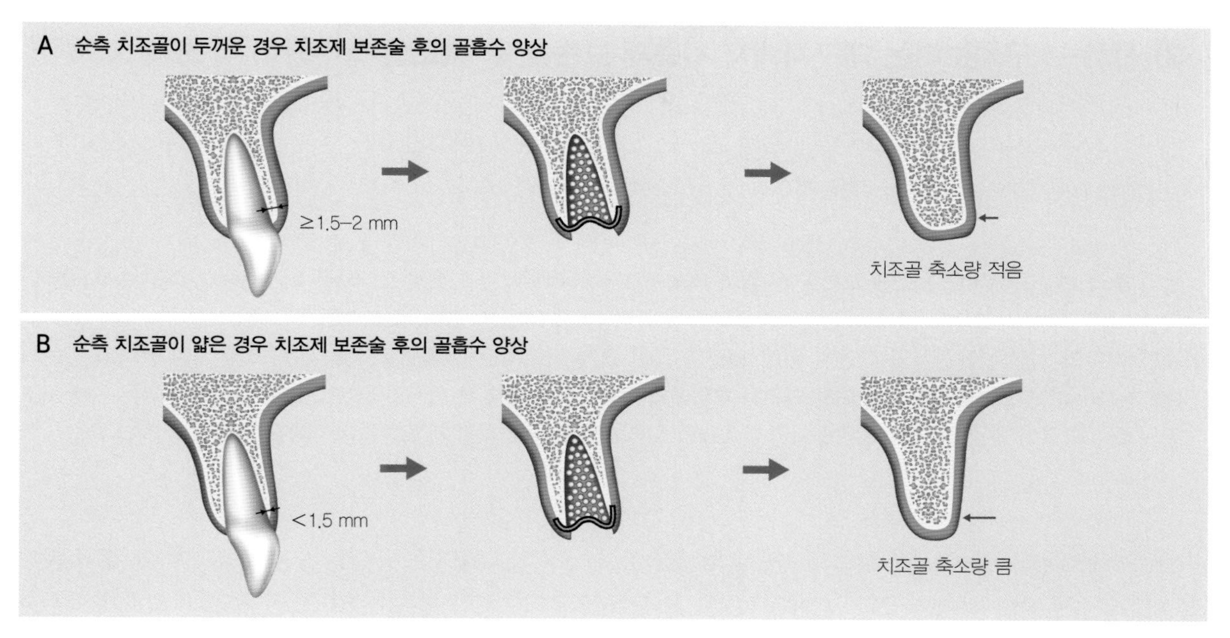

3-24 자연 발치와에서와 비슷하게 치조제 보존술을 적용한 발치와에서도 순측 치조골판의 두께는 치유 후 치조골의 축소량에 영향을 미친다. 순측 치조골판의 두께가 1–1.5 mm를 넘으면 치조제 보존술 후 치조골의 축소량이 현저히 줄어든다.

치조골량 변화에 미치는 영향을 평가한 임상 연구들에 의하면, 협측 치조골 두께가 1–1.5 mm를 넘어서면 치조제 보존술 후의 치조골 흡수량이 유의하게 줄어든다고 보고했다(**3-24**).[39,62-64]

상악 중절치와 견치는 구강 내에서 순(협)측 치조골판이 가장 얇은 부위이다. 한 전향적 대조 연구에 의하면 이 두 치아 부위에서 치조제 보존술 후 치조제의 흡수량은 다른 부위에 비해 유의하게 더 많았다.[61] 이는 협(순)측 치조골판의 두께가 치조제 보존술 후 치조골의 흡수량에 영향을 미치는 주요한 해부학적 요소임을 보여주는 결과이다.

2) 순측 치조골판의 파괴 정도가 크면 치조제 보존술 후 치조골 흡수량이 증가한다

상악 전치부는 순측 치조골의 두께가 평균 1 mm 미만으로 매우 얇기 때문에, 발치 후 순측 치조골에 열개나 천공 등의 결손이 발생하는 경우가 많다.[65,66] 한 전향적 증례 연구에 의하면, 발치 시 골벽의 수직적 파괴 정도는 치조제 보존술 후의 치조제 보존 정도와 유의한 상관관계를 보였다.[61]

3) 전치-소구치보다는 대구치에서 치조제 보존술 후 치조골 흡수량이 더 크다

대구치 부위에서의 치조제 보존술에 관한 연구는 많지는 않다. 다근치인 대구치 부위의 치조제 보존술에 대해 관심이 덜한 이유는 다음과 같을 것이다.

- 발치 후의 치아 관통부는 치조제 보존술 시 일차 폐쇄시키거나 차폐막/자가 점막 조직으로 피개해준다. 대구치 부위는 이러한 치아 관통부가 크기 때문에 치조제 보존술의 치유에 악영향을 미칠 수 있다(📷 3-25).
- 자연 치아의 치근은 단근치와 다근치 간에 협설측 폭이 크게 다르지만, 임플란트 매식체는 크게 차이가 나지 않는다(📷 3-26). 따라서 비록 단근치에 비해 다근치 부위에서 발치와의 협설측 폭 감소가 더 크더라도 다근치 부위는 원래 치조골의 협설측 폭이 훨씬 더 크기 때문에 자연 발치와의 치유 후 임플란트 식립 시 골증강이 필요한 경우는 더 적다.

한 무작위 대조 연구에서는 치조제 보존술의 결과를, 단근치와 대구치로 구분하여 제시했다.[44] 그 결과 발치 후 치조제 보존술을 시행한 군과 시행하지 않은 군 모두에서 대구치의 골흡수량이 훨씬 많았다. 치조제 보존술을 시행하고 4개월이 경과했을 때 치조정 높이에서 단근치부는 평균 1.6±1.2 mm, 대구치부는 평균 4.1±1.9 mm가 협설측으로 감소했다. 또한 협측골의 수평적 높이 또한 단근치부는 0.3±0.4 mm, 대구치부는 2.5±1.6 mm가 감소했다(📷 3-27).

대구치에서 소구치보다 치조골 흡수량이 많은 이유는, 대구치 치아 자체가 더 크기 때문에 발치와 내부가 신생골로 충전되면서 치유되는 데 소요되는 기간이 더 길고, 따라서 그 기간 중 발치와 골벽이 더 많이 흡수되기 때문인 것으로 생각된다.[33] 실제로 한 전향적 증례 연구에 의하면 대구치에서 치근의 협설측 폭이 크면 치조제 보존술 후 치조골의 협설측 감소량도 더 크다.[8]

4) 염증성 질환이 존재하는 치아를 발거한 후 치조제 보존술을 시행하면 예후가 저하된다

발치의 원인 중 가장 많은 부분을 차지하는 것이 치주염이다.[67] 그러나 염증성 질환이 존재하는 부위에는 골재생 술식을 시행하지 않는 것이 일반 원칙이기 때문에 치주염, 특히 급성 치주염이나 배농이 이루어질 정도로 심하게 염증이 진행된 만성 치주염이 존재하는 치아를 발거한 후에는 치조제 보존술을 시행하지 않는 것이 일반적이다. 따라서 실제로 활성의 치주염이 존재하는 부위에서 시행한 치조제 보존술의 결과에 대한 임상 연구는 매우 드물다.

치주 질환에 이환된 치아를 발치하면 발치와의 치유 속도가 저하된다. 대조 연구에 의하면 치주염으로 발치한 치아의 발치와 내부는 발치 20주 후에도 치유가 완료되지 못한 반면, 치주 조직이 건전했던 치아의 발치와

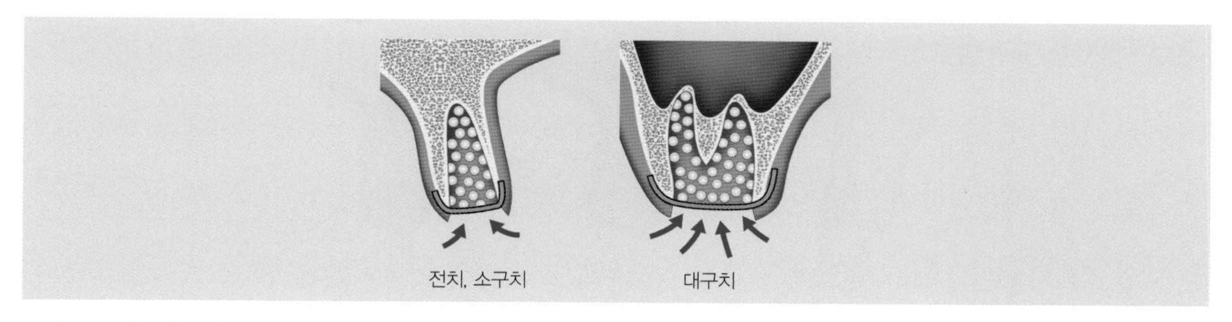

3-25 대구치 부위는 치아 관통부가 크기 때문에 치조제 보존술의 치유에 악영향을 미칠 가능성이 상대적으로 높다.

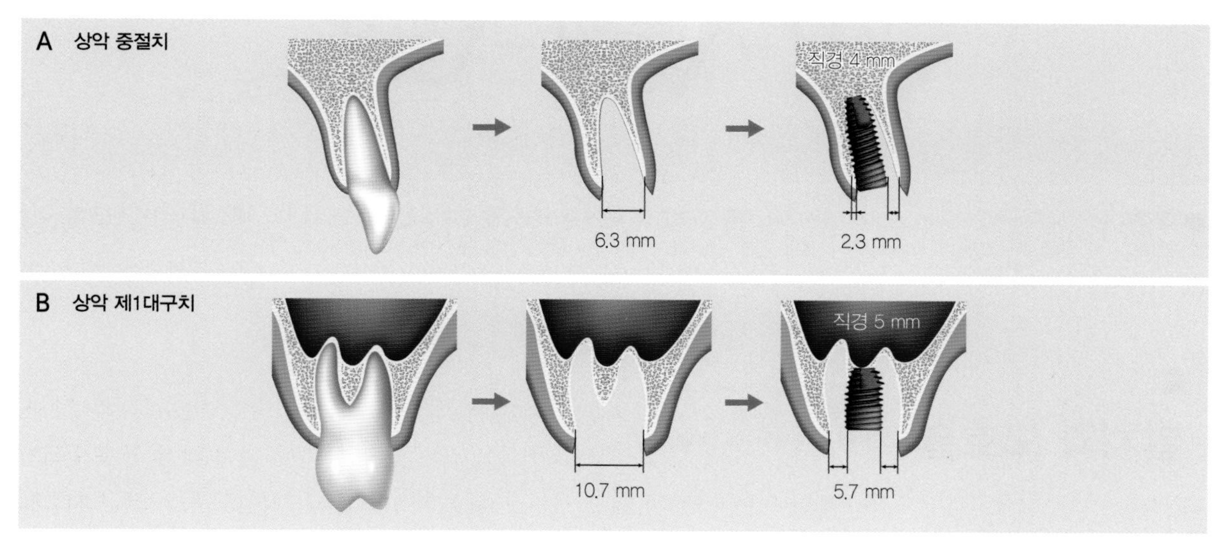

3-26 전치부와 대구치부에서 일반적으로 식립하는 임플란트의 직경은 거의 차이가 없다. 반면 치조골의 협설 폭은 전치부와 대구치부에서 크게 차이가 난다. 따라서 대구치부에서 발치 후 치조제 보존술을 시행하지 않고 발치 후 지연 식립을 시행하더라도 치조골이 부족한 경우는 전치부보다 현저히 적다.
A. 상악 중절치에서 발치와 치경부의 순-구개 폭은 평균 6.3 mm이다. 4 mm 직경의 임플란트를 식립한다고 했을 때 임플란트와 발치와 치경부 폭은 2.3 mm밖에 차이가 나지 않는다. 따라서 발치 후 치조골이 약간만 흡수되더라도 골량은 부족해질 수 있다. 따라서 전치부에서 발치 후 임플란트를 지연 식립하려면 치조골 축소를 최소화할 수 있도록 치조제 보존술을 시행하는 것이 좋다. **B.** 상악 제1대구치에서 발치와 치경부의 협설 폭은 평균 10.7 mm이다. 만약 5 mm 직경의 임플란트를 식립한다고 하면 치조골 폭은 임플란트에 비해 5.7 mm가 더 크다. 따라서 발치 후 임플란트를 지연 식립 하더라도 치조골 폭이 부족할 가능성은 낮다. 이는 대구치부에서 치조제 보존술을 자주 시행하지 않는 주요한 이유이다.

는 발치 10주 후에 치유가 거의 완료된 모습을 보였다.[68] 따라서 치주염이 존재하는 치아를 발치한 부위에 치조제 보존술을 시행하면 치유 기간이 연장될 것이라고 예측할 수 있다. 또한 치주염에 의해 농양이 존재하는 부위에 치조제 보존술을 시행하면 치조골의 흡수량도 더 많다. 전향적 단일 환자군 연구에 의하면 발치 시 농양이 존재했던 부위에 치조제 보존술을 시행하면 치조제의 협설측 폭이 26% 감소했던 반면, 농양이 존재하지 않았던 부위는 13%만 감소했다.[61]

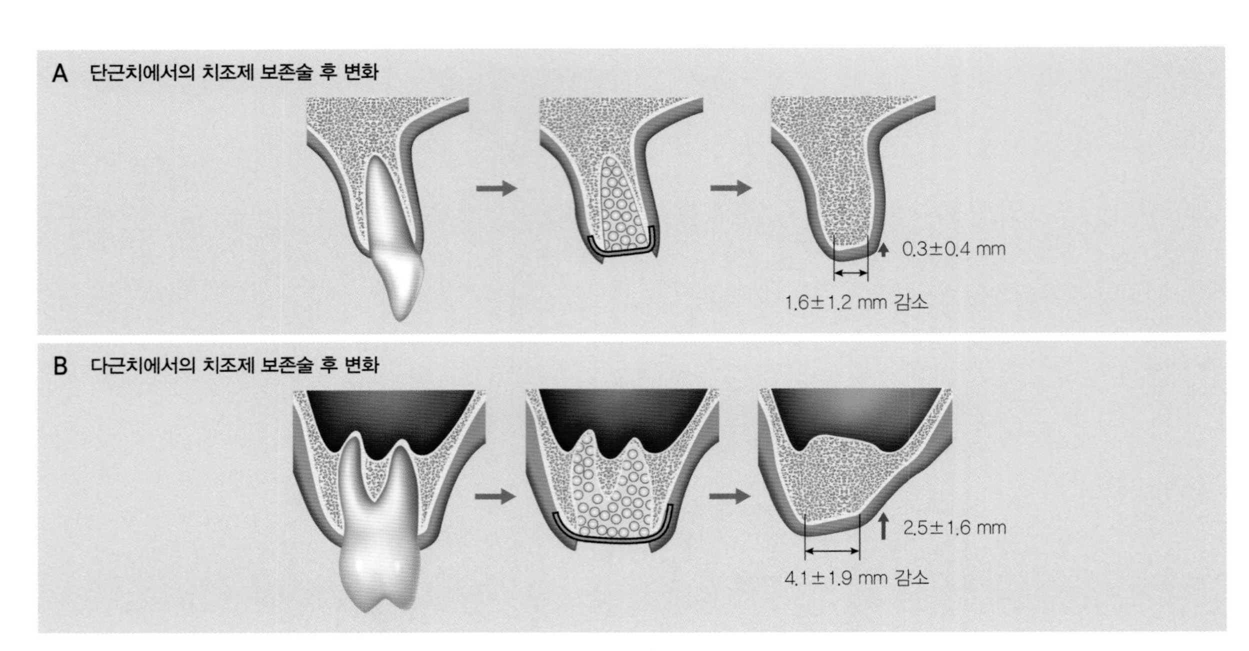

3-27 대구치(다근치) 부위는 단근치 부위보다 치조제 보존술 후에 더 많은 양이 축소된다. 이는 대구치 자연 발치와가 단근치 자연 발치와보다 더 많이 축소되는 것과 동일한 이유로 인한 것이다. 이 그림은 한 무작위 대조 연구의 결과이다.[44]

4. 발치와 보호술(Socket Shield Technique)

치아 발거 후 치조골은 현저히 흡수되며 흡수는 특히 협/순측(이후 협측으로 통일)에 집중된다.[69,70] 특히 상악 전치부에서는 이러한 치조골 흡수가 임플란트 치료의 최종적인 심미적 결과에 악영향을 미치기 때문에 이를 예방하기 위한 여러가지 방법들이 개발되거나 시행되어 왔다. 가장 대표적인 치조골 보존술의 방법은 크게 두 가지로 나눌 수 있다.

- 치조제 보존술 후 지연 임플란트 식립
- 발치 후 즉시 임플란트 식립 및 골재생술(임플란트 표면과 순측골벽 내면 사이에 골이식)

그러나 이들 방법을 적용하더라도 발치 후 협측 치조골 소실을 완전히 보상할 수는 없다.[71] 발치와 보호술은 좀 더 근본적으로 협측 치조골 흡수를 예방하고자 하는 생각에서 시작된 술식이다. 발치와 보호술은 다양하게 명명된 바 있다.

- Hürzeler 등은 처음으로 이 술식을 소개했고, 이를 "Socket Shield Technique"이라고 했다.[72]
- Siormpas 등은 "Socket Shield" 대신 "Root Membrane"이라는 용어를 사용했다.[73]
- Gluckman 등은 이 술식을 "Partial Extraction Therapy (PET)"라고 명명했다.[74]

1) 발치와 보호술은 협측 치근을 부분적으로 보존하여 협측 치조골의 흡수를 예방하기 위한 목적으로 개발되었다

(1) 발치와 보호술은 협측 치조골의 흡수를 예방하기 위한 목적으로 개발되었다

Hürzeler 등은 2010년 발치 후 순측 치조골의 흡수를 최소화하기 위해 새로운 수술법을 개발하고 이를 동물 연구와 임상 증례를 통해 검증했다.[72] 이들은 이 새로운 술식을 "Socket Shield Technique"이라고 명명했다(아직 국내에 이에 대한 번역어는 없지만, 이 책에서는 발치와 보호술로 번역하도록 하겠다). 이는 간단히 말해서 순측 치조골의 흡수를 방지하기 위해 자연치 치근의 순측 치관측 1/2–2/3 부분을 얇게 방패처럼 남겨둔 상태에서 임플란트를 즉시 식립하는 수술 방법이다(📷 3-28). Hürzeler 등은 이 개념을 다음의 사실들을 통해 구상하게 되었다고 했다.

- 발치 후 순측 치조골의 광범위한 흡수는 치주 인대의 제거에 의한 것으로 생각된다. 얇은 순측 치조골은 대부분 치주 인대가 함입되는 속상골(bundle bone)인데, 치주 인대가 제거되면 이 부위로의 혈류 공급이 줄어들 뿐만 아니라 기능적 자극이 상실되면서 흡수된다.[69]
- 인위적으로 치관을 제거하고 치근만을 치조골 내에 위치시키면 특별한 염증을 유발하지 않으면서 치조골의 형태를 그대로 유지시킬 수 있다.[75]
- 유착된 치근(ankylosed root)에 직접 접촉되도록 임플란트를 식립하더라도 아무런 문제를 일으키지 않는다.[76]

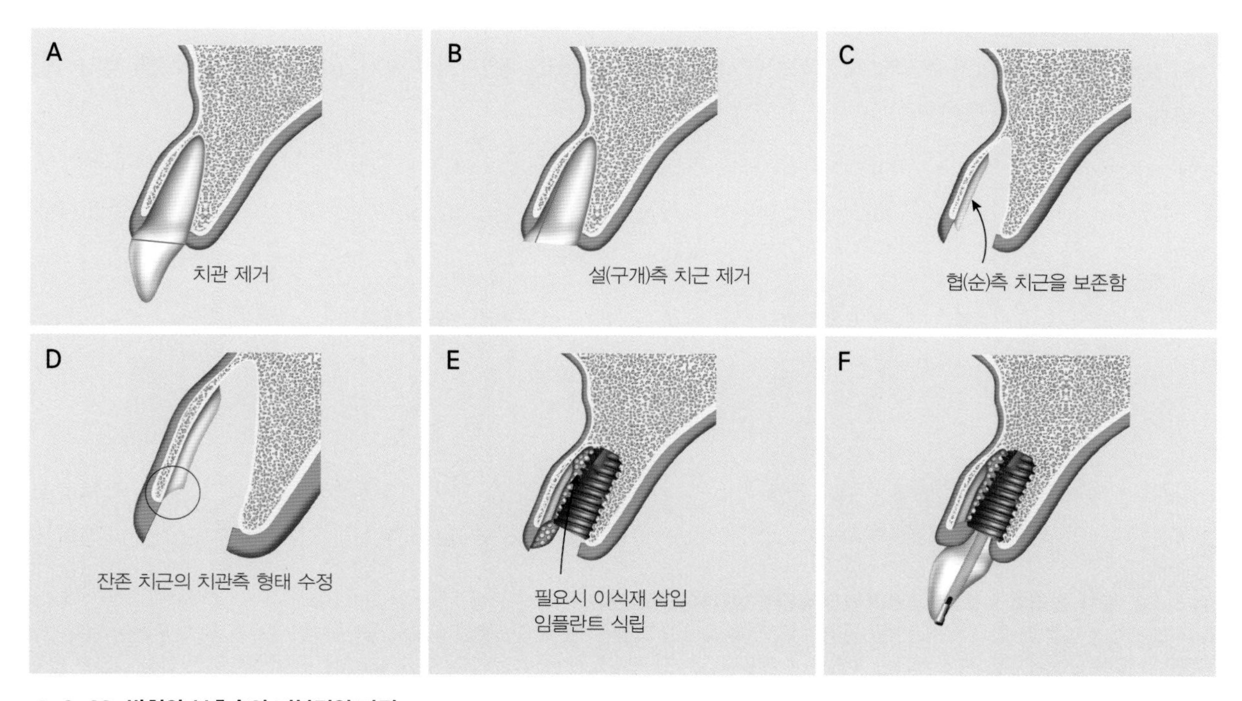

📷 3-28 발치와 보호술의 기본적인 과정
이 술식은 아직 표준화되지 못했으며 실제 임상에 적용하기에는 이른 감이 있다.

(2) 발치와 보호술에서 치근을 부분적으로 남기는 이유는 치주인대를 보존하기 위함이다

치주인대는 이론적으로 협(순)측 치조골의 흡수와 보존에 매우 중요한 역할을 한다(📷 3-29).[77,78]

① 자연치가 존재할 때 협측 치조골판은 골막, 치주인대, 골수 등 세 곳으로부터 혈류 공급을 받는다. 만약 피판을 거상하면서 치아를 발거한다면, 치주 인대 및 골막으로부터의 혈류 공급이 중단되기 때문에 협측 골판으로의 혈류 공급은 현저히 저하될 수밖에 없으며, 이는 결국 협측 골판의 흡수를 야기하게 된다.

② 또한 치주인대 내의 혈관 주위에는 줄기세포(stem cell)가 존재한다. 이 세포는 치조골, 백악질, 그리고 골막으로 분화된다.[79] 발치로 인해 치주인대가 제거되면 협측골판으로의 줄기세포 공급은 사라질 것이고, 이는 골의 재형성 과정 중 형성보다는 흡수 쪽이 더 활발해지는 결과를 초래함으로써 협측 골판의 흡수를 야기할 것이다.

따라서 협측 치근을 부분적으로 남기는 이유는 결국 치근과 골판 사이의 치주인대를 보존하기 위함이다. 동물 실험에서 발치와 보호술 4개월 후에도 치근편과 협측 치조골 사이에는 건전한 치주인대가 그대로 남아있다는 사실을 확인할 수 있었다.[80]

2) 발치와 보호술의 임상 술식 과정

(1) 발치와 보호술의 표준 과정

이 술식에 대한 경험이 축적되기 시작하면서 임상 술식은 어느 정도 표준화가 되어가고 있다. 이를 정리하면 다음과 같다(📷 3-30).[74,81-83]

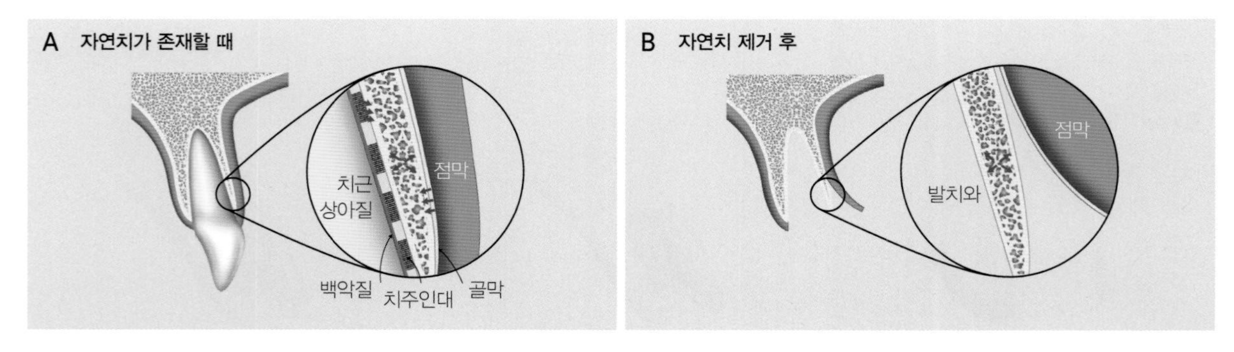

📷 3-29 발치 후 협측 치조골판으로의 혈류 공급은 심각하게 저하된다.
A. 자연치가 존재할 때 협측 치조골판은 골막, 치주인대, 골판 내의 골수 등 세 곳으로부터 혈류 공급을 받는다. **B.** 발치 후에는 치주인대로부터의 혈류 공급이 상실된다. 게다가 피판을 거상한 채 발치를 시행하면 골막으로부터의 혈류도 차단된다. 불량해진 혈류 공급은 협측 치조골판이 재형성 중 흡수되도록 한다.

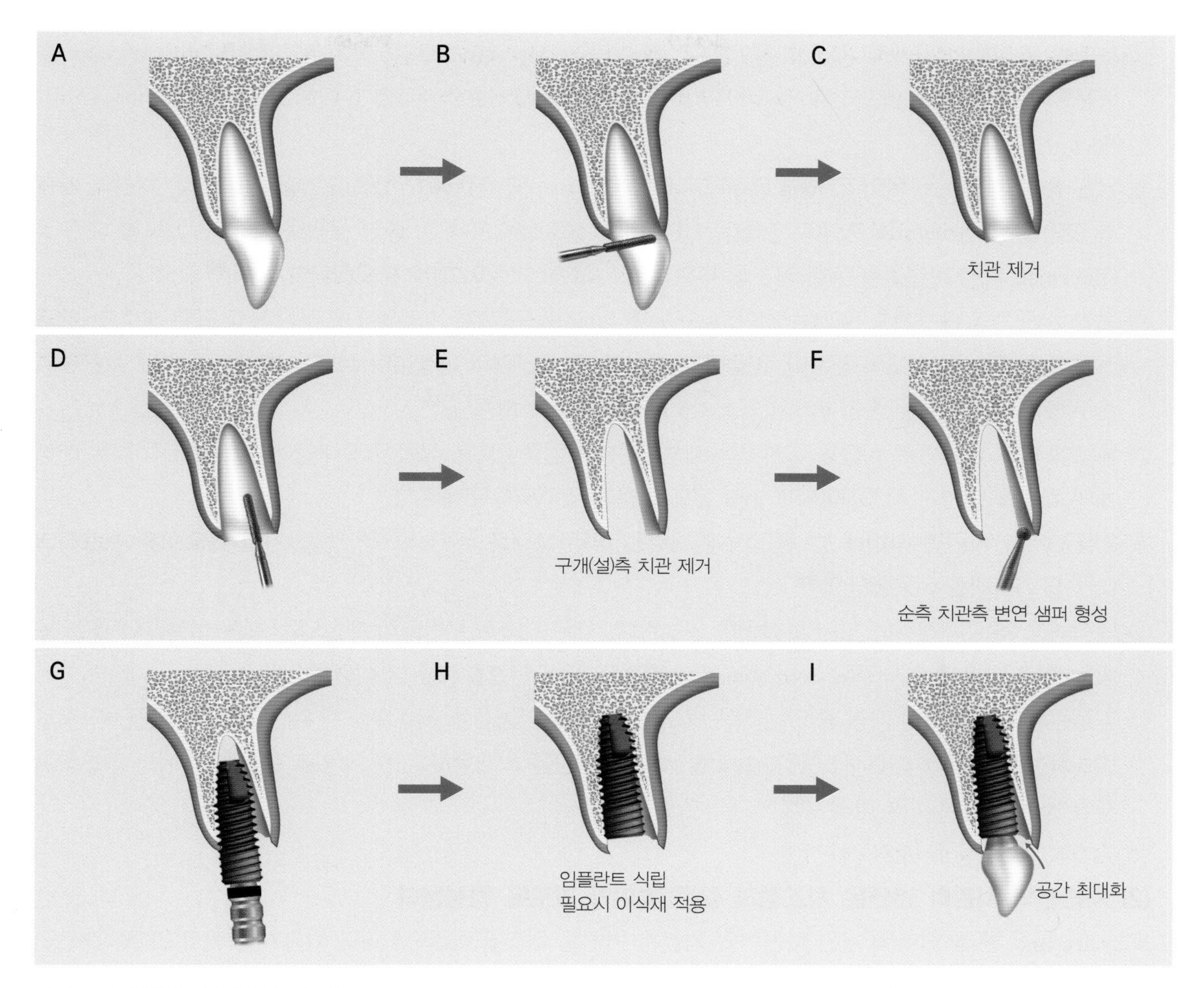

3-30 발치와 보호술의 표준 과정

A. 치조골의 흡수를 최소화하기 위해 가급적 무피판 수술로 진행한다. **B, C.** 긴 다이아몬드 버를 이용해서 발치할 치아의 치관을 제거한다. **D, E.** 역시 긴 다이아몬드 버를 이용해서 남은 치근을 협설측으로 분리한다. 최대한 조심해서 구개측 치근을 제거한다. **F.** 남은 순측 치근편은 목이 긴(long shank) 다이아몬드 라운드 버(#801 버)로 샘퍼(chamfer) 형태를 형성해준다. **G, H.** 임플란트 식립을 위한 골삭제를 시행 후 임플란트를 식립한다. 매몰형 임플란트의 경우 매식체의 치관측 변연이 치조정에서 1 mm 정도 하방에 위치되도록 해준다. **I.** 매식체에 치유 지대주나 임시 보철물을 연결한다. 치유 지대주는 가급적 예상되는 최종 보철물의 출현 윤곽을 흉내 낸 맞춤 지대주(custom abutment)를 제작해서 연결할 것을 추천한다.

① 치조골의 흡수를 최소화하기 위해 가급적 무피판 수술로 진행한다. 그러나 피판 거상이 필요하다고 판단된다면 피판을 과감하게 거상한다.

② 긴 다이아몬드 버를 이용해서 발치할 치아의 치관을 제거한다. 버로 치관을 제거하는 중에 연조직 소실이나 손상을 예방하기 위해 치은 변연 높이보다는 높은 위치에서 근단측 치관을 약간 남긴 채 제거한다.

③ 역시 긴 다이아몬드 버를 이용해서 남은 치근을 협설측으로 분리한다.

④ 최대한 조심해서 구개측 치근을 제거한다. 페리오톰(periotome)과 마이크로 엘리베이터(microelevator)를 이용한다. 치근단은 반드시 제거되어야 하며, 치근단 병소가 존재한다면 철저히 소파해서 제거해 주어야 한다.

⑤ 남은 순측 치근편은 목이 긴(long shank) 다이아몬드 라운드 버(#801 버)로 모양을 잡아준다. 치근의 치관측 변연은 샘퍼(chamfer) 형태로 만들어서 임플란트 보철물이 적절한 출현 윤곽을 가질 수 있도록 해준다. Gluckman 등은 보철물을 위한 공간을 부여하기 위해 이 과정이 매우 중요하다고 했다.[82]

⑥ 또한 치근편의 순구개측 두께는 치아의 순측 변연에서 근관까지 거리의 1/2 이상이 되도록 해주고, 부드러운 곡선 형태를 갖도록 해준다. 임플란트 골삭제 중 치근편의 파절이나 이탈을 예방하기 위해 치근편의 순구개 두께는 근원심 중앙부에서 최소 1.5 mm가 되도록 해준다.[84]

⑦ 통법에 따라 임플란트 식립을 위한 골삭제를 시행 후 임플란트를 식립한다. 매몰형 임플란트의 경우 매식체의 치관측 변연이 치조정에서 1 mm 정도 하방에 위치되도록 해준다.

⑧ 임플란트와 치근편 사이에 빈 공간이 존재하는 경우 그대로 두거나,[73,84] 법랑 기질 유도체를 적용하거나,[72] 골이식재를 적용한다.[74,85]

⑨ 매식체에 치유 지대주나 임시 보철물을 연결한다. 치유 지대주는 가급적 예상되는 최종 보철물의 출현 윤곽을 흉내 낸 맞춤 지대주(custom abutment)를 제작해서 연결할 것을 추천한다.

⑩ 임플란트 보철물에서 가장 중요한 점은, 치근편의 노출 가능성을 최소화하기 위해 지대주의 근단측 폭을 최소화하는 것이다. 이는 치근편과 보철물 사이의 공간을 최대화하고, 이 부위로 충분한 두께의 연조직이 자라 들어올 수 있도록 하기 위함이다.

(2) 치근편의 치관측 변연은 치조정과 같은 높이가 되도록 형성한다

Hürzeler 등은 원래 협측에 남긴 치근편의 치관측 변연을 치조골정보다 1 mm 치관측에 위치되도록 해주었다. 이는 치아-치은 섬유(dentogingival fiber)를 보존하기 위한 선택이었다(📷 3-31).[72] 그러나 다른 동물 연구에 의하면 치근편의 높이를 각각 치조골정 수준과 치조골정 + 1 mm 수준으로 했을 때 치료 후 협측 치조골의 높이에는 차이가 없었다.[86]

Gluckman 등은 상하악 전치 및 소구치부에서 발치와 보호술을 시행하고 이에 대한 1–4년간의 임상 결과를 보고했다.[87] 총 125건 중 25건(19.5%)에서 합병증이 발생했고, 이 중 가장 많은 부분을 차지한 것은 치근편 변연이 점막 변연 상부로 노출된 것이었다(16건). 저자들은 그 이유가 치근편의 치관측 변연과 임플란트 보철물 사이의 공간이 부족하기 때문인 것으로 판단했고, 따라서 Hürzeler 등의 프로토콜을 크게 두 가지 측면에서 변형시켰다.

- 치근편의 치관측 변연을 협측 치조골정 1 mm 상방에서 협측 치조골정 높이로 변경
- 치근편의 치관측 변연 내측 2 mm에 샘퍼 형성

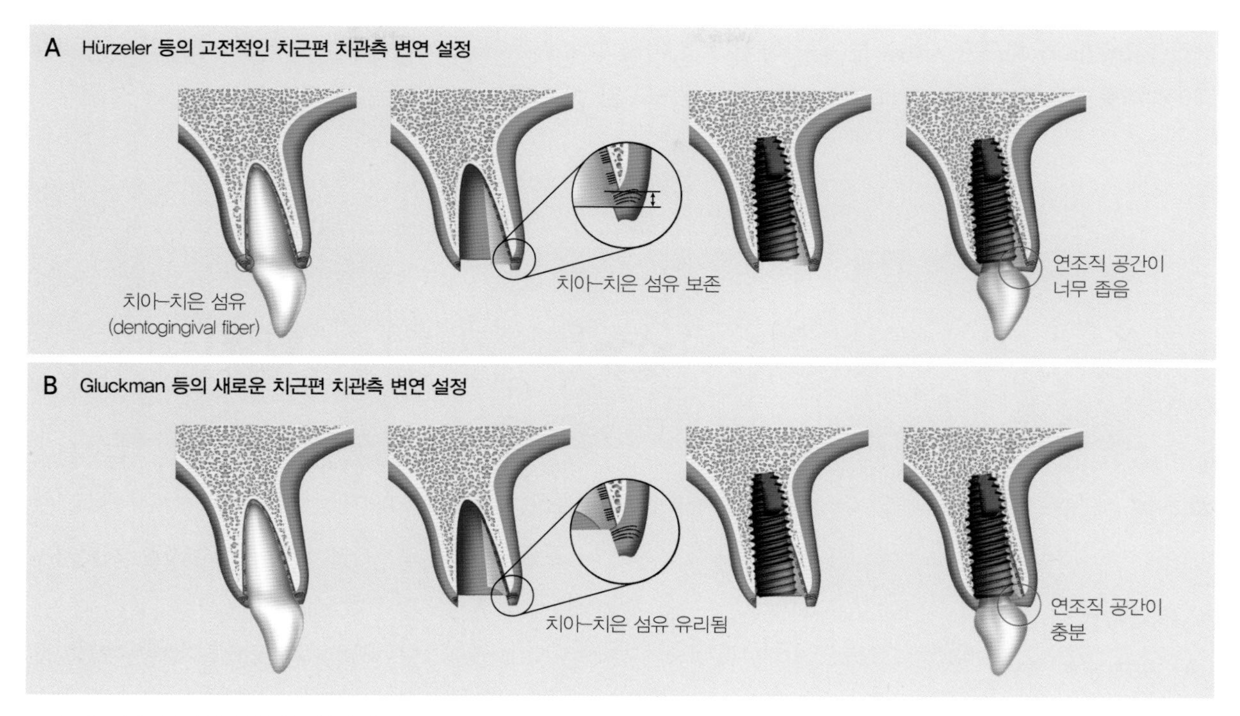

3-31 치근편의 치관측 변연 설정 방법

A. Hürzeler 등은 원래 협측에 남긴 치근편의 치관측 변연을 치조골정보다 1 mm 치관측에 위치되도록 해주었다. 이는 치아-치은 섬유(dentogingival fiber)를 보존하여 점막 변연과 치조골 높이를 최대한 유지하기 위한 선택이었다. **B.** Gluckman 등은 치근편의 치관측 변연을 두 가지 면에서 변화시켰다. 첫째로 치근편 변연 높이를 치조골정과 동일한 높이로 변화시켰다. 그리고 치근편의 치관측 변연 내측에 2 mm의 샘퍼를 형성했다. 이는 치근 변연과 보철물 사이의 공간이 부족하여 발생하는 합병증을 줄여주기 위함이었다.

이는 모두 치근편과 임플란트 보철 치관 사이에 연조직을 위한 2–3 mm의 공간을 형성해주기 위한 것이었다. 저자들은 수술 방법을 이렇게 변화시키고 나서 치근편의 노출은 더 이상 발생하지 않았다고 했다.

(3) 치근편의 폭은 1.5–2 mm 정도가 적당하다

치근편의 치관측 변연에서 그 두께는 중요하다. 치근편이 너무 얇으면 임플란트 식립 과정 중 파절될 수 있기 때문에 최소 1.5 mm 이상의 두께는 확보해 주는 것이 좋다(**3-32**). 게다가 치근편이 두꺼워질수록 협측 골판의 흡수도 줄어든다. 한 동물 연구에 의하면 치근편의 두께가 0.5–1.5 mm 사이일 때 치근편의 두께가 두꺼울수록 협측 치조골의 흡수가 유의하게 줄어드는 경향을 보였다(**3-33**).[86]

그리고 치근편의 두께는 치근편과 임플란트 매식체 표면과의 거리를 결정짓는다. 상악 전치부에서 협측 치조골판 내면과 임플란트 매식체 표면 사이의 거리는 1–2 mm 정도가 적당하다.[88] 만약 치근편의 두께가 1–2 mm 사이라면 임플란트는 치근편과 직접 접촉할 것이다. 치근편의 두께가 이에 미치지 못하면 임플란트 표면과 치근편 사이에는 공간이 남게 되며 이를 처치해 주어야만 한다. 그러나 치근편의 두께를 이렇게 얇게 형성했을 때에는 임상적인 이점보다는 단점이 더 많기 때문에 이러한 경우가 가급적 발생하지 않도록 주의한다. 어짰건 임플란트와 치근편 사이에 빈 공간이 남으면 이를 그대로 두거나,[73,84] 법랑 기질 유도체를 적용하거나,[72] 골이식재를 적용한다.[74,85] 그리고 어떤 방법을 적용해도 임상적으로는 별다른 문제를 일으키지는 않는 것 같다.

3-32 치근편은 치관측 변연의 협설 두께가 최소 1.5 mm 이상이어야 임플란트 식립 중 파절되지 않는다.

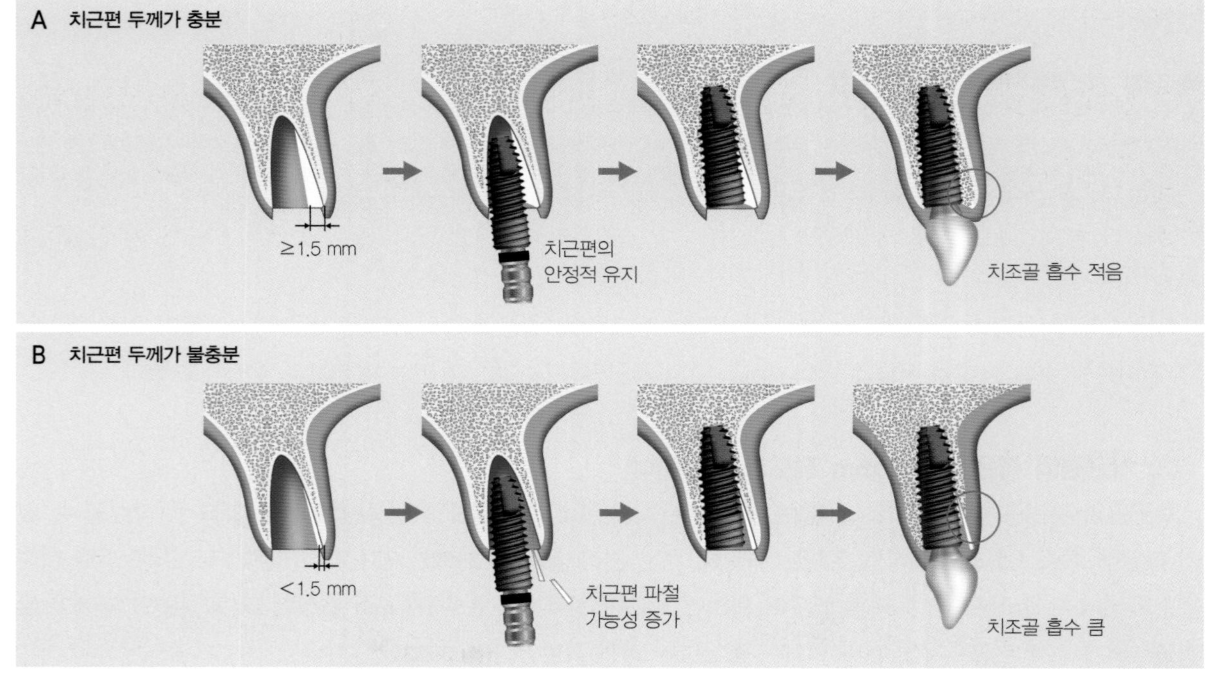

3-33 치근편 두께가 치조골정 흡수에 미치는 영향

A. 치근편 두께가 1.5 mm 이상이면 치근편과 협(순)측 치조골은 안정적으로 유지된다. 따라서 장기적으로 치조골 흡수는 최소화된다.

B. 치근편 두께가 1.5 mm 미만이면 치근편 두께에 비례하여 치조골의 흡수량은 증가한다. 이는 임플란트 식립 중 치근편이 파절될 가능성이 증가하기 때문이다.

치근편의 상아질과 임플란트가 직접 접촉하면 골유착이 발생할 수 있을지 궁금하지 않을 수 없다. 그리고 일련의 동물 실험 결과 임플란트 식립 시 치근편 상아질과 임플란트가 직접 접하게 되면 상아질 표면은 흡수되면서 대략 0.5 mm 두께의 골이 형성되고, 이것이 임플란트와 골유착하게 된다는 사실이 확인되었다 (📷 3-34).[80,86] 인체 내의 발치와 보호술에 관한 유일한 조직학적 연구에서도 치근편과 임플란트 사이에 아무런 처치를 가하지 않더라도 상아질과 임플란트 사이에는 신생골이 충전되면서 임플란트의 골유착이 이루어진다고 했다.[89]

결론적으로 치근편의 두께는 치관측에서 1.5–2 mm 정도 두께로 형성해 주는 것이 좋다. 임플란트 표면은 치근편 상아질과 직접 접촉하게 되며 이는 골유착에 아무런 문제도 일으키지 않는다. 임플란트 표면과 치근편 사이에 남는 부분적인 빈 공간은 아무런 처치도 가하지 않더라도 별다른 문제를 일으키지는 않는다. 따라서 발치와 보호술 시에는 많은 경우 골이식이 필요하지 않다.

3) 발치와 보호술은 협측 치조골의 흡수를 가장 효과적으로 예방하는 술식이다

(1) 발치와 보호술은 치조제 보존술보다 협측골의 흡수를 더 많이 줄여줄 수 있다는 간접적인 근거가 있다

비록 치조제 보존술과 발치와 보호술의 결과를 직접 비교한 임상 대조 연구는 없었지만, 여러가지 근거에 기초했을 때 발치와 보호술은 치조제 보존술보다 치조골의 흡수를 더 효율적으로 예방해 준다는 결론에 이르게 된다.

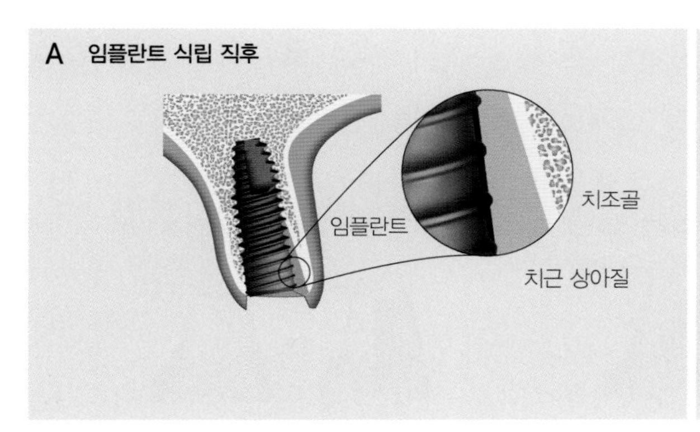

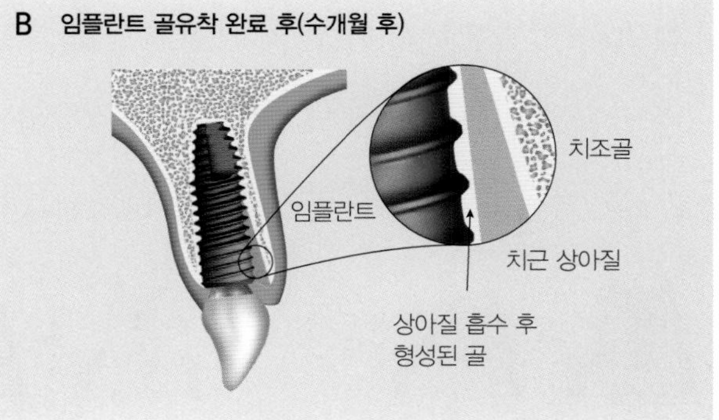

📷 3-34 발치와 보호술에서 임플란트 매식체는 치근 상아질이 직접 접하게 된다. 이 부위에서는 치유 기간 동안 상아질 표면 0.5 mm 가량이 골로 대체되면서 골유착이 이루어지게 된다.

한 동물 연구에서는 아무런 처치도 가하지 않은 자연 발치와, 이종골–천연 교원질 차폐막으로 치조제 보존술을 시행한 발치와, 이식재 없이 발치와 보호술을 시행한 발치와의 3개월 후 협측 치조골판의 변화를 측정했다.[90] 그 결과는 **3–35**와 같았다. 이 실험에서 발치와 보호술을 적용한 발치와는 자연 발치와뿐만 아니라 치조제 보존술을 시행한 발치와보다 협측골판의 수직적, 수평적 감소량이 유의하게 적었다.

2015년의 증례 연구에서는 발치와 보호술을 시행한 한 명의 환자에서 인상을 채득하여 제작한 모델을 3차원 스캐너로 스캔한 후 중첩해서 발치와 협측 조직의 수평적 변화를 계측했다. 그 결과 치료 전과 임플란트 식립 5개월 후를 비교했을 때 치조제 외형은 단지 0.88 mm만이 수평적으로 흡수됐다.[80] 이 연구에서는 또한 동물 실험을 함께 시행했는데 발치와 보호술을 시행한 부위의 협측 치조골은 어떠한 흡수의 증거도 보이지 않았고 협측 치조골정은 설측 치조골정보다 오히려 더 치관측에 위치했다. 한 단일 환자군 연구에서는 상하악 전치부(절치–소구치)의 단일치 결손부에 발치와 보호술을 적용하면서 임플란트를 즉시 식립한 10건의 증례에 대해 치료 5년 후 임플란트 주위 조직의 변화량을 후향적으로 평가했다.[91] 그 결과 모든 증례가 기능적–임상적으로 성공적이었고 협측 조직의 수평적 소실량은 평균 0.21±0.18 mm였다. 또한 협측 점막 변연의 평균 수직적 퇴축량은 0.33±0.43 mm였다. 이는 다른 모든 술식을 적용했을 때에 비해 임플란트 주위 조직 퇴축량이 적은 것이었다. 앞서 두 메타분석에서 아무런 처치도 가하지 않은 자연 발치와는 발치 6개월–1년 후 수평적으로 대략 평균 3.8–3.9 mm, 협측 골판은 수직적으로 대략 평균 1.2–1.7 mm가 흡수된다고 보고했다.[29,30] 그리고 치조제 보존술은 수평적 흡수량을 약 1.5–2 mm, 협측골의 수직적 흡수량을 평균 1 mm 정도 줄여준다고 했다.[4,13–15] 이에 비해 발치와 보호술은 정말 협측 치조골의 흡수를 거의 완전히 막아준다.

(2) 발치와 보호술은 발치 후 즉시 임플란트 식립 시 협측 치조골판과 임플란트 표면 사이에 골이식재를 적용하는 술식보다 협측 조직의 퇴축을 더 많이 줄여준다

최근의 두 무작위 대조 연구가 발표되면서 발치와 보호술에 대해 높은 수준의 근거를 더해주었다. 2018년의 무작위 대조 연구에서는 상하악 전치부에서 단일치가 상실된 40명의 환자에서 기존의 발치 후 즉시 임플란트 식립 프로토콜과 발치와 보호술 및 임플란트 식립 프로토콜의 3년 후 결과를 비교했다.[92] 발치 후 즉시 임플란

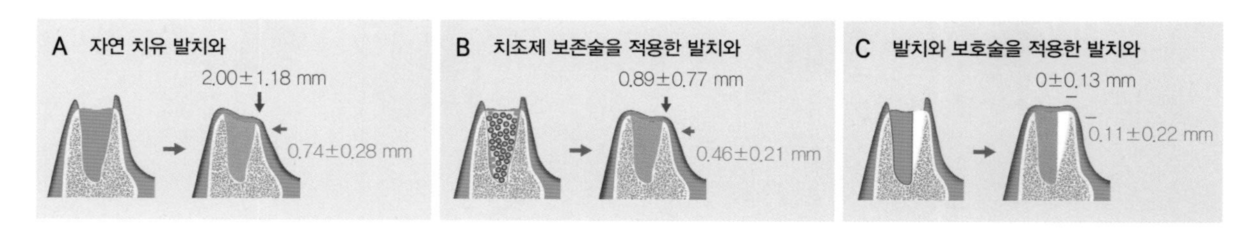

3–35 발치와 보호술은 치조골의 흡수를 최소화하는 술식이다. 한 동물 실험에서는 아무런 처치도 가하지 않은 자연 발치와**(A)**, 이종골–천연 교원질 차폐막으로 치조제 보존술을 시행한 발치와**(B)**, 이식재 없이 발치와 보호술을 시행한 발치와**(C)**의 3개월 후 협측 치조골판의 변화를 측정했다.[90] 그리고 그 결과 치조제 보존술은 발치 후 치조골의 흡수를 현저히 줄여주지만 발치와 보호술은 이보다 훨씬 더 치조골을 보존해준다는 사실을 알 수 있었다.

트 식립 프로토콜에서는 임플란트 순측 표면과 순측 치조골의 내면 사이의 빈 공간(협측 갭)에 이식재를 적용했다. 그 결과 근원심 치조정 골소실은 발치와 보호술에서 유의하게 더 적었고 임플란트 주위 점막의 심미적 상태(Pink Esthetic Score, PES)는 유의하게 더 우수했다. 2020년의 무작위 대조 연구에서는 30명의 환자를 대상으로 역시 앞의 연구와 동일하게 "발치와 보호술 및 임플란트 식립"과 "즉시 임플란트 식립 및 협측 갭 내에 이식재 적용"을 시행하고 2년 후까지의 결과를 비교했다. 수술 1년 후 협측 중앙 점막 변연의 퇴축량은 각각 0.59±0.09 mm와 1.09±0.22 mm, 근심 유두 점막의 퇴축량은 0.59±0.13 mm와 1.17±0.19 mm, 원심 유두 점막의 퇴축량은 0.58±0.13 mm와 1.22±0.33 mm로, 발치와 보호술 적용 시 유의하게 더 적었다(📷 3-36). 또한 탐침 깊이, 탐침 시 출혈, 치태 지수 등 임플란트 주위 점막의 건강도를 나타내는 지표도 모두 발치와 보호술 적용 군에서 유의하게 더 좋은 결과를 보였다. 결국 이들 연구들은 발치와 보호술이 임플란트 주위 조직의 퇴축을 효율적으로 예방하고, 따라서 임플란트 주위 점막의 심미성을 증진시킬 수 있다는 사실을 보여주었다.

(3) 발치와 보호술은 제한적인 증례에서 적용 가능한, 난이도가 높은 술식이다

그러나 발치와 보호술은 제한적인 증례에 한해서만 적용 가능한 술식이다. 이 술식의 적응증은 다음과 같다.[80,93]

- 치주조직, 특히 치주인대에 염증이 없다.
- 수직 치근 파절이 없다.
- 협측 치조골과 점막 변연에 결손이 없다.

이 술식에서 치근을 부분적으로 원하는 형태로 남기는 과정은 까다롭기 때문에 술식의 난이도도 높다.[80] 또한 개발된 지 얼마 안 된 술식으로 임상적 근거가 아직 충분히 축적되지 못했다. 2017년에는 이 주제에 관한 체계적 문헌 고찰이 발표됐다.[94] 이 문헌 고찰에 포함된 대부분의 임상 연구(17/23)는 증례 보고와 단일 환자군

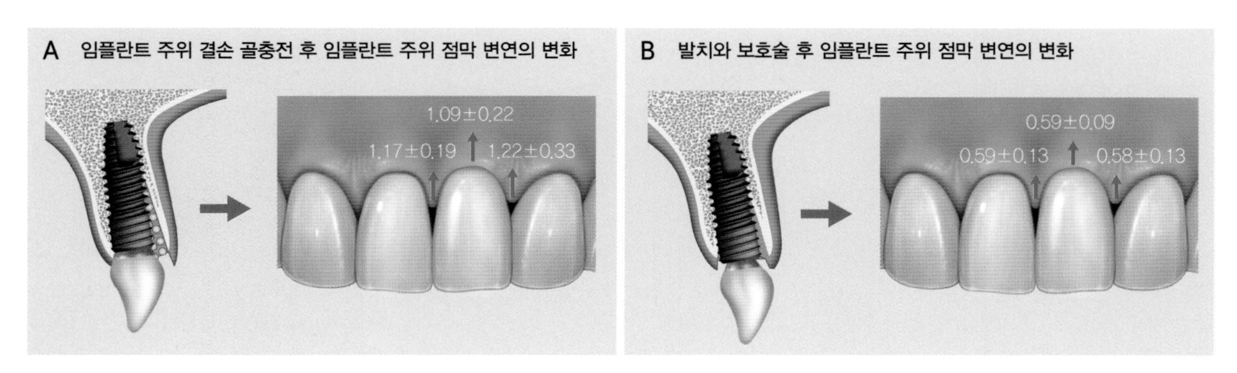

📷 3-36 임상 연구에서도 발치와 보호술을 적용했을 때(B)에는 발치 후 즉시 임플란트 식립 시 임플란트 주위 결손에 골을 충전했을 때(A)보다 점막 변연의 퇴축이 유의하게 감소했다.

연구였다. 따라서 저자들은 발치와 보호술의 전체적인 임상 근거는 아직 매우 제한적이라고 결론 내렸다. 또한 조직학적으로 관찰했을 때에도 빠른 골흡수와 골유착 실패를 보인 경우가 있었고, 잔존 치근편과 임플란트 사이에서는 신생골이 형성되면서 골유착을 이룬 경우도 많았지만 백악질, 치주 인대, 연조직이 형성되는 경우도 있었기 때문에 생물학적인 타당성도 아직까지는 확실히 정립되지 못한 상태라고 결론 내렸다. 결국 이 술식은 아직까지 높은 근거 수준의, 많은 환자를 대상으로 한, 장기간의 추적 관찰을 시행한 문헌 수가 절대적으로 부족하기 때문에 일반 임상의들이 일상적으로 사용하기에는 이른 술식이라고 할 수 있겠다.

참고문헌

1. Darby I, Chen ST, Buser D. Ridge preservation techniques for implant therapy. *Int J Oral Maxillofac Implants*. 2009;24 Suppl:260-271.
2. Vignoletti F, Matesanz P, Rodrigo D, Figuero E, Martin C, Sanz M. Surgical protocols for ridge preservation after tooth extraction. A systematic review. *Clin Oral Implants Res*. 2012;23 Suppl 5:22-38.
3. Cardaropoli G, Araújo M, Lindhe J. Dynamics of bone tissue formation in tooth extraction sites. An experimental study in dogs. *J Clin Periodontol*. 2003;30(9):809-818.
4. Tonetti MS, Jung RE, Avila-Ortiz G, et al. Management of the extraction socket and timing of implant placement: Consensus report and clinical recommendations of group 3 of the XV European Workshop in Periodontology. *J Clin Periodontol*. 2019;46 Suppl 21:183-194.
5. Darby I, Chen S, De Poi R. Ridge preservation: what is it and when should it be considered. *Aust Dent J*. 2008;53(1):11-21.
6. Buser D, Chappuis V, Belser UC, Chen S. Implant placement post extraction in esthetic single tooth sites: when immediate, when early, when late? *Periodontol 2000*. 2017;73(1):84-102.
7. Cha JK, Song YW, Park SH, Jung RE, Jung UW, Thoma DS. Alveolar ridge preservation in the posterior maxilla reduces vertical dimensional change: A randomized controlled clinical trial. *Clin Oral Implants Res*. 2019;30(6):515-523.
8. Leblebicioglu B, Salas M, Ort Y, et al. Determinants of alveolar ridge preservation differ by anatomic location. *J Clin Periodontol*. 2013;40(4):387-395.
9. Sanz-Sánchez I, Ortiz-Vigón A, Sanz-Martín I, Figuero E, Sanz M. Effectiveness of Lateral Bone Augmentation on the Alveolar Crest Dimension: A Systematic Review and Meta-analysis. *J Dent Res*. 2015;94(9 Suppl):128s-142s.
10. Araújo M, Linder E, Wennström J, Lindhe J. The influence of Bio-Oss Collagen on healing of an extraction socket: an experimental study in the dog. *Int J Periodontics Restorative Dent*. 2008;28(2):123-135.
11. Araújo MG, Lindhe J. Ridge preservation with the use of Bio-Oss collagen: A 6-month study in the dog. *Clin Oral Implants Res*. 2009;20(5):433-440.
12. Araújo MG, da Silva JCC, de Mendonça AF, Lindhe J. Ridge alterations following grafting of fresh extraction sockets in man. A randomized clinical trial. *Clin Oral Implants Res*. 2015;26(4):407-412.
13. Willenbacher M, Al-Nawas B, Berres M, Kämmerer PW, Schiegnitz E. The Effects of Alveolar Ridge Preservation: A Meta-Analysis. *Clin Implant Dent Relat Res*. 2016;18(6):1248-1268.

14. Iocca O, Farcomeni A, Pardiñas Lopez S, Talib HS. Alveolar ridge preservation after tooth extraction: a Bayesian Network meta-analysis of grafting materials efficacy on prevention of bone height and width reduction. *J Clin Periodontol.* 2017;44(1):104–114.
15. Avila-Ortiz G, Chambrone L, Vignoletti F. Effect of alveolar ridge preservation interventions following tooth extraction: A systematic review and meta-analysis. *J Clin Periodontol.* 2019;46 Suppl 21:195–223.
16. Sharan A, Madjar D. Maxillary sinus pneumatization following extractions: a radiographic study. *Int J Oral Maxillofac Implants.* 2008;23(1):48–56.
17. Levi I, Halperin-Sternfeld M, Horwitz J, Zigdon-Giladi H, Machtei EE. Dimensional changes of the maxillary sinus following tooth extraction in the posterior maxilla with and without socket preservation. *Clin Implant Dent Relat Res.* 2017;19(5):952–958.
18. Mardas N, Trullenque-Eriksson A, MacBeth N, Petrie A, Donos N. Does ridge preservation following tooth extraction improve implant treatment outcomes: a systematic review: Group 4: Therapeutic concepts & methods. *Clin Oral Implants Res.* 2015;26 Suppl 11:180–201.
19. Marconcini S, Giammarinaro E, Derchi G, Alfonsi F, Covani U, Barone A. Clinical outcomes of implants placed in ridge-preserved versus nonpreserved sites: A 4-year randomized clinical trial. *Clin Implant Dent Relat Res.* 2018;20(6):906–914.
20. Kotsakis GA, Salama M, Chrepa V, Hinrichs JE, Gaillard P. A randomized, blinded, controlled clinical study of particulate anorganic bovine bone mineral and calcium phosphosilicate putty bone substitutes for socket preservation. *Int J Oral Maxillofac Implants.* 2014;29(1):141–151.
21. Cardaropoli D, Tamagnone L, Roffredo A, Gaveglio L. Evaluation of Dental Implants Placed in Preserved and Nonpreserved Postextraction Ridges: A 12-Month Postloading Study. *Int J Periodontics Restorative Dent.* 2015;35(5):677–685.
22. De Risi V, Clementini M, Vittorini G, Mannocci A, De Sanctis M. Alveolar ridge preservation techniques: a systematic review and meta-analysis of histological and histomorphometrical data. *Clin Oral Implants Res.* 2015;26(1):50–68.
23. MacBeth N, Trullenque-Eriksson A, Donos N, Mardas N. Hard and soft tissue changes following alveolar ridge preservation: a systematic review. *Clin Oral Implants Res.* 2017;28(8):982–1004.
24. Fickl S, Zuhr O, Wachtel H, Bolz W, Huerzeler M. Tissue alterations after tooth extraction with and without surgical trauma: a volumetric study in the beagle dog. *J Clin Periodontol.* 2008;35(4):356–363.
25. Araújo MG, Lindhe J. Ridge alterations following tooth extraction with and without flap elevation: an experimental study in the dog. *Clin Oral Implants Res.* 2009;20(6):545–549.

26. Fickl S, Zuhr O, Wachtel H, Bolz W, Huerzeler MB. Hard tissue alterations after socket preservation: an experimental study in the beagle dog. *Clin Oral Implants Res*. 2008;19(11):1111–1118.
27. Clementini M, Agostinelli A, Castelluzzo W, Cugnata F, Vignoletti F, De Sanctis M. The effect of immediate implant placement on alveolar ridge preservation compared to spontaneous healing after tooth extraction: Radiographic results of a randomized controlled clinical trial. *J Clin Periodontol*. 2019;46(7):776–786.
28. Lambert F, Vincent K, Vanhoutte V, Seidel L, Lecloux G, Rompen E. A methodological approach to assessing alveolar ridge preservation procedures in humans: hard tissue profile. *J Clin Periodontol*. 2012;39(9):887–894.
29. Van der Weijden F, Dell'Acqua F, Slot DE. Alveolar bone dimensional changes of post–extraction sockets in humans: a systematic review. *J Clin Periodontol*. 2009;36(12):1048–1058.
30. Tan WL, Wong TL, Wong MC, Lang NP. A systematic review of post–extractional alveolar hard and soft tissue dimensional changes in humans. *Clin Oral Implants Res*. 2012;23 Suppl 5:1–21.
31. Avila–Ortiz G, Elangovan S, Kramer KW, Blanchette D, Dawson DV. Effect of alveolar ridge preservation after tooth extraction: a systematic review and meta–analysis. *J Dent Res*. 2014;93(10):950–958.
32. Schneider D, Schmidlin PR, Philipp A, et al. Labial soft tissue volume evaluation of different techniques for ridge preservation after tooth extraction: a randomized controlled clinical trial. *J Clin Periodontol*. 2014;41(6):612–617.
33. Engler–Hamm D, Cheung WS, Yen A, Stark PC, Griffin T. Ridge preservation using a composite bone graft and a bioabsorbable membrane with and without primary wound closure: a comparative clinical trial. *J Periodontol*. 2011;82(3):377–387.
34. Hong HR, Chen CY, Kim DM, Machtei EE. Ridge preservation procedures revisited: A randomized controlled trial to evaluate dimensional changes with two different surgical protocols. *J Periodontol*. 2019;90(4):331–338.
35. Barone A, Borgia V, Covani U, Ricci M, Piattelli A, Iezzi G. Flap versus flapless procedure for ridge preservation in alveolar extraction sockets: a histological evaluation in a randomized clinical trial. *Clin Oral Implants Res*. 2015;26(7):806–813.
36. Brkovic BM, Prasad HS, Rohrer MD, et al. Beta–tricalcium phosphate/type I collagen cones with or without a barrier membrane in human extraction socket healing: clinical, histologic, histomorphometric, and immunohistochemical evaluation. *Clin Oral Investig*. 2012;16(2):581–590.
37. Kim M, Kim JH, Lee JY, et al. Effect of bone mineral with or without collagen membrane in ridge

dehiscence defects following premolar extraction. *In Vivo*. 2008;22(2):231–236.

38. Perelman–Karmon M, Kozlovsky A, Liloy R, Artzi Z. Socket site preservation using bovine bone mineral with and without a bioresorbable collagen membrane. *Int J Periodontics Restorative Dent*. 2012;32(4):459–465.
39. Barone A, Toti P, Quaranta A, et al. Clinical and Histological changes after ridge preservation with two xenografts: preliminary results from a multicentre randomized controlled clinical trial. *J Clin Periodontol*. 2017;44(2):204–214.
40. Simion M, Trisi P, Maglione M, Piattelli A. A preliminary report on a method for studying the permeability of expanded polytetrafluoroethylene membrane to bacteria in vitro: a scanning electron microscopic and histological study. *J Periodontol*. 1994;65(8):755–761.
41. Ronda M, Rebaudi A, Torelli L, Stacchi C. Expanded vs. dense polytetrafluoroethylene membranes in vertical ridge augmentation around dental implants: a prospective randomized controlled clinical trial. *Clin Oral Implants Res*. 2014;25(7):859–866.
42. Barboza EP, Stutz B, Ferreira VF, Carvalho W. Guided bone regeneration using nonexpanded polytetrafluoroethylene membranes in preparation for dental implant placements—a report of 420 cases. *Implant Dent*. 2010;19(1):2–7.
43. Laurito D, Cugnetto R, Lollobrigida M, et al. Socket Preservation with d–PTFE Membrane: Histologic Analysis of the Newly Formed Matrix at Membrane Removal. *Int J Periodontics Restorative Dent*. 2016;36(6):877–883.
44. Sun DJ, Lim HC, Lee DW. Alveolar ridge preservation using an open membrane approach for sockets with bone deficiency: A randomized controlled clinical trial. *Clin Implant Dent Relat Res*. 2019;21(1):175–182.
45. Walker CJ, Prihoda TJ, Mealey BL, Lasho DJ, Noujeim M, Huynh–Ba G. Evaluation of Healing at Molar Extraction Sites With and Without Ridge Preservation: A Randomized Controlled Clinical Trial. *J Periodontol*. 2017;88(3):241–249.
46. Laurito D, Lollobrigida M, Gianno F, Bosco S, Lamazza L, De Biase A. Alveolar Ridge Preservation with nc–HA and d–PTFE Membrane: A Clinical, Histologic, and Histomorphometric Study. *Int J Periodontics Restorative Dent*. 2017;37(2):283–290.
47. Fotek PD, Neiva RF, Wang HL. Comparison of dermal matrix and polytetrafluoroethylene membrane for socket bone augmentation: a clinical and histologic study. *J Periodontol*. 2009;80(5):776–785.
48. Hassan M, Prakasam S, Bain C, Ghoneima A, Liu SS. A Randomized Split–Mouth Clinical Trial on Effectiveness of Amnion–Chorion Membranes in Alveolar Ridge Preservation: A Clinical, Radiologic,

and Morphometric Study. *Int J Oral Maxillofac Implants.* 2017;32(6):1389–1398.

49. Duong M, Mealey BL, Walker C, Al–Harthi S, Prihoda TJ, Huynh–Ba G. Evaluation of healing at molar extraction sites with and without ridge preservation: A three–arm histologic analysis. *J Periodontol.* 2020;91(1):74–82.
50. Wang RE, Lang NP. Ridge preservation after tooth extraction. *Clin Oral Implants Res.* 2012;23 Suppl 6:147–156.
51. Hämmerle CH, Araújo MG, Simion M. Evidence–based knowledge on the biology and treatment of extraction sockets. *Clin Oral Implants Res.* 2012;23 Suppl 5:80–82.
52. Thalmair T, Fickl S, Schneider D, Hinze M, Wachtel H. Dimensional alterations of extraction sites after different alveolar ridge preservation techniques – a volumetric study. *J Clin Periodontol.* 2013;40(7):721–727.
53. Cosyn J, Pollaris L, Van der Linden F, De Bruyn H. Minimally Invasive Single Implant Treatment (M.I.S.I.T.) based on ridge preservation and contour augmentation in patients with a high aesthetic risk profile: one–year results. *J Clin Periodontol.* 2015;42(4):398–405.
54. Sclar AG. Strategies for management of single–tooth extraction sites in aesthetic implant therapy. *J Oral Maxillofac Surg.* 2004;62(9 Suppl 2):90–105.
55. Kotsakis G, Chrepa V, Marcou N, Prasad H, Hinrichs J. Flapless alveolar ridge preservation utilizing the "socket–plug" technique: clinical technique and review of the literature. *J Oral Implantol.* 2014;40(6):690–698.
56. Kim YK, Yun PY, Lee HJ, Ahn JY, Kim SG. Ridge preservation of the molar extraction socket using collagen sponge and xenogeneic bone grafts. *Implant Dent.* 2011;20(4):267–272.
57. Natto ZS, Parashis A, Steffensen B, Ganguly R, Finkelman MD, Jeong YN. Efficacy of collagen matrix seal and collagen sponge on ridge preservation in combination with bone allograft: A randomized controlled clinical trial. *J Clin Periodontol.* 2017;44(6):649–659.
58. Neiva RF, Tsao YP, Eber R, Shotwell J, Billy E, Wang HL. Effects of a putty–form hydroxyapatite matrix combined with the synthetic cell–binding peptide P–15 on alveolar ridge preservation. *J Periodontol.* 2008;79(2):291–299.
59. Aimetti M, Romano F, Griga FB, Godio L. Clinical and histologic healing of human extraction sockets filled with calcium sulfate. *Int J Oral Maxillofac Implants.* 2009;24(5):902–909.
60. Eghbali A, Seyssens L, De Bruyckere T, Younes F, Cleymaet R, Cosyn J. A 5–year prospective study on the clinical and aesthetic outcomes of alveolar ridge preservation and connective tissue graft at the buccal aspect of single implants. *J Clin Periodontol.* 2018;45(12):1475–1484.

61. Cosyn J, Cleymaet R, De Bruyn H. Predictors of Alveolar Process Remodeling Following Ridge Preservation in High–Risk Patients. *Clin Implant Dent Relat Res*. 2016;18(2):226–233.

62. Guarnieri R, Stefanelli L, De Angelis F, Mencio F, Pompa G, Di Carlo S. Extraction Socket Preservation Using Porcine–Derived Collagen Membrane Alone or Associated with Porcine–Derived Bone. Clinical Results of Randomized Controlled Study. *J Oral Maxillofac Res*. 2017;8(3):e5.

63. Iorio–Siciliano V, Blasi A, Nicolò M, Iorio–Siciliano A, Riccitiello F, Ramaglia L. Clinical Outcomes of Socket Preservation Using Bovine–Derived Xenograft Collagen and Collagen Membrane Post–Tooth Extraction: A 6–Month Randomized Controlled Clinical Trial. *Int J Periodontics Restorative Dent*. 2017;37(5):e290–e296.

64. Spinato S, Galindo–Moreno P, Zaffe D, Bernardello F, Soardi CM. Is socket healing conditioned by buccal plate thickness? A clinical and histologic study 4 months after mineralized human bone allografting. *Clin Oral Implants Res*. 2014;25(2):e120–126.

65. Januário AL, Duarte WR, Barriviera M, Mesti JC, Araújo MG, Lindhe J. Dimension of the facial bone wall in the anterior maxilla: a cone–beam computed tomography study. *Clin Oral Implants Res*. 2011;22(10):1168–1171.

66. Chen ST, Darby I. The relationship between facial bone wall defects and dimensional alterations of the ridge following flapless tooth extraction in the anterior maxilla. *Clin Oral Implants Res*. 2017;28(8):931–937.

67. López–Martínez F, Gómez Moreno G, Olivares–Ponce P, Eduardo Jaramillo D, Eduardo Maté Sánchez de Val J, Calvo–Guirado JL. Implants failures related to endodontic treatment. An observational retrospective study. *Clin Oral Implants Res*. 2015;26(9):992–995.

68. !!! INVALID CITATION !!! 68.

69. Araújo MG, Lindhe J. Dimensional ridge alterations following tooth extraction. An experimental study in the dog. *J Clin Periodontol*. 2005;32(2):212–218.

70. Schropp L, Wenzel A, Kostopoulos L, Karring T. Bone healing and soft tissue contour changes following single–tooth extraction: a clinical and radiographic 12–month prospective study. *Int J Periodontics Restorative Dent*. 2003;23(4):313–323.

71. Fickl S, Zuhr O, Wachtel H, Stappert CF, Stein JM, Hurzeler MB. Dimensional changes of the alveolar ridge contour after different socket preservation techniques. *J Clin Periodontol*. 2008;35(10):906–913.

72. Hurzeler MB, Zuhr O, Schupbach P, Rebele SF, Emmanouilidis N, Fickl S. The socket–shield technique: a proof–of–principle report. *J Clin Periodontol*. 2010;37(9):855–862.

73. Siormpas KD, Mitsias ME, Kontsiotou–Siormpa E, Garber D, Kotsakis GA. Immediate implant

placement in the esthetic zone utilizing the "root–membrane" technique: clinical results up to 5 years postloading. *Int J Oral Maxillofac Implants*. 2014;29(6):1397–1405.

74. Gluckman H, Salama M, Du Toit J. Partial Extraction Therapies (PET) Part 1: Maintaining Alveolar Ridge Contour at Pontic and Immediate Implant Sites. *Int J Periodontics Restorative Dent*. 2016;36(5):681–687.
75. Salama M, Ishikawa T, Salama H, Funato A, Garber D. Advantages of the root submergence technique for pontic site development in esthetic implant therapy. *Int J Periodontics Restorative Dent*. 2007;27(6):521–527.
76. Davarpanah M, Szmukler–Moncler S. Unconventional implant treatment: I. Implant placement in contact with ankylosed root fragments. A series of five case reports. *Clin Oral Implants Res*. 2009;20(8):851–856.
77. Mazzocco F, Jimenez D, Barallat L, Paniz G, Del Fabbro M, Nart J. Bone volume changes after immediate implant placement with or without flap elevation. *Clin Oral Implants Res*. 2017;28(4):495–501.
78. Masset A, Staszyk C, Gasse H. The blood vessel system in the periodontal ligament of the equine cheek teeth—part II: The micro–architecture and its functional implications in a constantly remodelling system. *Ann Anat*. 2006;188(6):535–539.
79. Seo BM, Miura M, Gronthos S, et al. Investigation of multipotent postnatal stem cells from human periodontal ligament. *Lancet*. 2004;364(9429):149–155.
80. Baumer D, Zuhr O, Rebele S, Schneider D, Schupbach P, Hurzeler M. The socket–shield technique: first histological, clinical, and volumetrical observations after separation of the buccal tooth segment – a pilot study. *Clin Implant Dent Relat Res*. 2015;17(1):71–82.
81. Gluckman H, Du Toit J, Salama M. The Pontic–Shield: Partial Extraction Therapy for Ridge Preservation and Pontic Site Development. *Int J Periodontics Restorative Dent*. 2016;36(3):417–423.
82. Gluckman H, Nagy K, Du Toit J. Prosthetic management of implants placed with the socket–shield technique. *J Prosthet Dent*. 2019;121(4):581–585.
83. Gluckman H, Salama M, Du Toit J. A retrospective evaluation of 128 socket–shield cases in the esthetic zone and posterior sites: Partial extraction therapy with up to 4 years follow–up. *Clin Implant Dent Relat Res*. 2018;20(2):122–129.
84. Han CH, Park KB, Mangano FG. The Modified Socket Shield Technique. *J Craniofac Surg*. 2018;29(8):2247–2254.
85. Gluckman H, Salama M, Du Toit J. Partial Extraction Therapies (PET) Part 2: Procedures and

Technical Aspects. *Int J Periodontics Restorative Dent*. 2017;37(3):377–385.

86. Tan Z, Kang J, Liu W, Wang H. The effect of the heights and thicknesses of the remaining root segments on buccal bone resorption in the socket–shield technique: An experimental study in dogs. *Clin Implant Dent Relat Res*. 2018;20(3):352–359.
87. !!! INVALID CITATION !!! 79.
88. Buser D, Martin W, Belser UC. Optimizing esthetics for implant restorations in the anterior maxilla: anatomic and surgical considerations. *Int J Oral Maxillofac Implants*. 2004;19 Suppl:43–61.
89. Schwimer C, Pette GA, Gluckman H, Salama M, Du Toit J. Human Histologic Evidence of New Bone Formation and Osseointegration Between Root Dentin (Unplanned Socket–Shield) and Dental Implant: Case Report. *Int J Oral Maxillofac Implants*. 2018;33(1):e19–e23.
90. Zhang Z, Dong Y, Yang J, Xu R, Deng F. Effect of socket–shield technique on alveolar ridge soft and hard tissue in dogs. *J Clin Periodontol*. 2019;46(2):256–263.
91. Baumer D, Zuhr O, Rebele S, Hurzeler M. Socket Shield Technique for immediate implant placement – clinical, radiographic and volumetric data after 5 years. *Clin Oral Implants Res*. 2017;28(11):1450–1458.
92. Bramanti E, Norcia A, Cicciu M, et al. Postextraction Dental Implant in the Aesthetic Zone, Socket Shield Technique Versus Conventional Protocol. *J Craniofac Surg*. 2018;29(4):1037–1041.
93. Sun C, Zhao J, Liu Z, et al. Comparing conventional flap–less immediate implantation and socket–shield technique for esthetic and clinical outcomes: A randomized clinical study. *Clin Oral Implants Res*. 2020;31(2):181–191.
94. Gharpure AS, Bhatavadekar NB. Current Evidence on the Socket–Shield Technique: A Systematic Review. *J Oral Implantol*. 2017;43(5):395–403.

발치 후 즉시 임플란트 식립과 치조골 보존술

발치 후 즉시 임플란트 식립술은 치유 기간 및 수술 횟수의 감소와 발치 후 발생하는 조직 퇴축의 예방을 위해 시행되고 있으며, 점차 그 적응증을 늘려 가며 임플란트 치의학계에서 많은 관심을 받고 있다. 한 체계적 문헌 고찰에 의하면 "발치 후 즉시 임플란트 식립"은 21세기(2001–2012년)에 출판된 임플란트 치의학 논문의 주제 중 7.5%의 점유율을 보였고, 이는 일곱 번째로 높은 수치였다.[1] 이 책의 주제는 임플란트 주위 골의 증강술이나 보존술이기 때문에 임플란트의 식립 시기에 관련된 세부적인 내용은 다루지 않는 것이 맞다. 그러나 발치 후 즉시 임플란트 식립술은 단순히 자연치 발치와 임플란트 식립만으로 이루어진 술식은 아니다. 이 술식에는 발치 후 치조골의 흡수에 대한 고려, 이를 예방하기 위한 골보존 술식, 그리고 필요시 골증강 술식이 포함되기 때문에 이에 대해서도 다루어 보려고 한다.

이에 관해 본격적으로 논의하기에 앞서, 발치 후 즉시 임플란트 식립은 단근치, 즉 전치부와 소구치부에서 주로 이루어지며, 따라서 심미적인 결과를 매우 중요시한다는 점을 먼저 언급하겠다. 이는 심미 부위인 전치부 및 소구치부에서 임플란트 수복을 빠르게 시행하는 것이 임상적으로 중요하며 단근치인 이들 치아 부위에서 즉시 식립이 더 용이하기 때문이다. 따라서 다근치, 즉 대구치에서의 즉시 식립에 대해서는 뒤에서 따로 논의하도록 하고, 앞으로의 논의는 단근치, 그 중에서도 상악 전치–소구치부(물론 상악 소구치는 이근치일 수도 있지만 여기에서는 편의상 단근치로 가정할 것이다.)에 대해 집중할 것이다.

1.
즉시 임플란트 식립 후의 심미적 결과

1970–1980년대에는 임플란트를 거의 치유된 치조골(healed ridge)에만 식립했다. 즉 ITI 기준으로 4형 식립만이 이루어졌다. 1978년 독일에서 Schulte 등은 발치 후 즉시 임플란트 식립술을 소개했지만, 찻잔 속의 태풍처럼 독일 국내에서만 과열된 논쟁을 불러일으킨 후 잊혀져 갔다고 한다.[2,3] 이후 1990년대 이후로 이 술식에 대해 다시 임상가들이 관심을 기울이기 시작했고, 골유도 재생술이 일반화되면서 발치 후 즉시 임플란트 식립과 동시에 골유도 재생술을 적용한 증례들이 보고되기 시작했다.[4] 그러나 초기에 사용된 ePTFE 차폐막은 치유 기간 중 노출되며 합병증이 발생하는 경우가 많았기 때문에 1990년대 후반–2000년대 초반 이후로는 주로 교원질의 흡수성 차폐막이 적용되기 시작했다.

1) 발치 후 즉시 식립한 임플란트의 생존율은 고전적 식립 프로토콜에 의해 식립한 임플란트의 생존율과 별다른 차이를 보이지 않는다

발치 후 즉시 발치와 내부로 식립된 임플란트는, 치유된 치조골(healed ridge)에 식립된 임플란트와 유사한 정도의 골–임플란트간 접촉을 이룬다.[5,6] 발치 후 즉시 임플란트 식립 시, 치유된 치조골에 임플란트를 식립했을 때와 골–임플란트간 접촉의 관점에서 다음 두 가지에서 차이를 보인다(**📷 4–1**).

- 매식체의 치근단 부위는 식립 직후부터 골과 직접 접촉해 있지만, 치관측에는 매식체 표면과(주로) 순측 치조골판의 내면 사이에 빈 공간(이후 간단히 "임플란트 주위 결손", 혹은 "갭"이라고 하겠다)이 존재한다. 임플란트 주위 결손의 수평적 폭에 따라 최종적인 골–임플란트간 접촉의 정도에 차이가 난다. 임플란트 주위 결손은 치관측으로 향할수록 커지기 때문에 근단측에 비해 치관측의 골–임플란트간 접촉 정도는 떨어진다.[7]
- 발치 후 초기에는 발치와 내부에서 파골 세포가 활성화된다.[8] 따라서 이 기간 동안에는 발치와 내외부의 골흡수가 활발하며, 이에 따라 임플란트 식립 후 1주 이내의 초기 치유 단계에서는 발치 후 즉시 식립 시의 골–임플란트간 접촉이 고전적 식립 시에 비해 10% 정도 저하되는 결과를 보인다.[9]

그러나 발치 즉시 임플란트를 식립하는 프로토콜은 단근치에서 90% 후반대의 높은 임플란트 생존율을 보이고 있으며, 이는 발치 후 6개월 이상의 치유 기간을 부여하고 임플란트를 식립하는 고전적 프로토콜 시의 임플란트의 생존율과 별다른 차이를 보이지 않는 것이다.[10–12] 따라서 발치 후 즉시 임플란트 식립 프로토콜에 대한 현재의 관심은, 임플란트의 골유착 성공 정도를 넘어 임플란트 주위 조직의 변화와 이에 따른 심미적 결과에 집중되고 있다.

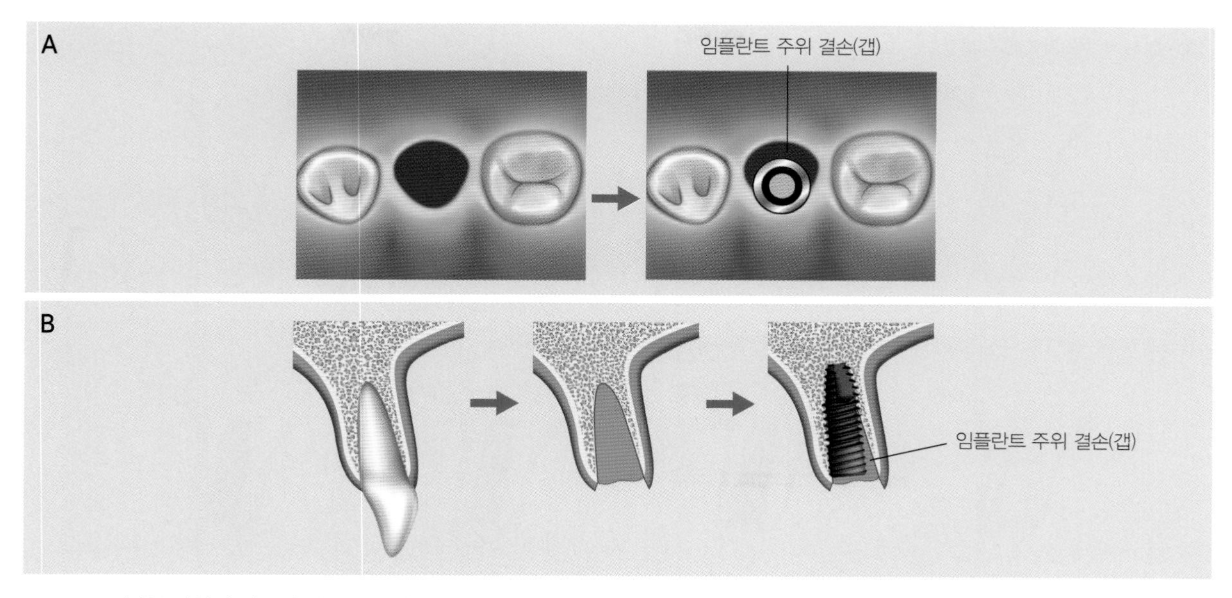

4-1 치경부 자연치 치근의 협설, 근원심 폭은 임플란트에 비해 크다. 따라서 발치 후 즉시 임플란트를 식립하게 되면 치아 관통부에서 발치와와 임플란트 매식체 사이에 빈 공간이 남게 된다. 이 부위를 일반적으로 "임플란트 주위 결손(peri-implant bone defect)"이라고 칭한다. 발치한 치아의 종류 및 위치와 사용된 매식체의 종류에 따라 임플란트 주위 결손의 크기와 위치가 결정되지만, 발치 후 즉시 임플란트 식립술의 주요 적응증이 되는 전치부-소구치부에서는 치근의 협설폭이 근원심 폭보다 크기 때문에 결손부는 주로 협설 방향으로 형성된다. 또한 상악 전치부에서 이상적인 임플란트 식립 위치는 발치와 중앙을 기준으로 구개측을 향하기 때문에 이 부위에서는 임플란트 주위 결손이 순측에 형성된다. 발치 후 즉시 임플란트를 식립할 때에는 이 결손을 어떻게 처치하는가가 중요하다.

2) 발치 후 즉시 임플란트를 식립하고 골보존 술식을 적용하지 않으면 치조골의 자연적인 흡수를 피할 수 없다

발치 후 즉시 임플란트 식립을 처음으로 제안한 술자들은, 이 술식이 발치 후 자연적으로 발생하는 치조골 흡수를 줄여줄 수 있을 것으로 생각했다.[13] 그러나 임플란트를 발치 후 즉시 식립하더라도 치조골을 보존할 수 있는 술식을 함께 적용하지 않는다면 치조골의 흡수를 예방할 수는 없다는 사실이 동물 실험과 임상 연구를 통해 밝혀졌다(4-2).[14,15] 동물 연구에서 발치 후 즉시 식립을 시행하고 3개월가량 경과하면 협측 치조골 높이는 평균 2 mm 이상 감소되어 있었으며, 치조골 보존 술식 없이 발치 후 즉시 임플란트를 식립한 치조골과 발치 후 아무런 처치도 가하지 않은 치조골의 흡수량은 거의 차이를 보이지 않았다.[16,17] 심지어는 발치 후 즉시 임플란트를 식립한 치조골의 흡수량이 자연 발치와 치조골의 흡수량보다 유의하게 더 많다는 보고들도 있었다.[18,19] 이러한 사실은 임상 연구에서도 동일하게 나타났다. 일련의 임상 연구에서 발치 후 즉시 임플란트를 식립하면서 골보존 술식을 시행하지 않으면 수술 4개월 후 치조골의 폭은 평균 1.1–1.9 mm, 순측 치조골의 수직적 높이는 평균 0.3–1 mm가 흡수됐다.[20-23] 또한 자연적인 발치와의 치유와 비슷하게 구개측보다는 순측에서 치조골의 흡수가 두드러졌다.

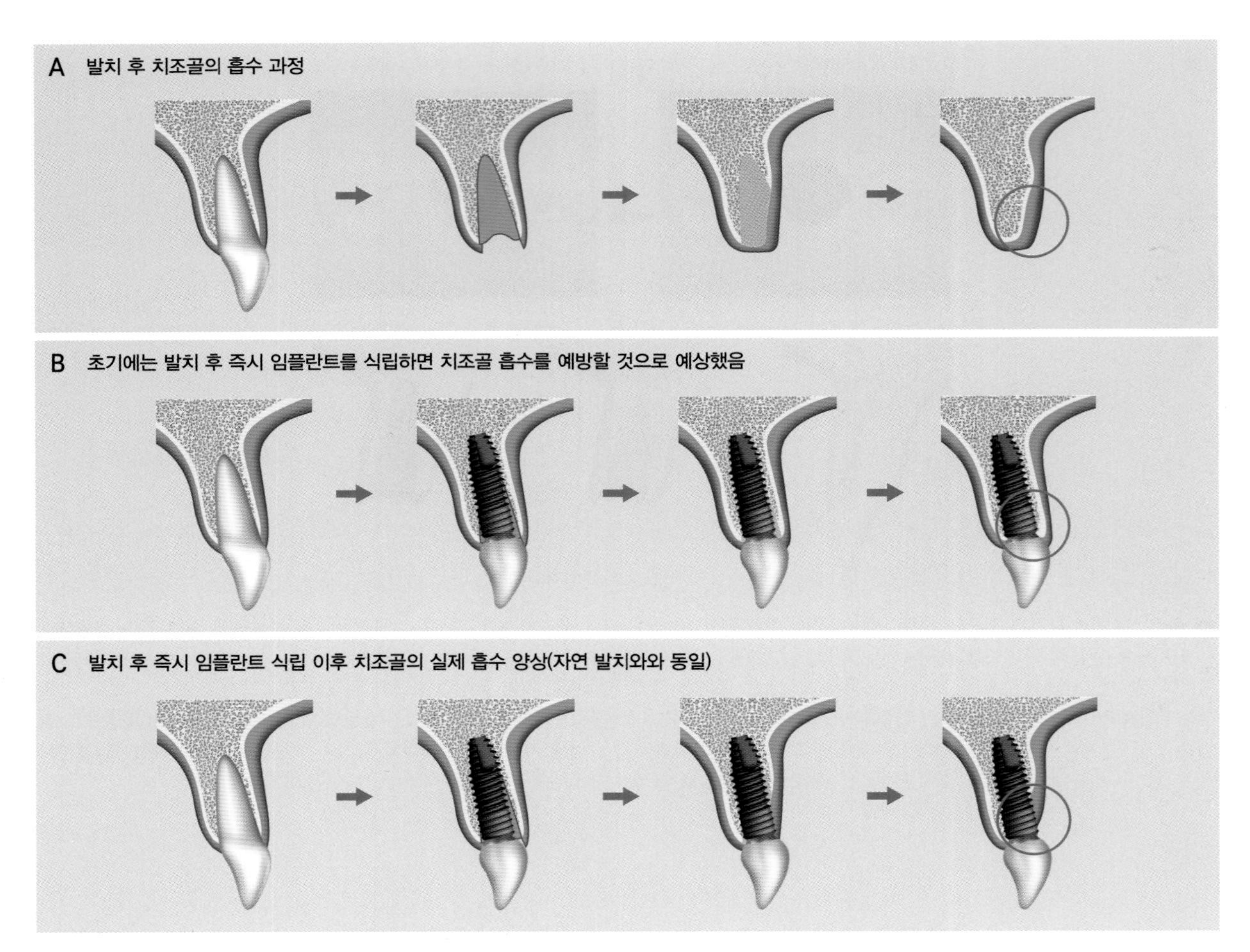

A 발치 후 치조골의 흡수 과정
B 초기에는 발치 후 즉시 임플란트를 식립하면 치조골 흡수를 예방할 것으로 예상했음
C 발치 후 즉시 임플란트 식립 이후 치조골의 실제 흡수 양상(자연 발치와와 동일)

4-2 과거에는 발치 후 즉시 임플란트를 식립하면 치조골의 흡수를 예방할 수 있을 것으로 예상했으나 이는 잘못된 생각이었다.
A. 발치 후 아무런 처치도 가하지 않은 발치와의 골은, 특히 순(협)측 치관부에서 현저히 흡수된다. **B.** 과거에는 발치 후 즉시 임플란트를 식립하면 치조골의 흡수를 예방할 것으로 예상했다. **C.** 그러나 실제로는 발치 직후 임플란트를 식립하더라도 치조골을 보존하기 위한 추가적인 처치를 가하지 않으면 자연 발치와에서와 비슷한 정도로 치조골이 흡수된다.

한 메타분석에서는 골증강/골보존 술식을 가하지 않고 발치 후 즉시 임플란트 식립만 시행했을 때 순측 치조골은 4–12개월 후 수평적으로 평균 1.1 mm (95% CI 0.96–1.24 mm), 수직적으로 평균 1.12 mm (95% CI 0.94–1.31 mm)가 감소했다고 보고했다(**4–3**).[15] 또 다른 메타분석에서도 발치 후 즉시 임플란트 식립 시의 치조골 흡수를 평가했다. 임플란트 주위 결손 내로의 골충전 여부와 관계없이 모든 일차 연구를 평균했을 때, 4–12개월 후 순측 치조골은 수평적으로 1.07 mm (95% CI 0.84–1.31 mm), 수직적으로 평균 0.78 mm (95% CI 0.55–1.02 mm)가 감소했다고 보고했다.[24]

장기간의 순측 치조골 흡수에 대해서는 아직 적은 자료만이 존재한다. 그러나 4–7년 후의 치조골 변화를 관찰한 연구들에 의하면, 비록 순측 점막 변연은 비교적 안정적으로 유지되더라도, 발치 후 즉시 임플란트 식립

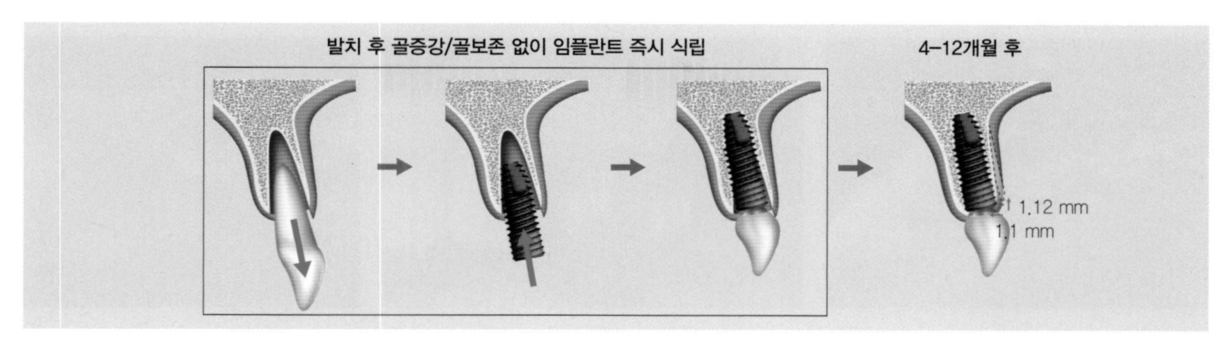

4–3 한 메타 분석에 의하면 발치 후 임플란트를 즉시 식립하면서 골이식을 시행하지 않으면 순측 치조골은 4–12개월 후 수평적으로 평균 1.1 mm (95% CI 0.96–1.24mm), 수직적으로 평균 1.12 mm (95% CI 0.94–1.31 mm)가 감소했다고 보고했다.

을 시행한 부위의 순측 치조골은 수직적으로 평균 3.1–3.25 mm가 흡수됐다.[25,26] 또한 7년 후 35.7%의 증례에서 순측골이 존재하지 않았으며, 평균 순측골 두께는 0.4 mm에 지나지 않았다.[25] 그러나 비슷한 수술 프로토콜을 적용한 다른 후향적 단일 환자군 연구에서는 수술 2년 후에도 순측골 두께가 평균 1.8 mm (0.9–2.4 mm)로 잘 유지됐으며, 수직적으로도 1 mm 이상 재생된 결과를 보였다고 보고했다.[27] 아직 이에 대한 전향적 대조 연구가 없기 때문에 확실한 결론을 내릴 수는 없지만, 위의 결과를 통해 발치 후 즉시 식립을 시행한 상악 전치부에서 순측골의 흡수는 지속적으로 발생할 수 있으며, 적절한 증례에서 적절한 수술적 처치를 가해야 이를 최소화시킬 수 있음을 알 수 있다.

3) 발치 후 즉시 임플란트 식립 시에는 치조골의 흡수를 줄여줄 수 있는 술식을 병행해야 하지만, 그래도 어느 정도의 골흡수는 피할 수 없다

발치 후 즉시 임플란트를 식립하면 임플란트 매식체와 순측 골벽 사이는 빈 공간으로 남게 된다. 그리고 앞에서 이 공간(임플란트 주위 결손)에 아무런 처치도 가하지 않으면 치조골은 자연 발치와와 비슷하게, 혹은 더 많이 흡수된다는 사실을 알아보았다. 따라서 치조골의 흡수를 막고자 이 공간에 흡수가 느린 이식재를 적용하는 술식은 "발치 후 즉시 임플란트 식립 프로토콜"에서 표준적으로 시행하는 과정의 하나로 자리잡았다 (4–4).

앞 장에서는 "치조제 보존술"에 대해 설명한 바 있다. 치조제 보존술의 효과를 요약하자면, "발치와(extraction socket) 치조골의 흡수를 줄여줄 수는 있지만 이를 완전히 막을 수는 없다"는 것이었다. 발치 후 즉시 임플란트 식립 시에도 순측 치조골판과 임플란트 표면 사이의 임플란트 주위 결손에 골이식재를 적용함으로써 치조골을 보존하고자 하지만, 역시 치조골의 흡수를 줄여주기만 할 뿐 이를 완전히 막을 수는 없다. 최근의 한 무작위 대조 연구는, 발치 후 즉시 임플란트 식립 시 임플란트 주위 결손에 골이식재를 적용하는 술식은 치조제 보존술과 비슷한 정도의 골흡수 예방 효과를 보인다는 사실을 보여주었다.[28] 이 연구에서 발치 및 처치

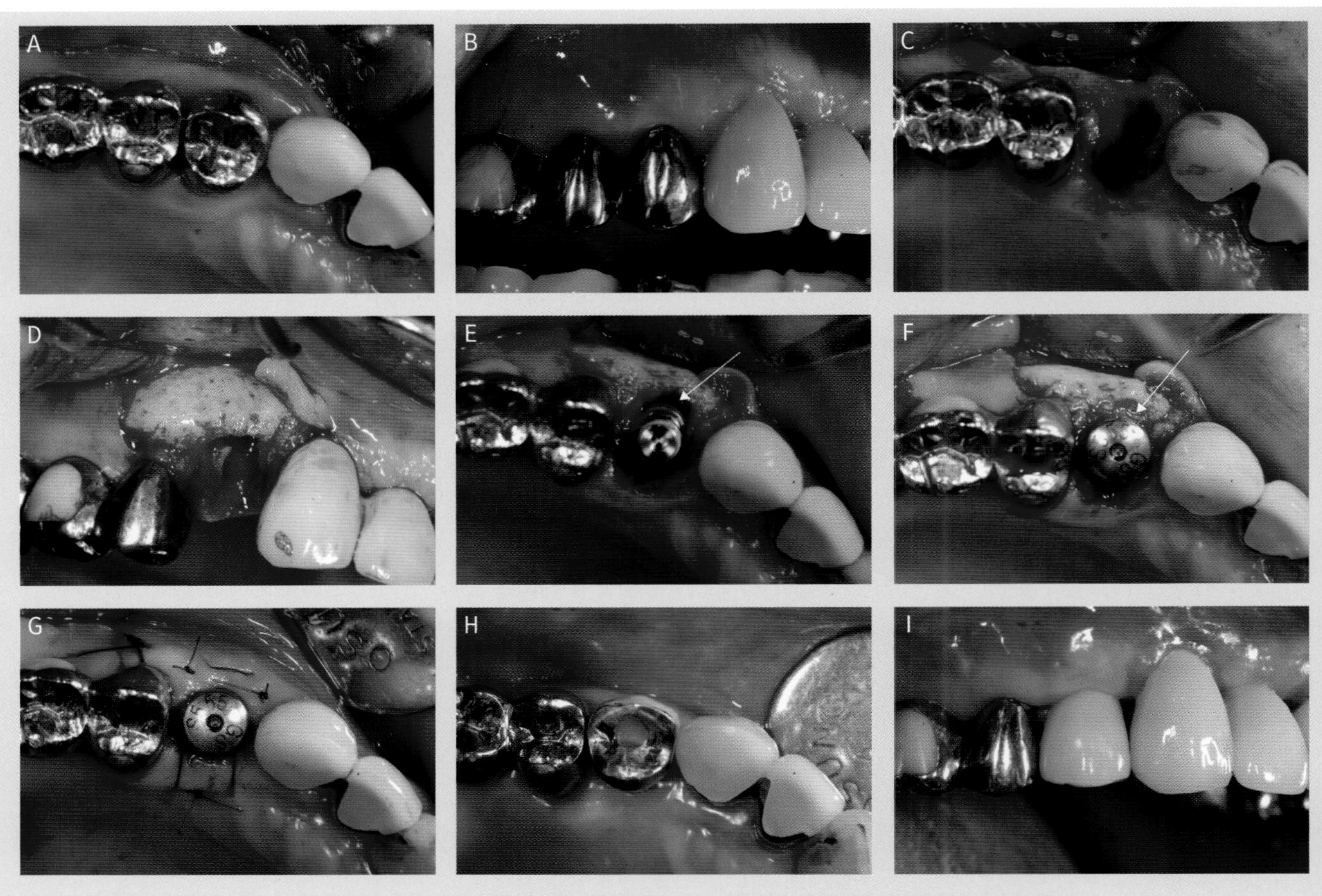

4-4 발치 후 즉시 임플란트를 식립할 때 일반적으로 임플란트 주위 결손에는 흡수가 느린 이식재로 골이식을 시행한다.
A~G. 수복 불가능한 치아 우식증에 이환된 상악 우측 제1소구치를 발거하고 임플란트를 식립했다. 발치 후 임플란트를 즉시 식립했으며 순측에 2.5 mm 정도의 결손부가 형성되었다**(E)**. 이 부위에 동종골 이식재를 삽입하고**(F)** 수술부를 폐쇄했다.
H~I. 4개월 후 치료를 완료했다. 골보존 술식에도 불구하고 협측 치조제 외형은 술 전에 비해 술 후에 현저히 축소된 것을 관찰할 수 있다**(A, H)**.

4개월 후 순측골의 수평적 흡수량은 각각 "자연 발치와" 2.45±1.29 mm (54.9%), "치조제 보존술" 0.91±0.43 mm (25.9%), "임플란트 즉시 식립 + 임플란트 주위 결손 골이식" 0.99±0.21 mm (26%)이었으며, 자연 발치와는 다른 두 군과 유의한 차이를 보였다**(4-5)**. 순측골의 수직적 흡수량은 각 군에서 0.31–0.83 mm 사이로, 유의한 차이를 보이지는 않았다. 2014년의 한 메타분석에 의하면, 발치 후 즉시 임플란트 식립 시 임플란트 주위 결손에 골충전을 시행하면 순측 치조골은 수평적으로 평균 0.79 mm, 수직적으로 평균 0.77 mm가 감소한 반면, 임플란트 주위 결손에 골충전을 시행하지 않으면 순측 치조골은 수평적으로 평균 1.32 mm, 수직적으로 평균 0.86 mm가 감소했다고 보고했다.[24] 임플란트 주위 결손 내부로의 골충전은 순측 치조골의 수직적 흡수량에는 거의 영향을 끼치지 못했고, 수평적으로는 0.5 mm 이상의 흡수를 줄여준 것이다.

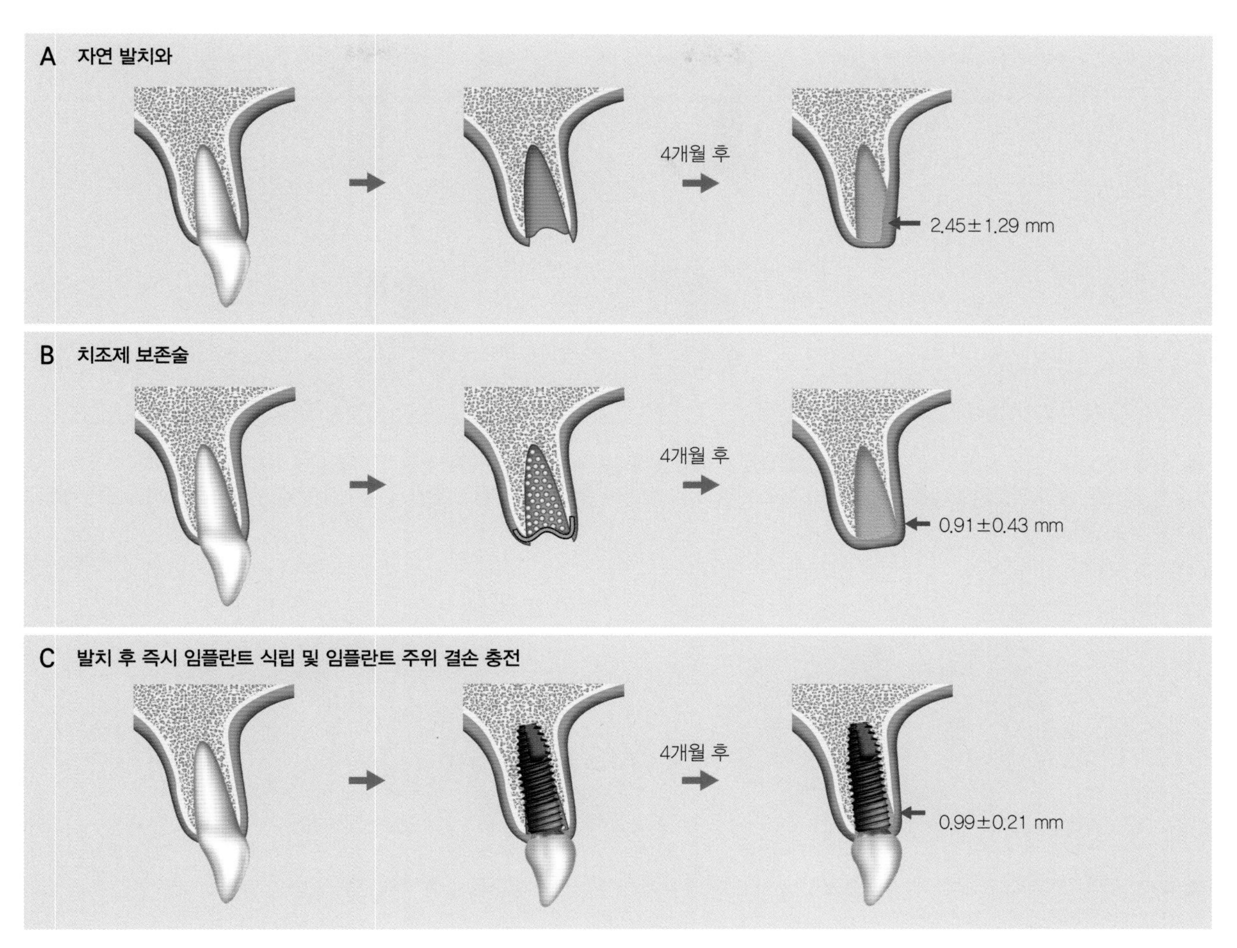

4-5 임플란트를 지연 식립할 때 치조제 보존술은 치조골의 흡수를 최소화하는 술식이다. 임플란트를 즉시 식립할 때 임플란트 주위 결손으로의 골이식 또한 치조제 보존술과 비슷하게 치조골의 흡수를 최소화한다. 그러나 두 술식 모두 치조골의 자연적인 흡수를 줄여주는 것이지 원천적으로 막아줄 수는 없다. 한 임상 연구에서는 발치 4개월 후 각 처치에 따른 순측 치조골 변연의 수평적 흡수량을 평가했다.[28] 그 결과는 **A, B, C**와 같았으며 두 술식은 모두 치조골의 흡수량을 절반 이상 줄여주었지만 1 mm에 가까운 치조골이 수평적으로 흡수되는 것을 막을 수는 없었다.

결국 발치 후 임플란트 즉시 식립 시 "임플란트 주위 결손에 대한 골충전"은 "치조제 보존술"과 같은 목적으로 시행되며 치조골 흡수를 줄여주는 효과도 비슷하다. 또한 임플란트 주위 결손에 대한 골충전은 치조골의 수평적 흡수는 줄여줄 수 있지만, 원래 적은 양만 변화하는 수직적 흡수에 대해서는 크게 영향을 미치지 못한다.

4) 발치 후 즉시 임플란트 식립술의 최대 단점은 순측 점막 변연의 퇴축과 이로 인한 심미성의 저하이다

지금까지의 내용을 정리하면 다음의 가정이 가능하다(**4-6**).

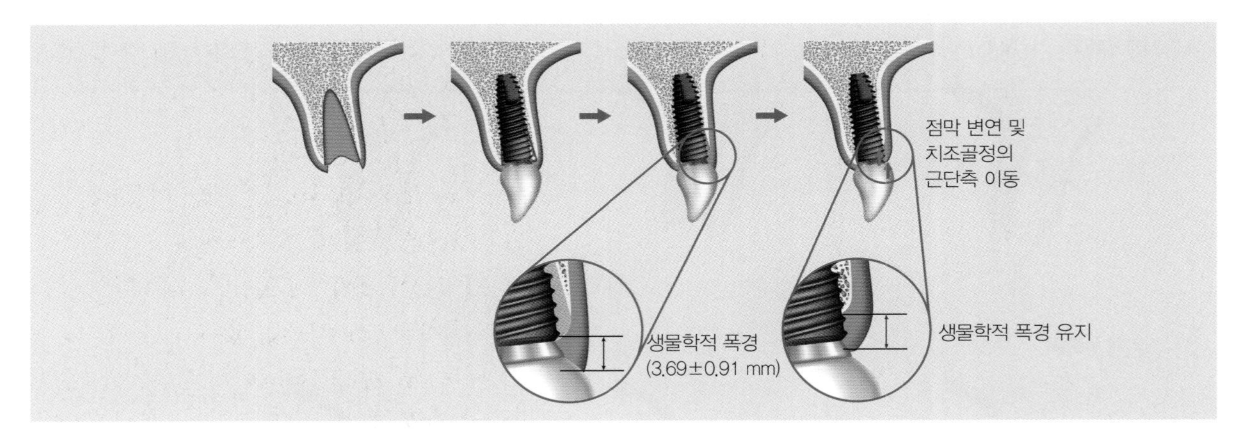

4-6 발치 후 즉시 임플란트 식립 시의 잠재적인 문제점. 발치 후 즉시 임플란트를 식립하면 결손부에 골이식을 시행하더라도 순측 치관측 변연부 골의 약간의 흡수를 피할 수는 없다. 만약 치관측 골이 흡수되면 점막 변연은 생물학적 폭경을 유지하기 위해 근단측으로 퇴축될 수도 있다.

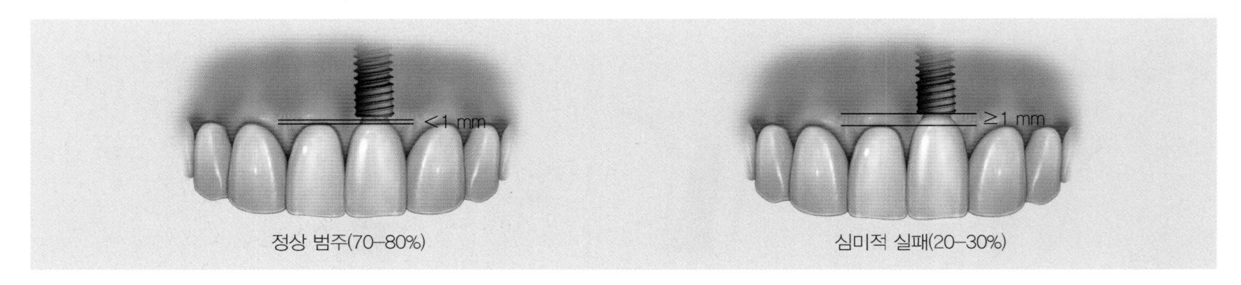

4-7 상악 전치부에서 발치 후 즉시 임플란트 식립 시 가장 흔한 심미적 합병증은 순측 중앙 점막 변연의 퇴축과 이로 인한 치관 길이의 연장이다. 2008년 ITI Consensus Conference에서는 순측 중앙 점막 변연 퇴축이 1 mm를 초과하여 발생하는 빈도는 20–30%에 달한다고 했다.[11,29]

- 발치 후 즉시 임플란트만 식립하면 치아 발거 후 자연적으로 발생하는 치조골의 흡수를 피할 수 없다.
- 발치 후 즉시 임플란트 식립 시 발생하는 치조골의 흡수는 임플란트 주위 결손으로의 골이식으로 줄여줄 수는 있지만 완전히 없앨 수는 없다.
- 임플란트 주위 점막의 높이와 형태는, 이를 지지하는 임플란트 주위골의 높이와 형태를 따른다.
- 따라서 발치 후 즉시 임플란트를 식립하면 임플란트 주위 점막은 퇴축될 수 있다.

그리고 이러한 생각은 정확히 상악 전치부의 즉시 임플란트 식립 시 가장 문제가 될 수 있는 사항이다. 2008년 ITI Consensus Conference에서는 즉시 임플란트 식립 시의 심미적 결과에 대해 평가했으며, 순측 중앙 점막 변연의 퇴축은 매우 흔하게 발생하는 심미적 합병증이라고 결론내렸다. 순측 중앙 점막 변연 퇴축이 1 mm를 초과하여 발생하는 빈도는 20–30%에 달했다(4-7).[11,29] 발치 후에 즉시 임플란트를 식립하면 특히 순측 치조골의 흡수는 피할 수 없으며, 이에 따라 순측 조직의 풍륭도가 감소하고 순측 점막이 일정 정도 퇴축될 수 있다.[14,30] 임플란트 주위 점막의 수직적 두께는 비교적 일정하다. 이러한 점막 두께를 생물학적 폭경(biologic width)이라 한다. 상악 전치부 임플란트의 순측 중앙부의 생물학적 폭경은 평균 3.69±0.91 mm이다.[31] 따라서 순측골이 특히 수직적으로 흡수되면, 임플란트 주위 점막은 일정한 생물학적 폭경을 유지하기 위해 근단측으로 퇴축될 것으로 예상할 수 있다(📷 4-6).[32,33]

물론 점막 변연의 높이는 단순히 순측골의 흡수 정도를 그대로 반영하지는 않는다. 임플란트의 식립 방향, 치조골의 흡수 정도, 임플란트 주위 점막의 두께는 모두 순측 점막 변연의 퇴축에 영향을 미칠 수 있는 주요한 요소들이다. 따라서 어떠한 경우에는 순측 치조골이 흡수되더라도 점막 부착의 폭이 증가된 채 점막 변연은 그대로 유지될 수도 있다(📷 4-8).[34] 결국 순측 치조골 흡수량과 점막 퇴축량과의 정확한 관계를 도출하기는 매우 어려운 측면이 있다. 한 전향적 임상 연구에서는 2차 수술 시 잔존한 열개 결손의 양을 측정했다.[35] 그리고 잔존한 열개 결손이 없는 경우, 1 mm인 경우, 1 mm를 초과하는 경우로 구분하여 4년 후의 점막 상태를 확인했다. 그 결과 점막 퇴축량은 각각 평균 0.2 mm, 0.5 mm, 0.4 mm로 거의 차이를 보이지 않았다. 이는 즉시 식립의 결과는 아니지만 임플란트 식립 위치가 적절하고 점막의 두께가 얇지 않다면 순측골의 수직적 흡수, 즉 열개의 양이 순측 점막의 퇴축량과 일차적인 비례 관계를 이루지는 않는다는 점을 보여주는 것이다.

5) 상악 전치부에서 발치 후 즉시 임플란트 식립 시의 심미적 결과

발치 후 즉시 임플란트 식립은 주로 심미적 관점에서 중요한 부위, 즉 상악 전치부에서 가장 흔하게 시행된다. 따라서 그 심미적 결과는 임플란트 치료의 성공을 결정하는 데 있어 매우 중요한, 또는 가장 중요한 고려 요소가 된다.

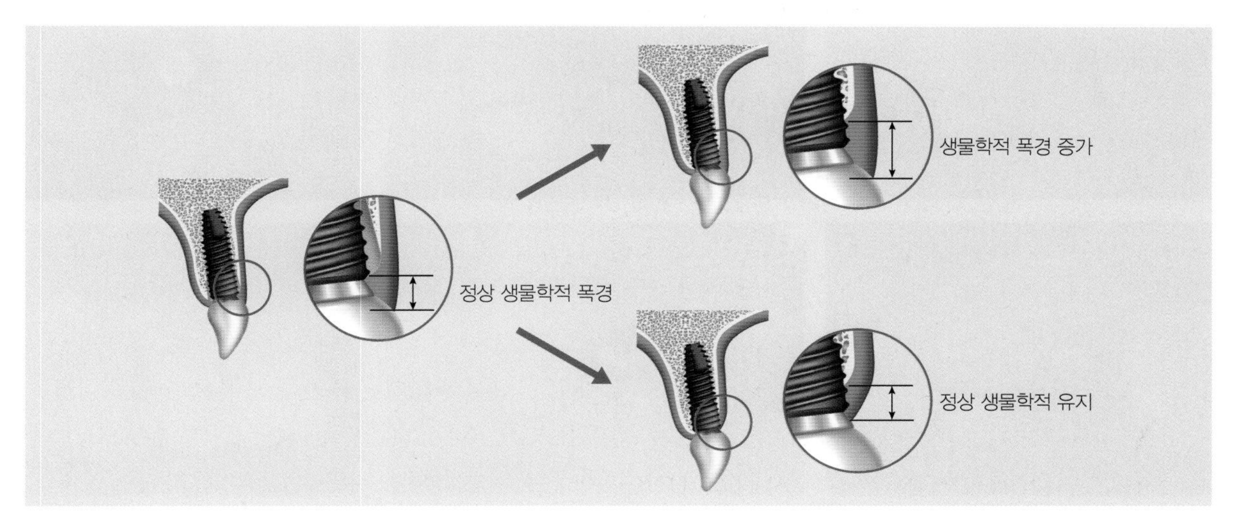

📷 4-8 순측 변연골이 흡수되면 순측 점막 변연은 이에 비례하여 동일한 정도로 퇴축되는가? 두 극단적인 경우를 가정해보자. 점막 변연은 퇴축에 저항하여 원래 높이를 유지할 수도 있을 것이다. 이때 생물학적 폭경은 흡수된 순측 변연골 높이만큼 증가한다. 반대로 점막 변연은 변연골 높이의 감소와 동일한 정도로 퇴축될 수 있다. 이때 생물학적 폭경은 그대로 유지된다. 그리고 실제 임상에서는 순측 점막 변연이 점막 변연부의 두께나 임플란트 매식체의 식립 위치 등에 따라 두 극단적인 경우의 사이 어딘가에 위치하게 된다.

(1) 심미적 평가에서 가장 중요한 요소는 임플란트 주위 점막의 수직적 높이이다

임플란트 식립부의 심미적 결과를 평가하는 방법은 크게 두 가지이다.[36,37]

- 임플란트 주위 점막의 수직적 높이 순측 중앙 점막 변연의 높이와 근원심 치간 유두 점막의 높이를 주로 평가했다.
- 심미 지표 주로 임플란트 주위 점막의 심미성을 나타내는 지표(Pink Esthetic Score; 이후 PES)가 쓰인다. 이에 대해서는 뒤에서 자세히 설명하도록 한다.

발치 후 치조골과 점막은 일정 정도 흡수되면서 퇴축되고, 따라서 임플란트 보철물 주위의 점막 외형은 변화를 겪게 된다. 조직과 치조골은 수평적 방향과 수직적 방향으로 흡수된다. 이 중 임플란트 주위 점막의 수직적 흡수 정도는 가장 중요한 심미적 요소가 된다. 수직적 흡수의 결과는 순측 점막 변연과 치간 유두 점막의 퇴축으로 나타난다. 반면 수평적 조직 흡수의 결과는 임플란트 순측 조직의 풍륭도가 감소하는 것으로 나타난다. 자연치의 순측 조직은 치근의 풍륭도를 따라 볼록하게 나타나지만, 임플란트의 순측 조직은 치조골의 자연스런 흡수로 인해 이러한 풍륭도가 소실된다. 치과의사는 이러한 풍륭도의 변화를 민감하게 감지할 수 있지만 환자는 이를 잘 인지하지 못하며, 따라서 임상적으로 임플란트 주위 조직의 수평적 감소는 수직적 퇴축만큼 심미성에 결정적인 영향을 미치지 못한다(**4-9**).[38] 최근의 한 무작위 대조 연구에서도 즉시 식립-즉시 수복 시 결합 조직 이식을 시행하면 순측 조직의 수평적 풍륭도를 유의하게 증가시킬 수 있었지만, 이것이 심미성에 대한 환자의 주관적 만족도에는 거의 아무런 영향도 미치지 못했다고 보고했다(**4-10**).[39]

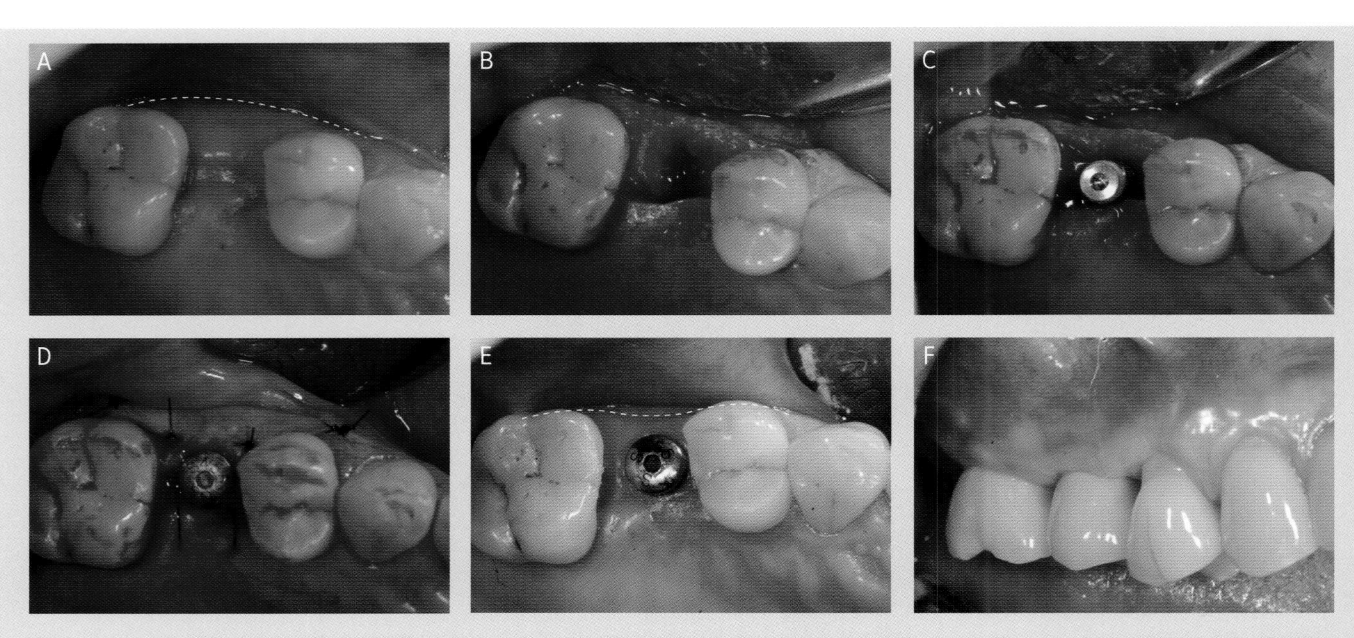

4-9 발치 후 즉시 임플란트를 식립했을 때 일정 기간이 경과하면 임플란트 주위의 골과 연조직은 부피가 축소된다. 특히 임플란트 주위 변연골과 변연 점막의 크기와 형태는 심미적인 결과를 평가하는 데 있어 매우 중요하다. 조직의 수평적 양(풍륭도)은 심미적 결과에 일정 정도 영향을 미치긴 하지만 조직의 수직적 양(치조골 변연 및 점막 변연 높이)만큼 결정적인 영향을 미치지는 못한다.

A~D. 발치 1개월 후 임플란트를 식립했다. 발치 후 즉시 식립은 아니었지만 임플란트 주위 조직의 양은 잘 보존되어 있었다(**A**). 아직 발치와는 골성 조직으로 충전되지 못한 상태였다. 임플란트 식립 후 협측 골이 충분히 두껍고 임플란트 주위 결손이 1 mm 미만이었기 때문에(**C**) 아무런 골재생 술식도 가하지 않고 수술부를 폐쇄했다.

E~F. 3개월 3주 후 최종 보철물을 연결했다. 수술 전과 비교하여 순측 조직의 풍륭도가 현저히 감소한 것을 확인할 수 있다(**A, E**). 그러나 이러한 축소는 심미적 결과에 그다지 큰 영향을 미치지는 않는다(**F**).

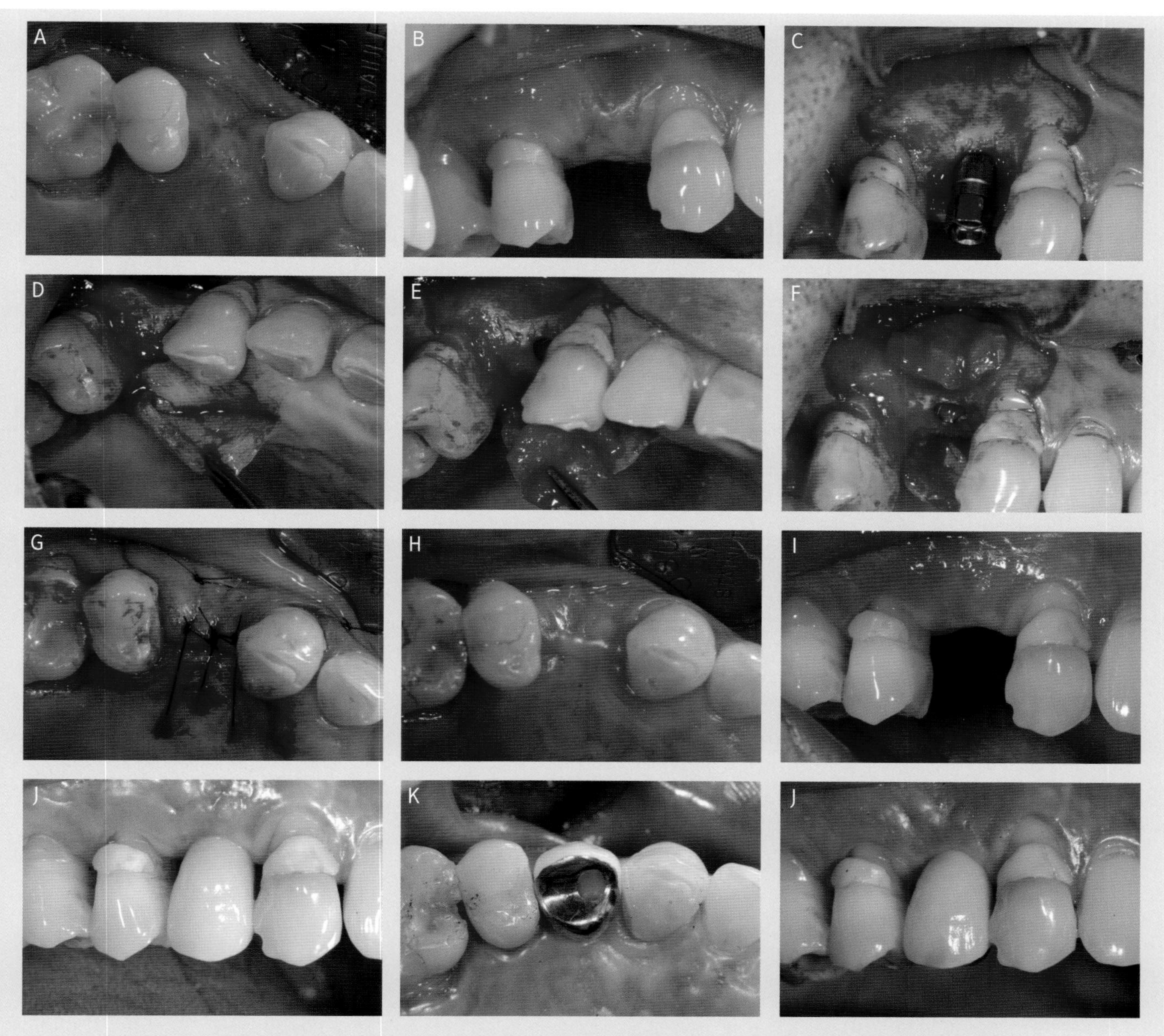

4-10 결합 조직 이식으로 순측 조직의 수평적 풍륭도를 증가시킬 수는 있지만 이것이 심미적 결과를 개선시키는 효과는 미미하다.

A~G. 상악 우측 제1소구치 부위에 임플란트를 식립했다. 협측 조직에 약간의 함몰이 보였지만**(A)** 임플란트 식립 후 골의 결손은 없었다**(C)**. 따라서 순측 조직의 풍륭도를 증가시키기 위해 결합 조직을 채취한 후 이식해 주었다**(C~F)**.

H~I. 2개월 3주 후 펀치법으로 2차 수술을 시행했다. 사진은 2차 수술 시행 직전 촬영한 것으로 수술 전에 비해 협측 조직의 수평적 풍륭도가 개선된 것을 확인할 수 있다**(A, H)**.

J. 2주 후 보철물을 장착했다.

K~L. 보철물 장착 2개월 후이다. 협측 중앙부 점막 변연 높이는 적절하게 유지되고 있으며 부분적이기는 하지만 치간 유두부가 재생되었다. 임플란트 식립부 협측 조직의 풍륭도는 심미적 결과에 크게 영향을 미치지는 않는다.

(2) 순측 점막 변연의 수직적 퇴축은 심미적 실패의 가장 흔한 원인이지만 이는 점차 극복되고 있는 추세이다

앞서 설명한 바와 같이 발치 후 즉시 임플란트 식립 시 가장 흔한 심미적 합병증은 순측 점막 변연의 심한 퇴축이다.[40] 순측 중앙 점막 변연의 "심한 퇴축의 기준"은 임플란트 식립부 자연치의 원래 점막 변연 높이나 반대측 자연치의 변연에 비해 1 mm 이상 퇴축된 경우로 간주한다. 그러나 치과 비전문가는 퇴축의 양이 1.5 mm에 이를 때까지는 이를 잘 인지하지 못한다고 한다(📷 4-11).[41] 상악 전치부 치아를 발거하고 즉시 임플란트를 식립했을 때 순측 점막의 퇴축은 보철물 연결 후 6개월 이내에 집중되고 이후에는 안정화된다.[42,43] 한 전향적 연구에 의하면 즉시 식립-즉시 수복 후 1년이 경과했을 때에 비해 9년이 경과했을 때 순측 점막 변연은 0.09 mm만 근단측으로 이동했다.[44] 따라서 보철물 연결 6개월 후에는 최종적인 심미적 성공 여부를 판단할 수 있다.

대부분의 연구에서 상악 전치부에서 발치 후 즉시 임플란트를 식립했을 때 순측 점막의 "평균" 퇴축량은 1 mm 미만이라고 했지만,[45-47] 몇몇 연구에서는 평균 퇴축량이 1 mm 이상이었다고 보고했다.[42,48] 그러나 순측 점막의 "평균 퇴축량"보다 퇴축량이 1 mm 이상인 "심한 퇴축 증례의 빈도"가 더 중요한 고려 요소이다. 2008년에 발표된 5년간의 전향적 단일 환자군 연구에서는 발치 후 즉시 식립 시 순측 점막 변연의 현저한 흡수는 24% (5/21)에서 발생했다고 하였다.[49] 2012년 Osteology Foundation에서 진행한 체계적 문헌 고찰에서는 발치 후 즉시 임플란트를 식립하고 3년 이상 경과 관찰한 연구들에서 순측 점막 변연이 1 mm 이상 퇴축된 환자는 약 20% 정도였다고 보고했다.[50] 또다른 체계적 문헌 고찰에서는 발치 후 즉시 식립-즉시 수복을 시행하면 1 mm 이상 변연 퇴축이 발생한 증례는 일차 연구에 따라 7-14.3%였고, 그 평균은 11.02%였다고 했다.[43] 5th ITI Consensus Conference의 체계적 문헌 고찰에 의하면, 이 고찰에 포함된 대조 연구들에서 발치 후 즉시 식립과 조기 식립 시 평균적인 점막 변연의 퇴축량은 거의 차이가 없었다.[51] 그러나 1 mm 이상의 점막 변연 퇴축량을 보이는 증례는 즉시 식립 시에는 9-41% (중간값 26%) 였으나 조기 식립 시에는 0%였다.

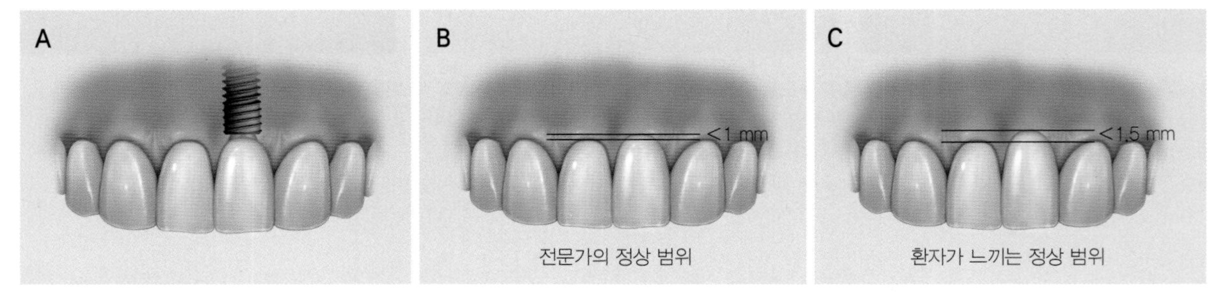

📷 **4-11** 순측 중앙 점막 변연의 "심한 퇴축의 기준"은 임플란트 식립부 자연치의 원래 점막 변연 높이나 반대측 자연치의 변연에 비해 1 mm 이상 퇴축된 경우로 간주한다**(B)**. 그러나 치과 비전문가는 퇴축의 양이 1.5 mm에 이를 때까지는 이를 잘 인지하지 못한다고 한다 **(C)**. 즉 전문가에 비해서는 좀 더 관대한 기준을 적용하는 것이다.

그러나 발치 후 즉시 식립에 대한 경험과 지식이 축적되면서 이러한 문제는 점차 개선되고 있는 추세이다. 핵심은 적절한 증례 선택과 조직의 퇴축을 최소화할 수 있는 술식의 결합이다. 위에 언급한 체계적 문헌 고찰들에서는 순측 점막 변연의 퇴축에 영향을 줄 수 있는 해부학적, 수술적 요소들을 분석한 바 있으며 이러한 요소들은 순측골과 순측 점막의 흡수에 현저한 영향을 미칠 수 있다는 사실을 보여주었다(이에 대해서는 뒤에서 자세히 설명하도록 한다).[50,51] 최근의 임상 연구들에서는 발치 후 즉시 임플란트 식립 프로토콜을 시행할 때 적절한 증례 선택과 엄격한 수술 프로토콜을 적용하여 순측 점막 변연의 퇴축을 거의 완전히 막아줄 수 있었다고 보고했다.[45,46,52,53]

(3) 건전한 자연치가 임플란트에 인접해서 존재하면 즉시 임플란트 식립 후 치간 유두 점막의 현저한 퇴축은 거의 발생하지 않는다

치간 유두 높이는 절대적인 양을 기준으로 평가하기도 하지만, 일반적으로는 Jemt가 1997년 제시했던 기준인 Jemt 지수를 기준으로 평가한다(**4-12**).[54] 이 지수는, 치간 공극 높이를 치간 유두 점막이 얼마나 차지하고 있는가로 평가하기 때문에 단순한 치간 유두 점막의 절대적인 높이에 비해 실제적인 심미성의 정도를 더 잘 나타낼 수 있을 뿐만 아니라, 측정의 재현성이 높기 때문에 널리 사용되고 있다.[55] 일반적으로 Jemt 지수가 2–3이면 성공적인 결과를 보이는 것으로 간주한다.[56]

치아의 백악–법랑 경계(Cemento–Enamel Junction; CEJ)는 순설측 중앙부보다 근원심측이 더 치관측에 위치하고 치조골 높이는 CEJ 직하방의 치주인대에 의해 유지되기 때문에 치조골 높이 또한 순설측 중앙부보다 근원심측이 더 치관측에 위치한다. 반면 임플란트 매식체의 치관측 변연 높이는 순설, 근원심측에서 모두 동일하고 임플란트 주위의 치조골 높이는 임플란트 매식체의 치관측 변연 높이에 따라 좌우되므로 치조골 높이가 근심, 협설 중앙, 원심부에서 모두 동일하다(**4-13**). 결국 임플란트 식립부에 인접하여 자연치가 존재하면 치간

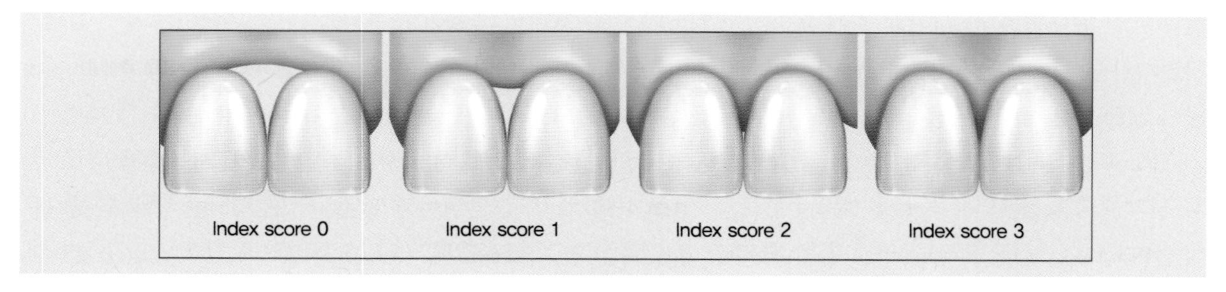

4-12 Jemt 지수
Jemt 지수는 치간 유두의 높이를 나타내는 가장 대표적인 지수이다.
0점: 치간 유두가 전혀 존재하지 않음. 임플란트 주위 조직이 직선적인 형태를 보임
1점: 치간 유두가 1/2 미만으로 존재함
2점: 치간 유두는 1/2 이상 존재하지만 치간 접촉점까지 완전히 채우지는 못함
3점: 치간 유두가 완전하게 존재하며 주변 치간 유두와 잘 조화됨. 연조직 형태가 가장 이상적인 상태임
4점: 치간 유두가 과증식됨. 연조직 형태는 불규칙적임

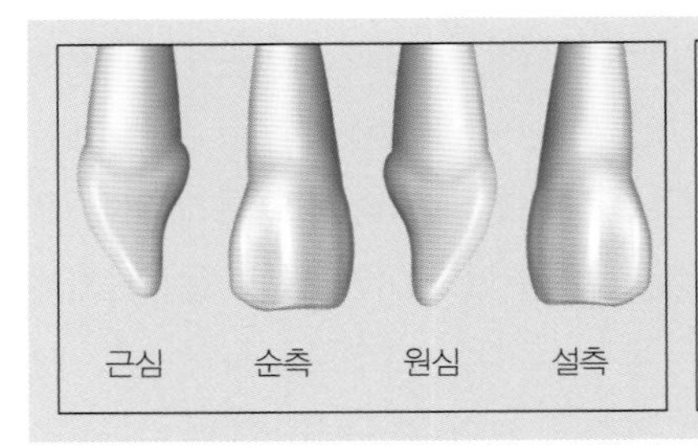

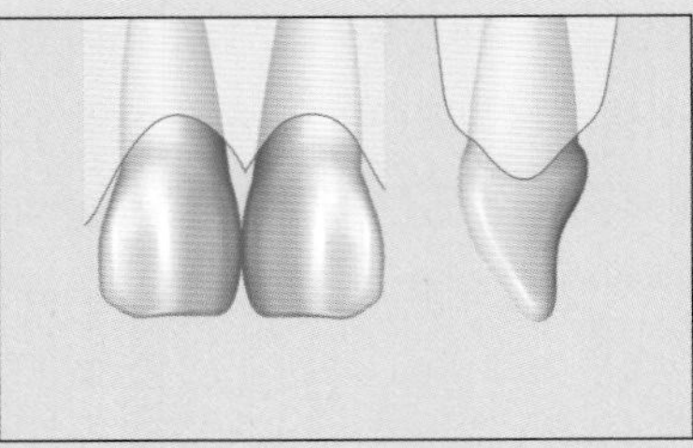
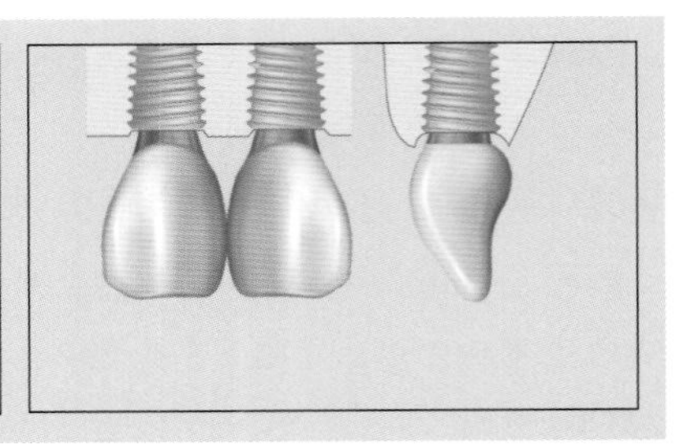

4-13 치아의 백악-법랑 경계(Cemento-Enamel Junction, CEJ)는 순설측 중앙부보다 근원심측이 더 치관측에 위치하고 치조골 높이는 CEJ 직하방의 치주인대에 의해 유지되기 때문에 치조골 높이 또한 순설측 중앙부보다 근원심측이 더 치관측에 위치한다. 반면 임플란트 매식체의 치관측 변연 높이는 순설, 근원심측에서 모두 동일하고 임플란트 주위의 치조골 높이는 임플란트 매식체의 치관측 변연 높이에 따라 좌우되므로 치조골 높이가 근심, 협설 중앙, 원심부에서 모두 동일하다.

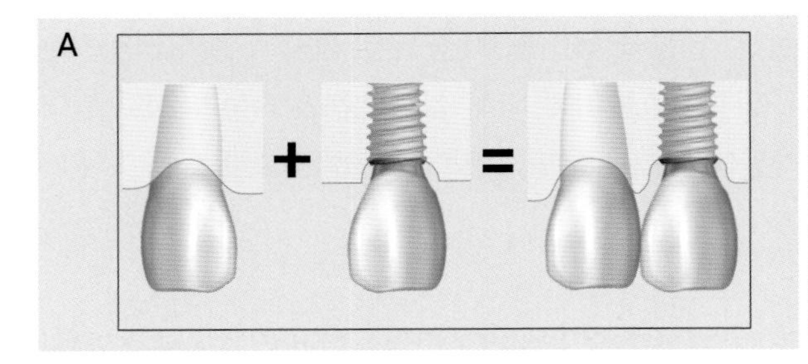

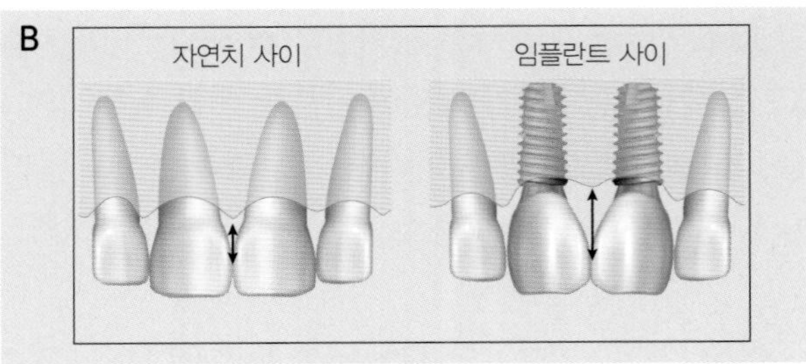

4-14 임플란트 주위의 치조골은 협측, 설측, 근심, 원심부에서 모두 높이가 동일하기 때문에 협설 중앙부는 근단측에, 그리고 근원심은 치관측에 위치하는 물결 모양이 될 수 없다. 따라서 임플란트 사이의 치간 유두는 보철물 변연의 형태에 의해서만 약하게 형성할 수 있다.
A. 자연치와 임플란트가 인접한 경우에는 더 치관측에 위치하는 자연치 인접면 치조골에 의해 치간골 높이가 유지된다. **B.** 임플란트 사이의 치간골 정은 자연치 사이나 임플란트-자연치 사이의 치간골 정보다 근단측에 위치한다. 따라서 치간 접촉점에서 인접면 치조골정 사이의 거리는 길어진다. 결국 보철물 외형을 변화시키지 않으면 치간 유두 점막은 이 부위를 완전히 채워줄 수 없다.

골과 치간 유두 점막은 치아에 의해 흡수가 예방되어 물결 모양의 외형이 보존되는 반면, 임플란트에 인접하여 자연치가 존재하지 않으면 치간골은 흡수되면서 평탄화되어 임플란트 주위 조직은 편평해진다(4-14). Kan 등이 시행한 한 단면 연구에서는, 상악 전치부 단일 임플란트 부위의 근원심 치간 유두 점막 두께는 인접한 자연치의 치간 유두 점막 두께보다 두꺼웠는데, 이는 자연치의 치간골이 임플란트와 인접 자연치 사이의 치간 유두 점막을 지지해준다는 사실을 보여주는 것이다(4-15).[57] 이제 근원심에 자연치가 존재하는 단일 임플란트 식립부에서는, "치간 유두 높이는 임플란트측의 치간골정 높이와는 관계가 없고, 자연치 측의 치간골정 높이에 의해 결정된다"는 것은 하나의 상식이 되었다.[49,58-62] 유명한 2001년의 Choquet 등의 단면 연구에서는 단일치 임플란트 수복 증례에서 치간 유두 점막의 높이와 치간 치조골 높이의 상관성을 평가했다.[63] 여기에서는 치간 유두 점막의 높이(수직적 두께)는 평균 약 4 mm (3.85 mm)였다. 또한 치아에 의해 지지되는 치간골정과 치간 접촉점 사이의 거리가 5 mm 이하면 치간 유두 점막은 거의 모든 경우 치간 공극을 완전히 채우고 있었지만, 이 거리가 6 mm 이상이면 치간 공극을 완전히 채우는 증례는 50% 이하였다(4-16).

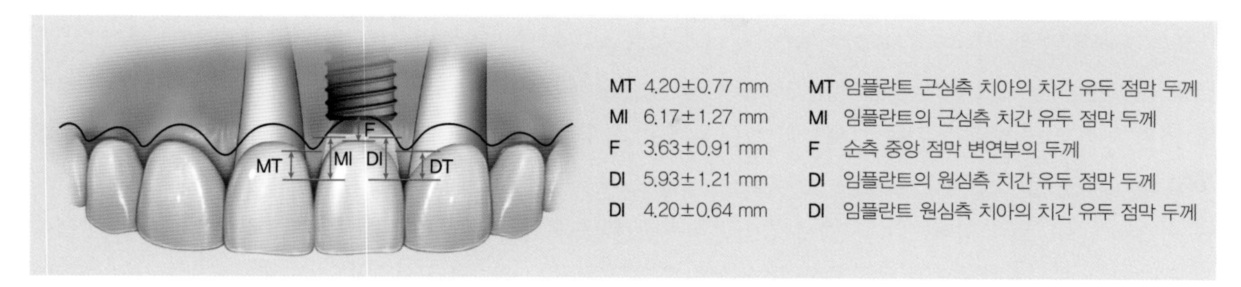

4-15 Kan 등이 시행한 한 단면 연구에서는 상악 전치부 단일 임플란트 부위의 근원심 치간 유두 점막 두께는 인접한 자연치의 치간 유두 점막 두께보다 두꺼웠는데(MI>MT, DI>DT). 이는 자연치의 치간골이 임플란트와 인접 자연치 사이의 치간 유두 점막을 지지해준다는 사실을 보여주는 것이다.[57]

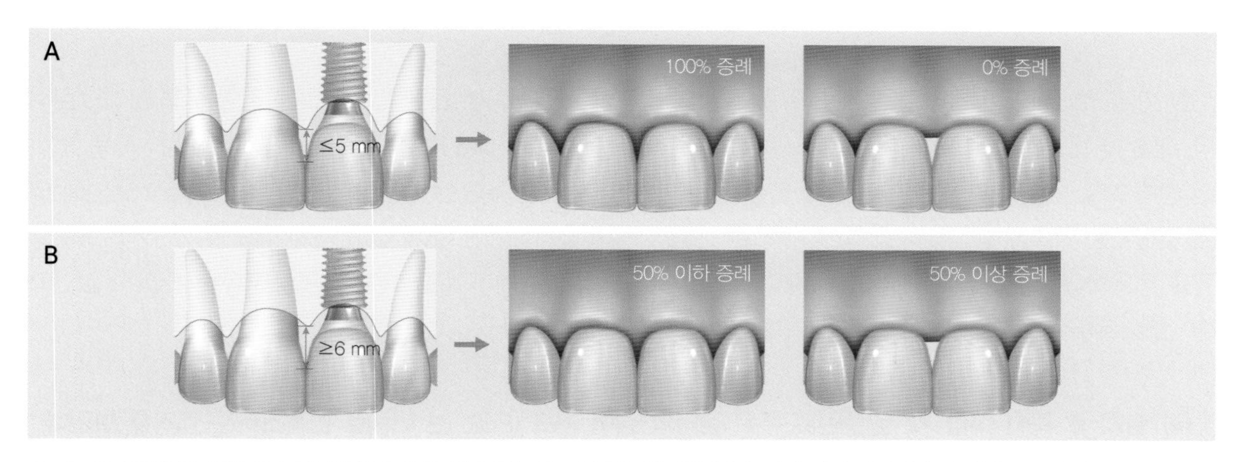

4-16 자연치와 임플란트 사이의 치간 유두 점막의 높이는 치아측 치간골정의 높이에 따라 결정된다. 유명한 2001년의 Choquet 등의 단면 연구에서는 단일치 임플란트 수복 증례에서 치간 유두 점막의 높이와 치간 치조골 높이의 상관성을 평가했다.[63] 여기에서는 치간 유두 점막의 높이(수직적 두께)는 평균 약 4 mm (3.85 mm)였다. 또한 치아에 의해 지지되는 치간골정과 치간 접촉점 사이의 거리가 5 mm 이하면 치간 유두 점막은 거의 모든 경우 치간 공극을 완전히 채우고 있었지만, 이 거리가 6 mm 이상이면 치간 공극을 완전히 채우는 증례는 50% 이하였다. 이는 자연치-임플란트 사이에서 치간 유두 점막의 높이는 치아측 치간골 정의 높이에 따라 결정됨을 보여주는 결과이다.

그리고 위의 사실은 발치 후 즉시 임플란트를 식립했을 때에도 동일하게 적용되는 원리이다. 즉, 인접 자연치의 치간골만 건전하다면, 순측 점막 변연과는 달리 치간 유두 점막 높이는 비교적 안정적으로 잘 유지되며 이로 인해 심미적 실패를 야기할 가능성은 거의 없다.[40] 단일치 발치 후 즉시 임플란트를 식립하면 치간 유두 점막은 인접치 치간골에 의해 지지되기 때문이다. 임상 연구들에 따르면, 발치 후 즉시 임플란트를 식립하면 치간 유두 점막은 처음에 약간 소실되지만, 술 후 1년까지 서서히 재생된다.[64-66] 일련의 체계적 문헌 고찰에 의하면 즉시 식립 임플란트 주위의 치간 유두 높이는 최종적으로 평균 0.13-0.38 mm만이 퇴축됐으며,[40,67,68] 이는 다른 식립 프로토콜 후의 치간 유두 퇴축량과 거의 아무런 차이도 보이지 않는 것이었다.[69] 즉시 임플란트 식립 후 Jemt 지수로 치간 유두 점막의 높이를 평가했을 때에는 수복 1년 후 Jemt 지수 2-3인 증례가 90% 이상,[70] 수복 2년 후 77-88%,[45] 수복 10년 후 77.0%였다.[56]

비록 최종적인 치간 유두의 높이는 부하 시기나 식립 시기에 크게 영향받지는 않지만, 치유 기간 중 치간 유두의 높이는 이들 요소에 영향을 받는다. 발치 후 임플란트 식립 시까지, 그리고 임플란트 식립 후부터 보철물 연결 시까지 더 오랜 기간을 부여하면 치간 유두는 더 평탄화되고, 따라서 이것이 원래의 형태를 회복할 때까지 소요되는 기간은 더 연장된다. 결국 지연 식립보다는 즉시 식립 시, 지연 부하보다는 즉시 부하/수복 시 유두 높이는 더 빨리 회복된다. 지연 식립–지연 부하 후 수복물을 연결하면 평탄화되었던 치간 유두는 급속히 재생되어 초기 6개월간 현저히 증가한 후 2년 후까지 완만한 증가를 지속하여 발치 전 상태를 거의 회복한다.[45,56,70–72] 이후에는 치간 유두 높이가 안정적으로 유지된다.[73] 반면 즉시 식립–즉시 부하 프로토콜을 적용하면 발치 전 치간 유두 높이가 초기에 약간 퇴축되지만 치료 6개월까지 거의 원래 상태로 회복된 후 거의 변화 없이 안정적으로 유지된다(**📷 4–17**).[53,70,71,74] 결과적으로 치료 수년 후 최종적인 치간 유두의 높이는 식립 시기나 부하 시기에 관계없이 거의 비슷한 상태로 회복된다.[56,70,71]

한 가지 언급할만한 흥미로운 점은, 유두 점막의 퇴축량은 원심측이 근심측보다 많은 경향을 보인다는 점이다. 물론 이는 임상적으로나 통계학적으로 유의한 차이는 아니지만 대다수의 임상 연구에서 공통적으로 보이는 경향으로, 단순히 측정 상의 오류로 인한 것인지, 아니면 어떤 특정한 생물학적 원인이나 수술적 원인에 의한 것인지는 밝혀지지 않았다.[75–77] 심지어 한 전향적 증례 연구에서는 절개 없이 즉시 식립–즉시 수복 프로토콜을 적용하였음에도 유두 점막이 1 mm 이상 현저히 퇴축된 증례가 수술 1년 후 근심 유두는 하나도 없었지만, 원심 유두는 10%였다고 보고하기도 했다.[78]

(4) 발치 후 즉시 식립 시 “임플란트 주위 점막의 심미 지표 (PES)”는 대체로 만족스러운 결과를 보인다

단순히 순측 점막 변연의 높이와 치간 유두의 높이가 아닌, 임플란트 치료 후의 심미성을 평가할 수 있는 객관적인 지표의 필요성이 지속적으로 제기되고 있다. 이러한 지표로 제시된 것에는 여러 가지가 있지만, 현재 가장 널리 쓰이고 있는 심미 지표는 임플란트 주위 점막의 심미적 결과를 측정하는 지표인 “Pink Esthetic Score (이후 PES)”와 임플란트 보철물의 심미적 결과를 측정하는 지표인 “White Esthetic Score (이후 WES)”이다.

Furhauser 등은 2005년 단일 임플란트 보철물 주변 조직의 심미성을 평가하기 위한 지표인 PES를 개발하여 소개했다.[79] 간단하게 설명하자면 총 7개의 지표에 대해 각각 0, 1, 2의 점수를 부여하고 이를 총합한 것이 PES가 되는 것이다(**📷 4–18, 📁 4–1**).[79] 따라서 PES는 0–14점까지 부여될 수 있다. 저자들은 20명의 평가자에게 이 지표로 임플란트 주위 조직의 심미성을 두 번 평가하게 한 결과 비교적 동일한 결과를 얻을 수 있었고, 특히 심미성이 특별히 높거나 낮은 경우 평가의 이질성이 낮게 나타났다고 보고했다.

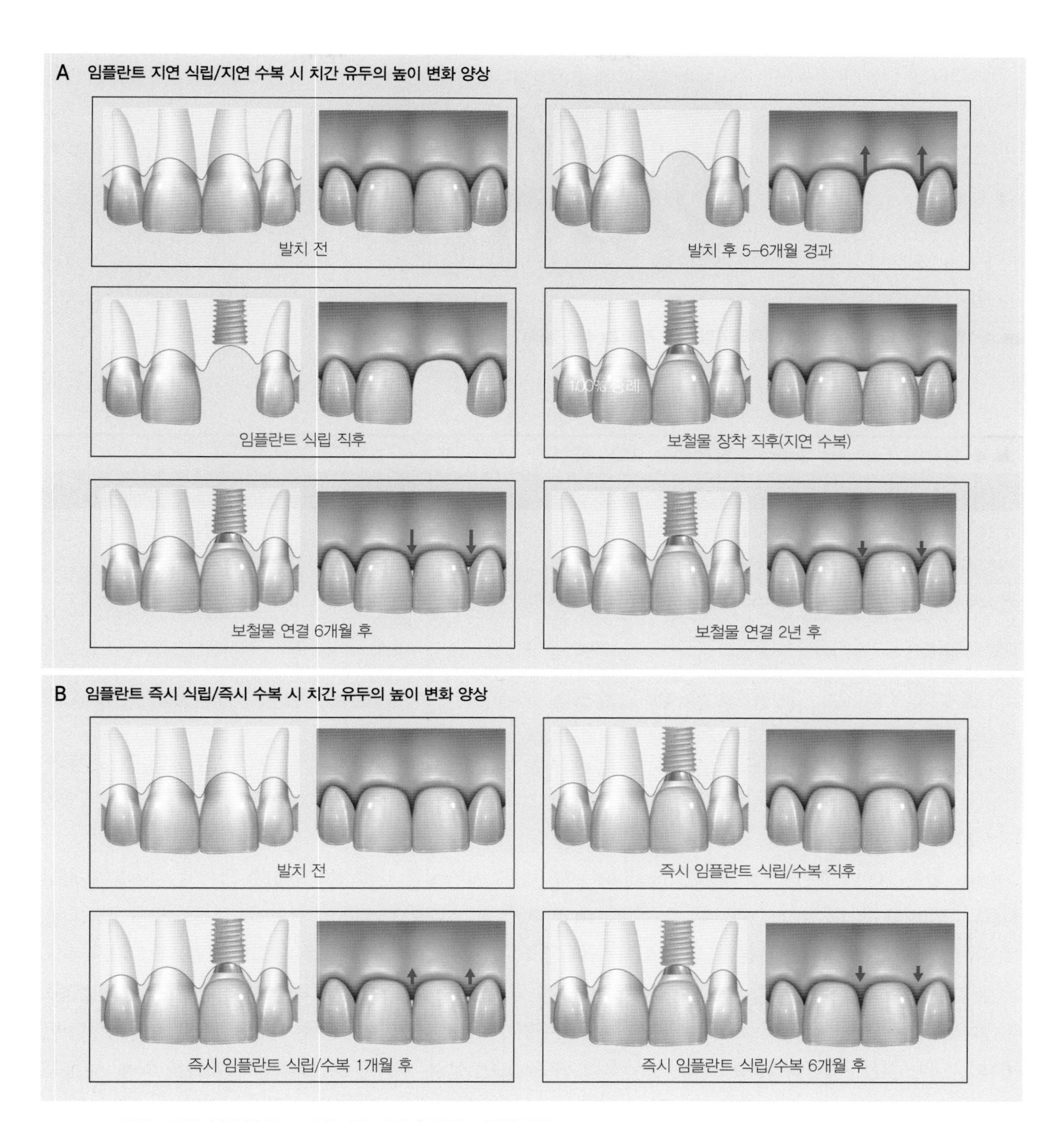

4–17 식립 시기와 부하/수복 시기에 따른 단일 임플란트 주위 점막

특히 치간 유두 점막의 변화. 발치 후 식립 시기, 식립 후 부하/수복 시기에 따라 점막 형태는 수축과 재생을 반복하지만 임플란트 주위 자연치 치조골과 임플란트 식립부 순(협)측 치조골 변연 높이만 보존된다면 최종적인 점막 변연의 형태는 거의 동일한 정도로 재생될 수 있다. **A.** 발치 후 임플란트를 지연 식립하면 치간 유두부는 현저히 퇴축된다. 또한 임플란트 식립 직후에 즉시 수복을 해주지 않으면 이렇게 퇴축된 치간 유두 점막은 그대로 유지된다. 따라서 보철물을 연결하면 치간 유두부는 현저한 결손을 보인다. 그러나 임플란트 인접 자연치의 치간골 높이는 잘 유지되고 있기 때문에 임플란트 보철 연결 직후부터 치간 유두 점막은 급속히 재생된다. 결국 보철물 연결 6개월 후까지 치간 유두 점막은 거의 원래 높이를 회복한다. 이후에도 치간 유두 점막은 조금씩 천천히 재생된다. **B.** 치조골 손상이나 흡수가 없는 치아를 발거하고 임플란트를 즉시 식립하고 즉시 수복해주면 임플란트–자연치 사이의 치간 유두는 거의 원래 높이를 유지하지만 수술에 의한 외상과 자연치 탈락에 의해 약간 퇴축된다. 그러나 다시 시간이 경과하면서 이러한 약간의 퇴축은 거의 원래 형태와 높이로 회복된다.

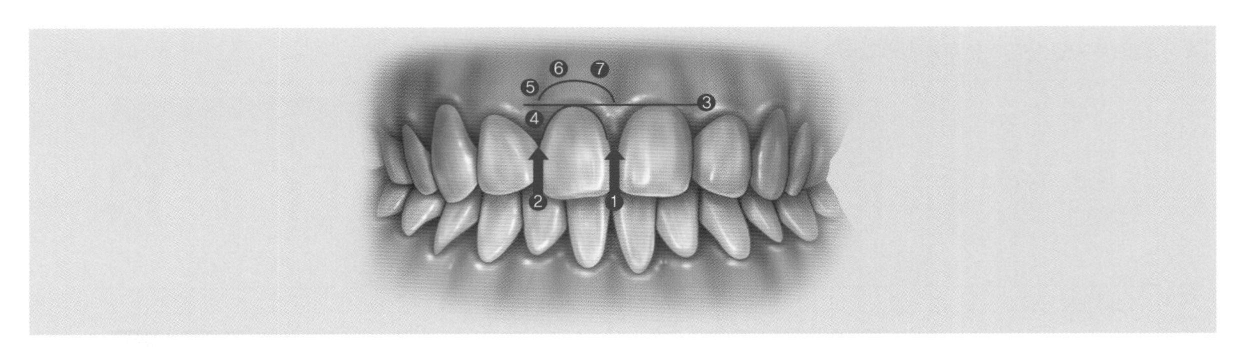

4-18 "Pink Esthetic Score (PES)"의 평가 지표(4-1 참조)

4-1 Pink Esthetic Score의 평가 변수, 기준, 점수

변수	기준	0	1	2
근심 치간 유두	기준치와 비교한 형태	소실됨	불충분함	완전함
원심 치간 유두	기준치와 비교한 형태	소실됨	불충분함	완전함
연조직 변연 높이	기준치와 비교한 높이	현저한 퇴축(>2 mm)	약간의 퇴축(1–2 mm)	퇴축 없음(<1 mm)
연조직 형태	기준치와 비교하여 자연스러운 정도	부자연스러움	비교적 자연스러움	자연스러움
치조 돌기(치근의 풍륭도)	치조 돌기의 결손 정도	확연하게 결손됨	약간 결손됨	결손 없음
연조직 색상	기준치와 비교한 색상	확연히 다름	중등도로 다름	다르지 않음
연조직 질감	기준치와 비교한 질감	확연히 다름	중등도로 다름	다르지 않음

Belser 등은 2009년에 PES를 변형한 modified PES (이후 mPES)와 임플란트 보철물 자체의 심미성에 관한 지표인 White Esthetic Score (WES)를 소개했다(4-19).[80] mPES에서는 PES의 지표 중 그 중요도가 떨어지는 세 가지, 즉 치조 돌기(치근의 풍륭도), 연조직 색상, 연조직 질감을 하나의 지표로 통합하여 총 다섯 가지 지표를 0–2의 점수로 평가했고, 따라서 mPES는 0–10 사이의 점수를 갖도록 했다. 치근 풍륭도/연조직 색상/연조직 질감은 모두 만족스러우면 2점, 두 개가 만족스러우면 1점, 그 미만이면 0점을 부여했다. WES는 치관의 전체적인 형태, 임상 치관의 외형과 볼륨, 색상(색상/명도), 표면 질감, 투명도 등 다섯 가지 지표를 역시 기준 치아와 현저히 다르면 0점, 약간 다르면 1점, 차이를 보이지 않으면 2점씩 평가하여 총 0–10점의 점수를 갖도록 했다. WES는 보철 과정에 의해 결정되는 지표이기 때문에 수술과 관련해서는 PES가 중요하게 다루어진다. 임상적으로 PES가 8 이상이거나[81,82] mPES가 6 이상이면 심미적으로 받아들일 수 있는 결과로 여겨진다.[80]

일련의 임상 연구에 의하면 발치 후 즉시 임플란트를 식립했을 때 PES나 mPES는 다른 시기에 식립한 경우와 별다른 차이를 보이지 않고 대체로 성공적인 결과를 보였다. 한 체계적 문헌 고찰에서는 발치 후 즉시 식립–즉시 수복을 시행한 전향적 연구를 분석했다.[68] 포함된 연구 중 PES를 평가한 일차 연구 5개에서 그 평균

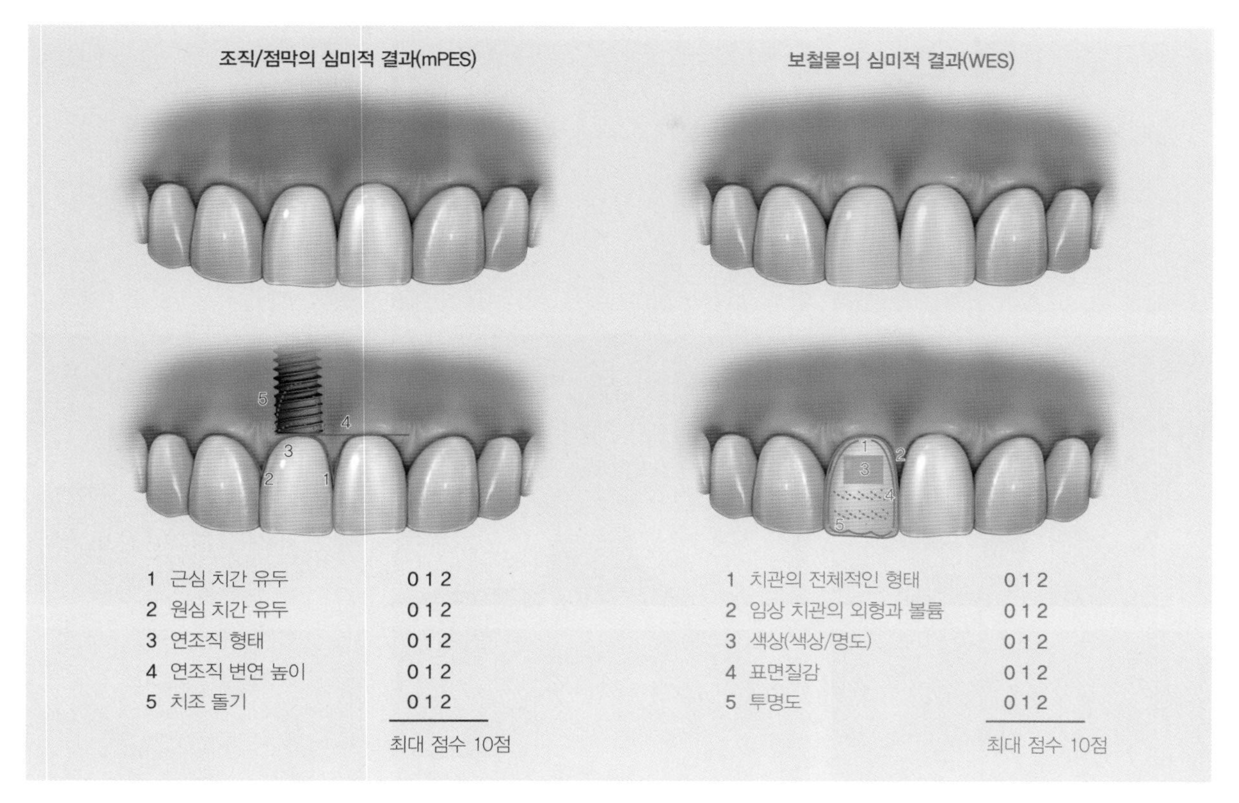

4-19 임플란트 주위 조직의 심미성에 관한 지표인 modified PES (mPES)와 임플란트 보철물 자체의 심미성에 관한 지표인 White Esthetic Score (WES).

값은 모두 10을 넘어서 만족할 만한 심미적 결과를 보였다. 또한 심미적 실패는 11.2%의 증례에서만 발생했다. 두 체계적 문헌 고찰/메타분석에서는 1형 식립과 3–4형 식립 후 PES는 거의 아무런 차이도 보이지 않았다고 했다.[30,69]

그러나 상악 전치부에서 즉시 식립과 조기 식립 시의 PES가 환자의 심미적 만족도와 비례하는 경향을 갖긴 하지만, 유의한 상관관계를 보이지는 않는다는 점에 주의를 기울일 필요가 있다.[83,84] 환자들은 PES 점수에서 추정할 수 있는 심미적 만족도보다 더 높은 심미적 만족도를 보이는 경향이 있다. 이는 한 단면 연구의 결과로도 확인 가능하다.[85] 이 연구에서는 상악 전치부에 단일 임플란트를 식립한 환자들은 대체로 그 심미적 결과에 매우 만족스러워했고, 치과의사보다 심미적 결과를 더 좋게 평가하는 경향이 있었다고 보고했다. 결론적으로 환자들은 다행히 우리들보다 심미적 만족도가 더 높다고 결론 내릴 수 있다. 우리의 치료 결과가 우리의 기준에 부합하지 못한다고 해서 너무 실망할 필요는 없는 것이다(**4-20**).

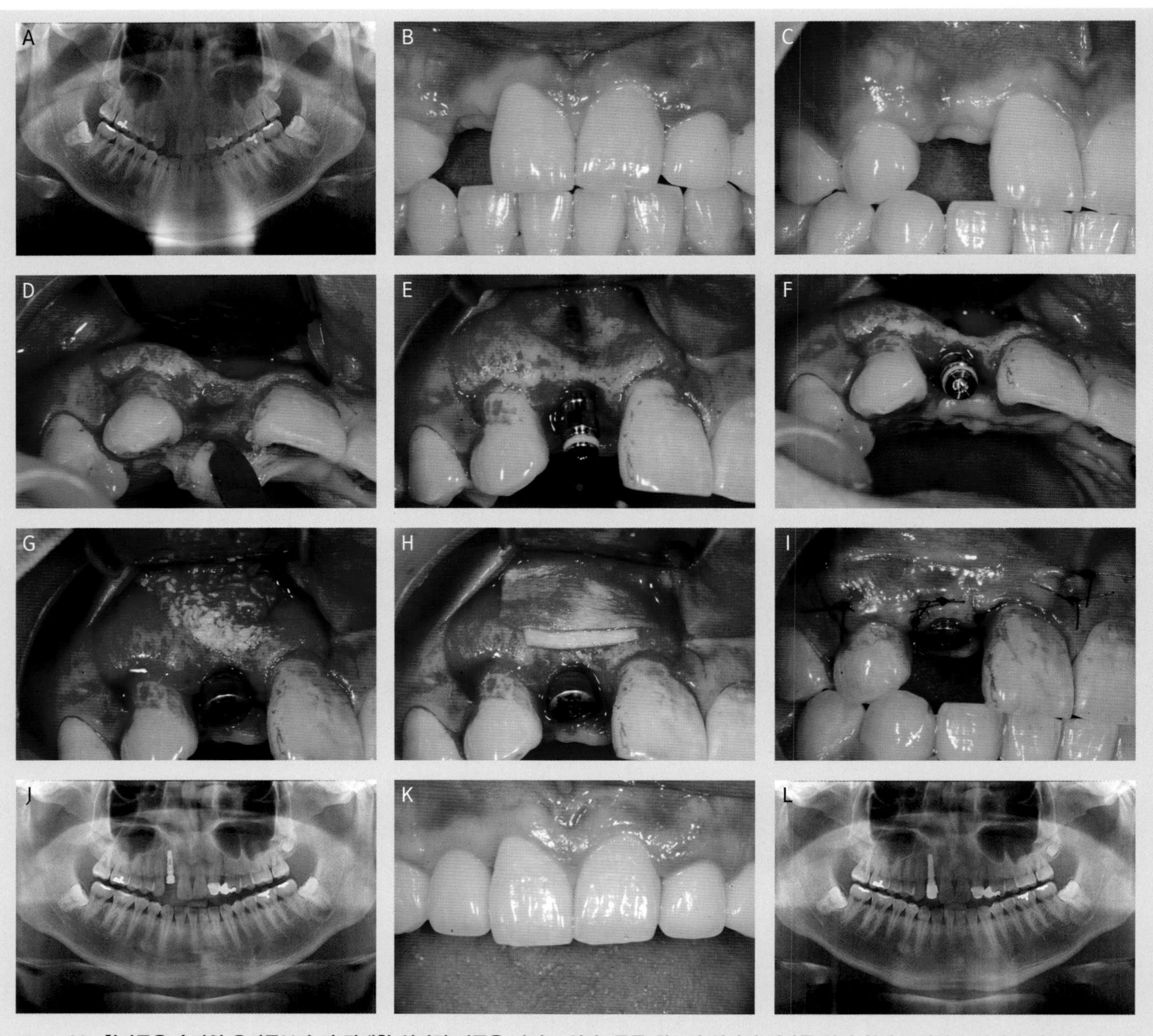

4-20 환자들은 술자인 우리들보다 더 관대한 심미적 기준을 가지고 있다. 물론 최고의 심미적 결과를 얻기 위해 노력해야 하지만 결과가 기대에 미치지 못했다고 하더라도 너무 실망할 필요는 없는 것 같다.

A~J. 상악 우측 측절치 치아를 발거하고 3개월 정도 후에 임플란트를 식립했다. 다른 치과에서 발치를 진행했기 때문에 발치 전 상태를 알 수는 없지만 임플란트 식립부의 순측 치조골 및 점막은 상당히 많은 양의 소실을 보였다**(C~E)**. 수평적 결손은 동결 건조 동종골과 천연 교원질 차폐막으로 수복해 주었지만 수직적 결손은 수복이 어려웠다**(G, H)**.

K~M. 3개월 후 최종 보철물을 연결했으며 사진은 보철물 연결 2개월 후의 소견이다. 우측 측절치의 순측 중앙 점막 변연은 반대측 측절치의 변연에 비해 확연히 근단측에 위치했지만 환자는 별다른 불만을 표하지 않았다. 특히 근심측 치간 유두 점막은 아직 완전히 재생되지 못했지만 충분한 시간이 주어지면 거의 완전히 재생될 것으로 보인다. 또한 이 증례에서는 좌측 측절치 치관 길이가 짧기 때문에 환자가 심미적 결과에 불만이 있다면 이 치아의 임상적 치관 연장술을 고려할 수 있다.

2.
심미적 결과에 영향을 미칠 수 있는 해부학적 요소

이미 여러 번 반복적으로 설명했지만 상악 전치부에서 발치 후 임플란트를 즉시 식립할 수 있는 적응증은 제한적이다. 이는 우리의 노력과는 관계없이 여러 해부학적 요소들이 임플란트 치료의 심미적 결과에 지대한 영향을 미칠 수 있기 때문이다. 발치 후 즉시 임플란트 식립 프로토콜에서 임플란트 주위 치조골과 점막의 흡수, 나아가 심미적 결과에 영향을 미칠 수 있는 요소들에는 다음과 같은 것들이 있다(표 4-2).[24,36,86,87]

표 4-2 발치 후 즉시 임플란트 식립 후 심미적 결과에 영향을 미칠 수 있는 요소

요소	영향 정도	임상적 권유 사항
해부학적 요소		
순측 골판 두께	크다	순측 골판 두께가 1 mm 미만이면 순측골의 현저한 흡수가 예상된다. 이러한 경우 2-4형 식립을 고려하거나, 1형 식립을 시행하는 경우에는 임플란트를 구개측에 식립하여 순측에 충분한 폭(2 mm)의 임플란트 주위 결손을 부여하고 천천히 흡수되는 이식재(탈단백 우골)로 충전한다. 필요하다면 순측골 외측에 추가적인 골유도 재생술을 시행한다.
순측에 존재하는 임플란트 주위 결손의 폭	크다	임플란트 매식체의 순측 변연이 순측 골판 내면과 직접 접촉하면 순측골은 수직적으로 심하게 흡수될 수 있다. 따라서 임플란트 폭은 발치와 내면의 크기보다 작은 것을 선택하고 임플란트를 발치와 중앙축보다 구개측으로 식립한다.
순측골 결손	크다	순측골에 열개 결손이 존재하면 순측골은 더 심하게 흡수된다. 이러한 경우 2-4형 식립을 고려한다. 또는 즉시 식립을 시행하려면 피판을 거상하고 순측에 광범위한 골유도 재생술을 시행해야 한다. 그러나 이러한 증례에서 즉시 식립을 시행하면 술자의 노력에도 불구하고 심미적 결과가 저하될 가능성이 높다는 점을 명심해야 한다.
점막 두께(표현형)	낮다	점막 두께가 얇으면 순측 점막 퇴축이 발생할 가능성이 높아진다. 따라서 이러한 경우에는 2-4형 식립을 고려한다. 또는 술식의 난이도가 높아지지만 즉시 식립과 함께, 혹은 후에 순측 점막 변연 하방에 결합 조직 이식을 시행한다.
치근단/치주 병소의 존재	낮다	만성 치근단/치주염은 발치 후 즉시 임플란트 식립의 비적응증은 아니다. 그러나 즉시 식립 시에는 염증 조직을 철저히 소파해 내야 한다. 단, 급성 염증이 존재하거나 농양이 존재하면 즉시 식립의 비적응증이 된다.
수술-수복 요소		
임플란트 직경	크다	순측 임플란트 주위 결손을 없애거나 줄이기 위해 큰 직경의 임플란트를 사용하면 순측골의 흡수를 증가시킨다. 따라서 순측에 충분한 폭의 임플란트 주위 결손을 부여하기 위해 발치와 폭보다 충분히 작은 직경(대략 2 mm 정도 작은 직경)의 임플란트를 식립해야 한다.
임플란트 식립 위치	크다	임플란트를 순측으로 식립하면 순측골과 순측 점막 변연이 현저하게 흡수된다. 따라서 임플란트는 약간 구개측을 향하도록 식립해야 한다.
피판 거상	낮다	피판을 거상하면 치조골이 약간 더 흡수되는 경향을 보인다. 따라서 가능한 경우에는 무피판 수술을 시행한다. 그러나 무피판 수술은 난이도가 높고 순측 치조골판 외부로의 골증강술을 불가능하게 하기 때문에 피판 거상을 주저할 필요는 없다.

임플란트 주위 결손 내로의 골이식	중등도	순측의 임플란트 주위 결손 내부로 천천히 흡수되는 골이식재를 충전하여 순측골의 수평적 흡수를 줄여준다. 특히 순측 치조골판의 두께가 얇은 경우에는 반드시 골충전을 시행해야 한다. 그러나 심미적 요구도가 낮은 환자나 부위(소구치, 하악)에서 순측 치조골판이 두꺼운 경우(>1.5–2 mm)에는 반드시 이식을 시행하지 않아도 된다.
Platform switching	낮다	임플란트 매식체와 지대주의 platform 폭이 동일하면 치조정 골흡수가 커진다. 따라서 가능하면 임플란트와 만나는 부위의 폭이 좁은 지대주를 사용하여 platform switching을 시행한다.
즉시 부하/수복	낮다	일차 안정이 충분하다고 판단되면 즉시 수복을 시행한다. 이는 임플란트 주위 점막의 퇴축을 최소화하고 환자의 만족도를 높이기 위함이다. 그러나 일차 안정이 충분치 않으면 지연 부하를 시행한다. 지연 부하 시 초기에는 심미성이 떨어질 수 있지만 3–6개월 이상의 시간이 경과하면 즉시 부하 시와 비슷한 정도의 심미성을 회복할 수 있다.

여기에서는 일단 진단과 관계된 해부학적 요소에 대해 먼저 설명하고 외과적 술식과 관련된 수술적 요소에 대해서는 뒤에서 설명하도록 한다.

1) 순측 치조골판의 두께

(1) 순측 치조골판의 두께는 순측 치조골의 흡수량에 지대한 영향을 미친다

앞서 자연 발치와나 치조제 보존술을 시행한 발치와에서 순측골의 두께는 순측 치조골의 흡수에 현저한 영향을 미친다는 사실을 설명한 바 있다. 이는 발치 후 즉시 임플란트 식립 시에도 동일하게 적용되는 현상이다. 몇몇 일차 연구들과 메타분석에서는 발치 후 즉시 임플란트 식립을 시행한 후 순측 치조골의 흡수량에 영향을 미칠 수 있는 요소들을 분석했다.[23,24,87] 그리고 그 결과 임플란트 주위 결손 내로의 골충전, 피판 거상 유무, 임플란트 주위 결손의 크기는 치조골의 흡수에 현저한 영향을 미치지 못한 반면 발치와 순측 치조골판의 두께는 현저한 영향을 미쳤다. 이는 발치 후 즉시 임플란트 식립 시 순측골의 흡수에 가장 현저한 영향을 미치는 해부학적 요소는 바로 순측골판 자체의 두께임을 의미하는 것이다.

보통 순측골판 두께 1 mm를 기준으로 그 예후가 결정된다. 이에 2014년 5th ITI Consensus Conference와 2018년 6th ITI Consensus Conference에서는 모두 발치 후 즉시 임플란트 식립 시 순측골 두께가 1 mm 미만이면 순측 점막의 퇴축 가능성이 증가한다고 언급했다.[37] 한 단일 환자군 연구에 의하면 순측 치조골판의 두께 1 mm를 기준으로 그 미만일 때보다 그 이상일 때 순측 치조골의 수직적, 수평적 흡수량은 감소하고 임플란트 주위 결손의 재생은 유의하게 증가했다(4–21).[88]

(2) 엄정한 수술 프로토콜을 통해 순측 치조골판의 두께가 심미적 예후에 미치는 영향을 최소화 시킬 수 있다

그러나 앞서 발치 후 치조골의 변화에서 설명했지만, 상악 전치부에서는 순측 골벽의 두께가 대부분 1 mm

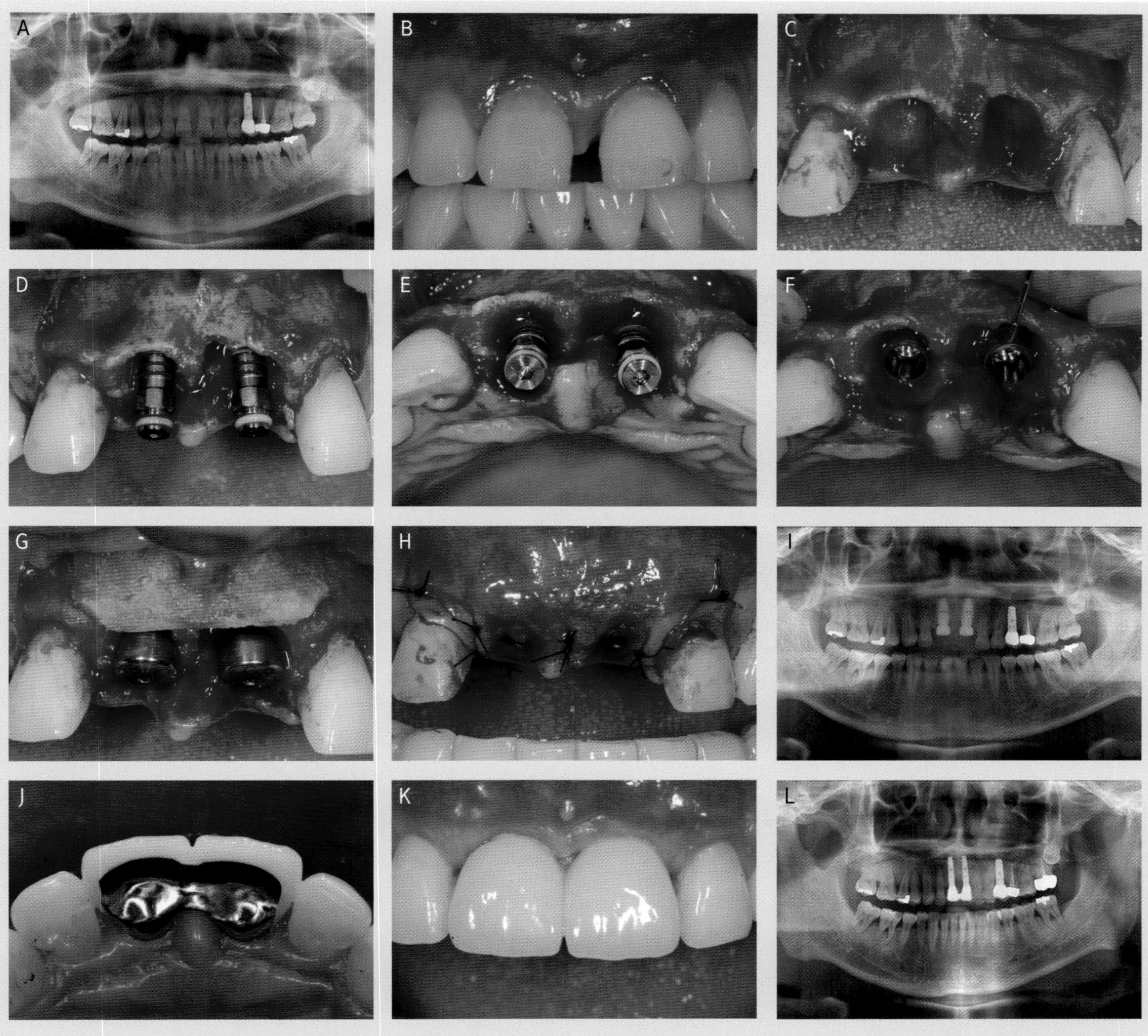

4-21 순측 골판 자체의 두께는 매우 중요하다. 임플란트 식립 여부와 관계없이 발치 후 순측 치조골의 흡수 정도에 결정적인 영향을 미치기 때문이다. 이 증례에서 순측 골판은 1 mm 이상으로 두꺼웠기 때문에 발치 후 즉시 임플란트 식립 시 특별한 골보존/골증강 술식을 시행하지 않았음에도 불구하고 순측 조직이 잘 보존되었다.

A~I. 양측 중절치를 발거하고 임플란트를 식립했다. 순측 치조골의 파괴는 적었고 순측 골판의 두께는 1 mm 이상이었다**(C)**. 그래도 약간의 골결손이 존재하고 임플란트 주위 결손의 폭이 2 mm를 상회했기 때문에 임플란트 주위 결손에 골이식재를 충전하는 것이 맞는 치료이다. 이때에는 저자의 경험이 일천했기 때문에 동종 진피로 골의 흡수를 보상할 수 있다고 생각했다**(G)**.

J~L. 3개월 후 고정성 임시 보철물 없이 최종 보철물을 연결했다. 분명 순측 조직의 풍륭도는 저하되었지만 골보존 술식 없이도 조직 변연의 높이는 비교적 잘 유지되었다.

미만이다. CBCT를 이용해 상악 전치부 치아의 순측 골벽 두께를 평가한 연구들에 의하면, 90% 이상 거의 모든 상악 전치에서 순측 골벽 두께는 1 mm 미만이었고, 그 평균 두께는 0.5–0.6 mm에 지나지 않았다.[89–91] 따라서 이러한 측면에서 ITI에서는 상악 전치부 발치 후에는 연조직이 치유된 조기 식립(발치 4–8주 후, 2형 식립)을 가장 추천했다.[92] 이는 가장 안전한 식립 프로토콜이기는 하지만 즉시 식립의 적응증을 전체 증례의 10% 이하로 너무 좁히는 결과를 초래한다.

2010년대 후반에는 순측 치조골이 1 mm에 미치지 못하는 증례에서도 "최소 외상 원칙 적용, 이상적 위치로 임플란트 식립, 임플란트 주위 결손에 골이식재 적용" 등의 엄정한 수술 방법을 적용한다면 충분히 심미적으로 성공적인 결과를 얻을 수 있다는 근거가 축적되기 시작했다. 2017년의 전향적 단일 환자군 연구에서는 술 전 순측골판의 두께가 평균 0.75±0.23 mm (0.43–1.27 mm)인 증례에서 발치 후 즉시 임플란트 식립을 위의 수술 프로토콜로 시행하고 수술 1–2년 후 결과를 관찰했다.[75] 그 결과 술 전 순측골판 두께는 치간 유두 점막, 순측 점막 변연, PES 등 어떠한 심미 지표와도 상관관계를 보이지 않았다. 근심 유두 점막, 중앙 점막 변연, 원심 유두 점막은 술전에 비해 수술 2년 후 각각 0.06 mm, 0.22 mm, 0.25 mm밖에 퇴축되지 않았다. 또한 PES는 술 전에 평균 9.39에서 수술 2년 후 10.78로, 오히려 유의하게 개선된 결과를 보였다. 2019년의 전향적 연구에서는, 엄정한 수술 프로토콜을 적용하면 술 전 순측골 두께가 0.5 mm 이상이기만 하더라도 수술 1년 후 심미적으로 충분히 성공적인 결과를 얻을 수 있음을 보여주었다.[93] 이 연구의 결과를 요약하면 **4–22**와 같다.

2) 순측골의 결손

(1) 순측골이 결손된 증례에서는 순측골의 흡수와 점막 변연의 퇴축이 발생할 가능성이 현저히 증가한다

앞서 설명했지만, 상악 전치부에서 순측의 열개 결손은 매우 흔하며, 이런 경우 발치 후 치조골은 더 광범위하게 흡수된다.[94] 발치 후 즉시 식립 시에도 순측골에 열개 결손이 존재하면 당연히 치료 완료 후 순측골의 흡수는 더 클 것이다. 그러나 발치와 순측골에 열개 결손이 존재하는 증례는 발치 후 즉시 임플란트 식립의 절대적 비적응증으로 간주하여 임상가들이 아예 이 술식을 시행하지 않는 경향이 있었기 때문에, 이것이 발치 후 즉시 식립의 예후에 미치는 영향에 대해서는 매우 제한적인 임상 근거만 존재한다.[86,95] 그리고 몇몇 임상 연구에서 순측 골판에 열개 결손이 존재하면 골이식재의 적용 유무와는 관계없이 순측골의 수직적, 수평적 골흡수량이 유의하게 더 컸다고 보고한 바 있다.[95–97]

한 코호트 연구에서는 순측골에 결손이 존재하는 부위에 발치 후 즉시 임플란트를 식립하면서 자가골이나 이종골과 함께 흡수성 차폐막을 적용해서 골유도 재생술을 시행했다. 그리고 1년 후 결과를 관찰했다.[98] 그 결과 U형 및 UU형 결손 시에는 골유도 재생술을 시행했음에도 불구하고 V형 결손이 존재할 때보다 순측 점막 변연의 심한 퇴축(>1.5 mm) 발생 빈도가 유의하게 높았다(**4–3**).

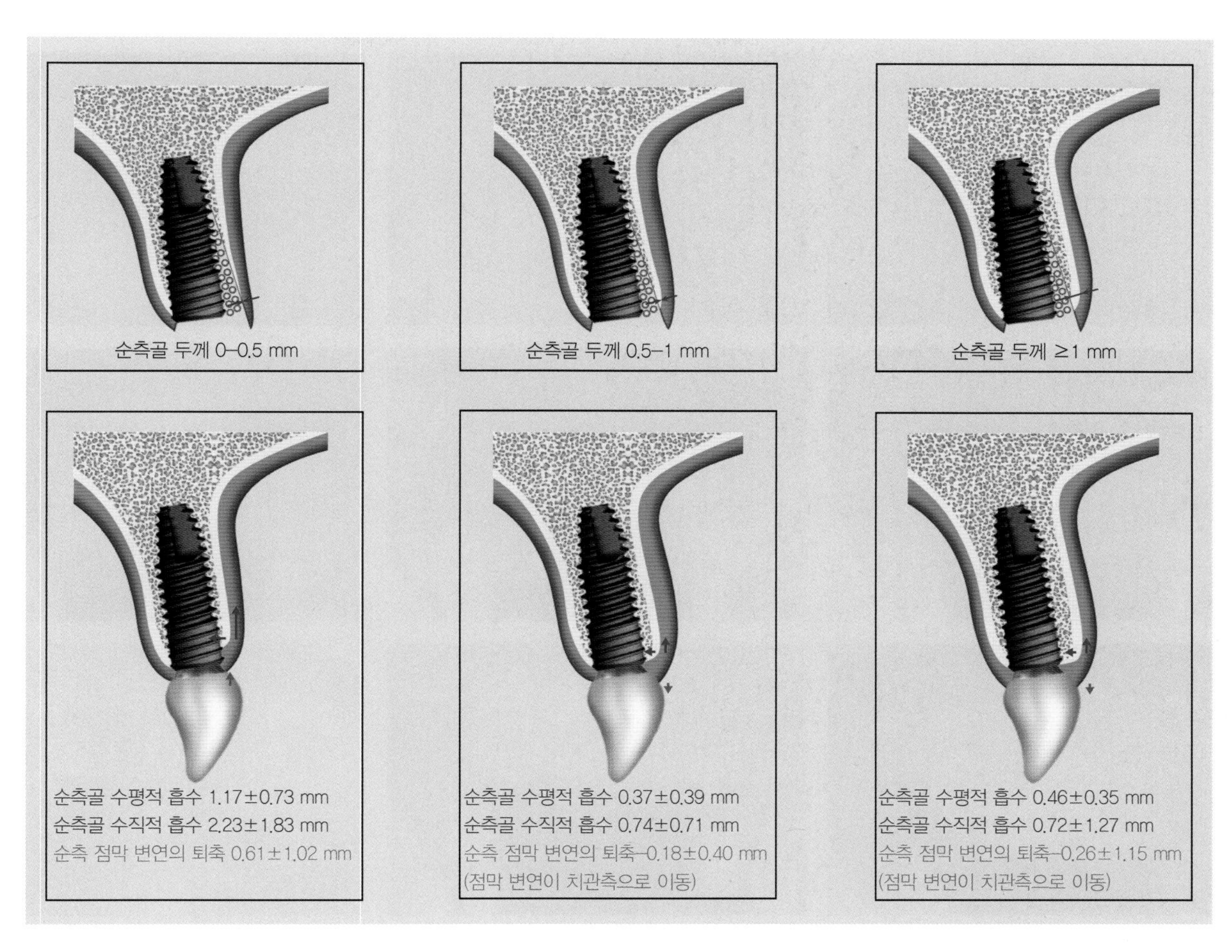

4-22 한 임상 연구에서는 엄정한 수술 프로토콜을 적용하면 술 전 순측골 두께가 0.5 mm 이상이기만 하더라도 수술 1년 후 심미적으로 충분히 성공적인 결과를 얻을 수 있음을 보여주었다.[93] 이 연구에서는 발치 후 즉시 임플란트를 식립하고 순측 임플란트 주위 결손에 골이식을 시행했다. 그 결과 순측 치조골판의 두께와 관계없이 모두 심미적으로 성공적인 결과를 얻을 수 있긴 했지만 순측골 두께가 0.5 mm 이상이면 순측 점막 변연의 퇴축을 원천적으로 막아줄 수 있었다.

4-3 순측골 결손의 정도에 따른, 치료 1년 후 순측 점막 변연의 현저한 흡수 빈도

결손 종류	V형 결손 (순측골의 작은 결손)	U형 결손 (순측골의 중등도 결손)	UU형 결손 (순측골의 완전한 결손)
순측 점막 변연 흡수 >1.5 mm	8.3%	42.8%	100%

(2) 순측 골판에 열개 결손이 존재하더라도 골증강 술식을 통해 심미적 예후를 증진시킬 수 있다

몇몇 임상 연구에서는 순측골판에 열개 결손이 존재하더라도 적절한 골증강 술식을 통해 순측골을 재건하고, 나아가 순측 점막의 퇴축을 예방할 수 있음을 보인 바 있다(4-23). 한 전향적 단일 환자군 연구에서는 순측골 결손이 존재하는 증례에서 발치 후 즉시 임플란트를 식립하면서 골증강술(교원질 차폐막 + 동종골 이식재)을 시행하고 나서 골의 크기 변화를 수술 6–9개월 후 CBCT로 측정했다.[99] 그 결과 순측 치조골의 치관측

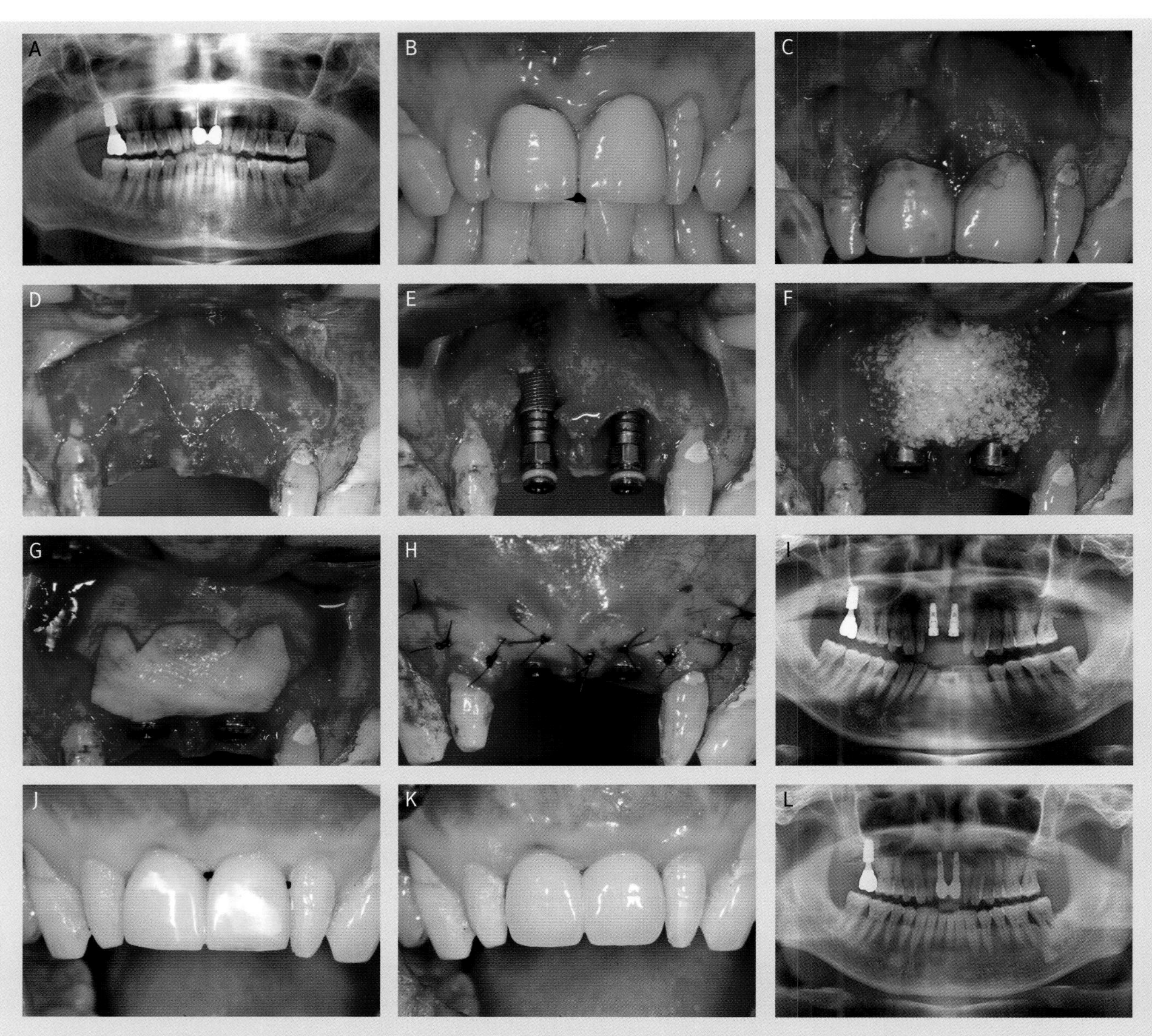

4-23 순측골의 흡수를 최소화해야 하는 상악 전치부에서, 순측 골판에 열개 결손이 존재하면 점막의 퇴축에 의해 심미적 결과는 저하될 수 있다. 그러나 임플란트 식립 중 적절한 방법으로 이를 수복해주면 흡수된 골조직을 재건하고, 나아가 점막의 퇴축을 예방할 수 있다.

A~I. 상악 양측 중절치를 발거하고 즉시 임플란트를 식립했다. 우측 중절치의 잘못된 근관 치료로 인해 순측 변연골이 파괴되어 심한 열개 결손이 존재했다**(C~E)**. 임플란트 식립 후 이종골 이식재와 천연 교원질 차폐막을 적용하여 임플란트 주위 결손과 열개 결손을 수복했다**(F, G)**.

J. 3개월 후 고정성 임시 보철물을 연결했다.

K~L. 다시 1.5개월 후 최종 보철물을 장착했다. 양측 중절치의 점막 변연 높이는 별다른 차이를 보이지 않는다.

변연은 수술 전 수평적 폭이 0 mm였지만, 수술 6–9개월 후에는 2.8–4.3 mm (평균 3.69 mm)로 현저히 개선되었다. 다른 전향적 대조 연구에서는 순측골에 열개 결손이 존재하는 경우 순측에 골증강술을, 열개 결손이 존재하지 않는 경우 임플란트 주위 결손 골이식을 시행해 주었고 수술 18개월 후까지 임플란트 주위 조직의 크기를 측정했다(📷 4–24).[100] 그 결과 열개 결손이 존재했던 경우에는 순측 치조골의 치관측 변연의 수평적 두께는 수술 전 0 mm에서 수술 18개월 후 1.01±0.45 mm로 변화됐고, 열개 결손이 존재하지 않았던 경우에는 수술 전 2.20±0.58 mm에서 수술 18개월 후 1.24±0.83 mm로 변화되었다. 즉, 적절한 수술적 처치를 가하면 술 전에 순측골 결손이 존재하더라도 결손이 존재하지 않던 증례와 임상적/통계학적 차이가 없는, 좋은 결과를 얻을 수 있었다. 또한 순측 점막의 퇴축량도 열개가 존재했던 증례에서는 보철 수복 1년 후 평균 0.2±0.3 mm, 존재하지 않았던 증례에서는 0.8±0.9 mm로, 열개 결손이 존재했던 증례에서 오히려 더 좋은 결과를 보였다.

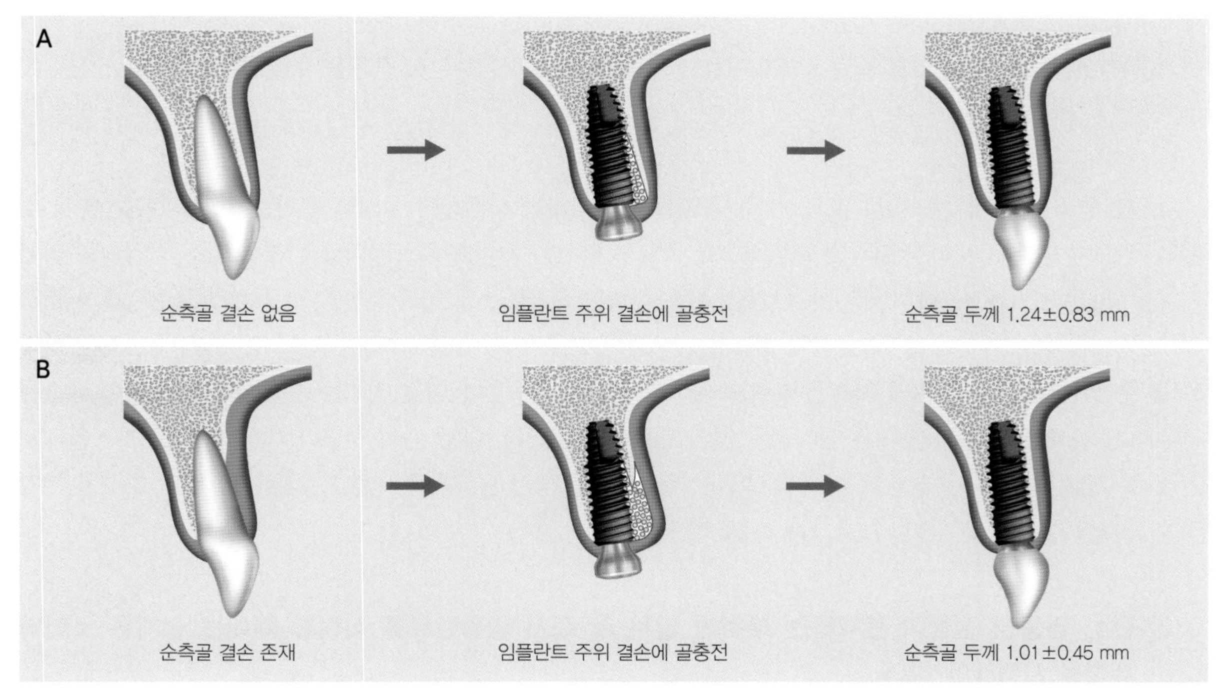

📷 **4–24** 적절한 수술적 처치를 가하면 술 전에 순측골 결손이 존재하더라도 결손이 존재하지 않는 증례와 임상적/통계학적 차이가 없는, 좋은 결과를 얻을 수 있다. 한 전향적 대조 연구에서는 순측골에 열개 결손이 존재하는 경우 순측에 골증강술을, 열개 결손이 존재하지 않는 경우 임플란트 주위 결손 골이식을 시행해 주었고 수술 18개월 후까지 임플란트 주위 조직의 크기를 측정했다.[100] 그 결과 열개 결손이 존재했던 경우에는 순측 치조골의 치관측 변연의 수평적 두께는 수술 전 0 mm에서 수술 18개월 후 1.01±0.45 mm로 변화됐고, 열개 결손이 존재하지 않았던 경우에는 수술 전 2.20±0.58 mm에서 수술 18개월 후 1.24±0.83 mm로 변화되었다.

3) 치주 조직의 염증성 병소

일반적으로 발치할 치아에 급성 치주 질환과 치근단 질환이 존재하면, 이는 즉시 임플란트 식립의 절대적 비적응증으로 간주된다.[101] 이러한 경우에는 주로 2형 식립을 시행한다. 그러나 농양이나 누공이 존재하지 않는 만성 염증성 질환이 존재하는 경우에는 발치 후 즉시 임플란트 식립을 시도하는 임상가들이 증가하고 있으며, 적어도 임플란트의 골유착 성공 여부에는 별다른 문제가 없는 것으로 보인다.

(1) 만성 염증성 질환이 존재하는 치아를 발거하고 즉시 임플란트를 식립하더라도 임플란트의 골유착 성공 가능성이 저하되지는 않는다

동물 연구들에서 인위적으로 발생시킨 치주 질환이나 치근단 질환이 존재하는 상태의 치아를 발거하고 즉시 임플란트를 식립했을 때 골-임플란트간 결합도는 낮아졌지만, 임플란트 실패는 증가하지 않았다.[102] 2015년의 체계적 문헌 고찰에서는 치주 질환/치근단 질환을 보이는 치아를 발거하고 잔존 염증 및 세균을 철저히 제거하기만 하면 즉시 임플란트를 식립하더라도 충분히 높은 정도의 임플란트 생존을 보장할 수 있다고 결론내렸다.[103]

치근단 병소가 존재하는 경우 발치 후 즉시 임플란트 식립을 시행하면 심미적 결과는 크게 영향을 받지 않는다. 치근단 병소는 심미적 결과에 결정적으로 중요한 부위인 치관측 치조골이나 변연 점막에 악영향을 미치지 않기 때문이다(📷 4-25).[104,105] 한편, 만성 치주 질환이 존재하는 치아를 발치하고 즉시 임플란트를 식립하여 그 결과를 평가한 연구들 중 심미적 결과를 보고한 문헌은 거의 존재하지 않는다. 이는 어찌 보면 당연하다고 볼 수 있는데, 치주 질환에 이환된 부위는 심미적 결과에 중요한 영향을 미치는 순측 골벽과 점막이 결손된 경우가 많기 때문에 예지성 높은 심미성은 얻기 힘들기 때문이다. 다만 증례 연구나 후향적 대조 연구 등에서 만성 치주염이 존재하는 부위도 발치 후 즉시 식립 시 성공적인 골유착을 이루고 임플란트 주위 조직을 건강하게 유지할 수 있음을 밝힌 바 있다(📷 4-26).[106,107]

(2) 만성 염증성 질환이 존재하는 부위에 발치 후 즉시 임플란트를 식립할 때에는 철저한 소파와 세척을 시행해야 한다

결론적으로 심하지 않은 만성 치주 질환/치근단 질환이 존재하는 경우에는 발치 후 즉시 임플란트 식립이 가능하다. 또한 일차 안정이 충분하다면 골유착에 실패할 가능성은 낮다. 그러나 수술 과정에는 염증 잔사를 제거하기 위해 다음 과정을 추가해야 한다.[103]

- 발치와 내부 및 염증 조직의 철저한 소파
- 수술부의 광범위한 세척
- 수술 전후 클로르헥시딘 적용

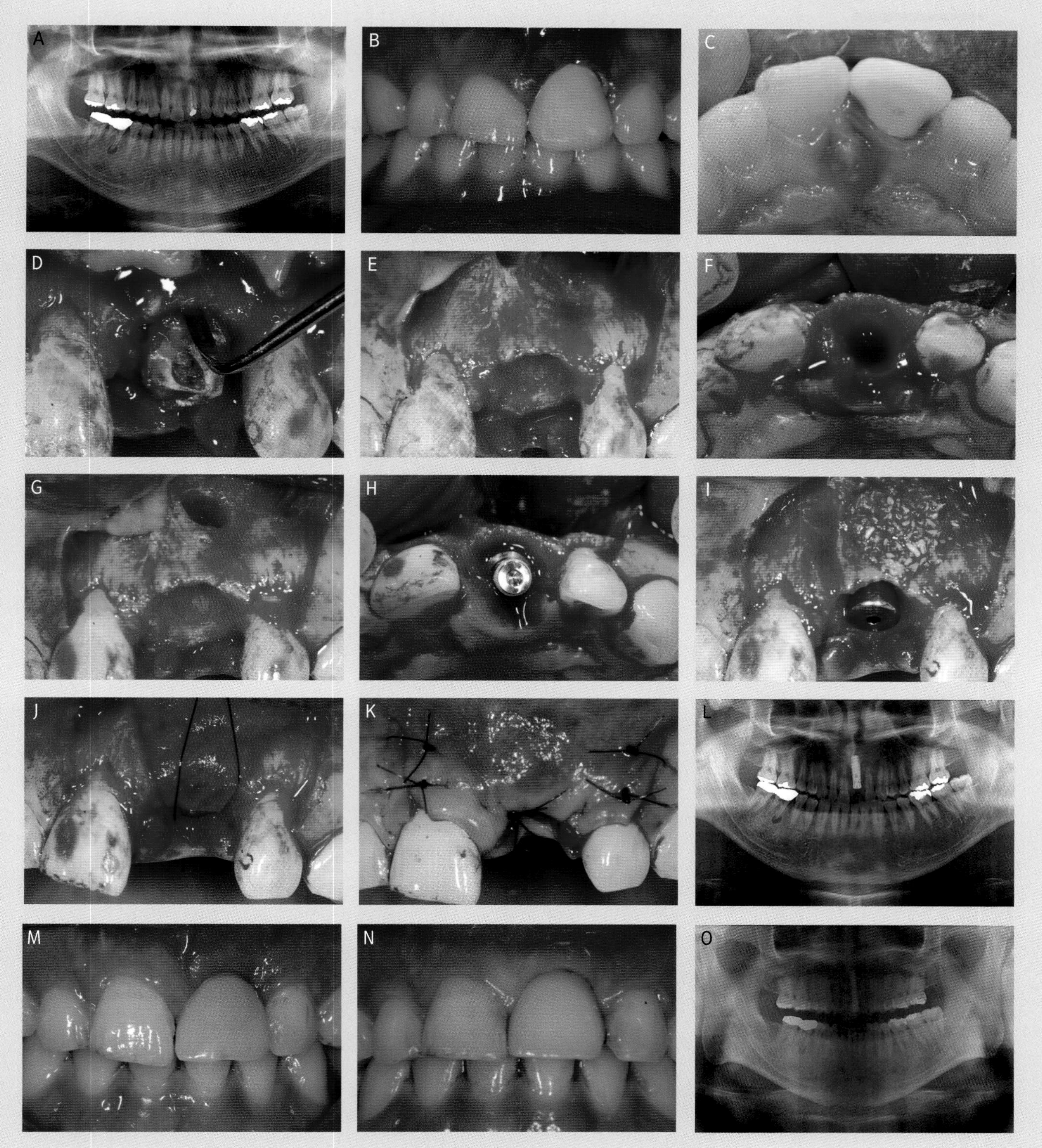

4-25 만성 치근단 병소는 수술 중 철저히 소파해 내기만 한다면 별다른 위험 요소가 되지는 않는다.

A~L. 상악 좌측 중절치를 발거하고 임플란트를 즉시 식립했다. 수술 전 방사선사진에서 만성 치근단 병소를 관찰할 수 있다**(A)**. 치아를 발거하고 발치와를 소파했지만 치근단 병소를 철저히 소파하기 힘들었기 때문에 치근단 부위에 골창을 형성하고 치근단 병소를 제거했다**(G)**. 수술부를 철저히 세척한 후 임플란트를 식립했다. 이후 순측 골벽 외측과 임플란트 주위 결손에 동종골 이식재를 적용하고 교차결합 교원질 차폐막으로 이를 피개했다**(H, I)**.

M. 4개월 후 고정성 임시 보철물을 연결했다. 환자는 정중 이개를 임플란트 보철물 만으로 폐쇄하기를 원했기 때문에 반대측 중절치 치관보다 보철물의 근원심 폭이 더 커졌다.

N~O. 다시 1.5개월 후 최종 보철물을 장착했다. 별다른 이상 소견은 보이지 않는다.

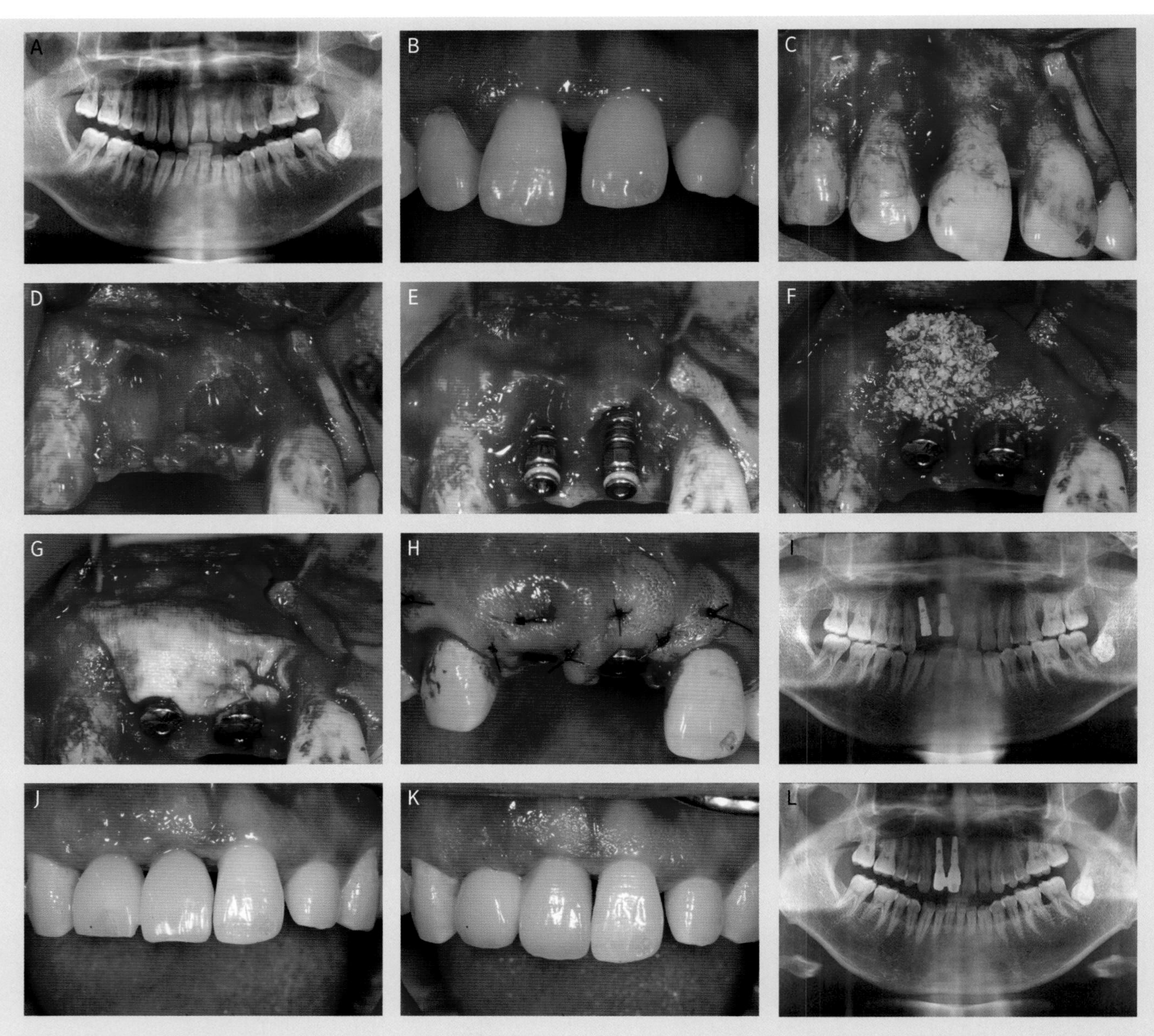

4-26 만성 치주염이 존재하는 부위에서도 감염원을 철저하게 제거할 수 있고 수술부에 심한 급성 염증이 존재하지 않는다면 발치 후 즉시 임플란트 식립이 가능하다.

A~I. 심한 치주염에 이환된 상악 우측 중절치와 측절치를 발거하고 즉시 임플란트를 식립했다. 두 치아 치조골 모두 심한 결손이 존재하기는 했지만 임플란트의 일차 안정을 얻기에는 별다른 무리가 없었다**(C~E)**. 이종골 이식재를 적용한 후 천연 교원질 차폐막으로 피개했다.

J. 6개월 후 고정성 임시 보철물을 제작하여 연결했다.

K~L. 약 3.5개월 후 최종 보철물을 장착했다. 임플란트 주위 조직은 염증 없이 건전한 상태를 유지하고 있다.

그리고 다음 사항을 추천한다.

- 치주 질환이 존재할 때의 결과에 대한 임상적 근거는 거의 없다. 치주 질환이 존재하면 순측 치조골의 광범위한 결손이 존재할 가능성이 높고, 따라서 임상가들은 이러한 경우 발치 후 즉시 임플란트 식립을 잘 시행하지 않기 때문이다. 결국 심미적으로 중요한 부위의 치아가 만성 치주 질환에 이환되어 발치를 요하는 경우에는 가능한 2–3형 식립(조기 식립)과 함께 골증강술을 시행하는 것이 좋다.
- 치근단 병소가 존재할 때 즉시 임플란트를 식립하면 임플란트의 생존율과 심미적 성공률은 매우 높다. 그러나 역행성 임플란트 주위염 등의 합병증 발생을 예방하기 위해 잔존 염증 조직과 세균을 제거하기 위한 과정을 반드시 수술에 포함시켜야 한다.

4) 임플란트 주위 점막의 두께

오래 전부터 임상가들은 임플란트 주위 점막의 두께가 임플란트의 심미적 예후에 중요한 영향을 미칠 수 있다고 생각해왔다. 일반적으로 자연치 주위 점막의 두께는 1 mm를 기준으로 이보다 두꺼우면 "두꺼운 표현형", 이보다 얇으면 "얇은 표현형"으로 구분할 수 있으며, 임상적으로는 탐침을 점막 변연에 삽입했을 때 이것이 비쳐 보이면 "얇은 표현형"으로, 비쳐 보이지 않으면 "두꺼운 표현형"으로 진단한다(📷 4-27).[108] 얇은 점막 표현형에서 순측 점막 변연의 퇴축은 더 많이 발생한다고 생각하며, 그 이유는 다음과 같다(📷 4-28).

① 치조골정 높이가 동일하더라도 점막이 얇은 증례에서는 점막이 더 치근단측에 위치한다.[109]

② 치조골이 흡수되는 경우 점막이 얇으면 이에 저항하지 못하고 점막 변연이 근단측으로 퇴축되는 양상을 보이는 반면, 점막이 두꺼우면 연조직 부착이 길어지면서 변연 퇴축에 저항하는 양상을 보인다.[110]

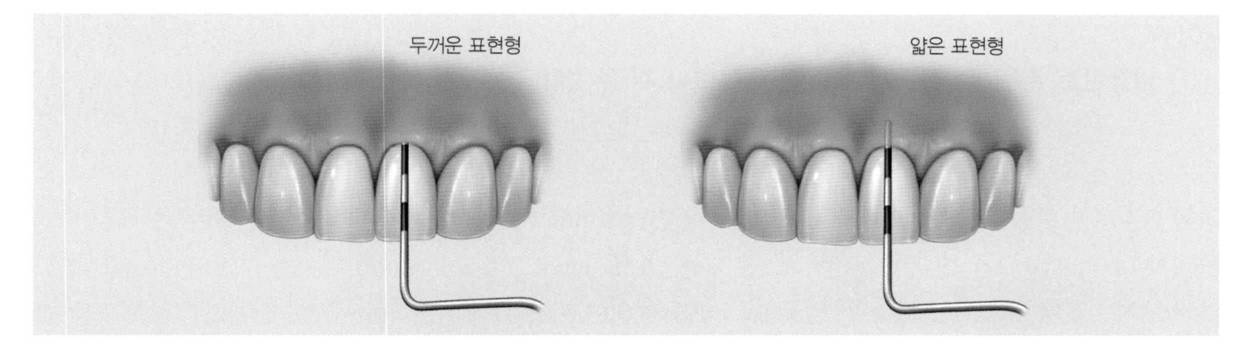

📷 4-27 얇은 표현형과 두꺼운 표현형 점막의 구분 방법
탐침을 점막 변연에 삽입했을 때 이것이 비쳐 보이면 "얇은 표현형"으로, 비쳐 보이지 않으면 "두꺼운 표현형"으로 진단한다.

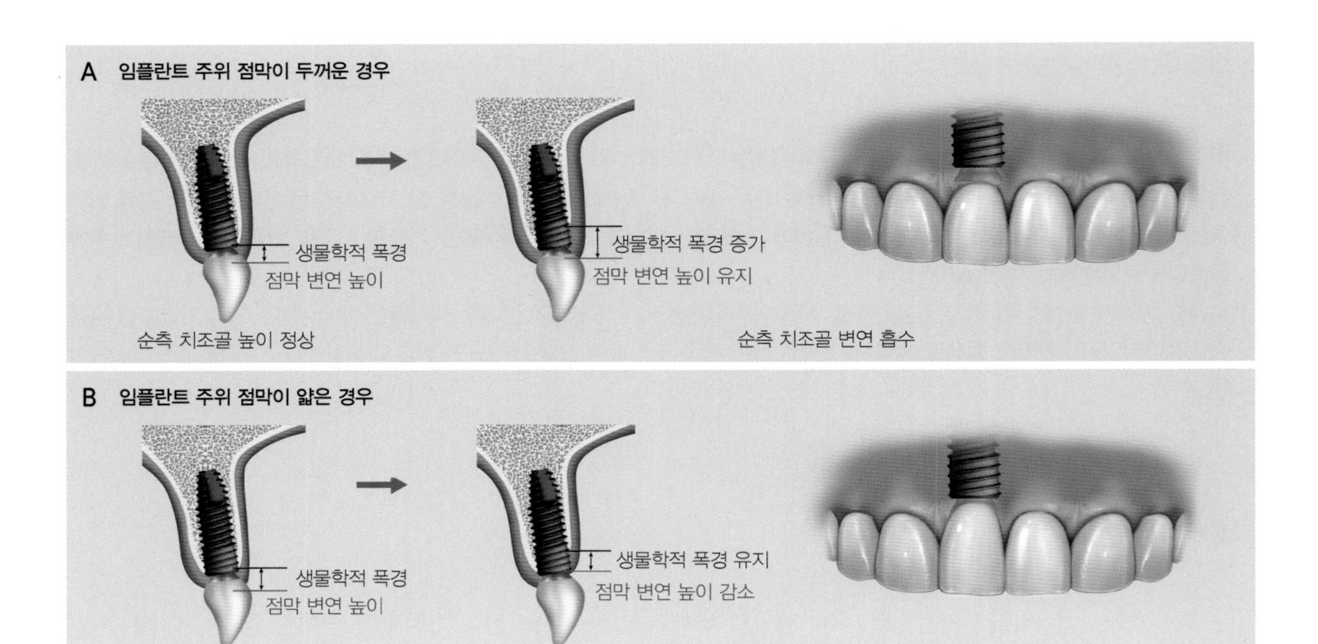

4-28 점막의 두께는 그 변연의 퇴축에 영향을 미친다.
A. 임플란트 주위 점막이 두꺼우면 점막 변연은 퇴축에 상대적으로 잘 저항한다. 치조골 변연이 흡수되면 생물학적 폭경을 유지시키기 위해 점막 변연이 퇴축되기보다는 생물학적 폭경을 증가시키면서 원래 높이를 유지하려는 경향이 강하다. **B.** 임플란트 주위 점막이 얇으면 점막 변연은 상대적으로 잘 퇴축된다. 치조골 변연이 흡수되면 생물학적 폭경을 유지하면서 퇴축되려는 경향이 강하다.

치간 유두 점막 또한 두꺼운 표현형인 경우에 치간 공극을 더 많이 차지하게 되며, 높이도 더 높다.[84,109] 그러나 치간 유두 점막의 예후는 그 두께와 관계없이 대체로 양호하며, 즉시 식립 프로토콜이나 다른 식립 프로토콜에서 별다른 차이를 보이지 않기 때문에 여기에서는 순측 중앙 점막 변연의 퇴축에 한정하여 논의할 것이다.

(1) 임플란트 주위 점막은 치아 주위 점막보다 더 두껍다

자연치 주변 치은 조직의 두께는 개인별, 부위별로 편차가 있으며, 0.63-1.79 mm의 범위를 갖는다.[111] 임플란트 주위 점막 두께는 자연치 주위 치은보다 두껍다.[112] 상악 전치부에서 발치 후 즉시 식립과 지연 식립의 결과를 9년 이상 관찰한 전향적 연구에 의하면, 점막 변연 1 mm 하방에서 순측 점막의 수평적 두께는 즉시 식립군에서 1.26±0.40 mm, 반대측 자연치에서는 0.68±0.38 mm였으며 지연 식립군에서는 1.25±0.71 mm, 반대측 자연치는 0.74±0.27 mm였다.[113] 임플란트 식립 후 오랜 시간이 지나면 식립 시기와 관계없이 순측 점막 변연의 두께는 0.5-0.6 mm 가량 증가함을 알 수 있다(4-29). 아마도 치아가 상실되면 임플란트 식립 여부와 관계없이 순측 치조골은 흡수되며, 이에 대해 순측 점막 두께가 두꺼워지면서 어느 정도의 보상이 이루어지는 것 같다.[114]

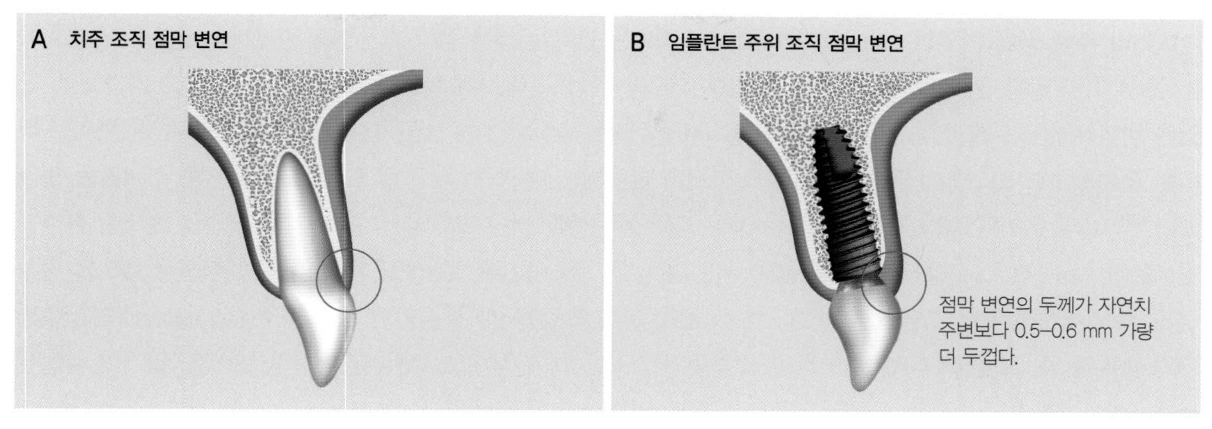

4-29 임플란트 주위 점막 변연부의 수평적 두께는 자연치 주위 치주 점막 변연부의 수평적 두께보다 0.5~0.6 mm 가량 더 두껍다. 이것이 생물학적으로 어떤 영향을 미치는지는 정확히 알 수 없지만 임플란트 주위 점막 변연이 치주 점막 변연보다 퇴축에 더 잘 저항하게 만들 수도 있을 것이다.

한 후향적 연구에서는 상악 전치부에서 발치 후 즉시 임플란트를 식립한 부위의 점막 두께는 점막 변연 하방 1 mm 높이에서 수술 1–5년 후 평균 1.72±0.61 mm였다.[115] 따라서 상악 전치부 임플란트의 순측에 위치한 점막은, 점막 변연 1 mm 하방에서 그 두께가 평균 1.25–1.72 mm 정도임을 알 수 있다.

(2) 순측골의 흡수가 현저하고 임플란트의 식립 위치가 좋지 못한 경우에는 점막의 두께에 따라 점막 퇴축량이 영향받을 수 있다

많은 임상가들이 얇은 점막은 심미적 결과에 악영향을 미칠 것으로 생각하고, 또 실제로도 점막이 얇은 부위에서는 순측 중앙 점막 변연이나 치간 유두 점막의 퇴축이 더 많이 발생하는 것은 사실이다. 그러나 그 정도가 임상적으로 유의미한가에 대해서는 아직까지 논란의 여지가 있다. 2003년에 한 단일 환자군 연구에서는 발치 후 즉시 식립 시 점막 표현형은 순측 중앙 점막 변연의 퇴축에 별다른 영향을 보이지 않는다는 결과를 발표했다.[31] 또 다른 연구에서도 즉시 임플란트 식립 1년 후 점막 표현형에 따라 순측 점막 변연 퇴축량에 유의한 차이를 보이지 않았다고 했다(얇은 표현형 0.23 mm vs 두꺼운 표현형 0.06 mm).[116] 다른 후향적 연구에서도 임플란트를 즉시 식립하고 부하를 가한 후 평균 18.9개월이 경과했을 때 순측 점막 변연의 퇴축량은 점막 표현형에 유의한 영향을 받지는 않았다고 보고했다(얇은 표현형 1.0±0.9 mm vs 두꺼운 표현형 0.7±0.57 mm).[117] 한 체계적 문헌 고찰에서는 즉시 식립–즉시 부하 시에 두꺼운 점막에서는 순측 변연 퇴축량이 평균 0.20 mm였고 얇은 점막에서는 평균 0.48 mm였지만 그 차이는 통계학적으로 유의하진 않았다고 했다.[68] 2017년의 메타분석에서는 발치 후 즉시 임플란트를 식립하고 최소 12개월 이상 경과한 후 순측 중앙 점막 변연은, 두꺼운 표현형의 점막에서 얇은 표현형의 점막보다 평균 0.373 mm (95% CI −0.253~1.000) 덜 퇴축되었다고 했다. 그러나 이는 통계학적으로 유의한 차이는 아니었다.[118] 결국 두 체계적 문헌 고찰/메타분석에서 즉시 식립 임플란트의 순측 점막 변연 퇴축량은 얇은 점막 표현형에서 평균 0.28–0.37 mm 더 컸지만 이는 통계학적으로나 임상적으로 유의미한 차이는 아닌 것이었다.

그러나 순측 점막 변연이 1 mm를 초과하여 퇴축되는 빈도는 얇은 점막 표현형의 증례에서 현저히 증가한다는 근거 또한 많다. 한 전향적 연구에서는 발치 후 즉시 식립-즉시 수복을 시행하고 평균 4년이 경과했을 때, 얇은 점막에서는 순측 점막 변연이 평균 1.50 mm, 두꺼운 점막에서는 평균 0.56 mm 퇴축됐으며 이 차이는 유의한 것이었다고 보고했다.[119] 다른 전향적 연구에서는 발치 후 즉시 식립을 시행하고 12주 후 수복물을 연결했다.[120] 이때 두꺼운 점막 표현형에서는 38%, 얇은 표현형에서는 85%에서 순측 점막 변연의 현저한 흡수가 발생했다. 4th ITI Consensus Conference에서는 발치 후 즉시 임플란트 식립 시의 임상적, 심미적 결과를 평가하기 위해 체계적 문헌 고찰을 시행했다.[29] 이 문헌 고찰의 결과, 순측 점막의 심한 퇴축(>1 mm)은 포함된 연구의 증례들 중 21.4%에서 발생한 흔한 합병증이었으며, 그 위험 요소로는 얇은 점막 표현형, 얇거나 손상된 순측 골벽, 그리고 순측으로 식립된 임플란트 등이 있었다고 결론 내렸다.

결론적으로 점막 두께가 얇으면 발치 후 즉시 식립 시 순측 점막은 평균적으로 더 퇴축되고 심한 퇴축을 보이는 증례의 빈도도 증가한다. 그러나 이것이 임상적으로 아주 유의미한 차이를 보이는가에 대해서는 명확한 결론을 내리기 힘들다. 아마도 임플란트 주위 점막의 치관측 변연은 치아 주변보다 더 두껍고, 이로 인해 순측골이 근단측으로 흡수되더라도 변연 퇴축에 더 잘 저항하기 때문인 것 같다(**4-30**). 따라서 순측골이 현저하게 흡수되었거나 임플란트를 순측으로 식립하지 않는 이상 어느 정도의 치조골정 흡수는 점막 퇴축으로 이어지지 않는다. 앞서 언급했던 한 후향적 연구에서는 발치 후 즉시 식립을 시행한 환자군에서 7년 후의 결과를 보고했다.[25] 14증례 중 9증례에서는 순측골이 존재했고 5증례에서는 순측골이 소실되어 있었다. 순측골이 존재하는 군에서는 임플란트 변연에서 순측 치조골정까지의 거리가 1.7±0.6 mm였던 반면, 존재하지 않는 군에서는 10.9±1.6 mm였다. 그러나 순측 점막 변연에서 임플란트 변연까지의 거리는 각각 1.2±1.0 mm, 0.1±0.3 mm로, 골높이 차이에 비해 훨씬 적은 차이만을 보였다(**4-31**). 저자들은 모든 임플란트는 구개측/설측으로

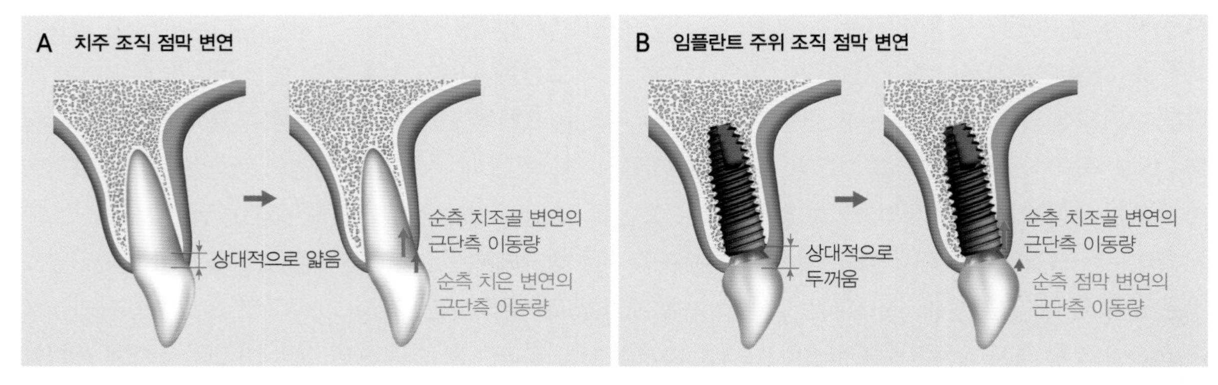

4-30 치주 조직과 임플란트 주위 조직 점막 변연은 두께가 다르기 때문에 치조골 변연 흡수에 반응하여 퇴축되는 정도에 차이를 보일 수 있다.
A. 치주 조직 점막 변연은 상대적으로 얇기 때문에 순측 치조골 변연이 흡수되면 근단측으로 쉽게 퇴축될 수 있다. **B.** 임플란트 주위 조직의 점막 변연은 치아 주위보다 평균 0.5 mm 이상 두껍다. 따라서 순측 치조골 변연이 흡수되더라도 생물학적 폭경을 늘리며 퇴축에 저항할 가능성이 증가한다.

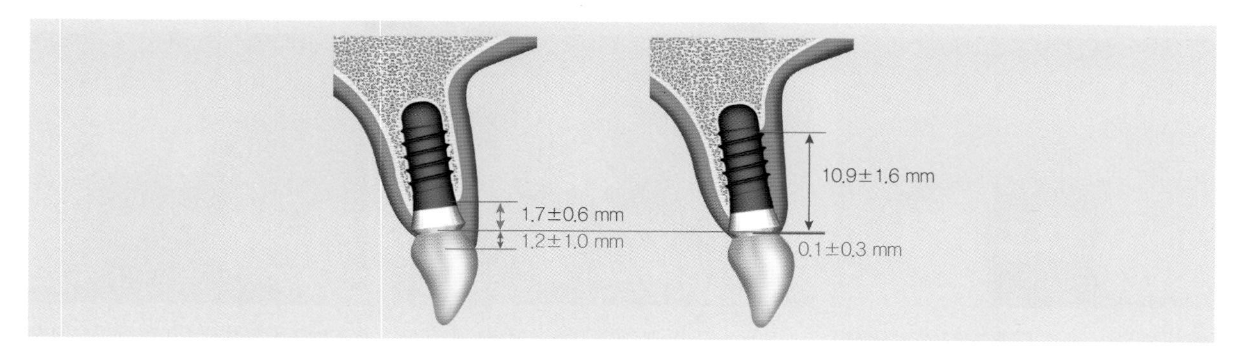

4-31 임플란트 주위 점막은, 임플란트를 이상적인 위치로 식립하기만 한다면 퇴축에 잘 저항한다. 한 장기간의 추적 관찰 연구는 이러한 점을 잘 보여주었다. 즉시 식립 증례를 7년 후 평가했을 때, 심지어 순측골이 결손된 증례에서도 순측 점막 변연의 퇴축량은 굉장히 제한적이었다. 순측골이 존재하는 군에서는 임플란트 변연에서 순측 치조골정까지의 거리가 1.7±0.6 mm였던 반면, 존재하지 않는 군에서는 10.9±1.6 mm였다. 그러나 순측 점막 변연에서 임플란트 변연까지의 거리는 각각 1.2±1.0 mm, 0.1±0.3 mm로, 골높이 차이에 비해 훨씬 적은 차이만을 보였다.

식립됐다고 했으며, 따라서 임플란트 식립 위치만 좋으면 순측골의 수직적 흡수에도 불구하고 순측 점막은 퇴축에 잘 저항하는 것으로 보인다고 했다. 즉 ① 점막의 두께가 얇은 증례에서, ② 임플란트를 순측으로 식립하면 순측 점막 변연의 퇴축이 발생할 가능성이 증가하는 것이다(**4-32**).

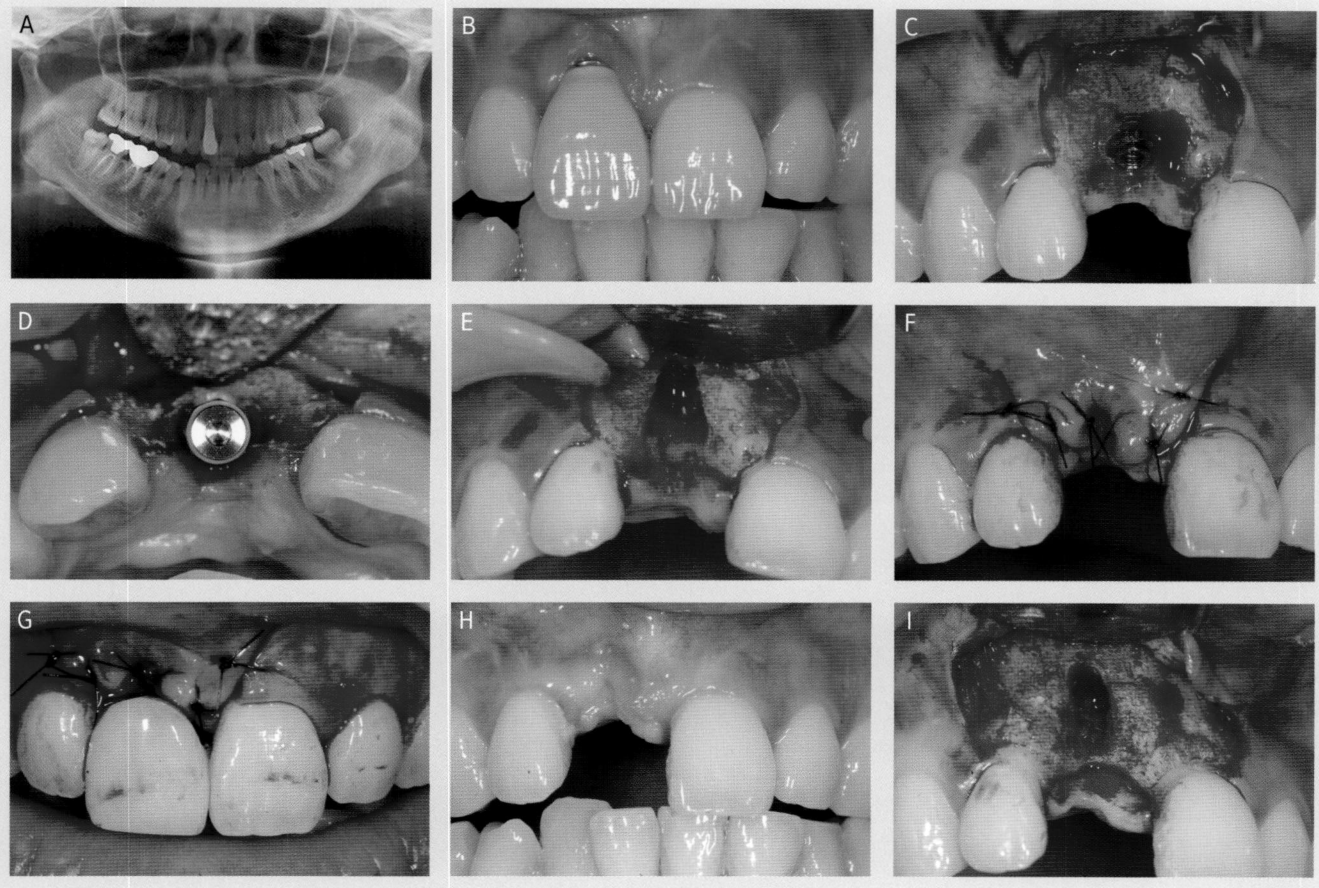

– 계속 –

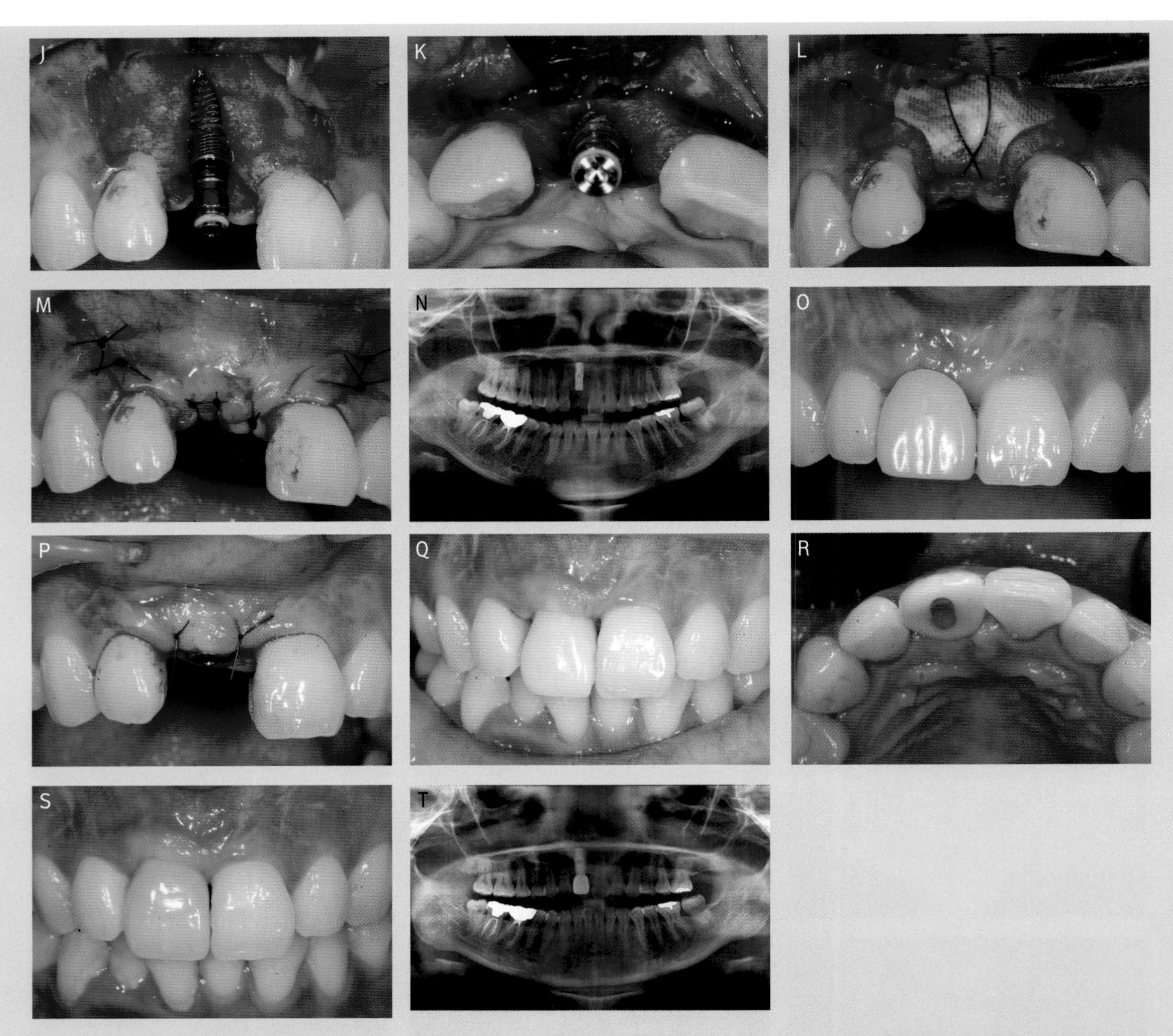

4-32 "점막 두께가 얇은 증례에서 임플란트를 순측으로 식립하면 점막 변연은 퇴축된다." 이는 매우 중요한 사실이다. 점막 두께가 얇은 증례에서 상악 전치부에 임플란트를 식립할 때에는 임플란트의 식립 방향과 위치에 많은 주의를 기울여야 한다.

A~G. 상악 우측 중절치 점막 변연의 심한 퇴축에 의한 심미적 실패로 인해 저자에게 의뢰된 증례이다. 이러한 증례에서는 일단 임플란트의 식립 위치를 확인하는 것이 최우선이다. 퇴축의 정도가 적고 치간 유두 점막이 건전하며 임플란트 식립 위치가 구개측을 향한다면 "임플란트 성형술 + 결합 조직 이식" 등의 보존적 치료가 가능하다. 그러나 이 증례에서는 임플란트 식립 위치가 너무 순측을 향했으며**(D)** 점막이 얇았기 때문에 임플란트를 제거 후 재식립하기로 했다. 아주 얇게 존재했던 순측골은 임플란트 제거 시 소실되었다**(E)**.

H~N. 2개월 3주 후 임플란트를 식립했다. 임플란트 재식립 후 위치**(K)**를 기존 식립 위치(**4-21D**)와 비교해보면 임플란트 매식체의 위치는 확실히 구개측으로 현저히 이동되어 있다. 골결손부는 이종골 이식재와 교원질 차폐막으로 수복했다.

O~R. 환자는 계속 내원하지 않다가 약 1년 후에 2차 수술을 위해 내원했다**(D)**. 결손부는 구개측에서 인접치에 부착한 고정성 임시 보철물로 수복된 상태였다. 2차 수술 1주 후 임시 보철물을 연결했다. Access hole의 위치로써 임플란트의 순-구개측 식립 위치가 적절함을 다시 한번 확인할 수 있다**(R)**.

S~T. 다시 5개월 후 최종 보철물을 연결했다. 점막 변연의 높이는 반대측 중절치 점막 변연과 비슷한 높이로 수복되어 있었다.

3.
심미성을 고려한 발치 후 즉시 임플란트 식립술의 과정

지금까지 상악 전치부에서 발치 후 즉시 임플란트 식립술은 심미적으로 불만족스러운 결과를 얻을 수 있는 위험성이 있는 술식이라는 점과, 여러 가지 해부학적 요소가 이에 영향을 미칠 수 있다는 사실을 알아보았다. 이제는 우리가 만족스러운 결과를 얻기 위해 어떻게 이 술식을 진행할지 알아볼 차례이다. 우선 발치 후 즉시 임플란트 식립술은 심미적 예후에 영향을 미칠 수 있는 요소들이 많기 때문에 진단 과정이 까다로울 뿐만 아니라 수술 과정 자체도 난이도가 높다. 그 이유는 다음과 같다.[10,11,86,92]

- 치아 관통부는 연조직이 결손되어 있기 때문에 즉시 임플란트 식립 시 골증강술을 동반할 경우 이를 처치하기가 어렵다.
- 임플란트 크기와 발치와 내부의 크기 차이로 인해 임플란트의 일차 안정을 이루기가 힘들다.
- 이상적인 임플란트의 식립 위치는 치근의 위치에 비해 더 구개측에 위치하기 때문에 적절한 위치로 임플란트를 식립하기가 힘들다.
- 발치 후 발생하는 조직의 자연적인 흡수로 인해 심미적 합병증이 발생할 가능성이 높으며, 따라서 이를 예방할 수 있는 외과적 과정을 추가해야 할 수 있다.

현재 상악 전치부에서 발치 후 즉시 임플란트 식립술은 즉시 수복 술식과 결합되어 표준화된 프로토콜이 정립됐다고 할 수 있는 상태이다. 이는 다음 순서를 따른다(📷 4-33).[75,93]

- 비절개/무피판 접근 – 비외상성 발치 – 임플란트 식립 – 순측 임플란트 주위 결손에 골이식재 적용 – 즉시 수복

이러한 표준 프로토콜을 적용할 수 없다면 수술 방법을 변경하거나 임플란트 식립 시기를 늦춘다. 특히 다음 세 가지 요소는 심미적으로 성공적인 결과를 얻기 위해 가장 중요하다.

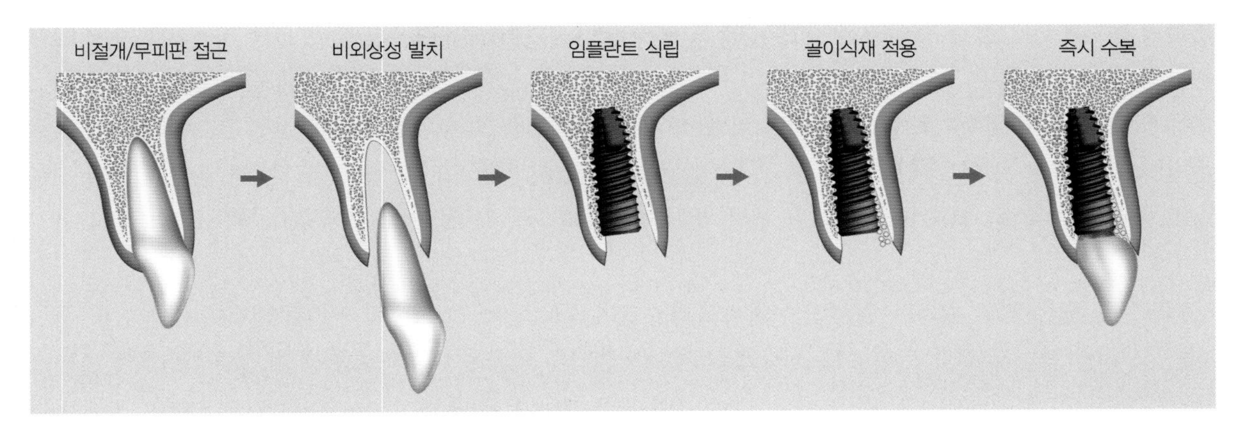

📷 4-33 상악 전치부의 표준화된 최소 외상 즉시 식립–즉시 수복 프로토콜
이는 일부 증례에만 적용 가능하지만 가장 이상화된 프로토콜이라고 생각할 수 있다.

- 적절한 증례 선택
- 3차원적으로 올바른 위치로 임플란트 식립(순측에 2 mm의 임플란트 주위 결손 형성)
- 임플란트 순측 골벽의 흡수를 보상할 수 있도록 임플란트 주위 결손 내부를 천천히 흡수되는 골이식재로 충전, 혹은 순측 조직의 퇴축을 보상할 수 있도록 순측 골벽 외부로 골증강술

여기에서는 수술의 각 과정이 심미적 결과에 미칠 수 있는 영향과, 최선의 예후를 위해 어떻게 이를 수행해야 하는지를 설명할 것이다. 비외상성 발치에 대해서는 앞에서 설명했으므로 생략하도록 한다.

1) 절개 및 피판 거상

(1) 발치 후 즉시 임플란트 식립 시에는 비절개 및 무피판 수술을 시행하는 경우가 많지만 절개를 가하더라도 심미적인 결과가 저하되지는 않는다

발치 후 즉시 임플란트 식립 시에는 치아 관통부가 결손되어 있기 때문에 절개 없이도 임플란트 식립을 시행할 치조골로 직접적인 접근이 가능하다. 따라서 많은 임상가들은 비절개 무피판 수술로 이 술식을 시행한다.[75,93] 임플란트 수술 시 피판을 거상하지 않으면 이론적으로 다음의 장점과 단점이 있다(4-4).[24,121]

4-4 비절개-무피판 수술의 장점과 단점

장점	단점
• 수술 시간 단축 • 환자의 불편감 감소 • 치조골로의 혈류량 유지 • 원래의 치은 변연 형태와 높이 유지 • 치간 유두 및 치간골의 높이 보존	• 비관혈적이기 때문에 치조골의 상태를 정확히 진단하기 힘듦 • 치조골 변연을 확인하기 힘들기 때문에 임플란트 식립 높이를 정확히 맞추기 힘듦 • 임플란트 매식체 주위에 열개나 천공 결손이 발생할 가능성이 높지만 이를 수술 중 확인하지 못할 수 있음

피판을 거상하면 치조골로 공급되는 혈류량이 일시적으로 감소하고 골에 외과적 외상이 가해지기 때문에 치조골의 흡수를 야기할 수 있다고 생각된다. 특히 발치 후 즉시 임플란트를 식립하면 순측 치조골의 주요 혈류 공급원 중 하나인 치주 인대가 제거되기 때문에 더더욱 불리한 상황에 놓인다. 그러나 동물 실험에서는 발치, 혹은 발치 후 즉시 임플란트 식립 시 피판 거상 여부가 4–6개월의 치유 기간 후 치조골의 흡수량에 거의 아무런 영향도 미치지 못했다.[122,123] 발치 후 즉시 임플란트 식립을 시행하고 3개월이 경과한 후 점막 변연의 퇴축량 또한 무피판 수술 시(0.6 mm)와 피판 거상 시(0.67 mm)에 거의 차이를 보이지 못했다.[124]

이러한 동물 실험의 결과는 임상 연구에서도 비슷하게 나타났다. 2014년의 메타분석에서는 발치 후 즉시 식립 시 피판 형성 유무가 순측 치조골의 흡수 정도에 별다른 영향을 미치지 못한다고 결론내렸다.[24] 2015년의 체계적 문헌 고찰에서는 무피판 수술 시에는 순측 점막 변연이 평균 0.26 mm, 피판 거상 시에는 평균 0.37 mm 퇴축됐고, 이는 유의하지 못한 차이였다고 보고했다.[68] 따라서 저자들은 피판 거상 유무는 심미적 결과에

별다른 영향을 미치지는 않는다고 결론 내렸다. 결론적으로 피판을 거상하지 않으면 순측 치조골의 수직적 흡수량과 순측 점막 변연의 퇴축량을 약간 줄여줄 수 있지만 그 양이 통계학적으로나 임상적으로 크게 유의미하지는 않은 것으로 보인다(📷 4-34).

(2) 정확하고 안전한 수술을 위해서는 절개 및 피판 형성을 시행하는 것이 오히려 유리하다

절개와 피판 형성을 시행하지 않았을 때의 가장 큰 단점은 치조골의 상태를 눈으로 직접 확인할 수 없다는 점이다. 상악 전치부의 순측 치조골 두께는 90% 정도의 증례에서 1 mm 미만이다.[125,126] 상악 전치부의 순측 치조골은 이렇게 얇기 때문에 임상적으로 아무런 문제도 없는 치아의 순측 치조골은 원래부터 결손되어 있는 경우도 많다.[127] 한 전향적 단일 환자군 연구에서는 치주적으로 문제가 없는 상악 중절치와 측절치 발치 후 열개와 천공 결손이 각각 대략 1/4의 증례에서 존재했다고 보고했다.[128]

그나마 열개 결손은 피판을 거상하지 않거나 최소한으로만 거상하더라도 어느 정도의 수복이 가능하지만 천공 결손은 피판 거상 없이는 수복이 불가능하다(📷 4-35). 그리고 상악 전치부에서는 임플란트 매식체의 이상적인 식립 위치와 자연치 치근의 위치가 다르기 때문에 건전한 발치와에 임플란트를 식립하더라도 천공 결손이 발생할 가능성이 높다(📷 4-36). 한 단면 연구에 의하면 4형 식립 시 상악 중절치와 측절치 부위 중 18.75%에서 천공 결손이 발생했다.[129] 게다가 동양인에서는 천공 결손이 발생할 가능성이 증가한다. 임플란트의 장축과 치조골의 장축 차이가 클수록 천공 결손이 발생할 가능성이 증가하는데, 동양인에서는 상악 절치가 순측으로 돌출되어 있는 경우가 서양인에서보다 많기 때문에 이러한 현상이 발생할 가능성도 더 높다.[130,131] 중국인에서 상악 중절치-견치 부위에 임플란트를 CT에서 가상 식립한 경우 중절치 부위는 19.8%, 측절치 부위는 42.8%, 견치 부위는 15.8%, 총 26.1%의 증례에서 천공 결손이 발생할 것으로 예상됐다.[132] 이 연구에서는 서양인에 비해 동양인에서 임플란트 매식체와 치조골의 각도 차이가 더 증가했고 순측 치근단측 치조골의 함몰 정도가 더 컸다고 했다(📷 4-37).

게다가 피판을 거상하지 않으면 임플란트의 정확한 식립 위치를 설정하기도 힘들다. 임플란트 매식체를 순-구개측으로 적절한 위치에 식립하려면 구개측 골을 삭제해야 하는데 시야가 제한되므로 이 과정이 쉽지 않다. 상악 전치부 단일치 결손 시 3D 프린터로 미리 제작된 템플릿을 이용해 무피판 수술로 임플란트를 식립했을 때의 결과를 평가한 단일 환자군 연구에 의하면, 술 전에 계획된 위치와 실제 식립된 위치는 임플란트 변연부에서 수평적으로 평균 0.84 mm 차이가 났다.[133] 또한 대부분의 경우 임플란트는 계획보다 순측으로 식립되었으며 계획보다 0.8 mm 이상 위치가 변위되면 심미 지표인 PES는 유의하게 감소했다(중간값 9.5 vs 13).[133] 이렇듯 무피판 수술은 식립 위치의 오차를 초래할 수 있으며, 식립 위치의 오차는 심미적 결과를 오히려 저하시킬 수도 있으므로 굉장히 어려운 술식이라는 점을 명심해야 한다. 또한 무피판 수술 시에는 임플란트의 수직적 위치를 설정하기도 더 힘들다. 임플란트의 수직적 위치 설정은 보철적인 면과 해부학적인 면을 모두 고려해야 하는데, 해부학적으로 중요한 요소인 치조골정의 위치를 확인하기 어렵기 때문이다.

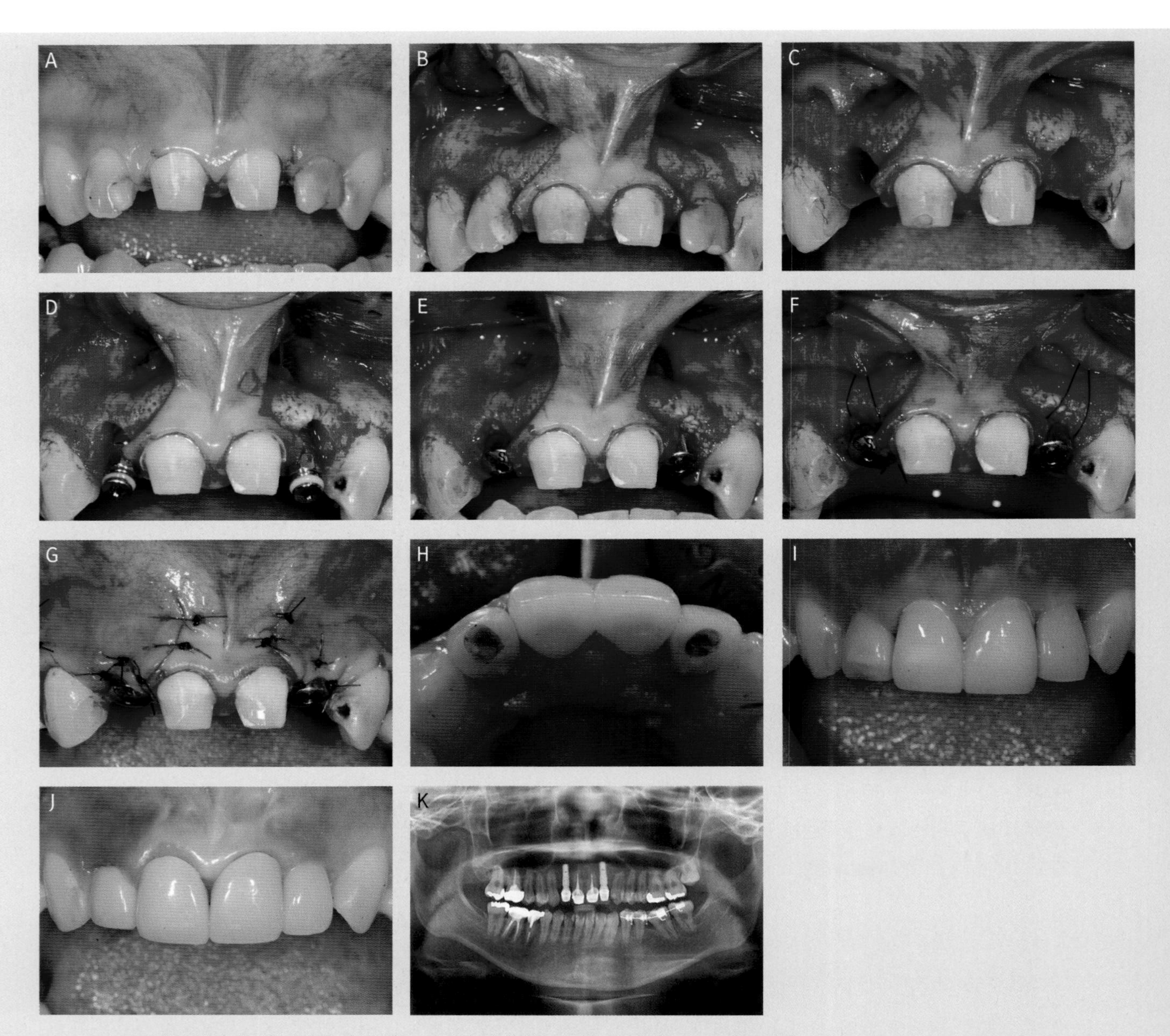

4-34 비절개/무피판 술식은 수술을 간소화하고 조직에 가해지는 외상을 최소화한다는 장점이 있다.
특히 점막이 매우 얇은 환자에서는 비절개/무피판 술식이 도움이 될 것이다. 그러나 비절개/무피판 수술 시에는 수술부를 육안으로 확인할 수 없기 때문에 골결손 존재 여부나 임플란트 식립 위치를 명확히 확인할 수 없으며, 따라서 임플란트를 원하는 위치로 정확히 식립하기 어렵고 골이식술 등의 추가적 처치를 시행하기 어렵다는 단점이 있다. 게다가 이 술식이 조직의 흡수를 막고 보존하는 정도는 생각만큼 크지 않은 것으로 밝혀졌다. 따라서 천공 결손이 비교적 흔한 동양인 환자를 다루는 우리는 가급적 절개 및 피판 형성을 시행한 후 임플란트를 식립하는 것이 좋다고 생각된다. 무피판/비절개 술식은 점막이 극히 얇은 환자에서 임플란트 주위 결손 수복 이외의 골증강이 필요하지 않은 경우에 한정하여 시행할 것을 추천한다. 이 증례도 점막이 극히 얇았지만 천공 결손이 발생할 것으로 예상되어 피판을 거상한 후 수술을 진행했다.
A~G. 양측 측절치를 발거하고 임플란트를 식립했다. 점막은 매우 얇은 표현형을 보였다**(A)**. 임플란트 식립부 근심측으로 조직의 퇴축을 최소화하기 위해 유두 보존 절개를 가한 후 피판을 거상했다**(C)**. 천공 결손부와 임플란트 주위 결손부를 동종골 이식재로 충전하고 차폐막을 적용했다**(E, F)**.
H~I. 4개월 3주 후 임시 보철물을 연결했다.
J~K. 약 9개월 후 최종 보철물을 연결했다. 임플란트 주위 점막 변연의 높이는 퇴축 없이 잘 유지되고 있었다.

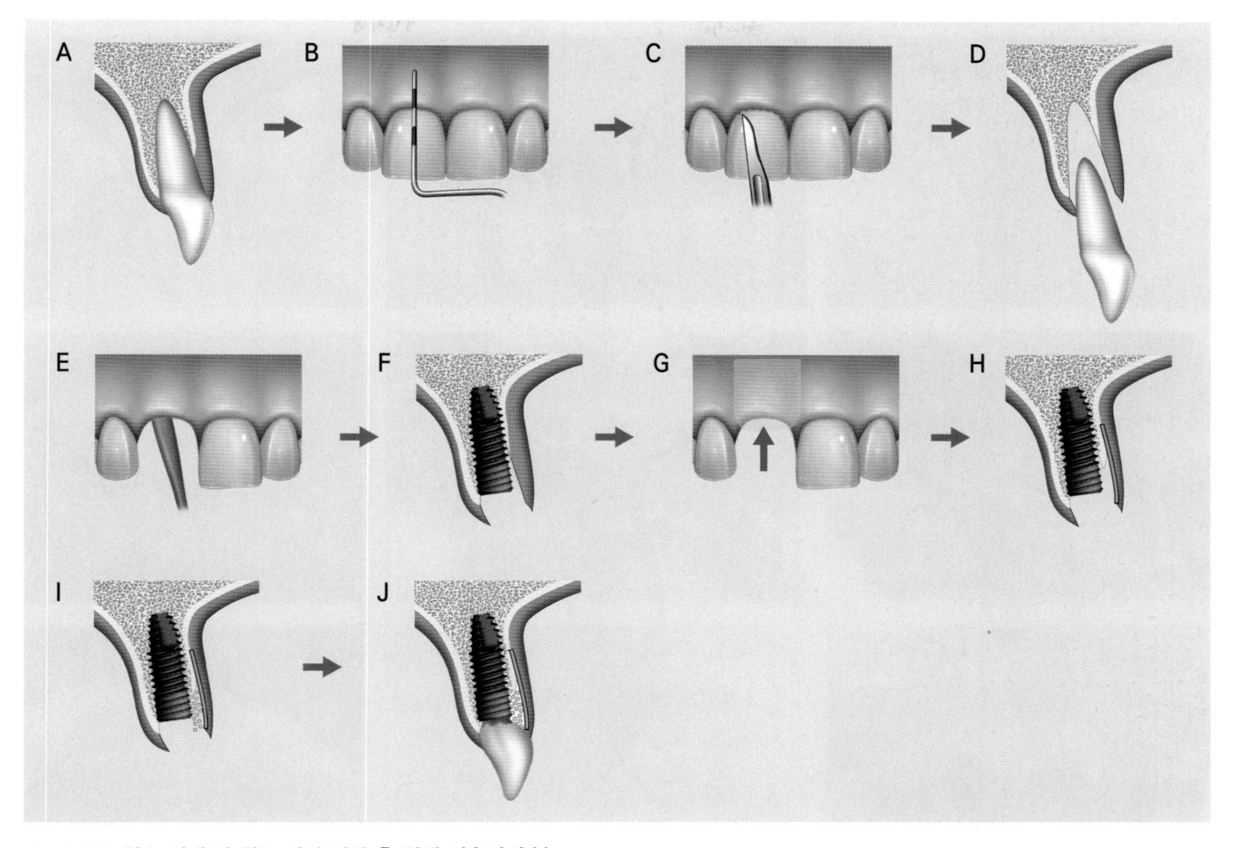

📷 4-35 최소 절개 및 최소 피판 거상 후 열개 결손의 수복
수술 전 탐침 등으로 순측 골결손부의 위치와 범위를 진단한다**(A, B)**. 순측 점막 변연에 최소한의 절개를 가한 후**(C)** 치아를 발거하고**(D)** 순측의 열개 결손 주위로 차폐막을 위치시킬 수 있도록 충분히 점막을 거상해준다**(E)**. 임플란트를 식립한 후**(F)** 조심스럽게 점막과 골표면 사이에 차폐막을 삽입한다**(G, H)**. 이후 이식재를 차폐막과 임플란트 표면 사이에 삽입한다**(I)**. 수술부는 고정성 임시 보철물이나 치유지대주를 연결하여 폐쇄한다**(J)**. 필요하다면 점막 변연부를 지대주에 밀접하게 접촉시키기 위해 봉합을 추가한다.

결국 무피판 수술은 발치 후 즉시 임플란트 식립 시 추천되는 방법이긴 하지만 경험이 많은 술자가 제한적인 증례에 한하여 시행해야 한다고 결론지을 수 있다. 수술 전에 가능하다면 반드시 CT를 촬영하여 치조골의 두께와 결손 여부를 확인하고 예상되는 위치로 임플란트를 식립했을 때 천공 결손이 발생할 가능성이 있는지 예상한다. 순측골판이 1 mm 이상으로 충분히 두껍고 치조골 결손이 없으며 치근과 임플란트 매식체의 각도 차이가 크지 않은 경우에 한하여 무피판 수술로 접근하고, 나머지 대부분의 경우에는 절개 및 피판 형성을 시행한다. 치간 유두 점막의 손상을 피하기 위해 절개는 가급적 유두 보존 절개를 가하는 것이 좋지만 임플란트 식립부 점막이 너무 얇거나 치간골이 현저히 흡수된 경우가 아니라면 치은구 절개를 가해도 크게 문제될 것은 없다(**📷 4-38**).

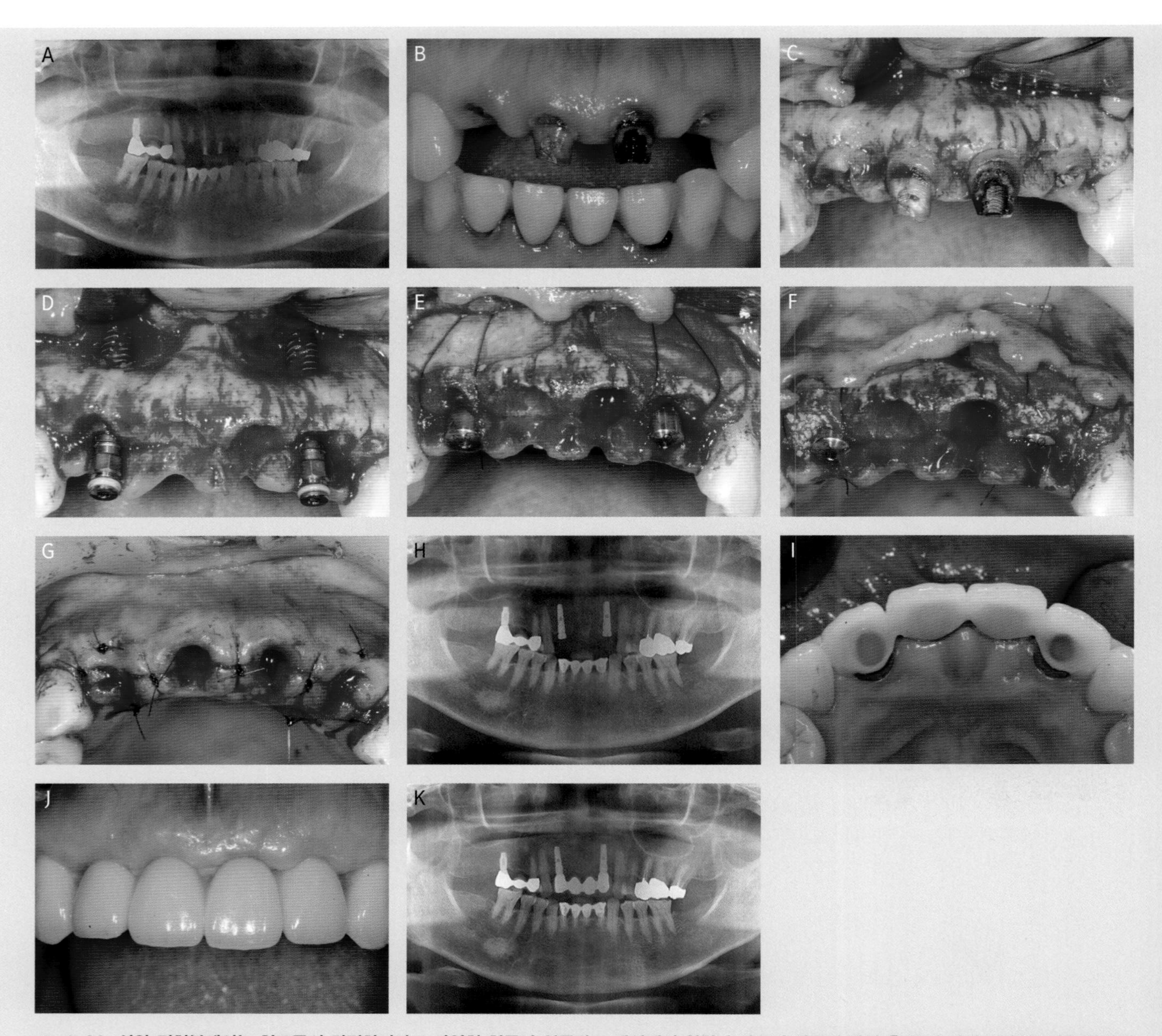

4-36 상악 전치부에서는 치조골이 건전하더라도 자연치 치근과 임플란트 매식체의 위치가 다르기 때문에 발치 후 즉시 식립 시 천공 결손이 발생할 가능성이 높다. 특히 상악 전치부가 돌출된 경우 그 가능성은 증가한다.

A~H. 잔존 치근을 발치 후 즉시 임플란트를 식립했다. 치조골에는 아무런 결손도 없었지만**(C)** 임플란트 식립 후 심한 천공 결손이 발생했다**(D)**. 천공 결손부와 임플란트 주위 결손부에 골이식재와 차폐막을 적용했다**(E)**.

I~K. 4개월 3주 후 최종 보철물을 연결했다. 수술부는 별다른 이상 소견을 보이지 않았다.

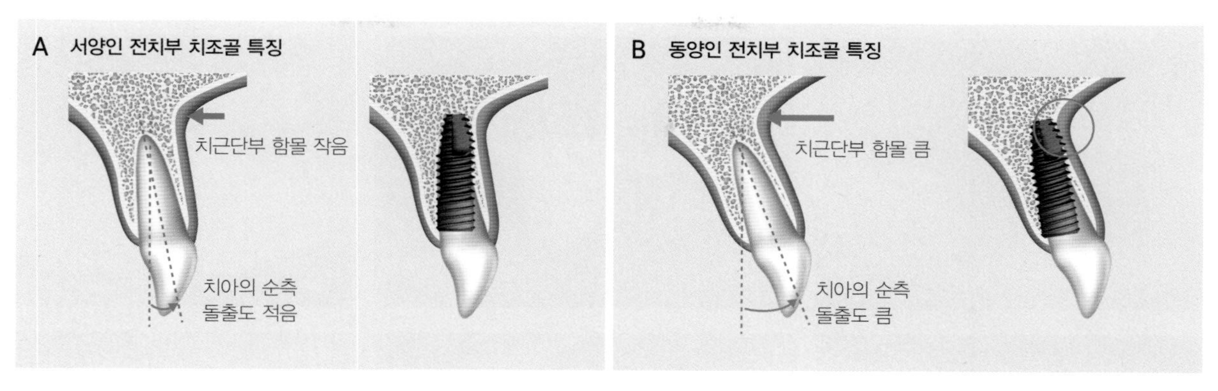

4-37 상악 전치부의 치아 및 치조골 형태 및 위치는 서양인과 동양인에서 차이를 보인다.
A. 서양인의 상악 절치는 순측 돌출도가 약하다. 또한 치근단부 치조골의 함몰도는 적다. 따라서 발치 후 즉시 임플란트를 식립할 때 치근과 임플란트 매식체의 각도 차이는 적으며 치근단부에 천공 결손이 발생할 가능성이 상대적으로 낮다. 따라서 발치 후 즉시 임플란트 식립 시 피판 거상의 필요성이 상대적으로 낮다. **B.** 동양인의 상악 전치는 순측 돌출도가 크다. 따라서 치근단부 치조골의 함몰도는 크다. 결국 치근과 임플란트 매식체의 각도 차이는 크며 치근단부에 천공 결손이 발생할 가능성이 상대적으로 높다. 이에 따라 발치 후 즉시 임플란트 식립 시 피판을 거상해야 할 필요성이 높아진다.

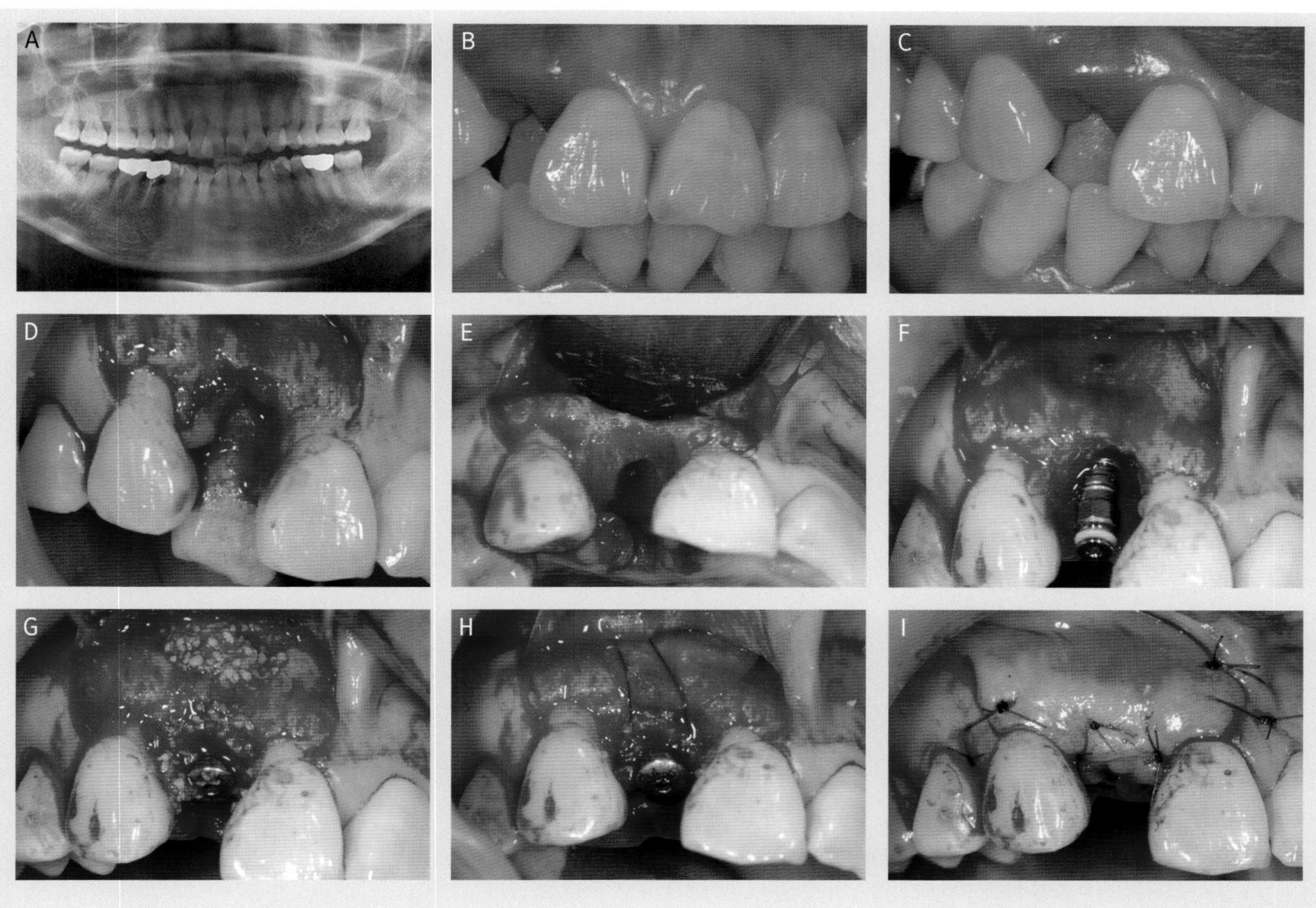

– 계속 –

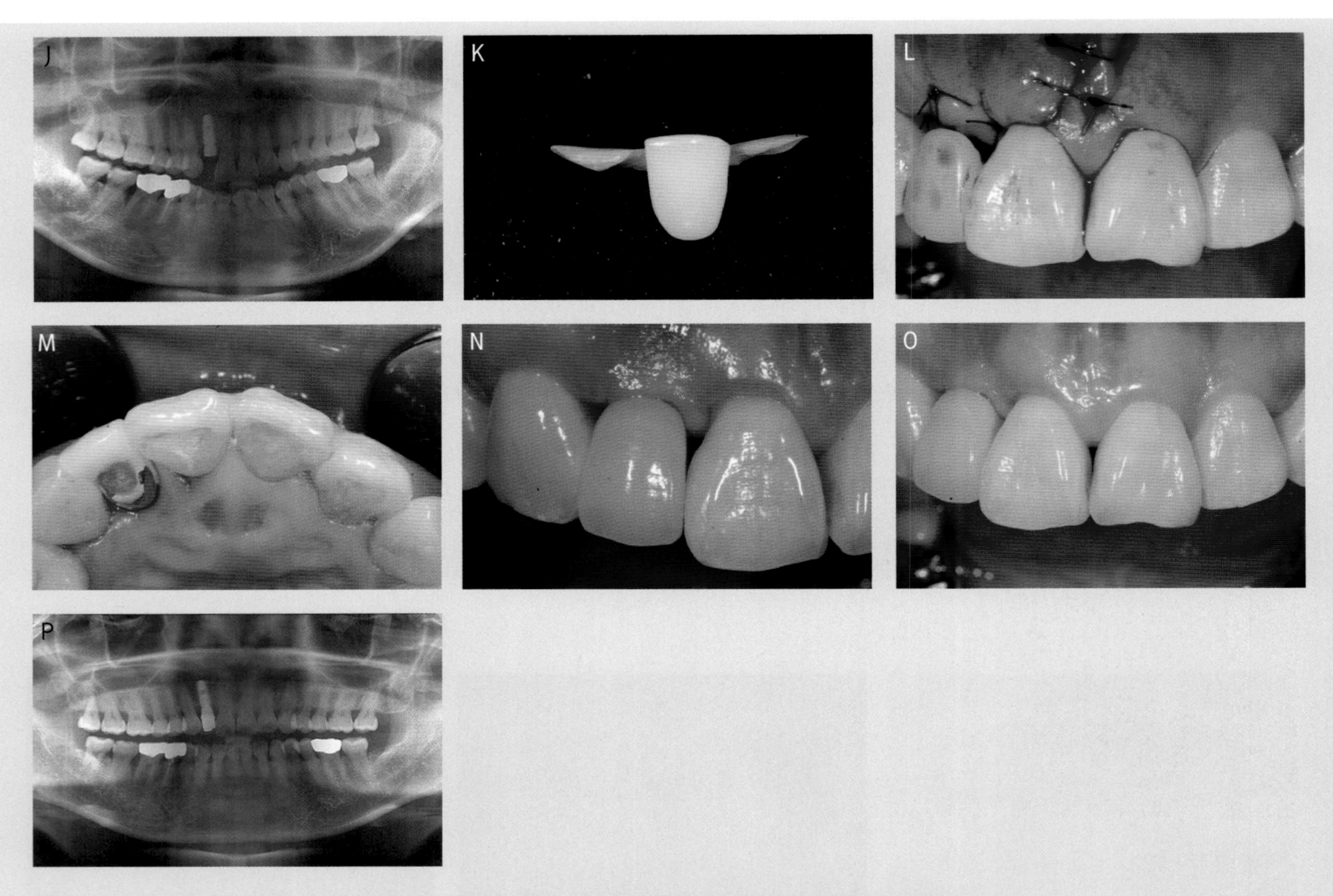

4-38 치은구 절개는 수술부로의 접근성을 최대한 증가시키지만 조직의 손상 또한 가장 크다는 단점이 있다.
따라서 가급적 치간 유두를 보존하는 절개를 가하는 것이 좋다. 하지만 발치 후 즉시 임플란트 식립술이 치은구 절개의 비적응증은 아니며 실제 수술의 결과에 미치는 영향은 매우 제한적이다.
A~L. 상악 우측 측절치를 발거하고 임플란트를 즉시 식립했다. 치관측 치조골에 결손부가 존재했기 때문에 치은구 절개와 수직 절개가 포함된 피판을 거상했다**(D)**. 임플란트를 식립한 후 치관측의 결손부와 천공 결손부를 골이식재 및 차폐막으로 수복했다**(F~H)**. 수술부를 폐쇄하고 임시 보철물을 연결했다**(K, L)**.
M~P. 4개월 정도 후에 최종 보철물을 연결했다. 반대측에 비해 중앙 점막 변연이 좀 더 근단측에 위치하긴 하지만 심미적으로 받아들일 만한 결과를 보였다. 치간 유두부는 시간이 경과함에 따라 재생될 것이다.

2) 임플란트 식립

(1) 발치 후 즉시 임플란트 식립술에서 "임플란트 식립" 과정은 난이도가 높다

발치 후 즉시 임플란트 식립술 과정 중 "임플란트의 식립" 자체는 난이도가 높다. 그 이유는 두 가지이다.

- 임플란트의 일차 안정을 치근단 쪽에서만 얻을 수 있다.
- 순측 치조골 흡수를 예방하고 심미적인 결과를 얻기 위해 임플란트를 발치와의 구개측에 식립해야 하는데 이는 생각보다 어려운 과정이다.

① 임플란트의 일차 안정을 치근단 쪽에서만 얻을 수 있다.

단근치 치근은 치근단 부위에서 좁고 치경부에서 넓으며, 치경부 치근의 폭이 임플란트의 폭보다 크기 때문에 발치와에 임플란트를 식립하면 일차 안정을 치근단 부위에서만 얻을 수 있다. 이에 따라 길이가 긴 임플란트를 사용해야만 하는 경우가 많으며 경우에 따라서는 일차 안정을 얻기가 불가능한 경우도 있다(📷 4-39).[134] 최근의 대부분의 체계적 문헌 고찰에서 즉시 식립 시의 임플란트 생존율은 고전적 식립과 비슷한 결과를 보였지만, 한 메타분석에서는 수술 전후로 항생제를 사용하지 않으면 즉시 식립 시 임플란트의 생존율은 고전적 식립 시에 비해 4% 저하되었다고 했으며 그 차이는 유의한 것이었다고 했다.[30] 특히 이 연구에서는 포함된 일차 연구들에서 즉시 식립 시의 실패는 초기에만 발생했으며, 이는 즉시 식립 시 일차 안정을 얻기가 어렵다는 점을 보여주는 결과라고 결론내렸다.

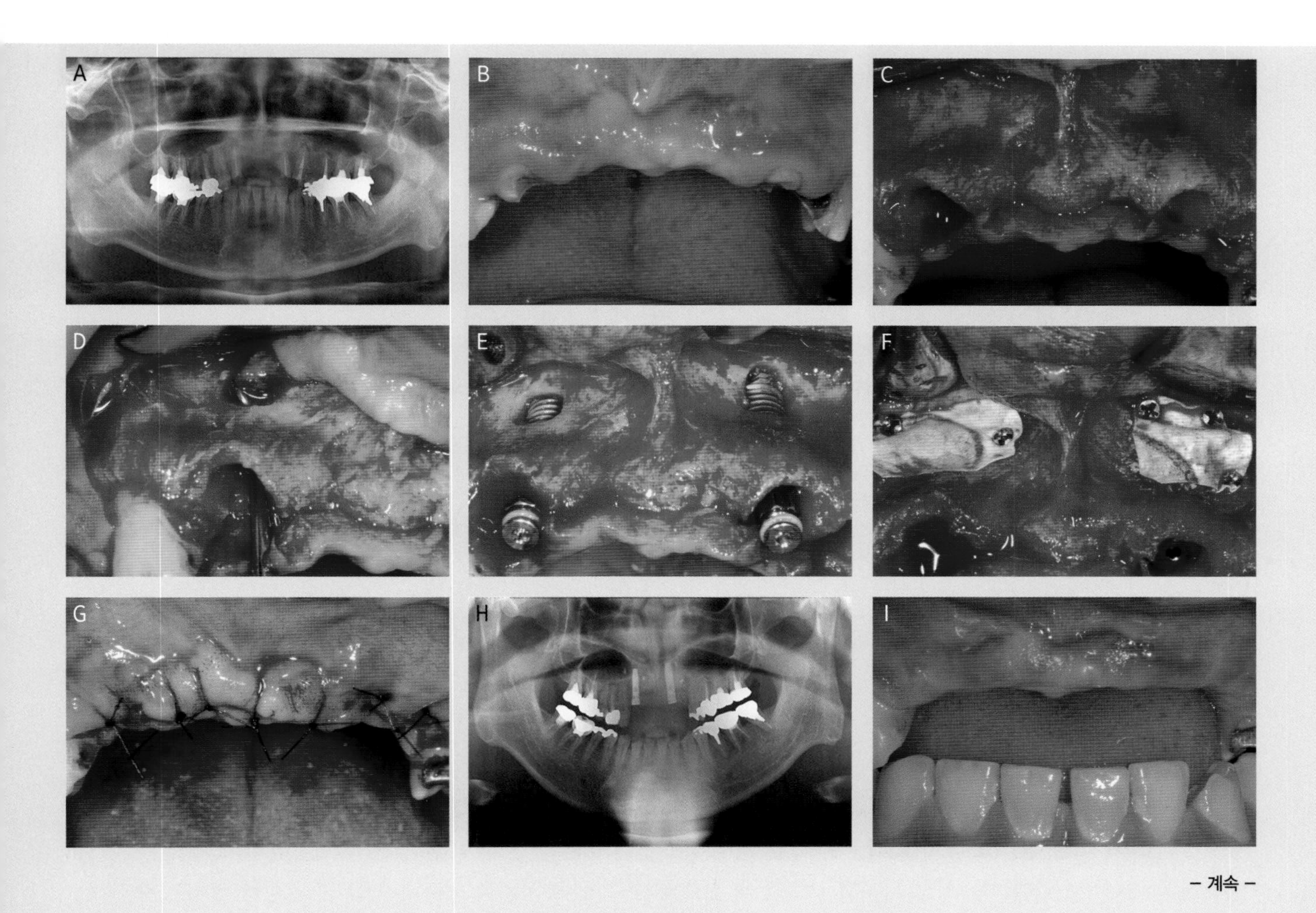

– 계속 –

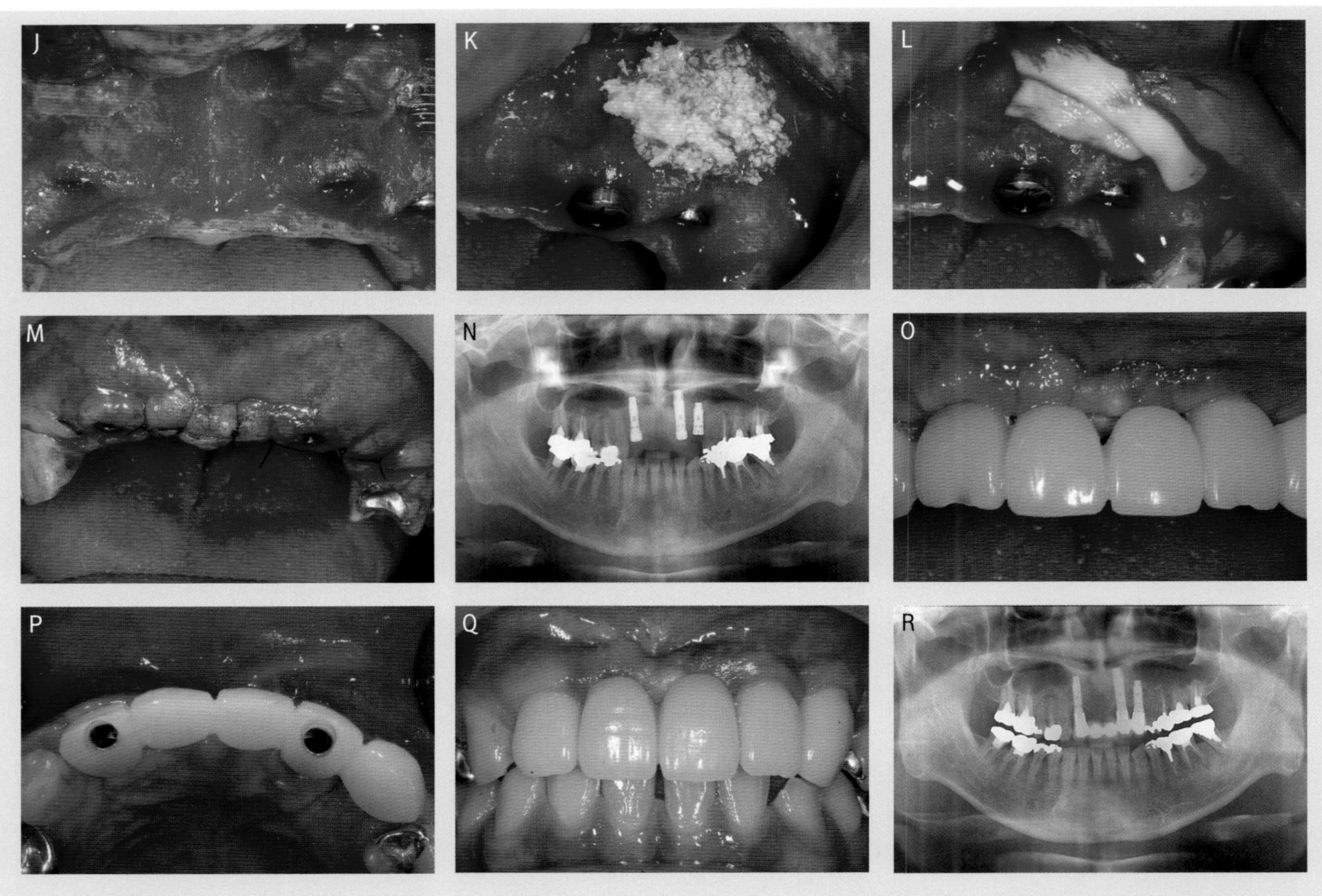

4-39 상악 양측 측절치와 좌측 견치를 발거하고 임플란트를 식립한 증례이다. 발치 후 즉시 임플란트 식립 시 일차 안정을 얻기가 힘들어 긴 임플란트를 사용했다.

A~H. 양측 측절치를 발거하고 임플란트를 식립했다. 양측 치아의 치근단 병소는 발치와를 통해 철저히 소파하기가 불가능했기 때문에 순측 근단부에 골창을 형성하여 병소를 제거했다**(D)**. 원체 치근이 굵고 길었던 데다가 치근단 병소 및 형성한 골창으로 인해 일차 안정을 얻기가 힘들었다. 길이가 긴 임플란트를 깊게 식립하여 간신히 일차 안정을 얻을 수 있었다**(E)**. 임플란트 식립 후 결손부에 골이식재와 차폐막을 적용했다**(F)**. 좌측 견치부에서는 일차 안정을 얻기가 불가능했기 때문에 임플란트는 지연 식립하기로 했다. 수술부는 치유 지대주 연결 후 점막 관통 치유를 도모할 수 있었지만 저자의 경험이 적었던 시절에 시행한 증례였고, 따라서 수술부는 일차 폐쇄했다**(G)**.

I~N. 6개월 2주 후 2차 수술, 차폐막 제거, 상악 좌측 견치부에 임플란트 식립, 골유도 재생술을 시행했다.

O~P. 5일 후 고정성 임시 보철물을 연결했다.

Q~R. 다시 5개월 후 최종 보철물을 제작하여 연결했다. 임상 및 방사선사진은 최종 보철 부하 1년 후 소견이다.

② 순측 치조골 흡수를 예방하고 심미적인 결과를 얻기 위해 임플란트를 발치와의 구개측에 식립해야 하며 이는 생각보다 어렵다.

발치 후 즉시 임플란트 식립 시 순측 치조골의 흡수와 순측 점막 변연의 퇴축에 가장 큰 영향을 미치는 두 가지 요소를 꼽으라면 순측 치조골의 상태(두께와 결손 유무)와 임플란트의 식립 위치(특히 순-구개측 위치)를

들 수 있다.[22,23,50,87,95,135] 따라서 올바른 위치로 임플란트를 식립하기 위해 최선의 노력을 기울여야 한다. 그리고 올바른 식립 위치는 발치와보다 구개측에 위치하기 때문에 구개측 골의 삭제와 구개측으로의 임플란트 식립이 필요하다. 그러나 구개측 골벽은 밀도가 높기 때문에 식립 중 임플란트가 점차 순측을 향하게 되는 경우가 많다.[117] 앞서 인용한 문헌에서 미리 스텐트를 제작하고 상악 전치부에 임플란트를 식립한 경우에도 스텐트 상의 위치와 실제 식립된 임플란트 위치는 임플란트 변연부에서 수평적으로 평균 0.84 mm 차이가 났다고 했으며, 대부분의 경우 임플란트는 원래 계획보다 순측을 향하게 된다고 한 바 있다.[133]

(2) 임플란트 매식체의 순측 표면과 순측 치조골 내면 사이의 이상적인 거리는 2 mm이다

특히 상악 전치부에서 발치 후 즉시 임플란트를 식립할 때에는, 치근과 임플란트 매식체의 크기 차이로 인해 협측 치조골의 치관측 내부와 임플란트 매식체 표면 사이에 빈 공간이 형성된다. ITI에서는 이 공간을 "임플란트 주위 결손(peri–implant defect)"이라고 명명했다(📷 4–1).[11] 1990년대 말–2000년대 초반에 일련의 문헌들은 임플란트 주위 결손의 폭이 2 mm를 초과하면 임플란트 주위 결손 내부에 신생골이 형성될 수 없기 때문에, 직경이 큰 임플란트를 식립하거나 임플란트 식립 방향을 너무 구개측으로 치우치지 않게 함으로써 결손의 폭을 2 mm 미만으로 줄일 것을 추천했다(📷 4–40).[7,20,21,136] 그러나 최근에는 이에 대해 다른 견해가 일반화되었다. 전문가들은 순측 치조골의 흡수를 예방하기 위해 가급적 순측 임플란트 주위 결손의 폭을 항상 2 mm 이상 충분히 부여해야 한다고 생각한다.[36]

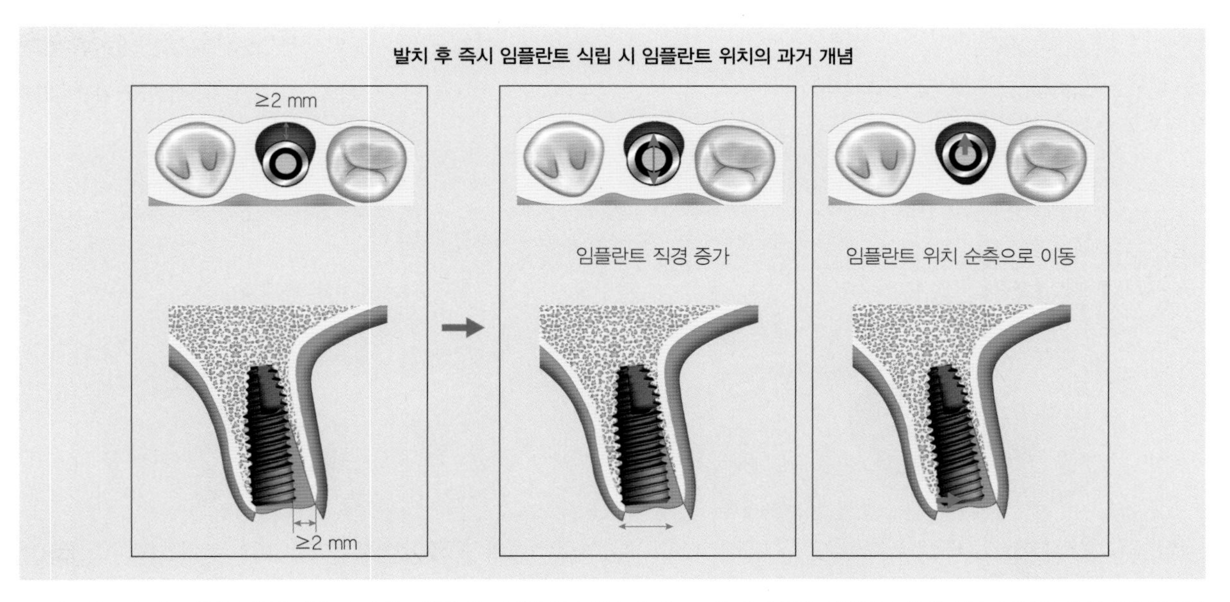

📷 **4–40** 지금은 개념이 변했지만 과거에는 임플란트 주위 결손의 폭이 2 mm를 초과하면 임플란트 주위 결손 내부에 신생골이 형성될 수 없기 때문에, 직경이 큰 임플란트를 식립하거나 임플란트 식립 방향을 너무 구개측으로 치우치지 않게 함으로써 결손의 폭을 2 mm 미만으로 줄일 것을 추천했다.

발치 후 즉시 임플란트를 식립할 때 순측 치아 주위 결손의 폭이 클수록, 즉 임플란트를 구개측으로 식립할수록 순측 치조골의 흡수량은 줄어든다(📷 4-41). 일련의 동물 연구에서 발치 후 즉시 식립 시 순측 임플란트 주위 결손의 폭이 더 큰 군에서 협측골의 수직적 흡수량이 더 적었다.[137-140] 심지어 한 동물 실험에서는 순측에 충분한 폭(평균 1.7 mm)의 임플란트 주위 결손을 부여하면 이 결손부에 골이식재를 적용하거나 하지 않았을 때 3개월 후 순측 치조골의 흡수량에는 차이가 없었다.[140] 이러한 현상은 임상 연구에서도 비슷하게 나타났다. 한 전향적 연구에서는 임플란트 주위 결손의 수평적 폭이 1 mm를 넘으면 순측골의 수평적 흡수량은 32%, 그 이하이면 43%로 차이를 보였다고 했다.[88] 발치 후 즉시 임플란트를 식립하고 10년 후 순측골의 수직적 흡수에 가장 결정적인 영향을 미친 요소는 임플란트 식립 시의 임플란트 주위 결손의 폭(즉 임플란트의 순–구개측 식립 위치)이었다.[141] 임플란트 식립 시 순측에 임플란트 주위 결손을 더 많이 형성해 줄수록(임플란트를 구개측으로 식립할수록) 10년 후 순측골의 수직적 감소량은 유의하게 감소하는 경향을 보였다.

임플란트의 순–구개측 식립 위치는 결국 순측 점막 변연의 퇴축량에도 현저한 영향을 미친다(📷 4-42). 한 무작위 대조 연구에서는 순측 임플란트 주위 결손의 폭이 좁은 경우(평균 1.1±0.3 mm), 즉 순측으로 임플란트가 식립된 경우에는 순측 임플란트 주위 결손의 폭이 큰 경우(평균 2.3±0.6 mm)보다 순측 점막 퇴축량이 유의하게 더 많았다.[95] 특히 순측으로 임플란트를 식립하면 58.3%에서 순측 점막의 퇴축이 발생한 반면, 설측으로 식립하면 16.7%에서만 순측 점막 퇴축이 발생했다. 한 후향적 연구에서는 발치 후 즉시 임플란트를 식립하고 평균 18.9개월 후 순측으로 식립된 임플란트의 순측 점막 변연 퇴축량은 이상적인 위치에 식립된 임플란트의 퇴축량에 비해 3배가 더 많았으며(1.8±0.83 mm vs 0.6±0.55 mm), 이는 통계학적으로 유의한 차이였다고 했다.[117] 단일 환자군 연구에서 발치 후 즉시 임플란트 식립 시 임플란트의 순–구개측 위치는 순측 점막의 퇴축과 유의한 상관관계를 보였다고 보고했다.[142]

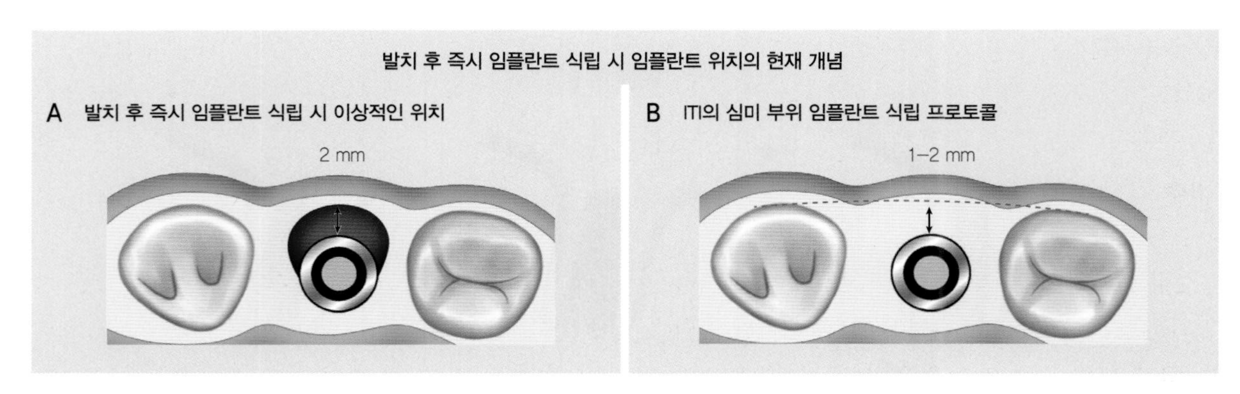

📷 4-41 상악 전치부에서 임플란트의 순–구개측 식립 위치는 매우 중요하다. 발치 후 즉시 임플란트 식립과 지연 임플란트 식립 시 임플란트의 순–구개측 위치는 비슷하지만 즉시 식립 시 약간 더 구개측을 향하게 할 것을 추천한다.
A. 발치 후 즉시 임플란트 식립 시 임플란트 매식체의 순측 변연은 발치와 순측골 내면과 2 mm 이상의 거리를 둘 것을 추천한다. **B.** 상악 전치부에서 임플란트 식립 시 임플란트의 순측 변연은 양측 자연치 치경부 연결선에서 1–2 mm 구개측에 위치하도록 한다(ITI 프로토콜).

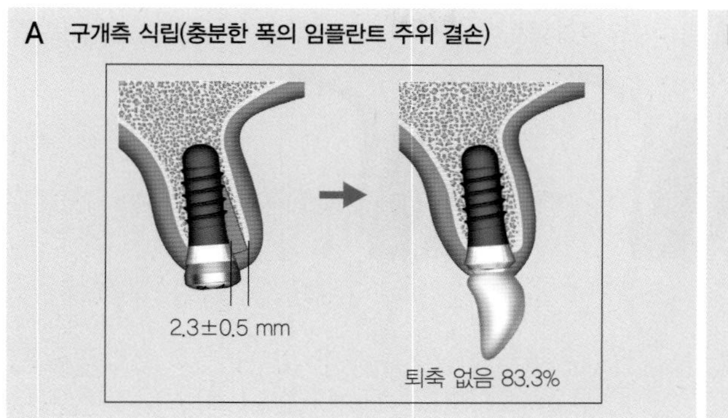

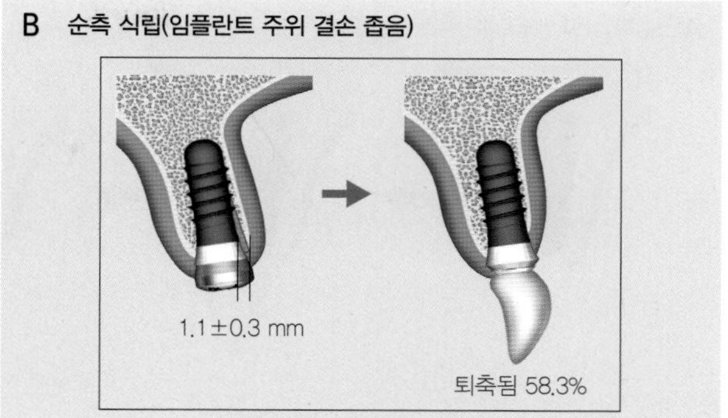

4-42 한 무작위 대조 연구에서는 발치 후 즉시 임플란트 식립 시 임플란트의 순-구개측 위치가 점막 변연의 퇴축에 현저한 영향을 미친다는 사실을 검증해 주었다.[95]

A. 임플란트를 구개측으로 식립했을 때에는 16.7%의 증례에서만 순측 점막의 퇴축이 발생했다. **B.** 임플란트를 순측으로 식립하면 58.3%의 증례에서 순측 점막 퇴축이 발생했다.

임플란트의 순-구개측 식립 위치가 적절하다면 순측 치조골이 흡수되더라도 순측 점막 변연의 높이는 잘 유지될 수 있다. 이는 다른 면에서 임플란트 식립 위치의 중요성을 보여주는 결과이다. 한 연구에서는 상악 절치 임플란트 식립부에서 보철 부하 8.9년 후 순측 치조골 변연은 평균 3.79±4.86 mm가 수직적으로 열개되어 있었지만(수술 시 열개량 평균은 0 mm이었다.), 순측 점막 변연의 높이는 변화 없이 잘 유지되었다고 했다.[143] 이 연구에서 식립된 모든 임플란트는 구개측으로 위치하도록 식립했다고 했다. 즉, 순측 치조골의 열개에도 불구하고 순-구개측으로 적절히 식립된 임플란트의 순측 점막 변연은 8.9년 후까지도 안정적으로 유지되었던 것이다. 이는 또 다른 장기간의 단일 환자군 연구에서도 확인할 수 있다. 이 연구에서는 발치 후 즉시 임플란트를 식립하고 임플란트 주위 결손 및 열개 결손을 탈단백 우골과 교원질 차폐막으로 수복한 증례들을 7년 후 CT로 평가했다.[144] 그 결과 총 14증례 중 5증례에서 순측골이 전혀 존재하지 않았다. 그러나 순측골이 존재하지 않은 증례에서도 임플란트 주위 점막의 병적 상태는 관찰되지 않았고, 순측 점막 변연은 단지 1 mm 정도만 더 퇴축되어 있었다. 이 연구에서 식립된 모든 임플란트는 구개측으로 적절히 식립되었다고 했다. 즉, 임플란트의 순-구개측 위치만 적절하면 순측 치조골이 소실되더라도 순측 점막 변연의 퇴축량은 최소화시킬 수 있는 것이다(**4-43**).

결국 순측 치조골 흡수와 순측 점막 변연의 퇴축을 최소화하려면 순측 치조골벽의 내측과 임플란트 표면 사이의 임플란트 주위 결손은 어느 정도 존재해야 한다. 전문가들은 순측 임플란트 주위 결손이 최소 1.5-2 mm는 되어야 한다고 생각한다.[36,121] 게다가 임플란트 주위 결손의 폭이 2 mm 이상일 때 적절한 양의 혈병이 형성될 수 있고 골이식재를 원활하게 삽입할 수 있기 때문에 결손 내부에서의 골재생이 원활해진다.[17,95]

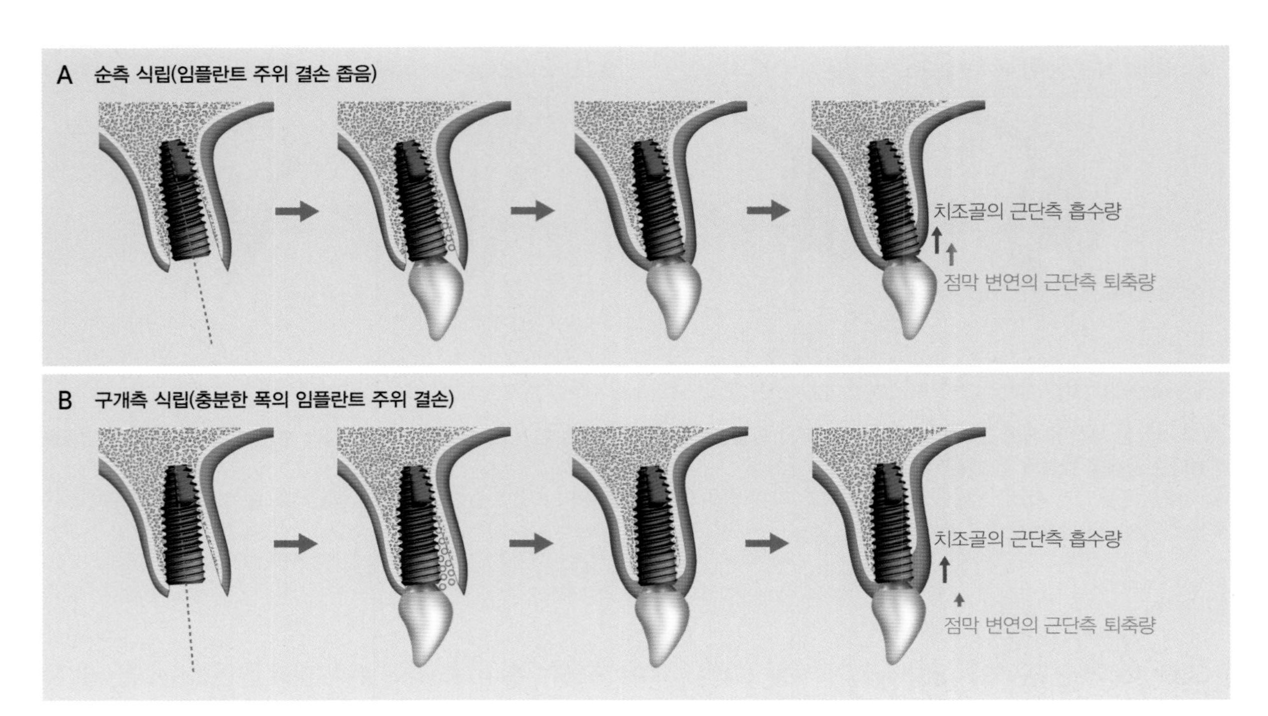

4-43 발치 후 즉시 임플란트 식립 시 임플란트의 순-구개측 위치가 점막 변연 퇴축에 미치는 영향
A. 임플란트를 이상적인 위치보다 순측으로 식립하면 순측의 임플란트 주위 결손은 좁아지거나 없어진다. 이러한 경우에는 차후에 순측골이 흡수되면 순측 점막 변연이 퇴축될 가능성이 증가한다. **B.** 임플란트를 이상적인 위치, 즉 구개측으로 식립하여 순측에 충분한 폭의 임플란트 주위 결손을 부여해주면 차후에 치조골이 근단측으로 흡수되더라도 점막 변연의 퇴축이 최소화된다.

(3) 임플란트는 치아 결손부에서 근원심 중앙부에 위치되도록 한다

임플란트는 근원심적으로 치아 결손부의 중앙에 위치되도록 식립한다. 그러나 임플란트와 인접 자연치 사이의 거리와 관련하여 두 가지 사실을 명심해야 한다.[121]

- 임플란트 보철의 근원심 부분이 자연스런 출현 윤곽을 가질 수 있도록 한다(**4-44, 45**).
- 임플란트 주위 치조정 골소실로 인해 자연치 치간골정이 흡수되지 않도록 해준다(**4-46**).

고전적으로 위의 두 가지 요소를 만족시킬 수 있는 자연치와 임플란트 사이의 최소 거리는 1.5 mm로 간주되었다.[145] 일단 임플란트와 치아 사이의 최소 거리만 확보된다면, 치간 유두의 높이는 치아와 임플란트 사이의 거리에 거의 영향을 받지 않는다.[56] 그러나, 한 후향적 연구에서는 임플란트-자연치간 거리가 2.5 mm 이상일 때에는 60%의 증례에서 치간 유두가 완전히 재생되었지만, 그 미만일 때에는 39%만 재생되었다고 보고했다. 이는 임플란트-치아간 거리는 최소 역치(1.5 mm)를 넘은 상태에서도 멀면 멀수록 치간 유두 재생에 더 유리할 수도 있음을 보여주는 것이다.[146] 따라서 임플란트는 근원심으로 치아 결손부 중앙에 식립해주되, 적절한 직경의 임플란트를 선택함으로써 인접치와 임플란트간 거리를 1.5-2 mm 이상으로 최대한 늘려주는 것이 유리하다.

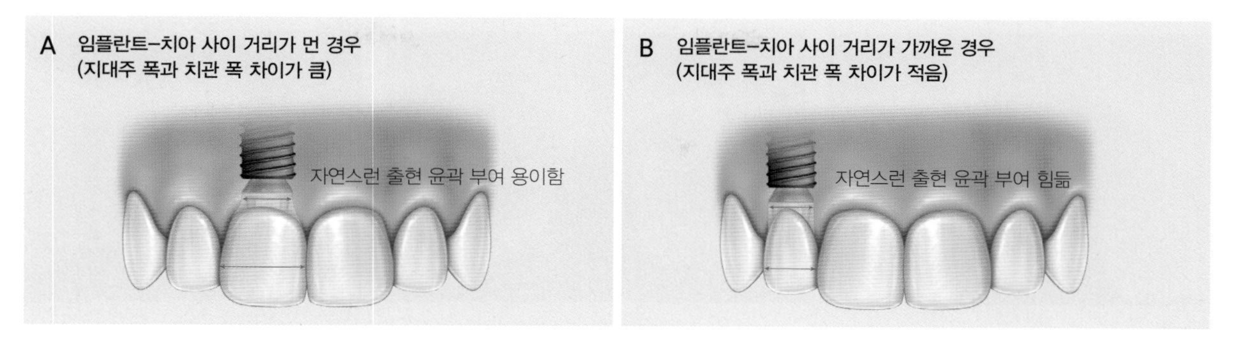

4-44 임플란트 매식체와 인접 자연치 사이에는 적절한 폭을 부여해야 한다.

A. 임플란트 매식체의 근원심 변연과 인접 자연치 사이의 폭이 충분하면 자연스러운 출현 윤곽을 부여할 수 있다. **B.** 임플란트 매식체와 인접 자연치 사이의 거리가 짧으면 보철물에 충분한 출현 윤곽을 부여하기 힘들다. 이는 보철물의 형태를 부자연스럽게 만들 수도 있고 임플란트 주위 점막의 건강도에 악영향을 미칠 수도 있다.

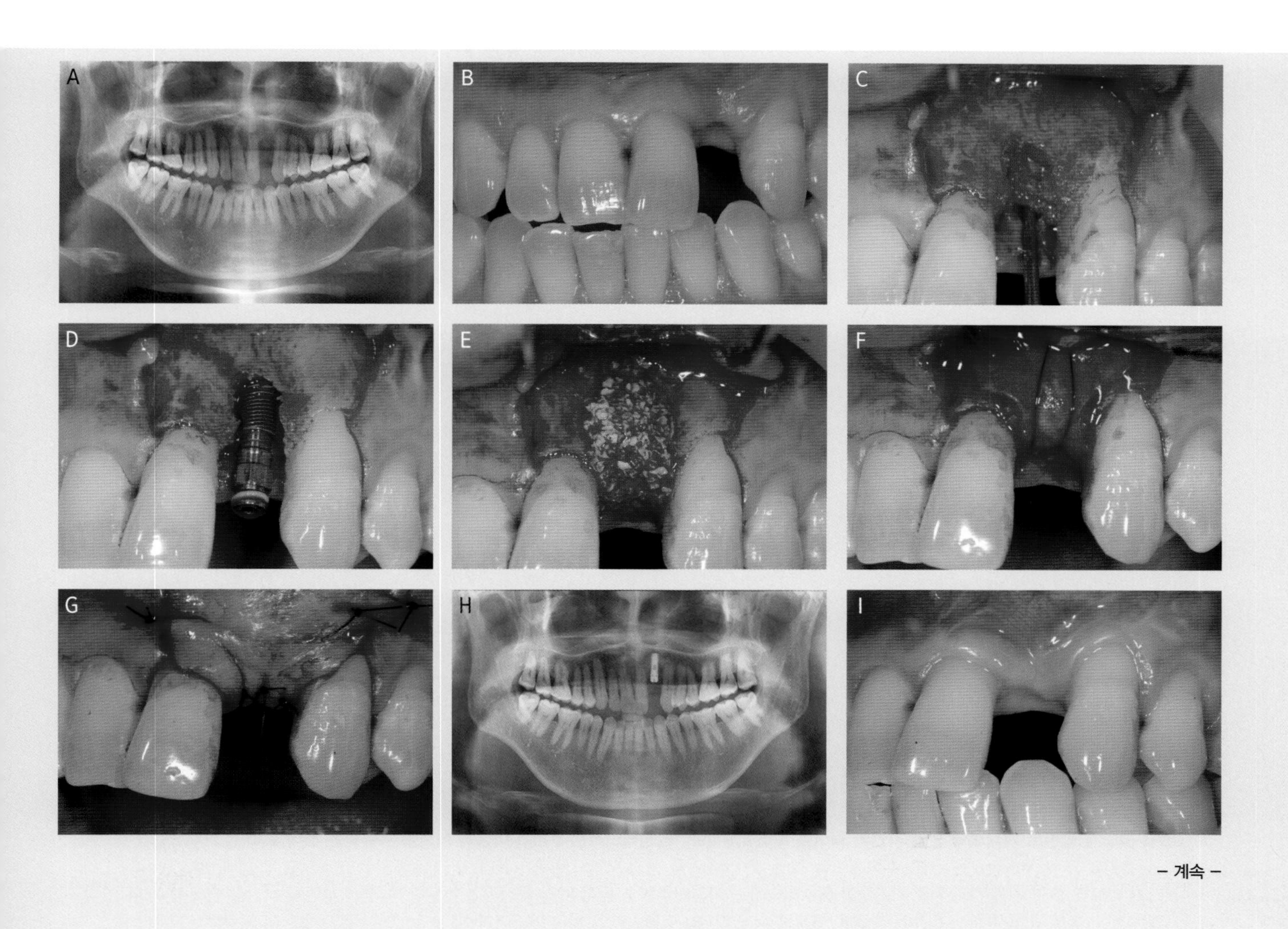

– 계속 –

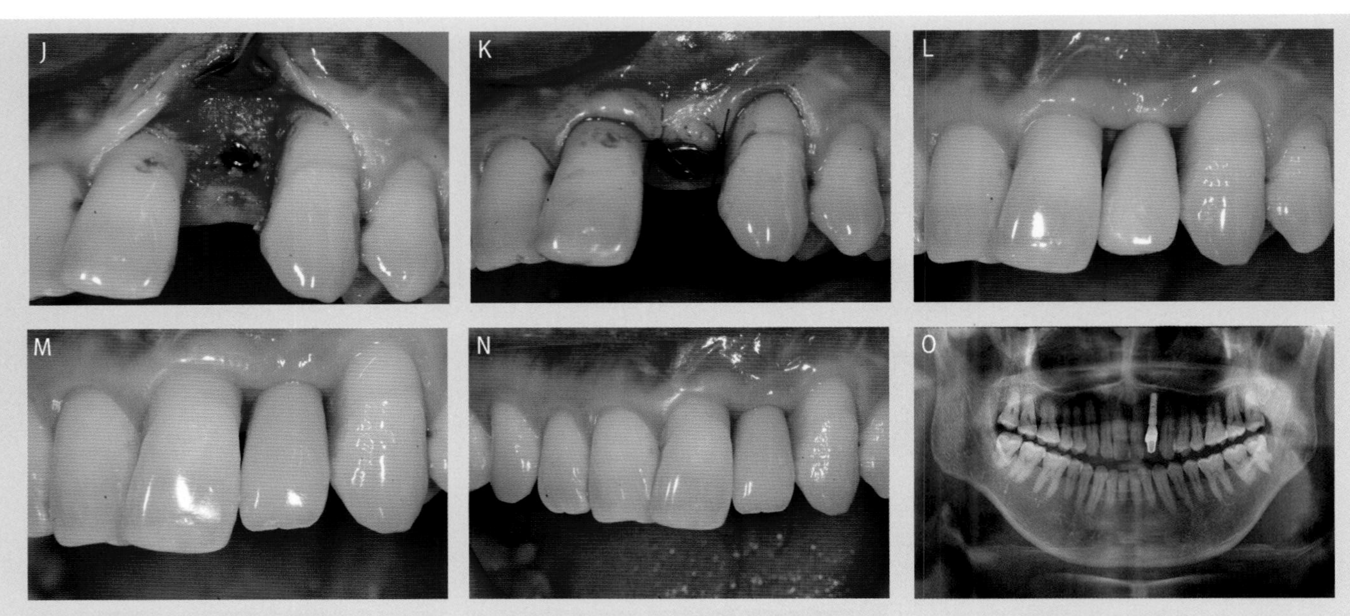

4-45 상악 측절치와 하악 절치 부위는 자연치의 근원심 폭이 좁기 때문에 표준 직경(3.75-4.0 mm) 임플란트를 식립하기가 어려울 수 있다. 또한 좁아진 근원심 폭으로 인해 보철물에 출현 윤곽을 부여하는 데 어려움을 겪을 수 있다.

A~H. 상악 좌측 측절치 부위에 임플란트를 식립하고 골증강술을 시행했다. 임플란트 식립부의 근원심 폭이 제한적이었기 때문에 3.5 mm 직경의 임플란트를 식립했다**(D)**. 그럼에도 불구하고 인접 자연치와 1.5 mm 이상의 공간을 확보하지는 못했다.

I~L. 약 4개월 후 2차 수술을 시행하고 인상을 채득한 후 고정성 임시 보철물을 연결했다. 아직 치간 유두 점막은 평탄화된 상태이다**(L)**.

M~O. 약 2개월 후 최종 보철물을 연결했다. 인접 자연치와의 거리가 부족하여 출현 윤곽을 자연스럽게 부여하기도 힘들었고 치간 유두의 재생이 불량한 상태였다.

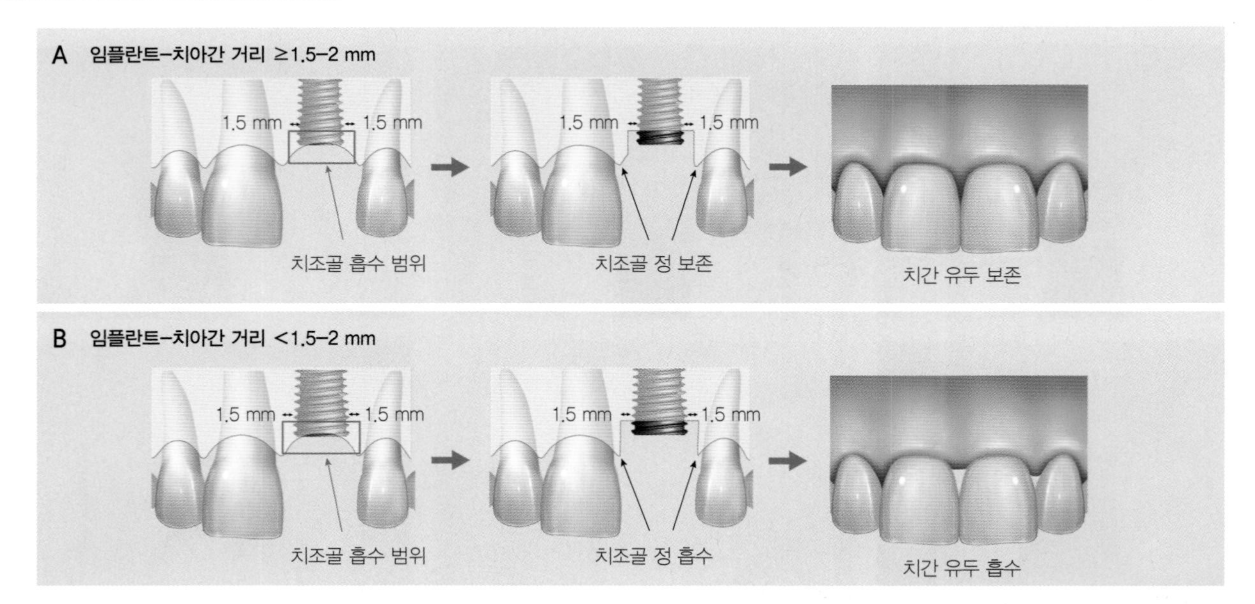

4-46 임플란트 매식체와 인접 자연치 사이는 최소 1.5 mm, 안정적으로는 2 mm 이상의 거리를 부여하는 것이 좋다.

A. 임플란트 주위 치조정골은 수평, 수직적으로 최대 1.5 mm 가량 접시 모양으로 흡수된다. 만약 임플란트 매식체와 인접 자연치 사이의 거리가 이보다 크면 임플란트 주위 치조골이 흡수되더라도 자연치측의 근원심 치간골 정은 보존된다. 따라서 자연치 치간골 정에 의해 유지되는 치간 유두 점막은 원래 형태에 가깝게 재생될 수 있다. **B.** 임플란트와 치아간 거리가 1.5-2 mm에 이르지 못하면 임플란트 주위 치조골이 흡수되면서 인접 자연치의 치간골정 또한 흡수된다. 이에 따라 치간 유두 점막은 원래 높이를 회복하지 못하게 된다.

(4) 임플란트 매식체의 치관측 변연이 순측 치조골정보다 1-2 mm 치근단측에 위치하도록 임플란트를 식립한다

임플란트의 수직적 위치는 임플란트 매식체의 치관측 변연과(건전한) 순측 치조골정의 수직적 위치를 감안하여 결정한다. 임플란트 주위 결손에 골이식재를 적용하더라도 순측 치조골정은 수직적으로 1 mm 내외가 흡수되므로, 많은 전문가들은 치조정보다 1.0 mm 정도 치근단측에 임플란트 치관측 변연이 위치하도록 식립할 것을 권유한다(📷 4-47).[86,92,147] 무피판 수술을 시행하는 경우에는 순측 점막 변연보다 4 mm 하방에 임플란트 매식체 치관측 변연이 위치되도록 한다.[99,147]

동물 실험에 의하면 임플란트를 발치와 중앙에 식립하면서 임플란트의 치관측 변연이 순측 치조골정과 같은 높이가 되도록 식립하면 순측 치조골은 2 mm가 흡수되면서 임플란트 순측 변연 2 mm가 열개된 반면, 임플란트를 발치와 구개측에 식립하면서 순측 치조골정보다 1 mm 근단측에 식립하면 순측 치조골은 1.4 mm가 흡수되어 임플란트는 0.4 mm만 열개되었다.[139] 따라서 임플란트를 순-구개측으로는 구개측으로, 수직적으로는 치조골정보다 1-2 mm 정도 더 깊게 식립해야 임플란트 매식체 치관 변연의 열개, 나아가 순측 점막 변연의 퇴축을 막아줄 수 있는 것이다.

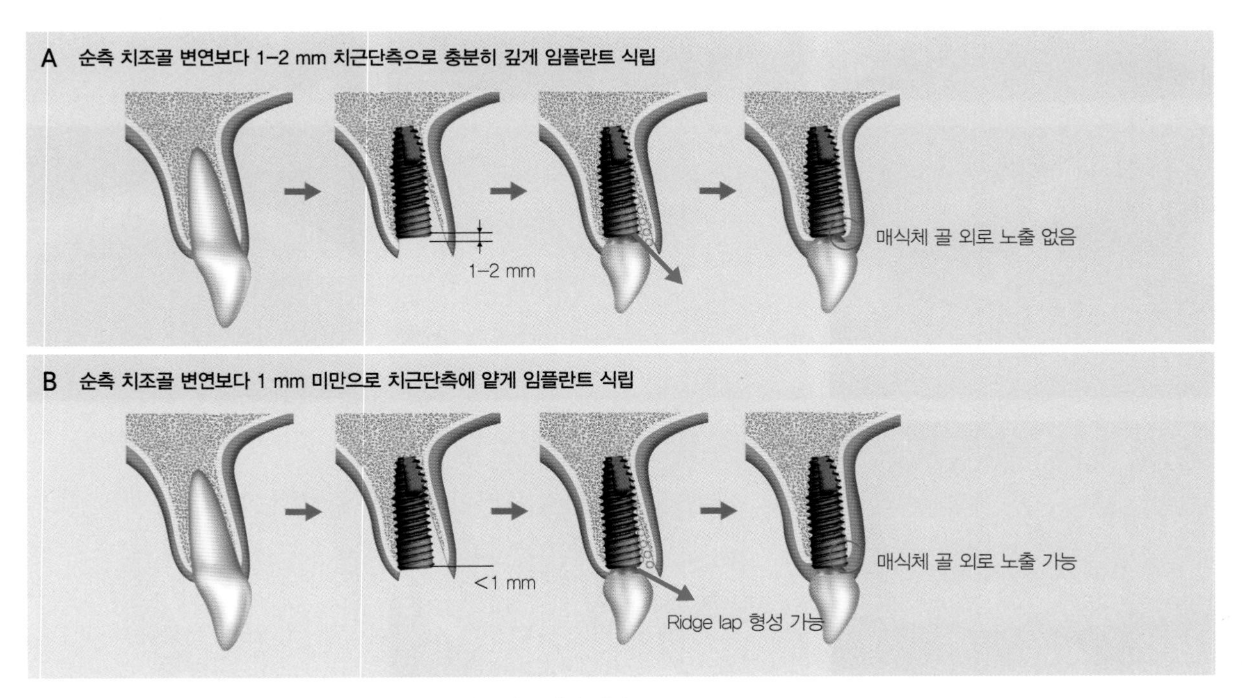

📷 4-47 발치 후 즉시 임플란트 식립 시 적절한 임플란트 식립 깊이
A. 임플란트 매식체의 치관측 변연 높이가 순측 치조골 변연 높이보다 1-2 mm 치근단측에 위치되도록 식립한다. 차후 순측 치조골정이 흡수되더라도 매식체가 골 외로 노출될 가능성이 적고 보철물에 자연스러운 출현 윤곽을 부여할 수 있다. **B.** 임플란트를 얕게 식립하면 순측 치조골정의 흡수에 의해 임플란트의 치관측 변연이 골 외로 노출될 가능성이 높다. 또한 출현 윤곽을 부여할 공간이 부족하여 ridge lap을 부여해야 할 가능성이 높아진다.

게다가 발치 후 즉시 임플란트 식립 시에는 순-구개측으로 약간 구개측에 임플란트 매식체가 존재하기 때문에 약간 깊게 식립해야 보철물 순측에 ridge lap이 형성되는 것을 막아줄 수 있다. 따라서 임플란트 매식체 치관측 변연이 치조골정보다 대략 1–2 mm 정도 더 근단측에 위치되도록 식립하는 것이 생물학적-보철적 관점에서 가장 적절할 것이다(**4–48**).

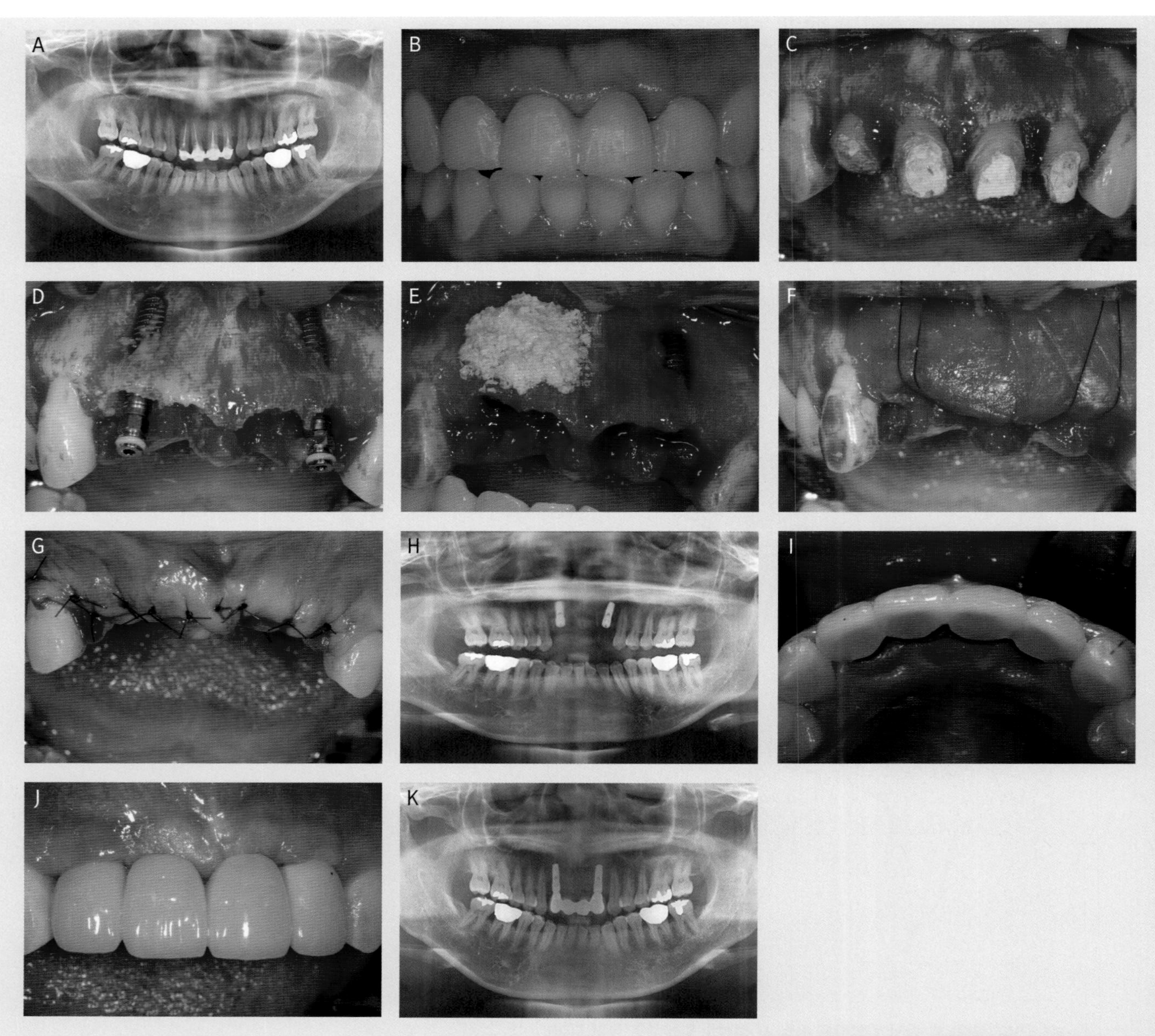

4–48 상악 전치부에서 발치 후 즉시 임플란트를 식립할 때에는 임플란트의 식립 위치에 많은 주의를 기울여야 한다. 임플란트의 순-구개측 위치가 가장 중요하지만 수직적인 위치인 식립 깊이도 중요하다. 치조골이 건전하다고 생각했을 때 순측 치조골정보다 1–2 mm 정도 치근단측에 임플란트 매식체의 치관측 변연이 위치하도록 한다.

A~H. 상악 4전치를 발거하고 측절치 부위에 임플란트를 식립했다. 매식체의 치관측 변연은 순측 치조골정보다 대략 2 mm 정도 치근단측에 위치한다(**D**). 순측의 열개 결손을 수복하고 수술부를 폐쇄했다(**F~G**).

I~K. 임시 보철물을 거치지 않고 5개월 후 바로 최종 보철물을 연결했다. 보철물의 형태가 이상적이진 못하지만 측절치 부위의 점막 변연 높이나 조직의 상태는 정상적이다.

(5) 직경이 크지 않은 임플란트를 식립하여 순측에 충분한 폭의 임플란트 주위 결손이 형성되도록 해준다

앞서 설명했지만 순측에 충분한 임플란트 주위 결손을 부여해야 순측 치조골의 수직적 흡수를 줄여줄 수 있다. 순측에 임플란트 주위 결손을 부여하기 위한 방법은 두 가지이다.

- 임플란트를 발치와 외형에 비해 구개측에 식립
- 발치와의 직경에 비해 충분히 작은 직경의 임플란트를 선택

과거의 개념에 근거하여 임플란트 매식체 표면이 발치와 순측 골판의 내면과 가깝거나 접촉하게 해주기 위해 큰 직경의 임플란트를 식립하는 것은 피해야 한다. 앞에서 살펴봤지만 임플란트 주위 결손의 폭이 줄어들면 순측골의 수직적 흡수가 증가되기 때문이다. 하악 소구치를 발거하고 즉시 동일한 임플란트(스트라우만 임플란트)를 식립하고 나서 3개월 후 치조골 변화를 관찰했던 두 독립된 동물 연구의 결과를 보면, 4.1 mm 직경의 임플란트를 식립한 연구에서는 순측 치조골이 2.6 mm 감소했던 반면,[16] 3.3 mm 직경의 임플란트를 사용한 연구에서는 순측 치조골이 1.3 mm 감소했다.[148] 한 연구에서 두 임플란트 직경을 직접 대조한 연구의 결과는 아니지만, 이는 발치 후 즉시 임플란트 식립 시 직경이 큰 임플란트를 사용하면 순측골의 흡수량이 늘어날 수 있다는 간접적인 증거는 될 수 있을 것이다. 다른 동물 연구에서는 직경이 다른 두 가지 임플란트를 발치 후 즉시 임플란트 식립에 사용하여 골흡수의 결과를 직접 비교했다.[149] 이 연구에서는 3.3 mm 직경의 원통형 임플란트와 5.0 mm 직경의 테이퍼 임플란트를 사용하고, 치조골 변화를 4개월 후 관찰했다. 그 결과 3.3 mm 직경 임플란트를 식립한 경우에는 순측 치조골이 수직적으로 평균 1.5±0.6 mm 흡수됐지만 5.0 mm 직경의 임플란트를 식립한 경우에는 평균 2.7±0.4 mm가 흡수됐고, 두 경우에서의 흡수량은 유의한 차이를 보이는 것이었다.

자연치 치근의 크기는 **4-5**와 같다.[150]

4-5 자연치 치근의 크기

	상/하악	중절치	측절치	견치	1소구치	2소구치	1대구치	2대구치
치근 길이 (mm)	상악	13.0	13.4	16.5	13.4	14.0	12.9	12.9
	하악	12.6	13.5	15.9	14.4	14.7	14.0 (M) 13.0 (D)	13.9 (M) 13.0 (D)
치경부 근원심폭 (mm)	상악	6.4	4.7	5.6	4.8	4.7	7.9	7.6
	하악	3.5	3.8	5.2	4.8	5.0	9.2	9.1
치경부 협설폭 (mm)	상악	6.3	5.8	7.6	8.2	8.1	10.7	10.7
	하악	5.4	5.8	7.5	7.0	7.3	9.0	8.8

물론 개인마다 차이가 있긴 하지만 치경부의 순–구개 폭을 고려했을 때 순측에 2 mm의 임플란트 주위 결손부 폭을 부여하려면 상악 중절치는 4 mm, 측절치는 3.5 mm 직경의 임플란트를 선택하는 것이 적절하다고 결론 내릴 수 있다(**4–21**, **4–49**).

임플란트 매식체의 테이퍼 여부는 심미적인 예후에 별다른 차이를 유발하지 않는다. 일련의 동물 실험과 임상 연구에서 원통형 임플란트와 테이퍼 임플란트 사용 시 심미적 결과에는 차이가 없었고, 형태와는 관계없이 임플란트의 직경만이 골흡수와 점막 퇴축에 유의한 영향을 미쳤다.[22,149,151] 그러나 테이퍼 임플란트는 치근단측의 천공 결손 가능성을 약간이나마 줄여줄 수 있다(**4–50**).[21]

(6) 임플란트 식립 과정

상악 전치부에서 발치 후 즉시 임플란트 식립의 과정은 다음 순서를 따른다(**4–51**).

① 우선 발치와의 깊이, 치경부에서의 순–구개 폭, 장축 등을 면밀히 확인해야 한다. 발치와의 깊이는 depth gauge로, 치경부에서의 순–구개 폭은 치주 탐침(periodontal probe)으로 확인한다. Depth gauge를 발치와 끝까지 삽입하여 발치와의 장축 또한 확인한다.

② 치경부에서의 순–구개 측보다 2 mm 이상 좁은 직경의 임플란트를 선택한다.

③ 골삭제를 시행한다. 만약 구개측 골의 삭제가 필요하다면 측면 골삭제가 가능한 린데만 드릴(Lindemann drill)로 구개측 골에 절흔을 형성한다. 이후 일련의 트위스트 드릴로 골삭제 직경을 넓힌다. 임플란트는 식립 중 단단한 구개측 골에 의해 순측으로 밀리는 경향이 있으며, 최종 트위스트 드릴 직경보다 임플란트 직경이 0.5 mm 가량 더 크므로 골삭제의 순–구개측 위치는 식립할 임플란트의 순–구개측 위치보다 약간(대략 0.5–1 mm) 더 구개측에 위치하도록 해준다.

④ 임플란트는 치근단 부위에서 일차 안정을 얻기 때문에 골삭제 완료 후 depth gauge를 삽입하여 근단측 골 상태를 확인한다. 또한 depth gauge로 임플란트의 치관측 변연이 치조골정보다 1–2 mm 치근단측에 위치할 수 있는지 확인한다.

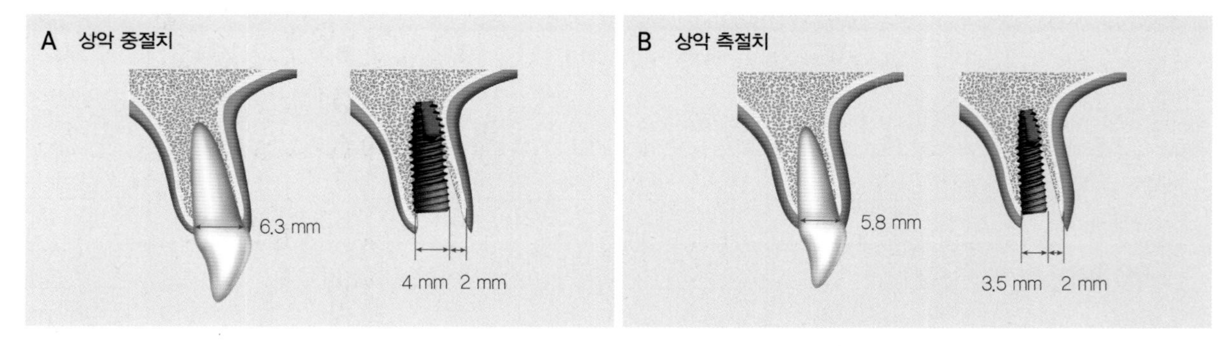

4–49 발치 후 즉시 임플란트를 식립할 때 순측에 2 mm 정도의 임플란트 주위 결손을 부여하기 위해서는 일반적으로 상악 중절치 부위에서는 4 mm 직경(**A**), 측절치 부위에서는 3.5 mm 직경(**B**)의 임플란트가 적절하다.

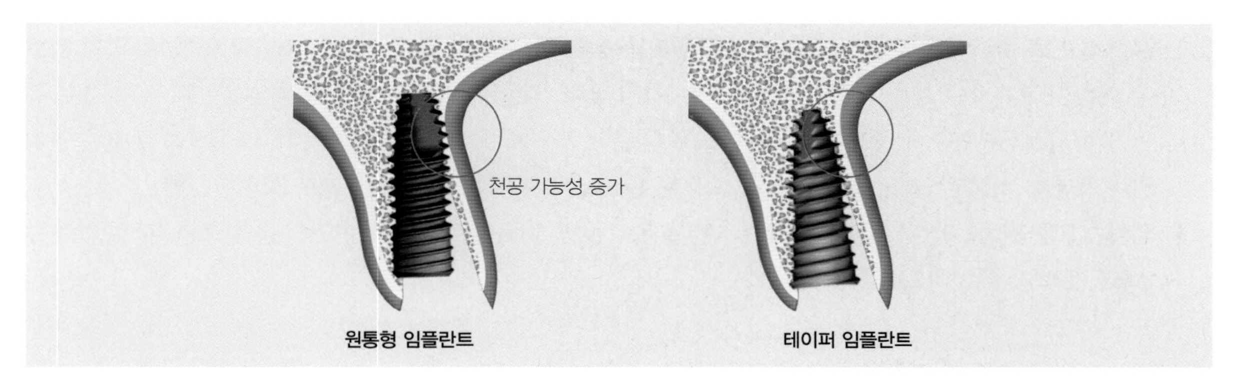

4-50 발치 후 즉시 임플란트 식립 시 임플란트의 테이퍼 정도는 그 예후에 별다른 영향을 미치지 않는다. 다만 테이퍼 임플란트는 치근단 측의 직경이 좁으므로 천공의 가능성을 줄여줄 수 있다.

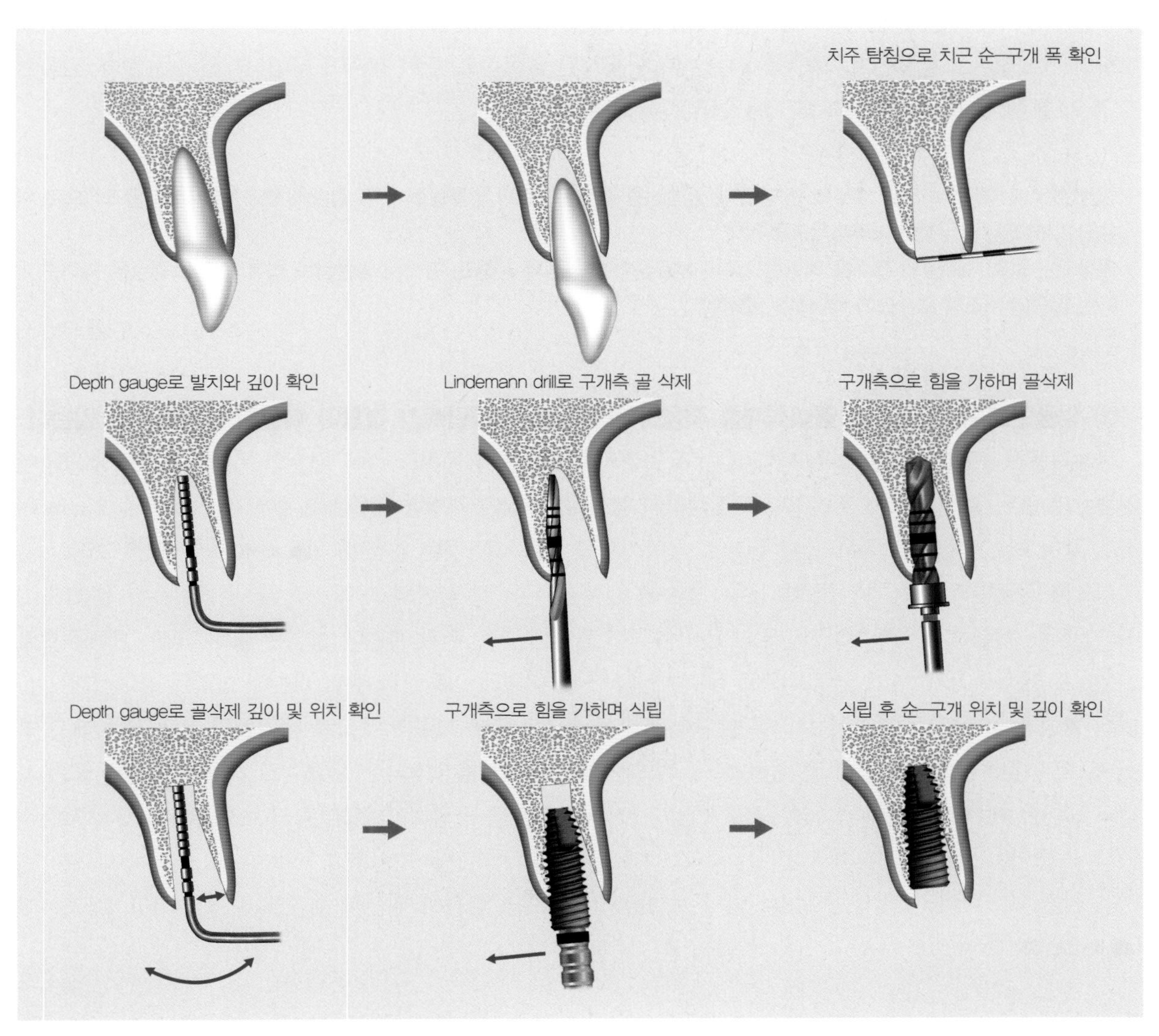

4-51 상악 전치부에서 발치 후 즉시 임플란트 식립의 과정

⑤ 골삭제 완료 후 임플란트를 식립한다. 임플란트는 식립 중 구개측 골에 의해 순측으로 밀릴 수 있기 때문에 항상 구개측으로 힘을 가하면서 식립하는 것이 좋다. 임플란트 식립 중 순측의 임플란트 주위 결손 폭이 적절하게 유지되는지 확인해야 한다. 또한 양측에 자연치가 존재하면 임플란트 매식체의 순측 변연이 양측 자연치 치경부 연결선보다 2 mm, 최소한 1 mm 더 구개측에 위치하는지도 확인한다.[33]

⑥ 임플란트를 원하는 깊이까지 삽입하여 식립을 완료한다. 임플란트 치관측 변연이 순측 치조골정보다 1–2 mm 근단측에 위치하도록 해준다.

3) 임플란트 주위 결손으로의 골이식

임플란트 주위 결손에 골이식재를 적용하는 것이 임플란트의 생존율 자체에는 영향을 미치지 않는 것 같다.[72] 그렇다고 하더라도 임플란트 식립 후에는 순측에 형성된 임플란트 주위 결손에 골이식재를 적용한다. 임플란트 주위 결손에 골이식재를 위치시키는 이유는 두 가지이다.[36,92]

- 임플란트 매식체와 치조골 내부의 빈 공간에 골형성을 촉진함으로써 임플란트 주위 결손이 연조직이 아닌 골조직으로 치유되고, 따라서 골유착이 이루어지도록 한다.
- 예상되는 협측 치조골의 흡수를 예방함으로써 치조골의 외형을 유지하고, 따라서 임플란트 협측의 조직 결손을 막아준다. 이는 일종의 치조제 보존술에 해당하는 개념이다.

(1) 임플란트 주위 결손에 골이식재를 적용하더라도 골–임플란트간 결합이 확실히 증가하지는 않는다

전술했듯이, 1990년대 말–2000년대 초반에 일련의 문헌들은 임플란트 주위 결손의 폭이 2 mm를 초과하면 임플란트 주위 결손 내부에 자발적으로 신생골이 형성될 수 없기 때문에 임플란트 주위 결손의 폭을 2 mm 이하로 줄이거나, 임플란트 주위 결손 내부로 골이식재를 적용시킬 것을 추천했다(📷 4–40).[7,20,21,136] 그러나 골이식재를 적용한다고 해서 임플란트 주위 결손에 신생골이 더 잘 형성되고, 이것이 골–임플란트간 결합에 기여하는지는 확실하지 않다. 최근의 임상 연구에 의하면 임플란트 주위 결손에 삽입된 골이식재는 대체적으로 신생골로 둘러싸이기보다는 연조직으로 둘러싸인다.[23,152] 이렇게 임플란트 주위 결손에 삽입된 골이식재가 신생골 형성을 잘 유도하지 못하는 이유는 수술부의 불완전한 폐쇄 때문인 것으로 생각된다. 비절개 하에서 발치 후 즉시 임플란트를 식립하고 임플란트 주위 결손에 골이식재를 삽입하면 임플란트 매식체와 순측 골판 사이의 공간은 폐쇄되지 못한 채 남는 경우가 많다. 이러한 문제를 극복하기 위해, 임시 보철물이나 치유 지대주와 점막 변연이 밀접히 접촉하지 못하는 증례에서는 순측 점막 피판을 거상하고 치관측으로 변위하여 피판 변연이 임플란트의 치유 지대주/고정성 임시 보철물의 지대주와 밀접하게 접할 수 있도록 해주어야 할 것이다(📷 4–52, 53).[153]

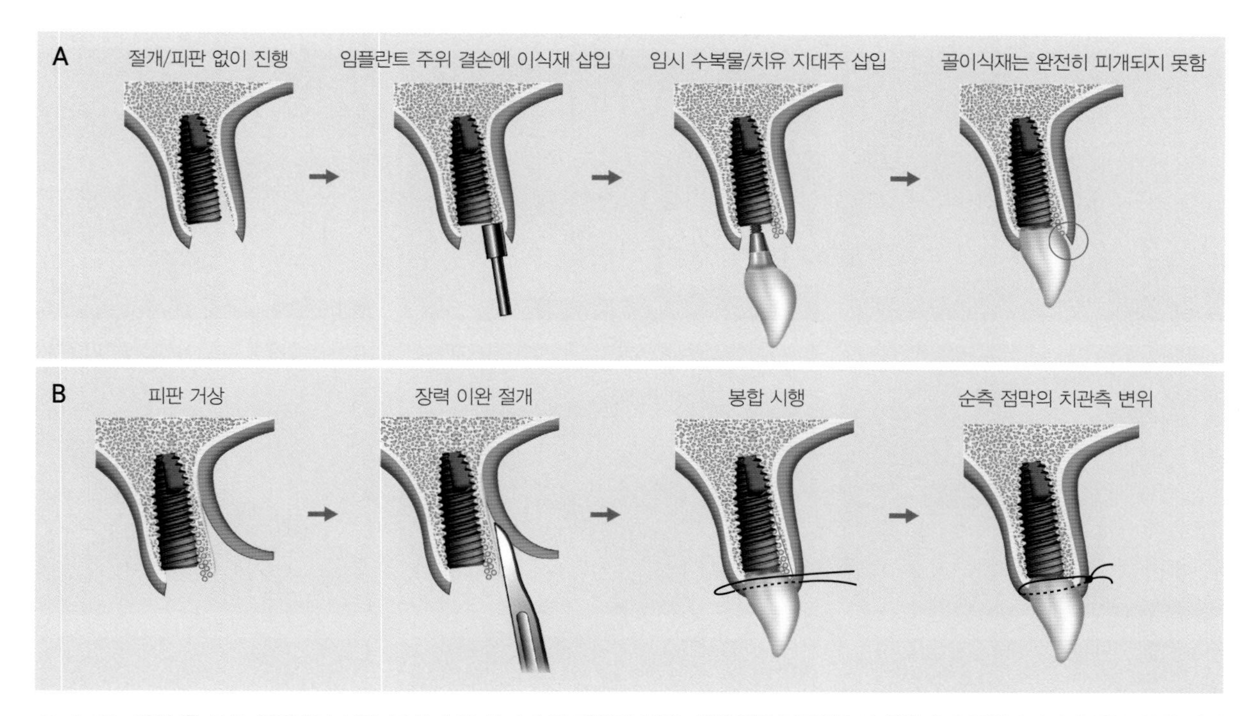

4-52 발치 후 즉시 임플란트 식립-즉시 수복 시 수술부 폐쇄의 방법. 광범위한 골증강술이 동반되지 않았다면 수술부를 일차 폐쇄할 필요는 없기 때문에 수술부 폐쇄는 간단히 이룰 수 있다.

A. 절개 및 피판 없이 수술을 진행하고 임플란트 주위 결손에 골이식재를 충전한 경우 단순히 고정성 임시 보철물이나 개인 맞춤형 치유 지대주를 연결하는 것만으로도 수술부를 폐쇄할 수 있다. 그러나 경우에 따라 골이식재가 완전히 피개되지 못할 수도 있다. **B.** 피판을 거상한 증례에서는 수술부 폐쇄 전에 피판에 장력 이완 절개를 가한 후 약간 치관측으로 변위시켜 고정성 임시 보철물이나 치유 지대주 주위로 밀접하게 봉합 고정할 수 있다. 이러한 경우 임플란트 주위 결손에 적용한 이식재는 피판과 임시 보철물로 완전히 피개해줄 수 있다.

(2) 임플란트 주위 결손에 골이식을 하는 주요한 이유는 순측골의 수평적 흡수를 줄여주기 위함이다

순측 임플란트 주위 결손에 골이식을 시행하면 순측골 수평적 흡수를 확실히 줄여줄 수 있다. 앞서 설명했지만 심미적 예후에는 순측 치조골의 수평적 흡수보다는 수직적 흡수가 더 중요하다. 따라서 이러한 사실은 임플란트 주위 결손에 골이식재를 충전하는 술식은 임플란트 치료의 심미적 예후를 결정하는 데 있어 임플란트 식립 위치보다는 덜 중요하다는 점을 보여주는 것이다(**4-54**). 한 무작위 대조 연구에서는 상악 전치부에서 발치 후 즉시 임플란트를 식립하고 임플란트 주위 결손에 이식재(Bio-Oss)만 적용하거나, 이식재 적용 후 차폐막(Bio-Gide)으로 피개하거나, 아무런 골재생 술식도 가하지 않았다.[95] 그 결과 순측골의 수평적 흡수량은 이식재 적용군에서 15.8±16.9%, 이식재 + 차폐막 적용군에서 20±21.9%, 대조군(아무런 처치도 가하지 않은 군)에서 48.3±9.5%였고, 그 차이는 통계학적으로 유의했다. 그러나 순측골의 수직적 흡수량은 임플란트 주위 결손의 골이식 여부와는 관계가 없었다. 또 다른 무작위 대조 연구에서도 거의 같은 결과를 보였다.[23] 2014년의 한 메타분석에서는 발치 후 즉시 임플란트 식립 시 임플란트 주위 결손에 골이식재를 적용하면 순측 치조골은 수평적으로 평균 0.79 mm, 수직적으로 평균 0.77 mm가 감소한 반면 임플란트 주위 결손에 골이식을 시행하지 않으면 순측 치조골은 수평적으로 평균 1.32 mm, 수직적으로 평균 0.86 mm가 감소했다고 보고했다.[24]

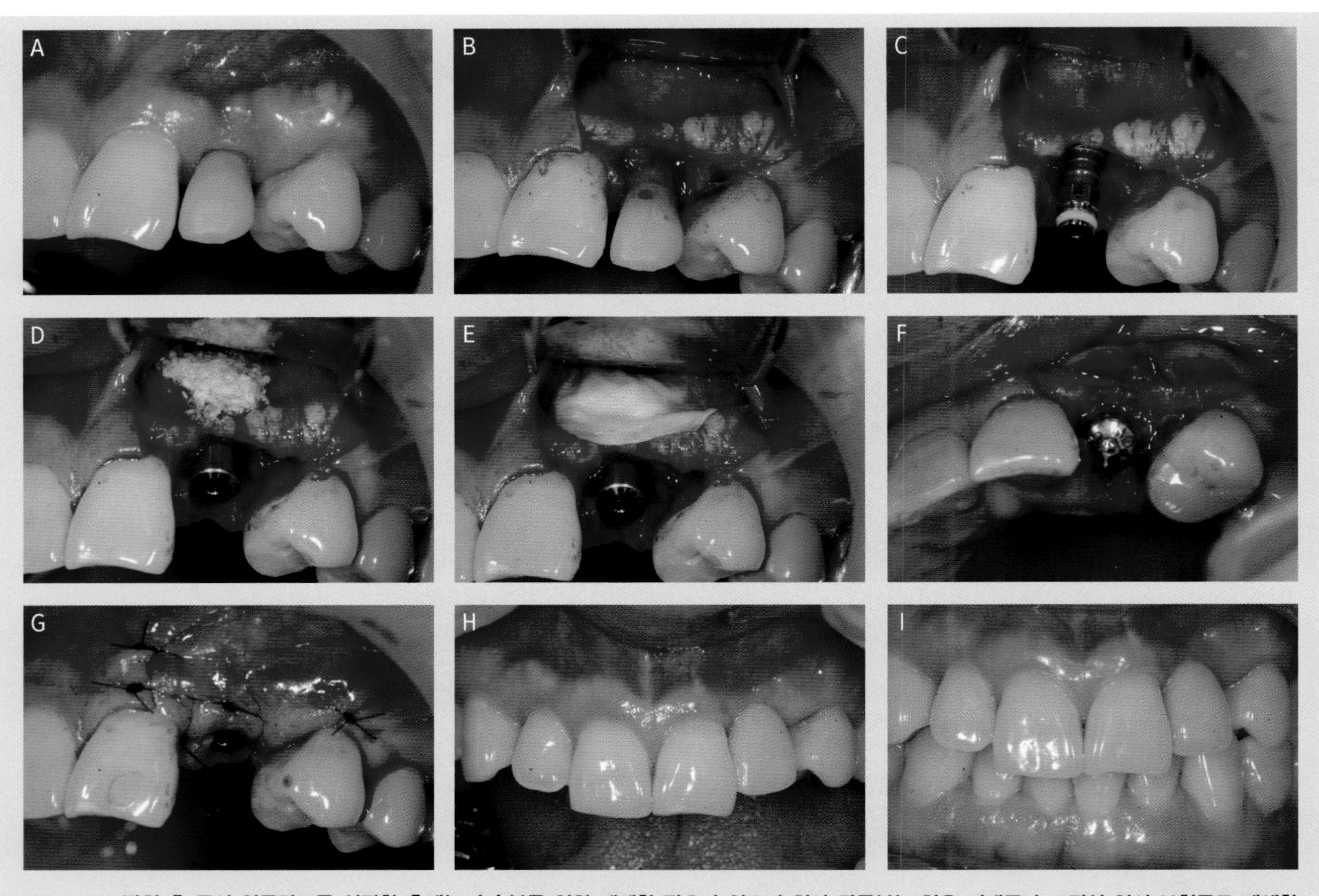

4-53 발치 후 즉시 임플란트를 식립한 후에는 수술부를 일차 폐쇄할 필요가 없으며 치아 관통부는 치유 지대주나 고정성 임시 보철물로 폐쇄한다. 피판을 거상한 경우, 피판은 치유 지대주나 임시 보철물 주위로 밀접하게 접촉시킨 채 봉합을 시행한다. 이렇게 점막 관통 치유를 도모하더라도 수술의 결과는 저하되지 않는다.

A~G. 상악 좌측 측절치를 발거하고 임플란트 식립과 골이식을 시행했다. 매식체에는 치유 지대주를 연결하고 피판을 치유 지대주 주위로 밀접하게 봉합하여 수술부를 폐쇄했다**(G)**.

H. 수술부는 아무런 문제없이 잘 치유되었으며 약 5개월 후 고정성 임시 보철물을 연결했다.

I. 다시 약 2개월 후 최종 보철물을 장착했다.

임플란트 주위 결손 내부로의 골충전은 순측 치조골의 수직적 흡수량에는 거의 영향을 끼치지 못했고, 수평적으로는 0.5 mm 이상의 흡수를 줄여준 것이다. 그러나 일부 동물 연구에 의하면 순측 골판 두께가 두껍고 임플란트 주위 결손의 폭이 2 mm 정도로 충분하면 순측골의 수직적 흡수량은 임플란트 주위 결손 내로의 골충전 여부에 영향받지 않지만, 순측골 두께가 얇고 임플란트 주위 결손의 폭이 좁으면 임플란트 주위 결손 내로의 골충전이나 순측 골판 외부로의 골유도 재생술이 순측골의 수직적 흡수까지도 줄여줄 수 있다(**4-55**).[154,155]

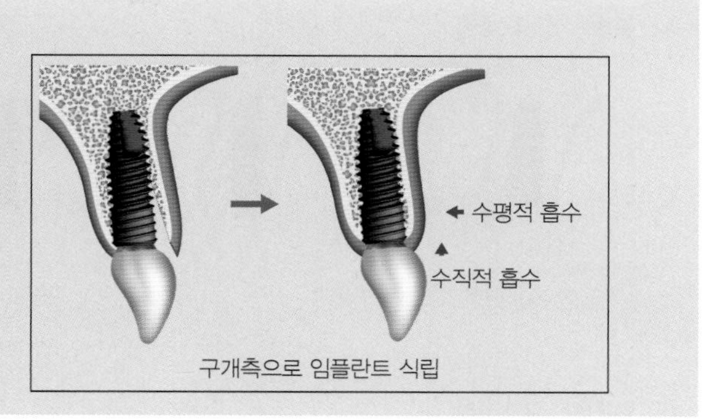

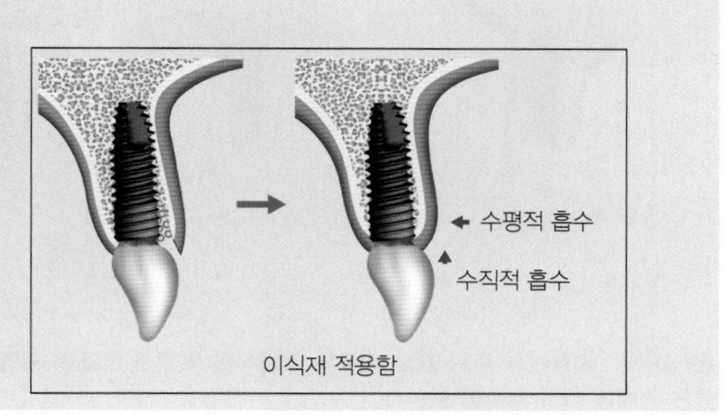

4-54 발치 후 즉시 임플란트 식립 시 임플란트의 식립 위치는 임플란트 주위 결손부로의 골이식 여부보다 심미적 결과에 훨씬 더 중요한 영향을 미친다.
A. 임플란트 주위 결손으로의 골이식 여부와 관계없이 임플란트를 순측으로 식립하면 순측 치조골의 수평적/수직적 흡수와 순측 점막 변연의 퇴축이 심하게 발생하는 반면, 구개측으로 식립하면 이러한 문제가 최소화된다. **B.** 임플란트를 구개측으로 식립한 경우, 임플란트 주위 결손 내로의 골이식은 골 및 점막 변연의 수직적 흡수보다는 수평적 흡수에 더 많은 영향을 미친다. 앞서 설명했듯이 심미적 결과에는 점막 변연의 수평적 풍륭도보다는 수직적 높이가 훨씬 중요하기 때문에 골이식은 심미적 결과에 미치는 영향이 제한적임을 알 수 있다.

순측 치조골판은 발치 후 흡수가 급속히 이루어지기 때문에 천천히 흡수되는 이식재인 천연 수산화인회석계 이식재, 예컨대 탈단백 우골 등을 이용해주는 것이 좋다.[122,156] 임플란트 주위 결손 내부로 골이식재를 충전하고 추가적인 골증강술을 시행하지 않는다면 차폐막은 사용할 필요가 없다. 뒤에서 다시 설명하겠지만 임플란트 주위 결손의 폭이 좁고(<2 mm) 순(협)측 치조골판의 두께가 두꺼운 경우(≥1.5 mm), 혹은 임플란트 주위 결손의 폭이 좁고 순측 치조골판의 외측에 골증강술을 시행하는 경우에는 임플란트 주위 결손에 골이식을 시행할 필요가 없다(4-56).

4) 순측 치조골 외측으로의 골증강술

(1) 발치 후 즉시 임플란트 식립의 적응증을 확대하면 순측에 골유도 재생술이 필요할 수 있다

전문가 단체의 엄정한 기준을 적용하여 제한적인 증례에만 발치 후 즉시 임플란트 식립을 시행한다면 순측

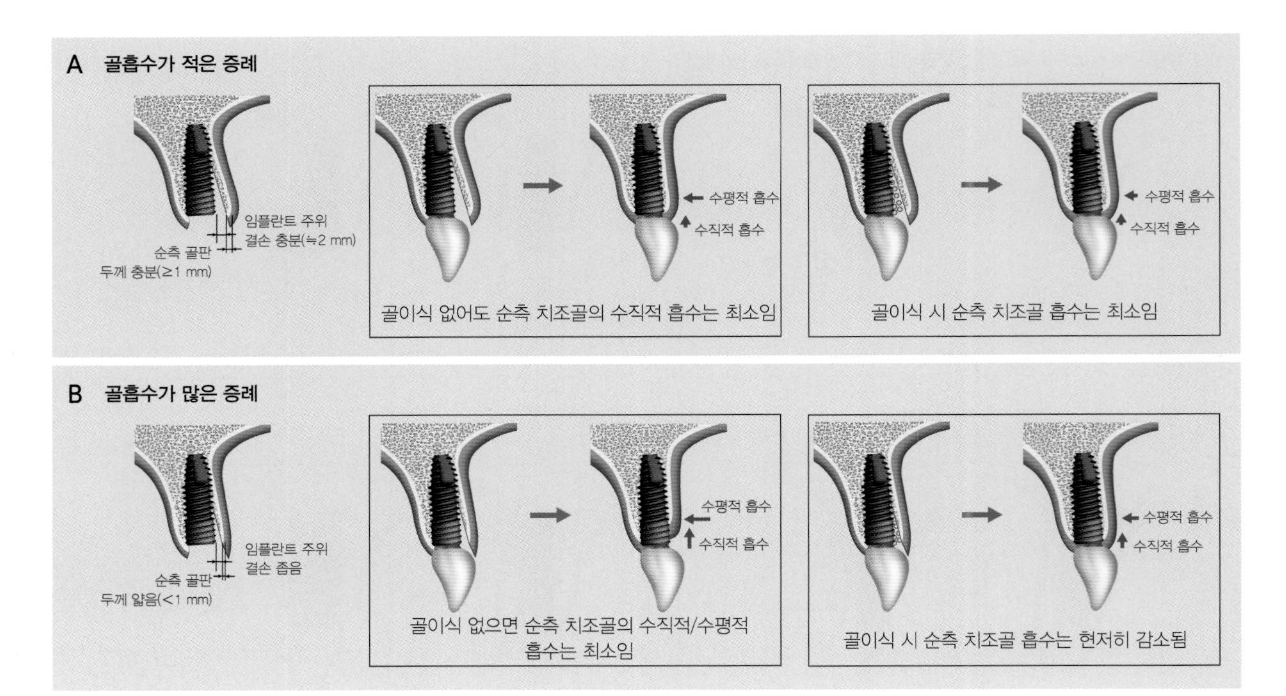

4-55 임플란트 주위 결손 내로의 골이식은 어쨌건 무조건 시행하는 것이 좋지만 임플란트 주위 치조골과 점막의 변화에 미치는 영향은 증례에 따라 차이를 보인다.

A. 임플란트 주위 결손의 양이 충분(≥2 mm)하고 순측 골판이 두꺼운 경우(≥1 mm)에는 골이식을 시행하지 않아도 순측 치조골 흡수와 점막 퇴축이 최소한으로만 진행된다. 이러한 증례에서는, 어차피 조직의 수직적 감소량은 최소이기 때문에 임플란트 주위 결손에 골이식을 시행하면 순측 치조골의 수평적 흡수만을 어느 정도 줄여준다. **B.** 임플란트 식립부 순측 골판이 1 mm 미만으로 얇고 임플란트 주위 결손이 2 mm 미만으로 좁은 증례에서는 골이식을 시행하지 않으면 순측 변연 조직의 수직적/수평적 흡수가 최대이다. 이러한 경우 임플란트 주위 결손에 골이식을 시행하면 조직의 감소를 현저히 줄여줄 수 있다. 그러나 이러한 경우에도 임플란트가 너무 순측으로 식립되었다면 골이식의 효과는 거의 나타나지 않는다.

치조골판 외측으로 골증강술을 시행할 증례는 거의 없다. 이론적으로 두 가지 이유 때문에 발치 후 즉시 식립 시의 골유도 재생술은 예후가 좋지 않다고 생각된다.

- 수술부를 일차 폐쇄하기 어렵거나 불가능함(**4-57**)
- 순측 치조골의 외형이 오목하기보다는 볼록하기 때문에 골이식재가 치유 기간 중 원하지 않는 위치로 이동하기 쉬움(**4-58**)

그러나 임플란트를 발치 후 즉시가 아니라 조기에 식립하면 이러한 불리한 점이 사라진다.[157] 치아 관통부가 연조직으로 완전히 피개될 뿐만 아니라 점막 두께도 더 두꺼워진다. 또한 순측 치관측 지조골이 흡수되면서 치조골은 볼록한 형태에서 오목한 형태로 바뀌어 골이식재가 제 위치에 유지되기에 유리한 외형으로 바뀐다(**4-59**). 따라서 순측에 골유도 재생술이 필요한 것으로 판단되는 증례에서는 가급적 2-3형 식립을 시행하는 것이 권장된다.[92,97,158]

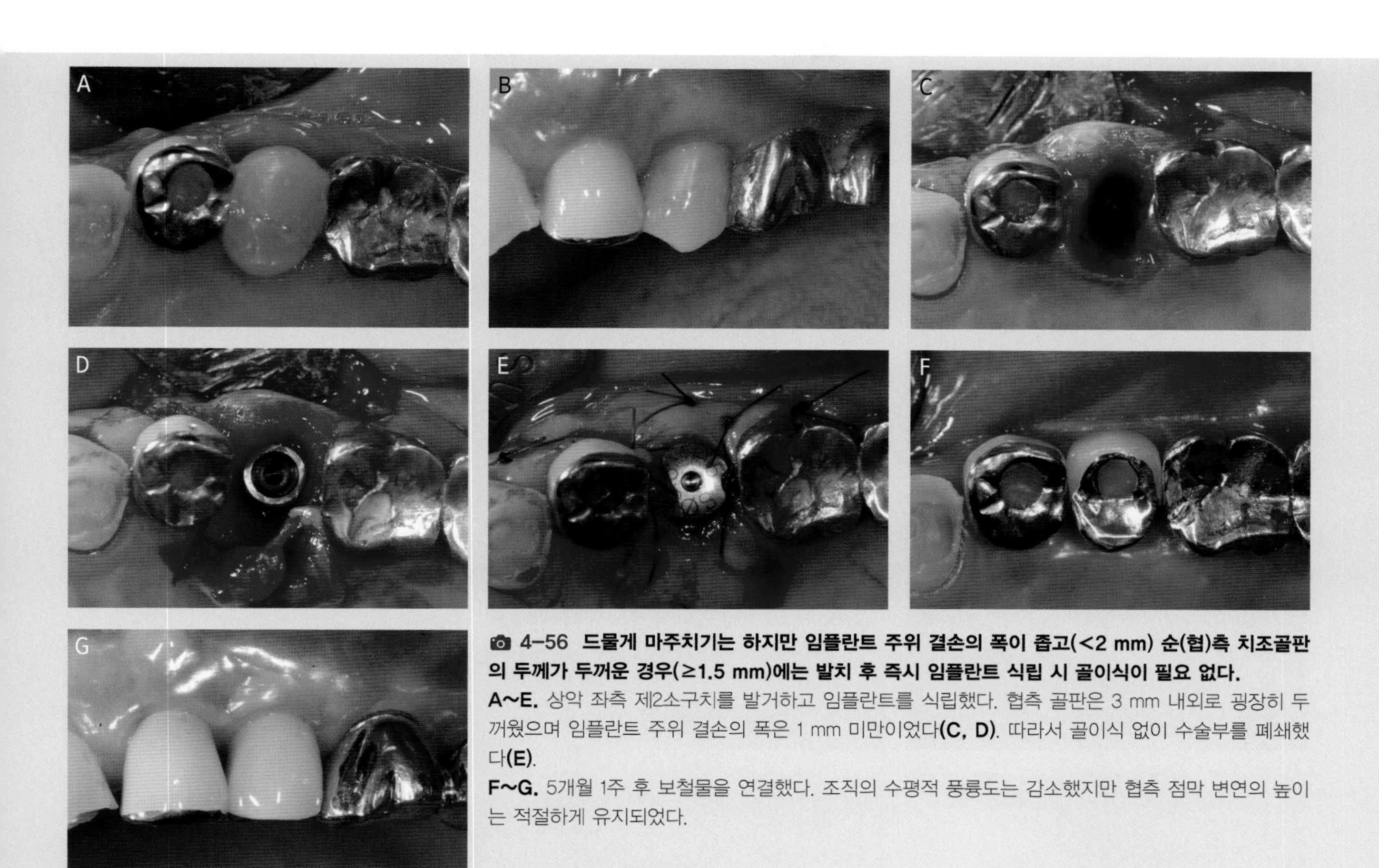

4-56 드물게 마주치기는 하지만 임플란트 주위 결손의 폭이 좁고(<2 mm) 순(협)측 치조골판의 두께가 두꺼운 경우(≥1.5 mm)에는 발치 후 즉시 임플란트 식립 시 골이식이 필요 없다.
A~E. 상악 좌측 제2소구치를 발거하고 임플란트를 식립했다. 협측 골판은 3 mm 내외로 굉장히 두꺼웠으며 임플란트 주위 결손의 폭은 1 mm 미만이었다**(C, D)**. 따라서 골이식 없이 수술부를 폐쇄했다**(E)**.
F~G. 5개월 1주 후 보철물을 연결했다. 조직의 수평적 풍륭도는 감소했지만 협측 점막 변연의 높이는 적절하게 유지되었다.

그럼에도 불구하고 발치 후 즉시 식립 시 순측에 골유도 재생술이 필요한 경우가 있을 수 있다. 다음의 경우 발치 후 즉시 임플란트 식립과 더불어 순측 치조골 외측으로 골증강술을 시행한다(**4-60**).[159]

- 순측 치조골판이 너무 얇거나(<0.5 mm) 순측 골에 열개, 천공 결손이 존재[99,100]
- 임플란트 주위 결손의 폭이 2 mm 미만임(임플란트를 순측으로 식립)
- 심미적으로 중요한 부위에서 순측골의 흡수에 의한 조직 함몰을 예방하기 위함[159]
- 임플란트와 치근의 위치 차이로 인해 임플란트 식립 시 천공 결손이 발생

(2) 발치 후 즉시 임플란트 식립 시 순측에 골유도 재생술을 시행하면 순측골을 재건하거나 순측골의 흡수를 예방할 수 있다

전문가들은 대체로 발치 후 즉시 임플란트 식립을 매우 한정적인 증례에만 시행해왔기 때문에 발치 후 즉시 임플란트 식립과 동반된 골유도 재생술의 임상적 결과에 대한 문헌은 매우 드물다. 한 전향적 대조 연구에서는

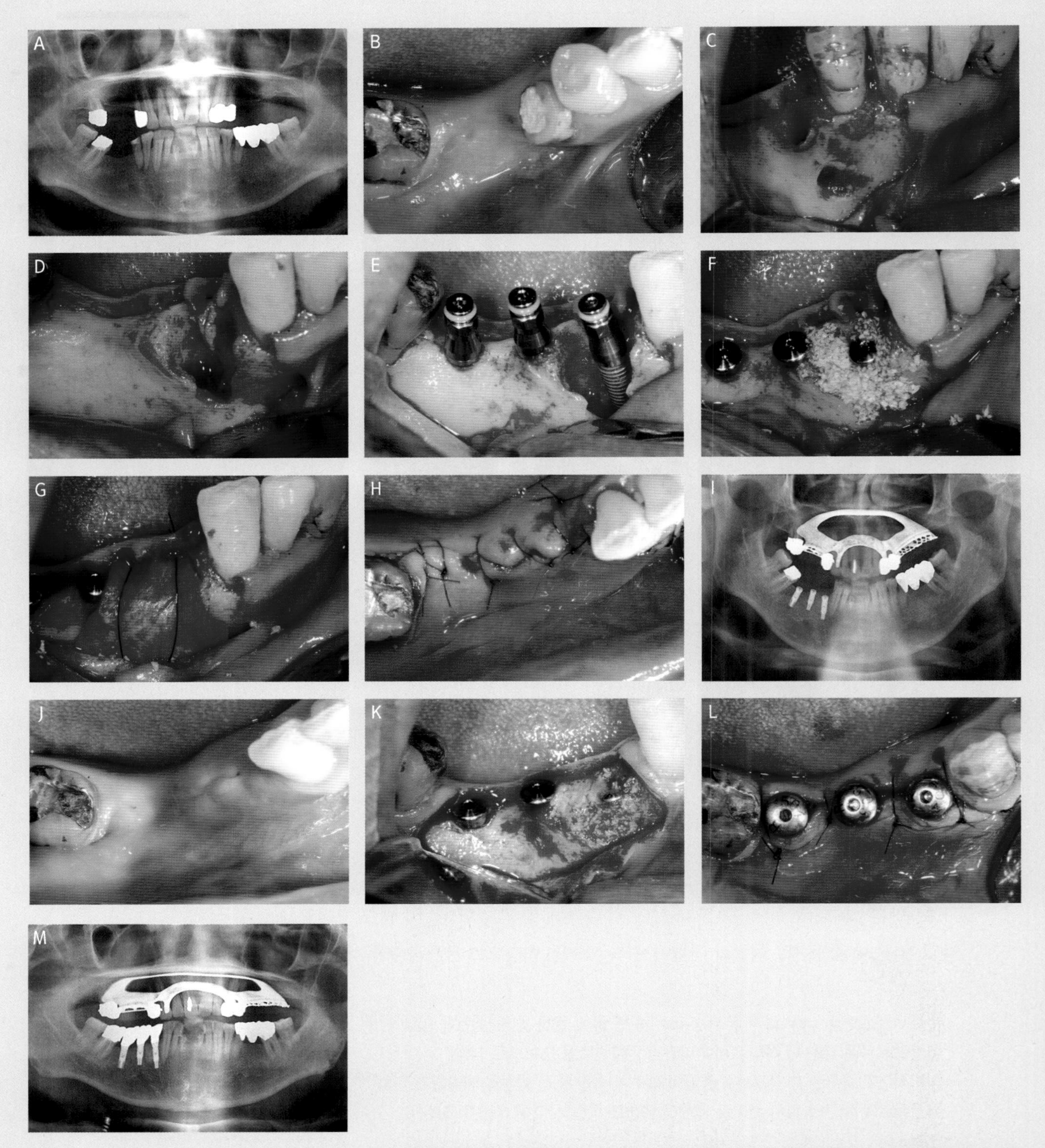

4-57 발치 후 즉시 임플란트 식립 시 광범위한 골증강술을 동시에 시행하기는 매우 어렵다. 광범위한 골증강술 후에는 점막 관통 치유보다는 일차 의도 치유를 도모해야 하는데, 광범위한 치아 관통부를 일차 폐쇄하기가 어렵기 때문이다.

A~I. 하악 우측 제1/2소구치를 발거하고 제1소구치, 제2소구치, 제1대구치 부위에 임플란트를 식립했다. 제1소구치 부위는 두 소구치의 치근이 근접하여 존재했고 원래부터 협측골의 결손이 심했기 때문에**(C~E)** 광범위한 골증강술을 시행했다**(F, G)**. 협측 피판을 치관측으로 변위시켜 수술부를 일차 폐쇄했다**(H)**.

J~L. 약 4개월 후 2차 수술을 시행했다. 골증강술의 결과는 매우 성공적이었다**(K)**. 일차 폐쇄에 의한 일차 의도 치유를 이루지 못했다면 그 결과는 매우 저하되었을 것이다.

M. 1.5개월 후 최종 보철물을 연결했다.

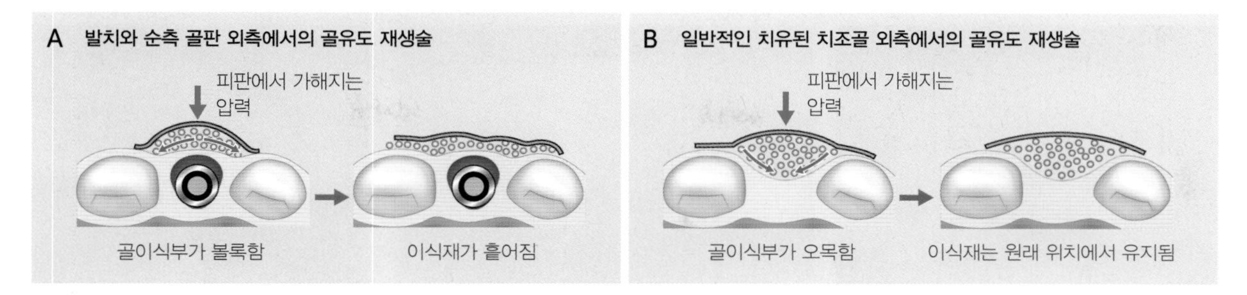

4-58 발치 후 즉시 임플란트 식립 시 순측 치조골판 외측에 골증강술을 시행하는 것은 어렵다.
A. 발치 즉시 후에는 순측 치조골의 외형이 볼록하다. 따라서 이 부위에 입자형 골이식재를 적용하면 이식재가 제 자리에 머물러 있기 보다는 주위 조직으로 흩어질 가능성이 높다. **B.** 일반적인 지연 식립 증례에서는 순측골의 흡수에 의해 골증강 부위가 내측으로 오목한 형태를 보인다. 이러한 증례에서는 이식재가 원래 위치에서 잘 유지되기 때문에 의도한 바대로 골증강술을 시행하기가 용이하다.

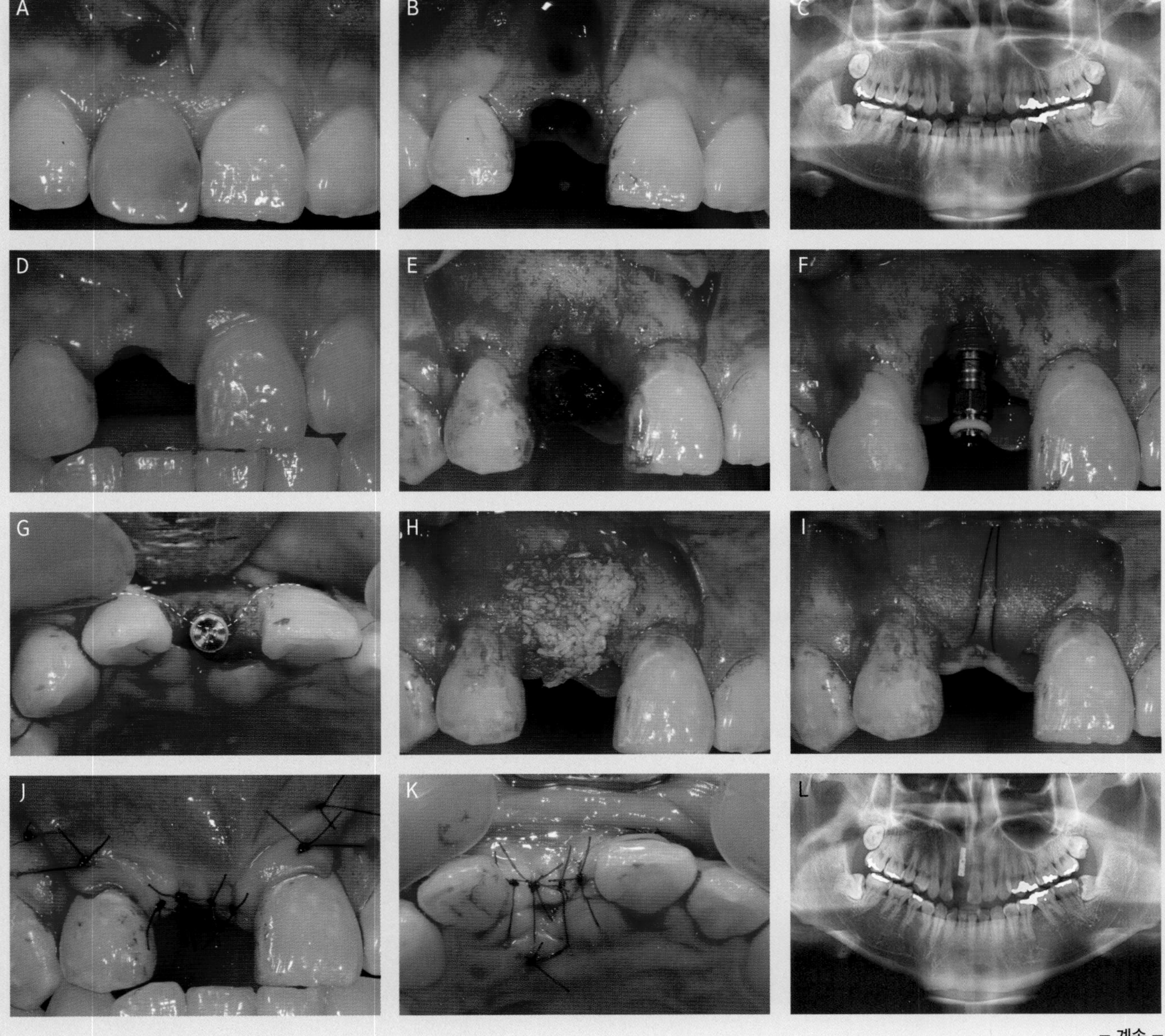

– 계속 –

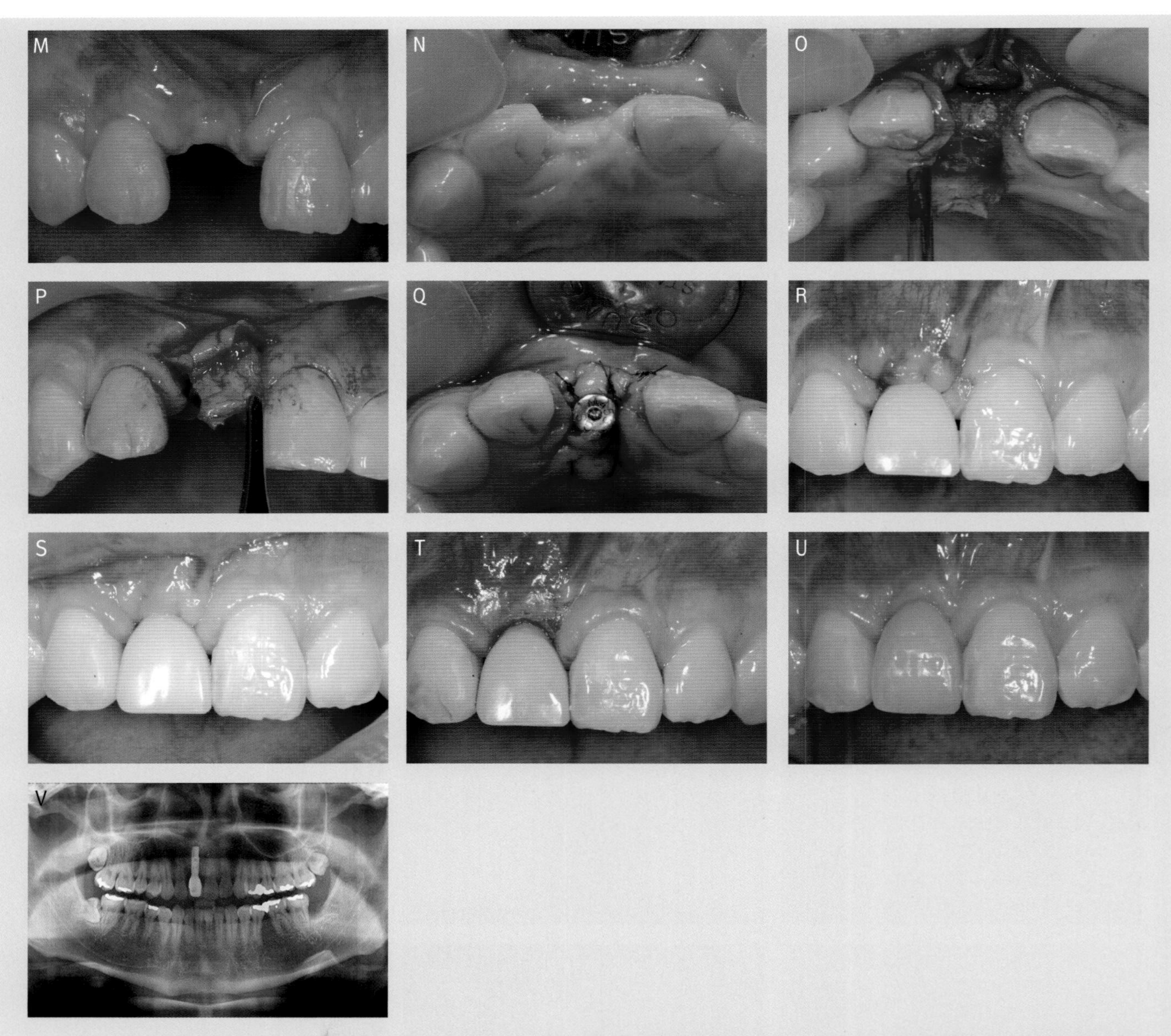

4-59 발치 후 임플란트를 지연 식립한 증례이다. 조기-지연 식립 시에는 수술부에 점막 관통부가 존재하지 않고 골의 형태가 오목해지기 때문에 좀 더 용이한 수술이 가능하다.

A~C. 발치 시 순측 점막에 누공이 존재하여 즉시 임플란트 식립이 불가능했다. 따라서 임플란트 식립은 연조직 치유가 완료된 후 시행하기로 했다.

D~L. 약 4개월 후 임플란트 식립과 골유도 재생술을 시행했다. 임플란트 식립 후 열개 결손 때문에 순측에 골증강술이 필요했다**(F)**. 이때 골의 외형은 오목했기 때문에 골이식재를 위치시키기가 용이했다**(G)**. 동종골 이식재와 동종 진피로 골유도 재생술을 시행했다**(H, I)**. 수술부는 어렵지 않게 일차 폐쇄했다**(J, K)**.

M~R. 4개월 1주가량 후에 2차 수술을 시행했다. 순측 점막 변연의 풍륭도를 증가시키기 위해 "roll-in" 술식을 적용했다**(O~Q)**. 그리고 즉시 인상을 채득하고 3주 후 고정성 임시 보철물을 연결했다**(R)**.

S~V. 임시 보철물 연결 1개월 후에도 임플란트 보철물 주위의 점막 변연은 반대측보다 오히려 치관측으로 높게 위치하고 있었기 때문에**(S)** 간단하게 다이아몬드 버로 삭제했다**(T)**.

T~V. 다시 2개월 후 최종 보철물을 장착했다.

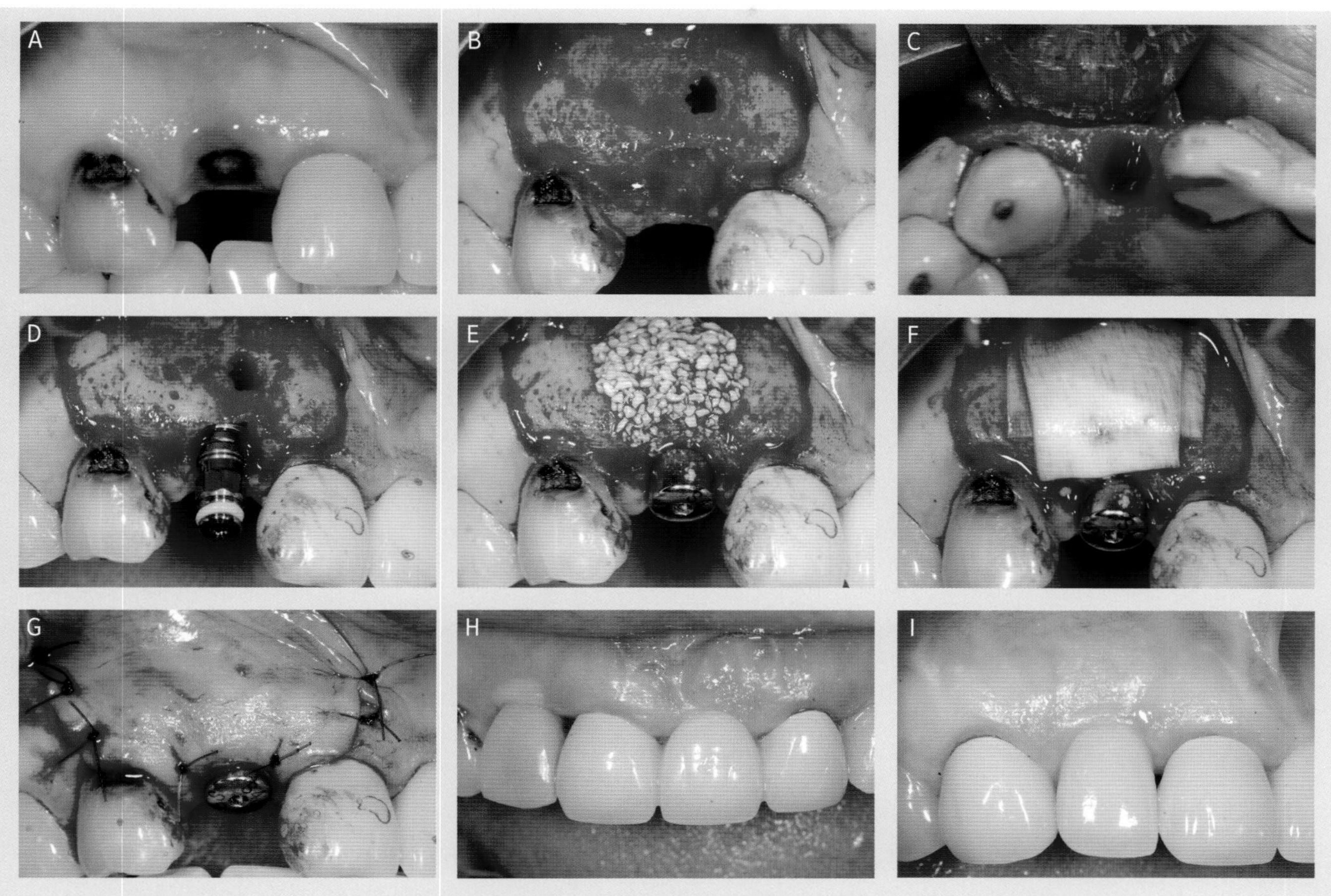

4-60 상악 전치부에서 발치 후 즉시 임플란트 식립 시 순측 골판 외부에 골증강술을 시행해야 하는 증례는 생각보다 훨씬 많다.
A~G. 상악 우측 측절치 발거 후 임플란트를 즉시 식립했다. 순측골에는 발치 전부터 천공 결손이 존재했으며 임플란트 주위 결손의 폭이 좁았다 **(B~D).** 따라서 순측골 외측으로 흡수가 느린 탈단백 우골을 적용하고 천연 교원질 차폐막으로 피개했다**(E, F)**.
H. 4.5개월 후 고정성 임시 보철물을 연결했다.
I. 최종 보철물 연결 3개월 후의 소견이다. 임플란트 주위 점막은 정상적인 소견을 보이고 있다.

임플란트 매식체 표면과 순측 치조골의 외측 표면과의 거리가 4 mm 이하이면 임플란트 주위 결손 내로의 골 충전과 순측 골판 외측의 골유도 재생술을 시행했고, 4 mm를 초과할 때에는 임플란트 주위 결손 내로의 골충전만을 시행한 후 그 결과를 비교했다(**4-61**).[147] 1년 후 "임플란트 주위 결손 골충전 + 순측 골유도 재생술" 군은 순측 조직 두께가 평균 0.16 mm 증가한 반면 "임플란트 주위 결손 골충전"군은 평균 0.37 mm 감소했고, 이는 유의한 차이였다. 그리고 심미적 결과도 "임플란트 주위 결손 골충전 + 순측 골유도 재생술"군에서 더 좋게 나타났다. 한 후향적 연구에서는 전치부에서 발치 후 즉시 임플란트를 시행했을 때 순측골은 원래 상태와 관계없이 장기적으로 현저하게 흡수될 수 있기 때문에 임플란트 식립 시 순측골판 외측으로 골증강술을 시행하는 것이 장기적인 예후에 유리할 수 있음을 보여주었다.[25] 한 전향적 연구에서는 발치 후 즉시 식립을 시행

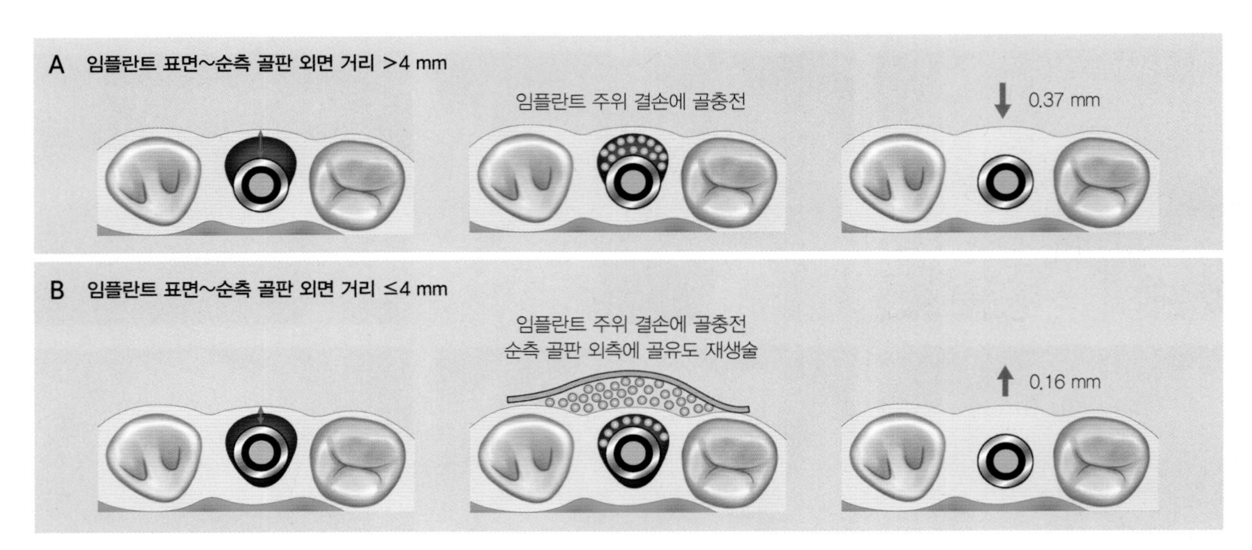

4-61 임플란트 주위 결손에 대한 골이식과 임플란트 식립부 순측 골판의 두께는 반드시 함께 고려해야할 요소들이다. 발치 후 임플란트를 즉시 식립할 때 골이식 부위를 결정짓기 때문이다. 한 임상 그룹에서는 임플란트 매식체 표면과 순측 치조골의 외측 표면과의 거리를 기준으로 골이식 술식을 선택하였고, 긍정적인 결과를 얻을 수 있었다고 보고했다.
A. 임플란트 표면에서 순측 골판 외면까지의 거리가 4 mm를 초과하면 임플란트 주위 결손에 골이식을 시행했으며 그 결과 1년 후 순측 조직 두께의 감소량은 0.37 mm로 양호한 결과를 보였다. **B.** 임플란트 표면에서 순측 골판 외면까지의 거리가 4 mm 이하이면 임플란트 주위 결손과 골판 외측 모두에 골이식을 시행했다. 그리고 1년 후 순측 조직 두께는 평균 0.16 mm가 증가하여 양호한 결과를 보였다.

하고 10년 후까지 경과를 관찰했으며 순측 골판 외측으로 골증강술을 적용한 증례에서는 임플란트의 평균 순측 점막 변연 퇴축량은 0.7 mm였던 반면, 골증강술을 시행하지 않았던 임플란트의 평균 순측 점막 변연 퇴축량은 평균 1.16 mm였고 이는 유의한 차이였다고 했다.[34]

골유도 재생술은 흡수가 느린 이식재와 흡수성 차폐막을 이용하여 골증강부의 흡수를 최소화하고, 차폐막 노출 시 합병증 발생 가능성을 최소화할 수 있도록 해준다. 이때 치아 관통부를 완전히 폐쇄할 필요는 없지만 순측 피판에 골막 이완 절개를 가해 점막 변연부가 지대주와 밀접하게 접촉할 수 있도록 해준다(**4-62**).

5) 순측 점막 내측으로 결합 조직 이식

순측 조직의 풍륭도 감소와 점막 퇴축을 줄여줄 수 있는 방법에는 골증강술과 결합 조직 이식술이 있다. 전문가들은 특히 점막이 얇은 환자에서 점막 변연 퇴축을 예방하기 위해 순측 점막 내측에 결합 조직을 이식할 것을 추천했다.[160] 발치 후 즉시 임플란트 식립 시 결합 조직 이식의 표준화된 술식은 "임플란트 식립-임플란트 주위 결손 내로의 골이식-순측 점막과 순측 골벽 사이에 결합 조직 이식"의 순서를 따른다.[39,160-164] 무피판 수술 시에는 순측 점막 변연에만 절개를 가하고 순측 점막을 터널처럼 거상한 후 결합 조직을 삽입해준다(**4-63**).

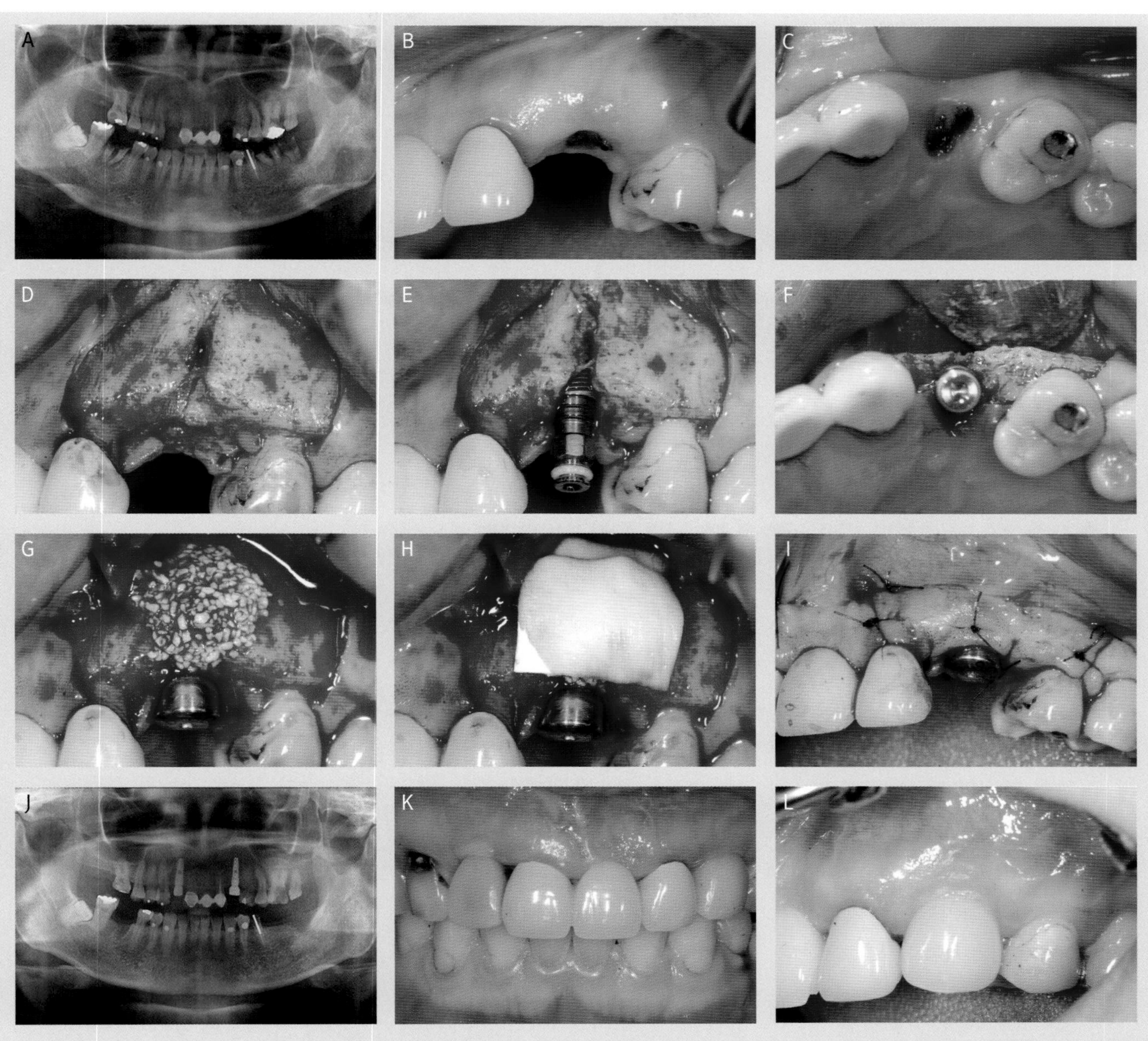

4-62 반복해서 설명하는 내용이지만, 발치 후 즉시 임플란트를 식립할 때 임플란트 주위 결손이나 순측 결손부에 골대체재로 골이식술을 시행했다고 해서 반드시 수술부를 일차 폐쇄할 필요는 없다. 오히려 이는 불필요하다. 아주 커다란 결손에 대해 많은 양의 골이식을 시행하는 경우가 아니라면 치유 지대주나 고정성 임시 보철물을 매식체에 연결하여 치아 관통부를 점유하도록 한 후 점막 변연을 지대주에 밀접하게 접촉시키는 것만으로도 좋은 결과를 얻을 수 있다.

A~J. 좌측 견치 잔존 치근을 발거하고 임플란트를 식립했다. 피판 거상 후 치조골 결손을 확인했다**(D)**. 임플란트를 이상적인 위치로 식립한 후 골결손부와 치조골 외측에 골이식재와 차폐막을 적용했다**(G~H)**. 매식체에 치유 지대주를 연결한 후 피판을 원위치 시키고 지대주에 밀접하게 봉합했다**(I)**.

K. 약 5.5개월 후 고정성 임시 보철물을 연결했다.

L. 다시 약 3개월 후 최종 보철물을 연결했다. 사진은 연결 6개월 후의 소견이다. 임플란트 주위 점막은 정상적인 치유 상태를 보인다.

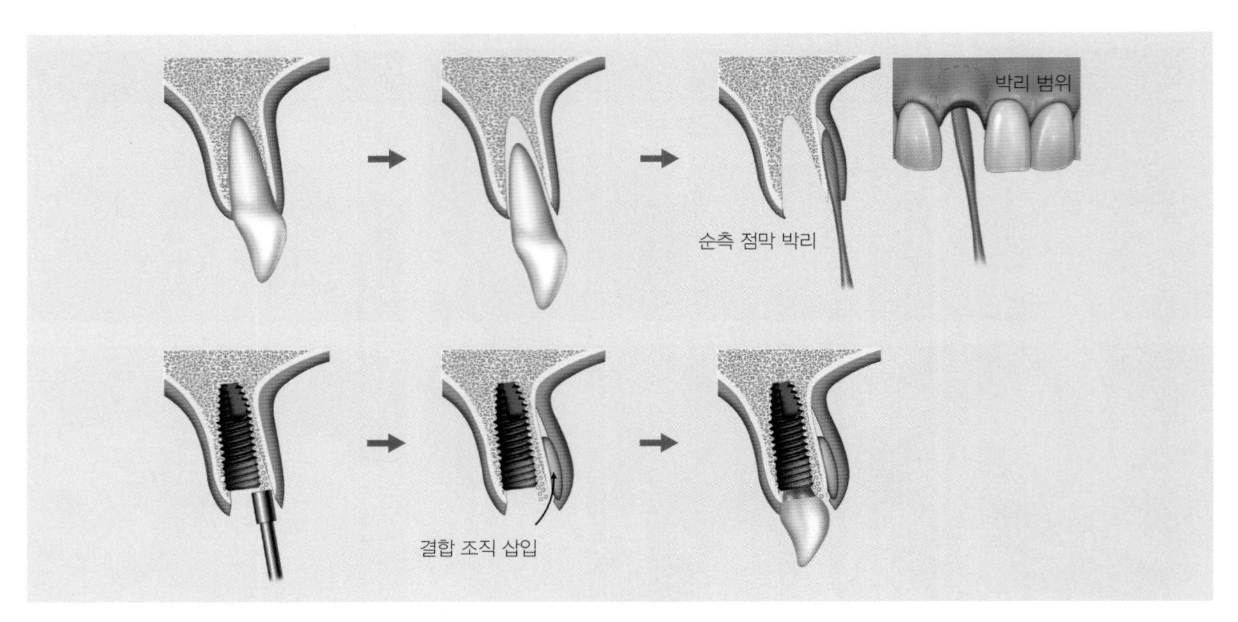

4–63 발치 즉시 임플란트 식립을 시행할 때 결합 조직을 동시에 이식하는 방법
임플란트 식립부의 점막이 얇은 경우에는 즉시 임플란트 식립 시 결합 조직 이식을 동시에 시행할 수도 있다. 이를 위해서는 순측 점막을 충분히 박리한 후 조직 이식편을 그 하방에 삽입해야 한다.

순측 점막 내측에 결합 조직 이식을 시행하고 그 결과를 평가한 무작위 대조 연구들이 최근 많이 발표됐는데, 그 결과를 정리하자면 이 술식은 순측 점막 변연의 수직적 퇴축을 대략 평균 0.5 mm 정도 줄여줄 수 있으며 순측 조직의 수평적 풍륭도 또한 개선시킬 수 있다.[39,161–164] 또한 결합 조직을 이식한 경우와 이식하지 않은 경우를 2년간 추적 관찰한 무작위 대조 연구에서는 PES 또한 결합 조직을 이식했을 때(평균 8)가 이식하지 않았을 때(평균 6.5)보다 유의하게 더 높았다고 했으며, 따라서 심미적 결과를 개선시킬 수 있었다고 했다.[163] 그러나 다른 무작위 대조 연구에서는 결합 조직 이식이 PES에 별다른 영향을 미치지 못했다고 했기 때문에 추가적인 연구가 필요하다.[39]

순측 점막 변연이 열개되어 있으면 발치 후 즉시 임플란트 식립의 적응증은 아니다. 그러나 한 후향적 대조 연구에서는 이러한 증례에서도 결합 조직 이식과 더불어 즉시 임플란트를 식립했으며, 그 결과 1–8년 후 결합 조직 이식군에서의 점막 변연 퇴축량은 평균 0.9±1.0 mm였던 반면 결합 조직 비이식군에서는 평균 1.8±0.7 mm였다.[165] 즉 순측 점막 퇴축량을 거의 1 mm 가까이 줄여줄 수 있었던 것이다. 결론적으로 발치 후 즉시 임플란트 식립 시 결합 조직 이식은 꼭 필요한 술식은 아니지만 다음의 경우에는 이를 시행하는 것이 유리하다.

- 점막의 두께가 얇다.
- 순측 점막 변연이 약간(1–2 mm 이내) 퇴축되어 있다(퇴축량이 2 mm 이상이면 2형 식립).

6) 수술부 폐쇄

피판을 거상하지 않은 채 순측 임플란트 주위 결손에 골이식을 시행했다고 하더라도 이를 수술적으로 폐쇄할 필요는 없다. 이러한 경우 고정성 임시 수복물이나 개인 맞춤 임시 지대주(custom abutment)로 이를 폐쇄해 줄 수 있다(**📷 4-64**).

과거 발치 후 즉시 임플란트 식립 시 임플란트 주위 결손을 ePTFE 차폐막으로 피개했을 때에는 반드시 수술부를 일차 폐쇄해주는 것이 일반적이었다.[92] 그러나 임플란트 주위 결손에 이식재를 충전하고 나서 차폐막을 적용하지 않는 것이 표준 술식이 되고, 순측 골판 외측에 골유도 재생술을 시행해도 흡수성 차폐막을 사용하는 것이 일반화된 이후로 치아 관통부를 일부러 일차 폐쇄하는 임상가는 거의 없다. 치아 관통부는 치유 지대주나 임시 보철물의 지대주로 관통시키는 것이 일반적이다.[30] 따라서 피판을 거상한 경우에는 점막 변연이 지대주에 밀접하게 접촉되도록 골막 이완 절개를 가한 후 치관측으로 약간 변위시켜 봉합을 시행한다(**📷 4-57, 📷 4-65**).

7) 즉시 수복

(1) 발치 후 즉시 식립-즉시 수복 프로토콜은 적절한 증례에 제한적으로 시행하면 임플란트의 실패 가능성을 증가시키지 않는다

상악 전치부에서는 심미적인 이유로 임플란트 식립 후 보철물을 즉시 연결하는 즉시 부하/즉시 수복 프로토콜을 적용하는 경우가 많다(**📷 4-66, 67**). 그러나 발치 후 즉시 임플란트를 식립한 경우에는 발치와 크기와 임플란트 매식체 크기의 차이에 의해 치관측에서는 골과 임플란트 간의 밀접한 접촉을 얻기가 힘들기 때문에 일차 안정이 저하될 수 있고, 따라서 즉시 수복/부하의 성공 가능성이 저하될 수 있다.[166] 그러나 위험 요인이 존재하는 경우에는 즉시 수복/부하를 피하고, 기능 시 임시 수복물의 교합 접촉을 부여하는 "즉시 부하"보다는 이를 피하는 "즉시 수복" 프로토콜을 주로 적용하게 되면서 발치 후 즉시 식립/즉시 수복의 성공 가능성은 현저히 증가하게 되었다.[167]

즉시 식립-즉시 수복은 복잡한 수술-보철 과정이기 때문에 임상적 경험과 기술이 뒷받침된 술자에 의해서만 시행 가능하고, 다음 기준을 충족시킬 때에만 시행할 것을 추천한다.[158]

- 발치와 내 골벽이 온전함
- 순측 치조골벽 두께가 1 mm 이상임
- 점막 두께가 두꺼움
- 임플란트 식립부에 급성 염증이 존재하지 않음
- 발치와의 치근단측과 설측골에서 충분한 정도의 일차 안정을 얻을 수 있음

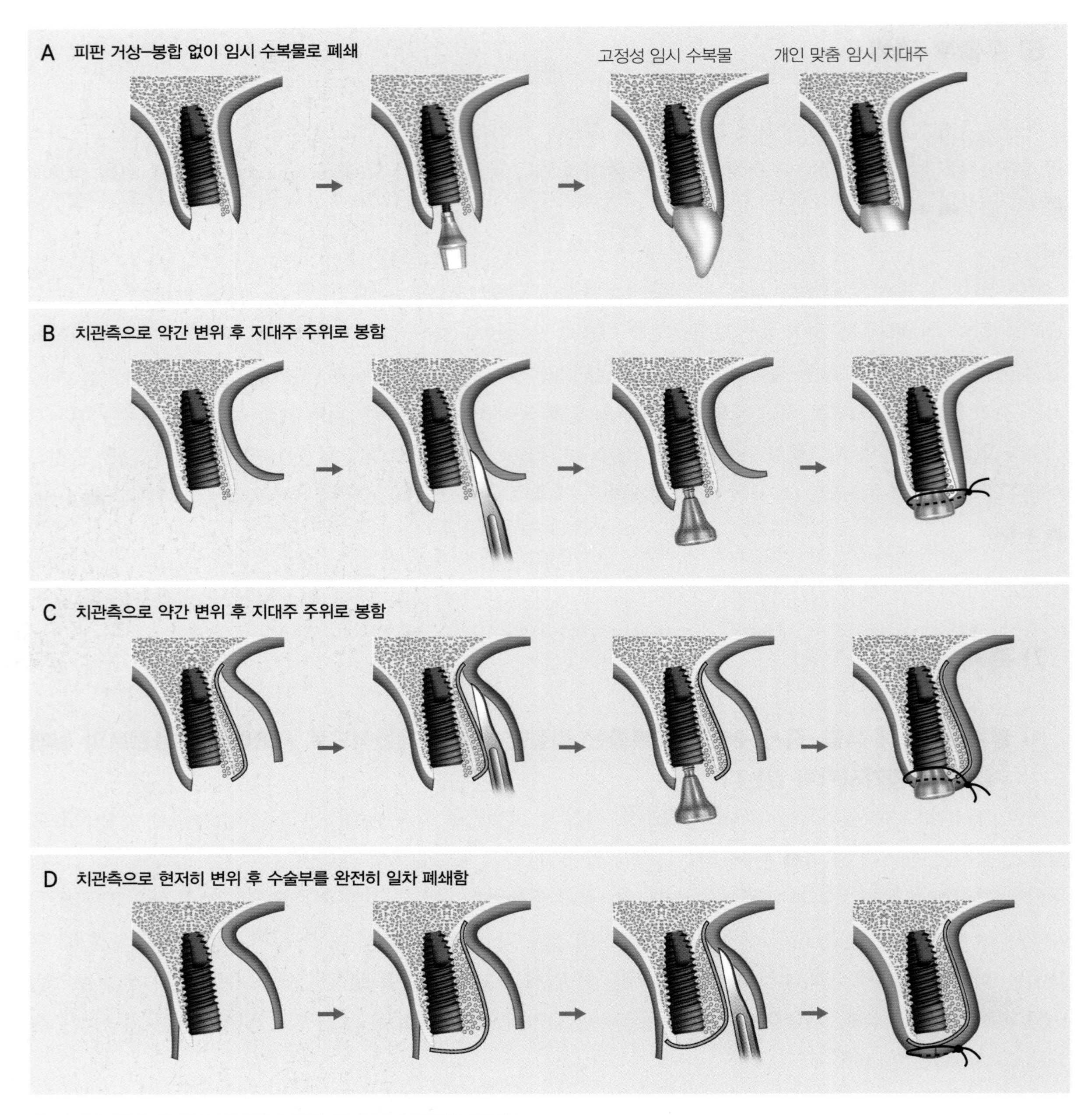

4-64 발치 후 즉시 임플란트 식립 시 수술부 폐쇄의 방법들

A. 비절개-무피판 수술 후에는 매식체에 고정성 임시 수복물이나 개인 맞춤 임시 지대주로 치아 관통부를 완전히 폐쇄해줄 수 있다. 이러한 경우 봉합은 불필요하다. **B.** 절개를 가했으나 골이식을 시행하지 않았거나 임플란트 주위 결손으로만 골이식을 시행한 경우에는 고정성 임시 수복물이나 치유 지대주로 치아 관통부를 폐쇄할 수 있다. 치유 지대주가 치아 관통부보다 직경이 작으면 피판을 약간 치관측으로 변위시킨 후 봉합하여 폐쇄한다. **C.** 순측골 외측에 골증강술을 시행한 경우에는 순측 피판의 장력 이완과 치관측 변위가 필수이다. 치아 관통부는 치유 지대주로 처리한 후 피판을 지대주 주위로 밀접하게 봉합하여 고정한다. **D.** 임플란트 식립부에 골결손이 현저하면 발치 후 즉시 임플란트 식립의 적응증은 아니다. 그러나 광범위한 골증강술을 일단 시행했다면 순측 피판을 광범위하게 거상한 후 치관측으로 현저히 변위시켜 수술부를 일차 폐쇄한다.

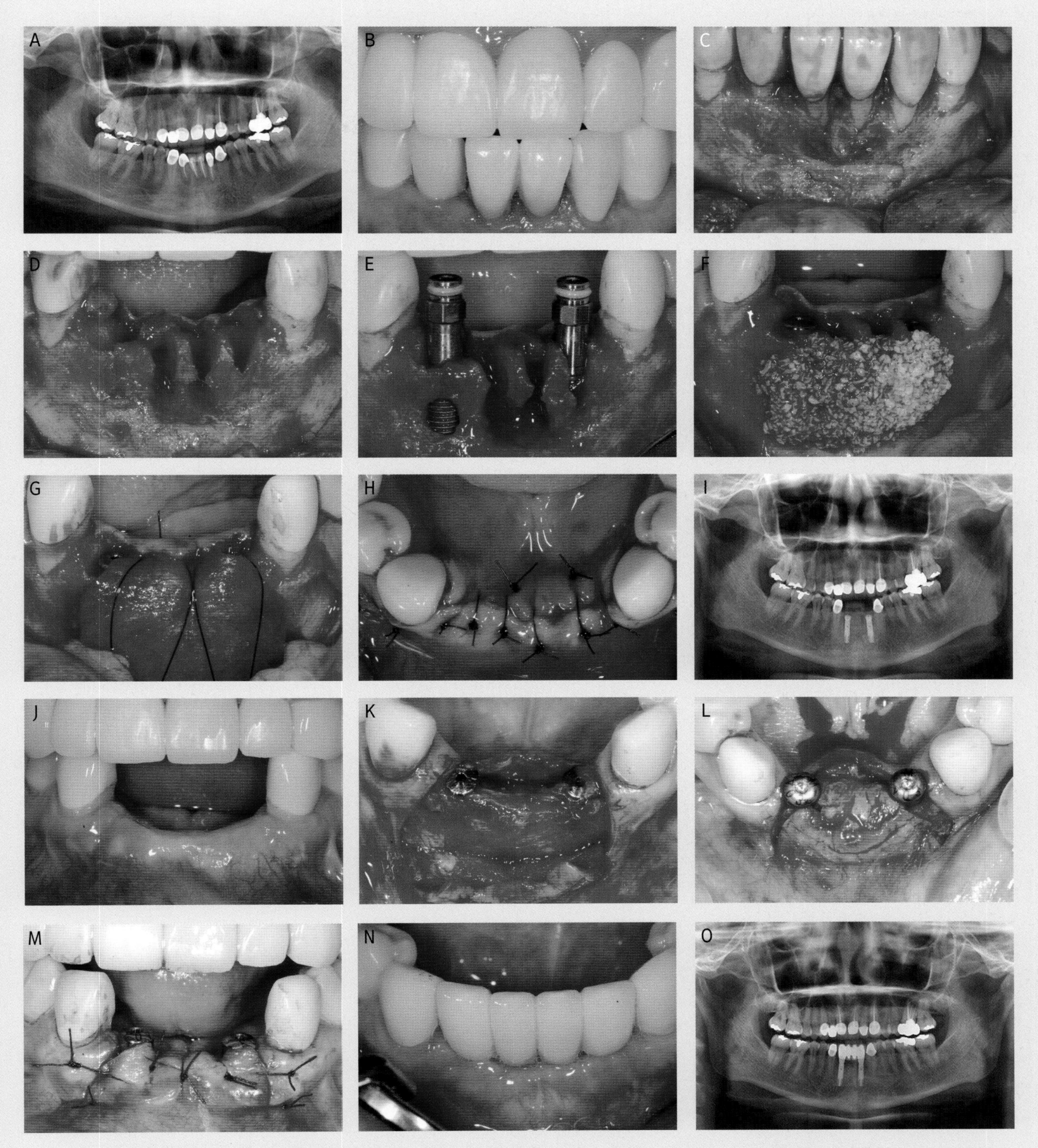

4-65 복수 치아를 발거 후 즉시 임플란트를 식립하고 치관측의 현저한 골결손부를 수복하는 경우에는 수술부를 일차 폐쇄한다. 하악 전치부는 치아의 크기가 작기 때문에 이러한 술식을 시행하기가 가장 용이하다.

A~I. 하악 4절치를 발거하고 임플란트를 즉시 식립했다. 발치 전 치주-근관 복합 병소로 인해 치조골은 광범위하게 파괴되어 있었다**(C~E)**. 따라서 임플란트 식립 후 많은 양의 골증강술을 시행했다**(F, G)**. 수술부 순측 피판은 광범위하게 거상하고 골막 이완 절개를 가한 후 치관측으로 변위시켜 일차 폐쇄해 주었다**(H)**.

J~M. 약 3.5개월 후 2차 수술을 시행했다. 수술부는 별다른 문제없이 정상적으로 치유되었지만 치아 결손 중앙부의 수직적 함몰이 심하여 결합 조직을 이식해 주었다.

N~O. 1.5개월 후 최종 보철물을 연결해 주었다.

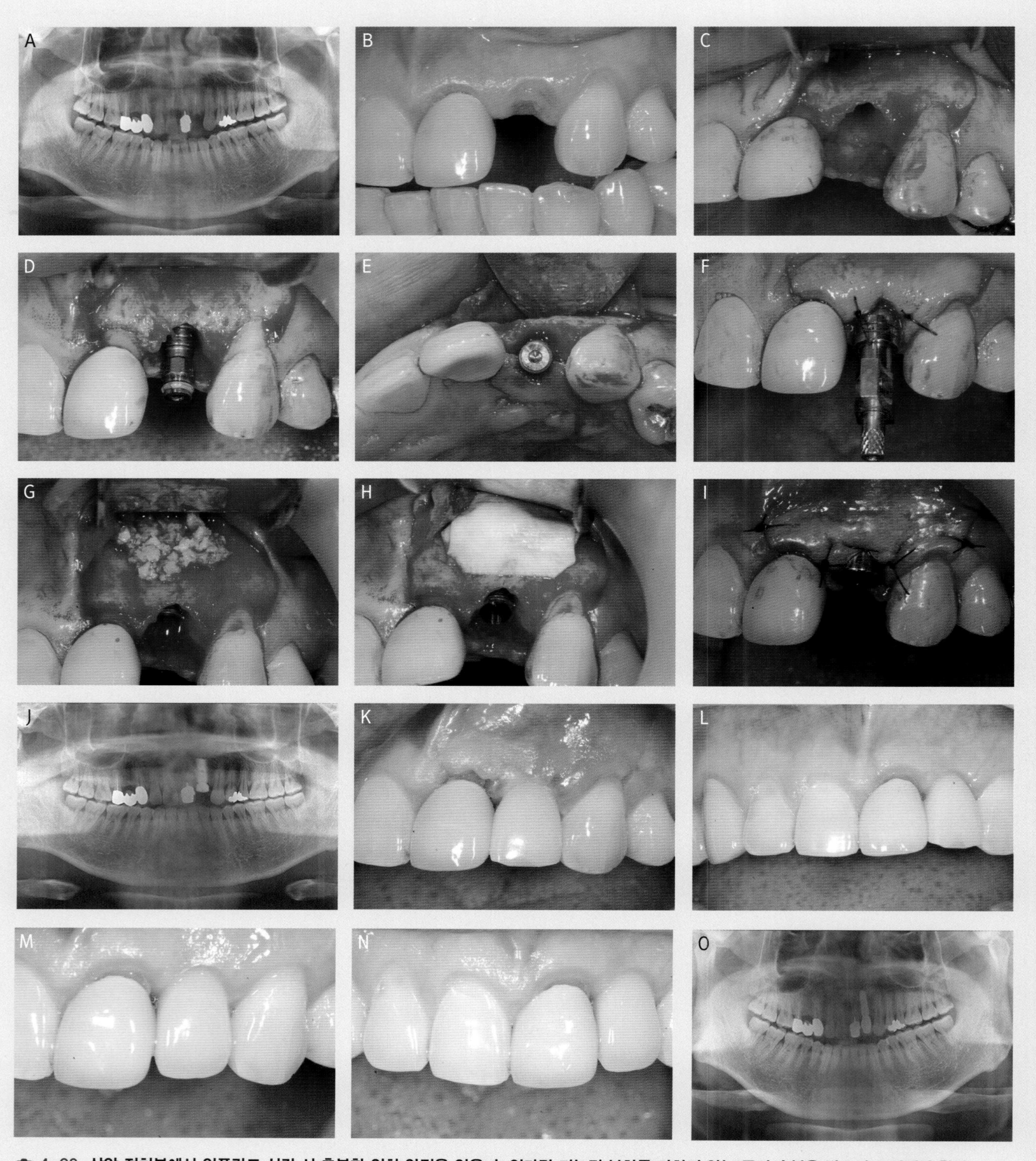

4-66 상악 전치부에서 임플란트 식립 시 충분한 일차 안정을 얻을 수 있다면 기능적 부하를 가하지 않는 즉시 수복을 반드시 고려해야 한다.

A~J. 상악 좌측 측절치 치근을 발거하고 임플란트를 즉시 식립했다. 치조골은 특별한 결손부 없이 건전했다**(C, D)**. 충분한 일차 안정을 얻을 수 있었기 때문에 임플란트 식립 직후 인상을 채득했고**(F)** 다시 동종골 이식재와 천연 교원질 차폐막으로 천공 결손부를 수복했다**(G, H)**. 수술부는 일단 봉합을 완료했다.

K. 10일 후 발사를 시행하며 고정성 임시 보철물을 연결했다.

L. 2개월 3주 후 상태이다. 임시 보철물 주변의 점막 변연과 치간 유두는 잘 보존되어 있다.

M~O. 다시 1.5개월 후, 즉 임플란트 식립으로부터 대략 4개월을 약간 넘어서 최종 보철물을 연결했다. 즉시 부하를 시행하면 가장 심미적이고 편한 임시 보철물을 제공할 수 있다는 점뿐만 아니라 치료 기간을 최소화하고 임플란트 주위 점막의 외형을 빠르게 정착시킨다는 장점이 있다.

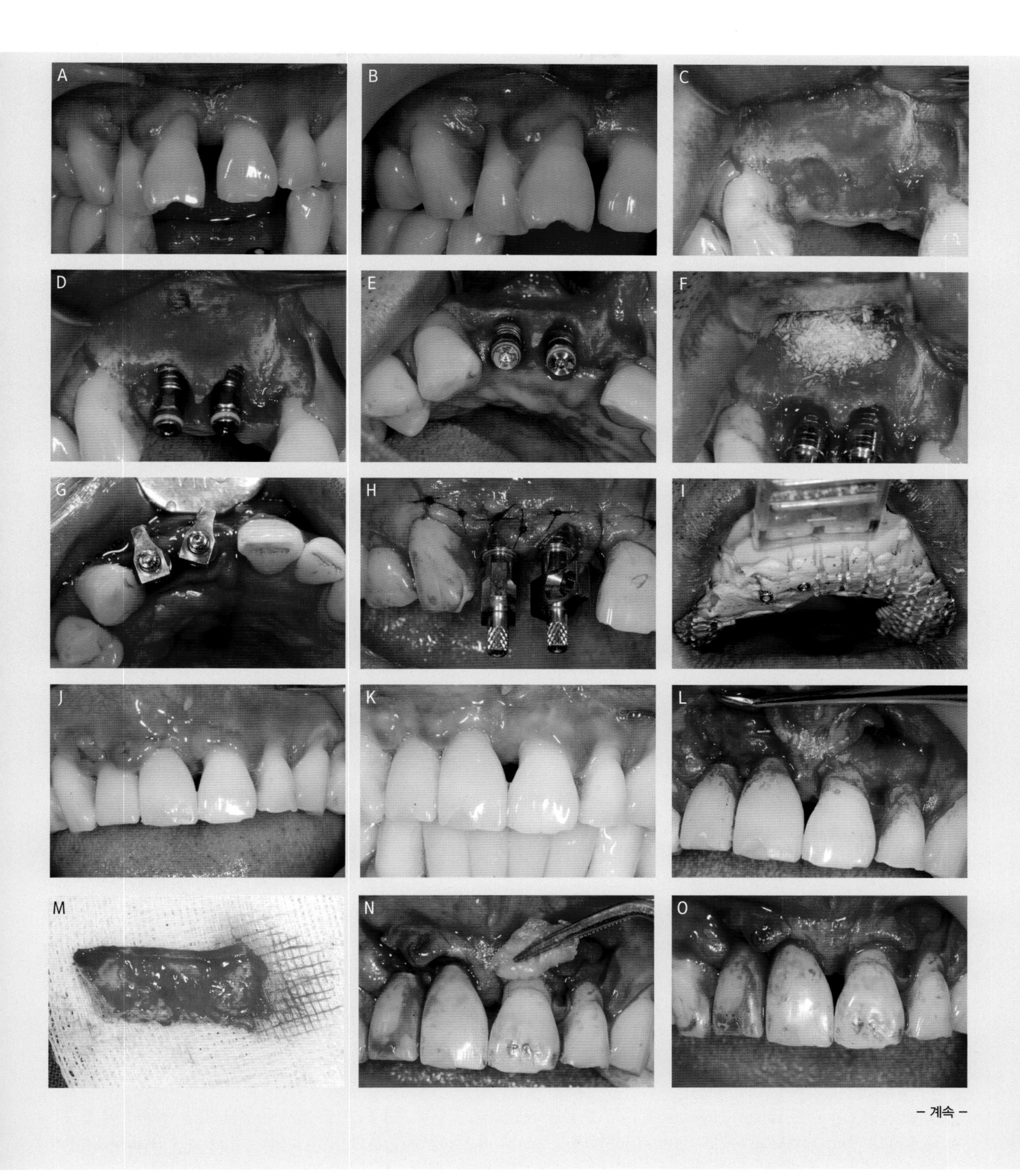

– 계속 –

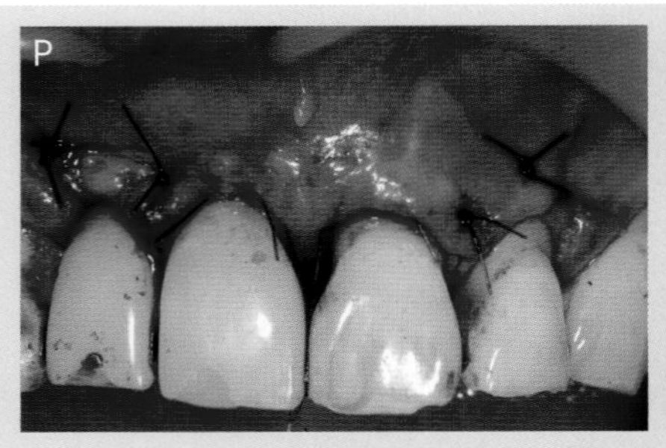

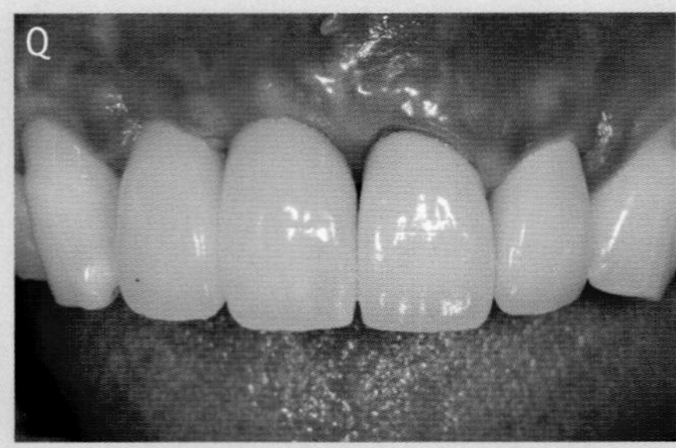

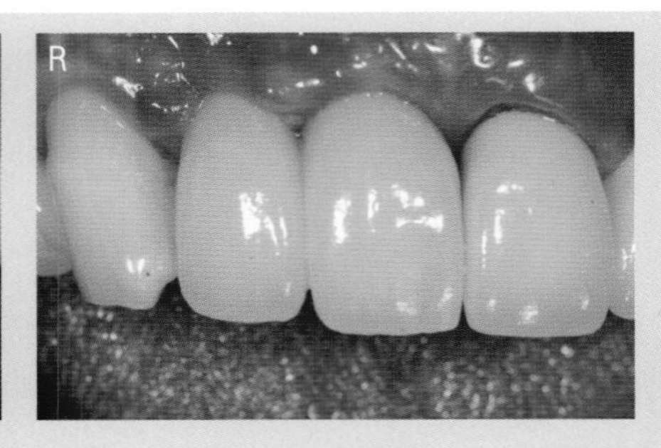

4-67 상악 전치부 치아를 발거하고 임플란트 즉시 식립-즉시 수복을 시행한 증례이다.
A~I. 상악 우측 중절치와 측절치를 발거하고 임플란트를 즉시 식립했다**(B~D)**. 임플란트 주위 결손과 천공 결손부에 동종골 이식재를 적용한 후 교원질 차폐막으로 피개했다**(F)**. 임플란트에 인상용 coping을 연결한 후 봉합을 시행했고 수술 후 즉시 인상을 채득했다**(I)**.
J. 수술 1주 후 고정성 임시 보철물을 연결해 주었다.
K~P. 약 3개월 후의 모습이다**(K)**. 원래부터 결손되어 있었던 중절치 사이의 치간 유두에 연조직 증강술을 시행하기로 했다. 다만 이 술식은 일반적으로 예후가 좋지는 않다. 치간 유두를 보존한 채 피판을 거상했고**(L)** 결합 조직을 채취한 후 거상된 치간 유두 하방에 삽입하여 주었다**(N~O)**.
Q~R. 다시 3개월 1주 후이다. 좌측에 비해 우측 임플란트 식립부의 점막 변연이 약간 근단측에 위치하지만 처음 치료 시작 시의 상태를 고려한다면 나름 성공적인 결과를 보이는 것이었다. 또한 양측 중절치 사이의 치간 유두부는 보철적인 조정과 연조직 증강술을 통해 어느 정도 복구해줄 수 있었다.

- 식립 토크는 25-40 Ncm, ISQ는 70 이상
- 임시 보철물을 기능 중 보호할 수 있는 교합 상태(이갈이/이악물기 습관 없음, 정상 교합)
- 환자의 협조도가 좋음

최근의 체계적 문헌 고찰에서는 즉시 식립-지연 부하와 즉시 식립-즉시 수복 시 임플란트의 2년 생존율은 별다른 차이를 보이지 않았다고 했다(즉시 수복/부하 98.2%, 지연 부하 98.5%).[72] 2018년 6th ITI Consensus Conference에서는 임플란트의 식립 시기와 부하 시기에 따른 임플란트의 생존율과 성공률에 대한 메타분석을 시행했고, 그 결과로 합의 보고를 발표했다.[12] 여기에서 즉시 식립-즉시 부하/수복 시 임플란트의 누적 생존율은 98.4%로 충분히 높았다고 했다.

(2) 즉시 수복 시 임플란트 주위 점막의 최종적인 퇴축량은 지연 부하 시와 비슷하거나 약간 적다

임플란트 식립 후 지연 부하를 가하면 보철물 연결 전에는 임플란트 주위 점막이 평탄화되면서 수축됐다가 보철물 연결 후 다시 원래 형태에 가깝게 회복되는 반면, 즉시 수복을 해주면 치아 상실 전의 점막 외형을 거의 변화 없이 유지해준다(**4-17**).[71,121,168,169] 지연 부하 시 점막이 평탄화됐다가 다시 원래 형태를 회복할 때에는 원래의 형태를 완전히 복구하지 못하고 약간 퇴축된 상태로 재생된다. 따라서 즉시 수복을 시행한 술자들은 이 술식이 최종적인 임플란트 주위 점막의 형태를 더 완전하게 형성해줄 수 있을 것으로 기대했다.

한 무작위 대조 연구에서는 상악 전치부 치아 발치 후 임플란트를 즉시 식립하고 나서 한 군에서는 즉시 수복을 시행했고 다른 군에서는 3개월 후 지연 수복을 시행했다.[71] 수복 1년 후 두 군에서 근원심 치간 유두의 퇴축량에는 거의 차이가 없었지만 순측 중앙부 점막 변연의 퇴축량은 즉시 수복 시에는 평균 0.41 mm, 지연 수

복 시에는 1.16 mm로 유의한 차이를 보였다. 2017년 한 메타분석에서는 전향적 임상 연구만을 대상으로 발치 후 즉시 임플란트 식립 시 즉시 수복과 지연 수복이 임플란트 주위 점막의 퇴축에 미치는 영향을 분석했다.[118] 보철 부하 후 최소 1년 이상이 경과했을 때 순측 중앙 점막 변연은 즉시 수복 시에 지연 수복 시보다 평균 0.253 mm가 덜 퇴축되었지만 이는 유의한 차이는 아니었다. 반면 근원심 치간 유두 점막은 즉시 수복 시가 지연 수복 시보다 0.519 mm 더 높았고, 이는 유의한 차이였다. 2015년의 무작위 대조 연구에서는 즉시 식립–즉시 수복 시와 즉시 식립–3개월 후 지연 수복 시에 최종적인 심미적 결과는 거의 같았다고 보고했다.[170]

결국 아직까지 발치 후 즉시 임플란트를 식립했을 때 즉시 수복이 지연 수복에 비해 임플란트 주위의 점막을 보존하는 데 있어 현저하게 도움이 되는가에 대해서는 확정적인 결론을 내릴 수는 없다는 것이 일반적인 중론이다.[69] 즉시 수복이 임플란트 주위 점막의 퇴축을 약간 줄여주는 것 같기는 하지만 다른 요소들에 비해서는 그 영향이 적은 것 같다(**4–68, 69**).

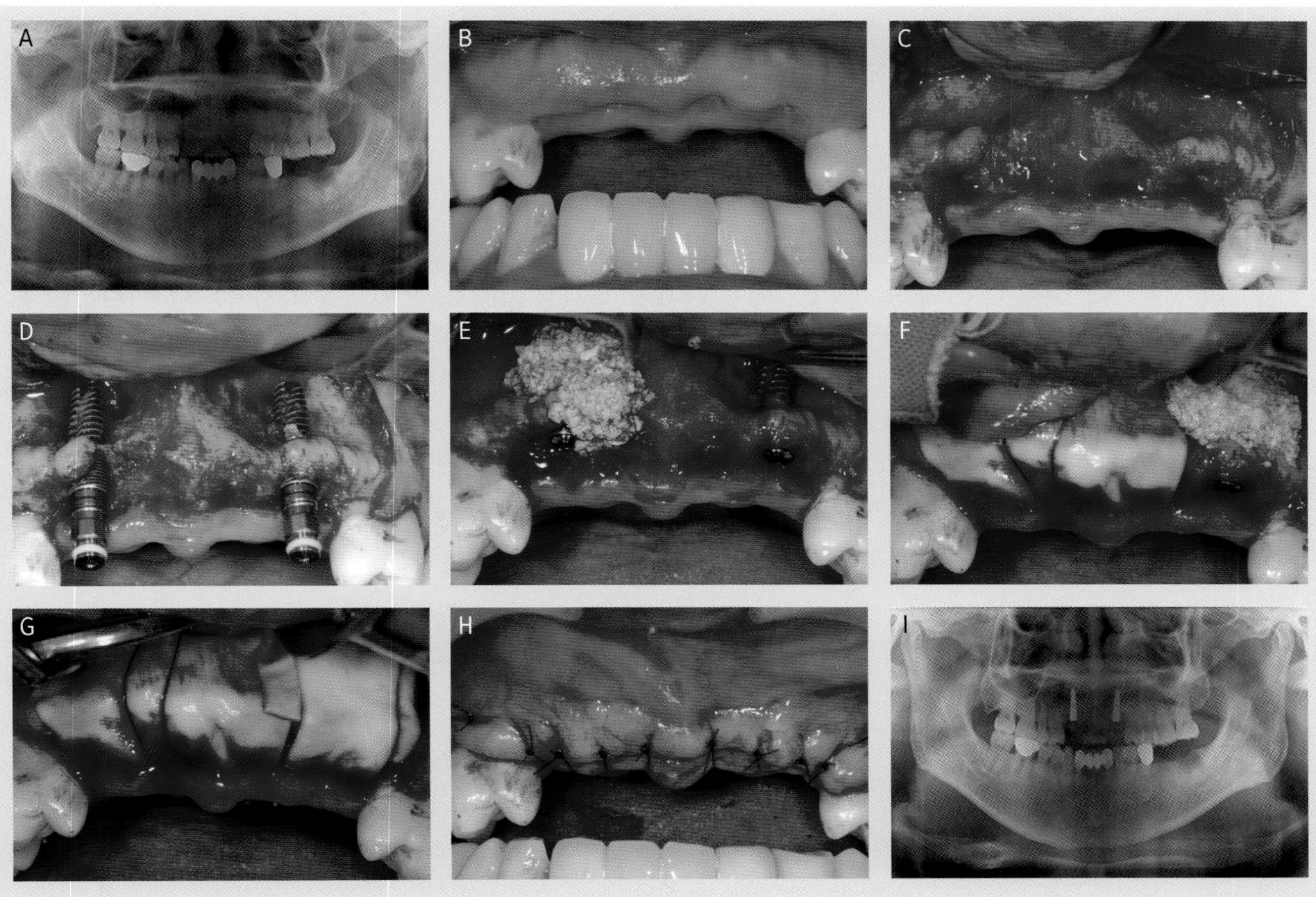

– 계속 –

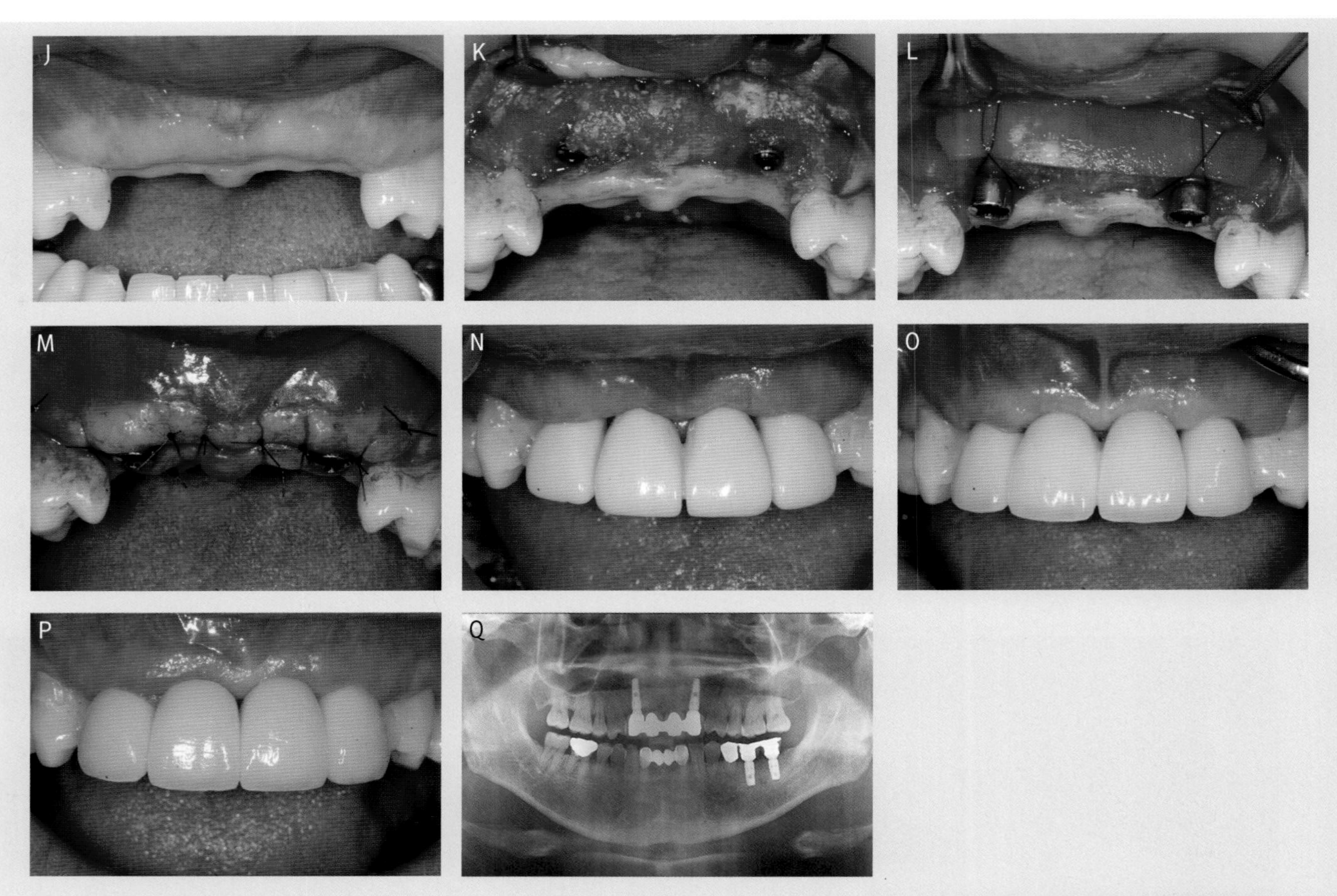

4-68 지연 수복을 시행하더라도 임플란트 주위 골조직이 잘 보존되거나 재생되면 점막의 외형은 즉시 수복 이후와 거의 동일한 정도로 형성된다.
A~I. 지연 식립-지연 수복 증례이다. 상악 4전치가 결손되어 있었으며 양측 측절치 부위에 임플란트를 식립했다. 이종골 이식재와 천연 교원질 차폐막으로 골결손부에 골유도 재생술을 시행했다**(D~H)**.
J~M. 약 4개월 후 2차 수술을 시행했으며 동종 진피로 순측 점막을 증강시켰다**(L)**.
N. 1주 후 고정성 임시 수복물을 연결했다. 임플란트 수복물 주위의 점막 변연은 아직 치간 유두와 순측 점막의 물결 모양이 형성되지 않고 직선적이다.
O. 2개월 후 최종 보철물을 연결했다. 임시 보철물 연결 직후와 비교하여 치간 유두 점막과 순측 중앙 점막 변연의 높이에 차이를 보이고 있지만 아직까지 치간 유두의 재생은 완전하지 못하다.
P~Q. 최종 보철 연결 6개월 3주 후이다. 최종 보철물 연결 직후와 비교하면 점막 변연과 치간 유두의 형태가 좀 더 성숙해져 있다.

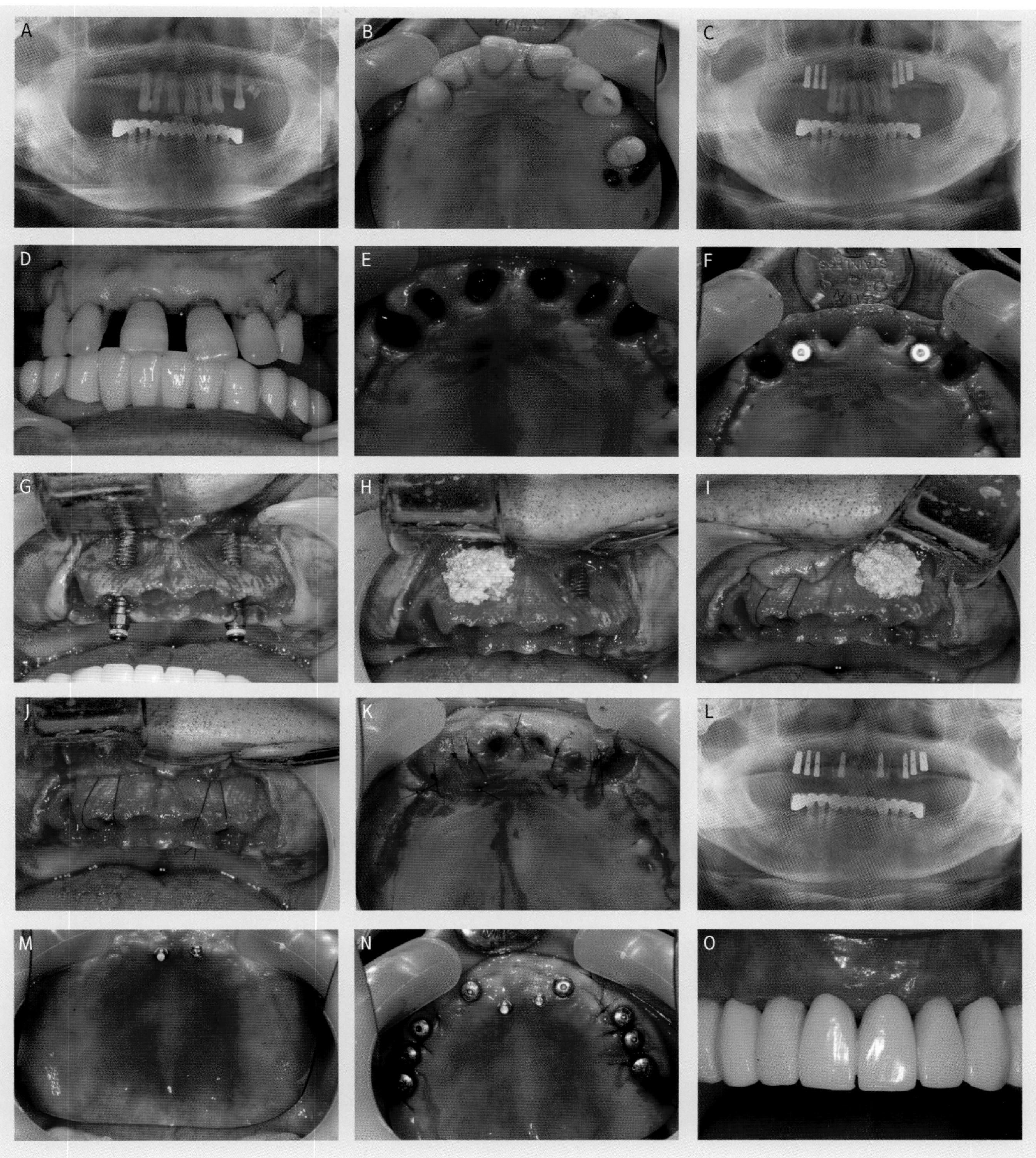

– 계속 –

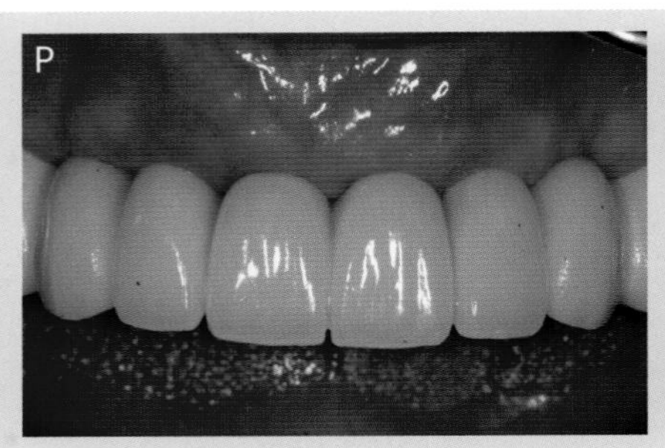

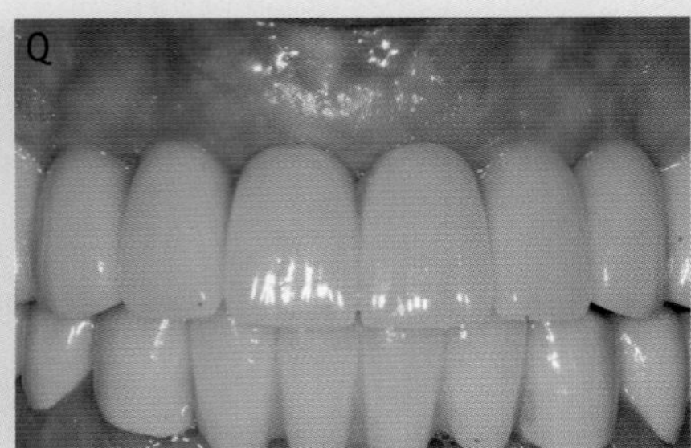

4-69 상악 전악 치아를 발거하고 임플란트로 수복한 증례이다. 임플란트로만 수복된 보철물 주위의 점막 형태는 자연치 주위의 점막 형태와 차이를 보일 수밖에 없다. 자연치가 존재하지 않으면 임플란트 주위 점막은 치간 유두와 중앙 점막 변연의 높이 차이가 작아져서 좀 더 평탄한 형태를 보인다.

A~C. 일단 양측 구치부만 먼저 잔존 치아를 발거하고 임플란트를 식립했다.

D~L. 일주일 후 견치-견치를 발거하고 약측 측절치 부위에 임플란트를 식립했다. 이 환자는 상악 전치부의 순측 돌출도가 많았기 때문에 순측 치관측 변연 조직은 충분했던 반면, 근단측으로는 함몰되어 있었다. 따라서 임플란트 식립 후 심한 천공 결손이 발생했다**(F, G)**. 결손부에 탈단백 우골을 적용한 후 교차결합 교원질 차폐막으로 이를 피개했다**(H~J)**.

M~O. 5개월 후 2차 수술을 시행하면서 인상을 채득하고 일주 후 고정성 임시 보철물을 연결했다**(O)**.

P. 4개월 후 최종 보철물을 연결했다. 이 환자에서는 점막 변연과 치간 유두 점막을 지지할 수 있는 자연치가 존재하지 않았기 때문에 고정성 임시 보철물을 연결한 직후**(O)**와 비교하여 점막 형태의 변화는 적은 편이었다.

Q. 다시 2개월 후이다. 점막의 형태는 별다른 변화없이 유지되고 있다.

4.
대구치부에서의 발치 후 즉시 임플란트 식립

1) 개요

(1) 대구치 발치 후 즉시 임플란트 식립은 그 필요성이 낮고 난이도가 높다

대부분의 발치 후 즉시 임플란트 식립은 단근치인 상하악 전치 및 소구치 부위에 한정하여 시행한다. 또한 연구 문헌들도 이 부위에 대한 것으로 집중되고 있다. 이는 치근의 해부학적 형태가 임플란트 식립에 용이하고 심미적 이유로 치아 상실 후 빠르게 상실치를 수복할 요구도가 높기 때문이다. 물론 상악 소구치의 경우 이근치일 수도 있지만, 발치와의 크기와 형태는 즉시 임플란트 식립에 그다지 악영향을 미치지는 않는다. 대구치에서 발치 후 즉시 임플란트 식립이 어렵거나 필수적이지 않은 이유는 다음과 같다(**4-70**).[171,172]

① 발치와 입구의 근원심, 협설측 폭이 임플란트 직경에 비해 너무 크다. 따라서 임플란트 식립 시 발치와 측면에서 안정을 얻기가 힘들다. 또는 치근단부에서 일차 안정을 얻더라도 임플란트와 발치와 내벽 사이에는 커다란 임플란트 주위 결손이 존재하게 된다.

② 치근이 여러 개이기 때문에 임플란트 식립을 위한 골삭제와 임플란트 식립을 발치와 중앙부인 치근간골에

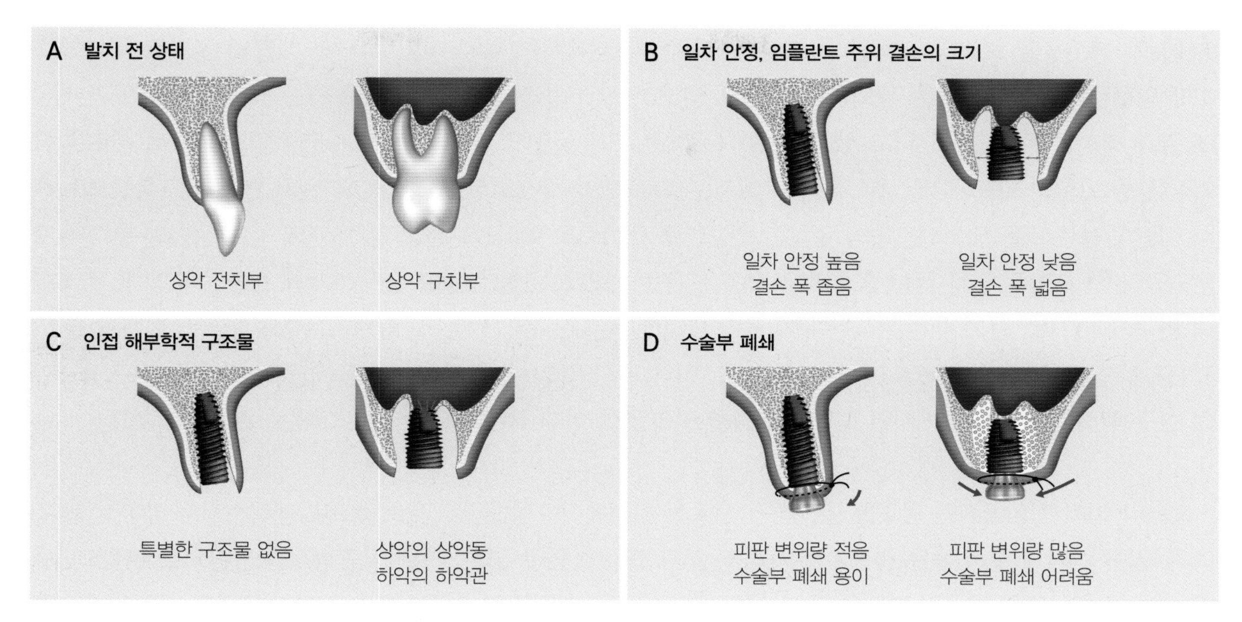

4-70 대구치 부위에서는 발치 후 즉시 임플란트를 식립하는 경우가 전치부보다 드물다. 그 이유는 여러 가지이다. 여기에서는 상악 절치와 대구치의 비교를 통해 이를 설명한다.

A. 발치 전 상태이다. 환자는 소수의 대구치가 일시적으로 결손되어 기능적인 저하를 겪는 것은 큰 어려움 없이 견딜 수 있지만 단 하나의 상악 절치가 일시적으로 결손되어 심미적인 저하를 겪는 것은 견디기 어려워한다. 따라서 심미 부위인 상악 전치의 임플란트 수복 치료는 가능한 빨리 시행하고 신속하게 완료하는 것이 좋다. **B.** 전치부 치아는 단근치이며 치근과 임플란트 매식체 직경의 차이가 적다. 따라서 임플란트 식립 시 일차 안정을 얻기가 용이하고 임플란트 주위 결손의 폭이 적다. 반면 대구치부에서 발치 후 즉시 임플란트 식립을 시행할 때에는 발치와 입구의 근원심, 협설측 폭이 임플란트 직경에 비해 너무 크다. 따라서 임플란트 식립 시 발치와 측면에서 안정을 얻기가 힘들다. 또는 치근단부에서 일차 안정을 얻더라도 임플란트와 발치와 내벽 사이에는 커다란 임플란트 주위 결손이 존재하게 된다. **C.** 발치 후 즉시 임플란트 식립 시에는 치근첨보다 근단측에서 추가적인 임플란트 일차 안정을 얻어야 하는데, 절치 치근단 부위에는 특별히 위험한 해부학적 구조물이 존재하지 않는 반면, 대구치의 치근단부에 인접해서는 하치조 신경이나 상악동저 등 해부학적으로 위험하거나 임플란트 예후에 영향을 미칠 수 있는 구조물이 존재한다. **D.** 전치부에 비해 대구치부에서 치아 관통부가 넓기 때문에, 발치 후 즉시 임플란트를 식립하면 수술부를 폐쇄하기가 힘들다.

시행해야 하지만, 치근간골은 상실되거나 얇게 존재하는 경우가 많고 존재하더라도 이 부위에 임플란트를 정확히 식립하기가 힘들다.

③ 치근첨보다 근단측에서 추가적인 임플란트 일차 안정을 얻어야 하는데, 대구치의 치근단부에 인접하여 하치조 신경이나 상악동저 등 해부학적으로 위험한 구조물이 존재한다.

④ 전치부에 비해 구치부의 골밀도는 떨어지기 때문에 일차 안정을 얻기가 어렵다.

⑤ 치아 관통부가 넓기 때문에, 발치 후 즉시 임플란트를 식립하면 수술부를 폐쇄하기가 힘들다.

⑥ 대구치부는 외부에서 잘 보이지 않기 때문에 빠른 치아 수복이 중요하지는 않다.

(2) 대구치부에서 발치 후 즉시 임플란트 식립의 임상적 근거는 아직 충분히 축적되지 못했다

2010년에 처음으로 대구치 부위에서 발치 후 즉시 식립한 임플란트의 성공을 주제로 체계적 문헌 고찰이 발표됐다. 여기에서는 2008년 10월까지 발표된 일차 문헌 중 9개의 연구가 포함됐고, 총 1,013개의 임플란트가

99.0%의 생존율을 보였다고 하였다. 포함된 연구 중 3개에서만 즉시 식립과 지연 식립의 결과를 비교했고, 이때 임플란트의 생존율에는 유의한 차이가 없었다고 했다. 그러나 포함된 연구들의 근거 수준은 낮았기 때문에 결과 해석에 주의를 요한다고 했다.[173] 2016년에는 위의 문헌 고찰에 대한 후속 연구의 개념으로 새로운 체계적 문헌 고찰이 발표된 바 있다. 이 연구에서는 2008년 10월–2015년 5월까지의 일차 연구를 포함했으며 즉시 식립 임플란트를 최소 1년 이상 관찰한 연구만을 대상으로 했다. 그 결과 총 15개의 일차 문헌이 분석에 포함되었다.[174] 포함된 일차 문헌 중 무작위 대조 연구는 없었고, 전향적 대조 연구 2개와 전향적 증례 연구/후향적 연구가 13개로, 근거 수준은 낮은 편이었다. 포함된 환자는 총 757명, 임플란트는 768개였다. 최종 관찰 기간까지의 생존율은 98% (95% CI 98–99%)였고 상악과 하악에서 생존율에 차이는 없었다. 포함된 연구 중 5개의 연구에서는 즉시 식립과 지연 식립의 결과를 비교했고, 이때 생존율에 유의한 차이는 보이지 않았다.

그러나 이러한 성공적인 결과를 일반적인 진료실 환경에서도 얻을 수 있을 것으로 생각하지는 말아야 할 것이다. 일단 근거 수준이 높은 연구가 존재하지 않기 때문에 연구 결과가 좀 더 긍정적인 방향으로 편향되었을 가능성이 높다. 또한 대구치 부위의 즉시 임플란트 식립을 위해선 발치와 상태가 즉시 임플란트 식립에 유리한 경우에 한하여 이를 시행해야 하고, 술자가 이에 대한 충분한 경험과 기술을 지니고 있어야만 한다.[174]

2) 해부학적 고려 사항과 진단 과정

(1) 대구치 부위에서 발치 후 즉시 임플란트를 식립하면 일차 안정을 얻기가 힘들다

대구치 치근의 크기와 형태는 발치 후 즉시 식립이 가능한지 여부를 결정짓는 매우 중요한 요소이다. 물론 환자에 따라 변이가 심하기는 하지만, 서구에서 측정한 대구치의 크기는 다음과 같았다(**표 4–6, 사진 4–71**).[150,175]

표 4–6 대구치의 평균 크기

치아	근원심 치관 폭	CEJ에서 근원심 폭	CEJ에서 협설 폭	치근 길이	치근 본체 (root trunk) 길이	치근 길이–치근 본체 길이
상악 제1대구치	10.4 mm	7.9 mm	10.7 mm	13 mm	4.1 mm	8.9 mm
상악 제2대구치	9.8 mm	7.6 mm	10.7 mm	12.8 mm	4.2 mm	8.6 mm
하악 제1대구치	11.4 mm	9.2 mm	9.0 mm	13.5 mm	3.27 mm	10.23 mm
하악 제2대구치	10.8 mm	9.1 mm	8.8 mm	13.5 mm	3.28 mm	10.22 mm

대구치 부위는 기본적으로 발치와의 근원심, 협설폭이 크기 때문에 치아 관통부에서는 임플란트의 일차 안정을 얻기가 불가능하고 치간골이나 발치와의 근단측에서만 고정을 얻을 수 있다. 따라서 다음의 경우에는 발치 후 즉시 임플란트 식립이 불가능하고 3–4형 임플란트 식립을 고려해야만 한다(**사진 4–72**).

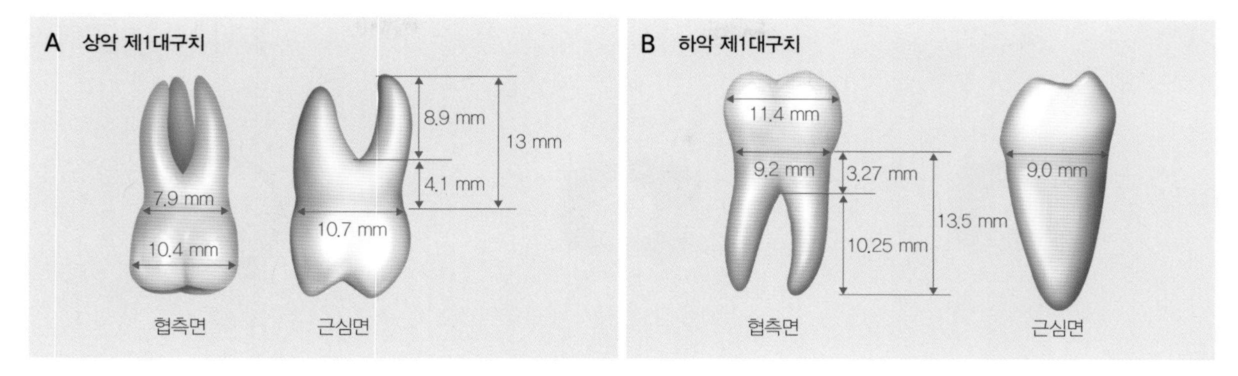

4-71 상악 제1대구치(A)와 하악 제1대구치(B)의 평균적인 치근 크기

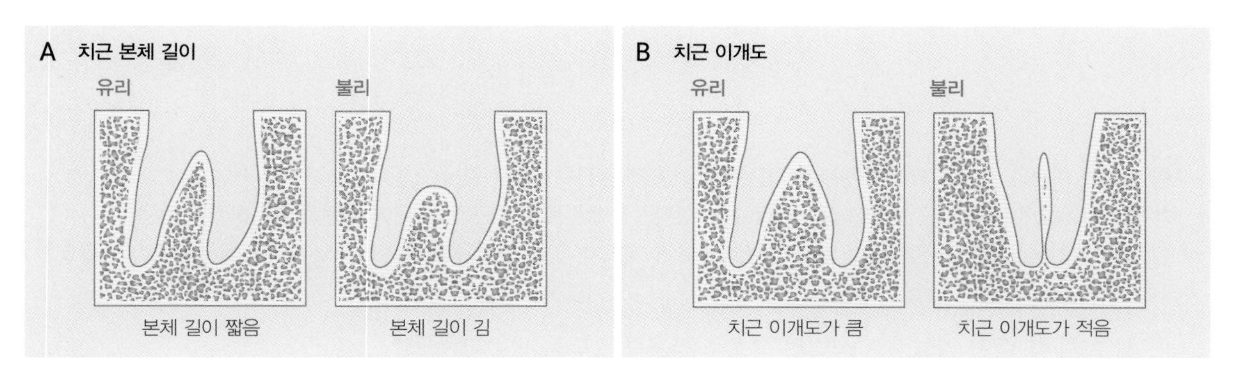

4-72 다근치인 대구치에서는 치근의 여러 가지 해부학적 변이도가 임플란트 즉시 식립 시 일차 안정이나 수술의 난이도에 영향을 미칠 수 있다.
A. 치근 본체 길이가 길면 임플란트의 안정을 얻을 수 있는 골부위의 높이가 짧아진다. 따라서 치근 본체 길이가 짧거나 치근 이개부가 치관측에 위치하면 더 유리하다. **B.** 치근 이개도 또한 발치 후 즉시 식립 임플란트의 일차 안정에 영향을 미친다. 치근 이개도가 적으면 치근간골이 작아지기 때문에 일차 안정을 얻기 힘들어진다. 따라서 치근의 이개도가 클수록 더 유리해진다.

① 치근 이개도가 적다.
② 치근 본체가 길다.
③ 심한 치주 질환으로 인해, 혹은 원래 해부학적으로 치근간 이개도가 적어서 치근간 골이 결여되어 있다.
④ 하치조 신경이나 상악동저가 치근단과 인접해 있거나 접촉해 있다.

(2) 치근간 골의 크기와 형태에 따른 임플란트 식립 방법의 선택

Smith 등은 치근간 골 내에 임플란트를 얼마나 위치시킬 수 있는가에 따라 발치와를 A, B, C 등 세 가지로 나누고 그에 따른 치료 방법을 제시했다.[171] 물론 이들의 방법이 표준적인 프로토콜은 아니지만 이에 대해서 간략히 설명하면 다음과 같다(**4-73**).

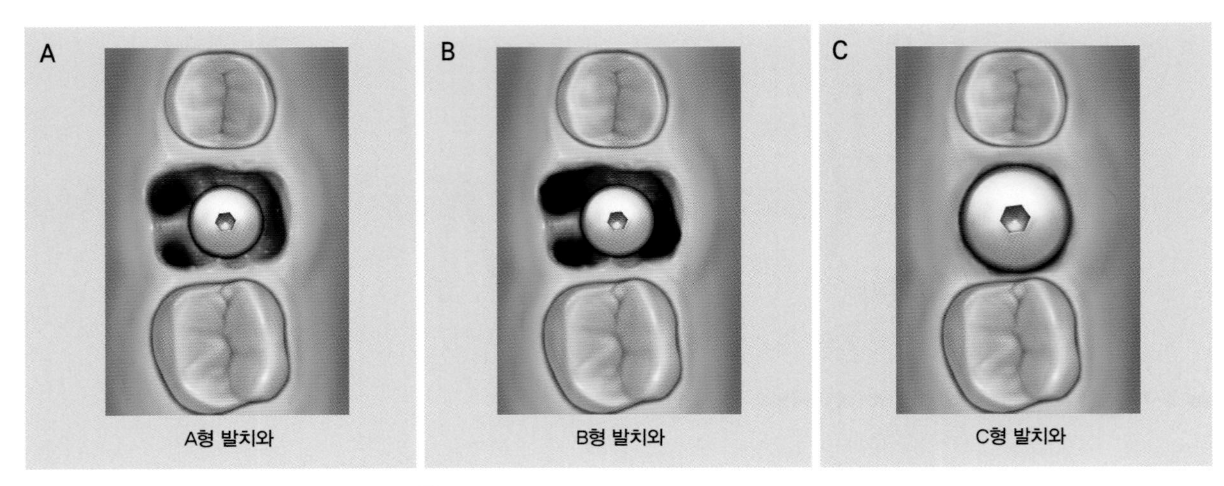

4-73 **Smith 등의 대구치 발치와 구분법**[171]

- A형 발치와 치근간 골이 커서 임플란트를 치근간 골 내부에 완전히 포함시킬 수 있음
- B형 발치와 임플란트를 치근간 골에 고정시킬 수는 있지만 임플란트가 치근간 골 내에 완전히 위치하지는 않음
- C형 발치와 치근간 골에서 임플란트 일차 안정을 얻을 수 없으며 일차 안정을 위해선 발치와 수직벽에서의 지지가 필요함

대구치 발치 후 즉시 임플란트 식립의 국소적 적응증은 다음과 같다.[173,174]

① 발치의 원인이 수복 불가능한 치아 우식증, 치근 파절, 근관 치료 실패이다.
② 발치와 골벽이 모두 건전하다.
③ 치근간 골(inter–radicular bone)이 건전하다.

여기서 중요한 점은, 임플란트를 보철적으로 이상적인 위치에 식립하기에 적합한 잔존골이 남아있는가이다.[174]

3) 수술 과정

여기에서는 Smith 등의 기본적인 과정과 저자의 경험을 기초로 대구치에서의 즉시 식립 과정에 대해 설명해 보도록 하겠다(4-74, 75).[171]

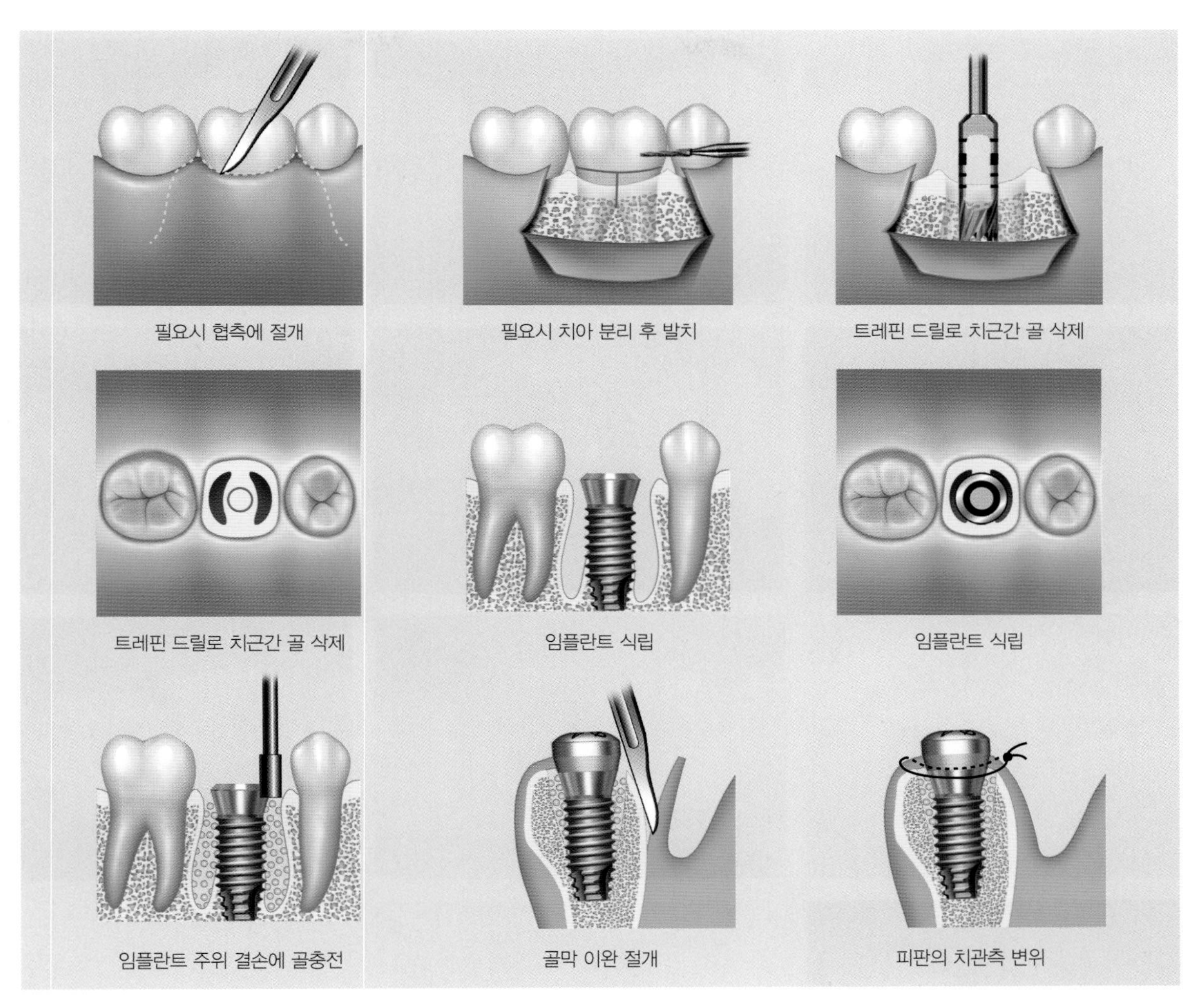

4-74 대구치 부위에서 발치 후 즉시 임플란트 식립 술식의 일반적인 과정

(1) 절개 및 피판 거상

몇몇 임상가들은 최소한의 외상을 위해 무피판 수술을 권유하지만[171,176] 전치부나 소구치부에서와 달리 대구치 부위는 치아 관통부의 폭이 크기 때문에 많은 임상가들은 충분한 협측 피판을 거상하고 수술 완료 후 협측 피판을 치관측으로 전위시켜 치유 지대주나 임시 수복물에 밀접하게 접촉되도록 할 것을 추천한다(4-76).[172,174,177]

(2) 비외상성 발치

치아의 동요도가 충분하면 치아 분리 없이 발치하지만, 동요도가 크지 않은 치아를 발치하려면 발치와 골벽과 치근간 골의 손상을 막기 위해 치아를 분리해준다. 보통 치관을 먼저 절제하고나서 개별 치근을 버로 분리해주고 각각 제거한다.

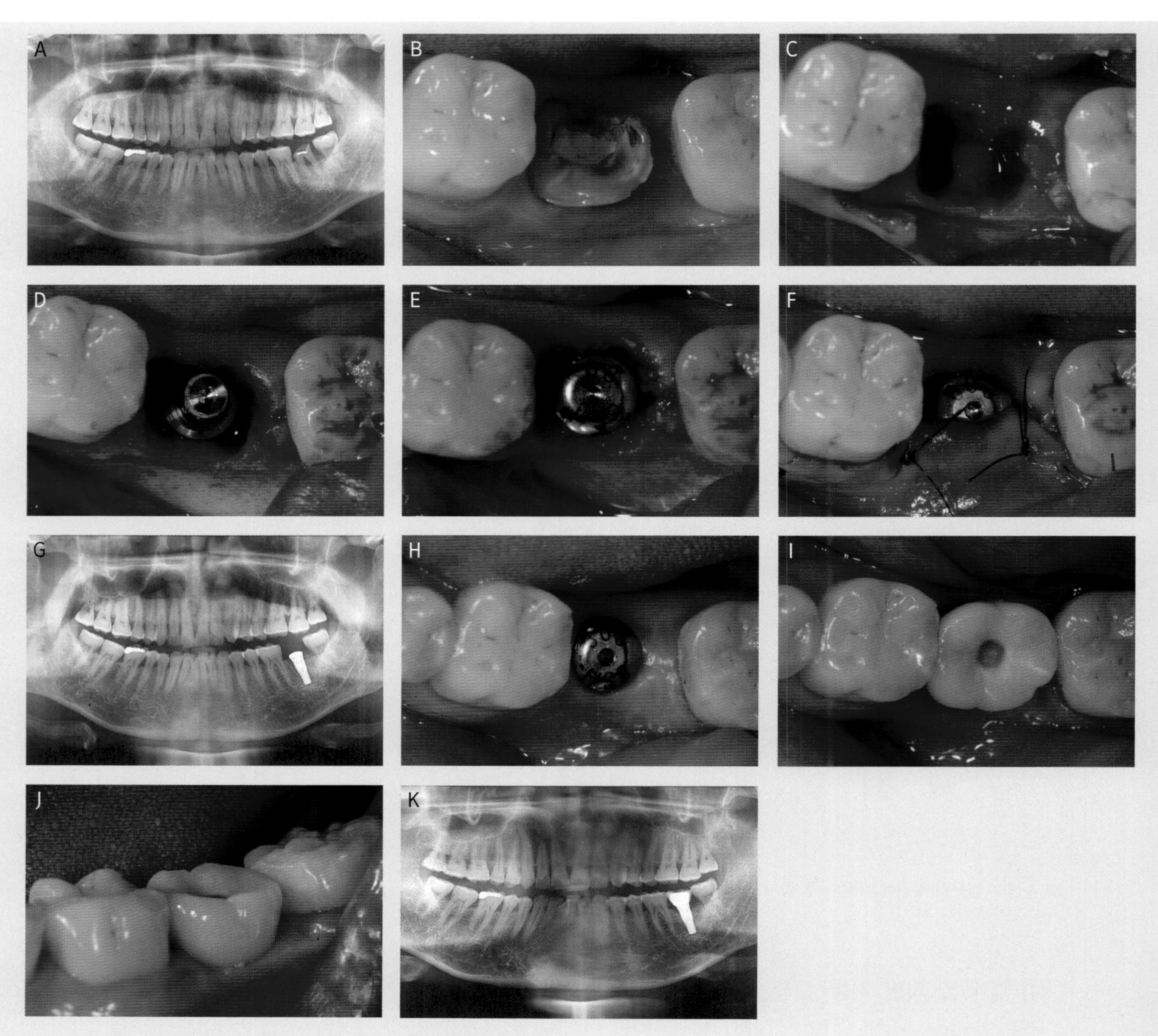

4-75 하악 좌측 제2대구치를 발거하고 즉시 임플란트를 식립했다.

A~G. 수복 불가능한 제2대구치를 근원심으로 분리한 후 발거했다**(B, C)**. Smith 분류 상 B형 발치와이다. 트레핀 드릴로 치근간 골에 골삭제를 시행한 후 임플란트를 식립했다**(D)**. 동종골 이식재를 임플란트 주위 결손에 삽입한 후**(E)** 협측 피판에 골막 이완 절개를 가하고 피판 변연을 치유 지대주 주위로 밀접하게 접하도록 폐쇄했다**(F)**.

H. 대략 7개월 1주 후 최종 보철물을 연결했다. **H**는 보철물 연결 직전 상태로, 수술부 점막은 건강하게 치유되어 있다. **I**와 **J**는 보철물 연결 직후 소견이다.

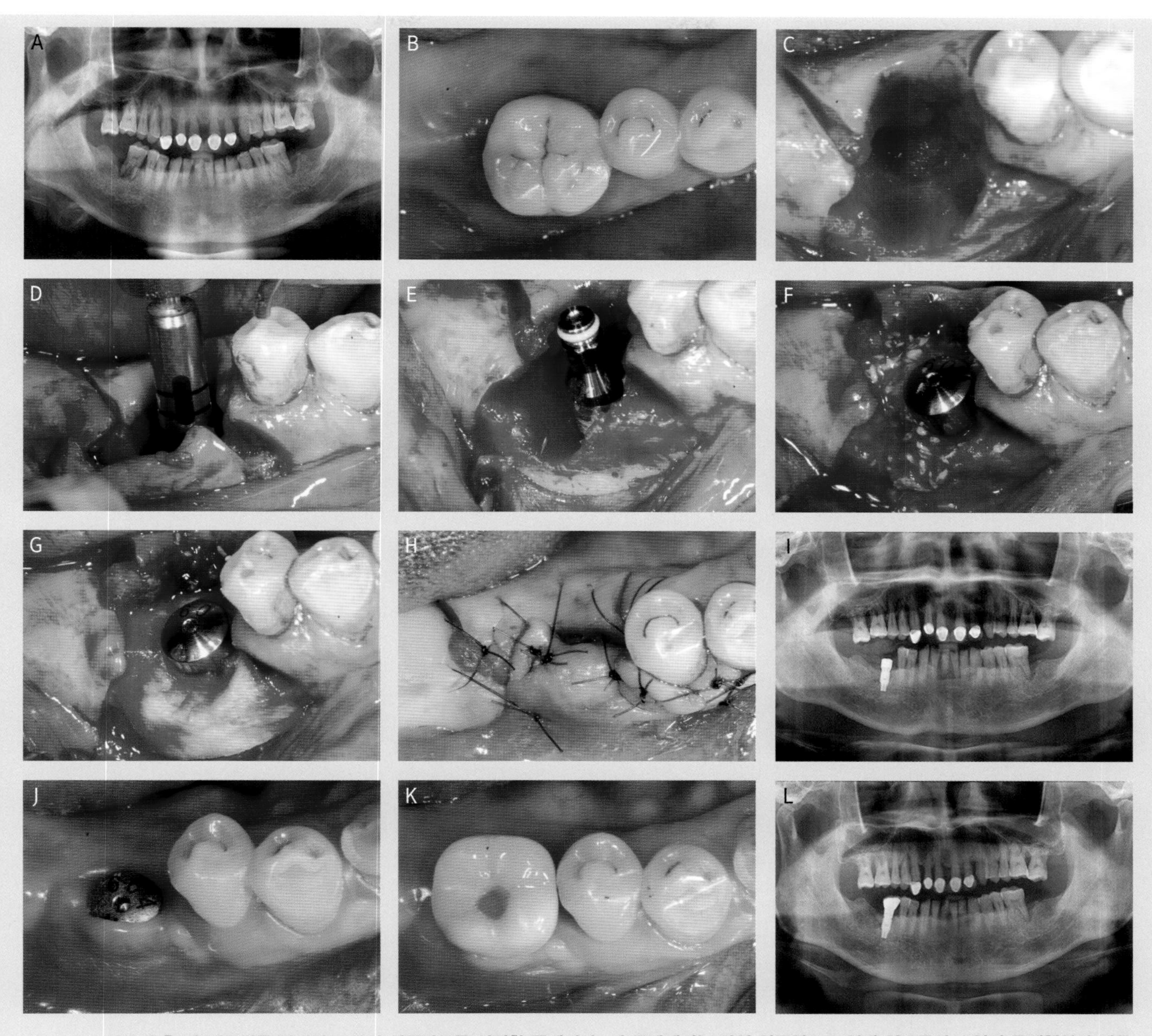

4-76 하악 우측 제1대구치를 발거하고 즉시 임플란트를 식립한 증례이다. 이 증례에서는 만성 치주염으로 인해 치조골의 소실이 존재했었기 때문에 지연 식립이 더 유리한 측면이 있었지만 환자의 요구가 있었고 일차 안정을 얻는데 큰 문제가 없었기 때문에 즉시 식립을 시행했다.
A~I. 치주염으로 인해 특히 원심측 골의 소실이 심했고 치근간 골은 모두 상실되어 있었다**(A, C)**. 그러나 치근단부 하방에서 하악관까지의 거리가 충분했기 때문에 여기에서 일차 안정을 얻을 수 있었다**(E)**. 임플란트 식립 후 원심측 골결손과 임플란트 주위 결손을 동종골 이식재로 충전했다**(F)**. 이 증례에서는 원심측 결손의 양이 많았기 때문에 차폐막을 적용했다**(G)**. 이후 점막을 치유 지대주 주위로 최대한 밀접하게 치관측으로 변위시켜 폐쇄했다**(H)**.
J~L. 약 4.5개월 후 최종 보철물을 연결했다. 치관측 골의 상실로 인해 치관-임플란트비가 커지긴 했지만 1:1에는 미치지 못했으며 수술부는 정상적으로 잘 치유되어 있었다.

(3) 임플란트의 선택과 식립

보철적인 면을 고려했을 때 임플란트의 식립 위치는 근원심, 협설의 관점에서 중앙부에 식립하는 것이 유리하다. 따라서 임플란트는 가능하다면 개별 치근 부위보다는 치근간 골에 식립하는 것이 원칙이다(**4-77**). 그러나 개별 증례에 따른 발치한 치아 치근의 형태/위치/길이/각도, 발치와 상태, 인접 자연치와의 관계 등에 따라 치근간 골보다는 단일 치근 부위에 식립하는 것이 유리할 수도 있다(**4-78~81**). 치근간 골이 아닌 단일 치근 부위에 임플란트를 식립할 때에는 단일치 발치와에 즉시 임플란트를 식립할 때와 비슷한 원리에 따라 골 삭제를 시행한다.

- A형과 B형 발치와에서는 임플란트의 수직적 위치는 보통 치근간 골의 치관측 상단을 기준으로 결정한다. 임플란트의 치관측 변연은 치근간 골의 치관측 변연 높이에 일치하도록 식립한다. 치근 본체의 높이는 3-4 mm 정도이고 치조골정은 법랑상아 경계보다 대략 1 mm 정도 근단측에 위치하므로, 임플란트의 치관측 변연 높이는 치조골정보다 2-3 mm 정도 하방에 위치하게 된다. 이때 식립하는 임플란트의 폭은 4-5 mm이며, 대구치에서의 출현 윤곽을 고려했을 때 이는 적절한 식립 깊이가 될 수 있다(**4-82**).
- C형 발치와에서는 치근간 골에서 임플란트의 안정을 얻을 수 없기 때문에 발치와 수직벽에서 안정을 얻기 위해 6 mm 이상의 초광폭 임플란트(ultra-wide implant) 식립이 필요하다. 이때에는 치근간 골의 높이에 구애받을 필요가 없으며 임플란트 보철물의 폭과 임플란트의 폭에 차이가 적으므로 임플란트 식립 깊이는 좀 더 치관측으로, 즉 치조골정에서 1-2 mm 근단측에 위치시킬 수 있다(**4-83**).

사용하는 임플란트의 길이는 치근간 골의 높이와 치근단 하방의 해부학적 구조물을 고려하여 선택한다. A형과 B형 발치와에 임플란트를 식립할 때에는 치근단보다 더 근단측에서 일차 안정을 얻을 필요가 없기 때문에 굳이 아주 긴 길이의 임플란트를 식립할 필요는 없다. 한편 C형 발치와에서는 발치와 수직벽과 치근단 측에서 충분한 일차 안정을 얻어야 하기 때문에 치근단보다 더 하방의 치조골 4-5 mm에서 일차 안정을 얻을 수 있도록 충분히 긴 임플란트를 식립해야 한다. 이는 13-15 mm 길이의 아주 긴 임플란트를 사용해야 할 수도 있음을 뜻한다(**4-83, 84**).[172]

임플란트 식립을 위한 골삭제는 일반적인 과정을 따라서 일련의 트위스트 드릴을 순차적으로 사용하거나, 트레핀 드릴로 한 번에 실행할 수 있다(**4-85**). 단, 트레핀 드릴은 적용이 어렵기 때문에 어느 정도의 경험을 요한다(**4-86**). 상악에서는 오스테오톰을 이용하여 순차적으로 치근간 골을 확장시키는 술식을 사용하기도 한다.[174] 치근간 골에 임플란트 식립이 어려울 때에는 상악에서는 구개 치근, 하악에서는 근심이나 원심 치근에 임플란트 식립을 할 수도 있다.[178] 그러나 이러한 경우에는 보철물의 협측이나 근/원심에 심한 ridge lap이 형성될 수 있으므로 치근의 위치와 방향에 따라 신중히 수행해야 한다(**4-87**).[171]

앞서 설명했듯이, 대구치부에서는 발치 후 즉시 임플란트를 식립하면 충분한 일차 안정을 얻기 힘들 수가 있다. 따라서 일차 안정의 정도가 의심스럽다면 3형(12-16주)이나 4형(6개월 이상) 식립 프로토콜로 전환한다. 이때 술자의 판단에 따라 치조제 보존술을 시행하거나 시행하지 않는다. 대구치에서는 치조골의 크기가 충분히

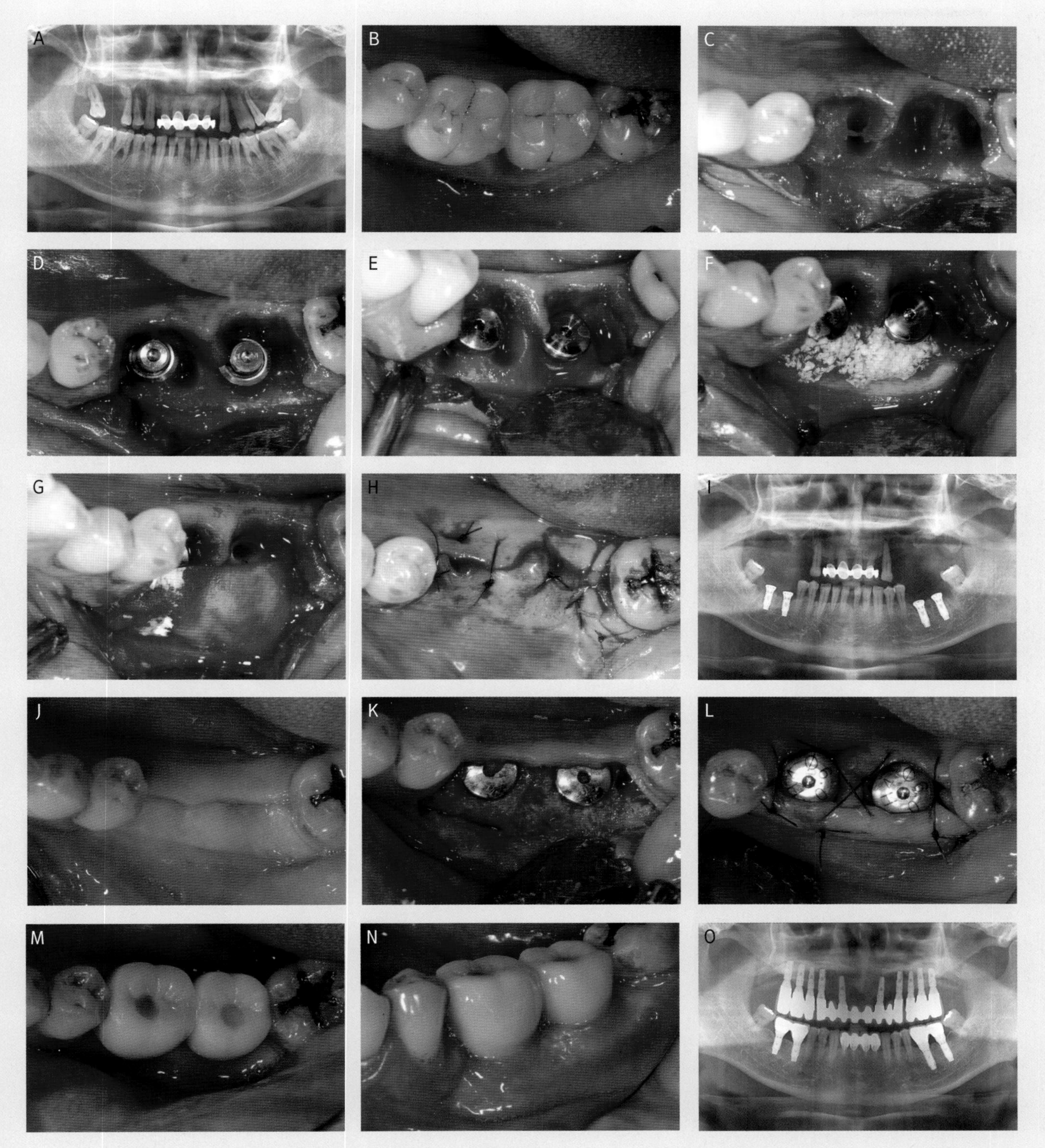

📷 4-77 상악 전악과 하악 양측 대구치를 발거하고 임플란트로 수복한 증례이다. 📷 4-77에서는 하악 좌측 대구치에서 발치 후 즉시 임플란트를 식립했던 증례를 다루도록 한다.

A~I. 만성 치주염으로 인해 치근간 골은 그 높이를 상당히 많이 상실했다**(A)**. 치아 발거 후 발치와는 Smith 분류 상 B형 발치와였다**(C)**. 보철적으로 이상적인 위치를 찾아, 제1대구치 부위의 임플란트는 치근간 골에, 제2대구치 부위의 임플란트는 근심 치근 부위에 식립했다**(D)**. 임플란트 주위 결손 및 협측 치조골 외측에 이종골 이식재를 적용했다**(E, F)**. 발치와 외측으로도 골이식재를 적용했기 때문에 차폐막으로 이를 피개한 후 수술부를 폐쇄했다**(G, H)**. 점막 관통형 임플란트를 사용했기에 피판을 일부러 일차 폐쇄한 것은 아니었지만 장력이 완전히 제거되어 봉합 시 자연스럽게 일차 폐쇄가 이루어졌다.

J~L. 수술부가 완전히 폐쇄됐기 때문에 3개월 1주 후 2차 수술을 시행했다. 수술 후 아직 이식골의 성숙을 위해 충분한 기간이 부여되지는 않았지만 골 치유는 정상적으로 이루어지고 있었다**(K)**.

M~O. 2차 수술 후 약 2개월이 경과했을 때 보철물을 연결했다. 사진은 보철 부하 1개월 후 소견이다.

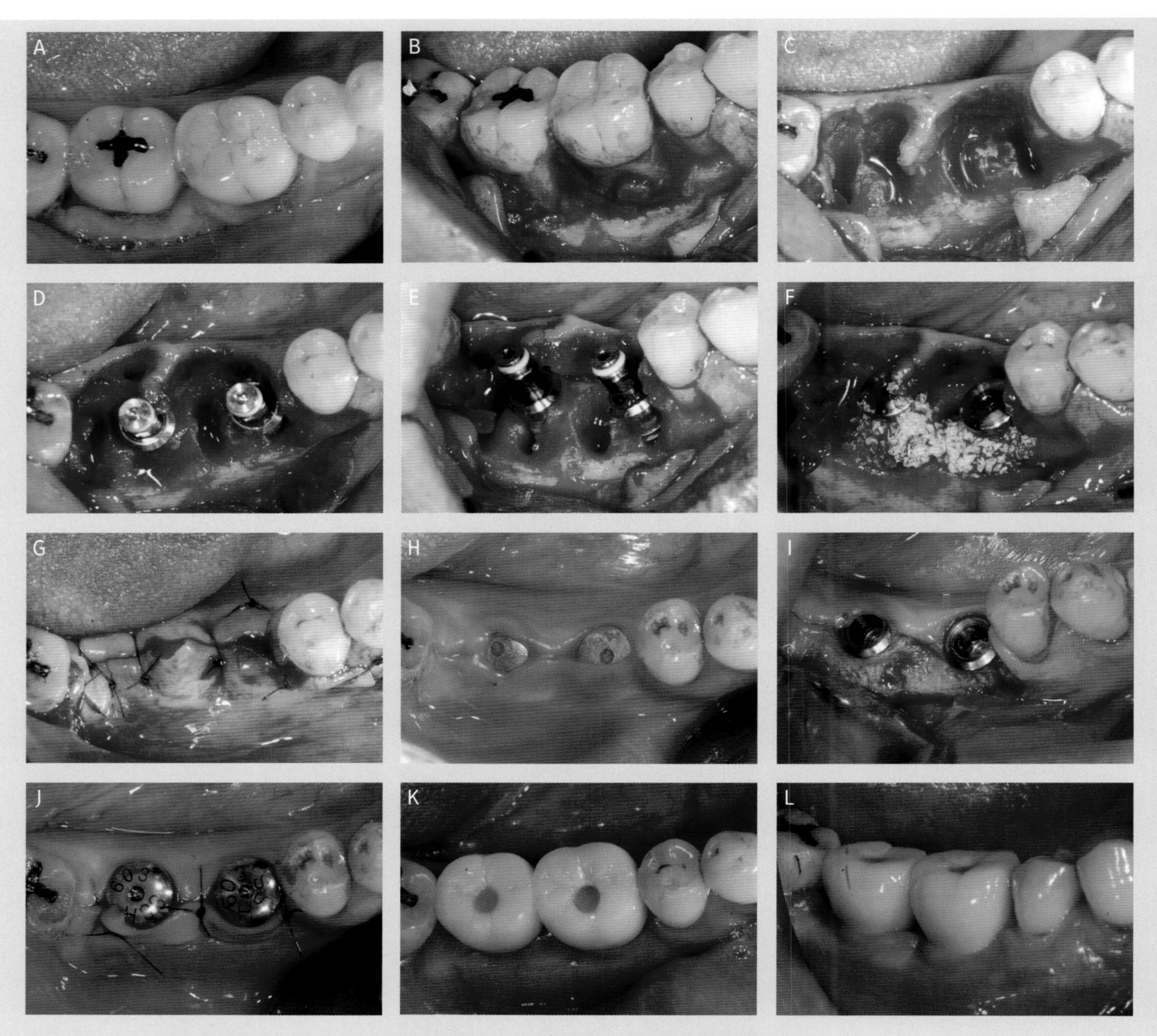

4-78 4-77과 같은 환자의 증례로 하악 우측 대구치 부위에 발치 후 즉시 임플란트를 식립했었다.

A~G. 에서 보았던 하악 좌측과 거의 동일한 상태였다. 두 치아의 근심 치근 부위에 임플란트를 식립하는 것이 보철적으로 더 유리하다고 판단되었다 **(C~E)**. 임플란트 주위 결손과 열개 결손부를 이종골 이식재와 교원질 차폐막으로 수복해 주었다**(E, F)**. 수술부는 역시 의도치 않았지만 일차 폐쇄가 이루어졌다.

H~J. 3개월 1주 후 2차 수술을 시행하면서 골증강부의 상태를 확인했다.

K~L. 보철 부하 1개월 후의 상태이다. Access hole의 위치를 보면 임플란트의 위치가 이상적인 위치에 가깝다는 사실을 알 수 있다.

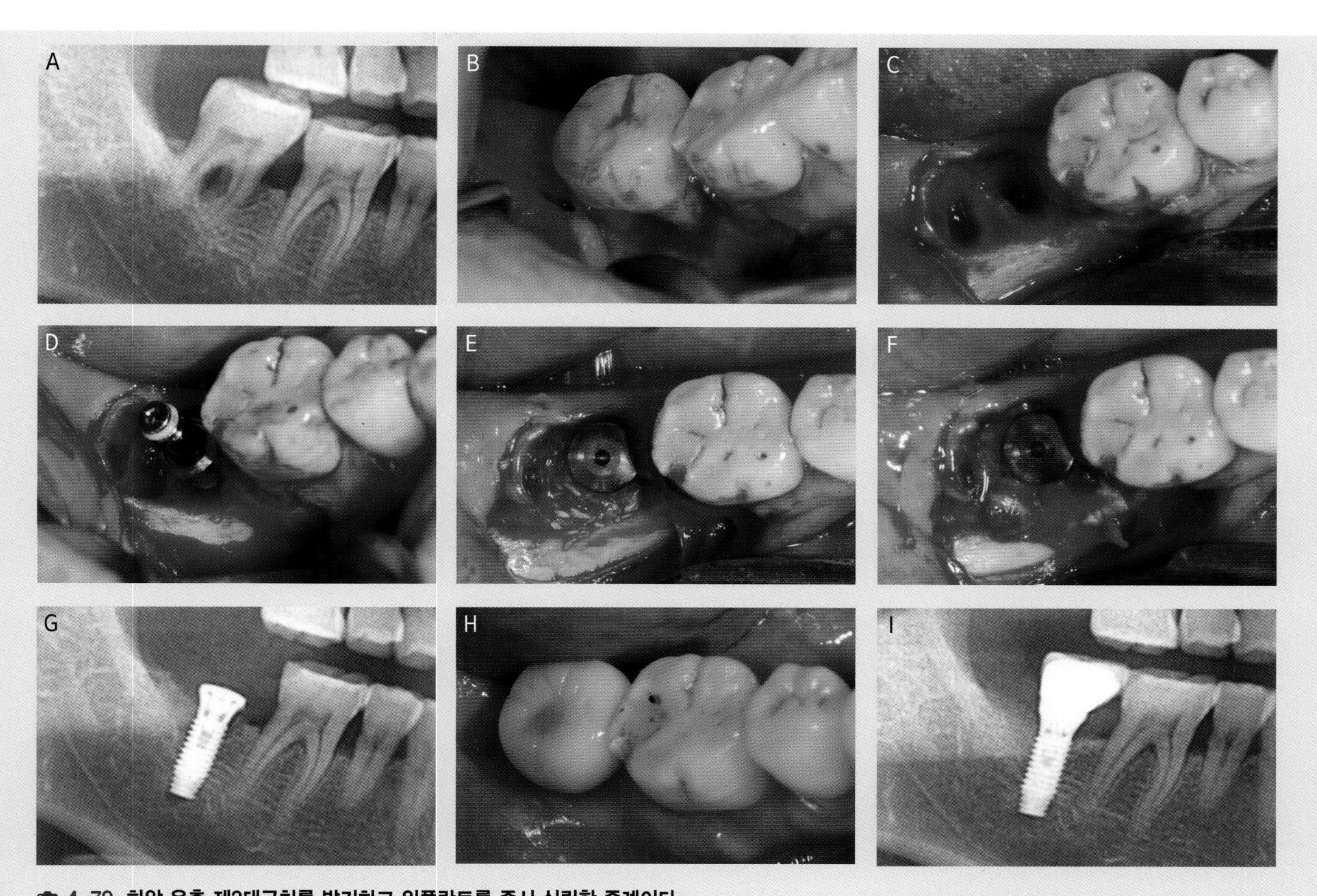

4-79 하악 우측 제2대구치를 발거하고 임플란트를 즉시 식립한 증례이다.
A~G. 이 증례에서도 근심 치근 부위에 임플란트를 식립했다**(C, D)**. 치조골의 파괴가 어느 정도 존재했기 때문에 골이식재로 골결손부와 임플란트 주위 결손을 수복해 주었다**(E)**. 역시 발치와 외부로 골이식재를 적용했기 때문에 교차결합 교원질 차폐막을 적용한 후 수술부를 폐쇄했다.
H~I. 6개월 1주 후 보철물을 연결했다. 수술부는 임상적, 방사선학적으로 잘 치유된 양상을 보였다.

크고, 3형이나 4형 임플란트 식립 시 치조골이 부족하면 골증강술을 동시에 시행하여 충분히 극복할 수 있기 때문에 대구치에서 치조제 보존술은 일반화된 술식은 아니라는 점은 언급하도록 하겠다.

또한 C형 발치와에서 초광폭 임플란트를 식립하려면 임플란트의 골유착 실패라는 상당한 위험을 감수해야 한다. 앞서 인용했던 체계적 문헌고찰에서는 대구치에서 즉시 식립을 시행했을 때 4–6 mm 직경의 임플란트는 1.45%의 실패를 보였던 반면, 6 mm를 초과하는 임플란트는 3.67%의 실패를 보였고 이는 유의한 차이를 보이는 것이었다고 보고했다.[174] 더구나 대구치에서는 치조제 보존술을 시행하더라도 수평적으로 상당한 양의 골감소를 보인다. 한 무작위 대조 연구에 의하면 치조제 보존술 4개월 후 치조정 높이에서 단근치부는 평균 1.6±1.2 mm, 대구치부는 평균 4.1±1.9 mm가 협설측으로 감소했다. 또한 협측골의 수직적 높이 또한 단근치

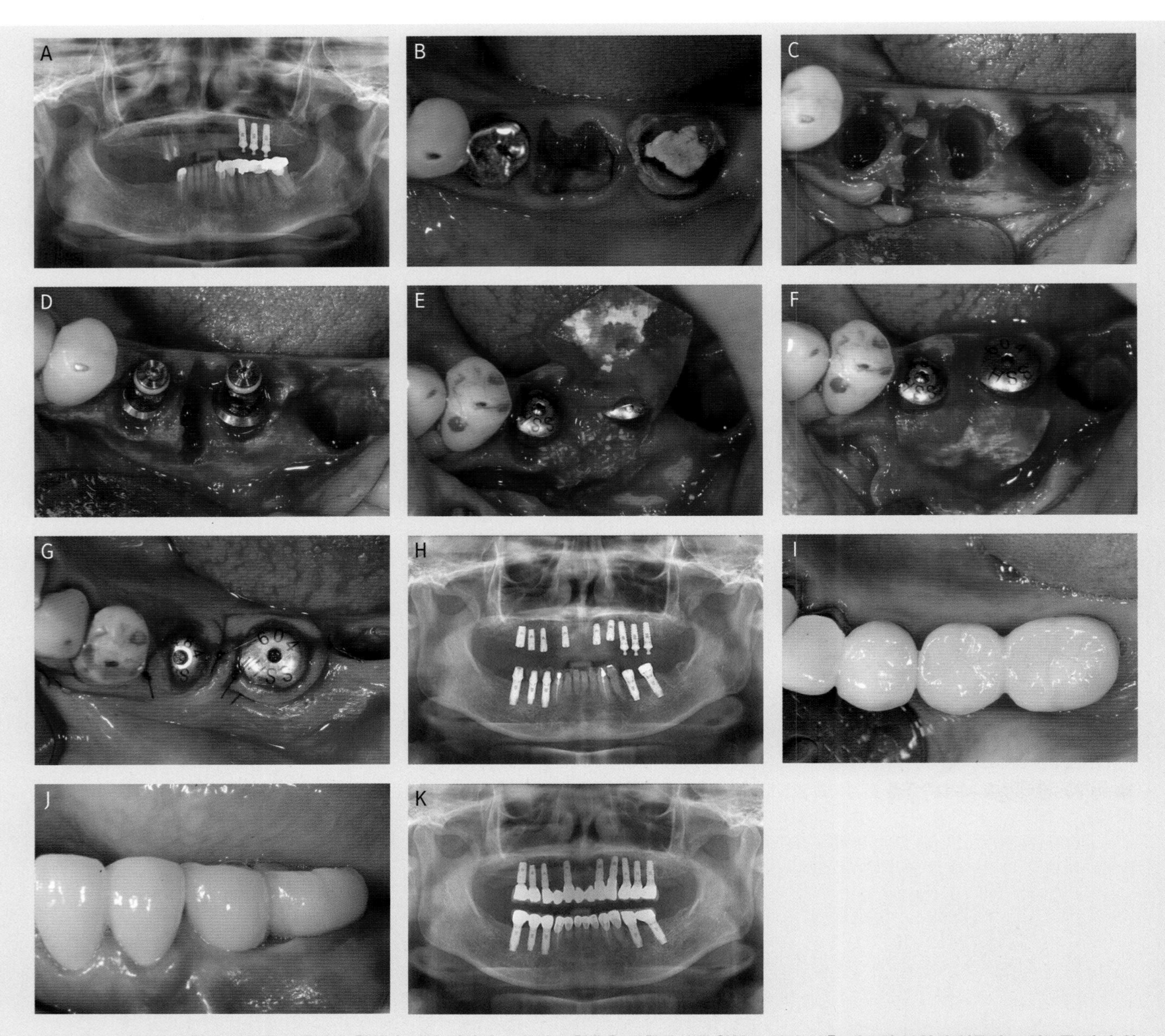

4-80 상악에 가철성 의치를 사용하던 환자가 상악 전악에 고정성 보철물을 장착하기를 원했고 하악 양측 대구치 부위에 임플란트 치료를 받기 위해 내원하였다. 하악 좌측 제2소구치, 제1대구치 제2대구치는 발거한 후 제2소구치와 제1대구치 부위에 즉시 임플란트를 식립했다.

A~H. 하악 좌측 구치부 치아를 발거하고 즉시 임플란트를 식립했다. 제1대구치 부위에서는 치근간 골이 매우 얇아서 여기에 임플란트를 식립해서는 일차 안정을 얻기가 힘들었다**(A~C)**. 게다가 발치 중 제1대구치 근심 치근 협측 치조골이 손상됐기 때문에 원심 치근 부위에 임플란트를 식립했다**(D)**. 임플란트 주위 결손과 제1대구치 근심 치근 발치와, 그리고 협측골 외측에 동종골 이식재를 적용한 후 천연 교원질 차폐막을 적용했다**(E~F)**. 수술부 피판은 치유 지대주 주위로 밀접하게 접촉시킨 채 폐쇄했다**(G)**. 상악의 임플란트는 하악 좌측 임플란트보다 2개월 전에 식립한 것이다**(H)**.

I~K. 2개월 3주 후 최종 보철물을 연결했다.

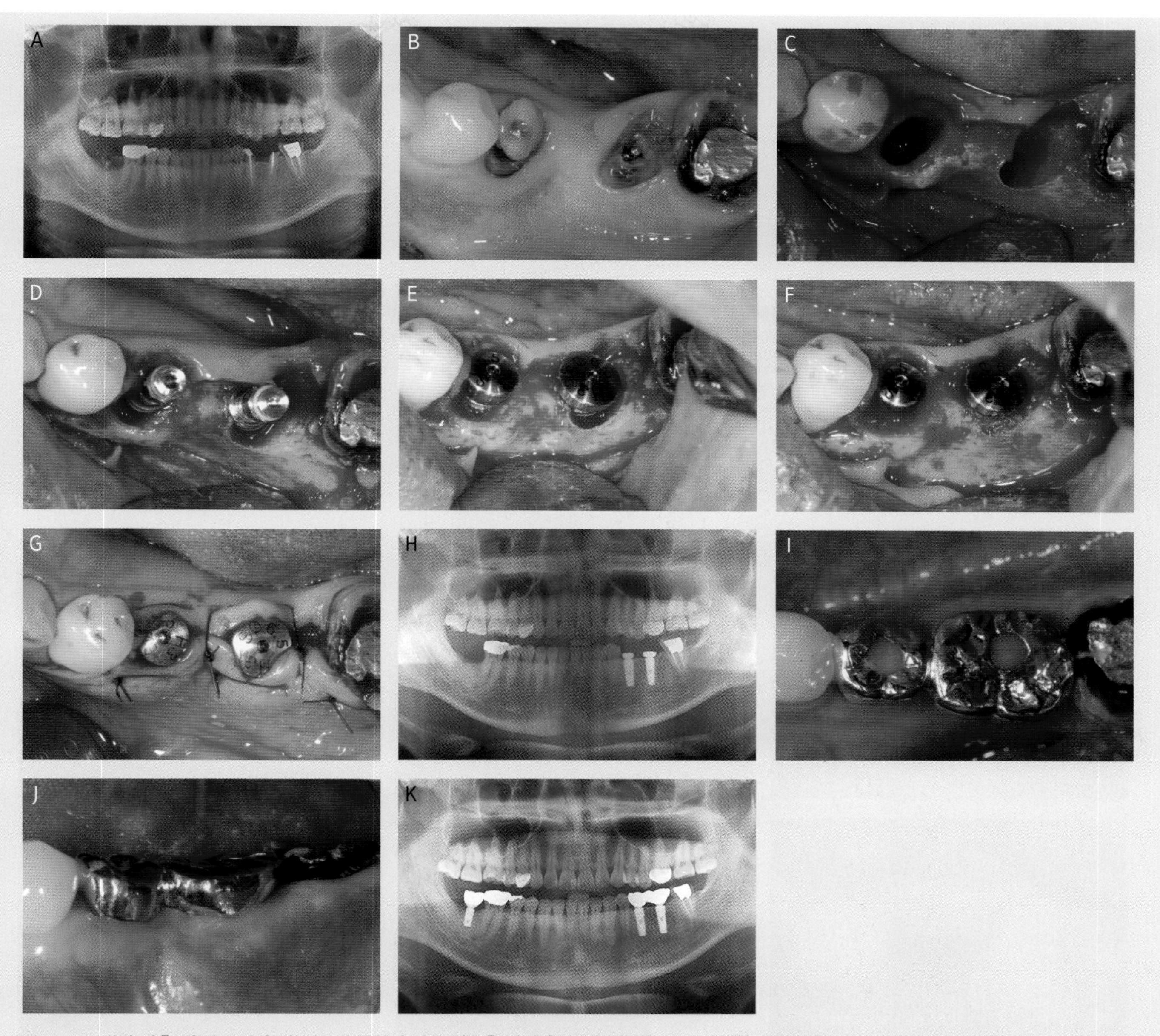

4-81 하악 좌측 제2소구치와 제1대구치 부위의 잔존 치근을 발거하고 임플란트를 즉시 식립한 증례이다.

A~H. 잔존 치근 발거 후 임플란트를 즉시 식립했다. 제1대구치 부위의 치근은 하나만 잔존해 있었기 때문에 단근치와 동일한 원리 하에 임플란트를 식립할 수 있었다**(C~E)**. 임플란트 주위 결손에만 골이식재를 적용한 후**(F)** 차폐막을 적용하지 않고 점막을 치유 지대주 주위로 폐쇄했다**(G)**.

I~K. 임플란트 식립 4개월 후 최종 보철물을 장착했다. 사진은 보철물 연결 2개월 후이다.

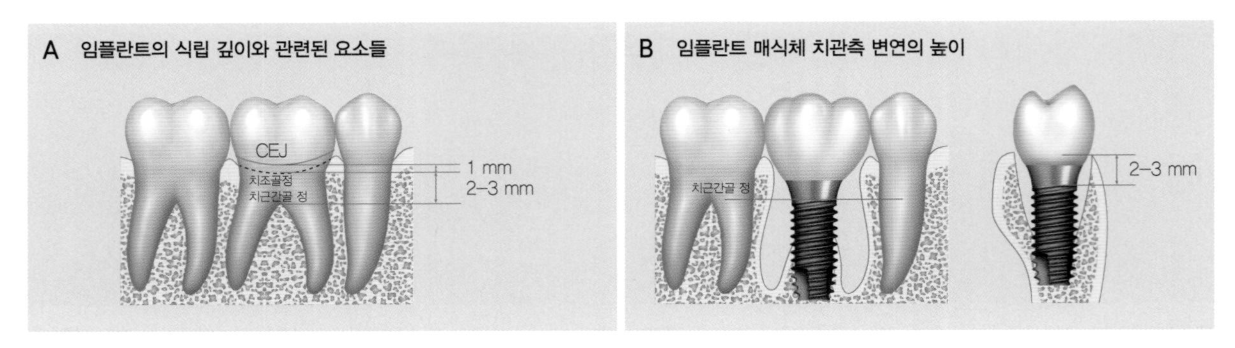

4-82 대구치 부위에서 발치 후 즉시 임플란트를 식립할 때에는 매식체를 약간 깊게 삽입한다.

A. A형과 B형 발치와에서는 임플란트의 수직적 위치는 보통 치근간 골의 치관측 상단을 기준으로 결정한다. 임플란트의 치관측 변연은 치근간 골의 치관측 변연 높이에 일치하도록 식립한다. 치근 본체의 높이는 3-4 mm 정도이고 치조골정은 법랑 상아 경계보다 대략 1 mm 정도 근단측에 위치하므로, 임플란트의 치관측 변연 높이는 치조골정보다 2-3 mm 정도 하방에 위치하게 된다. **B.** 임플란트 매식체의 치관측 변연이 치조골정보다 2-3 mm 치근단측에 위치하면 향후 치조골의 수직적 높이 감소에 대응할 수 있으며, 대구치에서 적절한 출현 윤곽을 얻을 수 있다.

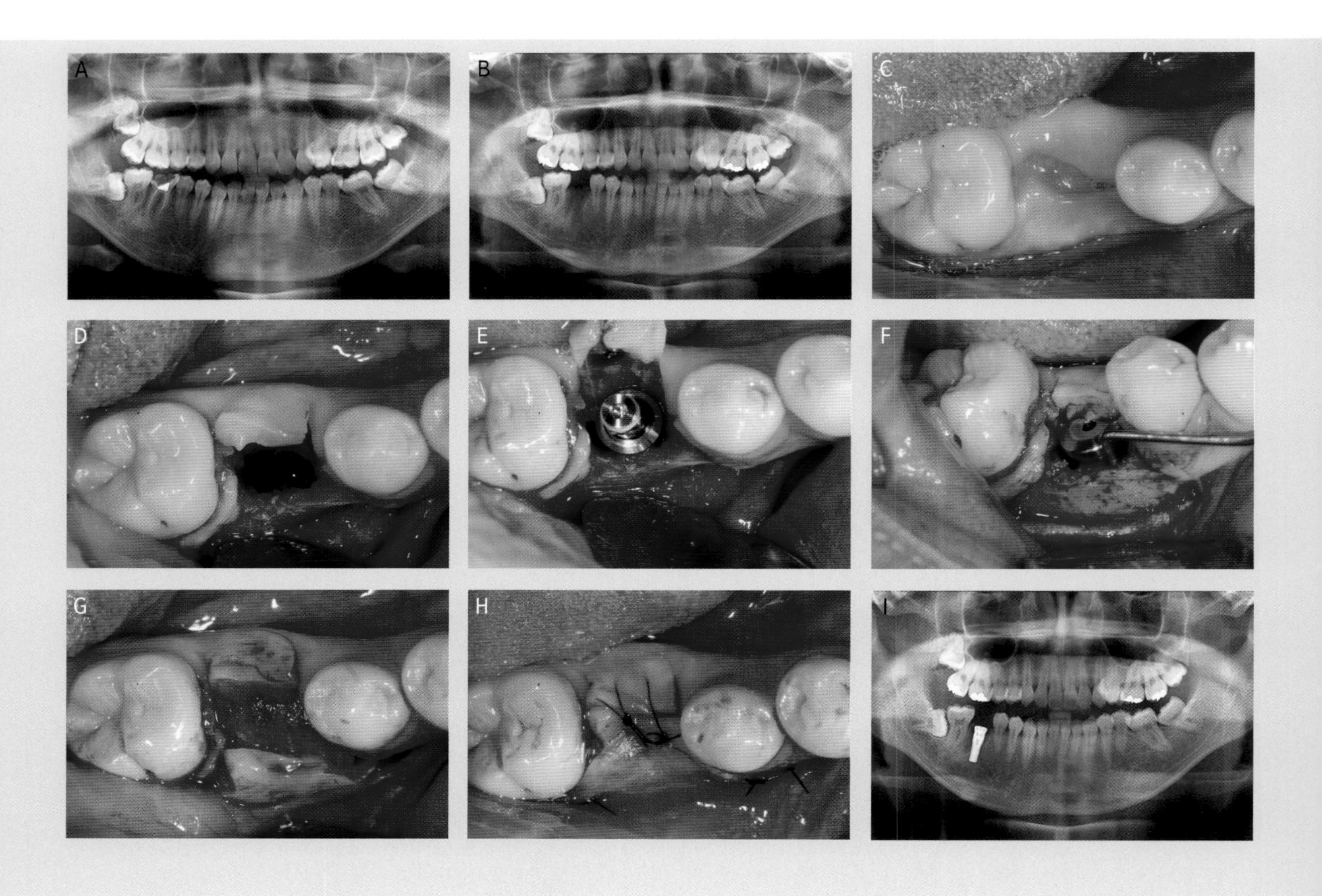

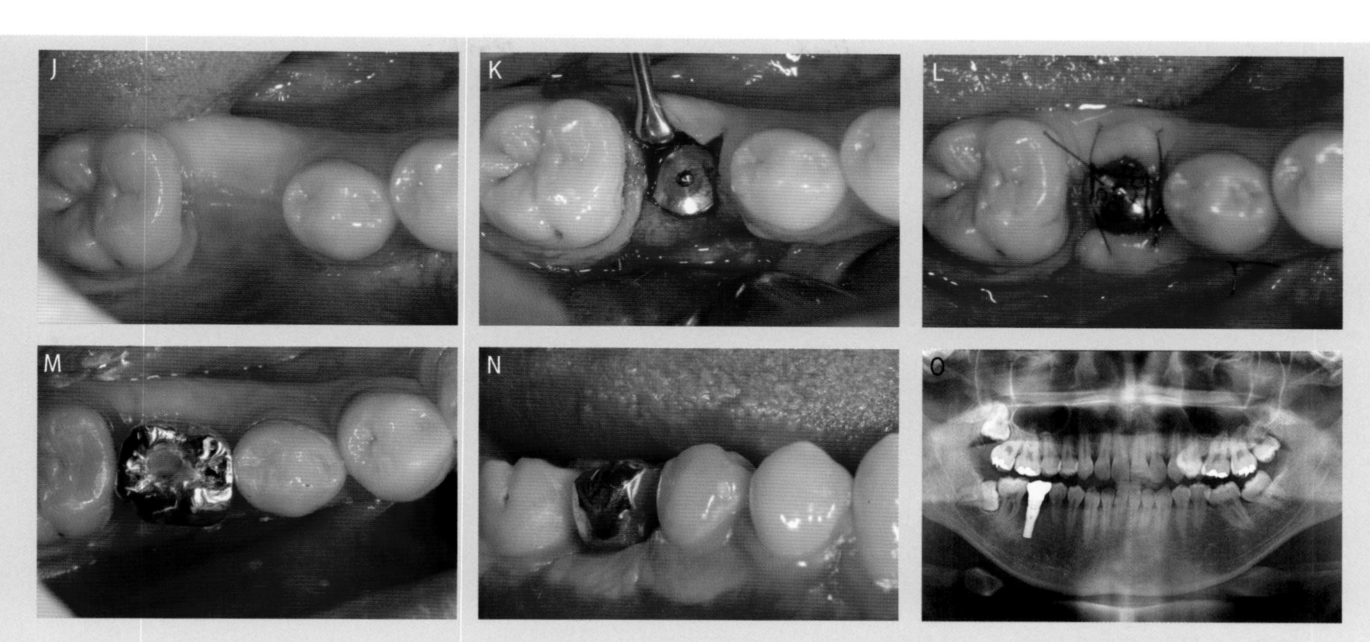

4-83 이 증례에서는 발치 후 즉시 임플란트를 식립하진 않았지만 치근 이개도가 적은 하악 대구치를 발거하고 6주 후에 임플란트를 식립했다. 치근간 골은 소실되어 있었기 때문에 C형 발치와에 임플란트를 식립할 때와 비슷하게 발치와 수직벽에서 일차 안정을 얻기 위해 초광폭 임플란트(6 mm 직경)를 식립했다.

A~I. 하악 우측 제1대구치를 발거하고 연조직의 치유 기간을 부여한 후 임플란트를 식립했다**(C)**. 피판 거상 후 넓게 잔존한 발치와를 관찰할 수 있었다**(D)**. 초광폭 임플란트를 식립하여 잔존골의 수직벽과 치근단 부위에서 일차 안정을 얻었다**(E)**. 임플란트 식립 후 남은 임플란트 주위 결손은 자발적인 충전을 기대할 수 있었기 때문에 골이식재를 적용하지 않고 흡수성 차폐막만 적용했다**(E~G)**. 지금 다시 이 증례를 다룬다면 협측골의 흡수를 최소화하기 위해 반대로 차폐막 없이 골이식재만 적용할 것 같다.

J~L. 4.5개월 정도 후에 2차 수술을 시행했다. 임플란트 주위 결손은 신생골로 완전히 충전되어 있었다**(K)**.

M~O. 약 1.5개월 후 최종 보철물을 연결했다.

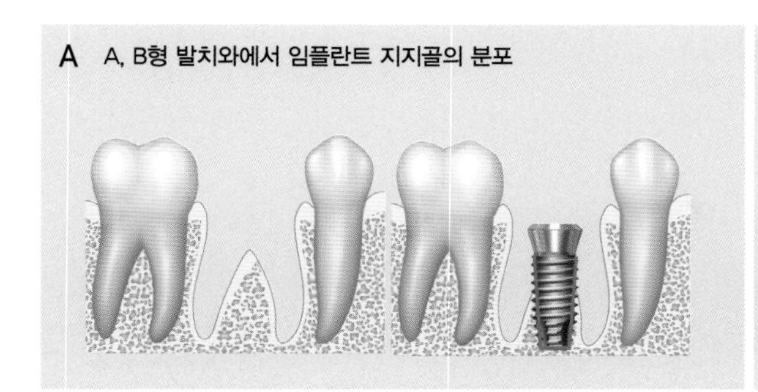

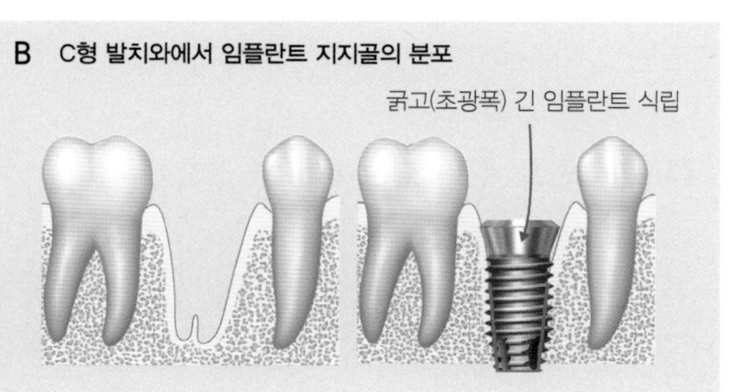

4-84 대구치부에서 발치 후 즉시 임플란트 식립 시 임플란트 직경과 길이의 선택

A. A, B형 발치와에서는 치근간 골과 그 하방의 치조골에서 충분한 일차 안정을 얻을 수 있다. 따라서 5 mm를 초과하는 직경을 가진 임플란트를 식립할 필요는 없다. 임플란트의 길이 또한 표준 길이(8–10 mm)를 초과할 필요는 없다. **B.** C형 발치와에서는 발치와 수직벽과 치근단 측에서 충분한 일차 안정을 얻어야 한다. 발치와 수직벽에서 일차 안정을 얻기 위해서는 6 mm 이상 직경의 초광폭 임플란트를 식립해야 한다. 또한 발치와 수직벽에서 얻는 일차 안정이 충분하지 못하면 치근단보다 더 하방의 치조골 4–5 mm에서 일차 안정을 얻을 수 있도록 충분히 긴 임플란트를 식립해야 한다. 이는 13–15 mm 길이의 아주 긴 임플란트를 사용해야 할 수도 있음을 뜻한다.

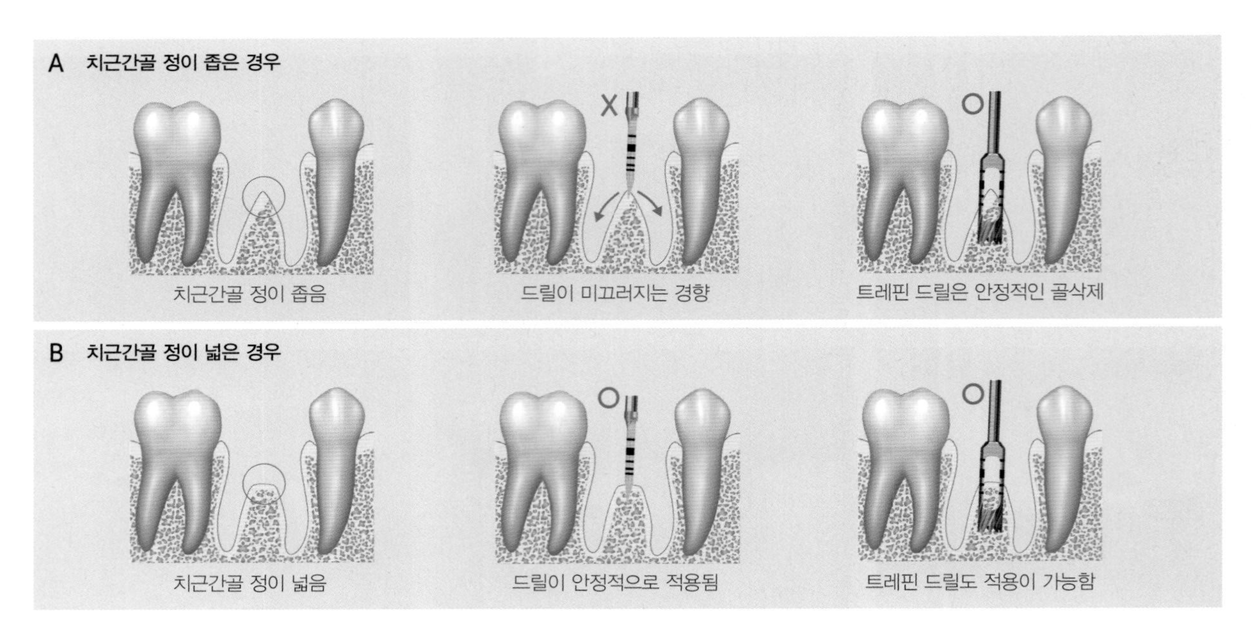

4-85 대구치 부위에서 발치 후 즉시 임플란트 식립 시 골삭제의 방법
A. 치근간골에 임플란트를 식립하는 경우에는 일련의 트위스트 드릴을 사용하는 일반적인 골삭제보다는 트레핀 드릴을 이용하여 골삭제를 시행한다. 트위스트 드릴이나 파일럿 드릴은 좁은 치근간골 정에서 미끄러지기 쉽기 때문이다. 트레핀 드릴은 사용 중 제 위치에서 벗어나기 쉬우므로 반대측 손으로 핸드피스를 함께 잡아주는 것이 좋다. **B.** 치근간골 정이 넓은 경우에는 파일럿 드릴과 트위스트 드릴을 이용한 일반적인 골삭제가 가능하다. 물론 트레핀 드릴도 적용할 수 있다.

부는 0.3±0.4 mm, 대구치부는 2.5±1.6 mm가 감소했다(**4-88**).[179] 따라서 초광폭 임플란트를 식립하면 장기적으로 봤을 때 임플란트 매식체가 치조골 외부로 열개될 가능성이 매우 높다고 할 수 있다(**4-89**). 이런 면에서 초광폭 임플란트가 대구치의 발치 후 즉시 식립을 위해 개발된 임플란트인 것은 맞지만 그 사용에 있어서는 신중을 기해야 할 것이다. 임플란트의 식립 깊이는 협측 치조정 높이보다 최소 1 mm, 충분히는 2 mm 이상 깊게 식립하는 것이 좋다. 위의 연구에서 언급된 바와 같이 대구치 치조골은 치조제 보존술을 시행하더라도 평균 2.5 mm가 수직적으로 감소하기 때문이다.[179,180]

(4) 임플란트 주위 결손 내로의 골충전

대구치 발치와는 전치부 치아나 소구치에 비해 더 현저한 흡수를 겪기 때문에 가급적 임플란트 주위 결손 내로 골이식재를 충전해 주는 것이 좋다. 일부 임상가들은 임플란트 주위 결손의 폭 2 mm를 기준으로 그 이상일 때에만 골이식재를 충전하지만,[172,181] 앞서 언급된 체계적 문헌 고찰에서는 포함된 대부분의 연구에서 임플란트 주위 결손의 폭과 상관없이 임플란트 주위 결손 내에 골충전을 시행했다고 했다.[174]

한 증례 연구에서는 발치 12개월 후 소구치 치조제는 수평적으로 평균 4.9 mm, 대구치 치조제는 평균 7.2 mm 감소한다고 했다.[182] 한 무작위 대조 연구에서는 발치 후 아무런 처치도 가하지 않으면 4개월 후 치조정 부위에서 치조골의 수평적 흡수량은 소구치 부위가 평균 3.9±3.2 mm, 대구치 부위가 6.5±4.2 mm로 대구치

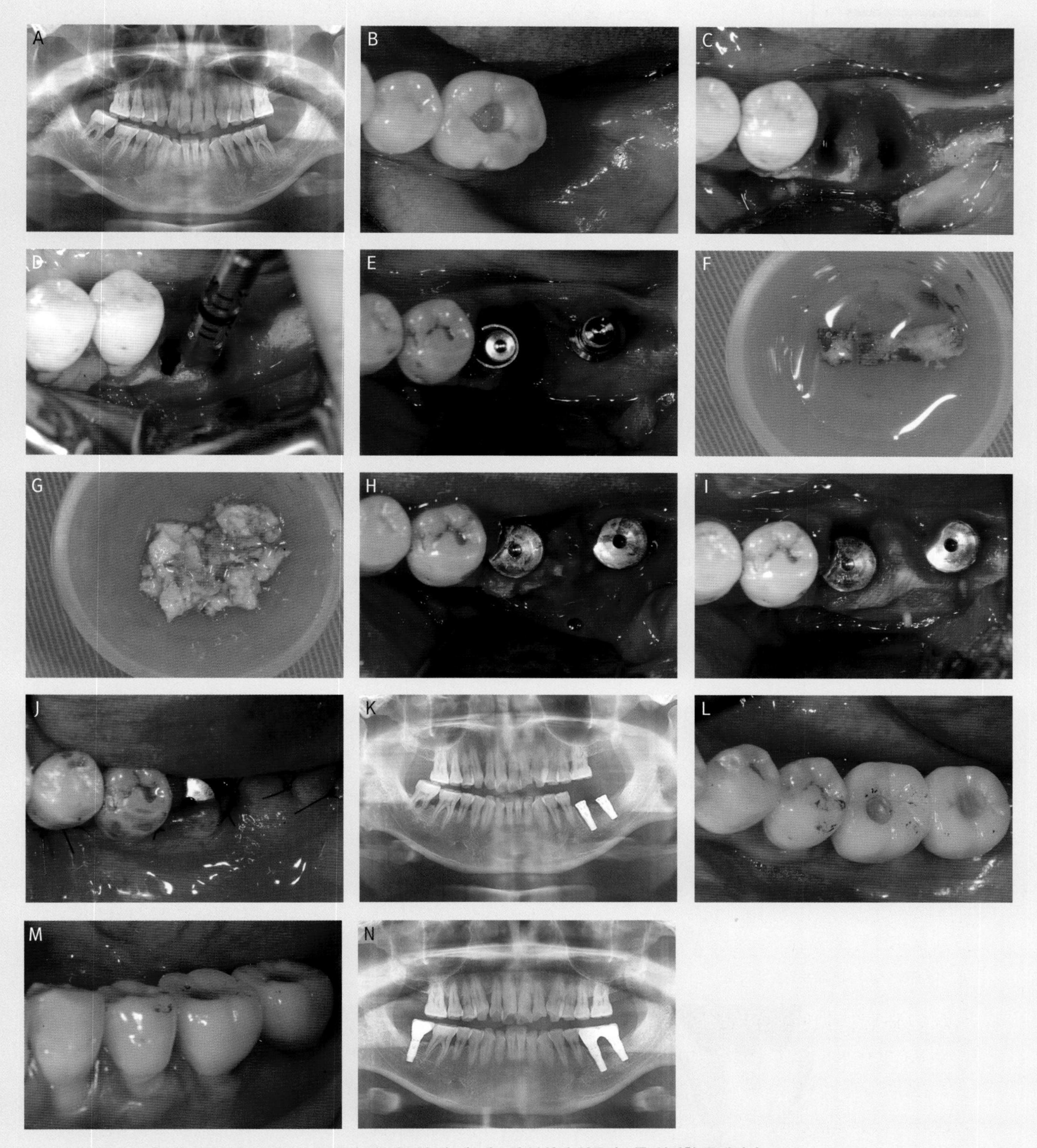

4-86 하악 좌측 제1대구치를 발거하고 동시에 제1대구치 및 제2대구치 부위에 임플란트를 식립한 증례이다.

A~K. 제1대구치 발거 후 임플란트를 식립했다. 제1대구치 부위는 B형 발치와였다**(C)**. 제1대구치 부위는 트레핀 드릴을 이용하여 한번에 골삭제를 완료했다**(D)**. 제2대구치 부위는 일련의 트위스트 드릴로 골삭제를 시행한 후 임플란트를 식립했다**(E)**. 트레핀에서 채취된 골을 분쇄하여 임플란트 주위 결손에 이식했다**(H)**. 결손부 상방에 차폐막을 적용했다. 치조골 외부에 골이식을 시행하지는 않았기 때문에 지금 관점에서는 차폐막을 불필요하게 사용했다고 판단된다**(I)**. 수술부를 임플란트 주위로 최대한 접촉한 채 봉합을 완료했다**(J)**.

L~N. 2차 수술을 거쳐 임플란트 식립 4개월 후 보철 치료를 완료했다.

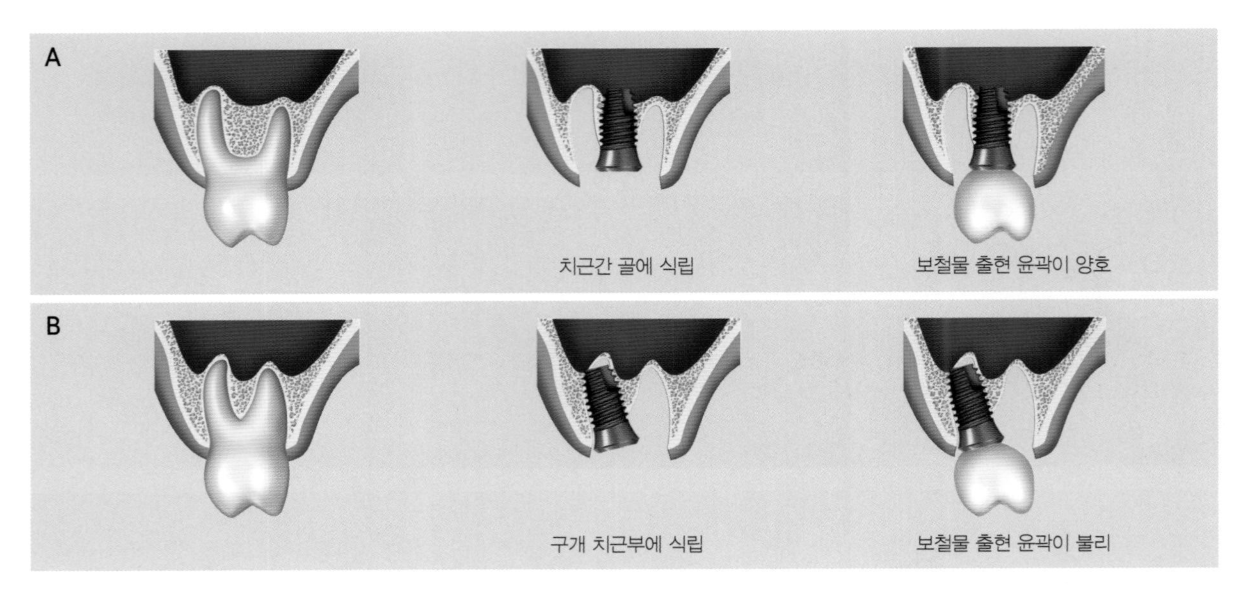

4-87 대구치 발치와에서 치근간골이 아닌 특정 치근 부위에 임플란트를 식립하면 매식체의 위치와 방향이 보철 수복에 불리해질 수 있다. 대표적으로 불필요하게 ridge lap을 형성하여 보철물 주위 조직의 장기적인 건강에 악영향을 미칠 수 있다.

A. 치근간골은 대개 치근의 중앙부에 위치하므로 이곳이 보철적으로 이상적인 임플란트 식립 위치일 가능성이 높다. **B.** 치근간골에 임플란트 식립이 어려운 경우 상악에서는 구개 치근, 하악에서는 근심이나 원심 치근에 임플란트 식립을 할 수도 있다. 그러나 이 부위는 보철적으로 이상적인 식립 위치가 아니기 때문에 장기적으로 임플란트 보철물의 상태나 주위 조직의 건강도가 저하될 수 있다.

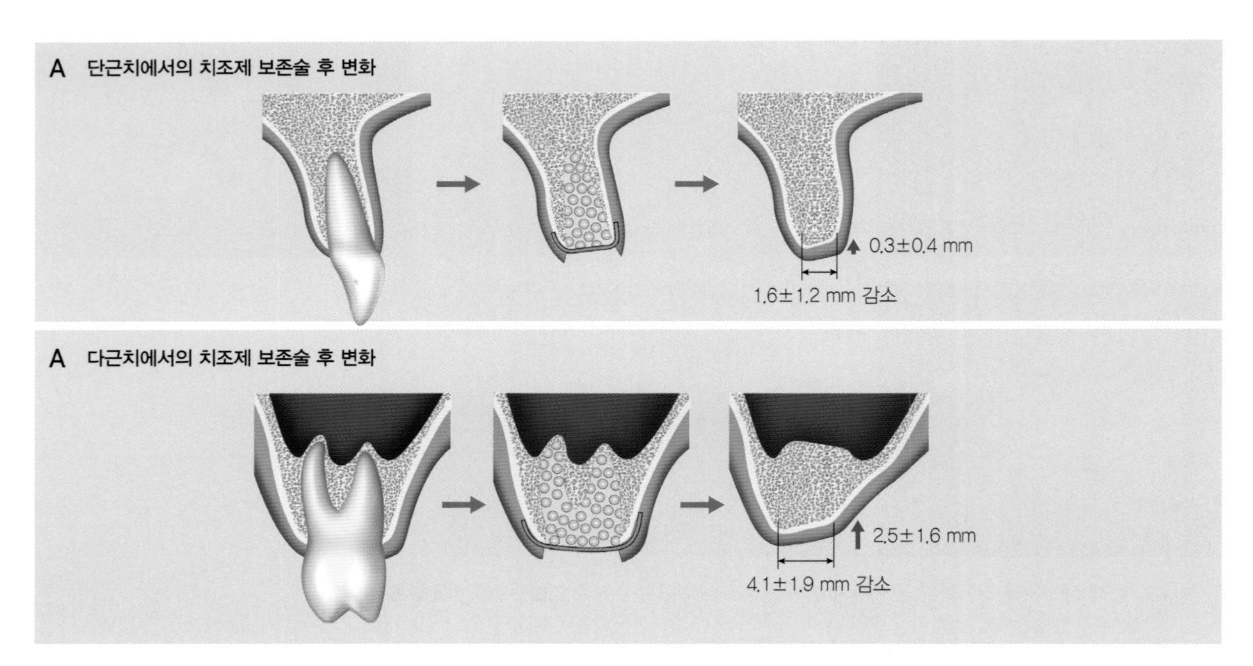

4-88 대구치 부위는 전치부 부위보다 치조제 보존술 후 치조골의 흡수량이 훨씬 많다. 한 무작위 대조 연구에서 치조제 보존술 4개월 후의 결과는 다음과 같았다.[179]

A. 단근치부에서 치조골은 수평적으로 평균 1.6±1.2 mm, 협측에서 수직적으로 평균 0.3±0.4 mm 감소했다. **B.** 대구치부에서는 평균 4.1±1.9 mm가 협설측으로 감소했다. 또한 협측골의 수직적 높이는 평균 2.5±1.6 mm가 감소했다.

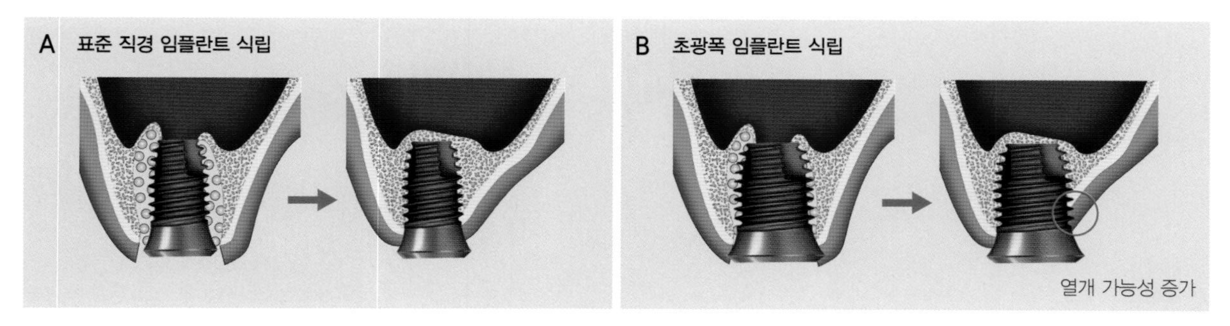

4-89 대구치부에서 발치 후 즉시 임플란트를 식립하면 임플란트 주위 결손에 골이식재를 충전하더라도 치조골이 꽤 많이 흡수된다. 따라서 임플란트를 선택할 때에는 이러한 점을 잘 고려해야 한다.
A. 4-5 mm 직경의 임플란트를 식립하면 치조골이 현저히 흡수되더라도 임플란트는 치조골 내에 안정적으로 위치될 수 있다. **B.** 초광폭 임플란트를 식립하면 치조골의 흡수에 의해 특히 협측 부위에 열개가 발생할 가능성이 매우 높다.

부위가 훨씬 많았고, 협측에서의 수직적 흡수량 또한 소구치 부위가 평균 1.9±2.4 mm, 대구치 부위가 3.0±2.6 mm로 대구치 부위가 훨씬 많았다고 보고했다.[179] 따라서 대구치 부위에서 발치 후 즉시 식립 시에는, 특히 B형과 C형 발치와에서는 임플란트 주위 결손에 탈단백 우골 등 흡수가 느린 이식재로 충전해 주는 것이 좋을 것이다(**4-90**).

(5) 오스테오톰 상악동 골이식을 동반한 발치 후 즉시 임플란트 식립

상악 대구치에서는 치근의 근단부가 상악동저보다 더 상방에 위치하는 경우도 있다. 또는 치근간 골의 높이가 낮아서 충분히 긴 임플란트 식립이 불가한 경우도 있다. 이러한 경우에는 발치 후 즉시 임플란트를 식립하면서 오스테오톰을 이용한 상악동 골이식을 시행할 수도 있다(**4-91**). 치근간 골이 건전하여 이 부위에서 충분한 일차 안정을 얻을 수 있는 경우에 한해서 이 술식을 시행할 수 있다(Smith 분류 A, B형 발치와).[176,183] 임플란트의 일차 안정은 치근간 골에서만 전적으로 얻어지며 상악동저까지의 거리 또한 치근간골 높이에 의해 결정되기 때문에, 술 전에 CBCT를 통해 이를 미리 결정하는 것이 좋다.

이 술식의 임상적 결과는 대체로 긍정적으로 나타났다. 한 전향적 증례 연구에서는 32명의 환자에서 소구치 34부위, 대구치 36부위에 발치 후 즉시 임플란트 식립과 오스테오톰 상악동 골이식을 시행했다. 2년 후까지의 임플란트 생존율은 98.57%였으며, 상악동저 쪽으로 4.08±1.25 mm의 골이 증강되었다.[184] 한 전향적 연구에서는 이 술식을 적용했을 때 수술 1년 후까지 모든 임플란트가 성공적으로 기능했다고 보고했다.[183] 한 후향적 연구에서는 상악 대구치에서 발치 후 치조골이 온전한 경우 즉시 임플란트를 식립하면서 오스테오톰을 이용한 상악동저 거상술을 시행했다. 총 68개의 임플란트는 모두 성공적으로 기능했으며, 치조골 높이는 술 전에 평균 6.02±0.75 mm에서 4-13년 후에는 평균 8.01±1.46 mm로 2 mm 가량 증가했다.[176] 2019년의 무작위 대조 연구에서는 치근간 골 높이가 4 mm 이상, 치조정에서 상악동저 거리가 7 mm 미만인 경우에 이 술식을 적용하면 높은 임플란트 성공률을 얻을 수 있었다고 보고했다.[177]

4-90 상악 대구치를 발거하고 즉시 임플란트를 식립한 증례이다.
이 이식재는 천연 수산화인회석계 이식재와는 반대로 처음에 방사선 불투과성이 크다가 점차 감소하는 양상을 보인다. 이는 이 이식재가 빠르게 흡수되면서 재생골로 대체되기 때문인 것으로 생각된다.
A~G. 상악 좌측 제1대구치 잔존 치근을 발거했다. 발치와는 B형이었다**(C)**. 치근간골이 잘 보존되어 있었고 폭이 충분했기에 이 부위에 임플란트를 식립했다**(D)**. 임플란트 주위 결손에 동종골 이식재를 충전했다**(E)**.
G~J. 임플란트 보철물은 식립 6개월 후에 연결했다. 사진은 보철 부하 6개월 후에 촬영한 것이다. 조직의 풍륭도와 점막 변연 높이는 비교적 잘 유지되고 있었다.

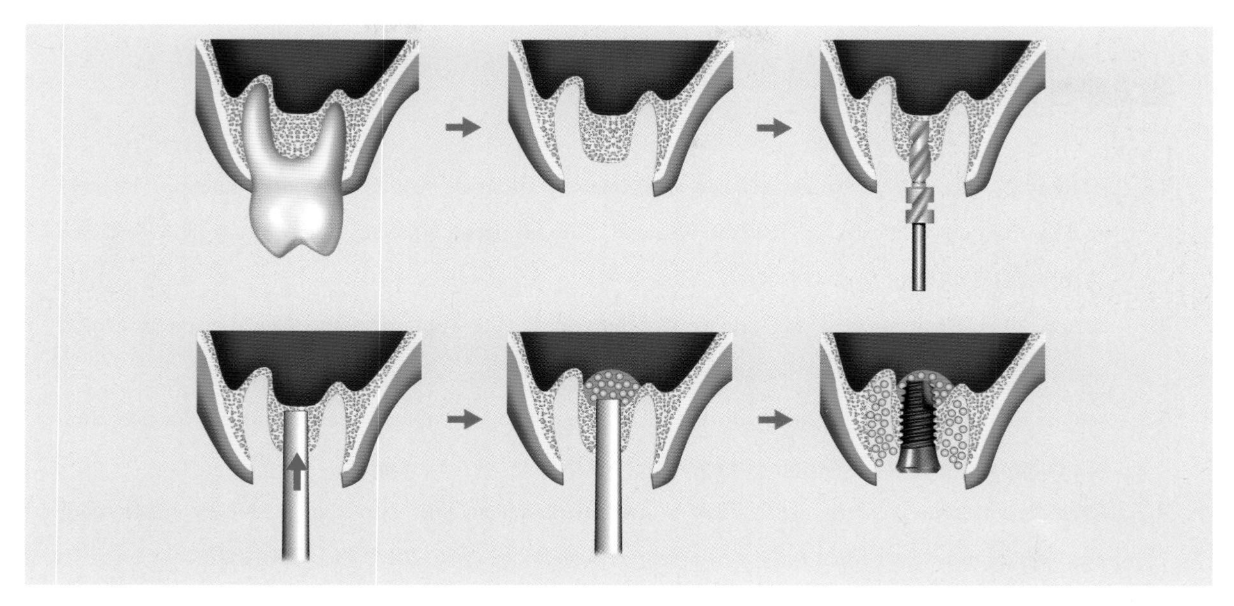

4-91 상악 소구치나 대구치 부위에서는 발치 후 즉시 임플란트를 식립할 때 오스테오톰 상악동 골이식을 동시에 시행할 수 있다. 치근간 골이 건전하여 이 부위에서 충분한 일차 안정을 얻을 수 있는 경우에 한해서 이 술식을 시행한다.

(6) 봉합

대구치 부위는 치아 관통부가 크기 때문에 발치 후 즉시 식립을 시행했을 때 일차 폐쇄를 이루기 힘들다. 따라서 직경이 큰 치유 지대주를 연결하여 1단계 수술 프로토콜을 적용하고 점막 변연을 약간 치관측으로 변위시켜 지대주와 접촉시킴으로써 수술을 완료하는 경우가 많다(4-90).[177,183]

참고문헌

1. Pommer B, Valkova V, Ubaidha Maheen C, Fürhauser L, Rausch-Fan X, Seeman R. Scientific Interests of 21st Century Clinical Oral Implant Research: Topical Trend Analysis. *Clin Implant Dent Relat Res.* 2016;18(4):850-856.
2. Schulte W, Kleineikenscheidt H, Lindner K, Schareyka R. The Tübingen immediate implant in clinical studies. *Deutsche Zahnarztliche Zeitschrift.* 1978;33(5):348-359.
3. Schultz A. Guided tissue regeneration (GTR) of nonsubmerged implants in immediate extraction sites. *Practical periodontics and aesthetic dentistry: PPAD.* 1993;5(2):59-65; quiz 66.
4. Buser D, Chappuis V, Belser UC, Chen S. Implant placement post extraction in esthetic single tooth sites: when immediate, when early, when late? *Periodontology 2000.* 2017;73(1):84-102.
5. Barzilay I, Graser GN, Iranpour B, Natiella JR, Proskin HM. Immediate implantation of pure titanium implants into extraction sockets of Macaca fascicularis. Part II: Histologic observations. *Int J Oral Maxillofac Implants.* 1996;11(4):489-497.
6. Karabuda C, Sandalli P, Yalcin S, Steflik DE, Parr GR. Histologic and histomorphometric comparison of immediately placed hydroxyapatite-coated and titanium plasma-sprayed implants: a pilot study in dogs. *Int J Oral Maxillofac Implants.* 1999;14(4):510-515.
7. Wilson TG, Jr., Schenk R, Buser D, Cochran D. Implants placed in immediate extraction sites: a report of histologic and histometric analyses of human biopsies. *Int J Oral Maxillofac Implants.* 1998;13(3):333-341.
8. Araújo MG, Lindhe J. Dimensional ridge alterations following tooth extraction. An experimental study in the dog. *J Clin Periodontol.* 2005;32(2):212-218.
9. Vignoletti F, de Sanctis M, Berglundh T, Abrahamsson I, Sanz M. Early healing of implants placed into fresh extraction sockets: an experimental study in the beagle dog. II: ridge alterations. *J Clin Periodontol.* 2009;36(8):688-697.
10. Hämmerle CH, Chen ST, Wilson TG, Jr. Consensus statements and recommended clinical procedures regarding the placement of implants in extraction sockets. *Int J Oral Maxillofac Implants.* 2004;19 Suppl:26-28.
11. Chen ST, Beagle J, Jensen SS, Chiapasco M, Darby I. Consensus statements and recommended clinical procedures regarding surgical techniques. *Int J Oral Maxillofac Implants.* 2009;24 Suppl:272-278.
12. Gallucci GO, Hamilton A, Zhou W, Buser D, Chen S. Implant placement and loading protocols in partially edentulous patients: A systematic review. *Clin Oral Implants Res.* 2018;29 Suppl 16:106-134.

13. Lazzara RJ. Immediate implant placement into extraction sites: surgical and restorative advantages. *Int J Periodontics Restorative Dent*. 1989;9(5):332–343.
14. Vignoletti F, Sanz M. Immediate implants at fresh extraction sockets: from myth to reality. *Periodontol 2000*. 2014;66(1):132–152.
15. Clementini M, Tiravia L, De Risi V, Vittorini Orgeas G, Mannocci A, de Sanctis M. Dimensional changes after immediate implant placement with or without simultaneous regenerative procedures: a systematic review and meta–analysis. *J Clin Periodontol*. 2015;42(7):666–677.
16. Araújo MG, Sukekava F, Wennström JL, Lindhe J. Ridge alterations following implant placement in fresh extraction sockets: an experimental study in the dog. *J Clin Periodontol*. 2005;32(6):645–652.
17. Araújo MG, Sukekava F, Wennström JL, Lindhe J. Tissue modeling following implant placement in fresh extraction sockets. *Clin Oral Implants Res*. 2006;17(6):615–624.
18. Vignoletti F, Discepoli N, Müller A, de Sanctis M, Muñoz F, Sanz M. Bone modelling at fresh extraction sockets: immediate implant placement versus spontaneous healing: an experimental study in the beagle dog. *J Clin Periodontol*. 2012;39(1):91–97.
19. Discepoli N, Vignoletti F, Laino L, de Sanctis M, Muñoz F, Sanz M. Fresh extraction socket: spontaneous healing vs. immediate implant placement. *Clin Oral Implants Res*. 2015;26(11):1250–1255.
20. Botticelli D, Berglundh T, Lindhe J. Hard–tissue alterations following immediate implant placement in extraction sites. *J Clin Periodontol*. 2004;31(10):820–828.
21. Covani U, Bortolaia C, Barone A, Sbordone L. Bucco–lingual crestal bone changes after immediate and delayed implant placement. *J Periodontol*. 2004;75(12):1605–1612.
22. Sanz M, Cecchinato D, Ferrus J, Pjetursson EB, Lang NP, Lindhe J. A prospective, randomized–controlled clinical trial to evaluate bone preservation using implants with different geometry placed into extraction sockets in the maxilla. *Clin Oral Implants Res*. 2010;21(1):13–21.
23. Sanz M, Lindhe J, Alcaraz J, Sanz–Sanchez I, Cecchinato D. The effect of placing a bone replacement graft in the gap at immediately placed implants: a randomized clinical trial. *Clin Oral Implants Res*. 2017;28(8):902–910.
24. Lee CT, Chiu TS, Chuang SK, Tarnow D, Stoupel J. Alterations of the bone dimension following immediate implant placement into extraction socket: systematic review and meta–analysis. *J Clin Periodontol*. 2014;41(9):914–926.
25. Benic GI, Mokti M, Chen CJ, Weber HP, Hämmerle CH, Gallucci GO. Dimensions of buccal bone and mucosa at immediately placed implants after 7 years: a clinical and cone beam computed tomography study. *Clin Oral Implants Res*. 2012;23(5):560–566.

26. Miyamoto Y, Obama T. Dental cone beam computed tomography analyses of postoperative labial bone thickness in maxillary anterior implants: comparing immediate and delayed implant placement. *Int J Periodontics Restorative Dent.* 2011;31(3):215–225.
27. Groenendijk E, Staas TA, Graauwmans FEJ, et al. Immediate implant placement: the fate of the buccal crest. A retrospective cone beam computed tomography study. *Int J Oral Maxillofac Surg.* 2017;46(12):1600–1606.
28. Clementini M, Agostinelli A, Castelluzzo W, Cugnata F, Vignoletti F, De Sanctis M. The effect of immediate implant placement on alveolar ridge preservation compared to spontaneous healing after tooth extraction: Radiographic results of a randomized controlled clinical trial. *J Clin Periodontol.* 2019;46(7):776–786.
29. Chen ST, Buser D. Clinical and esthetic outcomes of implants placed in postextraction sites. *Int J Oral Maxillofac Implants.* 2009;24 Suppl:186–217.
30. Cosyn J, De Lat L, Seyssens L, Doornewaard R, Deschepper E, Vervaeke S. The effectiveness of immediate implant placement for single tooth replacement compared to delayed implant placement: A systematic review and meta–analysis. *J Clin Periodontol.* 2019;46 Suppl 21:224–241.
31. Kan JY, Rungcharassaeng K, Umezu K, Kois JC. Dimensions of peri–implant mucosa: an evaluation of maxillary anterior single implants in humans. *J Periodontol.* 2003;74(4):557–562.
32. Buser D, Chappuis V, Kuchler U, et al. Long–term stability of early implant placement with contour augmentation. *J Dent Res.* 2013;92(12 Suppl):176s–182s.
33. Buser D, Martin W, Belser UC. Optimizing esthetics for implant restorations in the anterior maxilla: anatomic and surgical considerations. *Int J Oral Maxillofac Implants.* 2004;19 Suppl:43–61.
34. Covani U, Chiappe G, Bosco M, Orlando B, Quaranta A, Barone A. A 10–year evaluation of implants placed in fresh extraction sockets: a prospective cohort study. *J Periodontol.* 2012;83(10):1226–1234.
35. Schwarz F, Sahm N, Becker J. Impact of the outcome of guided bone regeneration in dehiscence–type defects on the long–term stability of peri–implant health: clinical observations at 4 years. *Clin Oral Implants Res.* 2012;23(2):191–196.
36. Chen ST, Buser D. Esthetic outcomes following immediate and early implant placement in the anterior maxilla—a systematic review. *Int J Oral Maxillofac Implants.* 2014;29 Suppl:186–215.
37. Morton D, Chen ST, Martin WC, Levine RA, Buser D. Consensus statements and recommended clinical procedures regarding optimizing esthetic outcomes in implant dentistry. *Int J Oral Maxillofac Implants.* 2014;29 Suppl:216–220.
38. Hof M, Tepper G, Semo B, Arnhart C, Watzek G, Pommer B. Patients' perspectives on dental implant

and bone graft surgery: questionnaire–based interview survey. *Clin Oral Implants Res.* 2014;25(1):42–45.

39. van Nimwegen WG, Raghoebar GM, Zuiderveld EG, Jung RE, Meijer HJA, Mühlemann S. Immediate placement and provisionalization of implants in the aesthetic zone with or without a connective tissue graft: A 1–year randomized controlled trial and volumetric study. *Clin Oral Implants Res.* 2018;29(7):671–678.
40. Cosyn J, Hooghe N, De Bruyn H. A systematic review on the frequency of advanced recession following single immediate implant treatment. *J Clin Periodontol.* 2012;39(6):582–589.
41. Busenlechner D, Mailath–Pokorny G, Fürhauser R, Haas R, Watzek G, Pommer B. Virtual treatment planning and flapless single–tooth implants in the esthetic zone following socket augmentation: proof of concept. *J Clin Periodontol.* 2015;42(Suppl 17):413.
42. Kan JY, Rungcharassaeng K, Lozada JL, Zimmerman G. Facial gingival tissue stability following immediate placement and provisionalization of maxillary anterior single implants: a 2–to 8–year follow–up. *International Journal of Oral & Maxillofacial Implants.* 2011;26(1).
43. Khzam N, Arora H, Kim P, Fisher A, Mattheos N, Ivanovski S. Systematic review of soft tissue alterations and esthetic outcomes following immediate implant placement and restoration of single implants in the anterior maxilla. *Journal of periodontology.* 2015;86(12):1321–1330.
44. Raes S, Eghbali A, Chappuis V, Raes F, De Bruyn H, Cosyn J. A long-term prospective cohort study on immediately restored single tooth implants inserted in extraction sockets and healed ridges: CBCT analyses, soft tissue alterations, aesthetic ratings, and patient-reported outcomes. *Clinical implant dentistry and related research.* 2018;20(4):522–530.
45. Sanz M, Cecchinato D, Ferrus J, et al. Implants placed in fresh extraction sockets in the maxilla: clinical and radiographic outcomes from a 3-year follow-up examination. *Clinical oral implants research.* 2014;25(3):321–327.
46. Tonetti MS, Cortellini P, Graziani F, et al. Immediate versus delayed implant placement after anterior single tooth extraction: the timing randomized controlled clinical trial. *Journal of clinical periodontology.* 2017;44(2):215–224.
47. Slagter KW, den Hartog L, Bakker NA, Vissink A, Meijer HJ, Raghoebar GM. Immediate placement of dental implants in the esthetic zone: a systematic review and pooled analysis. *Journal of periodontology.* 2014;85(7):e241–e250.
48. Cordaro L, Torsello F, Roccuzzo M. Clinical outcome of submerged vs. non-submerged implants placed in fresh extraction sockets. *Clinical Oral Implants Research.* 2009;20(12):1307–1313.

49. Botticelli D, Renzi A, Lindhe J, Berglundh T. Implants in fresh extraction sockets : a prospective 5-year follow-up clinical study. *Clinical oral implants research*. 2008 ; 19(12) : 1226–1232.
50. Lang NP, Pun L, Lau KY, Li KY, Wong MC. A systematic review on survival and success rates of implants placed immediately into fresh extraction sockets after at least 1 year. *Clinical oral implants research*. 2012 ; 23 : 39–66.
51. Chen ST, Buser D. Esthetic outcomes following immediate and early implant placement in the anterior maxilla—a systematic review. *Int J Oral Maxillofac Implants*. 2014 ; 29(Suppl) : 186–215.
52. Yang X, Zhou T, Zhou N, Man Y. The thickness of labial bone affects the esthetics of immediate implant placement and provisionalization in the esthetic zone : A prospective cohort study. *Clinical implant dentistry and related research*. 2019 ; 21(3) : 482–491.
53. Arora H, Ivanovski S. Correlation between pre-operative buccal bone thickness and soft tissue changes around immediately placed and restored implants in the maxillary anterior region : A 2-year prospective study. *Clinical oral implants research*. 2017 ; 28(10) : 1188–1194.
54. Jemt T. Regeneration of gingival papillae after single–implant treatment. *International Journal of Periodontics & Restorative Dentistry*. 1997 ; 17(4).
55. Schropp L, Isidor F, Kostopoulos L, Wenzel A. Interproximal papilla levels following early versus delayed placement of single–tooth implants : a controlled clinical trial. *International Journal of Oral & Maxillofacial Implants*. 2005 ; 20(5).
56. Schropp L, Isidor F. Papilla dimension and soft tissue level after early vs. delayed placement of single–tooth implants : 10–year results from a randomized controlled clinical trial. *Clin Oral Implants Res*. 2015 ; 26(3) : 278–286.
57. Kan JY, Rungcharassaeng K, Umezu K, Kois JC. Dimensions of peri-implant mucosa : an evaluation of maxillary anterior single implants in humans. *Journal of periodontology*. 2003 ; 74(4) : 557–562.
58. Schropp L, Kostopoulos L, Wenzel A. Bone healing following immediate versus delayed placement of titanium implants into extraction sockets : a prospective clinical study. *International Journal of Oral & Maxillofacial Implants*. 2003 ; 18(2).
59. Schropp L, Wenzel A, Kostopoulos L, Karring T. Bone healing and soft tissue contour changes following single–tooth extraction : a clinical and radiographic 12–month prospective study. *International Journal of Periodontics & Restorative Dentistry*. 2003 ; 23(4).
60. Cardaropoli G, Lekholm U, Wennström JL. Tissue alterations at implant-supported single-tooth replacements : a 1-year prospective clinical study. *Clinical oral implants research*. 2006 ; 17(2) : 165–171.
61. Chang M, Wennström JL. Soft tissue topography and dimensions lateral to single implant-supported

restorations. A cross-sectional study. *Clinical oral implants research*. 2013;24(5):556–562.

62. Cosyn J, Sabzevar MM, De Bruyn H. Predictors of inter-proximal and midfacial recession following single implant treatment in the anterior maxilla: a multivariate analysis. *Journal of clinical periodontology*. 2012;39(9):895–903.
63. Choquet V, Hermans M, Adriaenssens P, Daelemans P, Tarnow DP, Malevez C. Clinical and radiographic evaluation of the papilla level adjacent to single-tooth dental implants. A retrospective study in the maxillary anterior region. *Journal of periodontology*. 2001;72(10):1364–1371.
64. Jemt T, Lekholm U. Single implants and buccal bone grafts in the anterior maxilla: measurements of buccal crestal contours in a 6-year prospective clinical study. *Clinical implant dentistry and related research*. 2005;7(3):127–135.
65. Chu SJ, TAN JHP, Stappert CF, Tarnow DP. Gingival zenith positions and levels of the maxillary anterior dentition. *Journal of Esthetic and Restorative Dentistry*. 2009;21(2):113–120.
66. Chang M, Wennström JL, Ödman P, Andersson B. Implant supported single-tooth replacements compared to contralateral natural teeth. Crown and soft tissue dimensions. *Clinical Oral Implants Research*. 1999;10(3):185–194.
67. Slagter KW, den Hartog L, Bakker NA, Vissink A, Meijer HJ, Raghoebar GM. Immediate placement of dental implants in the esthetic zone: a systematic review and pooled analysis. *J Periodontol*. 2014;85(7):e241–250.
68. Khzam N, Arora H, Kim P, Fisher A, Mattheos N, Ivanovski S. Systematic Review of Soft Tissue Alterations and Esthetic Outcomes Following Immediate Implant Placement and Restoration of Single Implants in the Anterior Maxilla. *J Periodontol*. 2015;86(12):1321–1330.
69. Shi JY, Wang R, Zhuang LF, Gu YX, Qiao SC, Lai HC. Esthetic outcome of single implant crowns following type 1 and type 3 implant placement: a systematic review. *Clin Oral Implants Res*. 2015;26(7):768–774.
70. Kan JY, Rungcharassaeng K, Liddelow G, Henry P, Goodacre CJ. Periimplant tissue response following immediate provisional restoration of scalloped implants in the esthetic zone: a one–year pilot prospective multicenter study. *The Journal of prosthetic dentistry*. 2007;97(6):S109–S118.
71. De Rouck T, Collys K, Wyn I, Cosyn J. Instant provisionalization of immediate single–tooth implants is essential to optimize esthetic treatment outcome. *Clin Oral Implants Res*. 2009;20(6):566–570.
72. Lang NP, Pun L, Lau KY, Li KY, Wong MC. A systematic review on survival and success rates of implants placed immediately into fresh extraction sockets after at least 1 year. *Clin Oral Implants Res*. 2012;23 Suppl 5:39–66.

73. Schropp L, Isidor F. Papilla dimension and soft tissue level after early vs. delayed placement of single-tooth implants: 10-year results from a randomized controlled clinical trial. *Clinical oral implants research*. 2015;26(3):278–286.
74. Cosyn J, De Lat L, Seyssens L, Doornewaard R, Deschepper E, Vervaeke S. The effectiveness of immediate implant placement for single tooth replacement compared to delayed implant placement: A systematic review and meta-analysis. *Journal of clinical periodontology*. 2019;46:224–241.
75. Arora H, Ivanovski S. Correlation between pre–operative buccal bone thickness and soft tissue changes around immediately placed and restored implants in the maxillary anterior region: A 2–year prospective study. *Clin Oral Implants Res*. 2017;28(10):1188–1194.
76. Gallucci GO, Grütter L, Chuang SK, Belser UC. Dimensional changes of peri–implant soft tissue over 2 years with single–implant crowns in the anterior maxilla. *J Clin Periodontol*. 2011;38(3):293–299.
77. Boardman N, Darby I, Chen S. A retrospective evaluation of aesthetic outcomes for single–tooth implants in the anterior maxilla. *Clin Oral Implants Res*. 2016;27(4):443–451.
78. Cosyn J, De Bruyn H, Cleymaet R. Soft tissue preservation and pink aesthetics around single immediate implant restorations: a 1–year prospective study. *Clin Implant Dent Relat Res*. 2013;15(6):847–857.
79. Fürhauser R, Florescu D, Benesch T, Haas R, Mailath G, Watzek G. Evaluation of soft tissue around single–tooth implant crowns: the pink esthetic score. *Clin Oral Implants Res*. 2005;16(6):639–644.
80. Belser UC, Grütter L, Vailati F, Bornstein MM, Weber HP, Buser D. Outcome evaluation of early placed maxillary anterior single–tooth implants using objective esthetic criteria: a cross–sectional, retrospective study in 45 patients with a 2– to 4–year follow–up using pink and white esthetic scores. *J Periodontol*. 2009;80(1):140–151.
81. Cosyn J, Eghbali A, De Bruyn H, Dierens M, De Rouck T. Single implant treatment in healing versus healed sites of the anterior maxilla: an aesthetic evaluation. *Clin Implant Dent Relat Res*. 2012;14(4):517–526.
82. Cosyn J, Eghbali A, De Bruyn H, Collys K, Cleymaet R, De Rouck T. Immediate single–tooth implants in the anterior maxilla: 3–year results of a case series on hard and soft tissue response and aesthetics. *J Clin Periodontol*. 2011;38(8):746–753.
83. Arora H, Ivanovski S. Immediate and early implant placement in single–tooth gaps in the anterior maxilla: A prospective study on ridge dimensional, clinical, and aesthetic changes. *Clin Oral Implants Res*. 2018.
84. Hof M, Pommer B, Ambros H, Jesch P, Vogl S, Zechner W. Does Timing of Implant Placement Affect Implant Therapy Outcome in the Aesthetic Zone? A Clinical, Radiological, Aesthetic, and Patient–

Based Evaluation. *Clin Implant Dent Relat Res*. 2015;17(6):1188–1199.

85. Fava J, Lin M, Zahran M, Jokstad A. Single implant–supported crowns in the aesthetic zone: patient satisfaction with aesthetic appearance compared with appraisals by laypeople and dentists. *Clin Oral Implants Res*. 2015;26(10):1113–1120.

86. Blanco J, Carral C, Argibay O, Liñares A. Implant placement in fresh extraction sockets. *Periodontol 2000*. 2019;79(1):151–167.

87. Tomasi C, Sanz M, Cecchinato D, et al. Bone dimensional variations at implants placed in fresh extraction sockets: a multilevel multivariate analysis. *Clin Oral Implants Res*. 2010;21(1):30–36.

88. Ferrus J, Cecchinato D, Pjetursson EB, Lang NP, Sanz M, Lindhe J. Factors influencing ridge alterations following immediate implant placement into extraction sockets. *Clin Oral Implants Res*. 2010;21(1):22–29.

89. Braut V, Bornstein MM, Belser U, Buser D. Thickness of the anterior maxillary facial bone wall—a retrospective radiographic study using cone beam computed tomography. *International Journal of Periodontics and Restorative Dentistry*. 2011;31(2):125.

90. Januário AL, Duarte WR, Barriviera M, Mesti JC, Araújo MG, Lindhe J. Dimension of the facial bone wall in the anterior maxilla: a cone–beam computed tomography study. *Clin Oral Implants Res*. 2011;22(10):1168–1171.

91. Vera C, De Kok IJ, Reinhold D, et al. Evaluation of buccal alveolar bone dimension of maxillary anterior and premolar teeth: a cone beam computed tomography investigation. *Int J Oral Maxillofac Implants*. 2012;27(6):1514–1519.

92. Buser D, Chappuis V, Belser UC, Chen S. Implant placement post extraction in esthetic single tooth sites: when immediate, when early, when late? *Periodontol 2000*. 2017;73(1):84–102.

93. Yang X, Zhou T, Zhou N, Man Y. The thickness of labial bone affects the esthetics of immediate implant placement and provisionalization in the esthetic zone: A prospective cohort study. *Clin Implant Dent Relat Res*. 2019;21(3):482–491.

94. Beagle JR. The immediate placement of endosseous dental implants in fresh extraction sites. *Dent Clin North Am*. 2006;50(3):375–389, vi.

95. Chen ST, Darby IB, Reynolds EC. A prospective clinical study of non–submerged immediate implants: clinical outcomes and esthetic results. *Clin Oral Implants Res*. 2007;18(5):552–562.

96. Chen ST, Darby IB, Adams GG, Reynolds EC. A prospective clinical study of bone augmentation techniques at immediate implants. *Clin Oral Implants Res*. 2005;16(2):176–184.

97. Tonetti MS, Jung RE, Avila–Ortiz G, et al. Management of the extraction socket and timing of implant

placement: Consensus report and clinical recommendations of group 3 of the XV European Workshop in Periodontology. *J Clin Periodontol*. 2019;46 Suppl 21:183–194.

98. Kan JY, Rungcharassaeng K, Sclar A, Lozada JL. Effects of the facial osseous defect morphology on gingival dynamics after immediate tooth replacement and guided bone regeneration: 1-year results. *J Oral Maxillofac Surg*. 2007;65(7 Suppl 1):13–19.
99. Sarnachiaro GO, Chu SJ, Sarnachiaro E, Gotta SL, Tarnow DP. Immediate Implant Placement into Extraction Sockets with Labial Plate Dehiscence Defects: A Clinical Case Series. *Clin Implant Dent Relat Res*. 2016;18(4):821–829.
100. Meijer HJA, Slagter KW, Vissink A, Raghoebar GM. Buccal bone thickness at dental implants in the maxillary anterior region with large bony defects at time of immediate implant placement: A 1-year cohort study. *Clin Implant Dent Relat Res*. 2019;21(1):73–79.
101. Barzilay I. Immediate implants: their current status. *Int J Prosthodont*. 1993;6(2):169–175.
102. Waasdorp JA, Evian CI, Mandracchia M. Immediate placement of implants into infected sites: a systematic review of the literature. *J Periodontol*. 2010;81(6):801–808.
103. Chrcanovic BR, Martins MD, Wennerberg A. Immediate placement of implants into infected sites: a systematic review. *Clin Implant Dent Relat Res*. 2015;17 Suppl 1:e1–e16.
104. Siegenthaler DW, Jung RE, Holderegger C, Roos M, Hämmerle CH. Replacement of teeth exhibiting periapical pathology by immediate implants: a prospective, controlled clinical trial. *Clin Oral Implants Res*. 2007;18(6):727–737.
105. Jung RE, Zaugg B, Philipp AO, Truninger TC, Siegenthaler DW, Hämmerle CH. A prospective, controlled clinical trial evaluating the clinical radiological and aesthetic outcome after 5 years of immediately placed implants in sockets exhibiting periapical pathology. *Clin Oral Implants Res*. 2013;24(8):839–846.
106. Crespi R, Capparè P, Gherlone E. Immediate loading of dental implants placed in periodontally infected and non-infected sites: a 4-year follow-up clinical study. *J Periodontol*. 2010;81(8):1140–1146.
107. Zuffetti F, Capelli M, Galli F, Del Fabbro M, Testori T. Post-extraction implant placement into infected versus non-infected sites: A multicenter retrospective clinical study. *Clin Implant Dent Relat Res*. 2017;19(5):833–840.
108. De Rouck T, Eghbali R, Collys K, De Bruyn H, Cosyn J. The gingival biotype revisited: transparency of the periodontal probe through the gingival margin as a method to discriminate thin from thick gingiva. *J Clin Periodontol*. 2009;36(5):428–433.
109. Romeo E, Lops D, Rossi A, Storelli S, Rozza R, Chiapasco M. Surgical and prosthetic management

of interproximal region with single–implant restorations: 1–year prospective study. *J Periodontol.* 2008;79(6):1048–1055.

110. Zigdon H, Machtei EE. The dimensions of keratinized mucosa around implants affect clinical and immunological parameters. *Clin Oral Implants Res.* 2008;19(4):387–392.
111. Zweers J, Thomas RZ, Slot DE, Weisgold AS, Van der Weijden FG. Characteristics of periodontal biotype, its dimensions, associations and prevalence: a systematic review. *J Clin Periodontol.* 2014;41(10):958–971.
112. Chang M, Wennström JL, Odman P, Andersson B. Implant supported single–tooth replacements compared to contralateral natural teeth. Crown and soft tissue dimensions. *Clin Oral Implants Res.* 1999;10(3):185–194.
113. Raes S, Eghbali A, Chappuis V, Raes F, De Bruyn H, Cosyn J. A long–term prospective cohort study on immediately restored single tooth implants inserted in extraction sockets and healed ridges: CBCT analyses, soft tissue alterations, aesthetic ratings, and patient–reported outcomes. *Clin Implant Dent Relat Res.* 2018;20(4):522–530.
114. Chappuis V, Engel O, Shahim K, Reyes M, Katsaros C, Buser D. Soft Tissue Alterations in Esthetic Postextraction Sites: A 3–Dimensional Analysis. *J Dent Res.* 2015;94(9 Suppl):187s–193s.
115. Noelken R, Geier J, Kunkel M, Jepsen S, Wagner W. Influence of soft tissue grafting, orofacial implant position, and angulation on facial hard and soft tissue thickness at immediately inserted and provisionalized implants in the anterior maxilla. *Clin Implant Dent Relat Res.* 2018;20(5):674–682.
116. Kan JY, Rungcharassaeng K, Morimoto T, Lozada J. Facial gingival tissue stability after connective tissue graft with single immediate tooth replacement in the esthetic zone: consecutive case report. *J Oral Maxillofac Surg.* 2009;67(11 Suppl):40–48.
117. Evans CD, Chen ST. Esthetic outcomes of immediate implant placements. *Clin Oral Implants Res.* 2008;19(1):73–80.
118. Kinaia BM, Ambrosio F, Lamble M, Hope K, Shah M, Neely AL. Soft Tissue Changes Around Immediately Placed Implants: A Systematic Review and Meta–Analyses With at Least 12 Months of Follow–Up After Functional Loading. *J Periodontol.* 2017;88(9):876–886.
119. Kan JY, Rungcharassaeng K, Lozada JL, Zimmerman G. Facial gingival tissue stability following immediate placement and provisionalization of maxillary anterior single implants: a 2– to 8–year follow–up. *Int J Oral Maxillofac Implants.* 2011;26(1):179–187.
120. Cordaro L, Torsello F, Roccuzzo M. Clinical outcome of submerged vs. non–submerged implants placed in fresh extraction sockets. *Clin Oral Implants Res.* 2009;20(12):1307–1313.

121. Kan JYK, Rungcharassaeng K, Deflorian M, Weinstein T, Wang HL, Testori T. Immediate implant placement and provisionalization of maxillary anterior single implants. *Periodontol 2000*. 2018;77(1):197–212.

122. Araújo MG, Lindhe J. Ridge alterations following tooth extraction with and without flap elevation: an experimental study in the dog. *Clin Oral Implants Res*. 2009;20(6):545–549.

123. Caneva M, Botticelli D, Salata LA, Souza SL, Bressan E, Lang NP. Flap vs. "flapless" surgical approach at immediate implants: a histomorphometric study in dogs. *Clin Oral Implants Res*. 2010;21(12):1314–1319.

124. Blanco J, Alves CC, Nuñez V, Aracil L, Muñoz F, Ramos I. Biological width following immediate implant placement in the dog: flap vs. flapless surgery. *Clin Oral Implants Res*. 2010;21(6):624–631.

125. Huynh–Ba G, Pjetursson BE, Sanz M, et al. Analysis of the socket bone wall dimensions in the upper maxilla in relation to immediate implant placement. *Clin Oral Implants Res*. 2010;21(1):37–42.

126. Braut V, Bornstein MM, Belser U, Buser D. Thickness of the anterior maxillary facial bone wall–a retrospective radiographic study using cone beam computed tomography. *Int J Periodontics Restorative Dent*. 2011;31(2):125–131.

127. Evangelista K, Vasconcelos KdF, Bumann A, Hirsch E, Nitka M, Silva MAG. Dehiscence and fenestration in patients with Class I and Class II Division 1 malocclusion assessed with cone–beam computed tomography. *Am J Orthod Dentofacial Orthop*. 2010;138(2):133.e131–135.

128. Chen ST, Darby I. The relationship between facial bone wall defects and dimensional alterations of the ridge following flapless tooth extraction in the anterior maxilla. *Clin Oral Implants Res*. 2017;28(8):931–937.

129. Chan H–L, Garaicoa–Pazmino C, Suarez F, et al. Incidence of implant buccal plate fenestration in the esthetic zone: a cone beam computed tomography study. *Int J Oral Maxillofac Implants*. 2014;29(1):171–177.

130. Chu Y–M, Bergeron L, Chen Y–R. Bimaxillary protrusion: an overview of the surgical–orthodontic treatment. *Semin Plast Surg*. 2009;23(1):32–39.

131. Guo Q–Y, Zhang S–j, Liu H, et al. Three–dimensional evaluation of upper anterior alveolar bone dehiscence after incisor retraction and intrusion in adult patients with bimaxillary protrusion malocclusion. *J Zhejiang Univ Sci B*. 2011;12(12):990–997.

132. Zhou Y, Si M, Liu Y, Wu M. Likelihood of needing facial bone augmentation in the anterior maxilla of Chinese Asians: A cone beam computed tomography virtual implant study. *Clin Implant Dent Relat Res*. 2019;21(3):503–509.

133. Fürhauser R, Mailath–Pokorny G, Haas R, Busenlechner D, Watzek G, Pommer B. Esthetics of Flapless Single–Tooth Implants in the Anterior Maxilla Using Guided Surgery: Association of Three–Dimensional Accuracy and Pink Esthetic Score. *Clin Implant Dent Relat Res.* 2015;17 Suppl 2:e427–433.
134. De Rouck T, Collys K, Cosyn J. Single–tooth replacement in the anterior maxilla by means of immediate implantation and provisionalization: a review. *Int J Oral Maxillofac Implants.* 2008;23(5):897–904.
135. Ferrus J, Cecchinato D, Pjetursson EB, Lang NP, Sanz M, Lindhe J. Factors influencing ridge alterations following immediate implant placement into extraction sockets. *Clinical oral implants research.* 2010;21(1):22–29.
136. Paolantonio M, Dolci M, Scarano A, et al. Immediate implantation in fresh extraction sockets. A controlled clinical and histological study in man. *J Periodontol.* 2001;72(11):1560–1571.
137. Vignoletti F, Johansson C, Albrektsson T, De Sanctis M, San Roman F, Sanz M. Early healing of implants placed into fresh extraction sockets: an experimental study in the beagle dog. De novo bone formation. *J Clin Periodontol.* 2009;36(3):265–277.
138. Araújo MG, Wennström JL, Lindhe J. Modeling of the buccal and lingual bone walls of fresh extraction sites following implant installation. *Clin Oral Implants Res.* 2006;17(6):606–614.
139. Caneva M, Salata LA, de Souza SS, Baffone G, Lang NP, Botticelli D. Influence of implant positioning in extraction sockets on osseointegration: histomorphometric analyses in dogs. *Clin Oral Implants Res.* 2010;21(1):43–49.
140. Favero G, Botticelli D, Favero G, García B, Mainetti T, Lang NP. Alveolar bony crest preservation at implants installed immediately after tooth extraction: an experimental study in the dog. *Clin Oral Implants Res.* 2013;24(1):7–12.
141. Kuchler U, Chappuis V, Gruber R, Lang NP, Salvi GE. Immediate implant placement with simultaneous guided bone regeneration in the esthetic zone: 10–year clinical and radiographic outcomes. *Clin Oral Implants Res.* 2016;27(2):253–257.
142. Chen ST, Darby IB, Reynolds EC, Clement JG. Immediate implant placement postextraction without flap elevation. *J Periodontol.* 2009;80(1):163–172.
143. Veltri M, Ekestubbe A, Abrahamsson I, Wennström JL. Three–Dimensional buccal bone anatomy and aesthetic outcome of single dental implants replacing maxillary incisors. *Clin Oral Implants Res.* 2016;27(8):956–963.
144. Benic GI, Mokti M, Chen C–J, Weber H–P, Hämmerle CHF, Gallucci GO. Dimensions of buccal bone and mucosa at immediately placed implants after 7 years: a clinical and cone beam computed

tomography study. *Clin Oral Implants Res*. 2012;23(5):560–566.

145. Vela X, Méndez V, Rodríguez X, Segalá M, Tarnow DP. Crestal bone changes on platform–switched implants and adjacent teeth when the tooth–implant distance is less than 1.5 mm. *Int J Periodontics Restorative Dent*. 2012;32(2):149–155.
146. Cosyn J, Sabzevar MM, De Bruyn H. Predictors of inter–proximal and midfacial recession following single implant treatment in the anterior maxilla: a multivariate analysis. *J Clin Periodontol*. 2012;39(9):895–903.
147. Capelli M, Testori T, Galli F, et al. Implant–buccal plate distance as diagnostic parameter: a prospective cohort study on implant placement in fresh extraction sockets. *J Periodontol*. 2013;84(12):1768–1774.
148. Blanco J, Nuñez V, Aracil L, Muñoz F, Ramos I. Ridge alterations following immediate implant placement in the dog: flap versus flapless surgery. *J Clin Periodontol*. 2008;35(7):640–648.
149. Caneva M, Salata LA, de Souza SS, Bressan E, Botticelli D, Lang NP. Hard tissue formation adjacent to implants of various size and configuration immediately placed into extraction sockets: an experimental study in dogs. *Clin Oral Implants Res*. 2010;21(9):885–890.
150. Scheid RC, Weiss G. *Woelfel's dental anatomy*. Jones & Bartlett Publishers; 2020.
151. Lang NP, Tonetti MS, Suvan JE, et al. Immediate implant placement with transmucosal healing in areas of aesthetic priority. A multicentre randomized–controlled clinical trial I. Surgical outcomes. *Clin Oral Implants Res*. 2007;18(2):188–196.
152. Araújo M, Linder E, Wennström J, Lindhe J. The influence of Bio–Oss Collagen on healing of an extraction socket: an experimental study in the dog. *Int J Periodontics Restorative Dent*. 2008;28(2):123–135.
153. Perelman–Karmon M, Kozlovsky A, Liloy R, Artzi Z. Socket site preservation using bovine bone mineral with and without a bioresorbable collagen membrane. *Int J Periodontics Restorative Dent*. 2012;32(4):459–465.
154. Araújo MG, Linder E, Lindhe J. Bio–Oss collagen in the buccal gap at immediate implants: a 6–month study in the dog. *Clin Oral Implants Res*. 2011;22(1):1–8.
155. Favero G, Lang NP, De Santis E, Gonzalez BG, Schweikert MT, Botticelli D. Ridge preservation at implants installed immediately after molar extraction. An experimental study in the dog. *Clin Oral Implants Res*. 2013;24(3):255–261.
156. Fickl S, Zuhr O, Wachtel H, Bolz W, Huerzeler M. Tissue alterations after tooth extraction with and without surgical trauma: a volumetric study in the beagle dog. *J Clin Periodontol*. 2008;35(4):356–363.
157. Chappuis V, Araújo MG, Buser D. Clinical relevance of dimensional bone and soft tissue alterations

post–extraction in esthetic sites. *Periodontol 2000*. 2017;73(1):73–83.

158. Morton D, Gallucci G, Lin WS, et al. Group 2 ITI Consensus Report: Prosthodontics and implant dentistry. *Clin Oral Implants Res*. 2018;29 Suppl 16:215–223.
159. Benic GI, Hämmerle CHF. Horizontal bone augmentation by means of guided bone regeneration. *Periodontol 2000*. 2014;66(1):13–40.
160. Bianchi AE, Sanfilippo F. Single–tooth replacement by immediate implant and connective tissue graft: a 1–9–year clinical evaluation. *Clin Oral Implants Res*. 2004;15(3):269–277.
161. Frizzera F, de Freitas RM, Muñoz–Chávez OF, Cabral G, Shibli JA, Marcantonio E, Jr. Impact of Soft Tissue Grafts to Reduce Peri–implant Alterations After Immediate Implant Placement and Provisionalization in Compromised Sockets. *Int J Periodontics Restorative Dent*. 2019;39(3):381 – 389.
162. Yoshino S, Kan JY, Rungcharassaeng K, Roe P, Lozada JL. Effects of connective tissue grafting on the facial gingival level following single immediate implant placement and provisionalization in the esthetic zone: a 1–year randomized controlled prospective study. *Int J Oral Maxillofac Implants*. 2014;29(2):432–440.
163. Migliorati M, Amorfini L, Signori A, Biavati AS, Benedicenti S. Clinical and Aesthetic Outcome with Post–Extractive Implants with or without Soft Tissue Augmentation: A 2–Year Randomized Clinical Trial. *Clin Implant Dent Relat Res*. 2015;17(5):983–995.
164. Zuiderveld EG, Meijer HJA, den Hartog L, Vissink A, Raghoebar GM. Effect of connective tissue grafting on peri–implant tissue in single immediate implant sites: A RCT. *J Clin Periodontol*. 2018;45(2):253–264.
165. Noelken R, Moergel M, Pausch T, Kunkel M, Wagner W. Clinical and esthetic outcome with immediate insertion and provisionalization with or without connective tissue grafting in presence of mucogingival recessions: A retrospective analysis with follow–up between 1 and 8 years. *Clin Implant Dent Relat Res*. 2018;20(3):285–293.
166. Atieh MA, Alsabeeha NH, Duncan WJ, et al. Immediate single implant restorations in mandibular molar extraction sockets: a controlled clinical trial. *Clin Oral Implants Res*. 2013;24(5):484–496.
167. Malchiodi L, Cucchi A, Ghensi P, Nocini PF. Evaluation of the esthetic results of 64 nonfunctional immediately loaded postextraction implants in the maxilla: correlation between interproximal alveolar crest and soft tissues at 3 years of follow–up. *Clin Implant Dent Relat Res*. 2013;15(1):130–142.
168. Fürhauser R, Mailath–Pokorny G, Haas R, Busenlechner D, Watzek G, Pommer B. Immediate Restoration of Immediate Implants in the Esthetic Zone of the Maxilla Via the Copy–Abutment Technique: 5–Year Follow–Up of Pink Esthetic Scores. *Clin Implant Dent Relat Res*. 2017;19(1):28–37.

169. Arora H, Khzam N, Roberts D, Bruce WL, Ivanovski S. Immediate implant placement and restoration in the anterior maxilla: Tissue dimensional changes after 2–5 year follow up. *Clin Implant Dent Relat Res*. 2017;19(4):694–702.

170. Slagter KW, Meijer HJA, Bakker NA, Vissink A, Raghoebar GM. Feasibility of immediate placement of single–tooth implants in the aesthetic zone: a 1–year randomized controlled trial. *J Clin Periodontol*. 2015;42(8):773–782.

171. Smith RB, Tarnow DP. Classification of molar extraction sites for immediate dental implant placement: technical note. *Int J Oral Maxillofac Implants*. 2013;28(3):911–916.

172. Kim JK, Yoon HJ. Clinical and radiographic outcomes of immediate and delayed placement of dental implants in molar and premolar regions. *Clin Implant Dent Relat Res*. 2017;19(4):703–709.

173. Atieh MA, Payne AG, Duncan WJ, de Silva RK, Cullinan MP. Immediate placement or immediate restoration/loading of single implants for molar tooth replacement: a systematic review and meta–analysis. *Int J Oral Maxillofac Implants*. 2010;25(2):401–415.

174. Ketabi M, Deporter D, Atenafu EG. A Systematic Review of Outcomes Following Immediate Molar Implant Placement Based on Recently Published Studies. *Clin Implant Dent Relat Res*. 2016;18(6):1084–1094.

175. Kerns DG, Greenwell H, Wittwer JW, Drisko C, Williams JN, Kerns LL. Root trunk dimensions of 5 different tooth types. *Int J Periodontics Restorative Dent*. 1999;19(1):82–91.

176. Bruschi GB, Crespi R, Capparè P, Bravi F, Bruschi E, Gherlone E. Localized management of sinus floor technique for implant placement in fresh molar sockets. *Clin Implant Dent Relat Res*. 2013;15(2):243–250.

177. Liu H, Liu R, Wang M, Yang J. Immediate implant placement combined with maxillary sinus floor elevation utilizing the transalveolar approach and nonsubmerged healing for failing teeth in the maxillary molar area: A randomized controlled trial clinical study with one–year follow–up. *Clin Implant Dent Relat Res*. 2019;21(3):462–472.

178. Peñarrocha–Oltra D, Demarchi CL, Maestre–Ferrín L, Peñarrocha–Diago M, Peñarrocha–Diago M. Comparison of immediate and delayed implants in the maxillary molar region: a retrospective study of 123 implants. *Int J Oral Maxillofac Implants*. 2012;27(3):604–610.

179. Sun DJ, Lim HC, Lee DW. Alveolar ridge preservation using an open membrane approach for sockets with bone deficiency: A randomized controlled clinical trial. *Clin Implant Dent Relat Res*. 2019;21(1):175–182.

180. Vandeweghe S, Ackermann A, Bronner J, Hattingh A, Tschakaloff A, De Bruyn H. A retrospective,

multicenter study on a novo wide–body implant for posterior regions. *Clin Implant Dent Relat Res.* 2012;14(2):281–292.

181. Annibali S, Bignozzi I, Iacovazzi L, La Monaca G, Cristalli MP. Immediate, early, and late implant placement in first–molar sites: a retrospective case series. *Int J Oral Maxillofac Implants.* 2011;26(5):1108–1122.
182. Schropp L, Wenzel A, Kostopoulos L, Karring T. Bone healing and soft tissue contour changes following single–tooth extraction: a clinical and radiographic 12–month prospective study. *Int J Periodontics Restorative Dent.* 2003;23(4):313–323.
183. Chen Y, Yuan S, Zhou N, Man Y. Transcrestal sinus floor augmentation with immediate implant placement applied in three types of fresh extraction sockets: A clinical prospective study with 1–year follow–up. *Clin Implant Dent Relat Res.* 2017;19(6):1034–1043.
184. Crespi R, Capparè P, Gherlone EF. Electrical mallet in implants placed in fresh extraction sockets with simultaneous osteotome sinus floor elevation. *Int J Oral Maxillofac Implants.* 2013;28(3):869–874.